Джордж Р.Р. Мартин

George R.R. Martin

A GAME OF THRONES

Джордж Р.Р. Мартин

Игра престолов

Цикл «Песнь льда и огня»

Издательство АСТ
Москва

УДК 821.111-312.9(73)
ББК 84(7Сое)-44
М29

George R. R. Martin
A GAME OF THRONES

Перевод с английского *Ю.Р. Соколова*

Оформление *А.А. Кудрявцева*

Компьютерный дизайн *А.И. Смирнова*

В оформлении обложки использована работа, предоставленная фотоагентством «Vostock Photo».

Печатается с разрешения автора и литературных агентств The Lotts Agency и Andrew Nurnberg.

Мартин, Джордж Р. Р.

М29 Игра престолов : из цикла «Песнь льда и огня» : [фантастический роман] / Джордж Р. Р. Мартин ; [пер. с англ. Ю. Р. Соколова]. — Москва : Издательство АСТ, 2017. — 768 с.

ISBN 978-5-17-098228-8

Перед вами — величественное шестикнижие «Песнь льда и огня». Эпическая, чеканная сага о мире Семи Королевств. О мире суровых земель вечного холода и радостных земель вечного лета. Мире лордов и героев, воинов и магов, чернокнижников и убийц — всех, кого свела воедино Судьба во исполнение древнего пророчества. О мире опасных приключений, великих деяний и тончайших политических интриг.

УДК 821.111-312.9(73)
ББК 84(7Сое)-44

ISBN 978-5-17-098228-8

Посвящается Мелинде

ПРОЛОГ

— Надо бы поворачивать, — встревожился Гаред, как только лес вокруг них начал темнеть. — Одичалые мертвы.

— Неужели ты боишься покойников? — вопросил сир Уэймар Ройс с легким намеком на улыбку.

Гаред не попался на крючок. За свои пятьдесят лет он успел навидаться, как приходят и уходят эти господа.

— Мертвый мертв, — отвечал он. — С ним не о чем говорить.

— А они действительно мертвы? — спросил Ройс. — Какие доказательства есть у нас?

— Уилл видел их, — отвечал Гаред. — И если он говорит, что они мертвы, мне других доказательств не нужно.

Уилл знал, что его рано или поздно вовлекут в разговор, и хотел, чтобы это случилось по возможности позже.

— Мать моя говорила мне, что покойник не запоет, — сказал он.

— То же самое говорила моя няня, — отозвался Ройс. — Уилл, никогда не верь тому, что слышишь возле женской титьки. Есть вещи, которые можно узнать даже от мертвых. — Голос его слишком громко отдавался в сумрачном лесу.

— Нам предстоит долгая дорога, — напомнил Гаред. — Восемь дней, а быть может, и девять. И ночь уже близка.

Сир Уэймар Ройс поглядел на небо без всякого интереса.

— Ночь каждый день приходит примерно в это же время. Неужели тьма лишает тебя мужества, Гаред?

Уилл увидел, как напрягся рот Гареда, как сверкнул едва сдерживаемый гнев в глазах под толстым черным капюшоном плаща.

Сорок лет — юность и зрелость — провел Гаред в Ночном Дозоре, и свое прошлое он уважал. Однако здесь крылось нечто большее. Под раненой гордостью старшего Уилл угадывал нервное напряжение, опасно приближающееся к страху.

Уилл разделял это нелегкое чувство. На Стене он провел четыре года. И когда в первый раз отправился за нее, то сразу вспомнил все старые россказни и чрево его обратилось в воду. Потом, вспоминая первую вылазку, он смеялся. Сотня походов сделала его ветераном, и бесконечная мрачная чаща, которую южане зовут Зачарованным лесом, более не казалась ему ужасной.

Но не сегодня. Сегодняшний вечер сулил иное. В этой тьме таилось нечто, заставлявшее подниматься волосы на его затылке. Девять дней они ехали на север, потом на северо-запад и снова на север, все дальше от Стены, преследуя банду дикарей-налетчиков. Каждый день был хуже предшествовавшего ему. И нынешний стал наихудшим. С севера задувал холодный ветер, деревья шелестели, словно живые. Весь день Уиллу казалось, что за ним следит нечто холодное и непреклонное, совершенно не испытывающее к нему симпатии. Гаред ощущал то же самое. Уилл хотел одного — броситься во всю конскую прыть под защиту Стены, но подобными чувствами не делятся со своим командиром.

В особенности с таким командиром.

Сир Уэймар Ройс был самым молодым отпрыском древнего рода, одним из многочисленных наследников. Симпатичный юноша лет восемнадцати, сероглазый, изящный и стройный, как клинок. Восседая на спине своего рослого вороного боевого коня, рыцарь возвышался над Уиллом и Гаредом на их невысоких дорожных лошадках. Все на нем: черные кожаные сапоги, черные шерстяные штаны, черные перчатки из кротовых шкурок и тонко выделанная куртка из блестящих черных кольчужных колец, нашитых на стеганые слои черной шерсти и вареной кожи, — говорило о принадлежности к Ночному Дозору.

Сир Уэймар присягнул на верность братству менее полугода назад, и никто не мог сказать, что он не был подготовлен для такого занятия. Во всяком случае, если говорить о его гардеробе. Довершал одеяние плащ. Соболиный, толстый, черный и соблазнительно мягкий.

— Клянется, что сам убил всех зверьков, вот так вот, — показывал Гаред в казарме за вином. — Свернул им головенки наш могучий воитель.

Все дружно хохотали.

Трудно повиноваться человеку, которого осмеиваешь за выпивкой, думал Уилл, ежившийся на спине своей лошаденки. Гаред, должно быть, испытывал те же чувства.

— Мормонт приказал нам выследить их, и мы это сделали, — проговорил Гаред. — Одичалые мертвы. Более они не причинят хлопот. А нам предстоит тяжелая дорога. Мне не нравится погода. Если пойдет снег, на возвращение домой уйдет две недели, а ведь даже снегопад будет подарком. Вы когда-нибудь видели ледяную бурю, милорд?

Лорденыш как будто и не слышал его. Ройс изучал сгущающийся сумрак в этакой полурассеянности-полускуке. Уилл успел достаточно долго проездить с рыцарем и знал — лучше не докучать ему в подобном настроении.

— Опиши мне еще раз то, что ты видел, Уилл. Все подробности. Ничего не забудь.

Прежде чем поступить в Ночной Дозор, Уилл был охотником, точнее говоря, браконьером. Вольные всадники Маллистеров взяли его с кровью на руках в собственных лесах Маллистеров, над освежеванной тушей одного из оленей, принадлежавших Маллистерам; так что ему осталось или надеть черное, или расстаться с рукой. Никто нс умел двигаться по лесу безмолвнее Уилла, и Черные Братья весьма скоро обнаружили этот дар.

— Их лагерь располагается в двух милях отсюда, за тем гребнем, возле ручья, — проговорил Уилл. — Я подобрался так близко, как только осмелился. Одичалых — восьмеро, есть и мужчины, и женщины. Я не видел там никаких детей. Они соорудили навес возле скалы. Теперь все засыпал снег, но я не заметил огня, хотя кострище было видно как на ладони. Никто не двигался, а ведь я долго следил за ними. Живому человеку не под силу пролежать так, не шевелясь.

— А ты видел кровь?

— Нет, — признал Уилл.

— А оружие?

— Несколько мечей и луков. У одного был топор, тяжелый такой, с двумя лезвиями... жестокое железо. Он лежал на земле возле этого человека, прямо у руки.

— А ты заметил положение тел?

Уилл пожал плечами:

— Один сидел возле скалы. Остальные были на земле, попопадали, что ли.

— Или спали, — предположил Ройс.

— Упали, — настаивал Уилл. — Женщина влезла наверх железного дерева и пряталась среди ветвей. Дозорная. — Он тонко улыбнулся. — Я старался, чтобы она не увидела меня. Но когда подобрался ближе, то заметил, что и она не шевелится. — И против желания он поежился.

— Тебе холодно? — спросил Ройс.

— Слегка, — пробормотал Уилл. — Ветер, милорд.

Молодой рыцарь повернулся к седому оруженосцу. Побитые морозом листья с шелестом пролетели мимо, и конь Ройса беспокойно шевельнулся.

— Итак, какова, по-твоему, была причина смерти этих людей, Гаред? — непринужденно спросил сир Уэймар, поправляя длинный соболиный плащ.

— Холод, — отвечал Гаред с железной уверенностью. — Прошлой зимой я видел, как замерзают люди, видел и позапрошлой, когда был еще наполовину мальчишкой. Все говорят о снегах глубиной в сорок футов, о том, как ледяной ветер, воя, налетает с севера, но главным врагом является холод. Он добирается до тебя бесшумнее, чем Уилл, и сперва ты только поеживаешься и стучишь зубами, а потом топаешь ногами и мечтаешь о подогретом вине с пряностями и чудесном жарком очаге. Мороз жжет. Ничто не обжигает, как холод. Но лишь поначалу. А потом он проникает внутрь тела, наполняет тебя, пока у человека не остается сил сопротивляться. Легче просто сесть и уснуть. Говорят, что, замерзая, перед концом не чувствуешь никакой боли. Просто слабеешь и тихонько засыпаешь, все словно блекнет, а потом как будто проваливаешься в море теплого молока, в мир и покой.

— Экое красноречие, Гаред, — усмехнулся сир Уэймар. — Никогда не подозревал в тебе подобного дара.

— Холод проникал и в меня, молодой лорд. — Гаред откинул назад капюшон, давая сиру Уэймару возможность рассмотреть обрубки, оставшиеся на месте ушей. — Два уха, три пальца на ногах и мизинец на левой руке. Я еще легко отделался. Моего брата тогда нашли замерзшим и улыбающимся.

Сир Уэймар пожал плечами:

— Надо было одеться потеплее, Гаред.

Тот гневно глянул на юного лорда, шрамы на месте ушей, там, где мейстер Эйемон срезал обмороженный хрящ, налились кровью от гнева.

— Посмотрим, как согреет тебя одежда, когда придет зима. — Он натянул на голову капюшон и сгорбился на своей лошади, угрюмый и молчаливый.

— Если Гаред говорит, что было холодно... — начал Уилл.

— А ты был в карауле на прошлой неделе, Уилл?

— Да, милорд. — Ни одна неделя не проходила без того, чтобы ему не выпадало с дюжину этих паскудных караулов. Чего, собственно, Ройс хочет от него?

— И какой была Стена?

— Мокрой, — сказал Уилл хмурясь. Теперь он понял, чего добивается молодой лорд. — Они не могли замерзнуть. Ведь Стена подтаяла. Настоящего холода не было.

Ройс кивнул:

— Смышленый парень. На этой неделе несколько раз подмораживало, выпадал снег, но холодов, достаточно свирепых, чтобы убить восьмерых взрослых людей, не было. Напоминаю: одетых в меха и кожу, возле укрытия и костра. — Улыбка рыцаря сделалась самоуверенной. — Уилл, веди нас туда, я сам хочу увидеть этих мертвсцов.

Ну что ж, делать нечего. Приказ отдан, надо повиноваться.

Уилл направился первым, его косматая невысокая лошадка внимательно выбирала путь через подлесок. Позапрошлой ночью выпал легкий снсжок, и камни, корни и ямки прятались под его поверхностью, поджидая неосторожного и беспечного. Сир Уэймар Ройс следовал за ним, рослый вороной жеребец нетерпеливо фыркал. Боевой конь не годился для разведки, но попробуй это сказать его лордству. Гаред замыкал линию. Старый оруженосец что-то бурчал под нос.

Сумерки сгущались. Неласковое небо сперва приняло глубокий пурпурный оттенок, потом цвет старого синяка и, наконсц, почернело. Начали выступать звезды. Над деревьями объявился и полумесяц. Уилл обрадовался свету.

— Можно бы и прибавить шагу, — заметил Ройс, когда луна поднялась повыше.

— Я не уверен, — отвечал Уилл. Страх заставил его забыть про вежливость. — Быть может, милорд хочет возглавить нас?

Сир Уэймар Ройс не потрудился ответить.

Где-то вдалеке в лесу завыл волк. Уилл завел свою лошадь под ствол, древний и корявый, и спешился.

— Почему ты остановился? — спросил сир Уэймар.

— Остаток пути лучше пройти пешком, милорд. Место как раз за гребнем.

Вглядываясь вдаль, Ройс помедлил, на мгновение остановившись в явной задумчивости. Холодный ветер прошелестел в деревьях, толстый меховой плащ рыцаря словно бы сам собой шевельнулся сзади.

— Здесь что-то неладно, — пробормотал Гаред.

Молодой рыцарь посмотрел на него с презрительной улыбкой:

— В самом деле?

— Неужели вы не ощущаете сами? — спросил Гаред. — Прислушайтесь к тьме.

Уилл чувствовал это. За все четыре года, проведенных в Ночном Дозоре, ему никогда не приводилось так пугаться. Что это такое?

— Дует ветер. Деревья шелестят. Волк воет. Какой звук лишает тебя мужества, Гаред? — Не дождавшись ответа, Ройс изящно выскользнул из седла. Он надежно привязал скакуна к низкому суку, чуть в стороне от остальных, и извлек из ножен длинный меч. На рукоятке блеснули самоцветы, лунный свет пробежал по сверкающей стали. Великолепное оружие, выкованное в замке, и не столь уж давно, если как следует приглядеться. Только вот едва ли им замахивались в гневе, решил Уилл.

— Здесь всюду деревья, — предостерег Уилл. — Меч помешает вам, милорд. Лучше возьмите нож.

— Если мне потребуются наставления, я попрошу их, — сказал молодой лорд. — Гаред, оставайся здесь. Охраняй коней.

Гаред спешился.

— Нам нужен огонь. Я разведу костер.

— Какой же ты дурак, старик! Если по этому лесу бродят враги, значит, в огне мы нуждаемся в самую последнюю очередь.

— Бывает, что врагов огонь удерживает в стороне, — проговорил Гаред. — Его боятся медведи и лютоволки... да и другие...

Рот сира Уэймара сложился в прямую линию:

— Никакого огня!

Капюшон Гареда прикрыл лицо, но, поворачиваясь к рыцарю, Уилл заметил в глазах старика жесткий блеск. На миг он испугался, что Гаред достанет свой меч... короткая уродливая штуковина, рукоятка изъедена потом, лезвие притуплено долгим употреблением... Уилл не дал бы железного шиллинга за жизнь лорденыша, если бы Гаред извлек свой клинок из ножен.

Наконец Гаред поглядел вниз.

— Никакого огня, — пробормотал он едва слышным голосом.

Ройс принял это за подтверждение и отвернулся.

— Ступай, — сказал он Уиллу.

Уилл направился в чащу, потом вверх по склону к высокому гребню, где он обнаружил удобное место под страж-деревом. Тонкая корочка снега едва прикрывала грязь и влагу, ноги скользили — мешали камни и скрытые корни, — однако, поднимаясь, Уилл не произвел ни звука. За его спиной негромко позвякивал кольчугой лорденок, шелестели листья, раздавались негромкие ругательства, когда загребущие ветви цеплялись за длинный меч и за великолепный соболий плащ.

Огромное страж-дерево находилось прямо на гребне; как помнил Уилл, нижние ветви его поднимались от земли почти на фут. Уилл скользнул под дерево, лег на живот в снег и грязь, поглядел на пустую поляну внизу, и сердце его провалилось в пятки. Мгновение он не смел дохнуть. Луна освещала поляну, кострище, занесенный снегом навес, огромную скалу, маленький узкий полузамерзший ручеек. Все это осталось неизменным — как и несколько часов назад.

Но людей не было, все тела исчезли.

— Ах, боги! — услышал он позади себя голос. Меч рубанул по ветке, и сир Уэймар Ройс поднялся на гребень. Он остановился возле страж-дерева с мечом в руках, ветер раздувал плащ, все вокруг могли видеть благородный силуэт на фоне звездного неба.

— Немедленно вниз! — настоятельно шепнул Уилл. — Здесь что-то не так.

Ройс не шевельнулся. Он поглядел на пустую прогалину и расхохотался:

— Выходит, твои мертвецы куда-то перебрались.

Голос Уилла предал его. Он искал слова и не находил их. Немыслимо! Глаза его метались взад и вперед по покинутому стану и остановились на топоре. Огромный боевой топор с двумя лезвиями все еще лежал на прежнем месте. Ценное оружие...

— На ноги, Уилл, — приказал сир Уэймар. — Здесь никого нет. Я не хочу, чтобы ты прятался под кустом.

Уилл нерешительно поднял голову.

Сир Уэймар глядел на него с открытым неодобрением.

— Я не намереваюсь вернуться в Черный замок с признанием о неудаче моей первой вылазки. Мы найдем этих людей. — Он огляделся. — Лезь на дерево. И быстро. Ищи огонь.

Уилл молча отвернулся, спорить было бесполезно. Ветер менялся. Теперь порывы продували насквозь. Уилл подошел к дереву, высоко поднимавшему свои серо-зеленые ветви, и полез вверх. Скоро руки его запачкались смолой, и он почти потерялся среди иголок. Страх наполнил нутро Уилла комом непереваренной пищи. Прочитав молитву безымянным богам леса, он извлек свой кинжал из ножен и зажал в зубах, чтобы можно было держаться за дерево обеими руками. Вкус холодного железа во рту почему-то всегда успокаивал его.

Лорденыш внизу вдруг воскликнул:

— Кто идет?

Уилл услышал неуверенность в его голосе и замер, прислушиваясь и наблюдая.

Лес дал ответ: шелестели листья, в ледяном ложе бежал ручей, вдалеке кричала снежная сова.

Иные не издают звуков.

Уилл заметил движение уголком глаза. Бледные силуэты появились в лесу. Повернув голову, он увидел белую тень, скользнувшую во тьме. Тень исчезла. Ветки легко шевелились под ветром, скребли друг друга деревянными пальцами. Уилл открыл рот, чтобы выкрикнуть предупреждение, но слова как будто замерзли в его горле. Возможно, он ошибся, и это всего лишь птица или отражение, брошенное на снег прихотью лунного света. В конце концов, что он видел?

— Уилл, где ты? — поднял голову вверх сир Уэймар. — Ты заметил что-нибудь? — Зажав в руке меч, рыцарь медленно, с внезапным напряжением повернулся на месте. Значит, и он ощутил их. Ощутил, но не увидел. — Отвечай мне! Почему так холодно?

Было действительно холодно. Ежась, Уилл плотнее прижался к стволу, припав лицом к грубой коре. Сладко пахло смолой, прилипшей к щеке.

Из тьмы леса родилась тень и остановилась перед Ройсом. Высокая, тощая и твердая, как старые кости, и вместе с тем бледная, как молоко. Панцирь ее словно менял цвет при каждом движении. Он то становился белым, как свежевыпавший снег, то покрывался угольной тенью, то отливал серой зеленью деревьев. С каждым шагом новый узор пробегал по броне, словно лунный свет по воде.

Уилл услышал, как дыхание с долгим шипением вырвалось из груди сира Уэймара Ройса.

— Стой! — выкрикнул лорденыш, дав петуха как мальчишка. Забросив длинный соболий плащ за плечи, он освободил обе руки для боя и взял меч. Ветер утих, но сделалось еще холоднее.

Иной скользил вперед, бесшумно ступая; в руке существо держало длинный меч. Таких клинков Уилл никогда не видел. Ни один известный людям металл не мог бы пойти на это лезвие. Играя в лунном свете, меч казался прозрачной полоской тонкого хрусталя и почти исчезал, поворачиваясь плоскостью. Он горел призрачным голубым пламенем, и чутье поведало Уиллу, что более острого клинка ему еще не встречалось.

— Ну что ж, попляшем и согреемся, — пробормотал сир Уэймар и занес свой меч над головой. Руки его дрожали от тяжести оружия или, может быть, от холода. И все же в тот момент Уилл увидел в нем не прежнего мальчика, но мужа из Ночного Дозора.

Иной остановился, и Уилл заметил глаза существа: глубокая и густая нечеловеческая синева сверкала как лед. Они были обращены к длинному мечу, занесенному над головой, и лунный свет леденил металл. На миг Уилл потерял надежду.

Они безмолвно возникали из теней двойниками первого. Их было трое... четверо... пятеро... Сир Уэймар, должно быть, ощущал холод, который принесли Иные, но не видел их, даже не слышал. Уиллу следовало бы крикнуть. Но, выполняя свой долг, он лишь навлек бы на себя несомненную смерть. Трепеща, Уилл только теснее обнял дерево, сохраняя молчание.

Бледный меч холодом пронзил воздух.

Сир Уэймар встретил удар сталью. Клинки соприкоснулись не со звоном металла о металл: в воздухе проплыл тонкий стон животного, получившего смертельную рану. Ройс отразил и второй удар, и третий, а затем отступил на шаг. Последовал еще поток ударов, и он снова отступил.

Позади него, справа, слева, вокруг стояли терпеливые, безликие и безмолвные наблюдатели, текучие узоры на хрупкой броне делали их в лесу почти невидимыми. И все же они не пытались вмешаться.

Вновь и вновь встречались мечи. Уиллу захотелось зажать уши, только бы не слышать этот странный болезненный визг. Сир Уэймар теперь пыхтел от натуги, дыхание паром струилось в лунном свете. Его клинок побелел от мороза. Иной же плясал вокруг с бледным голубым пламенем в руках.

А потом удар Ройса чуть запоздал. Бледный меч прорезал его кольчугу на боку. Молодой лорд вскрикнул от боли. Кровь хлынула между колец. Она задымилась на холоде, красные как огонь капли падали на снег. Пальцы сира Уэймара зажали бок, на кротовой перчатке выступила кровь.

Иной что-то сказал: языка Уилл не знал, голос чужака трещал словно лед на зимнем озере, но в словах слышалась насмешка.

К сиру Уэймару вновь вернулась ярость.

— За короля Роберта! — закричал он и отчаянно бросился вперед, обеими руками занес покрытый изморозью меч и рубанул им сбоку, вложив в удар вес всего тела. Иной ответил небрежным ленивым движением.

Клинки соприкоснулись, и сталь разбилась.

С визгом, отозвавшимся в ночном лесу, длинный меч рассыпался на сотню хрупких иголок, дождем разлетевшихся вокруг. Ройс упал на колени, с криком прижимая руку к глазам. Кровь проступала между его пальцев.

Безмолвные наблюдатели разом шагнули вперед, словно получив какой-то сигнал. Мечи поднимались и падали в смертельном безмолвии. Началась хладнокровная бойня. Бледные клинки прорезали кольчугу, словно какой-то шелк. Уилл закрыл глаза. Голоса их и смех, колючий словно сосульки, раздавались где-то под ним.

Не скоро он накопил достаточно отваги, чтобы поглядеть вниз, даже когда гребень уже опустел.

Едва смея дышать, Уилл еще долго оставался на дереве, и луна медленно ползла по черному небу. Наконец мышцы его окоченели, пальцы онемели от холода, и он стал спускаться.

Тело Ройса лежало лицом в снег, одна рука была протянута в сторону, толстый соболий плащ прорезан в дюжине мест. Было видно, насколько он молод. Мальчишка.

Уилл нашел остатки меча чуть в стороне: клинок расщепился и изогнулся, напоминая дерево, пораженное ударом молнии. Став на колени, Уилл осторожно огляделся вокруг и подобрал оружие. Расщепленный клинок послужит доказательством его слов. Гаред знает, что все это значит, а если нет, то поймет старый медведь Мормонт или мейстер Эйемон. Ждет ли его еще Гаред с лошадьми? Надо торопиться.

Уилл поднялся. Над ним высился сир Уэймар Ройс. Тонкие одежды разодраны, лицо разбито. Осколок торчал из ослепленной левой глазницы.

Правый глаз был открыт. Зрачок его горел синим огнем и... видел.

Сломанный меч упал из бесчувственных пальцев. Уилл закрыл глаза, чтобы помолиться. Длинные благородные пальцы коснулись его щеки, стиснули горло. Уилл ощутил прикосновение тончайшей выделки кротовой кожи, липкой от крови. Но прикосновение оказалось ледяным.

БРАН

Утро выдалось чистым и ясным, свежесть напоминала о близящемся конце лета. Они выехали на рассвете, чтобы поглядеть, как этому типу отрубят голову; их было двадцать человек, и Бран ехал среди них, нервничая от возбуждения. Впервые лорд-отец и братья сочли его достаточно взрослым, чтобы лицезреть совершенство королевского правосудия. Шел девятый год лета — и седьмой в жизни Брана.

Человека этого взяли возле небольшой крепости в горах. Робб считал, что это один из одичалых — человек, присягнувший мечом Мансу-налетчику, Королю за Стеной. По коже Брана при этой мысли побежали мурашки. Он помнил, о чем старая Нэн рассказывала у очага. Одичалые — люд жестокий, говорила она, убийцы, работорговцы и воры. Они водились с гигантами и мертвяками, глухими ночами крали девчонок и пили кровь из обточенных рогов. А их женщины долгой ночью ложились с Иными, чтобы породить ужасных детей, в которых было мало человеческого. Но человек, связанный по рукам и ногам возле стены и ожидавший совершения королевского правосудия, был стар и худ и ростом лишь немного превышал Робба. Лишенный обоих ушей и пальца, он был одет в черное, как подобает брату из Ночного Дозора, только меха его были потрепанны и грязны.

Дыхание людей и коней мешалось, струясь парком в холодном утреннем воздухе. Отец Брана, лорд, велел отрезать веревки от стены и подтащить пленника поближе. Робб и Джон, высокие и спокойные, сидели на конях, между ними красовался Бран на своем пони и пытался казаться старше семи лет, старательно изображая, что все это он уже видел. Слабый ветерок дул из ворот крепости. Над головами трепетало знамя Старков из Винтерфелла*: серый лютоволк несся по снежно-белому полю.

Отец невозмутимо сидел на коне, длинные каштановые волосы теребил ветер. В подстриженной бороде мелькали белые нити, он выглядел старше своих тридцати пяти лет. Серые глаза лорда нынче смотрели угрюмо, он казался непохожим на того мужчину, который вечерами возле огня негромко рассказывал о веке героев и детях леса. Бран подумал: он снял с себя личину отца и надел маску, подобающую лорду Старку**, владетелю Винтерфелла.

---

* В этом названии на общем языке сливаются наступление зимы и ее свирепость. — *Здесь и далее примеч. пер.*

** А в этом имени звучат сила, непреклонность, суровость и стойкость.

Холодное утро услышало вопросы судей и ответы на них; сам Бран впоследствии не мог вспомнить, о чем шла речь. Наконец лорд-отец дал приказ, и двое гвардейцев потащили оборванца к колоде железоствола, стоящей в центре площади, и заставили его положить голову на твердое дерево. Лорд Эддард Старк спешился, и его подопечный Теон Грейджой подал меч. Клинок имел собственное имя и звался Лед. Шириной он был в ладонь мужчины, а в длину превышал рост Робба. Черное лезвие выковали из валирийской стали и укрепили заклинаниями. Нет меча острее, чем валирийский.

Отец стащил перчатки, передал их Джори Касселю, капитану его домашней гвардии. Он обхватил меч обеими руками и проговорил:

— Именем Роберта из дома Баратеонов, первого носителя этого имени, короля андалов, ройнаров и Первых Людей, владыки Семи Королевств и Хранителя Областей, по слову Эддарда из дома Старков, лорда Винтерфелла и Хранителя Севера, я выношу тебе смертный приговор. — Огромный меч сверкнул высоко над головой.

Бастард Джон Сноу подвинулся ближе к Брану.

— Придержи-ка своего пони, — шепнул он. — И не отворачивайся, отец заметит.

Бран удержал пони на месте и не отвернулся.

Отец снес голову преступнику одним уверенным ударом. Кровь хлынула на снег, окрасившийся в цвет летнего вина. Один из коней встал на дыбы, и его пришлось удерживать на месте. Бран не мог отвести глаз от крови. Снег вокруг колоды быстро впитывал ее, краснея буквально на глазах.

Голова ударилась о толстый корень и откатилась к ногам Грейджоя. Теон, смуглый молодец девятнадцати лет, во всем находил смешное. Он расхохотался, поставил сапог на голову и пнул...

— Осел, — пробормотал Джон, но так, чтобы не слышал Грейджой. Он положил руку на плечо Брана, тот поглядел на своего незаконнорожденного брата. — А ты молодец, — торжественно объявил Джон с высоты своих четырнадцати лет, как знаток совершения правосудия.

Обратная дорога показалась более длинной и холодной, хотя ветер стих и солнце поднялось выше. Бран ехал вместе с братьями впереди основного отряда, пони его с трудом держался вровень с рослыми лошадьми.

— Дезертир принял смерть отважно, — проговорил Робб. Высокий и широкоплечий, он рос день ото дня. Робб пошел в мать: светлая кожа, рыже-каштановые волосы и синие глаза Талли из Риверрана. — Ему по крайней мере хватило отваги.

— Нет, — вновь негромко ответил Джон. — Это не отвага. Он окоченел от страха. Мог бы и посмотреть ему в глаза, Старк. — Собственные глаза Джона, серые настолько, что казались почти что черными, редко упускали что-либо. Он был одного возраста с Роббом, хотя сходства в них обнаруживалось немного, и если Джон был худощав, темноволос и быстр, то Робб мускулист, светловолос, крепок и надежен.

Робб явно не был заинтересован в разговоре.

— Чтоб его глаза вынули Иные, — буркнул он. — Дезертир умер достойно. Спорим, я буду первым у моста?

— По рукам, — ответил Джон, немедленно посылая своего коня вперед. Робб ругнулся и последовал за ним; они помчались вдоль дороги. Робб хохотал и улюлюкал, Джон сохранял сосредоточенное молчание. Копыта коней поднимали фонтаны снега.

Бран и не пытался последовать за ними. Пони его не был способен на такие штучки. Но глаза оборванца он тоже видел — и теперь вспоминал их. Спустя некоторое время смех Робба растаял вдали, и в лесу вновь стало тихо.

Бран так глубоко погрузился в думу, что даже не услышал, как его нагнал весь отряд и отец подъехал к нему сзади.

— С тобой все в порядке, Бран? — спросил он, пожалуй, даже с заботой.

— Да, отец, — ответил Бран, поднимая взгляд. Его лорд-отец, закутанный в меха, высился над ним на огромном боевом коне подобно гиганту. — Робб сказал, что человек этот умер с отвагой, но Джон уверяет, что он боялся.

— А ты как думаешь? — спросил отец.

Бран подумал.

— А не может ли человек сразу быть отважным, но чего-то бояться?

— Только так и может человек быть отважным, — ответил отец. — А ты понимаешь, почему я это сделал?

— Он был из одичалых, — проговорил Бран. — Они крадут женщин и продают их Иным.

Лорд-отец улыбнулся:

— Опять наслушался сказок старухи Нэн? Понимаешь, человек этот был клятвопреступником, сбежавшим из Ночного Дозора. Нет преступника более опасного. Дезертир знает, что если его поймают, то лишат жизни, и не остановится перед любым злодеянием. Но ты не понял меня. Я говорю не о том, почему он должен был умереть, а о том, почему я сделал это своими руками.

Брану нечего было сказать.

— У короля Роберта есть палач, — проговорил он неуверенно.

— Да, это так, — согласился отец. — Как и прежде у королей Таргариенов. Но наш обычай древнее. Кровь Первых Людей по-прежнему течет в жилах Старков: мы считаем, что тот, кто выносит приговор, должен и нанести удар. Если ты собираешься взять человеческую жизнь, сам загляни в глаза осужденного. Ну а если ты не в силах этого сделать, тогда человек, возможно, и не заслуживает смерти.

Однажды, Бран, ты станешь знаменосцем Робба, будешь править собственной крепостью от имени твоего брата и твоего короля, и тебе придется совершать правосудие. Когда настанет такой день, ты не должен находить удовольствие в этом деле, но нельзя и отворачиваться... Правитель, прячущийся за наемных палачей, скоро забывает лик смерти.

В этот-то миг на гребне холма перед ними появился Джон. Махнув рукой, он закричал им:

— Отец, Бран, быстрее, посмотрите, что нашел Робб! — И с этими словами снова исчез.

Джори подъехал к ним.

— Что-то случилось, милорд?

— Вне сомнения, — отвечал лорд-отец. — Поехали посмотрим, какое безобразие обнаружили мои сыновья.

Он послал своего коня рысью. Джори, Бран и все остальные последовали за ним. Робба они обнаружили на берегу реки к северу от моста, Джон возле него оставался верхом. Снег позднего лета лежал глубоко. Робб стоял по колено в белом сугробе, капюшон откинут назад, и солнце поблескивает в волосах... Он держал что-то в руках, и мальчишки переговаривались негромкими взволнованными голосами.

Кони осторожно пробрались среди сугробов, пытаясь отыскать прочную опору для ног на неровной земле. Джори Кассель и Грейджой первыми приблизились к мальчикам. Грейджой смеялся и шутил всю дорогу, но тут Бран услышал, как резко оборвался его смех.

— О боги! — воскликнул он, пытаясь сохранить власть над лошадью и протягивая руку к мечу.

Меч Джори уже был в его руках.

— Робб, отойди! — крикнул он, когда лошадь попятилась. Робб ухмыльнулся и поднял взгляд от комка, который держал в руках.

— Она не причинит тебе вреда, Джори, — отвечал он. — Она мертва.

Брана сжигало любопытство. Он пришпорил своего пони, но отец велел ему спешиться перед мостом и идти пешком. Бран соскочил с коня и побежал. К тому времени Джори, Джон и Теон уже спешились.

— И что же это такое, клянусь всеми семью пеклами? — проговорил Грейджой.

— Волчица, — сказал ему Робб.

— Урод, — отвечал Грейджой. — Погляди на величину.

Сердце Брана отчаянно стучало, пока он пробирался к братьям через сугроб, провалившись в него по грудь. В окрашенном кровью снегу утопал огромный темный силуэт. Косматая серая шкура уже успела покрыться ледком, слабый запах падали тянулся с навязчивостью женских духов. Бран увидел слепые глаза, в которых уже ползали черви, широкую пасть, полную желтых зубов. Величина существа заставила его охнуть. Зверь был выше пони, в два раза больше самой рослой собаки отца.

— Это не урод, — невозмутимо отвечал Джон. — Это лютоволк. Они больше обычных.

Теон Грейджой заметил:

— Уже две сотни лет лютоволка ни разу не встречали к югу от Стены.

— Вот он перед нами, — ухмыльнулся Джон.

Бран сумел оторвать взгляд от чудовища и, сразу заметив ком шерсти в руках Робба, с восторженным воплем пододвинулся ближе. Щенок — слепой шар серо-черного меха — тыкался носом в грудь Робба, державшего его на руках, и, не находя молока, грустно скулил. Бран неуверенно протянул руку.

— Давай, — сказал Робб. — Можешь погладить.

Бран нервным торопливым движением погладил животное, потом повернулся, услышав голос Джона.

— А вот и еще один. — Его сводный брат держал в руках второго щенка. — Их здесь пять.

Бран сел в снег и прижал волчонка к лицу. Мягкая шкурка грела щеку.

— После стольких-то лет лютоволки разгуливают по стране, — пробормотал Халлен, мастер над конями. — Мне это не нравится.

— Это знак, — сказал Джори.

Отец нахмурился.

— Джори, это всего лишь мертвое животное, — проворчал он. И все же он казался встревоженным. Захрустел снег под сапогами, отец обошел волчицу. — А почему она погибла?

— Что-то застряло в ее горле, — отвечал Робб, гордясь, что нашел ответ на вопрос, прежде чем отец задал его. — Тут, сразу под челюстью.

Отец встал на колени и запустил руку под голову зверя. Сильным движением он извлек и показал, чтобы все видели, отломанный отросток рога, мокрый от крови.

Внезапное молчание вдруг окутало отряд. Люди в смятении глядели на рог, никто не осмеливался заговорить. Даже Бран ощутил их страх, хотя не мог понять его причины.

Отец отбросил рог в сторону и вытер руки.

— Удивительно, что она протянула достаточно долго и успела ощениться, — сказал он мрачным голосом, разрывая молчание.

— Необязательно, — ответил Джори. — Говорят... словом, сука могла умереть раньше, чем появились щенки.

— Рожденные от мертвой, — заметил другой мужчина. — Счастья не будет.

— Не важно, — сказал Халлен. — Их все равно ждет смерть.

Бран испустил крик досады.

— Тогда чем скорее, тем лучше, — согласился Теон Грейджой, доставая меч. — Давай эту тварь сюда, Бран.

Кроха прижалась к нему, словно могла услышать и понять слова.

— Нет! — отчаянно выкрикнул Бран. — Он мой.

— Убери-ка меч, Грейджой, — сказал Робб, и в голосе его прозвучала отцовская повелительная нотка, напомнив о том, что когда-нибудь и он станет властным лордом. — Надо сохранить этих щенков.

— Этого нельзя делать, мальчик, — отвечал Харвин, сын Халлена.

— Милосердие велит убить их, — добавил Халлен.

В поисках поддержки Бран повернулся к лорду-отцу, но получил в ответ лишь хмурый, озабоченный взгляд.

— Халлен говорит правду, сын. Лучше быстрая смерть, чем медленная от холода и голода.

— Нет! — Бран ощутил, как слезы наполняют глаза, и отвернулся. Он не хотел плакать перед отцом.

Робб упрямо сопротивлялся.

— Рыжая сука сэра Родрика ощенилась на прошлой неделе, — сказал он. — Помет невелик, в живых осталось лишь два щенка. У нее хватит молока.

— Она разорвет их на части, когда они попытаются сосать.

— Лорд Старк, — проговорил Джон, обращаясь к отцу с непривычной официальностью. Бран поглядел на него с отчаянной надеждой. — Всего щенков пять. Трое кобельков, две суки.

— Ну и что из этого, Джон?

— У вас пятеро законных детей, — сказал Джон. — Трое сыновей, две дочери. Лютоволк — герб вашего дома. Эти щенки предназначены судьбой вашим детям, милорд.

Бран заметил, как лицо отца переменилось, все вокруг обменялись взглядами. В этот миг он любил Джона всем сердцем. Даже в свои семь лет Бран понял, на что пошел его брат. Счет сошелся лишь потому, что Джон исключил себя. Оставив девочек и даже младенца Рикона, но не посчитав себя самого — бастарда, носящего фамилию Сноу. Закон северных земель предписывает называться так любому несчастному, которому не выпала удача родиться с собственным именем.

Отец это прекрасно понял.

— Разве ты не хотел бы взять щенка и себе, Джон? — спросил он негромко.

— Отец, лютоволк украшает знамена Старков, — сказал Джон, — а я не Старк.

Лорд-отец задумчиво посмотрел на Джона. Робб торопливо попытался заполнить напряженное молчание.

— Я сам выкормлю щенка, — пообещал он. — Обмакну полотенце в теплое молоко и дам ему пососать.

— Я тоже! — отозвался Бран.

Лорд Старк внимательно поглядел на своих сыновей.

— Легко сказать, труднее сделать. Я не хочу, чтобы вы тратили время своих слуг на пустяки. Если вам нужны щенки, кормите их сами. Понятно?

Бран ретиво закивал. Щенок пошевелился в его руке, лизнул в лицо теплым языком.

— Вы должны и воспитать их, — сказал отец. — Только самостоятельно. Псарь не подойдет к этим чудовищам, я это обещаю. И пусть боги помогут вам, если вы забросите их, озлобите и плохо обучите. Такой пес не станет молить подачки, его нельзя будет отбросить пинком. Лютоволк способен запросто отхватить человеку руку, как пес перегрызает крысу. Вы уверены, что хотите этого?

— Да, отец, — отвечал Бран.

— Да, — согласился Робб.

— Невзирая на все ваши старания, щенки могут умереть.

— Они не умрут, — обещал Робб. — Мы не допустим этого.

— Пусть тогда живут. Джори, Десмонд, заберите остальных щенков. Пора возвращаться в Винтерфелл.

Только когда все поднялись в седло и взяли с места, Бран позволил себе ощутить сладкий вкус победы. К тому времени его щенок уже устроился под кожаной одеждой, в тепле и безопасности. Бран все думал о том, как назвать его. На половине моста Джон внезапно остановился.

— Что такое, Джон? — спросил лорд-отец.

— Вы не слышите?

Бран слышал голос ветра в ветвях, стук копыт по доскам железного дерева, скулеж голодного щенка, но Джон внимал чему-то другому.

— Там, — сказал Джон. Развернув коня, он направился галопом через мост.

Все видели, как он спешился, наклонился над мертвой волчицей. И мгновение спустя направился назад улыбаясь.

— Наверное, отполз в сторону от остальных, — проговорил Джон.

— Или его прогнали, — сказал отец, глядя на последнего щенка, белого в отличие от серых сестер и братьев. Глаза его были красны, как кровь того оборванца, что умер этим утром. Бран удивился тому, что именно этот щенок уже открыл глаза, когда все остальные еще оставались слепыми.

— Альбинос, — с сухим удивлением сказал Теон Грейджой. — Этот умрет даже быстрее, чем все остальные.

Джон Сноу одарил воспитанника своего отца долгим холодным взглядом.

— Едва ли, Грейджой, — возразил он. — Этот принадлежит мне.

КЕЙТИЛИН

Здешняя богороща никогда не нравилась Кейтилин.

Она родилась на юге — в Риверране, далеком теперь Быстроречье, у Красного Зубца, одной из трех рек, сливавшихся в Трезубец. Там богороща была садом, ярким и воздушным... там высокие краснодревы раскидывали пятнистые тени над звонкими ручьями, там птицы пели в гнездах, там воздух благоухал цветами.

Боги Винтерфелла любили другие леса. Мрачный первобытный уголок, три акра старого леса, нетронутый в течение десяти тысяч лет, и мрачный, как гнездо хищной птицы, замок над ним. Тут пахло влажной землей и гниением. Тут не рос красный лес. Упрямые страж-деревья в серо-зеленых игольчатых шубах сменялись могучими дубами и колоннами железоствола, древними, как сама округа. Тут толстые черные стволы теснились друг к другу, корявые ветви сплетались в плотный навес над головой, а уродливые корни выползали из-под земли. Тут царило глубокое молчание, властвовала задумчивая тень, и боги, обитавшие в лесном краю, имен не имели.

Но сегодня она знала, где искать своего мужа. Отобрав жизнь человека, Эддард всегда уходил в тишину богорощи.

Кейтилин была помазана семью елеями, она получила имя в радуге света, наполнявшей септу Риверрана. Ее боги имели имена, и лики их были знакомы ей, как лица родителей. Эту же веру исповедовали и дед ее, и прадед. Во время службы септон кадил благовониями, семигранный кристалл наполнялся живым светом, пели голоса. Как подобает великому дому, Талли содержали и богорощу, но только гуляли там, или читали, или лежали на солнце. Поклонение совершалось в септс. Для нее одной Эддард соорудил небольшую септу, чтобы она могла петь перед семью ликами Бога, но в жилах Старков до сих пор текла кровь Первых Людей, и муж ее поклонялся старым богам, безымянным и безликим божествам зеленого леса, позаимствованным у давно исчезнувших Детей Леса.

А в центре лужайки древнее чардрево размышляло над небольшой запрудой, наполненной черной холодной водой. Сердце-дерево — называл его Нед. Кора чардрева белела обветренной костью, темно-алые листья казались тысячью замаранных в крови ладоней. На толстом стволе было вырезано лицо, длинное и задумчивое; глубоко ушедшие в кору глаза заплыли застывшим соком и казались странно внимательными. Они знали, что такое древность: эти глаза были старше самого Винтерфелла. Если не обманывали легенды, они видели, как Брандон-строитель заложил первый камень, они видели, как поднимались гранитные стены замка. Говорили, что Дети Леса вырезали лики на деревьях в столетия, предшествовавшие нашествию Первых Людей из-за Узкого моря.

На юге последние чардеревья были срублены или сожжены еще тысячу лет назад, если не считать острова

Ликов, где белоствольные мужи еще несли свою безмолвную стражу. Здесь, на севере, все было иначе. Здесь у каждого замка была своя богороща, и в каждой богороще росло сердце-дерево, и у каждого сердце-дерева было лицо.

Кейтилин обнаружила своего мужа под чардревом, сидящим на заросшем мхом камне. Великий меч Лед лежал на его коленях, он омывал клинок в черных как ночь водах запруды. Слежавшийся за тысячелетия толстый слой почвы поглощал звук шагов Кейтилин, но красные глаза неотступно следили за ней со ствола дерева.

— Нед, — негромко позвала она.

Он угрюмо посмотрел на нее и спросил голосом далеким и официальным:

— Кейтилин, а где дети?

Муж всегда спрашивал ее о них.

— В кухне, они спорят о том, как назвать волчат. — Она расстелила свой плащ на дернине и села возле пруда спиной к чардреву. Кейтилин ощущала, как следят за ней глаза, но самым лучшим образом постаралась не замечать этого взгляда. — Арья уже влюбилась, Санса очарована и благодарна, Рикон еще не вполне все понял.

— Он боится? — спросил Нед.

— Немного, — признала она. — Но ему только три.

Нед нахмурился.

— Его пора учить встречаться лицом к лицу с собственным страхом. Три года ему не навечно. Потом, зима близко.

— Да, — согласилась Кейтилин. От слов этих, как всегда, по коже ее пробежал озноб. Слова Старков. В каждом благородном доме есть собственное речение: фамильные девизы, критерии, молитвы; одни хвастали честью и славой, другие обещали верность и правду, третьи присягали в вере и отваге. Все, кроме Старков. Зима близко, сулили они. Кейтилин не впервые подумала о том, насколько же странный народ эти северяне.

— Беглец умер сегодня с достоинством, следует отдать ему должное, — проговорил Нед. Он водил по огромному мечу лоскутом промасленной кожи, полируя металл до темного блеска. — Я был горд за Брана, ты была бы довольна им.

— Я всегда горжусь Браном, — отвечала Кейтилин, разглядывая меч под руками мужа. Она угадывала волнующиеся глубины внутри клинка, где металл сотню раз смяли во время ковки. Кейтилин не любила мечей, но не могла отрицать, что Льду присуща особенная краса. Меч выковали в Валирии, до того как Рок обрушился на Фригольд*; кузнецы там обрабатывали металл не одними молотами, но и заклинаниями. Четыре сотни лет было мечу, и лезвие его ничуть не затупилось с того дня, когда мастер выпустил его из рук. Имя же сохранилось с еще более древних времен. Наследие века героев, когда Старки были Королями Севера.

— Уже четвертый в этом году, — мрачно заметил Нед. — Бедняга наполовину обезумел от страха, кто-то настолько перепугал его, что он просто не понимал моих слов. — Он вздохнул. — Бен пишет, что в Ночном Дозоре осталось меньше тысячи людей. И дело не только в дезертирах. Дозор теряет людей в стычках.

— С одичалыми? — спросила Кейтилин.

— А с кем же еще? — Нед поднял Лед, поглядел на длинную полосу холодной стали. — И будет только хуже. Может настать такой день, когда у меня не останется другого выхода, кроме как собрать все знамена и отправиться на север, чтобы раз и навсегда расправиться с этим Королем за Стеной.

— Отправиться за Стену? — От этой мысли Кейтилин поежилась.

Нед заметил промелькнувшее выражение ужаса на ее лице.

— Нам нечего страшиться Манса-налетчика.

— За Стеной обитают более страшные твари. — Она оглянулась на сердце-дерево, красные глаза на бледной коре следили, прислушивались, обдумывали свои долгие, неторопливые мысли.

— Ты слишком любишь слушать сказки старухи Нэн, — ответил Нед с мягкой улыбкой. — Иные мертвы, как и Дети Леса, они исчезли восемь тысячелетий назад. Мейстер Лювин докажет тебе, что они никогда не существовали. Никто из живых людей еще не видел их.

— До нынешнего утра ни один человек не видел и лютоволка, — напомнила ему Кейтилин.

— Когда споришь с Талли, следует обдумывать слова, — ответил Нед с горькой улыбкой и вдвинул Лед в ножны. — Но ты пришла не для того, чтобы рассказывать мне детские сказки; я знаю, насколько мало нравится тебе это место. Так в чем же дело, моя госпожа?

Кейтилин взяла мужа за руку.

— Сегодня пришли горестные вести, милорд. Я не хотела беспокоить тебя, пока ты не очистишься. — Смягчить удар было

---

* Свободное владение.

невозможно, поэтому она сказала прямо: — Мне так жаль, моя любовь. Умер Джон Аррен. — Их взгляды встретились, и она поняла, насколько тяжела утрата. Это легко было предвидеть. Нед провел свою юность воспитанником в Орлином Гнезде, бездетный лорд Аррен сделался вторым отцом и ему, и его приятелю Роберту Баратеону. Когда Безумный король Эйерис II Таргариен потребовал выдать обоих, лорд Орлиного Гнезда поднял свой стяг с луной и соколом и выступил против властелина, но не предал тех, кого должен был защищать. Ну а после того, пятнадцать лет назад, второй отец сделался также и братом Неда. Оба они стояли в септе Риверрана, сочетались браком с двумя сестрами, дочерьми лорда Хостера Талли.

— Джон... — проговорил он. — А весть достойна доверия?

— Письмо написано самим Робертом и запечатано королевской печатью. Я оставила его для тебя. Он написал, что лорда Аррена унесла быстрая хворь, даже мейстер Пицель оказался беспомощен, ему пришлось напоить Джона маковым молоком, чтобы тот меньше мучился.

— Да, это большая потеря, — проговорил он. Кейтилин видела горе на лице мужа, но и сейчас он в первую очередь подумал о ней. — А как твоя сестра? — спросил он. — И мальчик Джона? Что слышно о них?

— Написано, что с ними все в порядке и они возвратились в Орлиное Гнездо, — проговорила Кейтилин. — Я бы хотела, чтобы они приехали в Риверран. В Гнезде высоко и одиноко, это дом ее мужа, а не ее собственный. Память о лорде Джоне будет наполнять каждый камень. Я знаю сестру. Она нуждается в утешении, в семье и друзьях вокруг себя.

— Ваш дядя ожидает ее в Долине, разве не так? Я слыхал, что Джон возвел его в Рыцари Ворот.

Кейтилин кивнула:

— Бринден сделает все возможное и для Лизы, и для мальчика. В этом немного утешения, но все же...

— Езжай к сестре, — предложил Нед. — Возьми детей; пусть ее дом наполнится шумом, криками, смехом. Ее мальчику нужна сейчас детская компания, да и Лиза будет не одна в своем горе.

— Хотелось бы мне это сделать, — проговорила Кейтилин. — Но в письме были и другие вести. Король едет в Винтерфелл, чтобы проведать тебя.

Нед не сразу понял ее, но когда до него дошло, мрак оставил его глаза.

— Значит, Роберт едет сюда? — Она кивнула, и улыбка промелькнула на его лице.

Кейтилин хотелось бы разделить счастье мужа. Но она уже слыхала разговоры во дворе: мертвая лютоволчица в снегу, сломанный рог в ее горле. Ужас свернулся внутри Кейтилин змеей, но она заставила себя улыбнуться любимому, не верящему в приметы.

— Я знала, что это порадует тебя, — сказала она. — Нам следовало бы послать весть твоему брату на Стену.

— Да, конечно, — согласился он. — Бен захочет приехать. Я скажу, чтобы мейстер Лювин послал самую быструю птицу. — Нед поднялся и погладил ее колено. — Проклятие, сколько же лет прошло? И Роберт не прислал предупреждения! Сколько людей в его отряде? В письме это сказано?

— По-моему, сотня рыцарей, каждый с собственной свитой, и еще столько же свободных всадников. Серсея и дети едут вместе с ними.

— Ради них Роберт замедлит ход, — проговорил Нед. — Неплохо, у нас будет больше времени, чтобы приготовиться к встрече.

— С ним едут и братья королевы, — сказала она.

Нед скривился. Кейтилин знала, что муж не испытывал особой любви к семье королевы. Ланнистеры с Кастерли Рок, Бобрового утеса, выступили на стороне Роберта, только когда в его победе уже не оставалось сомнений, и Старк до сих пор так и не простил их.

— Ну что ж, если за общество Роберта приходится расплачиваться прикосновением к Ланнистерам, пусть будет так. Похоже, что Роберт взял с собой половину двора.

— Куда едет король, туда следует и королевство, — сказала она.

— Будет неплохо повидать их детей. Самый младший еще сосал титьку Ланнистерши, когда я в последний раз видел его. Теперь ему, должно быть, лет пять?

— Принцу Томмену семь, — вспомнила Кейтилин. — Столько, сколько и Брану. И пожалуйста, Нед, последи за языком. Твоя Ланнистерша — королева, и гордость ее только возрастает с каждым годом.

Нед пожал ее руку.

— Итак, будет пир с певцами, и Роберт захочет поразвлечься. Я пошлю Джори на юг с почетной охраной, чтобы встретить их на Королевском тракте и проводить до дома. Боги, как же мы всех накормим? Он уже в пути, ты сказала? Черт бы побрал эту королевскую толстокожесть!

ДЕЙЕНЕРИС

Брат поднял платье, показывая ей.

— Смотри, какая красота. Прикоснись. Пощупай эту ткань.

Дени прикоснулась к платью. Невероятно гладкая ткань, казалось, омывала ее пальцы подобно воде. Дени не помнила, чтобы когда-нибудь носила столь мягкую одежду. Ткань пугала ее. Она отняла руку.

— Платье и в самом деле мое?

— Это подарок магистра Иллирио, — отвечал с улыбкой Визерис. Брат ее пребывал сегодня в хорошем настроении. — Ткань подчеркнет фиалковый цвет твоих глаз. Кроме того, ты получишь золото и всякие камни. Иллирио обещал. Сегодня ты должна выглядеть как принцесса.

Как принцесса, подумала Дени. Она уже и забыла, что это такое. А может быть, никогда и не знала.

— Почему же он дал нам столь много? — спросила она. — Чего он хочет от нас? — Уже почти полгода они обитали в доме магистра, ели его еду, пользовались услугами его лакеев. Дени уже исполнилось тринадцать, она прекрасно понимала, что в свободном городе Пентосе за так подарков не делают.

— Иллирио не дурак, — проговорил Визерис, тощий, нервный юноша с узкими ладонями и лихорадочным взглядом сиреневых глаз. — Магистр знает, что я не забуду друзей, когда сяду на престол.

Дени ничего не сказала. Магистр Иллирио торговал пряностями, самоцветами, драконьей костью и другими не менее драгоценными вещами. У магистра были друзья во всех девяти свободных городах, да и за ними, в Вейес Дотрак и сказочных землях возле Яшмового моря. Считали также, что всех своих друзей он самым любезным образом продавал за подходящую цену. Дени прислушивалась к разговорам на улицах и знала об этом, но предпочитала не смущать брата, когда он сплетал паутину своих мечтаний. Проснувшийся гнев его бывал ужасен... Визерис всегда предупреждал ее: «Не буди дракона!»

Визерис повесил платье возле двери.

— Иллирио пришлет рабынь, чтобы ты искупалась. Постарайся, чтобы от тебя не пахло конюшней. У кхала Дрого тысяча лошадей, но сегодня он ищет другую кобылу. — Брат оглядел ее критическим взглядом. — Опять сгорбилась. Распрямись. — Он хлопнул Дени ладонью по спине. — Пусть он увидит, что ты похожа на женщину. — Пальцы его мимоходом коснулись ее наливающейся груди и сжались на соске. — Ты не подведешь меня? Если что — хорошего не жди. Ты же ведь не хочешь разбудить дракона, правда? — Он жестоко ущипнул ее тело под грубой тканью. — Не хочешь, так? — повторил он.

— Нет, — робко ответила Дени.

Брат улыбнулся:

— Хорошо. — Он прикоснулся к ее волосам едва ли не с симпатией. — Тогда тот, кто напишет историю моего правления, милая сестрица, отметит, что оно началось сегодня ночью.

Когда он ушел, Дени направилась к окну и завистливым взглядом поглядела на воды залива. Заходящее солнце вычерчивало черные силуэты квадратных кирпичных башен Пентоса. Дени могла слышать пение красных жрецов, разжигавших ночные очаги, и крики оборванных детей, носившихся по улицам. На мгновснис сй захотелось оказаться среди них — босой, запыхавшейся, в лохмотьях, без прошлого и будущего... только бы не присутствовать на пиру в доме кхала Дрого.

Где-то там, за закатом, за Узким морем, жила земля зеленых холмов, цветущих равнин и громадных бегущих рек; башни из темного камня вырастали между величественных голубых гор, рыцари в панцирях выезжали на битву под знаменами своих лордов. Дотракийцы звали эту землю Рейхс Андал — землей андалов. В Вольных Городах ее именовали Вестеросом и Закатными королевствами. Брат называл этот край проще.

— Наша земля, — говорил он. Слова эти он носил с собой словно молитву, которую надо повторять почаще, чтобы боги наверняка услышали ее. — Земля принадлежит нам по праву рождения, она отнята у нас предательством, но она наша, наша навсегда. Кто сумеет обокрасть дракона? О нет, дракон не забудет.

Быть может, дракон и помнил, но Дени забыла. Она никогда не видела земли, которую брат называл своей, — страну, оставшуюся за Узким морем. Он рассказывал ей про Бобровый утес, иначе Кастерли Рок, Орлиное Гнездо, Хайгарден — Вышесад, Долину Аррен, Дорн, остров Ликов, но имена эти оставались для нее пустыми словами. Визерису было восемь, когда они бежали из Королевской Гавани, спасаясь от наступающей армии узурпатора, но Дейенерис тогда еще лежала в материнском чреве.

И все же иногда Дени представляла себе, как все было, — так часто брат рассказывал ей эту повесть. Они бежали ночью, чтобы пробраться к Драконьему Камню, черные паруса корабля блестели под луной. Она видела своего брата Рейегара бьющимся с узурпатором в кровавых водах Трезубца и погибшего ради любимой женщины. Видела и захват Королевской Гавани теми, кого Визерис называл псами узурпатора, — лордами Ланнистером и Старком. Видела принцессу Элию Дорнскую, еще молившую о милосердии, когда наследника оторвали от ее груди и убили перед глазами матери. Видела полированные черепа последних драконов, слепыми глазницами глядевшие со стен тронного зала на цареубийцу, золотым мечом перерубившего горло отца.

Дейенерис родилась на Драконьем Камне через девять месяцев после бегства, в жуткую летнюю бурю, едва не уничтожившую островок. Говорили, что шторм был ужасен. Стоявший на якоре флот Таргариенов разбился о скалы. Волны выворотили из парапетов огромные каменные блоки и выкинули их в бурные волны Узкого моря. Мать умерла, рожая ее. Этого брат так и не простил Дейенерис.

Она не помнила и Драконьего Камня. Потом они снова бежали, как раз перед тем, как брат узурпатора поставил паруса на своем заново отстроенном флоте. К тому времени лишь Драконий Камень, древнее гнездо дома Таргариенов, остался от Семи Королевств, что прежде принадлежали роду. Долго это положение не могло сохраниться. Гарнизон уже был готов продать детей узурпатору, но однажды ночью сир Уиллем Дарри с четверкой верных ему людей ворвался в детскую, выкрал их обоих вместе с няней и под покровом темноты направился под парусом к безопасному браавосианскому берегу.

Она смутно помнила сира Уиллема, казавшегося ей огромным серым медведем, полуслепого, громкоголосого, выкрикивающего приказы с ложа. Слуги до ужаса боялись его, но с Дени он всегда был ласков. Он называл ее крохотной принцессой, иногда своей госпожой, и его ладони были мягкими, как старая кожа. Впрочем, он никогда не покидал постели, запах хвори не оставлял его день и ночь — жаркий, влажный, болезненно сладкий. Так было, пока они жили в Браавосе, в большом доме с красной дверью. У Дени там была собственная комната с лимонным деревом под окном. После того как сир Уиллем умер, слуги украли те небольшие деньги, которые оставались у них, и детей скоро выставили из большого дома. Дени плакала, когда красная дверь навсегда закрылась за ними.

После этого они скитались — из Браавоса в Мир, из Мира в Тирош, а потом в Квохор, Валантис и Лисс, не задерживаясь подолгу на одном месте. Брат твердил, что их преследуют нанятые узурпатором наемные убийцы, хотя Дени так и не видела ни одного из них. Поначалу магистры, архонты и старейшины купцов с удовольствием принимали последних Таргариенов в свои дома и к столам, но годы шли, узурпатор невозмутимо восседал на железном троне, и двери закрылись, заставив их жить скромнее. Им пришлось продать последние оставшиеся драгоценности, а теперь ушла и монета, которую они взяли из короны матери. В переулках и питейных заведениях Пентоса ее брата звали королем-попрошайкой. Дени не хотелось бы узнать, как они звали ее.

— Мы все вернем, милая сестрица, — обещал ей Визерис. Иногда в эти моменты его руки начинали трястись. — Драгоценности и шелка, Драконий Камень и Королевскую Гавань, Железный трон и Семь Королевств, все, что они отняли у нас, мы вернем обратно.

Визерис жил только ради этого дня, а Дейенерис хотела одного: вернуться в большой дом с красной дверью, чтобы возле окна росло дерево, усыпанное лимонами, чтобы вернулось детство, которого она никогда не знала.

В дверь негромко постучали.

— Войдите, — сказала Дени, отворачиваясь от окна. Вошли слуги Иллирио, поклонились и приступили к делу. Это были рабы, подаренные одним из многочисленных друзей магистра среди дотракийцев. В свободном городе Пентосе рабства не существовало, но тем не менее... Старуха, невысокая и серая, как мышь, не проронила ни слова, зато девушка старалась за обеих. Темноволосая, синеглазая, лет шестнадцати, она была фавориткой Иллирио и трещала не умолкая.

Они наполнили ванну горячей водой, доставленной из кухни, и надушили благоуханными маслами. Девушка стянула грубую льняную рубаху через голову Дени и помогла ей забраться в ванну. Вода обожгла, но Дейенерис не дернулась и не вскрикнула: она любила тепло, дававшее ей ощущение чистоты. К тому же брат часто говорил ей: «Таргариенам не бывает жарко. Мы принадлежим к дому Дракона. Огонь растворен в нашей крови».

Сохраняя молчание, старуха вымыла ее длинные серебристые волосы и аккуратной, ласковой рукой расчесала их. Тем временем девушка терла спину и ноги Дейенерис и говорила, как ей повезло:

— Дрого такой богатый, что даже его рабы носят золотые ошейники. В кхаласаре его ездит сотня тысяч мужчин, а дворец в Вейес Дотрак располагает двумя сотнями комнат — в которые ведут двери из литого серебра. Но самое важное — это какой он видный мужчина. Высокий, свирепый, бесстрашный в битве и не знающий промаха; наездник, лучший его, еще не садился на спину коня.

Дейенерис молчала. Она всегда предполагала, что выйдет замуж за Визериса, когда достигнет возраста. Век за веком Таргариены выдавали сестру за брата — начиная с Эйегона-завоевателя, бравшего в жены собственных сестер. Следует хранить чистоту крови. Визерис тысячу раз говорил ей, что в их жилах течет кровь королей, золотая кровь древней Валирии, кровь Дракона. Драконы ведь не соединялись с полевыми зверями, так и Таргариены не мешали своей крови с кровью простонародья. Но Визерис решил продать сестру варвару.

Когда она всласть помылась, рабыни помогли ей вылезти из воды и вытерли досуха. Девушка расчесывала ей волосы до тех пор, пока они не засияли, как расплавленное серебро, а старуха надушила ее тело цветочными ароматами дотракийских равнин: по капле на каждое запястье, позади ушей, на кончики грудей и, наконец, последнее холодное прикосновение — к губам, что между ее ног.

Они надели на Дейенерис вуаль, которую прислал магистр Иллирио, а потом облачили в платье; сливовый шелк подчеркивал фиалковый цвет ее глаз. Девушка надела на ноги Дени золоченые сандалии, а старуха закрепила в волосах тиару и застегнула на руках золотые браслеты, украшенные аметистами. Последним было наплечье — тяжелая золотая гривна, украшенная старинными валирийскими иероглифами.

— Настоящая принцесса, — выдохнула девушка, когда они закончили. Дени поглядела на свое отражение в зеркале, которое Иллирио предусмотрительно ей прислал. Принцесса, подумала она, но вспомнила слова девушки о том, что кхал Дрого настолько богат, что даже рабы его носят золотые ошейники. Она ощутила внезапный холод, озноб, и гусиная кожа выступила на ее обнаженных руках.

Брат ожидал ее в прохладе прихожей. Сидя на краю бассейна, он водил пальцами по воде. Визерис поднялся, заметив сестру, и критически оглядел ее.

— Стань здесь, — сказал он. — Повернись. Да, хорошо. Ты выглядишь...

— Царственной, — проговорил магистр Иллирио, появившийся под аркой входа. Он двигался с удивительной легкостью для столь массивного человека. Свободное одеяние из огненного шелка укрывало слои трясущегося жира. На каждом пальце поблескивали драгоценные камни, и он умастил свою раздвоенную желтую бороду, доведя ее до золотого блеска.

— Пусть Повелитель Света осыплет тебя благословениями в самый удачный день твоей жизни, принцесса Дейенерис, — проговорил магистр, взяв ее за руку. Он поклонился, на миг показав желтые зубы в золоте бороды. — Она просто видение, светлейший, просто видение, — сказал он брату. — Дрого будет покорен.

— Слишком уж худа, — отозвался Визерис. Волосы того же серебристого цвета, что и у сестры, у него были туго зачесаны назад и скреплены брошью из драконьей кости. Прическа подчеркивала жесткое и сухое лицо принца. Он опустил руку на рукоять меча, который Иллирио одолжил ему, и спросил:

— А вы уверены, что кхал Дрого любит именно таких молодых женщин?

— Важно ее происхождение. Ваша сестра созрела для кхала, — повторил ему Иллирио уже не в первый раз. — Поглядите на нее. Серебристо-золотые волосы, фиалковые глаза... в ней видна кровь старой Валирии, вне сомнения, вне сомнения... И знатность — дочь старого короля и сестра нового, она не может не увлечь нашего друга. — Когда брат выпустил ее руку, Дейенерис поняла, что дрожит.

— Может быть, — с сомнением отвечал Визерис. — У дикарей странные вкусы. Мальчики, лошади, овцы...

— Лучше не говорить об этом при кхале Дрого, — проговорил Иллирио.

Гнев блеснул в сиреневых глазах ее брата.

— Вы принимаете меня за дурака?

Магистр чуть поклонился.

— Я принимаю вас за короля. А владыкам несвойственна природная осторожность обычного человека. Прошу простить, если обидел вас. — Иллирио отвернулся и хлопнул в ладоши, призывая носильщиков.

На улицы Пентоса пала темная, как смоль, ночь, когда они выехали в паланкине Иллирио, украшенном тонкой резьбой. Двое слуг впереди освещали дорогу причудливыми масляными фонарями из бледного стекла, дюжина сильных мужчин несла шесты на плечах. Было тепло, занавески лишь усиливали духоту. За крепким запахом духов Дени ощущала вонь пухлой плоти Иллирио.

Брат, распростершийся на подушках возле нее, ничего не замечал. Ум его был далеко, в стране за Узким морем.

— Нам не потребуется весь кхаласар, — сказал Визерис. Пальцы его играли рукоятью чужого клинка, хотя Дени знала, что он никогда еще не использовал меч по назначению. — Десяти тысяч будет довольно. Я покорю Семь Королевств с десятью тысячами крикунов-дотракийцев. Страна поднимется на защиту своего законного короля. Тирелл, Редвин, Грейджой любят узурпатора не больше, чем я. Дорнцы рвутся отомстить за Элию и ее детей. Простонародье поддерживает нас. Они всегда за короля. — Он озабоченно посмотрел на Иллирио. — Так, я не ошибаюсь?

— Это ваш народ, и они любят вас, — дружелюбно отвечал магистр Иллирио. — В твердынях по всему государству люди втайне поднимают тосты за ваше здоровье, женщины же вышивают на знаменах драконов и прячут их до того дня, когда вы возвратитесь из-за моря. — Он пожал плечами. — Так утверждают мои агенты.

У Дени не было агентов, и она не могла узнать, что думают или делают за Узким морем, однако принцесса не верила ласковым словам Иллирио, как и не верила купцу вообще. Брат же ретиво кивал.

— Я сам убью узурпатора, — обещал он, юноша, еще не проливший ни капли крови, — как убил он моего брата Рейегара. И Ланнистера-цареубийцу за то, что он сделал с моим отцом.

— Достойный поступок, — проговорил магистр Иллирио, и Дени заметила тень улыбки, скривившей его губы, но брат не видел ничего. Кивнув, Визерис отодвинул занавеску и принялся смотреть в ночь. Дени поняла, что в мечтах он вновь сражается при Трезубце.

Девятибашенный дом кхала Дрого расположился возле залива, высокие кирпичные стены его заросли плющом. Как объяснил им Иллирио, дворец представили кхалу магистры Пентоса. Свободные города всегда соблюдали вежливость в обращении с владыками кочевников.

— Не то чтобы мы боялись этих варваров, — повествовал Иллирио с улыбкой. — Повелитель Света защитит наш город от миллиона дотракийцев, так обещают красные жрецы... Но зачем рисковать, когда дружба обходится столь дешево?

Паланкин остановился у ворот, один из телохранителей без всякой учтивости отодвинул занавески. Дотракиец этот, меднокожий, темноглазый и безбородый, в рогатом бронзовом шлеме Безукоризненных, обдал их холодным взглядом. Магистр Иллирио буркнул ему что-то на грубом дотракийском языке, страж ответил подобными словами и пропустил их через ворота. Дени заметила, как рука ее брата стиснула рукоятку одолженного меча. Он был тоже испуган, как и она.

— Надменный евнух, — пробормотал Визерис, пока паланкин, дергаясь, поднимался к дворцу.

Магистр Иллирио отвечал медовыми речами:

— Сегодня на пиру будет много важных людей. У таких людей есть враги. Кхал должен защитить своих гостей, и главные среди них вы с сестрой, светлейший. Вне сомнения, узурпатор готов хорошо заплатить за вашу голову.

— О да, — жестко ответил Визерис. — Он уже пытался это сделать, Иллирио. Не сомневайтесь в этом. Его наемные убийцы повсюду преследуют нас. Я — последний дракон, и он не может заснуть спокойно, пока не отнимет у меня жизнь.

Паланкин замедлил ход и остановился. Занавеси отодвинули, и раб предложил руку, чтобы помочь Дейенерис выйти. Она отметила, что наплечье его сделано из обычной бронзы. Брат последовал за ней, не отнимая руки от рукояти меча. Потребовались усилия двух сильных людей, чтобы Иллирио приподнялся на ноги.

Внутри замка воздух насквозь пропах благовониями, огненной понюшкой, сладким лимоном и киннамоном. Гостей провели по прихожей, где мозаика из цветного стекла изображала гибель Валирии. В черных железных фонарях, развешанных на стене, горело масло. Под аркой из переплетенных каменных листьев евнух воспевал их приход.

— Визерис из дома Таргариенов, третий носитель своего имени, — провозгласил он тонким и сладким голосом, — король андалов, ройнаров и Первых Людей, владыка Семи Королевств и Хранитель Областей. Его сестра, Дейенерис Бурерожденная, принцесса Драконьего Камня. Его достопочтенный хозяин Иллирио Мопатес, магистр свободного города Пентос.

Миновав евнуха, они вошли во двор, окруженный заросшей плющом колоннадой. Лунный свет разрисовывал листья оттенками кости и серебра, вокруг расхаживали гости. Среди них было много дотракийских конных владык, рослых мужей с красно-коричневой кожей; вислые усы перехвачены металлическими кольцами, черные волосы намаслены, расчесаны и увешаны колокольчиками. Были тут и наемники из Пентоса, Мира и Тироша; красный жрец, толщиной превышавший Иллирио; косматые жители Порт-Иббена и князья с Летних островов, кожа которых показалась ей темнее эбенового дерева. Дейенерис оглядела собравшихся с удивлением и с внезапным ужасом поняла, что, кроме нее, женщин здесь нет.

Иллирио шепнул им:

— Вот эти трое — кровные всадники Дрого. Возле столба стоит кхал Моро с сыном Рхогоро. Тот зеленобородый — брат архонта Тироша, а позади него — сир Джорах Мормонт.

Последнее имя заинтересовало Дейенерис:

— Это рыцарь?

— Никак не менее. — Иллирио улыбнулся сквозь бороду. — Помазанный семью елеями самим верховным септоном.

— А что он делает здесь? — выпалила она.

— Узурпатор искал его головы, — объяснил Иллирио. — Из-за какой-то пустячной ссоры. Сир Джорах продал каких-то бродяг тирошийскому работорговцу, вместо того чтобы передать их Ночному Дозору. Абсурдный закон. Человек должен иметь право поступить с такими людьми, как ему угодно.

— Мне бы хотелось переговорить с сиром Джорахом Мормонтом, прежде чем ночь закончится, — проговорил ее брат. Дени обнаружила, что и сама смотрит с любопытством на рыцаря. Человек пожилой, лысеющий и уже миновавший сорокалетие, он сохранил силу и крепость. Вместо шелка и хлопка на нем были кожа и шерсть. Темно-зеленую тунику украшало изображение черного медведя, стоящего на задних лапах.

Дейенерис все еще глядела на этого странного человека, родившегося в ее отечестве, когда магистр Иллирио положил влажную ладонь на ее плечо.

— Нам туда. А вон там, милая принцесса, — прошептал он, — там находится кхал собственной персоной. — Дени хотелось спрятаться и убежать, но брат глядел на нее, и, не угодив ему, она, конечно, разбудила бы дракона. С тревогой она обернулась и поглядела на человека, который, как надеялся Визерис, попросит ее руки, прежде чем закончится ночь.

Рабыня не слишком уж ошибалась, подумала она. Кхал Дрого был на целую голову выше самого высокого из мужчин в этом зале, но вместе с тем двигался легко и изящно, словно пантера в зверинце Иллирио. Кхал оказался моложе, чем она думала, и еще не достиг тридцати лет. Кожа Дрого отливала полированной бронзой, густые усы украшали золотые кольца.

— Я должен приблизиться и принести кхалу собственное приветствие, — проговорил магистр Иллирио. — Подождите здесь, я приведу его.

Когда Иллирио, переваливаясь, направился к кхалу, брат взял Дени за руку, болезненно сжимая ее ладонь пальцами.

— Видишь его косу, милая сестрица?

Коса Дрого, черная как ночь и тяжелая от ароматных масел, была увешана крошечными колокольчиками, позвякивавшими, когда он двигался. Коса эта опускалась ниже пояса, ниже ягодиц кхала, доставая концом бедер.

— Видишь, какая длинная? — спросил Визерис. — Когда дотракиец терпит поражение в поединке, он отрезает свою косу в знак унижения, чтобы мир знал о его позоре. Кхал Дрого никогда не проигрывал поединка. Он вновь рожденный Эйегон, Повелитель Драконов, и ты будешь его королевой.

Дени поглядела на кхала Дрого. Лицо его показалось ей жестоким и жестким, глаза холодными и темными, словно оникс. Брат иногда причинял ей боль, когда она будила дракона, но Визерис никогда не пугал ее так, как этот человек.

— Я не хочу быть его королевой, — проговорила она тоненьким голоском. — Прошу тебя, прошу тебя, Визерис, пойдем домой.

— Домой? — отвечал он негромко, но так, чтобы она могла слышать ярость в его тоне. — И как же мы попадем домой, милая сестрица? Родной дом у нас отобрали. — Визерис увлек сестру в тень подальше от посторонних глаз, и пальцы впились в ее кожу. — И как же мы вернемся домой? — повторил он, имея в виду Королевскую Гавань, Драконий Камень и ту страну, которую они потеряли.

Дени, конечно, имела в виду лишь их комнату у Иллирио, а не истинный дом, но брат не хотел и слушать об этом. У него здесь не было дома. И тот большой дом с красной дверью не являлся ему родным. Пальцы Визериса впились в ее руку, он ждал ответа.

— Не знаю, — наконец дрожащим голосом проговорила она. Слезы закипали в глазах Дени.

— А я знаю, — отвечал он резко. — Мы направимся домой во главе войска, милая сестрица. Во главе войска кхала Дрого, вот так мы вернемся домой. И если для этого тебе нужно выйти за него замуж и лечь с ним в постель, значит, ты сделаешь это. — Он улыбнулся. — Я бы позволил всему его кхаласару отодрать тебя, моя милая сестрица, всем сорока тысячам мужчин и их жеребцам, если бы таким образом смог получить для себя войско. Радуйся, что тебя ждет только Дрого. Со временем он, может быть, тебе даже понравится. А теперь просуши глаза. Иллирио ведет его сюда, и кхал не должен видеть твоих слез.

Дени повернулась и увидела, что магистр Иллирио, сладко улыбаясь, с поклонами уже подводит кхала Дрого к месту, где они стояли. Она смахнула неупавшие слезы тыльной стороной ладони.

— Улыбнись, — нервно шепнул Визерис, положив руку на рукоять меча. — И стой прямо. Пусть он увидит, что у тебя есть грудь. Боги знают, что она и так невелика.

Дейенерис улыбнулась и стала прямо.

ЭДДАРД

Гости хлынули в ворота замка рекой золота, серебра и полированной стали; отряд в три сотни мечей, горделивые знаменосцы и рыцари, присягнувшие наемники и вольные всадники. Над их головами северный ветер теребил дюжину золотых знамен, расшитых венценосным оленем Баратеонов.

Нед знал многих. Вот сир Джейме Ланнистер, с волосами светлыми, как кованое золото, а вот промелькнуло жуткое обгорелое лицо Сандора Клигана. Высокий юноша возле него мог быть только кронпринцем, а тот коротышка позади них, безусловно, Бес, Тирион Ланнистер.

Но рослый мужчина, возглавлявший отряд, которого сопровождали по бокам два рыцаря в снежно-белых плащах королевской гвардии, показался Неду почти неузнаваемым... пока не соскочил со спины боевого коня со знакомым ревом и не приступил к сокрушающим кости объятиям.

— Нед! Ах, как я рад снова видеть твою ледяную физиономию! — Король оглядел его сверху донизу и расхохотался. — А ты вовсе не переменился.

Неду хотелось бы сказать то же самое. Миновало пятнадцать лет с той поры, как они выехали, чтобы отвоевать престол, и тогда владыка Штормового Предела был чисто выбрит, светлоглаз и мускулист, как девичья мечта. Шести с половиной футов ростом, он и так возвышался над окружающими, но, надевая броню и великий рогатый шлем своего дома, становился истинным гигантом. И сила у него была под стать обличью: Роберт в сражениях предпочитал шипастый боевой молот, который Нед едва мог поднять. В те дни запах крови и кожи пропитывал его, словно духи. Ну а теперь к нему прилип запах настоящих духов, и пузо выросло под стать росту. Нед в последний раз видел короля девять лет назад, во время битвы Беелона Грейджоя, когда олень и лютоволк объединились, чтобы покончить с претензиями владыки Железных Островов, провозгласившего себя королем. С той ночи, когда они стояли бок о бок в павшей твердыне Грейджоя, где Роберт принял капитуляцию восставшего лорда, а Нед взял в заложники и воспитанники его сына Теона, король набрал не менее восьми стоунов*. Борода, грубая и черная, словно железная проволока, покрывала его щеки, пряча двойной подбородок, но ничто не могло спрятать его брюхо и черные круги под глазами.

И все же Роберт был теперь королем Неда, а не просто другом, поэтому он отвечал согласно этикету:

— Светлейший государь, Винтерфелл к вашим услугам.

К этому времени начали спешиваться, и все остальные, конюхи двинулись, чтобы увести коней. Королева Роберта Серсея Ланнистер вошла в ворота пешком вместе со своими младшими детьми. Кибитка, в которой они ехали, точнее, огромная двухэтажная повозка из умащенного маслом дерева и позолоченного металла, влекомая сорока тяжеловозами, была слишком велика, чтобы пройти в ворота замка. Нед встал на колено в снег, чтобы поцеловать кольцо королевы, а тем временем Роберт обнял Кейтилин, словно давно потерянную сестру. Потом позвали детей, их представили, и обе стороны одобрили молодежь.

Когда официальное приветствие и все формальности были совершены, король сказал хозяину:

— Отведи меня в свою крипту, Эддард, я должен отдать дань памяти.

Неду понравилось, что король не позабыл его сестру. А ведь прошло столько лет! Он крикнул, чтобы принесли фонарь. Других слов было не нужно. Королева немедленно начала протестовать. Они ехали с самого рассвета, все устали и замерзли и, конечно, в первую очередь должны привести себя в порядок. Мертвые могут и подождать. Лишь только она начала ворчать, Роберт поглядел на нее, а брат-близнец Джейме сжал королеве руку. Ей пришлось замолчать.

Потом они вместе отправились в крипту: Нед и король, которого он едва узнал. Вились крутые каменные ступеньки. Нед шел первым с фонарем в руках.

---

* 1 стоун = 14 фунтов, около 50 кг.

— А я уже думал, что мы никогда не доберемся до Винтерфелла, — пожаловался Роберт спускаясь. — Когда на юге мне говорят о моих Семи Королевствах, то обычно забывают, что твоя часть больше всех шести остальных.

— Полагаю, путешествие было приятным, светлейший?

Роберт фыркнул:

— Болота, леса и поля, изредка попадались приличные постоялые дворы, но к северу от Перешейка их почти нет. Я никогда не видел подобных диких просторов. А где же твой народ?

— Должно быть, перепугались и спрятались, — пошутил Нед. Он ощущал поднимающийся по лестнице холод земных глубин. — Короли редко показываются на севере.

Роберт усмехнулся:

— Скорее всего зарылись в снег. В снег, Нед! — Король оперся рукой о стену, чтобы не упасть.

— Поздним летом снег у нас выпадает нередко, — проговорил Нед. — Надеюсь, эта пороша не смутила тебя. Снега выпало немного.

— Это Иным, может быть, немного. — Роберт выругался. — На что же похож Винтерфелл зимой? Боюсь и подумать.

— Зимы здесь суровы, — согласился Нед. — Но Старки живут. Нам зимовать не впервой.

— Тебе нужно съездить на юг, — сказал Роберт, — хотя бы посмотреть, каким бывает лето, прежде чем оно закончится. Заглянуть в Вышесад, там золотые розы покрывают целые поля, уходящие вдаль так далеко, как может видеть глаз. Плоды становятся такими спелыми, что просто лопаются во рту, — дыни, тыквы, огненные сливы, ты никогда не пробовал подобной сладости. Но я кое-что привез. Даже в Штормовом Пределе, когда добрый ветер дует с залива, дни настолько жарки, что не хочется шевелиться. Посмотрел бы ты сейчас на наши города, Нед! Цветы повсюду, рынки полны еды, летние вина так дешевы и добры, что пьянеешь от одного запаха. Вокруг одни только подгулявшие богатые толстяки. — Король расхохотался и шлепнул себя по объемистому животу.

— Ну а девицы, Нед! — воскликнул Роберт, и глаза его заиграли. — Уверяю тебя, жара заставила женщин забыть о всякой скромности. Они купаются голыми в реке как раз возле замка, на улицах слишком парит, чтобы носить шерсть или мех, поэтому они ходят в коротких платьях, в шелке — если у них есть монеты, — но даже если это простая материя, пот заставляет платья липнуть к телу, и они кажутся голыми. — Король блаженно расхохотался.

Роберт Баратеон всегда обладал неуемным аппетитом и умел брать от жизни все удовольствия. Никто не мог бы обвинить в этом Эддарда Старка. И все же Нед с сожалением заметил, сколь тягостный отпечаток оставили плотские радости на внешности короля. К тому времени, когда они достигли подножия лестницы, Роберт успел запыхаться, лицо его побагровело.

— Светлейший, она в дальнем конце, вместе с отцом и Брандоном, — почтительно сказал Нед, описывая фонарем широкий полукруг. Тени двигались и шевелились. Мерцающий свет прикасался к камням под ногой, вырисовывал длинную процессию гранитных столбов, попарно маршировавших вперед во тьму. Между столбами на каменных тронах возле стены сидели изваяния усопших, припав спиной к склепам, хранившим их смертные останки.

Нед отправился вперед, и Роберт молча последовал за ним, поеживаясь от подземного холода. Тут всегда было зябко. Звук шагов по камню отдавался над головой; они словно бы шли мимо строя мертвецов дома Старков. Покойные лорды Винтерфелла следили за шагами пришельцев. Длинными рядами сидели подобия здешних хозяев на камнях, запечатавших гробницы, их слепые глаза разглядывали вечную тьму, а огромные каменные лютоволки лежали, свернувшись, возле каменных ног. Казалось, что тени заставляют каменные фигуры шевелиться, пропуская мимо себя живых. По древнему обычаю, на колени каждому, кто был лордом Винтерфелла, клали длинный железный меч, чтобы дух доблести оставался в своей гробнице. Меч родоначальника давно рассыпался в прах, оставив лишь несколько красных пятен там, где металл соприкасался с камнем. Нед подумал, что теперь самые древние призраки могут бродить по замку. Оставалось надеяться, что это не так. Первые лорды Винтерфелла были людьми жесткими, как и та земля, которой они правили. В те столетия, что предшествовали появлению повелителей драконов из-за моря, Старки никому не приносили присяги, собственной волей именуя себя Королями Севера.

Нед остановился возле последней гробницы и поднял масляный фонарь. Здесь оканчивались запечатанные гробницы, но крипта тянулась и дальше, зияющие черные дыры ожидали постояльцев: и его самого, и детей. Неду не хотелось даже думать об этом.

— Здесь, — сказал он королю.

Роберт безмолвно кивнул, преклонил колени и нагнул голову.

В этом месте бок о бок располагались три гробницы. Вот длинное суровое лицо короля лорда Рикарда Старка, отца Неда. Камнетес хорошо знал своего господина. Он глядел вперед со спокойным достоинством, каменные пальцы сжимали меч, лежащий на его коленях. Но при жизни все мечи подвели его. В двух меньших гробницах по обе стороны от него лежали его дети.

Брандону было двадцать, когда он был удавлен по приказу Безумного короля Эйериса Таргариена за несколько дней до свадьбы с Кейтилин Талли из Риверрана. Отца заставили видеть смерть сына. Брандон был истинным наследником земель — первенцем, рожденным, чтобы править.

Лианне было всего лишь шестнадцать, еще ребенком она обещала стать женщиной невероятного очарования. Нед любил ее всем сердцем. Роберт еще сильнее. Она была его невестой.

— Ее красоту невозможно передать в камне, — сказал король, помолчав. Глаза его задержались на лице Лианны, словно он все еще надеялся вернуть ее к жизни. Наконец грузный король неловко поднялся на ноги. — Ах, проклятие мне. Неужели ты не мог ее похоронить в другом месте? — Голос его был полон горя. — Она заслуживала света, а не тьмы...

— Она родом из Старков, господ Винтерфелла, — отвечал Нед спокойно. — Нам положено лежать здесь.

— Лианну можно было положить на вершине холма под плодовое дерево, чтобы она видела солнце и облака, а дождь омывал ее.

— Я был возле сестры, когда она умерла, — напомнил Нед королю. — Она решила вернуться домой, чтобы лечь на покой возле Брандона и отца. — Он, казалось, все еще слышал ее голос. «Обещай мне это, — попросила она его в комнате, пропахшей кровью и розами. — Обещай мне это, Нед».

Лихорадка украла силы, и голос ее был тих, но едва он дал свое слово, страх оставил глаза сестры. Нед вспомнил, как она улыбнулась, как стиснули руку ее пальцы, когда она перестала бороться за жизнь и выпустила из ладони мертвые розовые лепестки. Больше он ничего не помнил. Онемевшего от горя, его нашли возле тела сестры. Хоуленд Рид — тот, что из поселка на озере, — разнял их руки.

— Я ношу ей цветы, когда удается, — сказал Нед. — Лианна... любила цветы.

Король прикоснулся к изваянию, пальцы скользнули по грубому камню столь же мягко, как по живой плоти.

— Я поклялся убить Рейегара за то, что он сделал с ней.

— Ты и убил его, — напомнил ему Нед.

— Но только однажды, — с горечью отвечал Роберт.

Это было так давно. Возле Трезубца они сошлись вместе, вокруг бушевала битва. Роберт при своем боевом молоте, в огромном рогатом шлеме напал на облаченного в черный панцирь таргариенского принца. На нагрудной пластине того был вычеканен знак дома — трехголовый дракон, осыпанный рубинами, сверкавшими подобно пламени. Багряные воды Трезубца омывали копыта их боевых коней, они сходились снова и снова, и наконец последний сокрушительный удар молота Роберта разбил и дракона, и грудь под ним. Когда Нед наконец явился к месту событий, Рейегар уже лежал мертвым в потоке, а воины обеих армий копошились в грязи, разыскивая вылетевшие из панциря рубины.

— Мне снится, что я убиваю его, каждую ночь, — признался Роберт. — Но и тысячи смертей ему мало, он заслуживает большего.

На это Неду нечего было ответить. Помолчав, он сказал:

— Пора бы возвратиться, светлейший государь, ваша жена ждет.

— Чтоб Иные побрали мою жену, — кисло пробормотал Роберт, но направился назад, тяжело топая в темноте. — И если я еще раз услышу «светлейший», то велю насадить твою голову на пику. Мы слишком близки друг другу, чтобы пользоваться подобным титулом.

— Я этого не забыл, — проговорил тихо Нед. Молчание затянулось, и он попросил: — Расскажи мне о Джоне...

Роберт покачал головой:

— Я никогда не видел, чтобы человек заболевал так внезапно. Мы устраивали турнир в честь именин моего сына. Если бы ты видел в этот день Джона, то поклялся бы, что ему суждена вечная жизнь. Две недели спустя он был уже мертв. Болезнь опалила его нутро. Она прожгла его насквозь. — Король остановился у колонны возле гробницы одного из давно усопших Старков. — Мне нравился этот старик.

— Мне тоже. — Нед помедлил мгновение. — Кейтилин боится за свою сестру. Как Лиза справляется с горем?

Рот Роберта горько скривился.

— Не слишком-то хорошо, если честно, — признался он. — По-моему, смерть Джона заставила ее свихнуться. Она увезла мальчишку в Орлиное Гнездо. Против моего желания. Я надеялся воспитать его у Тайвина Ланнистера на Бобровом утесе. У Джона нет братьев и сыновей. Неужели я могу допустить, чтобы его сына воспитывали женщины?

Нед скорее доверил бы дитя подколодной змеюге, чем лорду Тайвину, однако он оставил свое мнение невысказанным. Иногда старые раны не исцеляются до конца и вновь кровоточат при первом упоминании.

— Жена потеряла мужа, — тщательно выбирая слова, проговорил он. — Быть может, мать страшится потерять сына. Мальчик еще очень юн.

— Ему шесть, он хвор и к тому же лорд Орлиного Гнезда, да смилуются над ним боги. — Король помолчал немного и выругался. — Лорд Тайвин никогда не брал себе воспитанников. Лиза должна была чувствовать себя польщенной. Ланнистеры — весьма благородный дом, но она и слушать меня не стала, уехала среди ночи, даже не спросив разрешения. Серсея была в гневе. — Он глубоко вздохнул. — Мы с мальчиком тезки, или ты не знал этого? Его имя Роберт Аррен. Я поклялся защищать его. А как я могу сделать это, после того как собственная мать похитила Роберта?

— Я могу взять мальчика на воспитание, если ты хочешь, — сказал Нед. — Лиза согласится на это. Они с Кейтилин были в детстве близки, в Винтерфелле будут рады и ей.

— Благородное предложение, друг мой, — сказал король, — но, увы, запоздалое. Лорд Тайвин уже дал согласие. Он оскорбится, если я передам мальчика на воспитание в другое место.

— Меня более заботит благоденствие моего племянника, чем гордость Ланнистеров.

— Это ты говоришь потому, что тебе не приходилось спать с представительницей их рода, — расхохотался Роберт, звук загрохотал между гробниц и несколько раз отразился от сводчатого потолка. Вспыхнула улыбка: в чащобе огромной черной бороды блеснули белые зубы. — Ах, Нед, — сказал король. — Ты по-прежнему слишком серьезен. — Он обнял тяжелой рукой плечи Неда. — Я намеревался поговорить с тобой через несколько дней, но теперь в этом нет нужды. Пойдем!

Они шли между колонн. Слепые каменные глаза, казалось, провожали их. Король не снимал свою руку с плеч Неда.

— Ты, конечно, не догадываешься о причине моего визита в Винтерфелл после столь долгого перерыва?

У Неда были некоторые подозрения на сей счет, однако он не стал говорить о них.

— Чтобы порадоваться моему обществу, — ответил он непринужденно. — Кроме того, нельзя забывать о Стене. Тебе надо бы посмотреть на нее, светлейший, пройтись поверху, поговорить с теми, кто защищает ее. Ночной Дозор стал тенью прежнего своего величия. Бенджен утверждает...

— Вне сомнения, я услышу слова твоего брата из его собственных уст и достаточно скоро, — проговорил Роберт. — Сколько ж простояла Стена... восемь тысячелетий? Продержится еще несколько дней. У меня есть более насущные дела. Наступают трудные времена, мне нужны надежные люди. Люди, подобные Джону Аррену. Он служил мне как лорд Орлиного Гнезда, как Хранитель Востока, как десница короля. Джона трудно заменить.

— Но его сын... — начал Нед.

— Его сын унаследует Орлиное Гнездо со всеми доходами, — отвечал Роберт отрывисто, — и не более.

Ответ застал Неда врасплох. Он удивился, вздрогнул и начал поворачиваться к своему королю. Слова вылетели сами собой:

— Аррены всегда были Хранителями Востока, титул этот передается вместе с владением.

— Когда Роберт повзрослеет, честь эту можно будет возвратить его роду, — сказал король. — Я могу подумать об этом и сейчас, и в следующем году. Однако шестилетний мальчишка не способен возглавить войско.

— В мирные времена титул этот является просто почетным. Пусть мальчик унаследует его хотя бы в честь отца, если не ради него самого. Ты ведь в долгу перед Джоном за его службу.

Король был недоволен ответом. Он снял руку с плеча Неда.

— Джон был обязан служить своему сюзерену. Не считай меня неблагодарным, Нед. Тебе лучше всех известно, что это не так. Но сын — это далеко не отец, мальчику не удержать Восток. — Тут голос его смягчился. — Ну, довольно об этом. У меня есть и более важное дело, и я не стану спорить с тобой. — Роберт взял Неда за локоть. — Ты мне нужен.

— Я всегда к твоим услугам, светлейший. Всегда. — Нед чувствовал, что должен был сказать эти слова, и он произносил их, еще не зная, что услышит сейчас.

Роберт как будто бы не слышал его.

— Эти годы, которые мы провели в Орлином Гнезде... боги, это были добрые годы. Я хочу, чтобы ты вновь находился возле меня, Нед. Ты мне нужен в Королевской Гавани, а не здесь, на краю мира, где ты ничего не можешь сделать. —

Роберт поглядел во тьму, на мгновение сделавшись столь же меланхоличным, как и Старк. — Клянусь тебе, усидеть на троне в тысячу раз труднее, чем завоевать его. Законы — скучное дело, считать медяки еще хуже, но, кроме того, есть еще люди... и им нет конца. Я сижу на этом проклятом кресле, выслушиваю жалобы, пока ум мой не онемеет, а задница не разболится. Всем что-то нужно: деньги, земля или правосудие. Ну а враки, которые они рассказывают... Впрочем, мои лорды и леди ничем не лучше. Меня окружают льстецы и дураки. Нед, это может довести человека до безумия. Одна половина из них не смеет открыть мне истину, другая половина не способна найти ее. Бывают такие ночи, когда я жалею о том, что мы победили возле Трезубца. Ну не совсем, конечно, но...

— Понимаю, — негромко проговорил Нед.

Роберт поглядел на него.

— Может быть, и в самом деле понимаешь. Но если так, то лишь ты один, мой старый друг. — Он улыбнулся. — Лорд Эддард Старк, я собираюсь назвать тебя десницей короля.

Нед опустился на одно колено. Предложение не удивило его: по какой еще причине мог Роберт заехать в такую даль? Сан десницы в Семи Королевствах предоставлял вторую власть после самого короля. Он позволял говорить от лица короля, командовать королевским войском, добиваться исполнения королевских законов. Десница мог даже сесть на Железный трон, чтобы совершить правосудие, если король был болен, отсутствовал или же не хотел заниматься делами. Роберт предлагал ему ответственность величиной во все королевство.

Самая непривлекательная перспектива.

— Светлейший государь, — отвечал он, — я не достоин этой чести.

Роберт застонал с добродушным нетерпением.

— Если бы я хотел оказать тебе честь, то отправил бы тебя в отставку. А я хочу, чтобы ты правил королевствами, воевал, позволив обжорству, пьянкам и распутству загнать меня в раннюю могилу. — Похлопав по своему чреву, король ухмыльнулся. — А знаешь, как говорят о короле и его деснице?

Пословицу Нед знал.

— Пока король спит, — отозвался он, — рука строит.

— Рыбачка, с которой я спал однажды, рассказала мне, как выражает эту мысль простонародье. Король ест, сказала она, а десница подтирает задницу. — Закинув назад голову, Роберт громогласно расхохотался. Эхо со звоном пронзило тьму, окружающие их покойники Винтерфелла, казалось, обратили к ним холодные неодобрительные взгляды. Наконец смех иссяк.

Нед все еще оставался на одном колене, подняв глаза к королю.

— Проклятие, Нед, — пожаловался король. — Мог хотя бы порадовать меня улыбкой.

— Говорят, что здесь зимой бывает так холодно, что смех застывает в горле и душит человека насмерть, — невозмутимым голосом отвечал Нед. — Быть может, поэтому Старки не отличаются весельем.

— Отправляйся на юг вместе со мной, и я научу тебя смеяться, — пообещал король. — Ты помог мне завоевать этот проклятый трон, теперь помоги удержать. Мы должны были править вместе. Если бы Лианна не умерла, мы стали бы братьями, связанными любовью и кровью. Но и теперь еще не поздно. У меня есть сын. У тебя дочь. Мой Джофф и твоя Санса соединят наши дома, как хотели сделать это мы с Лианной.

А вот это предложение и в самом деле удивило Неда.

— Но ведь Сансе всего лишь одиннадцать.

Роберт нетерпеливо махнул рукой.

— Достаточно, чтобы просватать их. Ну а с браком можно подождать несколько лет. — Король улыбнулся. — А теперь вставай, проклятый, и говори — да.

— Ничто не доставит мне большего удовольствия, светлейший, — отвечал Нед, помедлив. — Но все эти почести настолько неожиданны... Можно ли мне подумать какое-то время? Мне надо рассказать жене...

— Да-да, конечно, разумеется. Расскажи Кейтилин. Выспись, если тебе нужно. — Король схватил Неда за руку и потянул с колен. — Только не заставляй меня ждать слишком долго. Я не самый терпеливый среди людей.

На миг Эддарда Старка переполнило жуткое предчувствие. Здесь было его место, здесь, на Севере. Он поглядел на каменные фигуры, окружавшие его, глубоко вздохнул. В холодном безмолвии крипты он чувствовал на себе взгляды мертвецов. Они все понимали, он знал это. И зима приближалась.

ДЖОН

Не слишком часто, но случалось, что Джон Сноу радовался тому, что родился бастардом. Вновь наполняя свой кубок из шедшей по кругу ендовы, он подумал, что такое мгновение наступило.

Джон занял свое место на скамье между молодыми сквайрами и выпил. Сладкое летнее вино наполнило его рот вкусом плодов и вернуло улыбку на губы.

Под сводами просторного чертога Винтерфелла плавала дымка, пахло жареным мясом и свежевыпеченным хлебом. Серые каменные стены были увешаны знаменами: белыми, золотыми, алыми. Лютоволк Старков соседствовал с коронованным оленем Баратеонов и львом Ланнистеров. Аккомпанируя себе на звонкой арфе, певец выпевал слова баллады, но в этом конце зала его голос был едва слышен за ревом огня, стуком оловянных тарелок и чаш, громким говором сотен подвыпивших глоток.

Шел четвертый час приветственного пира в честь короля. Братья и сестры Джона сидели возле королевских детей рядом с помостом, на котором лорд и леди Старк принимали короля и королеву. Ради подобной оказии лорд-отец, безусловно, разрешит каждому своему отпрыску выпить по бокалу вина, но не более. Здесь же, на скамье, никто не мог помешать Джону выпить столько, сколько требовала его жажда.

Джон обнаружил умение пить по-мужски, чем пробудил завистливое восхищение юнцов, поощрявших его всякий раз, когда он опустошал очередной кубок. Общество собралось приятное, и Джон наслаждался их россказнями о битвах, любви и охоте. Он не сомневался в том, что в этой компании было веселее, чем с королевскими отпрысками. Джон уже удовлетворил свое любопытство в отношении гостей, когда они выходили в зал. Процессия двигалась в каком-то футе от места, определенного ему на скамье, и Джон успел досыта наглядеться.

Его лорд-отец шествовал первым, сопровождая королеву. Мужчины называли ее красавицей. Украшенная драгоценными камнями тиара сверкала на длинных золотых волосах, рубины подчеркивали зелень глаз. Отец помог ей подняться на ступени, подвел к сиденью, но королева даже не поглядела на него. В свои четырнадцать лет Джон уже смог разобраться в том, что прячет ее улыбка.

Следующим шел король Роберт собственной персоной, об руку с леди Старк. Король весьма разочаровал Джона. Отец часто рассказывал о безупречном Роберте Баратеоне, демоне Трезубца, свирепейшем воине края, гиганте среди князей. Джон же увидел лишь толстяка, краснолицего, заросшего бородой, взмокшего под всеми шелками. Двигался он весьма неуклюже.

За ним шли дети. Первым — маленький Рикон, с тем достоинством, которое только может изобразить трехлетка. Джону пришлось поторопить его, когда братец остановился рядом. Позади малыша шел Робб в сером шерстяном облачении с белыми полосами по краю. Это были цвета Старков. Он провожал принцессу Мирцеллу, воздушное создание, еще не достигшее восьми лет. Золотые кудри ее весьма эффектно ниспадали из-под украшенной камнями сетчатой шапочки. Джон заметил, как застенчиво она поглядывает на Робба, проходя между столов, как смущенно улыбается брату. И решил, что она чересчур проста. А Робб даже не замечал, насколько она глупа. Он все время ухмылялся, как сельский дурень.

Сводные сестры Джона сопровождали кронпринцев. Арья выступала возле пухлого юного Томмена, светлые волосы принца оказались длиннее, чем у нее. Санса, что была старше сестры на два года, шла возле кронпринца Джоффри Баратеона. Двенадцатилетний, он был младше Джона или Робба, но, к огромному разочарованию Джона, оба брата уступали в росте принцу. У Джоффри были такие же волосы, как и у сестры, и зеленые глаза матери. Густые светлые кудри ниспадали на золотой бант, закрывая стоячий бархатный воротник. Санса светилась, шествуя возле него, однако Джону не понравились надменные губы Джоффри и тот скучный разочарованный взгляд, которым он рассматривал великий чертог Винтерфелла.

Но более его интересовала пара, шествовавшая следом: братья королевы, Ланнистеры с Бобрового утеса. Лев и Бес, перепутать их было невозможно. Сир Джейме Ланнистер, близнец королевы Серсеи, высокий, золотой, с искрящимися зелеными глазами и улыбкой, резавшей, словно нож. Облаченный в алые шелка, черные высокие сапоги и черный атласный плащ. С груди его туники разевал пасть вышитый золотой нитью герб его дома. Джейме называли в лицо Львом Ланнистера, а за спиной шептали — Цареубийца.

Джон с трудом отвернулся от него. Вот таким и должен быть король, подумал он, провожая идущего красавца взглядом.

Потом он углядел второго брата, почти незаметного в тени. Тирион Ланнистер, самый младший из отпрысков лорда Тайвина и, бесспорно, самый уродливый. Тириону не досталось ничего из того, что боги уделили Серсее и Джейме. Карлик, едва ли не по пояс своему брату, он с трудом поспевал за ним на коротких ногах. Голова его была слишком велика для тела, под выпуклым лбом открывалось расплывшееся лицо уродца. Из-под прямых волос, светлых настолько, что они казались белыми, глядел зеленый глаз, рядом с ним поблескивал черный. Джон завороженно посмотрел на Беса.

Замыкая череду высоких лордов, вошли его дядя Бенджен Старк из Ночного Дозора и воспитанник отца, молодой Теон Грейджой. Проходя мимо, Бенджен одарил Джона теплой улыбкой. Теон же как бы не заметил его, но в этом не было ничего необыкновенного. Наконец все уселись, провозгласили тосты, ответили благодарностями и снова поблагодарили, и пир начался.

Тогда Джон начал пить и с тех пор не останавливался.

Что-то потерлось о его ногу под столом. Джон заметил обращенные к нему красные глаза.

— Опять проголодался? — спросил он. На середине стола еще оставалась половинка цыпленка под медом, Джон потянулся, чтобы оторвать ножку, но придумал кое-что получше. И целиком подцепив птицу, между своих ног спустил тушку на пол. В дикарском молчании Призрак вцепился в мясо. Братьям и сестрам не разрешили взять своих волков на банкет, но псов набежало больше, чем Джон мог сосчитать. В дальней стороне зала никто не сказал ни одного укоризненного слова о его щенке. Джон попытался уверить себя в том, что ему снова повезло. Глаза его щипало. Джон яростно потер их, ругая дым. Выпив еще глоток вина, он посмотрел, как его лютоволк расправляется с цыпленком.

Следуя за служанками, между столами сновали псы. Одна из собак, черная дворовая сучонка с продолговатыми желтыми глазами, унюхала запах цыпленка. Она остановилась и полезла под скамью, чтобы получить свою долю. Джона это заинтересовало. Сука негромко заворчала и подвинулась ближе. Призрак безмолвно посмотрел на собаку красными глазами. Сука гневно зарычала. Она была в два раза больше волчонка, но тот не шевельнулся. Стоя над своей добычей, он ощерился, обнажил клыки. Сука напряглась, вызывающе тявкнула, потом передумала, повернулась и исчезла между столов, еще раз тявкнув на прощание, чтобы сохранить достоинство. Призрак принялся за еду.

Джон ухмыльнулся, потянулся под стол, чтобы погладить косматый белый мех. Лютоволк поглядел на него, по-приятельски цапнул за руку и возвратился к еде.

— И это один из лютоволков, о которых я так много слыхал? — проговорил рядом знакомый голос.

Джон радостно поглядел на своего дядю Бена, положившего руку на его голову и взъерошившего волосы, как только что Джон ерошил шерсть волка.

— Да, — отвсчал он. — Зовут сго Призрак.

Один из сквайров прервал свою непристойную историю, чтобы расчистить место у стола для брата их лорда. Бенджен Старк перешагнул через скамью длинными ногами и взял чашу с вином из руки Джона.

— Летнее вино, — сказал он, попробовав. — Какое сладкое. И сколько же чаш тебе уже досталось, Джон?

Тот только улыбнулся.

Бен Старк расхохотался.

— Этого я и опасался. Помнится, я был младше тебя, когда впервые искренне и честно напился. — Он подхватил с ближайшего блюда зажаренную луковицу, источавшую бурый сок, и с хрустом впился в нее зубами.

Лицо дяди напоминало острый горный утес, но в серо-голубых глазах всегда проглядывал смех. Бенджен Старк был одет в черное, как и подобает тому, кто служит в Ночном Дозоре. Сегодня он предпочел богатый черный бархат, высокие кожаные сапоги и широкий пояс с серебряной пряжкой. Тяжелая серебряная цепь лежала на его шее. Доедая луковицу, Бенджен с удивлением посмотрел на Призрака.

— Очень спокойный волк, — заметил он.

— Этот не такой, как остальные, — сказал Джон. — Он всегда молчит, поэтому я и назвал его Призраком. Но еще и потому, что он белый. Все остальные темные: серые или черные.

— Ну, за Стеной лютоволков еще хватает. Мы слышим их вой во время вылазок. — Бенджен пристально поглядел на Джона. — Разве ты обычно ешь не вместе со своими братьями?

— Обычно да, — отвечал Джон ровным голосом, — но сегодня леди Старк решила, что королевская семья посчитает оскорблением общество бастарда.

— Понимаю. — Взгляд дяди обратился за спину Джона к возвышению в конце зала. — Что-то на лице моего брата сегодня не видно праздничного настроения.

Джон тоже разглядел это. Бастарду приходится все замечать, учиться читать истину, которую люди прячут за своими глазами. Отец держался учтиво, однако в нем чувствовалась напряженность, которой обычно не было. Лорд Старк ел немного и оглядывал зал полуприкрытыми глазами, словно ничего не видя. Король же, сидевший через два места от него, пил и ел вовсю. Широкое лицо его побагровело под черной бородой. Король уже провозгласил достаточное количество тостов, громко смеялся всем шуткам и атаковал каждое блюдо, словно изголодавшийся. Но королева казалась рядом с ним холодной, как ледяная статуэтка.

— Королева тоже сердита, — негромко проговорил Джон своему дяде. — Отец вчера вечером водил короля вниз. Королева не хотела этого.

Бенджен посмотрел на Джона долгим взвешивающим взглядом.

— Итак, Джон, ты многое замечаешь? Такому человеку найдется место на Стене.

Джон раздулся от гордости.

— Робб лучше владеет копьем, но я лучше фехтую, а Халлен говорит, что лучше меня в нашем замке никто не сидит на коне.

— Заметные достижения.

— Возьми меня с собой, когда будешь возвращаться на Стену, — вдруг выпалил Джон. — Отец разрешит мне, если ты попросишь, я знаю это.

Дядя Бен внимательно оглядел его лицо.

— Мальчикам на Стене не место, Джон.

— Но я почти уже вырос, — запротестовал Джон. — В следующие именины мне исполнится пятнадцать, а мейстер Лювин говорит, что бастарды растут быстрее, чем обычные дети.

— Наверное, — чуть скривился Бенджен. Он взял со стола чашу Джона, наполнил ее из ближайшего кувшина и выпил единым долгим глотком.

— Дейерену Таргариену было только четырнадцать, когда он покорил Дорн, — напомнил Джон. Юный Дракон был одним из его героев.

— На покорение ушло целое лето, — напомнил ему дядя. — Твой мальчишка-король потерял десять тысяч людей, чтобы захватить королевство, и еще пятьдесят тысяч, пытаясь удержать его. Кто-то должен был объяснить ему, что война — это не игра. — Он выпил еще вина. — Кстати, — проговорил он, вытирая рот, — Дейерену Таргариену было всего лишь восемнадцать, когда он погиб. Или ты забыл об этом?

— Я ничего не забываю, — похвастал Джон. Вино наделило его отвагой. Он попытался выпрямиться на скамье, чтобы показаться выше. — Я хочу служить в Ночном Дозоре, дядя.

Он давно и упорно думал об этом по ночам, когда братья уже засыпали. Когда-нибудь Робб унаследует Винтерфелл и как Хранитель Севера возглавит великое войско. Бран и Рикон будут знаменосцами Робба, им суждено править крепостями от лица брата. Сестры Арья и Санса выйдут замуж за наследников других великих домов и отправятся на юг хозяйничать в собственных замках. Но какое место может достаться бастарду?

— Ты не знаешь, чего просишь, Джон. Ночной Дозор — это братство, которому присягают. У нас нет семей. Никто из нас не может родить сына. Долг — вот наша жена. А любовница — честь.

— Честь есть и у бастарда, — проговорил Джон. — Я уже готов принести вашу клятву.

— Ты мальчик, тебе еще четырнадцать, — проговорил Бенджен. — Ты еще не мужчина. Пока ты не познаешь женщину, не поймешь, от чего отказываешься.

— Я не хочу даже думать об этом! — с пылом проговорил Джон.

— Захочешь, когда узнаешь, что это такое, — сказал Бенджен. — Если бы ты знал, чего стоит плата, то, возможно, не стал бы торопиться с клятвой, сынок.

Джон ощутил, как в нем вспыхнул гнев.

— Я тебе не сынок!

Бенджен Старк поднялся.

— Вот это и жалко. — Он положил ладонь на плечо Джона. — Обратишься ко мне, когда заведешь собственных бастардов, посмотрим, как ты тогда запоешь.

Джон задрожал.

— Я никогда не буду отцом бастарда. Никогда! — подчеркнул он, словно выплеснул яд.

И вдруг понял, что все за столом умолкли и глядят на него. Джон почувствовал, как слезы начинают наполнять глаза. Он поднялся на ноги.

— Прости, — сказал он, собрав остатки достоинства, и, резко повернувшись, бросился прочь, чтобы вокруг не заметили его слез. Наверное, он выпил больше вина, чем полагал: ноги подвели Джона, он столкнулся со служанкой, опрокинул кувшин вина на пол. Вокруг загремел смех, и Джон ощутил на щеках жаркие слезы. Кто-то попытался поддержать его. Он вырвался из услужливых рук и, полуслепой, бросился к двери.

Призрак последовал за ним в ночь.

Во дворе было тихо и пусто. Одинокий часовой застыл высоко на внутренней стене, плотно кутаясь в плащ, закрывавший его от ветра. Скучный и несчастный, он горбился там в одиночестве, но Джон охотно поменялся бы с ним местами. Но в остальном замок казался темным и брошенным. Джону уже приходилось видеть заброшенную крепость, скучные стены, среди которых шевелился лишь ветер. Камни молчали о людях, которые жили там. Ныне Винтерфелл напоминал ту твердыню. Звуки музыки и песни сквозь открытые окна тянулись за ним. Но Джону не хотелось веселья. Он стер слезы рукавом рубашки, жалея о том, что пролил их, и собрался уйти.

— Мальчик, — позвал его голос. Джон обернулся. Тирион Ланнистер сидел на карнизе над дверью великого чертога, напоминая горгулью. Карлик ухмыльнулся. — Это животное называется волком?

— Лютоволком, — отвечал Джон. — Его зовут Призрак. — Он поглядел на невысокого человека, разом забыв свое разочарование. — А что ты делаешь наверху? Почему ты не присутствуешь на пиру?

— Там слишком жарко, слишком шумно, и я уже выпил слишком много вина, — поведал карлик. — Я уже давно понял, что блевать на собственного брата неучтиво. Скажи, а можно посмотреть поближе на твоего волка?

Поколебавшись, Джон кивнул:

— Ты сумеешь спуститься или мне принести лестницу?

— О, к чертям лестницы, — отвечал человечек, отрываясь от карниза. Джон охнул, а потом с уважением проследил, как Тирион Ланнистер свернулся в тугой комок, легко приземлился на руки, потом сделал сальто и встал на ноги. Призрак в нерешительности отскочил в сторону.

Отряхнувшись, карлик рассмеялся:

— По-моему, я испугал твоего волчонка. Прошу прощения.

— Он не испуган, — отвечал Джон и, согнувшись, позвал: — Призрак, иди сюда. Иди сюда. Вот так.

Волчонок подошел ближе, ткнулся носом в лицо Джона, приглядывая осторожным глазом за Тирионом Ланнистером, но когда карлик протянул руку, чтобы погладить его, отодвинулся и с безмолвной угрозой обнажил клыки.

— Боится, правда? — заметил Ланнистер.

— Сидеть, Призрак! — скомандовал Джон. — Вот так. Сиди смирно. — Он поглядел на карлика. — Теперь ты можешь прикоснуться к волку, он не пошевелится, пока я не прикажу ему. Я учу его.

— Понимаю, — проговорил Ланнистер. Погладив белую шерсть между ушами Призрака, он сказал: — Хороший волк.

— Если бы меня не было рядом, он разорвал бы тебе глотку, — сказал Джон. Пока дело обстояло не совсем так, но все еще впереди...

— В таком случае лучше держись поближе, — проговорил карлик. Он нагнул свою слишком крупную голову набок и поглядел на Джона разными глазами. — Я — Тирион Ланнистер.

— Я знаю это, — проговорил Джон распрямляясь. Ростом он был выше карлика... странное ощущение.

— А ты — бастард Неда Старка, так?

Джон ощутил, как холод пробежал по нему. Стиснув зубы, он ничего не ответил.

— Я обидел тебя? — спросил Ланнистер. — Прости, карликам не обязательно соблюдать такт. Поколения шутов и дураков дают мне право скверно одеваться и высказывать все, что приходит в голову. — Он ухмыльнулся. — Но ты и есть бастард.

— Лорд Эддард Старк — мой отец, — жестко признался Джон.

Ланнистер поглядел ему в лицо.

— Да, — сказал он, — это видно. В тебе больше севера, чем в твоих братьях.

— Сводных братьях, — поправил Джон. Слова карлика были приятны ему, но он попытался не показать этого.

— Позволь мне дать тебе кое-какой совет, бастард, — сказал Ланнистер. — Никогда не забывай, кто ты такой, ведь мир, конечно, этого не забудет. Сделай происхождение своей силой. Не допускай, чтобы оно превратилось в слабость. Облачись в это, словно в броню, и тогда никто не сможет ранить тебя.

Джону было не до советов.

— Ну что ты знаешь о том, как чувствуют себя бастарды?

— Любой карлик — бастард в глазах собственного отца.

— Но ты законный сын своей матери, истинный Ланнистер.

— Неужели? — с иронией отвечал карлик. — Скажи это моему лорду-отцу. Моя мать умерла, рожая меня, и он никогда не испытывал уверенности в этом.

— А я даже не знаю своей матери, — проговорил Джон.

— Вне сомнения, она была женщиной. Как и все они. — Он одарил Джона скорбной улыбкой. — Запомни это, мальчик. Всякого карлика можно считать бастардом, но бастарду не обязательно быть карликом! — Тут он повернулся и направился в замок на пир, насвистывая расхожую мелодию. Когда Тирион открыл дверь, свет бросил длинную тень на двор, и какое-то мгновение Бес Ланнистер казался высоким, словно король.

КЕЙТИЛИН

Палаты Кейтилин были жарче всех помещений великого замка Винтерфелл. Ей редко приходилось зажигать здесь очаг. Замок был возведен на естественных горячих источниках, и обжигающая вода бежала внутри стен его покоев, словно кровь в человеческом теле, прогоняя холод из каменных залов, наполняя стеклянные сады влажным теплом, храня землю от замерзания. В дюжине небольших двориков день и ночь курились открытые пруды. Для лета — немного, для зимы же — грань между жизнью и смертью.

Ванна Кейтилин всегда парила, и ладонь ее прикасалась к теплой стене; тепло напоминало ей о Риверране, о днях, проведенных под солнцем с Лизой и Эдмаром. Но Нед не переносил жары. Старки созданы для холода, говаривал он ей; на это она обычно со смехом отвечала, что в таком случае они, безусловно, построили свой замок не на том месте.

Нед поцеловал жену и выбрался из постели, как делал уже тысячу раз. Он пересек комнату, отодвинул тяжелые занавеси и по одному открыл высокие узкие окна, впуская в палату ночной воздух. Ветер кружил вокруг него, обратившегося лицом во тьму, — обнаженного и с пустыми руками. Натянув меха до подбородка, Кейтилин следила за ним. Нед казался ей почему-то каким-то ранимым и невысоким — похожим на того юношу, с которым она обвенчалась в септе Риверрана пятнадцать долгих лет назад. Тело ее все еще ныло после его ретивой любви. Добрая боль. Она ощущала в себе его семя. И помолилась, чтобы оно прижилось. Прошло уже три года после рождения Рикона, а она еще не слишком стара и может родить мужу еще одного сына.

— Я откажу ему, — проговорил Нед, поворачиваясь. В глазах его была тоска, в голосе сомнение.

Кейтилин села на постели.

— Ты не можешь этого сделать и не должен.

— Мои обязанности здесь, на Севере. Я не хочу быть десницей Роберта.

— Он этого не поймет. Теперь он король, а короли не похожи на простых людей. Если ты откажешься служить ему, он станет интересоваться причинами и рано или поздно решит, что ты втайне замышляешь какой-нибудь заговор. Неужели ты не видишь опасности, в которой мы тогда окажемся?

Не желая верить, Нед покачал головой:

— Роберт никогда не станет вредить мне или моей семье. Мы с ним ближе чем братья. Он любит меня. Если я откажу ему, он будет реветь, ругаться, но через неделю мы вместе посмеемся над ссорой. Я знаю этого человека!

— Ты знал человека, — проговорила она. — А король тебе не знаком. — Кейтилин вспомнила мертвую лютоволчицу в снегу, сломанный рог, глубоко застрявший в ее горле. Следует доказать мужу свою правоту. — Гордость — главное для короля, милорд. Роберт проделал весь этот долгий путь, чтобы оказать тебе великую честь, и ты не можешь отказать ему.

— Честь? — с горечью рассмеялся Нед.

— В его глазах — да, — отвечала она.

— А в твоих?

— И в моих! — вспылила она. И как это он не понимает? — Король предлагает женить своего сына на нашей дочери, как иначе назвать это предложение? Когда-нибудь Санса сможет стать королевой. И ее сыновья будут править от Стены и до Дорнских гор. Что здесь плохого?

— Боже, Кейтилин, Сансе всего лишь одиннадцать, — проговорил Нед. — Джоффи... Джоффи просто...

Она договорила за него:

— ...кронпринц и наследник престола. А мне было всего двенадцать, когда отец обещал меня твоему брату Брандону.

Рот Неда с горечью изогнулся.

— Брандон. Да. Брандон знал, как поступить. Он всегда знал, что делать. Все это было предназначено для Брандона. И ты, и Винтерфелл, и все на свете. Он-то и был рожден, чтобы стать десницей короля и отцом королевы. Я никогда не просил, чтобы эта чаша досталась мне.

— Возможно, — проговорила Кейтилин, — но Брандон мертв, и чаша в твоих руках. Ты должен испить ее, хочешь этого или нет.

Нед отвернулся от нее и уставился в окно. Он поглядел во тьму, на луну и на звезды, даже на часовых на стене. Кейтилин успокоилась, она понимала его боль. Как требовал обычай, Эддард Старк женился на ней вместо брата. Но тень мертвого брата по-прежнему разделяла их, как и другая тень, — женщины, имени которой она не знала, женщины, которая родила ему незаконнорожденного сына.

Кейтилин уже собиралась направиться к мужу, когда в дверь постучали, громко и неожиданно. Нед повернулся и нахмурился.

— Что там еще?

За дверью послышался голос Десмонда:

— Милорд, здесь мейстер Лювин, он просит срочной аудиенции.

— Ты сказал ему, что я велел не тревожить меня?

— Да, милорд. Он настаивает.

— Хорошо. Пусть войдет.

Нед направился к гардеробу и надел тяжелый халат. Кейтилин вдруг поняла, насколько холодно стало вокруг. Она села в постели и натянула меха до подбородка.

— Не закрыть ли окна? — предложила она.

Нед рассеянно кивнул. В дверях показался мейстер Лювин.

Невысокий мейстер воплощал собой геральдический цвет Старков — серый: глаза его были серыми и быстрыми и многое замечали, тот остаток волос, который оставили ему годы, сделался серым от седины. И конечно же, отороченное белым мехом одеяние его было сшито из серой шерсти. В огромных просторных рукавах были устроены карманы. Лювин всегда все заталкивал в эти рукава, а извлекал из них что-нибудь другое: послания, странные вещи, игрушки для детей. Зная об этих запасах, Кейтилин всегда удивлялась, как мейстер вообще мог поднимать руки.

Лювин дождался, пока дверь закрылась за ним, и только тогда заговорил:

— Милорд, прошу прощения за то, что потревожил вас, но мне передали послание.

Нед отвечал не без раздражения:

— Передали послание? Кто? Разве приехал гонец? Мне ничего не сказали.

— Гонца не было, милорд, но пока я спал, на столе в моей обсерватории кто-то оставил резную деревянную шкатулку. Мои слуги никого не заметили, но вещицу, должно быть, принес кто-то из королевской дружины. У нас нет никаких других гостей с юга.

— Деревянная шкатулка, ты говоришь? — переспросила Кейтилин.

— Внутри оказалось несколько новых линз для обсерватории, сделанных, судя по всему, в Мире. Тамошние оптики не имеют себе равных.

Нед нахмурился. Кейтилин знала, что на подобные вещи у него не хватало терпения.

— Линзы, — проговорил он. — Какое отношение они имеют ко мне?

— Я задал себе тот же вопрос, — проговорил мейстер Лювин. — И решил, что в этом ларце скрыто нечто большее.

Кейтилин поежилась под тяжестью мехов.

— Линза — это предмет, помогающий нам видеть.

— Воистину это так. — Мейстер теребил пальцами наплечье, подобающее его ордену. Тяжелую цепь он носил под одеждой на шее, каждое колечко ее было выковано из другого металла.

Кейтилин вновь ощутила, как ужас зашевелился внутри ее.

— Так что же мы должны видеть более ясно?

— Об этом я спросил себя самого. — Мейстер Лювин извлек из рукава туго скатанную бумажку. — Истинное послание обнаружилось под дном, когда я разобрал шкатулку, в которой прибыли линзы, но оно предназначено не для моих глаз.

Нед протянул руку:

— Тогда дай письмо мне.

Лювин не пошевелился.

— Прошу прощения, милорд. Письмо направлено не мне и не вам. Оно адресовано леди Кейтилин, и только ей одной. Можно ли мне приблизиться?

Кейтилин кивнула, не заставив себя заговорить. Мейстер положил бумажку на стол возле постели. Она была запечатана небольшой нашлепкой из синего воска. Лювин поклонился и начал отступать.

— Останься, — приказал Нед суровым голосом. Он поглядел на Кейтилин. — Что это такое? Миледи, ты дрожишь.

— Я боюсь, — призналась Кейтилин. Протянув руку, она нащупала письмо. Меха упали, но женщина и не вспомнила о своей наготе. На синем воске была оттиснута печать дома Арренов — луна и сокол.

— Это от Лизы. — Кейтилин поглядела на мужа. — Письмо не принесет нам радости. Я чувствую в нем горе, Нед. Я ощущаю это.

Нед нахмурился, лицо его потемнело.

— Распечатывай.

Кейтилин сломала печать.

Глаза ее пробежали несколько строк. Буквы не складывались в осмысленные слова. А потом она вспомнила:

— Лиза не рисковала. Девочками мы придумали свой собственный язык.

— А ты можешь прочитать?

— Да, — согласилась Кейтилин.

— Тогда говори.

— Быть может, мне лучше уйти? — сказал мейстер Лювин.

— Нет, — отвечала Кейтилин. — Нам потребуется твой совет. — Откинув меха, она выбралась из постели. Ночной воздух холодным могильным прикосновением натянул ее кожу, пока она перебежала по комнате. Мейстер Лювин отвернулся. Даже Неда покоробило.

— Что ты делаешь? — возмутился он.

— Зажигаю огонь, — ответила ему Кейтилин. Она отыскала халат и, надев его, склонилась над холодным очагом.

— Но здесь мейстер Лювин... — начал Нед.

— Мейстер Лювин принимал все мои роды, — сказала Кейтилин. — Сейчас не время для ложной скромности. — Она положила бумажку в очаг и придавила сверху поленьями. Нед подошел к ней и поднял на ноги. Лицо его оказалось буквально в дюйме от ее лица.

— Миледи, скажи мне, что здесь написано?

Кейтилин напряглась.

— Предупреждение, — негромко ответила она, — для тех, у кого хватает ума прислушаться.

Глаза Неда обратились к ее лицу.

— Продолжай.

— Лиза сообщает, что Джона Аррена убили.

Пальцы мужа напряглись на ее руке.

— Кто?

— Ланнистеры, — сказала Кейтилин. — Королева.

Нед выпустил ее руку. На коже остались темные отметины.

— Боги, — пробормотал он хриплым голосом, — твоя сестра обезумела от горя. Она не знает, что говорит.

— Она знает, — проговорила Кейтилин. — Лиза порывиста, но это послание было тщательно спланировано и умно спрятано. Она знала, что бумажка эта грозит ей смертью, если письмо попадет не в те руки. Чтобы так рисковать, она должна располагать более чем подозрениями. Теперь у нас действительно нет выхода. Ты должен стать десницей Роберта. Тебе придется отправиться на юг и узнать истину.

Кейтилин поглядела на мужа и сразу же поняла, что Нед пришел к противоположному выводу.

— Единственная известная мне правда находится здесь. А Юг — это гадючье гнездо, от которого лучше держаться подальше.

Лювин поправил цепь, прищемившую кожу на горле, и поклонился:

— Десница короля обладает великой властью, милорд. Лорд-десница способен узнать правду о смерти лорда Аррена и предать убийцу королевскому правосудию, способен защитить леди Аррен и ее сына, если верным окажется худшее.

Нед беспомощно оглядел опочивальню. Сердце Кейтилин рвалось к нему, но она понимала, что рано еще обнимать мужа. Сперва нужно добиться победы — ради ее детей.

— Ты говоришь, что любишь Роберта как брата. Неужели ты можешь оставить своего брата в окружении Ланнистеров?

— Чтобы Иные побрали вас обоих, — мрачно буркнул Нед. Он отвернулся от них и подошел к окну. Кейтилин выжидала, молчал и мейстер. А Эддард Старк молча прощался с любимым домом. Он отвернулся от окна, лицо разом сделалось усталым и угрюмым, в уголках глаз поблескивала влага. — Отец мой однажды отправился на юг, отвечая на призыв короля. Но так и не вернулся домой.

— Другие времена, — ответил мейстер Лювин, — другой король.

— Да, — мрачно отозвался Нед, опускаясь в кресло возле очага. — Кейтилин, тебе придется остаться в Винтерфелле.

Слова эти холодным ветром пронзили ее сердце.

— Нет, — сказала Кейтилин с внезапным испугом. Неужели таким будет ее наказание? Никогда не увидеть его лица, не ощутить прикосновения к телу его рук.

— Да, — отвечал Нед голосом, не допускающим возражений. — Ты будешь править Севером вместо меня, пока я исполняю поручения Роберта. В Винтерфелле всегда должен сидеть Старк. Роббу только четырнадцать. Скоро он вырастет, а меня не окажется рядом. Пусть он участвует в твоих советах. Робб должен быть хорошо подготовлен к правлению, когда придет его время.

— Да будет воля богов, чтобы это случилось не слишком скоро, — проговорил мейстер Лювин.

— Мейстер Лювин, я доверяю вам как родичу. Помогайте моей жене советом во всех делах, великих и малых. Научите моего сына тому, что он должен знать. Зима близко.

Мейстер Лювин серьезно кивнул. Потом наступило молчание, наконец Кейтилин, набравшись отваги, задала вопрос, которого боялась более всего:

— А что будет с остальными детьми?

Нед поднялся и обнял ее, коснувшись щекой щеки.

— Рикон очень мал, — ответил он мягко, — и он останется здесь вместе с тобой и Роббом. Остальных я возьму с собой.

— Я не перенесу разлуки, — сказала Кейтилин дрожа.

— Придется перенести, — отвечал он. — Санса должна выйти за Джоффри. Теперь это ясно; мы не можем предоставить королю повод для сомнений в нашей преданности. К тому же пора и Арье познакомиться с обычаями южного двора, через несколько лет она тоже войдет в брачный возраст.

Санса будет блистать на Юге, подумала про себя Кейтилин, и видят боги, что Арья нуждается в воспитании. Неохотно она отпустила их в своем сердце. Но не Брана. Только не Брана.

— Да, — сказала она, — но пожалуйста, ради нашей любви, пусть Бран останется в Винтерфелле, ему только семь.

— Мне было семь, когда мой отец послал меня приемышем в Орлиное Гнездо, — сказал Нед. — Сир Родрик говорит, что Робб и принц Джоффри не ладят. Это плохо. Бран может помочь сгладить сложности... Он обаятельный мальчишка, смешливый, легко влюбляющийся. Пусть вырастет вместе с молодыми принцами, подружится с ними, как я с Робертом. Это выгодно нашему дому.

Нед прав, Кейтилин это знала. Но боль от этого не становилась меньше. Она потеряет сразу четверых: Неда, обеих дочерей и милого, любящего Брана; только Робб и маленький Рикон останутся с ней. Ей вдруг сделалось одиноко в таком огромном замке.

— Тогда держи его подальше от стен, — отважно промолвила она. — Знаешь, как Бран любит лазать.

Нед поцелуями снял слезы с ее глаз, прежде чем они успели упасть.

— Спасибо тебе, миледи, — отвечал он. — Я знаю, что тебе тяжело решиться на это.

— А как насчет Джона Сноу, милорд? — спросил мейстер Лювин.

Кейтилин напряглась, услыхав это имя. Нед ощутил в ней гнев и отодвинулся.

Бастарды рождались у многих. Кейтилин уже успела привыкнуть к этому. В первые годы их брака она без удивления узнала, что у Неда есть сын от какой-то девушки, случайно встреченной в военном походе. В конце концов он — мужчина, а они проводили тот год в разлуке. Нед воевал на юге, она оставалась в безопасном замке своего отца в Риверране. Тогда она думала больше о Роббе, младенце возле ее груди, чем о муже, которого едва успела узнать. Нед имел право на любую утеху, которую мог отыскать среди битв. А раз семя его укоренилось, она полагала, что он должен приглядеть за ребенком.

Но он сделал большее: Старки не были похожи на обычных людей. Нед взял своего бастарда домой и звал его сыном на глазах всего Севера. И когда война наконец окончилась и Кейтилин переехала в Винтерфелл, Джон вместе с его няней уже находился там.

Она восприняла это болезненно. Нед не говорил о матери ребенка ни слова, а в замке не было секретов, и Кейтилин услышала, как служанки повторяют рассказы солдат. Они шептали о сире Эртуре Дейне, Мече Зари, самом искусном воине из семи рыцарей королевской стражи Эйериса, и о том, как их молодой лорд сразил его в поединке. Они рассказывали, как потом Нед повез меч сира Эртура к прекрасной и юной сестре сраженного рыцаря, леди Эшаре Дейн, высокой и светловолосой, с очаровательными фиолетовыми глазами, ожидавшей своей судьбы в замке, именуемом Звездопадом, что стоит на берегах Летнего моря.

Потребовалось две недели, чтобы она набралась храбрости, но наконец однажды ночью Кейтилин спросила своего мужа о ней, спросила прямо в лицо.

В тот единственный раз за все прошедшие годы Нед испугал ее.

— Никогда не спрашивай меня о матери Джона, — отвечал он голосом холодным как лед. — Джон от моей крови, и большего тебе знать не нужно. А теперь я хочу выяснить, где моя госпожа узнала это имя.

Ей пришлось повиноваться, она все рассказала, и с этого дня все сплетни прекратились, а имя Эшары Дейн никогда более не упоминалось в Винтерфелле.

Кем бы ни была мать Джона, Нед, наверное, пылко любил ее, потому что никакие уговоры Кейтилин не могли заставить его отослать мальчика. Лишь этого она не могла простить ему. Кейтилин научилась любить мужа всем сердцем, но так и не сумела заставить себя полюбить Джона. Ради любви к Неду она стерпела бы и дюжину бастардов, если бы только их не было на глазах, но Джон никогда не отлучался из замка, и вырастая, он становился похожим на Неда больше, чем любой из его законных сыновей, что лишь ухудшало положение дел.

— Джон должен уехать, — сказала она.

— Они с Роббом дружат, — проговорил Нед. — Я надеялся...

— Он не может оставаться в Винтерфелле, — обрезала его Кейтилин. — Он твой сын, а не мой. Я не потерплю его здесь. — Жестоко, она понимала это, но ничего изменить не могла. Нед не обрадует парня, оставив его в Винтерфелле.

Муж отвечал ей раненым взором.

— Ты знаешь, я не могу взять его на юг. Для него нет места при дворе. Мальчишка — бастард... ты знаешь, что будут о нем говорить. Его заклюют.

Кейтилин решила не уступать мужу, несмотря на его просящий взгляд.

— Говорят, что твой приятель Роберт сам является отцом дюжины бастардов.

— И никого из них не видели при дворе! — вспыхнул Нед. — Ланнистерша позаботилась об этом. Как ты можешь быть настолько жестокой, Кейтилин? Это всего лишь мальчишка. И он...

Ярость накатила на него. Он сказал бы и худшее, но вмешался мейстер Лювин.

— Возможно другое решение, — проговорил он спокойным голосом. — Несколько дней назад ваш брат Бенджен явился ко мне с разговором о Джоне. Похоже, мальчика тянет к Черным Братьям.

Нед казался потрясенным.

— Он захотел вступить в Ночной Дозор?!

Кейтилин отошла к окну. Пусть Нед все обдумает, сейчас ей лучше промолчать. И все же она охотно бы расцеловала мейстера за идеальное решение. Бенджен Старк принес братскую присягу. Джон будет сыном ему, ребенком, которого у него иначе никогда бы не было. Со временем мальчик и сам даст обет. У него не будет сыновей, которые когда-нибудь смогут оспорить право внуков Кейтилин на Винтерфелл.

Мейстер Лювин сказал:

— Служить на Стене — великая честь, милорд.

— И даже бастард может высоко подняться в Ночном Дозоре, — заметил Нед. И все же в голосе его слышалась тревога. — Но Джон так молод. Если бы он попросил об этом в более зрелом возрасте, это было бы другое дело, но в четырнадцать лет...

— Суровая жертва, — согласился мейстер Лювин. — Но жестоки и времена, милорд. Его дорога не будет горше пути, что ждет вас и госпожу.

Кейтилин подумала о тех детях, которых ей предстоит потерять. Смолчать было нелегко.

Нед отвернулся от окна, и лицо его помрачнело. Пройдя несколько шагов, он повернул назад.

— Очень хорошо, — обратился он к мейстеру Лювину. — Наверное, так будет лучше. Я переговорю с Беном.

— А когда мы скажем Джону? — спросил мейстер.

— Когда это потребуется. Пока нужно сделать приготовления. Возможно, пройдет пара недель, прежде чем мы сумеем подготовиться к дороге. Пусть Джон порадуется этим последним дням. Лето скоро закончится, а с ним и его детство. Когда придет зима, я сам скажу ему.

АРЬЯ

Стежки под рукой Арьи вновь вышли кривыми. Бросив на них хмурый и недовольный взгляд, она поглядела на сестру, окруженную девушками. Санса великолепно владела иглой. Так говорили все.

— Шитье Сансы столь же красиво, как и она сама, — сказала однажды септа Мордейн их леди-матери. — У нее такие деликатные руки. — А когда леди Кейтилин спросила об Арье, септа фыркнула: — А у Арьи руки кузнеца.

Арья повела взглядом по комнате, опасаясь, что септа Мордейн прочтет ее мысли, но септа не уделяла ей сегодня внимания. Она сидела возле принцессы Мирцеллы, выражая улыбкой восторг. Септам нечасто удается поучить женскому делу принцесс королевской крови, сказала она, когда королева привела к ним Мирцеллу. На взгляд Арьи, стежки принцессы тоже казались чуточку кривоватыми, но по воркованию септы Мордейн этого никак нельзя было определить. Арья вновь оглядела собственную работу, пытаясь найти способ исправить ее, а потом вздохнула, опустила иглу и мрачно уставилась на сестру. Санса весело трещала за работой. Бет Кассель, младшая дочь сира Родрика, сидела возле ее ног, прислушиваясь к каждому слову, Джейни Пуль, склонившись, что-то шептала ей на ухо.

— О чем вы говорите? — вдруг спросила Арья.

Джейни удивленно поглядела на нее и хихикнула. Санса смутилась. Бет покраснела. Никто не ответил.

— Скажите же, — проговорила Арья.

Джейни оглянулась, чтобы убедиться в том, что септа Мордейн не слушает. Мирцелла как раз что-то кончила рассказывать, и септа рассмеялась вместе со всеми остальными дамами.

— Мы говорили о принце, — ответила Санса голосом мягким, как поцелуй.

Арья знала, о каком из принцев шла речь: конечно же, о Джоффри, высоком и красивом. Санса сидела рядом с ним на пиру. Ей же, Арье, пришлось сидеть с пухлым малышом. Вполне естественно.

Твоя сестра понравилась Джоффри, — прошептала Джейни с гордостью, словно от нее что-то зависело. Она была дочерью стюарда Винтерфелла и самой близкой подругой Сансы. — Он сказал ей, что она прекрасна.

— Он собирается жениться на ней, — сонным голосом объявила кроха Бет, обхватив себя руками. — Тогда Санса сделается королевой.

Санса изящно покраснела. Краснела она всегда удивительно мило. Она все делает мило, с тупой укоризной подумала Арья.

— Бет, тебе не следует сочинять такие сказки, — поправила Санса младшую, ласково погладив ее по голове, чтобы лишить резкости собственные слова. Она поглядела на Арью. — А что ты думаешь о принце Джоффри, сестра? Он очень галантен, тебе не кажется?

— Джон говорит, что он очень похож на девочку, — сказала Арья.

Санса вздохнула, не прекращая шитья.

— Бедный Джон, — сказала она. — Он ревнует потому, что он бастард.

— Он наш брат, — сказала Арья слишком уж громко. Голос ее прорезал полдневный покой горницы наверху башни.

Септа Мордейн подняла глаза. Костлявое лицо, острые глаза и тонкие губы как будто специально были созданы для того, чтобы укорять. Рот ее уже кривился.

— И о чем же вы разговариваете, девочки?

— О нашем сводном брате, — поправилась Санса, мягко и точно. Она улыбнулась септе: — Мы с Арьей как раз говорили, что нам приятно шить сегодня в обществе принцессы.

Септа Мордейн кивнула:

— Действительно. Это великая честь для всех нас. — Принцесса Мирцелла неуверенно улыбнулась комплименту. — Арья, почему ты не шьешь? — зашелестев накрахмаленными юбками, спросила септа и, встав на ноги, направилась через всю комнату. — Покажи-ка мне свою работу?

Арье хотелось заплакать. Ну зачем это Санса, как всегда, привлекла внимание септы?

— Вот, — сказала она, подавая свое шитье. Септа посмотрела на ткань.

— Арья, Арья, Арья, — покачала она головой. — Это не дело. Это совсем не дело!

Все вокруг глядели на нее. Это уж слишком. Санса была слишком хорошо воспитана, чтобы улыбнуться несчастью сестры, но Джейни блаженствовала. Даже принцессе Мирцелле было жаль ее. Арья почувствовала, как слезы наполняют ее глаза. Выскочив из кресла, она бросилась к двери.

Септа Мордейн позвала ее:

— Арья, вернись! Ты не сделаешь ни одного шага. Твоя леди-мать услышит об этом. Ты позоришь семью перед лицом нашей царственной гостьи.

Арья остановилась в дверях и повернула назад, закусив губу. Слезы теперь бежали по ее щекам. Она умудрилась отпустить короткий нервный поклон Мирцелле:

— Прошу вашего разрешения, моя госпожа.

Мирцелла моргнула и поглядела на своих дам, ожидая наставлений. Однако в отличис от принцессы септа Мордейн не испытывала неуверенности.

— И куда же ты направлялась, Арья? — потребовала ответа септа.

Бросив на нее яростный взор, Арья ответила самым любезным тоном:

— Коней ковать, — и, недолго насладившись потрясением, проступившим на лице септы, бросилась вон, сбежав по ступеням так быстро, как могли нести ее ноги.

Это было нечестно. Сансе досталось все. Санса была на два года старше, и к тому времени, когда родилась Арья, ей ничего уже не осталось. Так она считала. Санса умела шить, танцевать и петь. Она писала стихи. Она со вкусом одевалась. Она играла на высокой арфе и колокольчиках. Хуже того, она была прекрасна. Санса унаследовала высокие, тонкие скулы матери и густые, осеннего цвета волосы Талли. Арья пошла в своего лорда-отца. Каштановые волосы ее не блестели, лицо казалось длинным и скорбным. Джейни обычно дразнила ее лошадью и ржала, когда Арья проходила мимо. Лучше сестры она умела лишь ездить на коне. Ну, кроме этого, еще хорошо управлялась по дому. Санса никогда не разбиралась в цифрах. Если она выйдет за принца Джоффри, тому придется обзаводиться надежным управителем.

Нимерия ожидала ее в караулке у подножия лестницы и вскочила на ноги, едва завидев Арью. Девочка ухмыльнулась. Уж этот волчонок любит ее, как бы ни относились к ней все остальные. Они повсюду ходили вместе, Нимерия и спала в комнате Арьи — возле постели. Если бы мать этого не запрещала, Арья охотно брала бы волчонка с собой на шитье. Вот пусть тогда септа Мордейн попробует осудить ее стежки. Арья отвязала Нимерию, та лизнула ее руку. Желтые глаза волчонка, отражая солнечный свет, блеснули двумя золотыми монетами. Арья назвала ее в честь воинственной королевы ройнов, которая некогда провела свой народ через Узкое море. Это имя тут же послужило причиной для большого скандала. Санса, конечно же, назвала своего щенка Леди. Сделав гримасу, Арья обняла волчонка. Нимерия лизнула ее в ухо, и девочка хихикнула.

Септа Мордейн, безусловно, успела все сообщить ее леди-матери. Если она отправится к себе, ее сразу найдут. Арья не хотела этого. Она придумала кое-что получше. Мальчики как раз занимались во дворе. И ей хотелось увидеть, как Робб уложит галантного принца Джоффа на спину.

— Пойдем, — шепнула она Нимерии. Вскочив, Арья побежала, волчонок следовал за ней по пятам.

В стене крытого перехода между арсеналом и Великим Замком находилось окошко, из которого был виден весь двор. Туда они и направились.

Запыхавшаяся и раскрасневшаяся Арья обнаружила там Джона, сидевшего на подоконнике, поджав колени к подбородку. Он следил за происходящим, углубившись настолько, что даже не заметил ее приближения, лишь его белый волк отправился им навстречу. Нимерия приближалась с опаской. Призрак был крупнее, чем его собратья; он обнюхал сестру, лизнул в ухо и опустился на пол.

Джон, любопытствуя, повернулся.

— Разве тебе не положено сейчас работать над шитьем, маленькая сестрица?

Арья отвечала гримасой:

— Я хочу посмотреть, как они дерутся.

Он улыбнулся:

— Тогда подойди сюда.

Арья взобралась на окно и села возле него, прислушиваясь к стуку и говору во дворе. К ее разочарованию, учили младших ребят. Бран был укутан так, что показался ей завернутым в перину, а уж Томмен, при всей своей толщине, похож был на колобок. Они пыхтели, сопели и разили друг друга обмотанными тканью деревянными мечами под внимательным взглядом сира Родрика Касселя, мастера над оружием, рослого и объемистого, словно бочонок, с великолепными белыми бакенбардами во всю щеку. Дюжина зрителей, мужчины и мальчики, подбадривали сражающихся. Голос Робба был самым громким. Возле старшего брата она заметила Теона Грейджоя, черный дублет воспитанника украшал золотой кракен* его дома, на лице проступало выражение превосходства. Оба сражавшихся уже спотыкались. Арья решила, что бой длится достаточно давно.

— Более утомительное занятие, чем шитье?

— Более веселое занятие, чем шитье, — отвечала ему Арья. Джон с ухмылкой протянул руку и взъерошил ее волосы. Арья покраснела. Они всегда были близки. Джон напоминал ей отца, и она ему тоже. Они были единственными: Робб, Санса и даже маленький Рикон пошли в Талли — улыбчивые, с пламенной шевелюрой. По малолетству Арья когда-то боялась, что из-за этого ее тоже сочтут бастардом. С опасениями своими она отправилась именно к Джону, и именно он переубедил ее.

— А ты почему не во дворе? — спросила его Арья.

Он отвечал ей полуулыбкой.

— Бастардам не позволено сражаться с юными принцами. Все синяки, которые они получат во время упражнений, должны быть нанесены руками законных сыновей.

— О!.. — Арья смутилась. Ей следовало бы понять это самостоятельно. Второй раз за сегодняшний день Арья решила, что жизнь не так уж и хороша. Она посмотрела, как ее младший брат рубанул Томмена. — А я могу управляться с мечом не хуже Брана. Ему только семь, а мне уже девять.

Джон посмотрел на нее с высоты всей своей четырнадцатилетней мудрости.

— Ты слишком худа, — объявил он и взял сестру за руку, чтобы пощупать мускулы, а потом вздохнул и покачал головой. — Едва ли ты сможешь просто поднять длинный меч, маленькая сестрица, не говоря уже о том, чтобы размахнуться им.

Арья вырвалась и яростно поглядела на него. Джон снова взлохматил ее волосы. Бран и Томмен все еще кружили друг против друга.

— А ты видишь принца Джоффри? — спросил Джон.

---

* Кракен — гигантский кальмар.

Она заметила его не с первого взгляда, лишь приглядевшись, — сзади, в тени высокой каменной стены. Принца окружали мужчины, которых Арья не знала, незнакомые ей молодые сквайры в ливреях Ланнистеров и Баратеонов. Среди них были мужчины постарше. Она решила, что это рыцари.

— Погляди-ка на герб на его плаще, — прошептал Джон.

Арья посмотрела. На подбитом плаще принца был вышит причудливый щит. Тут уж, вне сомнения, шитье было великолепным. Герб разделялся на две половины: по одной стороне мчался венценосный олень королевского дома, на другой рычал лев Ланнистеров.

— Ланнистеры горды, — заметил Джон. — Джоффри было бы достаточно и королевского герба, но нет, он решил воздать дому своей матери такие же почести.

— С женщиной тоже надо считаться! — возразила Арья.

Джон усмехнулся:

— Неужели и ты сделала бы то же самое, маленькая сестрица? Объединила Талли со Старками в своем гербе?

— Волк с рыбой в зубах! — Она расхохоталась. — Это было бы глупо. К тому же, если девочка не может сражаться, зачем нужен ей герб?

Джон пожал плечами:

— У девушек есть гербы, но нет мечей. Бастард получает меч, а не герб. Не я учреждаю правила, моя маленькая сестрица.

Внизу во дворе послышался крик. Принц Томмен катался в грязи, безуспешно пытаясь встать. Подушки делали из него некое подобие черепахи. Бран стоял над ним с поднятым мечом, готовый рубануть, если поверженный противник снова поднимется на ноги. Мужчины расхохотались.

— Довольно! — проговорил сир Родрик. Он подал принцу руку и поднял его на ноги. — Хорошая схватка. Лью, Доннис, помогите им снять броню. — Он огляделся. — Принц Джоффри, Робб, дело за вами, объявляю новый поединок.

Робб, уже покрывшийся потом в предыдущей схватке, бодро шагнул вперед:

— Охотно!

Отвечая на вызов Родрика, Джоффри вышел на солнечный свет. Волосы его блеснули золотой нитью.

— Это же игра для детей, сир Родрик, — проговорил он со скукой.

Пеон Грейджой разразился хохотом.

— Вы и есть дети, — сказал он.

— Робб, возможно, и ребенок, — сказал Джоффри, — но я принц. И мне надоело рубить Старков игрушечным мечом.

— Ты получил больше ударов, чем нанес, Джофф, — возразил ему Робб. — Или ты боишься?

Принц Джоффри поглядел на него и процедил сквозь зубы:

— Просто в ужасе перед таким грозным воином. — Кое-кто из Ланнистеров расхохотался.

Джон, хмурясь, глядел на эту сцену.

— А Джоффри-то хоть еще и не вырос, но уже дерьмо, — сообщил он Арье.

Сир Родрик задумчиво потянул за белый ус.

— Что вы предлагаете? — спросил он у принца. — Настоящую сталь?

— По рукам, — отвечал Робб, — сам же и пожалеешь.

Оружейных дел мастер положил руку на плечо Робба, чтобы успокоить его.

— Настоящая сталь слишком опасна. Я разрешаю вам взять турнирные мечи с затупленными краями.

Джоффри не ответил, но незнакомый Арье высокий рыцарь с черными волосами и оставленными ожогами шрамами на лице пробился вперед и стал перед принцем.

— Это твой принц, и кто ты таков, сир, чтобы указывать ему, может он или нет брать в руки острый меч.

— Я Кассель, мастер над оружием в Винтерфелле, и советую тебе не забывать об этом.

— Неужели здесь учат женщин? — захотел узнать рыцарь со шрамами. Его мышцы вздувались, как у быка.

— Я воспитываю рыцарей, — подчеркнул сир Родрик. — Они получат сталь, когда будут готовы к ней... Когда достигнут нужного возраста.

Рыцарь поглядел на Робба.

— Сколько тебе лет, мальчик?

— Четырнадцать, — отвечал Робб.

— Я убил мужчину в двенадцать лет. И не сомневайся — не тупым мечом.

Арья заметила, как Робб ощетинился, гордость его была задета. Он обернулся к сиру Родрику:

— Позволь мне сделать это. Я смогу победить его.

— Тогда бери турнирный меч, — ответил сир Родрик.

Джоффри пожал плечами:

— Встретимся, когда подрастешь, Старк. Но только не в глубокой старости. — Люди Ланнистеров расхохотались.

Ругательства Робба раздались во дворе. Потрясенная Арья прикрыла рот. Теон Грейджой схватил Робба за руку, чтобы увести его подальше от принца. Сир Родрик недовольно потянул себя за усы.

Джоффри изобразил зевок и повернулся к младшему брату.

— Пошли, Томмен, — сказал он. — Время игр закончено. Пусть дети развлекаются.

Ланнистеры снова разразились смехом, Робб опять отвечал бранью. Лицо сира Родрика под белыми бакенбардами уже побурело, как свекла. Теон удерживал Робба железной хваткой, пока принцы и их отряд не отошли подальше.

Джон проводил их взглядом. Арья заметила, что лицо Джона сделалось столь же спокойным, как пруд в середине богорощи. Наконец он слез с окна.

— Развлечение закончено, — проговорил он, нагибаясь, чтобы почесать Призрака за ушами. Волк поднялся и потерся о хозяина боком. — Лучше бы тебе отправиться к себе в комнату, маленькая сестрица. Септа Мордейн уже притаилась там, и чем дольше ты будешь прятаться, тем суровее окажется наказание. Тебе придется шить всю зиму. А когда настанет оттепель, твое тело обнаружат с иголкой, застывшей между замерзшими пальцами.

Арья не видела в подобной перспективе ничего забавного.

— Ненавижу шитье! — проговорила она с пылом. — Это нечестно!

— Все нечестно, — ответил Джон, вновь взъерошил ее волосы и отправился прочь. Призрак безмолвно последовал за хозяином. Нимерия тоже было увязалась за ними, но остановилась и вернулась назад, заметив, что Арья остается на месте. Девочка неуверенно, без особой охоты повернула в обратную сторону. Но там ее ожидала худшая участь, чем предполагал Джон: в комнате сидела не одна септа Мордейн, там была и ее мать.

БРАН

Охотники выехали на рассвете. Король хотел затравить дикого вепря для вечернего пира. Принц Джоффри сопровождал отца, поэтому и Роббу позволили присоединиться к охотникам. Дядя Бенджен, Джори, Теон Грейджой, сир Родрик и даже забавный младший брат королевы — все выехали в лес. В конце концов это была последняя охота. Утром они отправятся на юг. Брана оставили позади с Джоном, девочками и Риконом. Рикон был еще младенцем, девочки всегда оставались только девочками, ну а Джона с его волком нигде не было видно. Впрочем, Бран и не разыскивал его слишком усердно. Он решил, что Джон сердится на него, ведь в эти дни Джон, похоже, сердился на каждого. Бран не знал причины. Ему казалось, что если Джон уезжает вместе с дядей Беном на Стену, чтобы вступить в Ночной Дозор, то это ничуть не хуже, чем ехать на юг вместе с королем. Дома оставался один только Робб. Бран никак не мог дождаться отъезда. Ему предстояло ехать по Королевскому тракту на собственном коне — не на пони, на настоящем коне! Потом его отец в Королевской Гавани сделается десницей короля, и они будут жить в том самом Красном замке, который построили владыки Драконов. Старая Нэн говорила, что там обитают призраки, есть и темница, где творятся жуткие вещи, а на стенах повсюду развешаны драконьи головы. Подумав об этом, Бран поежился, но не от страха. Чего бояться? С ним будет отец и еще король со всеми своими рыцарями и рубаками, присягнувшими на верность.

Бран намеревался когда-нибудь сделаться рыцарем и вступить в Королевскую гвардию. Старая Нэн говорила, что лучших мечей не сыщешь по всей стране. Их было всего семеро, они носили белую броню, не имели жен и детей и служили одному только королю. Бран знал все рассказы о них. Одни их имена звучали песней. Сервин Зеркальный щит, сир Пойен Редвин, принц Эйемон Рыцарь Дракона, близнецы сир Эррик и сир Аррик, погибшие от мечей друг друга сотни лет назад, когда брат воевал с сестрой в войне, которую певцы назвали Пляской Драконов. Белый Бык, Герольд Хайтауэр, сир Эртур Дейн, Меч Зари, Барристан Отважный.

Двое гвардейцев сопровождали короля Роберта в поездке на север. Бран смотрел на них как заколдованный и не смел заговорить. Сир Борос был лыс, и щеки его тряслись, глаза сира Меррина прятались в нише между нависшим лбом и ржавой бородой. Более похожий на рыцарей из сказаний сир Джейме Ланнистер прежде принадлежал к Королевской гвардии, но Робб говорил, что Джейме убил старого безумного короля и посему был исключен из нее. Самым великим среди живых рыцарей считался сир Барристан Селми — Барристан Отважный, лорд-начальник Королевской гвардии. Отец обещал познакомить Брана с сиром Барристаном, когда они приедут в Королевскую Гавань, и Бран отмечал на стене оставшиеся до отъезда дни, мечтая повидать мир, о котором он мог только мечтать, и наконец начать жизнь, которой он даже не представлял себе.

И все же, когда наступил последний день, Бран вдруг почувствовал себя потерянным. Он не знал иного дома, кроме Винтерфелла. Отец велел ему сегодня попрощаться со всеми, и Бран попытался это сделать. Когда уехали охотники, он отправился по замку со своим волком, намереваясь посетить тех, кто останется дома: старую Нэн, повара Гейджа, Миккена-кузнеца, Ходора-конюха, который все время улыбался, заботился о его пони и никогда не говорил другого слова, кроме своего имени Ходор, а еще человека из стеклянного сада, который угощал его ежевикой, когда он являлся с визитом...

Но ничего хорошего не получилось. Первым делом Бран посетил конюшню, попрощался со своим пони. Он ведь больше не принадлежал ему, Бран получил настоящего коня, и с пони нужно было расставаться. И вдруг Бран захотел просто сесть где-нибудь и расплакаться. Он повернулся и побежал, прежде чем Ходор и остальные конюхи смогли заметить слезы на его глазах. Тем и закончилось его прощание. Вместо этого Бран провел утро в богороще, пытаясь обучить волка приносить палку, но успеха не достиг. Волчонок был смышленее любой собаки в своре отца. Бран присягнул бы, что зверь понимал каждое сказанное ему слово, но интереса к палкам при этом не обнаруживал.

Бран все еще обдумывал имя. Робб звал своего волка Серым Ветром, потому что тот быстро бегал, Санса дала своей волчице имя Леди, а Арья выбрала для своей имя королевы-ведьмы, воспетой в старинных песнях. Маленький Рикон называл волка Лохматым Песиком, с точки зрения Брана — довольно глупое имя для лютоволка. Белый волк Джона носил кличку Призрак. Бран пожалел, что не придумал эту кличку первым, хотя его волк и не мог похвастаться белой шкурой. За последние дни недели мальчик опробовал сотню имен, но ни одно из них не казалось подходящим.

Наконец Бран устал от игры с палкой и решил полазать. Он уже несколько недель не поднимался на разрушенную башню, а учитывая все обстоятельства, иного шанса могло и не представиться.

Он побежал через богорощу окольным путем, чтобы не проходить мимо водоема, возле которого росло серд це-дерево. Оно всегда пугало Брана, полагавшего, что у деревьев не должно быть глаз и рук. Волк следовал за ним.

— Ты останешься здесь, — сказал Бран у подножия страж-дерева, росшего возле стены арсенала. — Ложись, вот так, и жди меня.

Волк поступил как приказано. Бран поскреб его за ушами, обернулся, подпрыгнул, уцепился за невысокий сук и подтянулся. Он уже поднялся до середины дерева, легко перебираясь с ветки на ветку, когда волк вскочил на ноги и завыл.

Бран поглядел вниз. Волк умолк, глядя на него лиловыми узкими глазами. Странный холодок пронзил Брана, но он полез дальше. Волк снова взвыл.

— Тихо, — сказал Бран. — Садись. Ты хуже, чем мать. — Волчий вой сопровождал его, пока он лез выше, — до тех пор, пока Бран наконец не перескочил на крышу арсенала и волк не смог более видеть его.

Крыша Винтерфелла была для Брана родным домом. Мать нередко говорила, что он научился лазать прежде, чем ходить. Сам Бран не помнил, когда научился ходить, но не мог вспомнить и когда начал лазать. Возможно, мать действительно была права. Для мальчика Винтерфелл представлял серый каменный лабиринт: стены, башни, дворы и переходы, разбегавшиеся во все стороны. Покои в старой части замка успели накрениться в разные стороны, так что нельзя было даже сказать, на каком этаже ты находишься. Замок вырос за века, подобно какому-то чудовищному дереву, и ветви его сделались корявыми и толстыми, а корни углубились в землю, как верно заметил однажды мейстер Лювин.

Поднявшись к небу, Бран мог охватить глазом сразу весь Винтерфелл. Ему нравился замок, распростертый под ним. Пока птицы кружили над его головой, а внизу жила своей жизнью крепость, Бран мог целые часы проводить между источенных дождями горгулий, в задумчивости приглядывавших за Первой Твердыней: правильно ли люди обрабатывают дерево и сталь во дворах, следят ли садовники за овощами в стеклянном саду, снуют ли без отдыха псы взад и вперед, молчалива ли по-прежнему богороща и не изменились ли сплетни девиц, обменивающихся ими во время стирки возле колодца? Отсюда он казался себе лордом всего замка. Роббу никогда не понять этого.

Здесь Бран узнал и некоторые секреты Винтерфелла. Оказалось, что строители даже не выровняли землю. За стенами Винтерфелла были свои холмы и равнины. И мостик шел с четвертого этажа колокольной башни на второй этаж грачевни. Бран знал об этом. Еще он знал, что сумеет попасть на внутреннюю стену через южные ворота, подняться на три этажа и обежать весь Винтерфелл по узкому каменному туннелю, а потом выйти на уровне земли через северные ворота под сотнею футов стены, высящейся над головой. Мейстер Лювин этого не знал, Бран был в этом уверен.

Мать все боялась, что однажды Бран сорвется со стены и убьется. Он уверял ее, что этого не случится, но она не верила ему. Однажды она заставила его обещать, что он всегда будет оставаться на земле. Бран сумел выдержать обещание почти две недели, день ото дня ощущая себя все более несчастным, и наконец удрал прямо из окна детской, пока братья крепко спали.

В порыве раскаяния он исповедовался в преступлении на следующий день. Лорд Эддард отправил его в богорощу, чтобы очиститься. И расставил стражу, которая должна была приглядеть, чтобы сын его провел в лесу целую ночь, обдумывая свое неповиновение. Наутро Брана нашли не сразу; наконец он обнаружился спящим в ветвях самого высокого дерева рощи.

При всем гневе отцу оставалось только расхохотаться.

— Ты не мой сын, — сказал он Брану, когда его доставили вниз, — ты какая-то белка. Лазай, если не можешь не лазать. Только пусть мать этого не видит.

Бран старался, хотя знал, что ее трудно провести. Поскольку отец более не запрещал этого, мать нашла другие способы. Старая Нэн рассказала ему сказку о скверном маленьком мальчике, который забрался слишком высоко и был поражен молнией, а потом вороны выклевали ему глаза. Бран пропустил это мимо ушей. Он видел много вороньих гнезд на вершине разрушенной башни, куда, кроме него, не поднимался никто, а иногда наполнял свои карманы зерном, так что вороны клевали у него прямо из рук. И никто из них ни разу не обнаружил никакого желания выклевать у него хотя бы один глаз.

Потом мейстер Лювин вылепил из глины фигурку мальчика, одел куклу в одежду Брана и сбросил со стены во двор, чтобы показать, что останется от Брана, если он упадет. Зрелище было забавным, но Бран только посмотрел на мейстера и сказал:

— Но я не сделан из глины и к тому же никогда не упаду.

Некоторое время, заметив его на крыше, стража гонялась за ним, пытаясь поймать. Это была самая веселая пора. Все равно что играть с братьями, но здесь Бран побеждал всегда. Никто из стражников не умел лазать, как Бран, даже Джори. А в основном его вообще не замечали. Люди никогда не смотрят вверх. Он любил крыши еще и по этой причине. Там, наверху, он становился как бы невидимым.

Ему нравилось и просто перебираться с камня на камень, впиваясь пальцами рук и ног в узкие щели. Он всегда снимал ботинки и лез вверх босым. И тогда ему казалось, что у него четыре руки вместо двух. Бран любил глубокую сладкую боль, которая потом ощущалась в мышцах. Он любил сам воздух наверху — плотный и сладкий, как зимняя груша. Любил птиц: ворон в разбитой башне, крохотных воробьев, гнездившихся в трещинах между камнями, древнюю сову, которая спала в пыльной расщелине на вершине старого арсенала. Бран знал их всех.

Но больше всего он любил посещать места, где никто не мог бывать, и смотреть сверху на серый Винтерфелл. Таким его не видел никто. Так целый замок сделался секретным уголком Брана.

Любимым местом своим он считал разбитую башню. Некогда она была сторожевой, самой высокой в Винтерфелле. Давным-давно, за сотню лет до рождения отца, удар молнии воспламенил ее. Вершина третьего этажа рухнула вниз, башню забросили и никогда не перестраивали. Иногда отец посылал крысоловов к основанию башни, чтобы убрать гнезда, которые всегда обнаруживались среди обуглившихся и сгнивших брусьев и битых камней. Но кроме Брана и ворон, никто не поднимался к зубчатой вершине сооружения. Он знал два способа забраться туда. Можно было лезть по стене башни, но камни в ней вихлялись, потому что связка, некогда удерживавшая их, давно рассыпалась песком. Бран не любил наступать на них. Более удобный путь вел от богорощи: надо было подняться по высокому страж-дереву и перебраться через арсенал и зал караульной башни, перепрыгивая с крыши на крышу босыми ногами, так, чтобы стражники не услышали. Тогда он оказывался со слепой стороны Первой Твердыни, стариннейшей части замка, круглой крепости, более высокой, чем она казалась. Лишь крысы да пауки жили там, но по старым камням было удобно лезть. Дальше можно было подняться наверх, к слепо глядящим в пустоту горгульям, перебраться от фигуры к фигуре на северную сторону, а оттуда, если как следует потянуться, можно было перелезть на разбитую башню. Последнюю часть пути к вершине, к гнездам, к площадке не более десяти футов шириной приходилось подниматься по почерневшим камням. Тут-то к нему и прилетали вороны посмотреть, не принес ли он зерна.

Бран передвигался от горгульи к горгулье с легкостью, достигнутой долгими тренировками, когда услыхал голоса. Он испугался настолько, что едва не сорвался: в Первой Твердыне никогда не обнаруживалось признаков жизни.

— Мне это не нравится, — проговорила женщина. Под Браном был рядок окон, голос доносился из последнего. — Десницей бы следовало стать тебе.

— Боги запрещают, — отвечал ленивый мужской голос. — Этой чести я не добиваюсь. Она требует слишком больших усилий.

Бран застыл, прислушиваясь, с внезапным испугом. Если он попытается двинуться, они могут заметить его ноги.

— Разве ты не видишь грозящей нам опасности? — сказала женщина. — Роберт любит Старка как собственного брата.

— Роберт с трудом переваривает общество собственных братьев. Я не виню его. Одного Станниса довольно, чтобы вызвать несварение желудка.

— Не валяй дурака! Одно дело — Станнис и Ренли, другое дело — Эддард Старк. Роберт прислушивается к Старку. Черт бы побрал их обоих! Мне следовало настоять, чтобы он выбрал тебя, но я не сомневалась в том, что Старк откажется.

— Следует считать, что нам повезло, — проговорил мужчина, — король вполне мог назначить одного из своих братьев или даже Мизинца, спаси нас боги. Лучше иметь врагов честных, чем честолюбивых, и сегодня ночью я усну спокойно.

Они говорят об отце, понял Бран. И захотел услышать больше. Еще несколько футов... но что, если они заметят его перед окном?

— Нам придется приглядывать за ним повнимательнее, — проговорила женщина.

— Я лучше понаблюдаю за тобой, — отвечал мужчина со скукой. — Иди-ка сюда.

— Лорд Эддард никогда не обнаруживал никакого интереса к тому, что творится к югу от Перешейка, — сказала женщина. — Нет, говорю тебе, он захочет предпринять меры против нас. Зачем же ему тогда занимать седалище власти?

— По сотне причин... по обязанности или по долгу чести. Может быть, он стремится вписать свое имя крупными буквами в книгу истории, может быть, хочет оставить свою жену или сделать и то и другое. Быть может, решил просто погреться — впервые в своей жизни.

— Он женат на сестре леди Аррен. Просто чудо, что Лизы нет здесь и она не встртстила нас своими обвинениями.

Бран поглядел вниз. Под окном был узкий карниз, лишь несколько дюймов шириной. Он попытался стать на него. Слишком далеко. Ему не дотянуться.

— Ты слишком ворчлива. Лиза Аррен просто перепуганная корова.

— Эта перепуганная корова делила постель с Джоном Арреном.

— Если бы она что-то знала наверняка, то бросилась бы к Роберту, а не бежала из Королевской Гавани.

— Когда он уже согласился отдать ее слабака воспитанником на Бобровый утес? Не думаю. Она понимала, что жизнь мальчишки послужит залогом ее молчания. Лиза может и осмелеть, когда окажется в безопасном Орлином Гнезде.

— Ох, эти матери! — Слово это в устах мужчины прозвучало ругательством. — По-моему, роды что-то делают с женским рассудком. Вы все безумны. — Он с горечью расхохотался. — Пусть леди Аррен набирается отваги. Что бы ей ни казалось, доказательств у нее нет. — Он помедлил мгновение. — Но так ли на самом деле?

— Ты думаешь, что король потребует доказательств? — спросила женщина. — Говорю тебе, он не любит меня.

— И кто же виноват в этом, милая сестрица?

Бран посмотрел на карниз. Можно соскочить вниз. Было слишком узко, чтобы приземлиться, но пролетая, он сумеет ухватиться за камни и подтянуться, однако при этом поднимется шум и они подойдут к окну. Не понимая услышанного, он знал, что разговор не предназначен для его ушей.

— Ты слеп, словно Роберт, — сказала женщина.

— Если ты хочешь сказать, что вижу то же самое, тогда согласен, — ответил мужчина. — Я вижу мужа, который скорее умрет, чем предаст своего короля.

— Он уже предал одного, или ты забыл? — отвечала женщина. — Только вот что-то еще будет, когда Роберт умрет и Джофф займет престол. А ведь чем скорее это случится, тем в большей безопасности мы окажемся. Мой муж с каждым днем становится все беспокойнее, а когда Старк окажется возле него, он сделается только хуже. Подумать только, он все еще любит его покойную сестрицу. Того и гляди бросит меня ради какой-нибудь новой Лианны.

Бран внезапно перепугался. Теперь он хотел одного — вернуться домой и отыскать своих братьев. Но только что сказать им? Нет, надо приблизиться, решил Бран. Посмотреть, кто говорит.

Снова раздался мужской голос:

— Надо меньше думать о будущих неприятностях и побольше о будущих удовольствиях.

— Ах, прекрати! — проговорила женщина. Бран услышал внезапный шлепок по голому телу, потом мужчина расхохотался. Бран подтянулся, перебрался через горгулью и вылез на крышу. Это было нетрудно. Он пролез по крыше к следующей горгулье, располагавшейся как раз над окном той комнаты, откуда слышались голоса.

— Этот разговор уже надоедает мне, сестрица, — проговорил мужчина. — Иди сюда и успокойся.

Бран сел верхом на горгулью, обхватил ее ногами и перегнулся вниз. Он повис на ногах, медленно опуская голову к окну. Мир казался перевернутым, перед глазами проплыл двор в головокружительном повороте, камни его увлажнял талый снег. Бран заглянул в окно. Внутри комнаты боролись мужчина и женщина, оба они были нагими. Бран не различал, кто это. Мужчина находился спиной к нему, и тело его закрывало женщину, которую он прижимал к стене. Раздались мягкие влажные звуки. Бран понял, что они целуются. Он смотрел круглыми глазами, в испуге дыхание застыло в его горле. Мужчина запустил руку между ног женщины и, должно быть, сделал ей больно, потому что женщина застонала низким горловым голосом.

— Прекрати это, — сказала она, — прекрати, ну пожалуйста... — Но голос ее был низок и слаб, и она не отталкивала его. Руки ее утопали в его волосах, в золотой всклоченной гриве, припавшей к ее груди. Тут Бран увидел лицо... закрытые глаза, раскрывшийся рот. Золотые волосы метались с боку на бок, голова раскачивалась взад и вперед, но он узнал королеву.

Должно быть, он издал какой-то звук; глаза вдруг открылись, женщина поглядела прямо на него и закричала.

Тогда все и случилось. Женщина с криком оттолкнула мужчину и показала рукой на окно. Бран попытался подтянуться, перегибаясь к горгулье, но чересчур поспешил. Рука его беспомощно коснулась гладкого камня, в панике ноги соскользнули, и он вдруг почувствовал, что летит. Мгновенное головокружение, тошнота, когда мимо промелькнуло окно... Бран протянул руку, ухватился за карниз, потерял его, ухватил другой рукой, тяжело ударившись о камень. Столкновение выбило из него дух. Тяжело дыша, Бран качался на одной руке. Вверху над ним появились лица. Королева. Теперь Бран узнал и мужчину; они казались отражениями в зеркале.

— Он видел нас, — пронзительным голосом сказала женщина.

— Видел, — подтвердил мужчина.

Пальцы Брана начали разгибаться. Он ухватился за карниз другой рукой. Пальцы впивались в неподатливый камень. Мужчина перегнулся вниз и сказал:

— Держи мою руку, а то упадешь!

Бран уцепился за руку со всей своей силой. Мужчина легко поднял его на карниз.

— Что ты делаешь? — спросила женщина. Мужчина не обратил внимания на ее слова. Поставив Брана на подоконник, он спросил:

— Сколько тебе лет, мальчик?

— Семь, — проговорил Бран, трясясь от пережитого. Пальцы его впились в руку мужчины. Осознав это, он выпустил ее. Мужчина поглядел на женщину.

— На что только не пойдешь ради любви, — сказал он с ненавистью и толкнул. Бран с криком вылетел из окна в пустой воздух. Уцепиться было не за что. Мощеный двор ринулся навстречу. Где-то вдали взвыл волк. Вороны кружили над разбитой башней, ожидая зерна.

ТИРИОН

Где-то в каменных лабиринтах Винтерфелла завыл волк. Звук повис над замком траурным флагом. Тирион Ланнистер оторвался от книг и поежился, хотя в библиотеке было тепло и уютно. Что-то в вое этого волка заставило его забыть уютное настоящее и почувствовать себя спасающимся от стаи обнаженным беглецом.

Когда лютоволк взвыл снова, Тирион захлопнул тяжелую, переплетенную в кожу обложку столетней давности повествования о смене времен года, написанного давно почившим мейстером, и прикрыл зевок тыльной стороной ладони. Лампа мерцала, масла в ней почти не осталось, и рассвет уже сочился сквозь высокие окна. Он просидел здесь всю ночь, но ничего нового не обнаружил. Тирион Ланнистер был не из тех, кто любил поспать.

Онемевшие ноги заныли, когда он поднялся со скамьи. Растерев, Тирион вернул в них какую-то жизнь и тяжело прохромал к столу, где негромко похрапывал септон, опустивший голову на открытую книгу. Тирион поглядел на заглавие: «Жизнь великого мейстера Эйетельмура». Пространное сочинение...

— Хейли, — сказал он негромко. Смущенный молодой человек, моргая, поднял голову, хрустальный знак его ордена раскачивался на цепочке. — Я намереваюсь прервать свой поиск. Пригляди, чтобы книги вернулись на полки. И будь аккуратен с валирийскими свитками, пергамент очень хрупок. «Военные машины» Армидиона — очень редкая вещь, а ваш экземпляр единственный, который мне приходилось когда-нибудь видеть. — Хсйли глядсл на него в полусне, Тирион терпеливо повторил наставления, а потом хлопнул септона по плечу и оставил его выполнять поручение.

Оказавшись снаружи, Тирион вдохнул полной грудью холодный утренний воздух и начал старательно спускаться по крутым каменным ступенькам, винтом огибавшим снаружи Библиотечную башню. Предприятие вышло долгим; узкие ступени были слишком высоки для его коротких и кривых ног. Встающее солнце еще не озарило стены Винтерфелла, но люди уже были заняты во дворе внизу. До ушей Тириона донесся скрипучий голос Сандора Клигана:

— Мальчик давно умирает. Лучше, чтобы он поторопился.

Тирион поглядел вниз и увидел Пса, стоявшего возле окруженного сквайрами молодого Джоффри.

— Во всяком случае, он умирает тихо, — отвечал принц. — Воет лишь волк. Я едва мог спать прошлой ночью.

Тень Клигана далеко протянулась по утоптанной земле, сквайр надвинул черный шлем на голову.

— Могу заткнуть пасть твари, если это порадует тебя, — сказал он сквозь открытое забрало. Паж подал ему длинный меч. Клиган взвесил его, рубанул холодный утренний воздух. Позади него двор отозвался звоном стали о сталь.

Предложение как будто бы восхитило принца.

— Послать Пса убить пса! Винтерфелл просто кишит волками! Старки не хватятся, если одного из них не станет.

Тирион спрыгнул с последней ступени во двор.

— Если ты не против, хочу сделать одно уточнение, племянник, — проговорил он. — Старки умеют считать и после шести в отличие от некоторых принцев, не будем их здесь называть...

У Джоффри хватило совести покраснеть.

— Голос из ниоткуда, — сказал Сандор и огляделся сквозь прорезь забрала. — Дух воздуха!

Принц расхохотался, как бывало всегда, когда его телохранитель разыгрывал очередной фарс. Тирион привык к этому.

— Ну-ка, посмотри сюда.

Сандор поглядел на землю и сделал вид, что заметил его.

— Маленький лорд Тирион, — проговорил он. — Прошу прощения, я и не заметил, как вы появились здесь.

— Сегодня у меня нет настроения терпеть твою наглость. — Тирион повернулся к племяннику. — Джоффри, ты давно должен был зайти к лорду Эддарду и леди Кейтилин, чтобы предложить им свои утешения.

Джоффри возмутился, как может сделать только мальчишка.

— Еще не хватало! Зачем им нужны мои утешения?

— Им не нужны слова, — отвечал Тирион, — но от тебя ждут соболезнований. Твое отсутствие замечено.

— Мальчишка Старков мне безразличен, — проговорил Джоффри. — А я не могу терпеть женских слез.

Тирион Ланнистер привстал на носки и сильной рукой ударил племянника по лицу. Щека мальчика покраснела.

— Одно только слово, — проговорил Тирион, — и я ударю тебя еще раз.

— Я все скажу матери! — воскликнул Джоффри.

Тирион ударил снова, теперь покраснели обе щеки.

— Рассказывай своей матери, — велел ему Тирион. — Но сперва ты сходишь к лорду и леди Старк, упадешь перед ними на колени и скажешь, насколько тебе жаль мальчика, скажешь, что готов предложить любые услуги, если можно помочь им даже какой-нибудь мелочью в этот жуткий час. И что ты непрестанно молишься за них. Ну, теперь понял? Все понял?

Лицо мальчишки скривилось, словно бы он намеревался заплакать. Ответив легким кивком, Джоффри повернулся и бросился вон со двора, держась за щеку. Тирион поглядел ему вслед.

Тень упала на лицо Тириона. Он повернулся и обнаружил, что Клиган нависает над ним подобно утесу. Черная как пепел броня, казалось, погасила солнце. Клиган опустил забрало, шлем его изображал морду ощерившегося и страшного черного пса, хотя Тирион всегда находил в нем приятные отличия от изуродованного ожогом лица Клигана.

— Принц запомнит оскорбления, маленький лорд, — предостерег его Пес. Шлем превратил его хохоток в гулкий рокот.

— Не сомневаюсь, — отвечал Тирион Ланнистер. — А если забудет, будь доброй собакой, напомни ему. —

Он оглядел двор. — А не знаешь ли ты, где я могу отыскать своего брата?

— Он изволит завтракать с королевой.

— Ага, — отвечал Тирион. И, пренебрежительно кивнув Сандору Клигану, направился прочь со всей быстротой, на которую были способны его короткие ноги, насвистывая на ходу. Жаль только рыцаря, который первым обратится сегодня к Псу. У этого типа скверный характер.

Холодную неприветливую трапезу подали в утренней комнате гостевого дома. Джейме сидел за столом вместе с Серсеей и детьми, они разговаривали приглушенными голосами.

— Роберт все еще спит? — спросил Тирион, без приглашения усаживаясь за стол.

Сестра поглядела на него с тем же самым выражением легкого презрения, с которым смотрела на него со дня рождения.

— Король не спал вообще, — сказала она ему. — Он рядом с лордом Эддардом. Король принял скорбь друга к самому сердцу.

— У нашего Роберта большое сердце, — проговорил Джейме с ленивой улыбкой. Он удостаивал серьезного отношения весьма немногое. Тирион знал за своим братом эту особенность и прощал ее. Во все жуткие и такие долгие годы его детства лишь Джейме иногда выказывал уродцу-брату некоторую симпатию и уважение, и за это Тирион готов был простить ему едва ли не любой поступок.

Приблизился слуга.

— Хлеба, — сказал ему Тирион, — две маленькие рыбки и кружку доброго темного пива, чтобы утопить их. И немного бекона, поджарь его на углях. — Слуга поклонился и направился прочь. Тирион повернулся к своим родственникам. Разнополые близнецы сегодня казались особенно похожими. Оба предпочли глубокую зелень одежды, подчеркивающую цвет глаз. Длинные светлые кудри были завиты самым модным образом, на обоих золотые украшения — на запястьях, пальцах и шее.

Тирион попробовал представить себе, как живется на свете близнецам, и решил, что никогда не поймет этого. Тошно, должно быть, все время видеть себя, как в зеркале. Собственное подобие он не мог даже представить.

Принц Томмен спросил:

— Дядя, а что слышно о Бране?

— Я проходил вчера вечером мимо его комнаты, — ответил Тирион, — но перемен не было. Мейстер видит в этом хороший знак.

— Я не хочу, чтобы Бран умер, — проговорил Томмен. Это был ласковый мальчик, непохожий на брата, но ведь и Джейме с Тирионом нельзя считать фасолинами из одного стручка.

— У лорда Эддарда был брат по имени Брандон, — заметил Джейме. — Один из заложников, убитых Таргариеном. Несчастливое имя.

— По-моему, не столь несчастливое, как тебе кажется, — возразил Тирион. Слуга принес ему блюдо, Тирион откусил от ломтя черного хлеба. Серсея тревожно посмотрела на него.

— Тирион, что ты хочешь сказать?

Карлик криво улыбнулся ей и приложился к пиву.

— Лишь то, что желание Томмена может исполниться. Мейстер надеется, что мальчик выживет.

Мирцелла радостно охнула, Томмен нервно улыбнулся, но Тирион следил не за детьми. Джейме и Серсея обменялись коротким, не более чем в секунду взглядом, но карлик не пропустил его. Королева посмотрела на стол.

— Где милосердие? Здешние северные боги слишком жестоки, раз позволяют ребенку терпеть такие муки. А что именно говорит мейстер?

Обжаренный бекон захрустел под зубами Тириона. Задумчиво пожевав, он ответил:

— Мейстер полагает, что, если бы мальчику суждено было умереть, жизнь уже оставила бы его. Однако прошло четыре дня, и никаких перемен нет.

— А Бран поправится, дядя? — спросила маленькая Мирцелла, унаследовавшая от матери всю ее красоту, но не вздорный нрав.

— Малышка, он сломал спину, — сказал Тирион, — и ноги. Жизнь в нем поддерживают медом и водой, иначе он умер бы от истощения. Если он очнется, то, наверное, сумеет есть настоящую пищу, но никогда снова не научится ходить.

— Если он очнется... — повторила Серсея. — А это возможно?

— Правду знают только боги, — ответил Тирион. — Сам мейстер всего лишь надеется. — Он снова откусил от ломтя хлеба. — Могу поклясться, что жизнь в мальчике поддерживает только его волк. Зверь день и ночь воет возле большого окна и всякий раз возвращается, когда его прогоняют. Мейстер сказал, что однажды он закрыл окно, чтобы стало потише, и Бран ослабел. А когда совсем открыл его, сердце мальчика забилось сильнее.

Королева поежилась и сказала:

— Есть что-то противоестественное в этих животных. Они опасны. И я не позволю ни одному из них направиться на юг вместе с нами.

Джейме возразил:

— Этого будет трудно добиться, сестра. Волки повсюду следуют за девчонками.

Тирион приступил к рыбе.

— Значит, вы скоро уезжаете?

— Не так уж скоро, — опять вступила в разговор Серсея. И нахмурилась. — Что значит — мы? А как насчет тебя? Только ради Бога не говори мне, что намереваешься остаться в Винтерфелле.

Карлик пожал плечами:

— Бенджен Старк возвращается в Ночной Дозор с бастардом своего брата. Я хочу поехать вместе с ними и увидеть Стену, о которой мы так много слышали.

Джейме улыбнулся:

— Надеюсь, ты не собрался облачиться в черное, милый брат?

Тирион расхохотался:

— Разве я выдержу целибат? Тогда разорятся все шлюхи от Дорна до Бобрового утеса. Нет, я только хочу постоять на вершине Стены и пустить струю с края мира.

Серсея резко поднялась.

— Детям незачем выслушивать всякую грязь. Томмен, Мирцелла, идемте! — Резкими шагами королева вышла из комнаты, свита и дети потянулись за ней.

Джейме Ланнистер задумчиво поглядел на брата холодными зелеными глазами.

— Старк никогда не согласится оставить Винтерфелл, пока сын его пребывает в смертной тени.

— Если прикажет Роберт, он сделает это, — сказал Тирион. — А Роберт прикажет. В любом случае лорд Эддард ничем не сможет помочь своему сыну.

— Старк может прекратить его мучения, — сказал Джейме. — Случись это с моим сыном, я поступил бы именно так. И считал бы, что совершил благодеяние.

— Не советую обращаться с подобным предложением к лорду Эддарду, милый брат, — усмехнулся Тирион. — Он воспримет его без должной доброты.

— Даже если мальчишка выживет, он будет калекой. Хуже чем калекой — уродом. Я предпочитаю добрую чистую смерть.

Тирион пожал плечами, что только подчеркнуло их кривизну.

— Кстати об уродах, — напомнил он. — Разреши уточнить. Смерть окончательна и подводит жуткий итог, в то время как жизнь полна неисчислимых возможностей.

Джейме улыбнулся:

— А ты развратный чертенок, вот что!

— Конечно, — согласился Тирион. — Надеюсь, что мальчик очнется. Я бы хотел услышать, что он тогда расскажет.

Улыбка Джейме свернулась кислым молоком.

— Тирион, мой милый братец, — заметил он мрачно, — иногда мне с трудом удается понять, на чьей ты, собственно, стороне.

Рот Тириона был полон рыбы и хлеба. Глотнув крепкого черного пива, чтобы протолкнуть съеденное в желудок, он ответил Джейме волчьей ухмылкой:

— Зачем же так! О, Джейме, мой милый братец, ты ранишь меня, прекрасно зная, как я люблю свое семейство...

ДЖОН

Джон медленно поднимался по ступенькам, стараясь не думать о том, что, возможно, делает это в последний раз. Призрак безмолвно топал позади него. Снаружи, в воротах замка, кружил снег, во дворе стоял шум и хаос, но внутри толстых каменных стен было тепло и покойно. Слишком уж спокойно — на взгляд Джона.

Поднявшись, он испуганно замер на лестничной площадке. Призрак ткнулся носом в его ладонь, подбадривая. Джон распрямился и вошел в комнату.

Леди Старк находилась возле постели Брана. Она сидела там день и ночь уже почти две недели, ни на мгновение не оставляя Брана. Сюда ей приносили еду, горшок тоже. Спала она на твердой небольшой постели; впрочем, говорили, что она вообще не спала. Кейтилин сама кормила сына медом, поила водой и травяным отваром, поддерживавшими его, ни на миг не оставляя комнату. Поэтому Джон сюда и не приходил, но теперь выхода не было.

Он на миг задержался в двери, боясь заговорить, боясь подойти ближе. Окно было открыто. Внизу завыл волк. Призрак услыхал и поднял голову.

Леди Старк оглянулась. Мгновение она как будто не узнавала его, но наконец моргнула.

— Что ты делаешь здесь? — спросила она голосом странно бесстрастным и ровным.

— Я пришел повидать Брана, — отвечал Джон. — Попрощаться с ним.

Лицо мачехи не переменилось. Длинные, осеннего цвета волосы потускнели и спутались. Казалось, что она постарела на двадцать лет.

— Ты уже попрощался. А теперь уходи.

Часть души его мечтала только о бегстве, но Джон знал, что если поддастся слабости, то никогда впредь не увидит Брана. Он нервно шагнул в комнату и попросил:

— Пожалуйста!

Что-то холодное шевельнулось в ее глазах.

— Я велела тебе уходить. Ты здесь не нужен.

Некогда подобные слова заставили бы его бежать. Некогда они могли заставить его плакать. Но сейчас Джон лишь рассердился. Скоро он присягнет на верность Ночному Дозору, и тогда его ждут худшие опасности, чем общество Кейтилин Талли Старк.

— Он мой брат, — сказал Джон.

— Или мне позвать стражу?

— Зовите, — ответил Джон с возмущением. — Но вы не сможете запретить мне попрощаться с ним. — Он вошел в комнату, держась по другую сторону постели от леди Старк, и поглядел на Брана.

Она держала одну из его рук, теперь напоминавшую клешню. Это был не тот Бран, которого помнил Джон: плоть ушла от него. Кожа обтянула кости, подобные палкам. Ноги под одеялом изгибались под таким углом, что Джону сделалось худо. Глаза брата ввалились в черные ямы, они были открыты, но ничего не видели. Падение каким-то образом иссушило Брана. Он казался засохшим листком, и первый порыв ветра мог унести его в могилу. И все же под хрупкой грудной клеткой, под переломанными ребрами вздымалась грудь, опадая с каждым мелким выдохом.

— Бран, — позвал Джон. — Прости, что я не пришел к тебе раньше. Я боялся. — Он ощущал, как слезы катятся по его щекам, но ему теперь было безразлично. — Не умирай, Бран, прошу тебя. Мы все ждем, чтобы ты очнулся. Я, Робб и девочки, все кругом...

Леди Старк неотрывно следила за ним. Она не подняла крик, и Джон принял ее молчание за согласие. Снаружи, за окном, вновь взвыл лютоволк. Тот, которому Бран так и не успел дать имени.

— Сейчас мне надо ехать, — проговорил Джон. — Дядя Бенджен ждет, я поеду на север, к Стене. Мы отправимся сегодня, пока еще не пошел сильный снег.

Как ждал Бран предстоявшее ему путешествие! Джон не мог подумать, что придется оставить брата таким. Он смахнул слезы, нагнулся и легонько поцеловал брата в губы.

— Я хотела, чтобы он остался со мной, — сказала негромко леди Старк.

Джон с опаской повернулся в ее сторону, но Кейтилин даже не глядела на него. Она говорила, словно бы не замечая его.

— Я молилась об этом, — проговорила она тусклым голосом. — Бран был моим любимцем. Я отправилась в септу и семь раз помолилась семи именам бога, чтобы Нед изменил свои намерения и оставил его со мной. Иногда молитвы доходят.

Джон не знал, что сказать.

— Но в этом не было вашей вины, — выдавил он после неловкого молчания. Глаза ее обратились к нему. Взгляд леди Кейтилин был полон яда.

— Я не нуждаюсь в твоих утешениях, бастард.

Джон потупил глаза. Она не выпускала одну из ладоней Брана. Он прикоснулся к другой и пожал пальцы, ставшие похожими на птичьи кости.

— До свидания, — проговорил Джон. Он уже был у двери, когда Кейтилин остановила его.

— Джон, — сказала она. Он ушел бы, но леди Старк никогда не обращалась к нему по имени. Он обернулся и увидел, что она смотрела на него, словно бы впервые заметив.

— Да? — проговорил он.

— На его месте должен был лежать ты, — сказала она. А потом повернулась назад к Брану и зарыдала, сотрясаясь всем телом. Джон никогда еще не видел, чтобы она так плакала.

Долог был путь вниз во двор. Снаружи царили шум и смятение. Вовсю кричали люди, грузившие фургоны, запрягавшие и седлавшие коней и выводившие их из конюшен. Пошел легкий снег, и все торопились.

Посреди толпы находился Робб, выкрикивавший распоряжения; брат, казалось, сразу подрос, словно бы падение Брана и несчастье матери каким-то образом прибавили ему сил. Серый Ветер был возле него.

— Дядя Бенджен разыскивает тебя, — сказал Робб. — Он хотел уехать уже час назад.

— Знаю, — отмахнулся Джон. — Сейчас! — Он оглядел весь этот шум и смятение. — А расставаться труднее, чем я думал.

— По-моему, тоже, — проговорил Робб. Снежинки застревали в его волосах и таяли. — Видел его?

Джон кивнул, не имея силы ответить.

— Он не умрет, — сказал Робб. — Я знаю это.

— Вас, Старков, трудно убить, — согласился Джон голосом ровным и усталым. Визит этот отнял у него все силы.

Робб понял, что случилось нечто нехорошее.

— Моя мать... — начал он.

— Она была... очень добра со мной, — перебил его Джон.

Робб улыбнулся с облегчением:

— Хорошо. В следующий раз мы встретимся, когда ты будешь уже в черном.

Джон заставил себя ответить улыбкой:

— Я всегда любил этот цвет. А как ты думаешь, много ли времени пройдет до присяги?

— Не очень, — предположил Робб. Он прижал к себе Джона и крепко обнял его. — Ну а теперь — прощай!

Джон ответил объятием:

— И ты тоже, Старк. Заботься о Бране.

— Можешь не сомневаться! — Они отодвинулись и с неловкостью поглядели друг на друга. — Дядя Бенджен велел, как только я увижу тебя, передать, чтобы ты шел в конюшню, — наконец сказал Робб.

— Мне нужно попрощаться еще с одним человеком, — сообщил ему Джон.

— Тогда я тебя не видел, — ответил Робб.

Джон оставил брата стоящим в снегу, окруженным фургонами, волками и лошадьми. До арсенала было недалеко. Джон прихватил свой сверток и по крытому мостику направился в замок.

Арья находилась в своей комнате, она укладывала вещи в полированный сундук из железного дерева, такой большой, что она сама поместилась бы в нем. Нимерия помогала. Арье нужно было только показать, и волчица бросалась через всю комнату, брала зубами нужное шелковое одеяние и приносила его.

Но уловив запах Призрака, она присела на задние лапы и тявкнула на вошедших.

Арья обернулась, заметила Джона и вскочила на ноги. Она обняла его за шею своими тонкими руками.

— Я боялась, что ты уже уехал, — сказала она, дыхание ее перехватывало. — Меня не выпускают, чтобы попрощаться.

— А что ты сейчас делала? — Джон был удивлен.

Арья отодвинулась от него и скривилась.

— Ничего. Я просто собиралась. — Она кивнула на огромный сундук, наполненный не более чем наполовину, и вещи, разбросанные по комнате. — Но септа Мордейн сказала, что я сделала все не так и вещи мои сложены неправильно. Она считает, что настоящая южная леди не бросает свои вещи в сундук словно тряпки.

— Значит, ты так и поступила, маленькая сестрица?

— Но они же все равно перепутаются, — сказала Арья. — Какая разница, как они сложены?

— Кстати, о септе Мордейн, — заметил Джон. — Едва ли ей понравится, что Нимерия помогает тебе. — Волчица безмолвно поглядела на него темно-золотыми глазами. — Но ничего. У меня есть кое-что для тебя. Ты возьмешь это с собой и спрячешь подальше.

Лицо Арьи осветилось.

— Это подарок?

— Можешь называть и так. Закрой дверь.

С опаской взволнованная Арья выглянула в коридор.

— Нимерия, сюда! Охраняй. — Она посадила волчицу снаружи, чтобы та помешала нежеланному вторжению, и закрыла дверь. К этому времени Джон уже развернул все тряпки, которыми обмотал свой подарок.

— Вот.

Глаза Арьи расширились... Темные глаза, подобные его собственным.

— Меч, — сказала она негромко.

Ножны из мягкой серой кожи зашуршали вкрадчиво, словно грех. Джон медленно извлек клинок, так чтобы сестра увидела глубокую синеву стали.

— Это не игрушка, — сказал он. — Будь осторожна и не порежься. Лезвием можно даже бриться.

— Девочки не бреются, — заметила Арья.

— Иногда приходится. Ты когда-нибудь видела ноги септы?

Арья хихикнула:

— Она такая худая.

— Ты тоже, — сказал Джон. — Я велел Миккену сделать это для тебя. В Пентосе и Мире и в других свободных городах такими пользуются бандиты. Голову им не срубить, но дырок можно наделать изрядное количество — если поторопишься.

— Я умею двигаться быстро, — сказала Арья.

— Тебе придется тренироваться с мечом каждый день. — Джон вложил оружие в ее руки, показал, как держать, и отступил. — Ну, как ты себя чувствуешь? Он тебе по руке?

— По-моему, да, — отвечала Арья.

— Вот первый урок, — сказал Джон, — протыкай их насквозь. — Он указал на платья, висевшие на стене.

Арья шлепнула его плоской стороной меча по руке. Удар оказался болезненным, но Джон обнаружил, что ухмыляется как идиот.

— Я знаю, с какого конца им пользуются, — сказала Арья, но тут же сомнение пробежало по ее лицу. — Септа Мордейн отберет его у меня.

— Нет — если не будет знать о нем.

— А с кем мне практиковаться?

— Найдешь кого-нибудь, — пожал плечами Джон. — Королевская Гавань — настоящий город. Он в тысячу раз больше Винтерфелла. Ну а пока не найдешь партнера, наблюдай за тем, как фехтуют при дворе. Бегай, катайся верхом, укрепляй силы. И что бы ты ни делала...

Арья знала, что сейчас последует, и они договорили вместе:

— ...не... говори... Сансе!

Джон растрепал ее волосы.

— Мне будет не хватать тебя, маленькая сестричка.

Арья почувствовала, что собирается плакать.

— Жаль, что ты не едешь с нами.

— В один и тот же замок нередко ведет множество дорог. Кто знает? — Джон чувствовал себя теперь увереннее. Он не хотел допускать печаль в свое сердце. — Ну а теперь мне пора. Если я заставлю дядю Бена ждать, весь первый год на Стене мне суждено выносить ночные горшки.

Арья побежала к нему для последнего объятия.

— Сперва положи меч, — предостерег ее со смехом Джон.

Застенчивым движением отставив оружие, она покрыла лицо брата поцелуями.

Джон повернулся назад к двери, Арья взяла меч, взвешивая его в руке.

— Чуть не забыл, — сказал Джон. — У всех хороших мечей есть имена.

— Например, Лед. — Она поглядела на клинок в своих руках. — Неужели у него уже есть имя? Ну говори же.

— Разве ты не догадываешься? — поддразнил Джон. — Назови свою самую любимую вещь.

Арья сперва удивилась, а потом поняла. И они хором произнесли:

— Игла!

Воспоминание это долго потом согревало его в дороге на север.

ДЕЙЕНЕРИС

Свадьбу Дейенерис Таргариен с кхалом Дрого, страшную и варварски великолепную, сыграли на поле возле стен Пентоса, потому что дотракийцы верили, что все важные события в мире и в жизни мужчины должны совершаться под открытым небом.

Дрого созвал свой кхаласар, и они пришли, сорок тысяч воинов-дотракийцев, вместе с несчетным количеством женщин, детей и рабов. Они остановились вместе со своими стадами у городских стен, воздвигли жилища из спряденной травы и съели все, что можно было найти вблизи. Добрый народ Пентоса с каждым днем проявлял все большее беспокойство.

— Мои друзья-магистры удвоили численность городской стражи, — говорил Иллирио, сидя ночью за блюдом с уткой в меду и оранжевым хрустящим перцем во дворце, что принадлежал Дрого. Кхал отправился к своему кхаласару, предоставив дом в распоряжение Дейенерис и ее брата до дня свадьбы.

— Только лучше выдать принцессу Дейенерис скорее, чем они скормят добро Пентоса наемникам, — пошутил сир Джорах Мормонт. Беглец предложил ее брату свой меч в ту самую ночь, когда Дени продали кхалу Дрого, и Визерис охотно принял его. С той поры Мормонт сделался их постоянным спутником.

Магистр Иллирио непринужденно расхохотался, поглаживая раздвоенную бороду, а Визерис даже не улыбнулся.

— Он может получить ее хоть завтра, если захочет, — сказал брат, поглядев на Дени. Она опустила глаза. — Пусть только выплатит цену.

Иллирио махнул мягкой рукой в воздухе, кольца блеснули на толстых пальцах.

— Я сказал вам, что все улажено. Доверьтесь мне. Кхал обещал вам корону, и вы ее получите.

— Да, но когда?

— Когда кхал решит, — ответил Иллирио. — Сначала он получит девицу, а после того, как они вступят в брак, ему нужно будет совершить путешествие по равнинам и представить ее подданным. После этого, быть может, все и решится. Если кхал получит добрые предзнаменования.

Визерис кипел нетерпением:

— Клал я на дотракийские предзнаменования! Узурпатор сидит на троне моего отца. Долго ли мне ждать?

Иллирио пожал жирными плечами:

— Вы ждали всю свою жизнь, великий король. Что для вас еще несколько месяцев или даже несколько лет?

Сир Джорах, бывалый путешественник и знаток местных обычаев, согласно кивнул:

— Я советую вам проявить терпение, светлейший. Дотракийцы верны своему слову, но поступки они совершают, когда настает их время. Низменный человек может молить кхала о милости, но не вправе корить его.

Визерис ощетинился:

— Последите за своим языком, Мормонт, или я вырву его. Я не из простонародья; я — законный владыка Семи Королевств. Дракон не просит!

Сир Джорах с почтением потупил взгляд. Иллирио, загадочно улыбаясь, отодрал крылышко от утки. Мед и жир стекали по его пальцам, капали на бороду, зубы впились в нежное мясо.

«Драконов больше не существует», — подумала Дени, глядя на своего брата, хотя и не осмелилась высказать свою мысль вслух.

Но той ночью ей приснился дракон. Визерис бил ее нагую, млевшую от страха, делая ей больно. Дени побежала от брата, но тело сделалось непослушным. Он вновь ударил ее, она споткнулась и упала.

— Ты разбудила дракона, — вскрикнул Визерис, ударяя ее. — Разбудила дракона, разбудила дракона. — Бедра ее увлажняла кровь. Она закрыла глаза и заскулила. И словно бы отвечая ей, послышался жуткий хруст, затрещал великий огонь. Когда она поглядела снова, Визерис исчез, вокруг поднялись великие столбы пламени, а посреди него оказался дракон. Он медленно поворачивал свою огромную голову. А когда огненная лава его глаз коснулась ее взгляда, она проснулась, сотрясаясь в холодном поту. Ей еще не случалось так пугаться...

...до дня, когда наконец свершился ее брак.

Обряд начался на рассвете, продолжался до сумерек; бесконечный день заполняли пьянство, обжорство и сражения. Посреди зеленых дворцов была возведена высокая земляная насыпь, откуда Дени наблюдала за происходящим, сидя возле кхала Дрого над морем дотракийцев. Ей еще не приводилось видеть столько людей вокруг себя, тем более из столь чуждого и страшного народа. Табунщики, посещая свободные города, наряжались в самые богатые одеяния и душились благовониями, но под открытым небом они сохраняли верность старым обычаям. И мужчины, и женщины надевали на голое тело разрисованные кожаные жилеты и сплетенные из конского волоса штаны в обтяжку, которые удерживались на теле поясами из бронзовых медальонов. Воины смазывали свои длинные косы жиром, взятым из салотопных ям. Они обжирались зажаренной на меду и с перцем кониной, напивались до беспамятства перебродившим конским молоком и тонкими винами Иллирио, обменивались грубыми шутками над кострами; голоса их звучали резко и казались Дени совсем чужими.

Облаченный в новую черную шерстяную тунику с алым драконом на груди, Визерис сидел ниже ее. Иллирио и сир Джорах находились возле брата. Им предоставили весьма почетное место, как раз чуть ниже кровных всадников кхала. Однако Дени видела гнев, собирающийся в сиреневых глазах брата. Визерису не нравилось, что Дени сидит выше, и он кипел уже оттого, что рабы предлагали каждое блюдо сначала кхалу и его невесте, а ему подавали лишь то, от чего они отказывались. Тем не менее ему приходилось скрывать свое раздражение, и оттого Визерис впадал во все более мрачное настроение, усматривая все новые и новые оскорбления собственной персоне.

Дени никогда еще не было так одиноко, как посреди этой громадной толпы. Брат велел ей улыбаться, и она улыбалась, пока лицо ее не заболело и непрошеные слезы не подступили к глазам. Она постаралась сдержать их, понимая, насколько сердит будет Визерис, если заметит, что она плачет. Ей подносили еду: дымящиеся куски мяса, черные толстые сосиски, кровяные дотракийские пироги, а потом фрукты и отвары сладких трав, тонкие лакомства из кухонь Пентоса, но она отмахивалась от всего. В горле ее словно встал ком, и она понимала, что не сумеет ничего проглотить.

Поговорить было не с кем, кхал Дрого обменивался распоряжениями и шутками со своими кровными, смеялся их ответам, но даже не глядел на Дени, сидевшую возле него. У них не было общего языка. Дотракийского она не понимала, а сам кхал знал лишь несколько слов того ломаного валирийского наречия, на котором разговаривали в Вольных Городах, и вовсе не слыхал общего языка Семи Королевств. Дени была бы рада обществу Иллирио и брата, однако они находились слишком далеко внизу, чтобы слышать ее.

Так сидела она в своих брачных шелках, с чашей подслащенного медом вина, не в силах поесть, безмолвно уговаривая себя. «Я от крови дракона, — говорила она про себя. — Я Дейенерис Бурерожденная, принцесса Драконьего Камня, от крови и семени Эйегона-завоевателя...»

Солнце поднялось вверх по небу лишь на четверть пути, когда Дейенерис впервые в жизни увидела смерть человека. Били барабаны, женщины плясали перед кхалом. Дрого бесстрастно следил за ними, провожая взглядом движения и время от времени бросая вниз бронзовые медальоны, за которые женщины принимались бороться. Воины тоже наблюдали. Один из них вступил в круг, схватил плясунью за руку, кинул на землю и взгромоздился на нее, как жеребец на кобылу. Иллирио предупреждал ее о том, что подобное может случиться, ведь дотракийцы в своих стадах ведут себя подобно животным. В кхаласаре нет уединения, они не знают ни греха, ни позора в нашем понимании.

Осознав происходящее, Дени в испуге отвернулась от совокупляющейся пары, но тут шагнул в круг второй воин, за ним третий, и скоро глаза некуда было прятать. Потом двое мужчин схватили одну женщину. Она услыхала крик, увидала движение, и в одно мгновение они обнажили аракхи: длинные и острые как бритва клинки, смесь меча и косы. Смертельная пляска началась, воины сходились, рубились, прыгали друг вокруг друга, махали клинками над головой, выкрикивали оскорбления при каждом ударе. Никто не сделал даже попытки вмешаться.

Схватка завершилась так же быстро, как и началась. Руки замелькали быстрее, чем Дени могла уследить, один из мужчин споткнулся, клинок другого описал широкую плоскую дугу. Сталь впилась в плоть как раз над плечом дотракийца и развалила его тело от шеи до пупка, внутренности вывалились наружу. Когда побежденный умер, победитель схватил ближайшую женщину — даже не ту, из-за которой они поссорились, — и немедленно взял ее. Рабы унесли тело, пляска возобновилась.

Магистр Иллирио предупреждал Дени и об этом. Свадьбы хотя бы без трех смертей кажутся дотракийцам скучными, сказал он. Ее свадьба оказалась особо благословенной: прежде чем день окончился, погибла дюжина мужчин.

Шли часы, и ужас все сильнее овладевал Дени; наконец она едва могла сдерживать крик. Она боялась дотракийцев, чьи обычаи казались ей чудовищными и чуждыми, словно бы они были зверями в человеческом обличье. Она боялась своего брата, того, что он может натворить, если она подведет его. Но более всего она боялась наступления ночи, когда брат отдаст ее этому гиганту, который пил возле нее, храня на лице жестокий покой бронзовой маски.

«Я от крови дракона», — сказала она себе.

Когда наконец солнце опустилось к горизонту, кхал Дрого хлопнул в ладони, и все барабаны, пир и крик вдруг остановились. Дрого встал и поднял Дени на ноги. Наступило время свадебных подарков.

После подарков, когда опустится солнце, настанет время для первой езды и совершения брака. Дени попыталась отодвинуть эту мысль, но не смогла. Она обняла себя, чтобы не дрожать.

Братец Визерис подарил ей трех служанок. Дени знала, что подарок ничего не стоил ему. Вне сомнения, девиц предоставил Иллирио. Меднокожих дотракиек с черными волосами и миндальными глазами звали Ирри и Чхику, светлокожую и синеглазую лисенийку — Дореа.

— Это не обычные служанки, милая сестрица, — сказал брат, когда девушек поставили перед ней. — Мы с Иллирио специально выбирали их для тебя. Ирри научит тебя верховой езде, Чхику — дотракийскому языку, а Дореа наставит в женственном искусстве любви. — Он тонко улыбнулся. — Она очень хороша в нем, мы с Иллирио оба можем это подтвердить.

Сир Джорах Мормонт извинился за свой подарок.

— Это пустяк, моя принцесса, но большего бедный изгнанник не может себе позволить, — проговорил он, положив перед ней небольшую стопку старинных книг. Это были истории и песни Семи Королевств, написанные на общем языке. Дени поблагодарила рыцаря от всего сердца.

Магистр Иллирио пробормотал приказ, и пятеро крепких рабов вышли вперед с огромным кедровым сундуком, окованным бронзой. Открыв его, она обнаружила груды тончайших бархатов и дамасков, которые умели делать в Вольных Городах; поверх мягкой ткани лежали три огромных яйца. Дени охнула. Она не видела ничего прекраснее, каждое отличалось от других и переливалось невероятно богатыми красками; сначала ей даже показалось, что они украшены драгоценностями. Яйца были такими большими, что их пришлось брать обеими руками. Дени поднимала их аккуратно, предполагая, что видит вещицы, изготовленные из тонкого фарфора, деликатной эмали или цветного стекла, но они оказались гораздо тяжелее, чем если бы были сделаны из камня. Поверхность яиц была покрыта крошечными чешуйками, и, повертев их, Дени заметила, что они отливают полированным металлом цвета заходящего солнца. Одно яйцо было глубокого зеленого цвета с золотистыми пятнышками, которые появлялись и исчезали в зависимости от того, как она его поворачивала. Другое оказалось бледно-желтым с красными полосками. Последнее же, черное, как полночное море, выглядело живым, по нему пробегали алые завитки и волны.

— Что это такое? — спросила она негромким, полным удивления голосом.

— Драконьи яйца, привезенные из Края Теней за Асшаем, — отвечал магистр Иллирио. — Эоны обратили их в камень, и все же они горят красотой.

— Я буду хранить это сокровище! — Дени слыхала рассказы о подобных яйцах, но никогда не видела ни одного и не думала, что увидит. Это был действительно великолепный дар. Впрочем, она знала, что Иллирио может позволить себе расточительность: он получил целое состояние лошадьми за посредничество в ее продаже кхалу Дрого.

Кровные всадники кхала поднесли ей, как требовал обычай, три вида оружия, надо сказать, великолепной работы. Хагго подарил ей огромный кожаный кнут с серебряной рукоятью. Кохолло — великолепный аракх, украшенный золотом, а Квото — громадный изогнутый лук из драконьей кости. Магистр Иллирио и сир Джорах научили ее подобающему отказу от подобных приношений. Ей следовало говорить, что сей дар достоин великого воина, что она всего лишь женщина и что только господин ее и муж достоин носить это оружие. Так и кхал Дрого получил свои брачные дары.

Дотракийцы подарили ей множество всяких вещей. Шлепанцы и драгоценные камни, серебряные кольца для волос и пояса для медальонов, раскрашенные жилеты и мягкие меха, песочный шелк, горшочки с притираниями, иголки, перья и крошечные бутылочки пурпурного стекла, наконец, мантию, сшитую из шкурок тысячи мышей.

— Великолепный дар, кхалиси, — оценил магистр Иллирио последний предмет, объяснив ей магические свойства мантии: — Сулит счастье.

Дары складывали вокруг Дейенерис в огромные груды, их было больше, чем она могла представить себе, больше, чем ей было нужно, больше, чем она могла использовать.

Наконец, кхал Дрого преподнес ей собственный дар. Когда он оставил ее, молчание побежало от центра стана и постепенно охватило весь кхаласар. Когда Дрого вернулся, плотная толпа подносящих дары дотракийцев расступилась, и кхал подвел к ней коня. Это была молодая кобылица, нервная и великолепная. Дени достаточно разбиралась в конях, чтобы понять, насколько это необыкновенная лошадь. Было в ней нечто такое, от чего захватывало дыхание. Шкура напоминала зимнее море, а грива курилась серебряным дымом. Дени нерешительно прикоснулась к ней, погладила конскую шею, провела пальцами по серебристой гриве. Кхал Дрого сказал что-то по-дотракийски, и магистр Иллирио перевел:

— Серебро к серебру твоих волос, сказал тебе кхал.

— Она прекрасна, — пробормотала Дени.

— Она — гордость всего кхаласара, — сказал Иллирио. — Обычай требует, чтобы кхалиси ездила на коне, достойном ее места возле кхала.

Дрого шагнул вперед и взял ее за талию. Он поднял Дени так легко, словно бы она была ребенком, и усадил в тонкое дотракийское седло, много проще тех, к которым она привыкла. Дени застыла, растерявшись на миг: никто не предупредил ее об этом.

— Что мне делать? — спросила она Иллирио.

Ответил ей сир Джорах Мормонт:

— Берите поводья и поезжайте. Но недалеко.

Волнуясь, Дени подобрала узду и вставила ноги в короткие стремена. Она ездила только на ярмарках и наездницей себя считать не могла; путешествовать ей приводилось на кораблях, фургонах, паланкинах, но не на конской спине. Помолившись о том, чтобы не упасть и не опозорить себя, Дени легко, едва ли не застенчиво прикоснулась к лошади и коленями послала ее вперед.

И впервые за последнее время совсем забыла об испуге. А быть может, и вообще впервые в жизни.

Серебристо-серая кобыла взяла с места гладко и плавно, толпа расступилась, не отводя от Дени глаз; она обнаружила, что несется быстрее, чем хотела, но скорость лишь обрадовала ее, а не испугала. Лошадь перешла на рысь, Дени улыбнулась. Дотракийцы торопливо давали дорогу. Хватало легкого прикосновения ногами, напряжения удил. Она послала лошадь в галоп, и дотракийцы захохотали, с криками отпрыгивая с пути. Когда Дени повернула обратно, прямо перед ней возник костер. Их сжимали с обеих сторон так, что не было места объехать. С неведомой до сих пор отвагой Дейенерис послала кобылу вперед. Серебряная лошадь перелетела пламя словно бы на крыльях.

Когда она остановилась возле магистра Иллирио, Дени проговорила:

— Скажи кхалу Дрого, что он подарил мне ветер. — Жирный пентошиец гладил желтую бороду, переводя ее слова на дотракийский, и тут она впервые увидела улыбку своего мужа.

Последний осколок солнца исчез за высокими стенами Пентоса на западе, но Дени потеряла счет времени. Кхал Дрого велел кровным всадникам привести своего собственного коня, стройного рыжего жеребца. Пока кхал седлал его, Визерис скользнул поближе к серебряной кобыле, впился пальцами в ногу Дени и сказал:

— Порадуй его, милая сестрица, или клянусь, ты увидишь такого дракона, какого еще не встречала.

С этими словами брата страх опять вернулся к ней. Дени вновь ощутила себя ребенком, тринадцатилетней одинокой девочкой, не готовой к тому, что ожидало ее.

Они оставили позади кхаласар и травяные жилища, они мчались, и звезды высыпали на небо. Кхал Дрого не говорил ей ни слова, но гнал своего жеребца крупной рысью в собирающейся тьме. Крошечные серебряные колокольчики в его длинной косе тихо позвякивали при езде.

— Я от крови дракона, — громко прошептала Дени, чтобы поддержать в себе отвагу. — Я от крови дракона. Я от крови дракона. Я от крови дракона. Дракон никогда не боится!

Потом она не могла вспомнить, сколько времени это длилось, но когда они остановились у заросшей травой низинки возле небольшого ручья, совсем стемнело. Дрого соскочил с коня и снял Дени с кобылы. В его руках она ощущала себя хрупкой как стекло, а руки и ноги сделались слабыми как вода.

Беспомощная и жалкая, она дрожала в своих свадебных шелках, пока Дрого привязывал коней, а когда кхал обсрнулся к ней, заплакала. Кхал Дрого поглядел на ее слезы со странно бесстрастным лицом.

— Нет. — Он поднял руку и стер слезы с ее лица грубым мозолистым большим пальцем.

— Ты говоришь на общем языке? — с удивлением спросила Дени.

— Нет, — отвечал он опять.

Наверное, он знает одно это слово, подумала Дени, но она почему-то вдруг приободрилась. Дрого легким движением прикоснулся к ее волосам, пропустив серебристые пряди между пальцами, тихо бормоча что-то на дотракийском. Дени не понимала слов, но в голосе мужа слышались тепло и нежность, которых она не ожидала от этого человека.

Взяв за подбородок, он приподнял ее голову, и она заглянула в его глаза. Дрого возвышался над ней, как над всем вокруг.

Взяв Дени под руки, он посадил ее на круглый камень. Потом сел на землю перед ней, скрестив ноги. Их лица наконец оказались на одной высоте.

— Нет, — сказал он.

— Это единственное слово, которое ты знаешь? — спросила она.

Дрого не ответил. Тяжелая коса покрылась пылью. Он перебросил ее через правое плечо и начал по одному снимать колокольчики. Спустя мгновение Дени склонилась вперед, чтобы помочь. Когда они были сняты, Дрого кивнул. Она поняла. И медленно, осторожно начала расплетать косу. На это ушло много времени. Все это время он сидел, молчаливо следя за ней, и когда она закончила, мотнул головой и волосы рассыпались позади него темной рекой, намасленные и блестящие. Она никогда не видела таких длинных, черных и густых волос.

Теперь пришел его черед. Он начал раздевать ее. Пальцы Дрого оказались ловкими и странно нежными. Один за другим он снял с нее шелка. Недвижимая Дени лишь молча глядела ему в глаза. Когда он обнажил ее крохотные грудки, она не сумела справиться с собой, потупила глаза и прикрыла их руками.

— Нет, — сказал Дрого и отвел ее руки, мягко, но твердо, а потом опять поднял ее лицо, чтобы она глядела на него. — Нет, — повторил он.

— Нет, — отозвалась она словно эхо. Он поставил ее и придвинул к себе, чтобы снять последние одежды. Ночной воздух холодом прикоснулся к нагому телу. Дени поежилась, на ногах и руках выступила гусиная кожа. Она боялась того, что будет, но ничего страшного не случилось. Кхал Дрого сидел, скрестив ноги, впивая ее тело своими глазами. А потом начал прикасаться к ней, сперва почти незаметно, потом крепче. Дени ощущала свирепую силу в его руках, но ей не было больно. Он взял ее руку и по одному растер пальцы. Потом нежно провел рукой по ноге. Погладил лицо, уши, ласково повел пальцем вокруг рта, запустил обе руки в волосы и расчесал их своими пальцами. Потом повернул ее, растер плечи, провел рукой по спине.

Наверное, прошли часы, прежде чем его руки добрались до грудей.

Он гладил мягкую кожу под ними, пока по ним не побежали мурашки. Поведя пальцами вокруг ее сосков, он зажал их между указательным и большим пальцами, а потом потянул на себя — сперва легко-легко, а потом настойчивее, так, что соски напряглись и заныли.

Тогда он остановился и посадил девушку к себе на колени. Дени горела, задыхалась, сердце колотилось в груди. Взяв ее лицо в свои огромные руки, он заглянул в ей глаза.

— Нет? — спросил он. И она поняла, что это за вопрос.

Она взяла его руку и опустила к влаге между своих бедер.

— Да, — прошептала она, вводя в себя его палец.

ЭДДАРД

Его разбудили за час до рассвета, когда серый мир еще не начинал шевелиться. Элин грубо вытряхнул его из снов, и полусонный Нед, спотыкаясь, вывалился в предутренний холодок, обнаружив своего коня оседланным, а рядом короля — уже верхом. На Роберте были толстые коричневые рукавицы, тяжелый меховой плащ с капюшоном закрывал его уши, и выглядел он медведем, взгромоздившимся на лошадь.

— Просыпайся, Старк! — прогремел он. — Приходи в себя. Нужно обсудить государственные дела.

— Как угодно, — отвечал Нед. — Входи, светлейший. — Элин поднял полог шатра.

— Нет, нет и нет, — воскликнул Роберт, каждое слово его курилось дымком. — В лагере полно чужих ушей. К тому же я хочу проехаться, осмотреть твою страну. — Сир Борос и сир Меррин с дюжиной гвардейцев ожидали позади короля. Неду оставалось лишь протереть глаза, одеться и вскочить в седло.

Темп задал Роберт, подгонявший своего огромного черного жеребца так, что Неду едва удавалось не отставать. На ходу он выкрикнул вопрос, но ветер унес в сторону слова, и король его не услышал. Потом Нед ехал в молчании. Они вскоре оставили Королевский тракт и направились в сторону по просторной равнине, над которой плыл темный туман. К этому времени телохранители чуть отстали и, конечно, ничего не расслышали бы, но Роберт по-прежнему гнал вперед. Когда они поднялись на невысокий гребень, рассвело, и король остановился. К этому времени они отъехали на несколько миль к югу от ночной стоянки. Взволнованный, раскрасневшийся Роберт обратился к Неду, остановившему своего коня рядом с ним.

— Боги, — ругнулся он хохоча. — Как хорошо выбраться на волю и проехаться так, как положено ездить мужчине! Клянусь тебе, Нед, можно свихнуться от этой черепашьей езды. А еще проклятая кибитка, я не могу больше терпеть ее стоны и скрипы. Для нее любой пригорок — гора... Обещаю тебе, если у проклятой телеги сломается еще одна ось, я сожгу ее, и пусть Серсея идет пешком!

Нед расхохотался:

— Придстся подстелить тебе соломки...

— Добрая душа! — Король хлопнул его по плечу. — Я наполовину решился оставить их позади и поехать вперед.

Улыбка легла на губы Неда.

— Ты действительно этого хочешь?

— А как же! — ответил король. — Что ты на это скажешь, Нед? Ты да я, двое странствующих рыцарей на Королевском тракте, мечи у поясов, лишь богам известно, что нас ожидает! И пусть фермерская дочка или девка из таверны согреет сегодня мою постель!

— Неплохо бы, — качнул головой Нед. — Но теперь у нас есть обязанности, мой господин... перед страной, перед детьми, у меня перед моей благородной женой, а у тебя перед королевой. Мы больше не юноши.

— Ты никогда не был молод, вот что, — буркнул Роберт. — Как жаль. И все же однажды это случилось... как же звали твою простушку? Бекка? Нет, это одна из моих, помню, помню, черные волосы и сладкие большие глаза, в них и утонуть можно. Твою звали... Алина? Нет, ты говорил мне однажды. Или это была Мерил? Да ты же знаешь, кого я имею в виду, мать твоего бастарда!

— Звали ее Вилла, — отвечал с прохладной любезностью Нед, — и лучше не вспоминать о ней.

— Вилла, да. — Король ухмыльнулся. — Должно быть, редкостная девка, раз сумела заставить лорда Эддарда Старка забыть о собственной чести, пусть даже на час. Ты никогда не рассказывал мне, какова она была...

Рот Неда напрягся в гневе.

— И не скажу. Оставим этот разговор, Роберт, ради той любви, которую ты питаешь ко мне. Я обесчестил себя, обесчестил Кейтилин перед богами и перед людьми.

— Спаси тебя боги, тогда ты едва знал Кейтилин.

— Я уже взял ее в жены. Она носила моего ребенка.

— Как всегда, ты слишком строго относишься к себе, Нед. Ерунда. Ни одна женщина не пожелает заполучить святого Бейелора Благословенного в свою постель. — Он хлопнул ладонью по колену Неда. — Ну, не буду заставлять тебя, раз ты до сих пор испытываешь к ней такие крепкие чувства; временами ты делаешься таким колючим, что тебе, пожалуй, следовало бы сменить в гербе волка на ежа.

Встающее солнце своими лучами, словно пальцами, перебирало белые туманные занавеси. Перед ними расстилалась просторная равнина, бурую и голую гладь тут и там нарушали длинные невысокие насыпи. Нед указал на них королю:

— Курганы Первых Людей.

Роберт нахмурился:

— Неужели мы заехали на кладбище?

— На севере курганы повсюду, светлейший, — сказал Нед. — Это древний край.

— И холодный, — добавил ворчливо Роберт, поплотнее закутываясь в плащ. Телохранители остановили коней в стороне от них, у подножия гребня. — Ну что ж, мы приехали сюда не за тем, чтобы разговаривать о могилах или ссориться из-за твоего бастарда. Ночью приехал гонец от лорда Вариса из Королевской Гавани. Ну-ка взгляни!

Король извлек из-за пояса бумагу и вручил ее Неду. Евнух Варис был главой шептунов короля. Он служил теперь Роберту, как прежде Эйерису Таргариену. Памятуя про Лизу и ее жуткое обвинение, Нед развернул бумажный свиток с тревогой, но послание касалось вовсе не леди Аррен.

— А каков источник этой информации?

— Ты помнишь сира Джораха Мормонта?

— Лучше бы мне забыть его, — покачав головой, бросил Нед.

Мормонты с Медвежьего острова принадлежали к древним родам, гордым и достопочтенным. Но далекие их земли были холодны и бесплодны. Сир Джорах попытался пополнить фамильные сундуки, продав кое-кого из браконьеров тирошийскому работорговцу. Мормонты были знаменосцами Старков, и его преступление обесчестило Север. Нед совершил долгое путешествие на запад до Медвежьего острова только для того, чтобы обнаружить там, что Джорах на корабле направился в пределы, недоступные королевскому правосудию. С тех пор минуло пять лет.

— Сир Джорах сейчас находится в Пентосе и стремится заработать королевское прощение, которое позволит ему вернуться из изгнания, — объяснил Роберт. — Лорд Варис умело пользуется им.

— Итак, наш работорговец сделался шпионом, — отвечал Нед с презрением, передавая письмо назад. — Я бы предпочел, чтобы он превратился в труп.

— Варис утверждает, что шпионы много полезнее трупов, — усмехнулся Роберт. — Оставив в стороне Джораха, скажи, что ты думаешь о его сообщении?

— Дейенерис Таргариен вышла замуж за какого-то предводителя дотракийских табунщиков. Ну и что? Следовало бы послать ей подарок к свадьбе.

Король нахмурился:

— Не нож ли? Острый, и чтобы его вручил ей один из палачей...

Нед не стал изображать удивление. Ненависть Роберта к Таргариенам доводила того до безумия. Нед вспомнил гневные слова, которыми они обменялись, когда Тайвин Ланнистер представил Роберту трупы жены и детей Рейегара в качестве доказательства верности. Нед назвал поступок убийством, Роберт же объяснил все военным временем. Когда Нед заметил, что молодой принц и принцесса едва вышли из младенческого возраста, новоявленный король бросил в ответ:

— Я вижу не детей, а порождение дракона.

Даже Джон Аррен не сумел умиротворить эту бурю. В холодной ярости Эддард Старк отправился на последнюю битву на юге. Потребовалась еще одна смерть, чтобы они примирились: смерть Лианны и общее горе.

На этот раз Нед решил сдержать темперамент.

— Светлейший, девица еще невинный ребенок. И ты не Тайвин Ланнистер, чтобы убивать невинных. — Он вспомнил рассказы о том, что, увидев перед собой мечи, маленькая дочка Рейегара заплакала, когда ее вытащили из-под кровати. Мальчик же еще не вырос из пеленок, но латники лорда Тайвина вырвали его из рук матери и разбили голову о стену.

— И как долго сей экземпляр останется невинным? — Рот Роберта напрягся. — Это дитя скоро расставит пошире ножки и начнет рожать новое драконье племя, чтобы досаждать мне.

— Тем не менее, — проговорил Нед, — детоубийство... это грех... немыслимый...

— Немыслимый? — прогрохотал король. — А что Эйерис сделал с твоим братом Брандоном? А мыслима ли смерть твоего лорда-отца? А Рейегар... Сколько раз, как ты думаешь, он изнасиловал твою сестру? Сколько сотен раз? — Голос короля сделался столь громким, что конь под ним яростно заржал. Король натянул узду, успокоил животное и гневно ткнул пальцем в Неда. — Я убью каждого Таргариена, до которого сумею добраться, чтобы все они умерли, как их драконы, и охотно помочусь на могилу каждого.

Нед понимал, что противоречить королю в таком гневе не стоит. Если уж годы не утихомирили мстительности в душе Роберта, слова помочь не могли.

— Однако, по-моему, до нее тебе не дотянуться, или не так? — негромко проговорил Нед.

Рот короля скривился в горькой гримасе.

— Нет, о проклятые боги! Какой-то изъеденный язвами пентошийский сыроторговец содержал сестру и брата в своем поместье под охраной евнухов в остроконечных шапочках, а теперь передал их дотракийцам. Я бы приказал убить обоих еще много лет назад, когда до них нетрудно было добраться, но Джон, как и ты, не стремился помочь мне. И я по своей глупости послушал его.

— Джон Аррен был умен и хорошо служил тебе.

Роберт фыркнул. Гнев оставил его так же внезапно, как и начался.

— Как утверждают, у этого кхала Дрого в орде сто тысяч человек. И что, по-твоему, сказал бы на это Джон?

— Наверное, что даже миллионы дотракийцев не опасны для государства, пока они остаются на другой стороне Узкого моря, — невозмутимо проговорил Нед. — У варваров нет кораблей. Они ненавидят открытое море и страшатся его.

Король поежился.

— Но в Вольных Городах корабли найдутся. Говорю тебе, Нед, мне не нравится этот брак. В Семи Королев ствах найдется достаточно народу, который считает меня узурпатором. Ты забыл, сколько родов приняло сторону Таргариенов в войне? Сейчас они выжидают, но если получат хотя бы половину шанса, то убьют меня прямо в постели и моих сыновей вместе со мной. Если король-попрошайка пересечет море с дотракийской ордой за спиной, предатели присоединятся к нему.

— Он не сделает этого! — воскликнул Нед. — Ну а если по какому-то несчастному случаю это все-таки случится, мы сбросим его в море. Как только ты назначишь нового Хранителя Востока...

Король простонал:

— В последний раз говорю тебе: я не стану называть Хранителем мальчишку Аррена. Я знаю, что он твой племянник, но когда таргариенка лезет в постель дотракийского кхала, только безумец может возложить одну четверть королевства на плечи больного ребенка.

У Неда был готов ответ:

— Но нам нужен Хранитель Востока. Если не подходит Роберт Аррен, пусть это будет кто-нибудь из твоих братьев. Станнис, например, он хорошо проявил себя при осаде Штормового Предела.

Имя на мгновение повисло в воздухе. Король нахмурился и молча, с неуверенностью огляделся.

— Значит, — негромко добавил Нед, выжидая, — ты уже обещал эту честь другому?

На мгновение Роберту хватило достоинства изобразить удивление. Но столь же быстро взгляд короля сделался тусклым.

— И что, если так?

— Значит, это Джейме Ланнистер?

Роберт послал коня вперед и по гребню направился к кургану. Нед держался возле него. Король ехал, глядя перед собой.

— Да, — сказал он наконец, закончив разговор одним жестким словом.

— Цареубийца, — проговорил Нед. Значит, слухи были верными. Теперь он знал, что въезжает на опасную почву. — Вне сомнения, отважный человек и способный, — сказал он осторожно. — Но его отец — Хранитель Запада. И со временем сир Джейме унаследует эту честь. Ни один человек не вправе владеть сразу Востоком и Западом. — Нед не стал высказывать истинные причины своей озабоченности: такое назначение отдало бы половину войска в руки Ланнистеров.

— Придет время — разберемся, — упрямо сказал король. — В настоящий момент лорд Тайвин кажется вечным, как Бобровый утес, и я сомневаюсь, чтобы Джейме мог вскоре рассчитывать на наследство. Не раздражай меня расспросами, Нед, камень уже установлен.

— Светлейший, могу ли я говорить откровенно?

— Похоже, я не в силах остановить тебя, — буркнул Роберт, направляя коня в заросли высокой бурой травы.

— Ты можешь доверять Джейме Ланнистеру?

Он близнец моей жены, присягал на верность братству Королевской гвардии, его жизнь, состояние и честь связаны с моими.

— Так же, как они были связаны с Эйерисом Таргариеном, — заметил Нед.

— Почему я должен не доверять ему? Джейме выполнял все мои поручения. Меч его помог мне завоевать этот трон.

Меч его помог поколебать тот престол, на котором ты теперь сидишь, подумал Нед, не позволив себе произнести эти слова.

— Он поклялся отдать за своего короля собственную жизнь. А потом перерубил ему горло мечом.

— Седьмое пекло, кто-то ведь должен был убить Эйериса! — вскричал Роберт, резко останавливая коня возле древнего кургана. — Если бы на это не согласился Джейме, за меч пришлось бы взяться тебе или мне.

— Мы не были братьями Королевской гвардии, — проговорил Нед, разом решив, что настало время, когда Роберт должен узнать всю правду. — Ты помнишь Трезубец, светлейший?

— Возле него я добился короны. Как могу я забыть эту битву?

— Рейегар ранил тебя, — напомнил ему Нед. — Поэтому, когда войско Таргариенов сломалось и побежало, ты поручил мне преследовать его. Остатки армии Рейегара бежали к Королевской Гавани. Мы гнались за ними. Эйерис находился в Красном замке с несколькими тысячами верных ему воинов. Я ожидал найти ворота закрытыми.

Роберт нетерпеливо тряхнул головой.

— Но обнаружил, что наши люди уже взяли город. Ну и что из того?

— Это были не наши люди, — терпеливо сказал Нед. — А Ланнистеры. Над башнями полоскался лев Ланнистеров, а не венценосный олень. И они захватили город предательством.

Война бушевала уже почти год. Лорды, великие и малые, собрались под знаменами Роберта, другие же оставались верными Таргариенам. Могущественные Ланнистеры с Бобрового утеса, Хранители Запада, держались в стороне от борьбы, не внимая призывам как восставших, так и сторонников короля. Наконец лорд Тайвин Ланнистер с двенадцатью тысячами войска пришел к воротам Красного замка и объявил о своей верности королю; Таргариен решил, конечно, что это боги ответили на его молитвы. И тогда Безумный король совершил свой последний безумный поступок: он открыл ворота львам, стоявшим у крепости.

— Предательство... эта монета хорошо известна Таргариенам, — проговорил Роберт. Гнев вновь овладел им. — Ланнистеры отплатили Эйерису его же монетой. Иного они не заслуживали, и я не буду из-за них тревожить свой сон.

— Тебя не было там, — проговорил Нед с горечью в голосе. Он знал, что такое тревожные сны. Свой поступок лорд Старк совершил четырнадцать лет назад, и все же память о нем до сих пор преследовала его по ночам. — В этой победе не было чести.

— Пусть Иные поберут твою честь, — выругался Роберт. — Что знали о чести эти Таргариены? Спустись к себе в крипту и спроси Лианну, что она думает о чести дракона!

— Ты отомстил за Лианну возле Трезубца, — ответил Нед, останавливаясь возле короля. — Обещай мне, Нед, прошептала она тогда.

— Месть не вернула ее. — Роберт отвернулся, разглядывая серые дали. — Проклятые боги подарили мне пустую победу. Корону... а я просил у них девушку. Твою сестру, целую и сохранную... Я спрашиваю тебя, Нед, что хорошего в этой короне? Боги смеются над молитвами и королей, и пастухов.

— Не знаю, как насчет богов, светлейший... но вот еще что я увидел, когда въехал в тот день в тронный зал, — проговорил Нед. — Эйерис лежал на полу, утонув в собственной крови, черепа драконов глядели вниз со стен. Люди Ланнистеров были повсюду. И Джейме в белом плаще Королевской гвардии поверх золоченой брони. Я до сих пор вижу его. Даже меч сверкал позолотой. Он сидел на Железном троне, высоко над рыцарями, в своем львином шлеме, и надувался от гордости.

— Это известно, — заметил король.

— Я все еще был на коне. И в безмолвии проехал через весь зал между долгими рядами драконьих черепов. Казалось, что они наблюдают за мной. Я остановился перед троном и поглядел на Джейме. Обагренный кровью короля золотой меч лежал на его коленях. Мои люди наполняли зал позади меня, люди Ланнистера отступали. Я не проронил ни слова, только глядел на него, сидящего на престоле. И ждал. Наконец Джейме расхохотался и встал. А потом снял свой шлем и сказал мне: «Не бойся, Старк. Я просто грел кресло для нашего друга Роберта. Увы, не слишком-то удобное сиденье».

Король откинул назад голову и захохотал. Смех его вспугнул ворон из высокой бурой травы. Отчаянно захлопав крыльями, птицы взмыли в воздух.

— Ты полагаешь, что я должен не доверять Ланнистеру, потому что он провел несколько мгновений на моем троне? — Король вновь зашелся смехом. — Джейме было всего семнадцать, он едва вышел из мальчишеского возраста!

— Мальчишка или мужчина, но права садиться на престол он не имел.

— Быть может, он устал, — предположил Роберт. — Убивать королей — дело тяжелое. Боги знают, что в этом проклятом зале негде передохнуть. И он не солгал: это чудовищно неуютное кресло, причем во многих отношениях. — Король покачал головой. — Теперь я знаю самый черный грех Джейме, значит, обо всем можно забыть. Нед, меня с души воротит от этих тайн, слухов и государственных дел. Это так же скучно, как считать медяки. Проедемся еще, раньше ты любил ездить. Я снова хочу ощутить ветер в своих волосах. — Он послал коня вперед и поскакал по кургану.

Нед не сразу последовал за ним. Слова кончились, и его переполнила печаль и беспомощность. Он опять удивился тому, что делает здесь, зачем оказался в этом месте. Он не Джон Аррен и не способен укротить своенравного короля и научить его мудрости. Роберт будет поступать, как ему заблагорассудится, и все слова или поступки Неда этого не переменят. Сам же он принадлежит Винтерфеллу. Ему следует разделять горе Кейтилин и быть рядом с Браном.

Но мужчина не всегда вправе находиться там, где хочет. С решимостью Эддард Старк сжал сапогами бока коня и направился следом за королем.

ТИРИОН

Север тянулся бесконечно.

Тирион Ланнистер пользовался картами не хуже любого другого, однако двухнедельный путь по дикой дороге, ответвлению Королевского тракта, заставил его понять, что карты — одно, а земля — совершенно другое.

Они оставили Винтерфелл в тот же самый день, что и король, среди суматохи царственного отъезда, под крики мужчин и фырканье лошадей, под грохот фургонов и стон громадного дома на колесах. Кружился легкий снежок. Королевский тракт проходил вблизи замка и города. Тут знамена, фургоны, колонна рыцарей и свободные всадники повернули к югу, унося с собой весь шум, а Тирион отправился на север с Бендженом Старком и его племянником.

Сразу сделалось холоднее и тише.

К западу от дороги поднимались кремневые холмы, серые и зубастые пики, с высокими сторожевыми башнями на каменистых вершинах. К востоку земля уходила вдаль, насколько мог видеть глаз, становясь гладкой равниной. Каменные мосты пересекали узкие быстрые реки, а небольшие сельские дома тесными кольцами окружали крепости, сложенные из дерева и камня. На дороге еще было много путников, но на ночь путешественники могли устроиться в неприхотливых постоялых дворах.

В трех днях езды от Винтерфелла обработанная земля уступила место лесам, и Королевский тракт опустел. Кремневые холмы вырастали с каждой новой милей, обретая все более дикий облик, и скоро превратились в холодные синие горы, зубастые громады, покрытые снегом. Когда с севера задувал ветер, долгие хвосты ледяных кристаллов тянулись от высоких пиков, словно знамена. С запада горы встали стеной, дорога повернула на северо-восток через леса, дубовые и хвойные. Заросли вереска казались Тириону черными и древними. «Волчий лес» — называл этот край Бенджен Старк, и действительно, ночи теперь полнились воем звериных стай, иногда не столь уж далеких.

Услышав ночной вой, альбинос Джона Сноу наставлял уши, но никогда не отвечал собственным голосом. Тириону виделось в этом животном нечто весьма тревожное.

Не считая волка, их отряд теперь состоял из восьми человек. Тирион путешествовал с двумя слугами, как подобало Ланнистеру. Бенджен Старк ехал в сопровождении своего незаконнорожденного племянника. Он прихватил несколько свежих коней для Ночного Дозора. Но прежде чем углубиться в чащобы Волчьего леса, они заночевали за деревянными стенами лесного острога, где к ним присоединился еще один из Черных Братьев, некто Йорен, человек сутулый и мрачный. Лицо его пряталось за бородой, не менее черной, чем его одеяние, но Йорен казался крепким, как старый корень, и твердым как камень. Его сопровождала пара оборванных крестьянских мальчишек из Перстов.

— Насильники, — коротко бросил Йорен, холодно поглядев на своих подопечных.

Тирион понял. Суровая жизнь на Стене тем не менее была предпочтительнее кастрации. Пятеро мужчин, трое мальчиков, лютоволк, двадцать лошадей, клетка с воронами, которую вручил Бенджену Старку мейстер Лювин. Любопытная компания для Королевского тракта, да и вообще для любой дороги.

Тирион заметил, что Джон Сноу наблюдает за Йореном и его мрачными компаньонами со странным выражением на лице, похожим на разочарование. Плечо Йорена было согнуто, от него пахло кислятиной, жирные волосы и борода спутались и кишели блохами, старая и залатанная одежда его явно редко стиралась. От обоих молодых рекрутов пахло еще хуже, они казались глупыми и жестокими.

Вне сомнения, мальчик ошибочно полагал, что Ночной Дозор собран из людей, подобных его собственному дяде. Если так, Йорен и его спутники весьма грубо вернули Джона к действительности. Тириону было жаль мальчика. Он выбрал трудную жизнь... или — точнее говоря — для него выбрали трудную жизнь.

К дяде мальчика Тирион испытывал гораздо меньшую симпатию. Бенджен Старк, казалось, разделял презрение брата к Ланнистерам, и не обрадовался, когда Тирион сообщил ему о своем намерении.

— Предупреждаю вас, Ланнистер, возле Стены вы не найдете гостиниц, — строго поглядел на него Старк.

— Вне сомнения, вы отыщете мне какое-нибудь место, — мрачно усмехнулся Тирион. — Как вы могли заметить, я невысок и удовольствуюсь малым.

Брату королевы нельзя было отказать, это и уладило дело, но Старк явно не обнаруживал радости.

— Вам не понравится дорога, гарантирую это, — проговорил коротко Бенджен и с тех пор делал все возможное, чтобы подтвердить свое обещание. К концу первой недели Тирион сбил ноги седлом, промерз до костей, но не жаловался. Черт побери, он не даст Бенджену Старку ни малейшего повода для удовлетворения! Маленький реванш ему предоставил плащ для верховой езды — потрепанная и пахнущая мускусом медвежья шкура. Старк предложил ее с любезностью

Ночного Дозорного и, вне сомнения, рассчитывал на изящный отказ. Но Тирион принял предложенное с улыбкой. Выехав из Винтерфелла, он прихватил с собой теплую одежду, но скоро обнаружил, что ее недостаточно. На севере было по-настоящему холодно, и с каждым днем становилось все холоднее. Начались ночные морозы, а порывы ветра, словно нож, прорезали самую теплую шерсть. Через несколько дней Старк, несомненно, сожалел о своем рыцарском жесте. Но и он получил свой урок. Ланнистеры никогда не отказываются. Ланнистеры берут все, что им предлагают.

Чем дальше они продвигались на север, погружаясь во мрак Волчьего леса, тем реже и реже попадались фермы и остроги; наконец ни одна кровля не могла более предоставить ночлега путникам, и им пришлось обратиться к собственным ресурсам.

От Тириона не было никакой пользы при устройстве на ночлег или стоянку. Маленький и кривоногий, он только путался под ногами. Посему, пока Старк, Йорен и другие мужчины делали грубое укрытие, ухаживали за конями и разжигали огонь, он обычно брал плащ, небольшой мех с вином и уходил почитать.

На восемнадцатую ночь путешествия вино оказалось редкостным и сладким янтарным напитком с Летних островов, который он привез с собой на север с Бобрового утеса, книга же увлекательно повествовала об истории и драконах. С разрешения лорда Эддарда Старка Тирион прихватил с собой в путь несколько редкостных томов из библиотеки Винтерфелла.

Он обнаружил уютное место как раз за пределами лагерной суеты, возле торопливого ручья с водой чистой и холодной, как лед. Корявый старый дуб предоставил ему укрытие от кусачего ветра. Тирион завернулся в меха, припал спиной к стволу, глотнул вина и принялся читать о достоинствах драконьей кости. Драконья кость черна, потому что в ней много железа, повествовала книга. Она прочна как сталь, но легче и гибче и, конечно, совершенно неподвластна огню. Луки из драконьей кости весьма ценятся дотракийцами; этому нечего удивляться: стрела, посланная из такого оружия, летит дальше, чем пущенная из деревянного.

К драконам Тирион относился с трепетным интересом. Впервые явившись в Королевскую Гавань на свадьбу своей сестры с Робертом Баратеоном, он решил отыскать драконьи черепа, которые прежде висели на стенах тронного зала Таргариенов. Король Роберт заменил их знаменами и гобеленами, но Тирион настоял на своем и наконец отыскал черепа в мрачном погребе, куда их сложили.

Он надеялся обнаружить нечто отвратительное и жуткое и не думал, что кости окажутся прекрасными. Черная, словно оникс, полированная кость загадочно искривилась в свете огня. Драконы любили пламя, понял Тирион. Сунув факел в пасть одного из самых больших черепов, он заставил тени плясать на стене перед ним. Длинные зубы, они казались кривыми ножами из черного алмаза. Пламя его факела не могло повредить им: они помнили и больший жар. Ну а отойдя в сторону, Тирион решил — и мог бы присягнуть в этом, — что пустые глазницы твари следят за ним.

Черепов насчитывалось девятнадцать. Самому старшему было более трех тысяч лет; самому молодому — лишь полтора века. Эти были и самыми маленькими. Вот пара не больше черепов мастифа, странные уродливые останки двух последних драконов, вылупившихся на Драконьем Камне. Они были последними — и у Таргариенов, и, быть может, вообще — и прожили недолго.

Чем старее были драконы, тем крупнее становились их кости; замыкали череду черепа трех великих чудовищ, прославленных в сказаниях и песнях. Этих драконов Эйегон Таргариен и его сестра в старину выпустили на Семь Королевств. Певцы дали им имена богов: Балерион, Мираксес, Вхагар. Тирион стоял в их разверстых пастях, не в силах сказать ни слова. В глотку Вхагара можно было въехать верхом на коне. Впрочем, рискнувший сделать это при жизни дракона никогда бы не выехал наружу. Мираксас был еще больше. Но самый великий из всех, Балерион Черный Ужас, мог проглотить целого зубра, а может быть, и волосатого мамонта, которые все еще бродили по холодным пустошам за Порт-Иббеном.

Тирион долго простоял в этом мрачном погребе, разглядывая огромный пустой череп Балериона, и, пока не догорел его факел, пытался понять величину живого зверя, представить себе, каким казался огнедышащий змей в небе на распростертых крыльях.

Его собственный далекий предок, король Лорен с Бобрового утеса, попытался выстоять против огня и объединился с королем Мерном, владыкой Раздолья, чтобы противостоять таргариенскому завоеванию. Это случилось почти три века назад, когда Семь Королевств действительно были королевствами, а не провинциями большой страны. Эти два короля могли поднять шесть сотен знамен, выставить пять тысяч конных воинов и в девять раз больше свободных всадников и вооруженных людей. У Эйегона Драконовластного было не более пятой части от этого числа, как утверждают хроники. Да и то большую часть их набрали из воинов убитого короля, в верности которых можно было сомневаться.

Воины сошлись на широких просторах Раздолья, посреди золотых полей пшеницы, созревшей для жатвы. Два короля повели свое войско вперед, и армия Таргариена дрогнула, рассыпалась и побежала. На несколько мгновений, писали хроникеры, завоевание закончилось... но только на несколько мгновений, потому что Эйегон Таргариен и его сестры вступили в сражение.

Один только раз Вхагара, Мираксеса и Балериона выпустили одновременно, и певцы назвали поле битвы Пламенным Полем.

Почти четыре тысячи человек сгорели в тот день, среди них оказался Мерн, король Раздолья. Король Лорен спасся и прожил достаточно долго, чтобы сдаться, присягнуть на верность Таргариену и породить сына, за что Тирион был ему должным образом благодарен.

— Почему ты так много читаешь?

Тирион поднял голову на звук голоса. В нескольких футах от Ланнистера стоял Джон Сноу, разглядывавший его с любопытством. Карлик заложил книгу пальцем и проговорил:

— Погляди на меня и скажи, что ты видишь?

Мальчик подозрительно поглядел на него.

— Ты шутишь. Я вижу только тебя, Тирион Ланнистер.

Тирион вздохнул.

— Для бастарда ты чрезвычайно вежлив, Джон Сноу. Ты видишь перед собой карлика. Сколько тебе лет, двенадцать?

— Четырнадцать, — отвечал мальчик.

— Четырнадцать, и ты выше, чем суждено мне когда-либо стать. Ноги мои кривы и коротки, я хожу с трудом. Мне нужно особое седло, чтобы не упасть с коня. Его придумал я сам, если тебе интересно знать. Иначе мне пришлось бы ездить на пони. Руки у меня крепкие, но слишком короткие. Из меня никогда не получится фехтовальщик. Если бы я родился в семье крестьянина, то меня оставили бы умирать или продали как уродца какому-нибудь работорговцу. Но увы, я был рожден Ланнистером с Бобрового утеса, и во всех тамошних ярмарочных балаганах не хватит денег на такого карлу. От меня многого ожидали. Мой отец двадцать лет был десницей короля. Потом мой брат убил этого самого короля... так вышло, но жизнь полна маленьких сюрпризов. Моя сестра вышла замуж за нового короля, и мой отвратительный племянник со временем станет его наследником. Поэтому я должен делать все возможное ради чести моего дома, разве ты не согласен? Но как? Ноги мои слишком малы для тела, а голова чересчур велика, но я бы сказал, что, на мой взгляд, она как раз впору для моего ума. Я спокойно принимаю собственные силы и слабости. Ум — вот мое оружие. У брата Джейме есть меч, у короля Роберта боевой молот, а у меня разум. А он нуждается в книгах, как меч в точильном камне, чтобы не затупиться. — Тирион постучал по кожаной обложке книги. — Вот поэтому я читаю так много, Джон Сноу.

Мальчик выслушал его в молчании. Лицом, если не именем, он был похож на Старка. Длинным, печальным, настороженным лицом, которое ничего не выдавало. Кем бы ни была его мать, она не оставила на сыне заметного отпечатка своей личности.

— О чем ты читаешь? — спросил Джон.

— О драконах, — улыбнулся ему Тирион.

— А какой в этом прок? Драконов больше не существует, — проговорил мальчик с бесшабашной уверенностью юности.

— Да, так говорят, — отвечал Тирион. — Грустно, не правда ли? Когда мне было столько, сколько сейчас тебе, я мечтал о том, чтобы у меня был собственный дракон.

— Да ну? — с сомнением в голосе спросил мальчик, должно быть, подумав, что Тирион смеется над ним.

— Знаешь, ведь и уродливый горбатый коротышка может увидеть мир, если сядет на спину дракона. — Тирион откинул в сторону медвежью шкуру и поднялся на ноги. — Я начал разводить огонь в недрах Бобрового утеса и часами смотрел на пламя, воображая, что это драконий огонь. Иногда мне представлялось, что в нем горит мой отец. Иногда — моя сестра...

Джон снова поглядел на него, взгляд его выражал в равной мере ужас и восхищение.

Тирион фыркнул:

— Не надо смотреть на меня такими глазами, бастард. Я знаю твой секрет. Тебе снятся такие же сны.

— Нет! — вскрикнул в ужасе Джон Сноу. — Я бы не...

— Как? Никогда? — Тирион приподнял бровь. — Ну что ж, тогда, вне сомнения, Старки были жутко добры к тебе. И леди Старк обращалась с тобой, словно с родным сыном. Ну а братец Робб всегда был ласков, а почему бы и нет? Он ведь получает Винтерфелл, а ты — Стену. Твой отец... должно быть, у него были веские причины отправить тебя в Ночной Дозор.

— Прекрати, — скривил губы Джон Сноу, потемнев от гнева. — Служить в Ночном Дозоре — благородное дело!

Тирион расхохотался:

— Ты слишком умен, чтобы верить в это. Ночной Дозор служит свалкой для всех неудачников нашего края. Я видел, как ты смотришь на Йорена и его мальчишек. Они твои новые братья, Джон Сноу. Или они тебе не нравятся? Унылые мрачные крестьяне, должники, браконьеры, насильники, воры и бастарды, подобные тебе самому, все они уходят на Стену ловить грамкинов, снарков и прочих чудищ, о которых рассказывают няньки. Хорошо еще, что ни грамкинов, ни снарков не существует, и поэтому дело едва ли можно назвать опасным. Хуже то, что здесь нетрудно напрочь отморозить яйца, но поскольку тебе запрещено размножаться, это едва ли имеет значение.

— Прекрати! — завопил мальчик. Он шагнул вперед, сжимая кулаки, едва ли не со слезами.

Неожиданно Тирион почувствовал себя виноватым. Он шагнул вперед, намереваясь приободрить мальчика, похлопав его по плечу, и пробормотать какие-нибудь извинения.

Он так и не заметил волка, откуда тот появился и как напал на него. Только что он шел в сторону Сноу и уже в следующий момент лежал на спине, на жесткой каменистой земле, а книга взлетела в воздух, вырвавшись из его рук. Дыхание оставило Тириона, рот наполнился грязью, кровью и гнилой листвой. Тирион раздраженно скрипнул зубами, ухватился за корень и с трудом сел.

— Помоги, — сказал он мальчику, протягивая руку.

И вдруг волк оказался между ними. Зверь не рычал. Проклятая тварь никогда не испускала ни звука. Он только глядел на Ланнистера своими ярко-красными глазами и скалил зубы, но и этого было довольно. Тирион со стоном осел на землю.

— Не надо помогать мне, ладно. Я посижу, пока ты не уйдешь.

Джон Сноу погладил густой мех Призрака и улыбнулся:

— А теперь попроси меня вежливо.

Тирион Ланнистер ощущал, как собирается внутри его гнев, и подавил его усилием воли. Не первое унижение в его жизни и, бесспорно, не последнее. Быть может, он даже и заслужил его.

— Я буду очень благодарен тебе за любезную помощь, Джон, — кротко произнес Тирион.

— Сидеть, Призрак, — сказал мальчик. Лютоволк уселся на задние лапы, но красные глаза так и не отрывались от Тириона. Джон зашел сзади карлика, взял его за плечи и легко поставил на ноги, а потом поднял книгу и подал ее.

— Почему он набросился на меня? — спросил Тирион, искоса глянув на волка. Тыльной стороной руки он стер со рта кровь и грязь.

— Наверное, принял за грамкина.

Тирион посмотрел на него, и короткий смешок вырвался у него против воли.

— О боги, — проговорил он, заливаясь смехом и покачивая головой. — Действительно, я похож на грамкина. Ну а что он делает со снарками?

— Этого тебе уж точно не следует знать. — Джон подобрал бурдючок и передал его Тириону.

Тирион извлек пробку, склонил голову, плеснул в рот струйку вина. Холодный огонь пробежал по горлу и согрел живот. Он подал мех Джону Сноу.

— Хочешь попробовать?

Мальчик взял мех и осторожно глотнул.

— Настоящее вино? — спросил он. — А это верно? То, что ты говорил относительно Ночного Дозора?

Тирион кивнул.

Джон Сноу мрачно стиснул губы.

— Ну и что, если так, значит, так и будет.

Тирион качнул головой:

— Молодец, бастард. Люди чаще предпочитают отрицать жестокую истину, чем становиться к ней лицом.

— Большая часть людей, — проговорил мальчик. — Но не ты.

— Да, — согласился Тирион, — только не я. Теперь мне больше не снятся драконы, поскольку их не существует. — Он подобрал медвежью шкуру. — Пойдем, надо бы вернуться в лагерь, прежде чем твой дядя начнет созывать знамена.

Путь был недолог, неровная почва утомила его ноги. Джон Сноу подал ему руку, чтобы помочь перебраться через густо сплетенные корни, но Тирион отмахнулся. Он должен идти сам, как всю свою жизнь. И все же в лагере было приятно. Возле обветшавшей стены давно заброшенной крепости установили укрытие, устроили заслон против ветра. Лошадей покормили, разожгли костер. Йорен сидел на камне и обдирал белку. Аромат отвара наполнил ноздри Тириона. Он направился к своему слуге Морреку, приглядывающему за котлом. Тот без слов передал ему ложку. Тирион попробовал и вернул ее назад.

— Больше перца, — сказал он.

Бенджен Старк выглянул из укрытия, которое делил со своим племянником.

— Так вот ты где, Джон! Проклятие, не повторяй этого впредь. Я думал, что Иные схватили тебя.

— Это были грамкины, — со смехом ответил Тирион. Джон снова улыбнулся. Старк бросил вопросительный взгляд на Йорена. Старик что-то буркнул, пожал плечами и вернулся к своему кровавому делу.

Белка добавила питательности отвару, и, сидя в тот вечер вокруг костра, они съели ее с черным хлебом и твердым сыром. Тирион пустил по рукам свой мех с вином, наконец даже Йорен размяк. По одному путешественники отправлялись в укрытие спать, все, кроме Джона Сноу, которому выпала первая ночная стража.

Последним, как всегда, улегся Тирион. Забравшись в укрытие, которое соорудили для него его люди, он помедлил и поглядел на Джона Сноу. Мальчик стоял возле костра, спокойное и жесткое лицо его было обращено к пламени.

С печальной улыбкой Тирион Ланнистер отвернулся к стене.

КЕЙТИЛИН

Нед и девочки отсутствовали уже восемь дней, когда мейстер Лювин однажды ночью явился в комнату Брана с лампой для чтения и книгой отчетов.

— Мы давно уже не проверяли цифры, миледи, — сказал он. — Вы, конечно, хотите знать, во что обошелся нам визит короля.

Кейтилин поглядела на Брана, на его ложе и смахнула волосы с его лба. Она заметила, что они выросли, хорошо было бы подстричь.

— Нет необходимости изучать цифры, мейстер Лювин, — сказала она, не отрывая глаз от Брана. — Я знаю, чего нам стоил визит. Уберите отчетные книги.

— Миледи, войско короля не стесняло себя в еде. Нам нужно пополнить запасы, прежде...

Она прервала его:

— Я сказала — уберите книги. Пусть стюард займется нашими нуждами.

— У нас больше нет стюарда, — напомнил ей мейстер Лювин.

«Прямо серая крыса, — подумала она, — не хочет уходить».

— Пуль отправился на юг, чтобы устроить хозяйство лорда Эддарда в Королевской Гавани.

Кейтилин рассеянно кивнула:

— О да, помню. — Бран казался таким бледным. Она подумала, не переставить ли кровать под окно, чтобы утреннее солнце падало на него.

Мейстер Лювин оставил лампу в нише у двери и принялся возиться с фитилем.

— Есть несколько вопросов, которые нуждаются в вашем непосредственном внимании, миледи. Помимо стюарда, нам требуется капитан гвардии на место Джори, новый конюший...

Расеянный взгляд ее глаз обратился к нему.

— Какой еще конюший? — Голос казался ударом кнута.

Мейстер был потрясен.

— Да, миледи. Халлен уехал на юг с лордом Эддардом, поэтому...

— Лювин, мой сын покалечен и умирает, а вы говорите о новом конюшем. Неужели вы думаете, что меня интересует, что будет с конюшней? Неужели вы думаете, что это вообще беспокоит меня? Я охотно зарежу каждую лошадь в Винтерфелле своими руками, если после этого Бран откроет глаза, вы понимаете это? Понимаете?

Он склонил голову.

— Да, миледи, но распоряжения...

— Я отдам нужные распоряжения, — сказал Робб.

Кейтилин не слышала, как он вошел, но сын стоял в дверях и глядел на нее. Она кричала, поняла Кейтилин с внезапным стыдом. Что творится с ней? Она так устала, и сердце все время болит.

Мейстер Лювин перевел взгляд от Кейтилин на ее сына.

— Я приготовил список тех, кто может заместить вакантные должности, — сказал он, предлагая Роббу бумагу, извлеченную из рукава.

Сын быстро просмотрел имена.

Он пришел снаружи, заметила Кейтилин, щеки его зарозовели от холода, волосы взлохматил ветер.

— Хорошие люди, — проговорил Робб. — Обсудим это завтра, — и вернул список мейстеру.

— Слушаюсь, милорд. — Бумага исчезла в рукаве.

— А теперь оставь нас, — попросил Робб. Мейстер Лювин поклонился и вышел. Робб закрыл за собой дверь и повернулся к матери. Она заметила, что он был с мечом. — Мать, что ты делаешь?

Кейтилин всегда думала, что Робб похож на нее и, как Бран, Рикон и Санса, пошел в породу Талли. Осенние волосы, синие глаза. Но теперь впервые она увидела в его лице нечто, унаследованное от Эддарда Старка, суровое и жесткое, словно сам север.

— Что я делаю? — отозвалась она удивленным голосом. — Как ты можешь спрашивать такое? Что, по-твоему, я могу здесь делать? Я забочусь о твоем брате. Я присматриваю за Браном.

— Значит, ты так называешь свое занятие? Ты не оставляла эту комнату с того мгновения, как Бран упал. Ты даже не вышла попрощаться к воротам, когда отец и девочки уезжали на юг.

— Я распрощалась с ними здесь. Из этого окна смотрела, как они уезжали. — Она молила Неда остаться и не уезжать сразу после того, как все произошло. Все переменилось, неужели он не понимает этого? Но уговоры остались безрезультатными. У него нет выбора, сказал Нед уезжая. — Но я не могу оставить сына даже на минуту, когда любое мгновение может оказаться последним в его жизни. Я должна быть с ним, если... если... — Она взяла вялую руку сына, переплела его пальцы своими собственными. Он стал таким хрупким и тонким, в руке не осталось силы, но она все еще могла ощущать под кожей живую теплоту.

Голос Робба смягчился:

— Бран не умрет, мать. Мейстер Лювин говорит, что самая большая опасность уже миновала.

— А что, если мейстер Лювин ошибается? Что, если я понадоблюсь Брану и меня не окажется рядом?

— Рикон тоже нуждается в тебе, — сурово проговорил Робб. — Ему только три года, и он не понимает, что происходит. Он думает, что все бросили его, и поэтому ходит за мной и цепляется за ноги. Я не знаю, что с ним делать. — Робб прикусил нижнюю губу, как делал, когда был маленьким. — Мать, и я тоже нуждаюсь в тебе. Я пытаюсь, но не могу... не могу сделать всего самостоятельно. — Голос его дрогнул от нахлынувших чувств, и Кейтилин вспомнила, что сыну только четырнадцать. Она хотела бы встать, подойти к Роббу, но Бран держал ее, и она не смела пошевелиться. Снаружи, у подножия башни, взвыл волк. И Кейтилин поежилась от этого звука.

— Это волк Брана. — Робб открыл окно и впустил ночной воздух в духоту комнаты. Вой сделался громче. Одинокий, полный отчаяния и скорби.

— Не надо, — сказала Кейтилин. — Брану нужно тепло.

— Ему нужна их песня, — сказал Робб. Где-то в Винтерфелле, вторя первому, завыл другой волк. Затем к ним присоединился третий голос, поближе. — Лохматый Песик и Серый Ветер, — проговорил Робб, слушая вздымающиеся и опадающие голоса. — Их можно различить, если хорошенько прислушаться.

Кейтилин дрожала от горя, от холода, от воя лютоволков. Ночь за ночью холодный ветер продувал огромный опустевший замок, и ничего не менялось; здесь лежал ее изувеченный мальчик, самый милый из ее детей, самый мягкий... Бран, любивший смеяться, лазать, мечтавший о рыцарстве. Все теперь пропало, она никогда не услышит его смеха. С рыданиями она высвободила свою руку и прикрыла уши, чтобы не слышать этого жуткого воя.

— Пусть они умолкнут, — всхлипнула она. — Я не могу терпеть этого, пусть они умолкнут, угомони их, убей их всех, если иначе нельзя, но пусть они умолкнут.

Она не помнила, как упала на пол, но, очнувшись, ощутила, как Робб поднимает ее своими сильными руками.

— Не бойся, мать. Они не причинят Брану вреда. — Он подвел ее к узкой постели в уголке комнаты и сказал: — Закрой глаза, отдохни. Мейстер Лювин говорил, что ты почти не спала после падения Брана.

— Я не могу заснуть, — пробормотала Кейтилин сквозь слезы. — Пусть простят меня боги, Робб, я не могу заснуть. Что будет, если он умрет, когда я засну, что будет, если он умрет, что будет, если он умрет... — Волки все еще выли. Вскрикнув, она вновь прикрыла уши. — О боги, закрой же окно!

— Если ты обещаешь мне выспаться. — Робб подошел к окну, но, отодвинув портьеру, услышал, что к скорбному вою лютоволков добавился еще один звук. — Собаки, — сказал он прислушиваясь. — Лают все собаки. Они никогда не делали этого прежде.

Кейтилин почувствовала, как дыхание застыло в ее горле.

Поглядев вверх, увидела лицо, побледневшее разом в свете лампы.

— Пожар, — прошептал Робб.

— Пожар, — повторила она и сразу подумала о Бране. — Помоги мне, — сказала Кейтилин дрогнувшим голосом. — Помоги мне с Браном.

Робб как будто не слышал ее.

— Горит Библиотечная башня, — сказал он. Кейтилин заметила, как пляшет красный огонь за открытыми окнами. Она осела назад с облегчением: Брану ничто не грозило. Библиотека была на другой стороне двора, и огонь никак не мог перекинуться сюда.

— Слава богам, — прошептала Кейтилин.

Робб поглядел на нее, как на безумную.

— Мать, оставайся здесь, я вернусь, как только огонь погасят.

Он выбежал. Кейтилин сразу услышала голос сына за дверью, приказывающий стражам, караулившим комнату снаружи; потом все они вместе бросились вниз по лестнице, перепрыгивая разом через две или три ступеньки. Во дворе послышались крики «Огонь!», вопли, звук бегущих ног, ржание испуганных лошадей и отчаянный лай собак. Потом лютоволки умолкли, но она поняла, что все равно слушает эту какофонию.

Кейтилин мысленно произнесла благодарственную молитву семи ликам бога и подошла к сыну. За двором, из окон библиотеки, выбросило длинные языки пламени. Она поглядела на дым, поднимающийся в небо, и со скорбью подумала о книгах, которые Старки собирали не один век. А потом закрыла ставни.

Когда Кейтилин отвернулась от окна, рядом с ней в комнате оказался мужчина.

— Ты не должна была сейчас находиться в комнате, — проговорил он кислым голосом, — никого здесь не должно быть. — Невысокий грязный мужчина, в бурой одежде, пахнущей лошадьми. Кейтилин знала всех, кто работал на конюшне, но он был не из них. Худощавый блондин с длинными волосами и бледными глазами, утонувшими в костлявом лице. В кулаке его был кинжал.

Кейтилин посмотрела на нож, потом на Брана.

— Нет, — сказала она. Слово застряло в ее горле свистящим шепотом.

Должно быть, он все-таки услышал ее и пробормотал:

— Это милосердие; он уже мертв.

— Нет, — сказала Кейтилин теперь громче, голос вновь вернулся к ней. — Нет, ты не сделаешь этого!

Она бросилась к сыну, хотела позвать на помощь, но человек умел двигаться быстрее, чем она могла предполагать. Одна рука зажала ей горло и откинула назад голову, другая поднесла кинжал к ее шее. Воняло от него жутко.

Кейтилин подняла вверх обе руки и со всей силой надавила на лезвие, отводя его от своего горла. Она слышала, как убийца сопит возле ее уха. Пальцы сделались скользкими от крови, но она не могла выпустить кинжал. Рука плотнее зажимала рот Кейтилин, лишая воздуха. Она дернула головой в сторону и умудрилась впиться в ладонь зубами. Убийца охнул от боли. Она свела зубы вместе и рванула. Тогда он вдруг выпустил ее. Вкус чужой крови наполнил ее рот. Она вдохнула воздух и закричала. Тут он схватил ее за волосы и отбросил, она споткнулась и упала. И вот он уже стоял над ней, тяжело дыша и трясясь. Правая рука его, покрытая кровью, сжимала кинжал.

— Ты не должна была оказаться здесь, — тупо проговорил он.

Кейтилин заметила, как через открытую дверь позади него скользнула тень. Послышалось негромкое ворчание, совсем не грозное, даже непохожее на рычание. Он, должно быть, услышал, потому что начал поворачиваться, и тут волк прыгнул. Они упали вместе возле Кейтилин, не успевшей еще подняться. Волк впился прямо в горло мужчине. Крик его не прозвучал и секунды, зверь дернул головой и разодрал глотку.

Кровь хлынула на лицо Кейтилин теплым дождем.

Волк глядел на нее, челюсти его были обагрены, глаза светились золотом в темной комнате. Волк Брана, поняла Кейтилин. Как же иначе?

— Спасибо тебе, — прошептала она трепещущим голосом и подняла дрожащую руку. Волк подошел ближе, обнюхал пальцы, лизнул кровь мокрым и грубым языком. Облизав всю ее руку, он безмолвно повернулся назад, вскочил на постель Брана и лег рядом с ним. Кейтилин истерически захохотала.

Так и обнаружили их, когда Робб, мейстер Лювин и сир Родрик ворвались внутрь с половиной стражи Винтерфелла. Когда смех наконец оставил ее, Кейтилин завернули в теплое одеяло и отвели в ее собственные палаты. Старая Нэн раздела ее, уложила в обжигающе горячую ванну, смыла кровь мягкой тканью.

Потом пришел мейстер Лювин, чтобы перевязать ее раны. Глубокие порезы на пальцах дошли почти до самой кости, а с головы был выдран клок волос. Мейстер сказал, что боль только начинается, и дал ей макового молока, чтобы помочь уснуть. Наконец она закрыла глаза, а когда открыла их снова, ей сказали, что она проспала четыре дня. Кейтилин кивнула и села в постели. Все теперь казалось ей кошмаром, все, начиная с падения Брана, с ужасного сна, полного крови и горя, но боль в руках напоминала, что случившееся было реально. Голова ее кружилась, она ощущала слабость и странную решительность. Словно бы огромная тяжесть спала с ее плеч.

— Принесите мне немного хлеба и меда, — приказала она слугам. — И скажите мейстеру Лювину, что мои повязки надо переменить. — Они поглядели на нее с удивлением и бросились исполнять приказания. Кейтилин вспомнила, как вела себя до того, и устыдилась. Она бросила всех: детей, мужа, свой дом. Хватит! Она должна показать этим северянам, какими сильными бывают Талли из Риверрана.

Робб явился раньше, чем ей принесли еду. С ним вошли Родрик Кассель, воспитанник мужа Теон Грейджой, а завершал процессию Халлис Моллен, мускулистый стражник с квадратной каштановой бородой. Он назначен капитаном гвардии, сказал Робб. Сын был облачен в проваренную кожу и кольчугу, у пояса его висел меч.

— Кто это был? — спросила Кейтилин.

— Никто не знает его имени, — покачал головой Халлис Моллен. — Он родом не из Винтерфелла, миледи, но некоторые утверждают, что видели его здесь, около замка, в последние несколько дней.

— Значит, он из людей короля, — сказала она. — Или из Ланнистеров. Он мог остаться, когда остальные уехали.

— Возможно, — сказал Халлис. — При такой толпе, наполнявшей в эти дни Винтерфелл, трудно сказать, откуда он взялся.

— Он прятался в конюшне, — доложил Грейджой. — Это нетрудно было понять по запаху.

— И как он мог войти туда незамеченным? — спросила Кейтилин резким тоном.

Халлис Моллен казался пристыженным.

— Когда лорд Эддард увел часть коней на юг, а других мы отослали на север, в Ночной Дозор, стойла остались пустыми. Не так уж трудно спрятаться от конюшенных мальчишек. Возможно, его видел Ходор; поговаривали, что он ведет себя странно при всей его простоте. — Хал потряс головой.

— Мы обнаружили, где он спал, — вставил Роберт. — Под соломой нашлась кожаная мошна с девяноста семью оленями.

— Приятно знать, что жизнь моего сына оценили достаточно дорого, — с горечью проговорила Кейтилин.

Халлис Моллен в смятении поглядел на нее.

— Прошу прощения, миледи, вы говорите, что он намеревался убить вашего мальчика?

Грейджой посмотрел на нее с сомнением.

— Это безумие.

— Он явился за Браном, — ответила Кейтилин. — Он все бормотал, что я не должна была оказаться в опочивальне. Он поджег библиотеку, думая, что я брошусь туда спасать книги и возьму с собой стражу. Замысел сработал бы, если бы я наполовину не обезумела от горя.

— Но зачем кому-то убивать Брана? — сказал Робб. — Боги, он всего лишь маленький мальчик, беспомощный и находящийся в забытьи.

Кейтилин глянула на своего первенца вызывающе.

— Если ты собираешься править на Севере, значит, нужно уметь видеть смысл происходящего. Сам ответь на собственный вопрос. Зачем кому-то может понадобиться смерть спящего ребенка?

Прежде чем Робб успел ответить, вошли слуги с блюдом еды, присланной из кухни. Ее оказалось куда больше, чем просила Кейтилин: горячий хлеб, масло, мед, черная смородина с сахаром, кусок бекона, сваренное всмятку яйцо, ломоть сыра и кувшинчик мятного чая.

— Как там мой сын, мейстер? — Кейтилин поглядела на яства и обнаружила, что не ощущает аппетита.

Мейстер Лювин потупил глаза.

— Без перемен, миледи. — Именно этого ответа она и ожидала — не более и не менее. Руки Кейтилин пульсировали от боли, нож словно бы еще резал их. Она отослала слуг и поглядела на Робба.

— Ну, как насчет ответа?

— Кто-то боится, что Бран очнется, — предположил Робб. — Боится того, что он может сказать или сделать. Боится чего-то, что известно Брану.

Кейтилин ощутила гордость за сына.

— Очень хорошо. — Она повернулась к новому капитану гвардии. — Надо беречь Брана. Там, где побывал один убийца, может найтись и другой.

— Сколько стражи выделить ему? — спросил Хал.

— Пока лорд Эддард отсутствует, в Винтерфелле распоряжается мой сын, — ответила она.

Робб чуточку распрямился.

— Пусть один человек дежурит возле больного днем и ночью, один около двери и двое у подножия лестницы. Никто не должен входить к Брану без разрешения моей матери.

— Как вам угодно, милорд.

— Исполняйте немедленно, — приказала Кейтилин.

— И пусть его волк отстается у него в комнате, — добавил Робб.

— Да, — сказала Кейтилин. И повторила еще раз: — Да.

Халлис Моллен поклонился и оставил покои.

— Леди Старк, — спросил сир Родрик, когда стражник ушел. — А вы, случайно, не заметили кинжал, которым воспользовался убийца?

— Обстоятельства не позволили мне разглядеть его, но за остроту поручусь, — проговорила Кейтилин с сухой улыбкой. — А почему вы спрашиваете?

— Мы обнаружили кинжал в его руке. Мне показалось, что кинжал этот слишком хорош для такого типа, поэтому я внимательно разглядел его. Клинок из валирийской стали, рукоять из кости дракона. Такой кинжал не мог оказаться в его руках просто так. Кто-то дал ему это оружие.

Кейтилин задумчиво кивнула:

— Робб, закрой дверь.

Сын с удивлением поглядел на нее, но выполнил распоряжение.

— То, что я скажу сейчас, не должно выйти за пределы комнаты, — сказала она. — Я хочу, чтобы вы дали мне клятву. Если справедлива даже часть моих подозрений, Нед и девочки едут навстречу смертельной опасности, и слово, попавшее в чужие уши, может стоить им жизни.

— Лорд Эддард для меня второй отец, — проговорил Теон Грейджой. — Клянусь.

— И я приношу клятву, — проговорил мейстер Лювин.

— Я тоже, — словно эхо, отозвался сир Родрик.

Она поглядела на своего сына.

— А ты, Робб?

Он согласно кивнул.

— Моя сестра Лиза полагает, что ее мужа лорда Аррена, десницу короля, убили Ланнистеры, — сказала Кейтилин. — Помнится, что Джейме Ланнистер не выехал на охоту в тот день, когда упал Бран. Он оставался в замке. — В комнате воцарилась смертельная тишина. — Итак, Бран едва ли сам упал с этой башни, — сказала она. — По-моему, его столкнули.

На лицах отразилось явное потрясение.

— Миледи, какое жуткое предположение, — проговорил Родрик Кассель. — Даже Цареубийца не пойдет на убийство невинного ребенка.

— В самом деле? — усмехнулся Теон Грейджой. — Сомневаюсь.

— Гордыне и честолюбию Ланнистеров нет предела, — проговорила Кейтилин.

— В прошлом мальчик всегда лазал уверенно, — задумчиво проговорил мейстер Лювин. — Он знал в Винтерфелле каждый камень.

— Боги! — ругнулся Робб, юное лицо его потемнело от гнева. — Если так, за это придется заплатить. — Он достал меч и взмахнул им в воздухе. — Я сам убью его.

Сир Родрик ощетинился:

— Убери оружие! Ланнистеры в сотне лиг* отсюда. Никогда не извлекай свой меч, если не намереваешься немедленно воспользоваться им. Сколько раз мне повторять это, глупый мальчишка!

Пристыженный Робб вложил меч в ножны, вдруг вновь сделавшись ребенком. Кейтилин кивнула сиру Родрику:

— Я вижу на поясе моего сына сталь.

Старый мастер над оружием проговорил:

— Я решил, что настало время.

Робб тревожно поглядел на нее.

— Время настало уже давно, — сказала Кейтилин. — Скоро нам потребуются все мечи, и среди них не должно быть деревянных.

Теон Грейджой опустил ладонь на рукоять своего клинка и заверил:

— Миледи, если дойдет до оружия, мой дом в долгу перед вашим.

Мейстер Лювин потянул за цепочку, покоившуюся на шее.

— Пока мы располагаем лишь совпадением и хотим обвинить возлюбленного брата королевы. Она не станет слушать

* старинная английская мера длины, около 4,8 км.

пустых разговоров. У нас должны быть доказательства, или же нам придется замолчать.

— Наши доказательства в кинжале, — проговорил сир Родрик. — Подобный клинок не может остаться неизвестным.

— Есть только одно место, где можно отыскать истину.

Кейтилин поняла.

— Кто-то должен направиться в Королевскую Гавань.

— Я поеду, — сказал Робб.

— Нет, — ответила она. — Твое место здесь. В Винтерфелле всегда должен сидеть Старк. — Она поглядела на сира Родрика, на его огромные белые бакенбарды, на мейстера Лювина в его сером одеянии, на молодого Грейджоя, смуглого и пылкого. Кого послать? Кому довериться? Тут она поняла и откинула назад одеяло. Перевязанные пальцы остались неподвижными, словно камень. Она выбралась из постели.

— Я должна ехать сама.

— Миледи, — проговорил мейстер Лювин, — разумно ли это? Безусловно, Ланнистеры отнесутся к вашему появлению с подозрением.

— А как насчет Брана? — спросил Робб. Бедный мальчишка совершенно смутился. — Неужели теперь ты оставишь его?

— Для Брана я уже сделала все, что могла, — ответила Кейтилин, положив перевязанную руку на плечо сына. — Его жизнь в руках богов и мейстера Лювина. Ты ведь сам напоминал мне, Робб, что нельзя забывать и о других детях.

— Вам потребуется сильная свита, миледи, — проговорил Теон.

— Я пошлю Хала с отрядом гвардейцев, — проговорил Робб.

— Нет, — решила Кейтилин. — Большой отряд привлечет нежелательное внимание. Я не хочу, чтобы Ланнистеры узнали о моем приезде.

Сир Родрик запротестовал:

— Позвольте по крайней мере мне сопровождать вас. Королевский тракт опасен для одиноких женщин.

— Я не поеду этим путем, — ответила Кейтилин. Потом подумала мгновение и согласно кивнула: — Да, двое всадников двигаются так же быстро, как и один, но много быстрее, чем длинная колонна, отягощенная фургонами и кибитками на колесах. Я рада вашему обществу, сир Родрик. Мы спустимся вдоль Белого Ножа до моря и найдем корабль в Белой гавани. Крепкие кони и свежий ветер доставят нас в Королевскую Гавань задолго до Неда и Ланнистеров. — А там, подумала она, мы увидим то, что должны увидеть.

САНСА

Эддард Старк уехал с рассветом, септа Мордейн сообщила об этом Сансе, когда они приступили к завтраку.

— Король послал за ним. Должно быть, они охотятся. В этих краях, как говорят, до сих пор обитают дикие зубры.

— Я никогда не видела зубра, — вздохнула Санса, переправляя кусок бекона сидевшей под столом Леди. Волчица приняла кусок из руки элегантным движением королевы.

Септа Мордейн неодобрительно фыркнула.

— Благородная леди не кормит собак под столом, — сказала она, отламывая еще один кусок сотов и выпуская капли меда на хлеб.

— Это не собака, а лютоволчица, — заметила Санса, когда Леди лизнула ее пальцы шершавым языком. — Во всяком случае, отец разрешил нам держать их.

Септа не смягчилась.

— Ты хорошая девочка, Санса, но клянусь, когда речь заходит об этом звере, становишься столь же прихотливой, как твоя сестра Арья. — Она нахмурилась. — Кстати, где она сейчас?

— Она не голодна, — ответила Санса, прекрасно понимая, что сестра ее, по всей видимости, прокралась в кухню не один час назад и заставила какого-нибудь поваренка накормить ее.

— Напомни, чтобы она сегодня оделась получше. Наверное, в серый бархат. Мы приглашены прокатиться с королевой и принцессой Мирцеллой в их доме на колесах и должны выглядеть как положено.

Санса и без того выглядела прекрасно. Она до блеска расчесала длинные рыжеватые волосы и выбрала лучшие голубые шелка. Сегодняшнего дня она ждала почти целую неделю. Ехать с королевой — великая честь, к тому же там будет принц Джоффри, ее жених. Мысль эта вызвала в душе ее странный трепет, хотя до брака оставались еще годы и годы. Санса почти не знала Джоффри, но уже успела влюбиться в него. Именно таким она и видела своего принца: высоким и сильным, золотоволосым красавцем. Она ценила каждую возможность провести время с ним. Пугала ее сегодня лишь Арья. Сестра всегда умела все напортить. И что она выкинет, никогда нельзя было предсказать заранее.

— Я скажу ей, — проговорила Санса неуверенно, — но Арья оденется как всегда. — Оставалось только мечтать, что это не вызовет неловкости. — Могу ли я выйти из-за стола?

— Безусловно. — Септа Мордейн взяла новый кусок хлеба и сотов, а Санса соскользнула со скамьи. Леди последовала за ней к выходу из гостиницы.

Снаружи она немного постояла, прислушиваясь к крикам, ругательствам и скрипу деревянных колес; мужчины складывали шатры и палатки, грузили фургоны перед очередным переходом. Приземистая гостиница, сложенная из белого камня, оказалась самой большой из всех, которые уже видела Санса, но тем не менее смогла вместить менее трети отряда короля, уже распухшего до четырех сотен после того, как к нему добавились челядь ее отца и свободные всадники, присоединившиеся по дороге.

Они обнаружили Арью на берегах Трезубца, она вычесывала засохшую грязь из шерсти Нимерии, пытаясь удержать ее на месте. Лютоволчица не испытывала восторга от этого занятия. Арья была в том же самом костюме для верховой езды, что вчера и позавчера.

— Надень что-нибудь покрасивее, — предупредила сестру Санса, — септа Мордейн так сказала. Мы будем путешествовать в повозке королевы с принцессой Мирцеллой.

— Только не я! — воскликнула Арья, вычесывая репей из взлохмаченного серого меха Нимерии. — Мы с Микой отправляемся вверх по течению поискать рубины у брода.

— Рубины, — в недоумении проговорила Санса, — какие рубины?

Арья посмотрела на сестру, удивляясь подобной глупости.

— Рубины Рейегара. Это как раз то самое место, где король Роберт убил его и захватил корону.

Санса с недоверием посмотрела на свою младшую сестрицу.

— Ты не можешь отправляться за рубинами, принцесса ждет нас обеих.

— Мне там неинтересно, — взмахнула рукой Арья. — В повозке даже нет окон, оттуда ничего не увидишь.

— И что ты хочешь увидеть? — возмутилась Санса. Такое чудесное приглашение, а глупая сестра намеревается все погубить; как раз этого она и опасалась. — Вокруг только поля, хутора, фермы и крепости.

— Это не так, — упрямо сказала Арья. — Если бы ты иногда ездила с нами, то увидела бы...

— Ненавижу верховую езду, — раздраженно ответила Санса. — После нее ты чувствуешь себя грязной, пыльной, и тело болит.

Арья пожала плечами.

— Тише ты, — рявкнула она на Нимерию, — ничего с тобой не случится. — А потом сказала, обращаясь к Сансе: — Пока мы пересекали перешеек, я насчитала тридцать шесть видов цветов, которых никогда не видела, а Мика показал мне львоящера.

Санса поежилась. Перешеек они пересекали извилистой обходной дорогой, пролегшей по бесконечному черному болоту, двенадцать дней, и каждое мгновение пути казалось ей ненавистным. Воздух был сырым и липким. Сама дорога сузилась настолько, что вечером они не могли даже найти место для настоящего лагеря и устроились ночевать прямо на Королевском тракте. Густые чащобы наполовину утонувших в воде деревьев стискивали дорогу, с ветвей их свисали наросты грибов. Огромные цветы раскидывали в грязи свои лепестки, плавали в лужах стоялой воды, и всякого, у кого хватало глупости оставить насыпь, чтобы сорвать их, ожидали трясины, готовые поглотить человека. На деревьях караулили змеи, а львоящеры плавали, напоминая черные бревна с глазами и зубами.

Но ничто, конечно, не могло остановить Арью. Однажды она вернулась с улыбкой во всю свою физиономию, лохматая, вся в грязи, но с букетом пурпурных и зеленых цветов для отца. Санса надеялась, что он велит Арье вести себя, как подобает высокородной леди. Но отец не стал ругать ее, только обнял и поблагодарил за цветы. Это еще более расстроило Сансу.

А потом оказалось, что пурпурные венчики здесь называют жгучецветом, и руки Арьи сперва покраснели, а потом на них выступили волдыри. Санса надеялась, что случившееся наконец образумит сестру, но Арья только смеялась и на следующий день вымазала руки грязью, словно невежественная селянка, потому что ее приятель Мика сказал, что так можно остановить зуд. На плечах и руках сестры проступали синяки, темно-пурпурные, желто-зеленые с резкими границами и бледные, расплывшиеся. Санса заметила их, когда сестра раздевалась перед сном. Однако где и как Арья заработала их, знали только семь богов.

Арья все еще занималась своим делом и, расчесывая шерсть Нимерии, трещала о том, что видела на пути на юг.

— На прошлой неделе мы нашли сторожевую башню с призраками, а за день до того гоняли табун диких лошадей. Видела бы ты, как они полетели, когда уловили запах Нимерии. — Волчица дернулась под рукой, и Арья обругала зверя: — Прекрати, мне нужно расчесать еще другой бок, ты вся в грязи.

— Но ты не должна оставлять отряд, — напомнила ей Санса. — Отец запретил.

Арья пожала плечами:

— Я никогда не отъезжала далеко. И во всяком случае, рядом со мной всегда была Нимерия. И я не каждый раз съезжаю с дороги. Иногда просто интересно ехать среди фургонов, поговорить с людьми.

Сансу раздражали те люди, с которыми любила разговаривать Арья: сквайры, конюхи, служанки, старики и голые дети, не стесняющиеся в выражениях свободные всадники неизвестного происхождения. Арья умела подружиться со всеми. А этот Мика был еще хуже: сын мясника, тринадцатилетний дикарь, он спал в мясном фургоне, от него пахло бойней. Только от одного вида его Сансу тошнило, но Арья явно предпочитала его общество.

Терпение Сансы кончалось.

— Тебе придется пойти со мной, — жестко сказала она сестре. — Ты не можешь отказать королеве. Септа Мордейн будет ожидать тебя.

Арья словно не слышала сестру. Она налегла на щетку, Нимерия сердито заворчала и вырвалась.

— Ну-ка, сюда!

— Там будет лимонный пирог и чай, — продолжала Санса, подражая рассудительным взрослым. Леди припала к ее ноге. Санса почесала за ушами волчицы, и Леди села возле нее, поглядывая, как Арья ловит Нимерию. — Зачем нужно ездить на старой вонючей кобыле, зарабатывать себе синяки и потеть, когда можно отдыхать на перьевых подушках и есть вместе с королевой?

— Мне не нравится королева, — спокойно отвечала Арья. Санса задохнулась, потрясенная тем, что Арья запросто сказала подобную вещь, но сестра все трещала без умолку. — Она даже не позволит мне взять с собой Нимерию.

Арья заткнула гребень за пояс и направилась к своей волчице. Та с опаской следила за ее приближением.

— Королевская повозка для волков не место, — сказала Санса. — И принцесса Мирцелла боится их, ты знаешь это.

— Мирцелла еще совсем маленькая. — Арья ухватила Нимерию за шкуру на шее, но в тот самый миг, когда она извлекла щетку, волчица вновь вырвалась на свободу. Разочарованная Арья бросила щетку. — Ах ты, сквернавка! — выкрикнула она.

Санса не могла не улыбнуться. Некогда главный псарь говорил, что животные всегда похожи на хозяев. Она торопливо обняла Леди, та лизнула ее в щеку. Санса хихикнула. Арья услышала и повернулась, обдав сестру яростным взглядом.

— Мне безразлично, что ты там говоришь, я не поеду. Я уезжаю кататься верхом.

Длинная лошадиная физиономия свидетельствовала о готовности выкинуть очередную штуку.

— Видят боги, Арья, иногда ты поступаешь подобно ребенку, — сказала Санса. — Тогда я отправлюсь одна. Так день пройдет приятнее. Мы с Леди съедим все лимонные пироги и повеселимся без тебя.

Она отвернулась, но Арья крикнула вслед:

— Тебе-то они позволят взять с собой и Леди. — Погнавшаяся вдоль реки за Нимерией сестра исчезла из виду прежде, чем Санса успела придумать ответ. Униженная и одинокая, Санса постаралась вернуться в гостиницу долгим путем, чтобы отдалить встречу с ожидавшей ее септой Мордейн. Леди невозмутимо топала возле нее. Слезы подступали к глазам Сансы. Она хотела лишь одного: чтобы все было хорошо и мирно, как всегда бывает в песнях. Ну почему Арья не умеет быть ласковой, деликатной и доброй, подобно принцессе Мирцелле? Она предпочла бы такую сестрицу.

Санса никогда не могла понять, почему они так не похожи — две сестры, которых разделяли всего два года. Уж лучше бы Арья была незаконнорожденной, подобно их брату Джону. Она даже внешне напоминала Джона длинным лицом и каштановыми волосами Старков — ничего общего с их леди-матерью. Джона же родила женщина из простонародья, так шептали люди. Однажды, когда она была маленькой, Санса даже спросила у матери, не случилась ли какая-нибудь ошибка. Быть может, ее настоящую сестру утащили грамкины? Но мать расхохоталась и покачала головой. Арья действительно была законной дочерью лорда Старка и истинной сестрой Сансы. Санса не знала причин, которые могли бы заставить мать солгать, и поэтому решила, что все так и есть.

Когда она приблизилась к центру стана, то скоро забыла о расстройстве. Вокруг повозки королевы собралась толпа. Санса слышала голоса, жужжавшие пчелиным ульем. Двери были распахнуты настежь, и королева стояла на верхней деревянной ступени, улыбаясь кому-то внизу. Девушка услышала ее слова:

— Совет оказывает нам великую честь, мои добрые лорды.

— Что происходит? — спросила она у знакомого сквайра.

— Совет прислал всадников из Королевской Гавани, чтобы встретить нас и проводить до конца дороги, — ответил он. — Почетный караул для короля.

Стремясь увидеть все своими глазами, Санса позволила Леди расчистить дорогу в толпе. Люди торопливо расступались перед лютоволком. Подойдя ближе, Санса увидела двоих рыцарей, преклонявших колени перед королевой. Они были в доспехах столь прекрасных и пышных, что она даже заморгала.

На одном рыцаре был причудливый панцирь, набранный из покрытых эмалью белых чешуек, искрившихся свежевыпавшим снегом, серебряные перевязки и застежки блестели на солнце. Когда он снял шлем, Санса увидела седины под стать белизне доспехов, однако старый рыцарь сохранил изящество и силу. С плеч его свисал чисто-белый плащ Королевской гвардии.

Спутника его, мужчину лет двадцати, облегала стальная броня, отливавшая густой лесной зеленью. Санса еще не видела такого красавца: высокий, могучий, россыпь черных как смоль волос на плечах, на чисто выбритом лице смеющиеся глаза — зеленые, в тон доспехам. Под рукой он держал шлем, ветвистые рога горели золотом.

Сперва Санса не заметила третьего незнакомца. Он не преклонял колени вместе с остальными. Отступив в сторону, худой и мрачный, он молча следил за происходящим, оставаясь возле коней. Лишенное бороды лицо его избороздили рытвины. Глаза прятались в ямах над впалыми щеками. Он еще не был стар, но на голове его, над самыми ушами, осталось лишь несколько клоков волос, длинных, как у женщины. Простая железная кольчуга его, надетая на несколько слоев дубленой кожи, носила следы времени и частого употребления. Над его правым плечом поднималась кожаная рукоять закинутого за спину меча. Огромный двуручный клинок был слишком длинен, чтобы носить его сбоку.

— Король отправился на охоту, но я знаю, по возвращении он будет рад видеть вас, — говорила королева двоим рыцарям, преклонявшим перед ней колени, но Санса не могла отвести глаз от третьего человека. Тот, казалось, ощутил тяжесть ее взгляда. И медленно повернул голову. Леди заворчала. Ужас, еще незнакомый Сансе Старк, вдруг наполнил ее. Толкнув кого-то, она отступила назад.

Сильные руки ухватили ее за плечи, и на мгновение Санса решила, что это отец, но, обернувшись, увидела обгорелое лицо Сандора Клигана, глядевшего на нее сверху вниз; рот его кривила жуткая пародия на улыбку.

— Что же ты дрожишь, девочка? — спросил он скрежущим голосом. — Неужели я так испугал тебя?

Это было правдой, она боялась его с первой же встречи... с первого взгляда на разрушения, причиненные огнем его лицу, хотя теперь казалось, что Клиган и наполовину не пугает ее так, как тот, другой. Но все же Санса отодвинулась от него: Пес расхохотался, и Леди встала между ними, грозно ворча. Санса упала на колени, обхватив руками волчицу. Все собрались вокруг с открытыми ртами. Санса чувствовала, что на нее смотрят, тут и там раздавались обидные комментарии и смешки.

— Волк, — сказал мужчина.

Другой добавил:

— Седьмое пекло, это лютоволк.

И первый голос промолвил:

— А что он делает в лагере?

Скрежещущий голос Пса ответил:

— У Старков они вместо нянек.

Тут Санса поняла, что двое незнакомых ей рыцарей с мечами в руках глядят на нее и Леди, и вновь ощутила испуг и стыд. Слезы наполнили ее глаза.

Она услышала, как королева сказала:

— Джоффри, подойди к ней.

И ее принц оказался рядом.

— Оставь ее в покое, — приказал Джоффри Псу. Принц остановился над ней, прекрасный в синей шерсти и черной коже, золотые локоны сверкали на солнце, словно корона. Подал ей руку и поднял с колен. — Что случилось, моя милая леди? Чего вы боитесь? Никто вас не ударит. А вы уберите мечи. Этот волк у нее вместо собаки. — Он поглядел на Сандора Клигана. — Вот что, Пес, убирайся, не надо пугать мою невесту.

Пес, как всегда верный, невозмутимо поклонился и растворился в толпе. Санса постаралась твердо стоять на ногах. Она ощущала себя такой дурой! Она — благородная леди родом из Старков Винтерфеллских, будущая королева.

— Это не он, мой милый принц, — попыталась она объяснить. — Я испугалась этого человека.

Двое незнакомых рыцарей обменялись взглядами.

— Пейна? — хихикнул молодой человек в зеленом панцире.

Старик снисходительно обратился к Сансе:

— Сир Илин нередко пугает и меня самого, милая леди. Жуткий человек.

— Так и должно быть. — Королева спустилась из повозки. Собравшиеся расступились, давая ей дорогу. — Ведь если злые не боятся королевского правосудия, значит, мы назначили на эту должность неподходящего человека.

Санса наконец нашла нужные слова.

— Тогда вы, бесспорно, назначили нужного человека, светлейшая государыня, — отвечала она, и смех ветерком охватил всех вокруг.

— Хорошо сказано, дитя, — заметил старик в белой броне. — Как и подобает дочери Эддарда Старка. Считаю за честь наше знакомство, невзирая на внезапность и обстоятельства. Я — сир Барристан Селми, из Королевской гвардии. — Он поклонился.

Когда Санса услыхала это имя, все любезные слова, которым ее год за годом учила септа Мордейн, вернулись назад.

— Лорд-начальник Королевской гвардии, — сказала она. — Советник Роберта, нашего короля, и Эйериса Таргариена, предшественника его. Наша встреча честь для меня, добрый рыцарь. Даже на далеком севере певцы воспевают Барристана Отважного.

Зеленый рыцарь вновь расхохотался.

— Ты хочешь сказать — Барристана Старого. Не льсти так ему, дитя, он и без того слишком себя превозносит. — Рыцарь улыбнулся. — Ну а теперь, девушка с волком, если ты сумеешь назвать и мое имя, значит, я действительно вижу дочь королевской десницы.

Джоффри напрягся возле нее.

— Обращайся почтительнее с моей невестой.

— Я могу ответить, — заторопилась Санса, чтобы успокоить гнев принца. Она улыбнулась зеленому рыцарю. — На шлеме твоем золотые рога, милорд. Олень — это герб королевского дома. У короля два брата. Судя по твоей крайней молодости, ты можешь быть только Ренли Баратеоном, лордом Штормового Предела и советником короля, и это имя я называю.

Сир Барристан усмехнулся:

— Судя по его крайней молодости, он может зваться просто Брыкучим Ослом, так именую его я.

Послышался общий смех, первым засмеялся сам лорд Ренли. Былая напряженность исчезла, Санса начала успокаиваться... но тут сир Илин Пейн, отодвинув плечами двоих мужчин, встал перед ней без тени улыбки на лице. Он не проронил ни слова. Леди обнажила зубы и заворчала, негромко, но грозно. Но на этот раз Санса успокоила волчицу, ласково положив ей на голову руку.

— Прошу прощения, если я оскорбила вас, сир Илин.

Она ожидала ответа, но его не последовало. Палач поглядел на нее бесцветными глазами, словно бы срывая с тела Сансы одежду, а затем и кожу, так что перед ним осталась лишь одна нагая душа. Так и не проронив ни слова, он повернулся и отошел в сторону.

Санса ничего не поняла. Она поглядела на принца.

— Неужели я сказала что-то не так, ваша светлость? Почему он не заговорил со мной?

— Сир Илин последние четырнадцать лет не ощущает склонности к разговору, — заметил лорд Ренли с лукавой улыбкой.

Джоффри одарил дядю полным ненависти взглядом, а потом взял руки Сансы в свои.

— Эйерис Таргариен велел вырвать его язык раскаленными щипцами.

— Теперь он проявляет свое красноречие мечом, — проговорила королева, — и в преданности сира Илина нашему государству нельзя усомниться. — Тут она улыбнулась и добавила: — Санса, мы должны переговорить с добрыми советниками, пока король не вернется с твоим отцом. Боюсь, что нам придется отложить твой визит к Мирцелле. Пожалуйста, передай своей милой сестре мои извинения. Джоффри, быть может, ты постараешься сегодня развлечь наших гостей?

— Это порадует меня, мать, — очень официально поклонился Джоффри. Он взял Сансу за руку и отвел от повозки, и сердце девушки затрепетало. Целый день с принцем! Она восторженно поглядела на Джоффри и подумала, что он такой галантный и что он уже спас ее — от Илина и Пса, прямо как в песне, — в той, где Сирвен Зеркальный Щит спас принцессу Дейерису от гигантов. Или в песне про принца Эйемона Рыцаря Дракона, который защитил честь королевы Нейерис от злой клеветы сира Моргила.

Прикосновение руки Джоффри к ее рукаву заставило сердце Сансы забиться сильнее.

— И чем тебе хочется сейчас заняться?

Быть с тобой, подумала Санса, но не сказала этого.

— А чем хочет заняться мой принц?

Джоффри подумал мгновение.

— Можно покататься верхом.

— О, я обожаю верховую езду, — сказала Санса.

Джоффри поглядел на Леди, следовавшую за ними по пятам:

— Твой волк способен напугать лошадей, а мой Пес пугает тебя. Пусть оба они останутся здесь и не мешают нам, как по-твоему?

Санса помедлила.

— Если тебе это понравится, я могу привязать Леди. — Она не совсем поняла его. — А я не знала, что у тебя есть собака...

Джоффри расхохотался:

— Этот пес принадлежит моей матери. Она приставила его охранять меня, что он и делает.

— Так ты имеешь в виду Пса, — проговорила она. Санса готова была ударить себя за непонятливость. Принц никогда нс полюбит ее, если она будет такой глупой.

— А не опасно ехать без него?

Принцу Джоффри ее слова показались досадными.

— Не опасайся, леди. Я почти взрослый и не умею фехтовать палками, подобно твоим братьям. Мне нужен только он.

Принц извлек свой меч, чтобы показать ей. Длинный клинок искусно укоротили, чтобы он подошел двенадцатилетнему мальчику, — выкованная в замке обоюдоострая блестящая синева, с кожаной рукоятью и львиной головой вместо яблока. Санса восхитилась мечом, и Джоффри выразил удовлетворение.

— Я зову его Львиным Зубом, — сказал он.

Так, оставив позади себя ее лютоволка и его телохранителя, они направились по северному берегу Трезубца, охраняемые лишь Львиным Зубом.

День выдался великолепный, даже волшебный. Воздух благоухал цветами, леса здесь были исполнены мягкой красы, которой Санса никогда не замечала на севере. Конь принца Джоффри, кровный гнедой скакун, был легок как ветер, и принц мчался вперед, забыв обо всем. Да так быстро, что Санса едва успевала держаться вровень на своей кобыле. День этот был создан для приключений. Они обследовали пещеры на берегу реки и загнали сумеречного кота в его логово, а когда проголодались и Джоффри отыскал по струйке дыма стоянку, он велел мужчинам доставить еду и вино для их собственного принца и его дамы.

Они перекусили форелью, только что выловленной в реке, и Санса выпила вина больше, чем когда-нибудь прежде.

— Отец позволяет нам одну чашу и то лишь на пиру, — пожаловалась она.

— Моя невеста может пить сколько ей хочется, — проговорил Джоффри, подливая еще.

Поев, они отправились дальше — уже медленнее. Джоффри пел голосом высоким, чистым и приятным. Голова Сансы чуть кружилась от выпитого вина.

— А не повернуть ли нам назад? — спросила она.

— Скоро повернем, — обещал Джеффри. — Поле битвы уже рядом, как раз у той излучины. Там мой отец убил Рейегара Таргариена, ты это знаешь. Он ударил его в грудь, трах, и он умер. — Джоффри размахнулся воображаемым боевым молотом, чтобы показать Сансе, как это было сделано. — Потом дядя Джейме убил старого Эйериса, и мой отец сделался королем. Правда, здорово? А это что за звук?

Санса тоже услыхала плывущее над лесом деревянное «тук-тук-тук».

— Не знаю, — отвечала она, внезапно заволновавшись. — Джоффри, лучше повернуть назад.

— Я хочу посмотреть, что там. — Джоффри повернул коня в сторону звука, и Сансе оставалось только последовать за ним. Шум становился громче и четче — стучало дерево о дерево, — подъехав поближе, они услышали пыхтение и какое-то бормотание.

— Там кто-то есть, — тревожно проговорила Санса и, вспомнив про Леди, пожалела, что оставила волчицу в лагере.

— Со мной ты в безопасности. — Джоффри извлек из ножен свой Львиный Зуб. Сталь скользнула по коже, и Санса поежилась. — Нам туда, — показал он на рощу.

Там на поляне возле реки мальчик и девочка играли в рыцарей. Мечи их — деревянные палки — нетрудно было принять за древки метлы; они бегали по траве и отчаянно размахивали своим оружием. Мальчик был постарше, на голову выше и много сильнее, и он побеждал. Девочка, неряха в грязном кожаном костюме, тем не менее умудрялась отражать большинство ударов мальчишки, хотя и не все. Но когда она попыталась ударить его, он отбросил ее палку своей и стукнул по пальцам. Девочка вскрикнула и выронила оружие.

Принц Джоффри расхохотался. Мальчик оглянулся недоуменными глазами, вздрогнул и выронил свою палку в траву. Девочка яростно посмотрела на них, посасывая костяшки, чтобы извлечь занозу, и Санса ужаснулась.

— Арья? — не веря своим глазам, позвала она.

— Убирайся, — крикнула ей сестра сквозь гневные слезы на глазах. — Что вы делаете здесь? Оставьте нас вдвоем.

Джоффри поглядел на Арью, Сансу, опять на Арью.

— Это твоя сестра? — Санса, покраснев, кивнула. Принц посмотрел на мальчика, нескладного, с грубым веснушчатым лицом и густыми красными волосами. — А ты кто такой? — спросил он командным тоном, не обращая внимания на то, что мальчик был на год его старше.

— Мика, — пробормотал парнишка. Он узнал принца и опустил глаза. — Милорд.

— Это сын мясника, — проговорила Санса.

— Мой друг, — резко сказала Арья. — Оставьте его в покое.

— Сын мясника, который хочет стать рыцарем, так? — Джоффри нагнулся с коня с мечом в руке. — Возьми-ка свой меч, сын мясника, — велел принц, и глаза его посветлели от удовольствия. — Посмотрим, насколько ты хорош в бою.

Мика стоял, замороженный страхом. Джоффри подошел к нему.

— Ну, бери же, или ты сражаешься только с маленькими девочками?

— Она сама просила меня, милорд, — проговорил Мика. — Сама просила.

Сансе оставалось только посмотреть на Арью — румянец на лице сестры показывал, что мальчик говорил правду, но Джоффри не был в настроении шутить. Вино ударило ему в голову.

— Ты намереваешься взять свой меч?

Мика качнул головой:

— Это только палка, милорд. Это не меч, это всего лишь палка.

— А ты всего лишь сын мясника, а не рыцарь. — Джоффри поднял Львиный Зуб, кольнул острием клинка щеку трепещущего сына мясника. — Но дерешься с сестрой миледи. Или ты этого не знаешь? — Яркая капля крови выступила под глазом Мики, где меч прорезал кожу, и медленно поползла по щеке.

— Остановись! — завопила Арья, хватаясь за палку.

Санса испугалась:

— Арья, немедленно прекрати!

— Я не стану причинять ему боли... большой, — отвечал Арье принц Джоффри, не отводя глаз от мальчика-мясника.

Арья приближалась к принцу. Санса соскочила с кобылы, но опоздала. Сестра уже ударила обеими руками. Деревянная палка с громким треском переломилась о затылок принца, потом все помутилось перед глазами потрясенной Сансы. Джоффри пошатнулся и оглянулся, выкрикивая угрозы. Мика бросился к деревьям со всей скоростью, на которую были способны его ноги. Арья вновь ударила Джоффри, но на этот раз он принял удар Львиным Зубом и выбил из ее рук переломанную палку. Затылок принца кровоточил, глаза полыхали огнем. Санса кричала:

— Нет, нет, прекратите, остановитесь оба, вы все испортили! — Но никто не слушал.

Арья подобрала камень и бросила в голову Джоффри. Но вместо этого угодила в коня, и кровный гнедой, поднявшись на дыбы, отправился галопом следом за Микой.

— Прекрати, не надо, прекрати! — визжала Санса. Джоффри замахнулся на Арью мечом, выкрикивая жуткие грязные слова. Испуганная девочка отскочила, Джоффри следовал за ней, гоня к лесу. Санса не знала, что делать. Она беспомощно наблюдала за происходящим, почти ослепнув от слез.

Тут мимо нее мелькнула серая молния, и внезапно появившаяся Нимерия сомкнула челюсти на руке Джоффри. Сталь выпала из его пальцев. Волчица сбила принца с ног, он покатился по траве и закричал от боли.

— Уберите ее! — завопил он. — Уберите!

Голос Арьи хлестнул ударом кнута:

— Нимерия!

Волчица выпустила Джоффри и подошла к Арье. Лежа в траве, Джоффри, застонав, взялся за поврежденную руку. На рубахе его выступила кровь.

Арья сказала:

— Она не причинила тебе боли... большой.

Подобрав Львиный Зуб, она встала над принцем, держа меч обеими руками.

Джоффри поглядел на нее с испугом и с присвистом вымолвил:

— Не бей меня, я скажу матери.

— Оставь его в покое! — завопила Санса. Арья повернулась и бросила меч в воздух, вложив всю силу в бросок. Синяя сталь мелькнула на солнце, и меч взмыл над водой.

А потом, плеснув, исчез в ней. Джоффри застонал... Арья побежала к своей лошади. Нимерия прыгала за ней по пятам.

Когда они удалились, Санса бросилась к принцу Джоффри. Глаза его были закрыты от боли, дыхание казалось отрывистым. Санса встала на колени возле него.

— Джоффри, — сказала она сквозь рыдания, — что они наделали, только погляди, что они наделали! Мой бедный принц, не бойся, я съезжу в крепость и привезу помощь.

Глаза Джоффри открылись и поглядели на нее. В них не было ничего, кроме ненависти, смешанной со злобным пренебрежением.

— Тогда ступай! — Он плюнул. — И не прикасайся ко мне!

ЭДДАРД

— Они нашли ее, милорд.

Нед торопливо поднялся.

— Чьи люди нашли ее — наши или Ланнистеров?

— Это сделал Джори, — сообщил управляющий Вейон Пуль. — Она цела.

— Слава богам, — проговорил Нед. Его люди разыскивали Арью уже четыре дня, искали ее и люди королевы. — Где она? Прикажи Джори немедленно привести ее ко мне.

— Прошу прощения, милорд, — пояснил Пуль. — У ворот караулили люди Ланнистеров, и они известили королеву, когда Джори привел ее. Арью взяли прямо пред королевские очи.

— Проклятая баба, — проговорил Нед, подходя к двери. — Найди Сансу, пусть придет в палату для аудиенции, возможно, потребуется ее голос.

В страшной ярости спускался он по ступеням башни. Он и сам искал свою дочь, не уснув даже на час после исчезновения Арьи. Этим утром сердце Неда стиснула такая усталость, что он едва мог стоять, но теперь ярость вернула ему силы.

Во дворе замка люди окликали его, но Нед, торопясь, не замечал их. Он побежал бы, но, оставаясь десницей короля, должен был соблюдать достоинство. Он видел взгляды, которыми его провожали; недоуменные голоса бормотали, гадая, что он будет делать.

Они находились в скромном замке, в половине дня езды на юг от Трезубца. Отряд короля нежданно нагрянул к его владельцу сиру Реймену Дарри, пока Арью и сына мясника разыскивали по обоим берегам реки. Нагрянул нежданно и нежеланно. Сир Реймен жил в мире под рукой короля, но родичи его воевали под драконьими знаменами Рейегара возле Трезубца, трое его старших братьев погибли там, о чем не забыл ни сам Роберт, ни сир Реймен. И когда люди короля, Дарри, Ланнистеров и Старков набились в тесный замок, отношения накалились.

Король присвоил себе приемный зал сира Реймена, где и нашел его Нед. Палата была уже полна, когда он ворвался внутрь. Слишком полна, решил он. Оставшись вдвоем с Робертом, они могли бы уладить вопрос миром.

Роберт горбился в высоком сиденье Дарри в дальнем конце зала. Лицо его казалось замкнутым и мрачным. Серсея Ланнистер и сын ее стояли возле него. Королева опиралась на плечо Джоффри. Плотная шелковая повязка до сих пор покрывала руку мальчика.

Арья стояла посреди комнаты одна, если не считать Джори Касселя; все глаза были обращены к ней.

— Арья! — громко окликнул дочь Нед и направился к ней, стуча сапогами по каменному полу. Увидев его, она заплакала навзрыд.

Нед опустился на колено и обнял дочь. Она тряслась.

— Мне так жаль, — прорыдала она. — Так жаль, так жаль.

— Я знаю, — отвечал он. Она казалась такой крошечной в его руках, просто маленькая неряшливая девчонка. Трудно понять, как она могла вызвать столько хлопот. — Ты ранена?

— Нет. — Слезы бежали по грязному лицу, оставляя полоски на щеках. — Только голодна. Я ела ягоды, но ничего больше не нашла.

— Скоро мы тебя накормим, — обещал Нед.

Поднявшись, он стал лицом к королю.

— Что значит все это? — Глаза его обежали комнату, отыскивая дружелюбные лица. Если не считать его собственных людей, таких было немного. Сир Реймен Дарри словно замкнулся в себе. На лице лорда играла полуулыбка, способная прикрыть все что угодно. Старый сир Барристан сохранял серьезность, остальные были Ланнистеры, и они глядели враждебно. Повезло ему лишь в одном: Джейме Ланнистер и Сандор Клиган отсутствовали здесь, потому что возглавляли поиски к северу от Трезубца.

— Почему мне не доложили, что нашли мою дочь? — вопросил Нед звонким голосом. — Почему ее немедленно не доставили ко мне?

Он обращался к Роберту, но ответила Серсея Ланнистер:

— Как ты смеешь так разговаривать со своим королем!

Король шевельнулся.

— Тихо, женщина, — сказал он, поворачиваясь на своем сиденье. — Прости, Нед, я не хотел пугать девочку. Просто мне показалось, что лучше привести ее сюда и быстрее покончить с делом.

— С каким это делом? — Нед добавил льда в свой голос.

Королева шагнула вперед.

— Ты прекрасно знаешь, Старк! Это твоя девица напала на моего сына. Она и парень мясника. А этот ее зверь попытался оторвать Джоффри руку!

— Это не так, — громко возразила Арья. — Она только укусила его, потому что он делал больно Мике.

— Джофф поведал нам, что произошло, — сказала королева. — Ты и сын мясника били его дубинками, а потом напустили своего волка.

— Это было не так, — проговорила Арья, едва сдерживая слезы. Нед опустил руки на ее плечи.

— Неправда! — настаивал принц Джоффри. — Они напали на меня, и она выбросила Львиный Зуб в реку! — Нед заметил, что он не глядит на Арью.

— Лжец! — завопила Арья.

— Заткнись! — закричал на нее принц.

— Довольно! — в гневе взревел король, поднимаясь с места. Наступило молчание. Глаза его над густой бородой яростно впились в Арью. — А теперь, дитя, расскажи мне, как все случилось, во всех подробностях и правдиво. Лгать королю — великий грех. — Потом король поглядел на своего сына. — Когда она закончит, наступит твой черед. До тех пор попридержи язык.

Когда Арья начала свою повесть, Нед услышал, как позади растворилась дверь. Он оглянулся назад и увидел, что в зал вошла Санса и тихо остановилась позади, услыхав голос Арьи. Когда Арья стала описывать, как зашвырнула меч Джоффри на самую середину Трезубца, Ренли Баратеон расхохотался. Король немедленно ощетинился:

— Сир Барристан, выставите моего брата из зала, прежде чем он задохнется.

Лорд Ренли справился со смехом.

— Мой брат слишком добр, я и сам сумею найти дверь. — Он поклонился Джоффри. — Быть может, потом вы, принц, сумеете объяснить мне, как девятилетняя девочка ростом с мокрую крысу смогла разоружить вас, орудуя одной палкой от метлы, и забросить меч на середину реки. — Как только дверь закрылась за Ренли, Нед услыхал его голос с той стороны: — Львиный Зуб! — За этими словами вновь послышался хохот.

Принц Джоффри, побледнев, начал излагать собственную версию событий. Когда сын его завершил речь, король тяжко поднялся с сиденья, напоминая человека, желающего оказаться где угодно, только не здесь.

— И что же, во имя семи преисподних, я должен сейчас решить? Он говорит одно, девчонка другое...

— Присутствовали не только они, — сказал Нед. — Санса, подойди сюда. — Нед выслушал ее версию событий в ночь исчезновения Арьи и узнал правду. — Расскажи нам, что случилось.

Старшая дочь лорда Старка неуверенно шагнула вперед. Она была одета в синий бархат с белой строчкой, на ее шее висела серебряная цепь. Густые золотистые волосы были расчесаны до блеска. Санса моргнула сестре, потом молодому принцу.

— Не знаю, — проговорила она голосом, полным слез, всем видом выражая желание выбежать отсюда. — Я ничего не помню. Все произошло так быстро, что я не успела...

— Ах ты, дрянь! — воскликнула Арья. Она стрелой бросилась на сестру и, повалив Сансу на пол, принялась колотить ее. — Врунья, врунья, врунья, врунья!

— Арья, прекрати! — закричал Нед. Джори стащил брыкающуюся девочку с сестры. Бледная Санса тряслась, когда Нед поднял ее на ноги. — Тебе не больно? — спросил он, но Санса глядела на Арью и словно не слышала его.

— Эта девица столь же дика, как и ее грязная животина, — проговорила Серсея Ланнистер. — Роберт, я хочу, чтобы ее наказали.

— Седьмое пекло! — огрызнулся король. — Серсея, погляди на нее. Это ребенок, или ты хочешь, чтобы я приказал прогнать ее кнутом по улицам? Обычная детская драка, все закончено, все целы.

Королева была в ярости:

— Эти шрамы навсегда останутся на теле Джоффри.

Роберт Баратеон поглядел на своего старшего сына.

— Да, это так. И быть может, они научат его кое-чему. Нед, проследи, чтобы твою дочь наказали. Я сделаю то же с моим сыном.

— Охотно, светлейший государь, — ответил Нед с огромным облегчением.

Роберт повернулся к трону, но королева еще не закончила.

— А как насчет лютоволка? — окликнула она короля. — Что будет с тварью, которая изуродовала твоего сына?

Король остановился, повернулся, нахмурился.

— Я забыл об этом.

Нед видел, как напряглась Арья в руках Джори, и тот быстро проговорил:

— Светлейший государь, мы не нашли даже следа лютоволка.

Роберт не обнаружил ни малейших признаков расстройства.

— Нет? Ну, ладно.

Королева возвысила голос:

— Даю сотню золотых драконов тому, кто принесет мне его шкуру!

— Дорогая будет шкура, — пробормотал Роберт. — Я в этом не участвую, женщина. Можешь покупать себе меха на деньги Ланнистеров.

Королева наделила его холодным взглядом.

— Я не думала, что ты такое ничтожество. Король, за которого я выходила, положил бы волчью шкуру на мою постель, прежде чем взойдет солнце.

Лицо Роберта потемнело от гнева.

— Сущие пустяки, если волка нет.

— Волк у нас, — проговорила Серсея Ланнистер голосом весьма спокойным. В зеленых глазах ее светился триумф.

Все какое-то мгновение осознавали ее слова, но потом король раздраженно повел плечами.

— Как угодно. Пусть сир Илин займется им!

— Роберт, нельзя ли обойтись без этого? — проговорил Нед.

Король более не желал спорить.

— Довольно, Нед. Не желаю ничего больше слушать. Лютоволк — свирепый зверь. Рано или поздно он порвет твою собственную девицу не хуже, чем моего сына. Заводи ей собаку, и все будет в порядке.

Санса только тут наконец поняла, что происходит. Испуганные глаза ее обратились к отцу.

— Но ведь он же говорит не про Леди, так ведь? — Она увидела подтверждение на лице Неда. — Нет, — сказала она. — Нет, только не Леди. Леди никого не кусает, она хорошая...

— Леди там не было! — гневно крикнула Арья. — Оставьте ее в покое.

— Останови их, — молила Санса. — Зачем так поступать? Пожалуйста, при чем тут Леди, это сделали Нимерия с Арьей, ты не можешь допустить этого, это была не Леди, не позволяй им убивать Леди. Она будет хорошей, я обещаю, обещаю... — Санса заплакала.

Неду оставалось только покрепче обнять плачущую дочь. Он глядел через комнату на Роберта, старинного друга, более близкого ему, чем любой брат.

— Прошу тебя, Роберт, не разбивай любви, которую ты ко мне питаешь. Ради твоей любви к моей покойной сестре, прошу тебя.

Король долго глядел на них, а потом обратил взгляд к жене.

— Проклятие на твою голову, Серсея, — сказал он с ненавистью.

Нед встал, мягко высвободившись из объятий Сансы. Вся усталость минувших четырех дней возвратилась к нему.

— Тогда ты сам сделай это, Роберт, — отрезал он голосом холодным как сталь. — Во всяком случае, имей отвагу сделать это своей рукой.

Король поглядел на Неда мертвыми глазами и вышел, не говоря ни слова, шаги его были тяжелы как свинец. Молчание наполнило зал.

— А где лютоволк? — спросила Серсея Ланнистер, когда муж ее вышел. Принц Джоффри стоял возле нее и улыбался...

— Тварь на цепи возле воротной сторожки, ваша светлость, — не без колебаний ответил сир Барристан Селми.

— Пошлите за Илином Пейном.

— Нет, не надо, — возразил Нед. — Джори, отведи девочек в их комнаты и принеси мне Лед. — Слова застревали в горле, он вытолкнул их. — Если так надо, я сам сделаю это.

Серсея Ланнистер с подозрением поглядела на него.

— Вы, Старк? Может, это какой-нибудь подвох? Почему вы хотите сделать такую вещь?

Все уставились на него, но взгляд Сансы резал.

— Волчица эта родом с севера и заслуживает лучшей участи, чем смерть от руки мясника.

Он вышел из комнаты — глаза ело, рыдания дочери отдавались в ушах — и нашел волчицу там, где ее привязали. Нед посидел возле нее немного.

— Леди, — проговорил он, пробуя имя на вкус. Он никогда не уделял особого внимания тем именам, которые выбрали дети, но, поглядев на волчицу, понял теперь, что Санса дала ей подходящую кличку. Леди была самой маленькой и самой симпатичной во всем помете, самой доброй и доверчивой. Волчица глядела на него ясными золотыми глазами, и он взлохматил густой серый мех.

Тут Джори принес ему Лед.

Когда все было закончено, он сказал:

— Выбери четверых людей и отправь их вместе с телом на север. Похороните ее в Винтерфелле.

— Зачем так далеко? — спросил удивленный Джори.

— Затем, — подтвердил распоряжение Нед, — чтобы Ланнистерша никогда не получила этой шкуры.

Он направился к башне, чтобы наконец отоспаться, когда Сандор Клиган и его всадники прогрохотали сквозь ворота замка, возвращаясь со своей охоты.

Через круп коня Сандора было переброшено что-то тяжелое... тело, обернутое кровавым плащом.

— Твоей дочери мы не нашли, десница, — скрежетнул Пес. — Но день провели не напрасно. Мы добыли ее приятеля. — Протянув руку назад, он сбросил свою ношу, упавшую прямо перед Недом. Согнувшись, тот отвернул плащ, страшась тех слов, которые придется искать для Арьи, но перед ним оказалась не Нимерия, а сын мясника, Мика. Тело его, покрытое запекшейся кровью, было перерублено почти пополам — от плеча до поясницы — тяжелым, нанесенным сверху ударом.

— Значит, загнал его, — сказал Нед.

Глаза Пса блеснули сквозь стальное забрало жуткой собачьей морды.

— Он бежал. — Сандор поглядел в глаза Неда и расхохотался. — Но недостаточно быстро.

БРАН

Казалось, что он падал годы и годы. Лети, шептал ему голос во сне. Бран летать не умел, поэтому оставалось лишь падать. Мейстер Лювин слепил из глины мальчишку и обжег его, чтобы тело сделалось твердым и хрупким. Одел в одежды Брана и сбросил с крыши. Бран вспомнил, как разбилась фигурка.

— Но я никогда не упаду, — сказал он падая.

Земля была так далеко, что Бран едва мог разглядеть ее сквозь туман, кружившийся вокруг, но он чувствовал, насколько быстро летит, и знал, что его ждет внизу. Даже во сне нельзя падать вечно. Он проснется за мгновение до того, как ударится о землю. Бран знал это, потому что всегда просыпался за мгновение до того, как ударялся о землю.

— А если нет? — прошептал чей-то голос.

Земля приближалась, оставаясь еще далеко, — в тысяче миль, но уже ближе, чем раньше. Здесь, во тьме, было холодно. Здесь не было звезд, не было солнца, лишь земля надвигалась, чтобы разбить его тело, и серый туман, и шепчущий голос. Ему захотелось плакать.

— Не плачь. Лети.

— Я не могу летать, — сказал Бран. — Не могу, не могу...

— Откуда ты знаешь? Разве ты пытался?

Голос был высоким и тонким. Бран огляделся, чтобы понять, откуда он доносится. Рядом с ним спиралью опускался ворон, но Бран падал и не мог дотянуться до него рукой.

— Помоги мне, — сказал Бран.

— Я пытаюсь, — отвечал ворон. — Скажи, а зерно принес?

Бран полез в карман, а земля кружила голову и вращалась вокруг. Он извлек руку, и золотые зернышки посыпались между пальцами в воздух. Они падали вместе с ним. Ворон уселся на его руку и начал есть.

— А ты и в самом деле ворон? — спросил Бран.

— А ты и в самом деле падаешь? — ответил тот вопросом на вопрос.

— Это просто сон, — сказал Бран.

— Разве? — спросил ворон.

— Я проснусь, когда ударюсь о землю, — сказал Бран птице.

— Ты умрешь, когда ударишься о землю, — поправил его ворон, продолжая клевать зерно.

Бран поглядел вниз. Он теперь видел горы, белые снеговые вершины и серебряные нити рек в темных лесах. Он закрыл глаза и заплакал.

— А вот это не поможет, — сказал ворон. — Я же объяснил тебе: надо лететь, а не плакать. Ты считаешь, что это трудно? Но ведь я летаю. — Поднявшись в воздух, ворон облетел вокруг руки Брана.

— Но у тебя есть крылья, — возразил Бран.

— Возможно, они есть и у тебя.

Бран потянулся рукой к плечам, надеясь нащупать перья.

— Крылья бывают разными, — заметил ворон.

Бран поглядел на свои руки, на свои ноги. Он стал настолько худым, ну просто кожа, натянутая на кости.

Неужели он всегда был таким? Он попытался вспомнить. Из серого тумана, осветившись, выплыло золотое лицо.

— Чего не сделаешь ради любви, — проговорили губы.

Бран вскрикнул. Ворон, каркнув, взмыл в воздух.

— Только не это! — закричал он. — Забудь об этом, тебе не нужно про это знать, забудь, забудь. — Птица приземлилась на плечо Брана, клюнула его, и золотое сияющее лицо исчезло.

Бран падал уже быстрее, чем прежде. Серые туманы выли вокруг, а он несся к земле.

— Что ты делаешь со мной? — со слезами в голосе спросил он у ворона.

— Учу тебя летать.

— Я не могу летать.

— Ты уже летишь.

— Я падаю.

— Каждый полет начинается с падения, — сказал ворон. — Погляди вниз.

— Я боюсь...

— Погляди вниз!!!

Бран поглядел вниз и ощутил, что внутренности его обратились в воду. Теперь земля неслась навстречу ему. Весь мир распростерся под ним, словно ковер, расшитый белой, бурой и зеленой нитями. Он видел все настолько отчетливо, что на мгновение забыл об испуге. Он видел всю страну и каждого в ней.

Он увидел Винтерфелл, каким видят замок орлы: высокие башни казались сверху приземистыми огрызками, а стены превратились в линии, прорисованные на земле. Бран увидел мейстера Лювина на балконе, изучающего небо через полированную бронзовую трубку; ученый, хмурясь, делал заметки. Увидел своего брата Робба, подросшего и окрепшего по сравнению с тем, каким он помнил его; брат занимался во дворе фехтованием с настоящей сталью в руке. Он увидел Ходора, простодушного гиганта из конюшни, тот нес наковальню кузнецу Миккену, взвалив ее на плечо, словно простое бревно. В сердце богорощи огромное чардрево размышляло над своим отражением в черной воде, листья его шелестели под холодным ветром. Ощутив, что Бран наблюдает за ним, оно подняло свои глаза от тихих вод и ответило ему понимающим взглядом.

Он поглядел на восток и увидел галею, несущуюся по волнам. И мать, одиноко сидевшую в каюте. Она рассматривала окровавленный нож, лежавший перед ней на столе; гребцы налегали на весла, а сир Родрик привалился к поручням, содрогаясь всем телом. Впереди них собрался шторм, ревущую тьму прорезали молнии, но корабельщики почему-то не видели бурю.

Он поглядел на юг и увидел огромный сине-зеленый поток Трезубца. Увидел, как отец, лицо которого искажало горе, о чем-то просит короля. Увидел, как плачет Санса и не может никак заснуть. Увидел, как затаилась молчаливая Арья, скрывая свои секреты. Их окружали тени. Одна черная, словно кленовый ствол с жуткой собачьей мордой. Другая была как солнце в золотой и прекрасной броне. Над всеми возвышался гигант в панцире, выкованном из камня, но когда он отвел забрало, под ним ничего не оказалось — лишь тьма и густая черная кровь.

Он поднял глаза и увидел мир за Узким морем: Вольные Города, зеленый океан дотракийских трав, а за ним Вейес Дотрак под горой, сказочные острова Яшмового моря и Асшай у Тени, прячущей до рассвета драконов.

Потом Бран поглядел на север. Стена сверкала, как синий кристалл, и его незаконнорожденный брат Джон спал возле нее в холодной постели; кожа его бледнела и становилась жесткой, утрачивая даже память о тепле. Он поглядел за Стену, за бесконечный лес, укутанный снегом, мимо замерзшего побережья, за огромные иссиня-белые ледяные реки и мертвые равнины, где ничего не могло расти или жить. Все дальше и дальше на север уходил его взгляд — к завесе света в конце мира, а потом и за эту завесу. Бран заглянул в самое сердце зимы, ужаснулся, испуганно вскрикнул, и щеки его обожгли слезы.

— Теперь ты знаешь, — проговорил ворон, опускаясь на его плечо. — Теперь ты знаешь, почему должен жить.

— Почему? — сказал Бран, ничего не понимая, но падая, падая, падая.

— Потому что зима близка.

Бран поглядел на ворона, сидящего на его плече, тот отвечал ему своим немигающим взглядом. У птицы оказалось три глаза, и третий наполняло жуткое знание. Бран поглядел вниз. Там не было ничего, только снег, холод и смерть, холодная пустошь грозила ему сине-белой зубастой ледяной пастью. Клыки ее поднимались как копья. Бран увидел на них кости тысяч других мечтателей, пронзенных остриями. И отчаянно испугался.

— Может ли мужчина стать отважным, если он боится? — услыхал он собственный голос, тихий и недалекий.

Ответил ему отец:

— Только преодолев страх, он и станет храбрым, он и станет мужчиной!

— Ну же, Бран, — напомнил ему ворон. — Выбирай. Лети или умирай.

Смерть с воплем протянула к нему руку.

Бран раскинул свои руки и полетел. Незримые крылья впивали ветер; наполнившись, они подняли его вверх. Жуткие иглы льда удалились вниз. Над головой открылось небо. Бран поднялся вверх. Это было великолепно. Мир под ним сделался маленьким.

— Я лечу! — выкрикнул он в восхищении.

— Я заметил, — сказал трехглазый ворон, взмывая. Замедляя полет, он замахал крыльями перед лицом Брана, ослепляя его. И застыл в воздухе, ударяя перьями по его щекам. Клюв жестоко впился в лоб Брана, и он ощутил внезапную боль между глазами.

— Что ты делаешь? — закричал он.

Ворон открыл клюв и каркнул с пронзительным страхом. Задрожав, отлетели окружавшие его туманы, и Бран увидел, что ворон сделался женщиной, служанкой с длинными черными волосами. И вспомнил, что когда-то знал ее в Винтерфелле... да, это было там. Тут только он понял, что лежит в родном замке, на высокой кровати в холодной комнате башни. Черноволосая женщина выронила кувшин, и по полу потекла вода. Служанка побежала вниз по ступеням с криком:

— Он очнулся, он очнулся, он очнулся!

Бран прикоснулся ко лбу между глазами. Место, куда клюнул его ворон, все еще горело, но там не было ничего — ни крови, ни раны. Почувствовав слабость и головокружение, он попытался выбраться из постели, но даже не двинулся.

Однако возле кровати кто-то шевельнулся, и прямо на него опустилось какое-то тело. Бран ничего не почувствовал. Пара желтых глаз, сияющих, словно солнце, заглянула в его глаза. Окно было открыто, в комнате было холодно, однако тепло, которое источал волк, охватило его жаркой волной. Это его щенок, понял Бран... Но щенок ли? Теперь он сделался таким большим... Бран протянул руку, чтобы погладить животное, но ладонь дрожала как лист.

Когда брат его Робб ворвался в комнату, запыхавшись после бега по ступеням башни, лютоволк уже лизал лицо Брана. Невозмутимо поглядев вверх, Бран объявил:

— Его зовут Лето.

КЕЙТИЛИН

— Через час мы причалим в Королевской Гавани.

Кейтилин отвернулась от поручней и заставила себя улыбнуться.

— Твои гребцы хорошо потрудились ради нас, капитан. Каждый из них получит серебряного оленя в знак моей благодарности.

Капитан Морео Тумитис почтил ее полупоклоном.

— Вы слишком благородны, леди Старк. Довольно с них и чести везти столь знатную госпожу.

— Но от серебра они не откажутся?

Морео улыбнулся:

— Не откажутся.

Он бегло говорил на общем языке — с самым легчайшим акцентом тирошийского. Капитан бороздил Узкое море уже тридцать лет, как он рассказывал ей, сперва гребцом, потом квартирмейстером и, наконец, капитаном собственных торговых галей. «Пляшущая на валах» была его четвертым кораблем и самым быстрым: двухмачтовая галея имела шестьдесят весел.

Корабль этот оказался самым быстроходным среди всех, находившихся в Белой гавани, когда Кейтилин и сир Родрик Кассель появились там после долгой скачки. Тирошийцы славились своей алчностью, и сир Родрик предложил было нанять рыбацкий шлюп с Трех сестер, но Кейтилин настояла на галее. И хорошо, что она так поступила. Ветры все время препятствовали путешествию, и без весел галеи они сейчас плелись бы где-нибудь возле Перстов, не имея возможности проскочить мимо них, чтобы добраться до Королевской Гавани и тем самым завершить путешествие.

Так близко, подумала Кейтилин. Пальцы ее еще болели под полотняными повязками там, где их укусил кинжал. Боль твердила ей, верила Кейтилин, чтобы она ничего не забыла. Она не могла теперь согнуть два последних пальца на левой руке, да и прочие никогда не обретут прежней гибкости. И все же это была мизерная цена за жизнь Брана.

Сир Родрик избрал этот момент, чтобы появиться на палубе.

— Мой добрый друг, — обратился к нему Морео сквозь раздвоенную зеленую бороду. — Тирошийцы любят яркие краски, даже когда речь идет о цвете лица. Как прекрасно, что вам сегодня лучше.

— Да, — согласился сир Родрик. — Мне уже второй день не хочется умирать. — Он поклонился Кейтилин. — Миледи...

Рыцарь действительно выглядел лучше. Может быть, он слегка похудел на море после отплытия из Белой гавани, но теперь вновь сделался самим собой. Сильные ветры и бурные воды Узкого моря не отвечали его натуре, и сир Родрик едва не вывалился за борт, когда неожиданный шторм налетел на них от Драконьего Камня, но все-таки каким-то чудом сумел уцепиться за веревку, тем самым позволив людям Морео спасти его и доставить в безопасное место под палубой.

— Капитан как раз говорил мне, что наше путешествие почти закончилось, — сказала Кейтилин.

Сир Родрик выдавил сухую улыбку:

— Так скоро? — Лишившись своих огромных белых бакенбардов, он казался ей незнакомым. Сир Родрик сделался меньше ростом, да и постарел лет на десять. В море на волнах Пасти ему пришлось покориться бритве одного из мореходов, чтобы в третий раз не осквернить свои бакенбарды, припадая к борту и извергая содержимое желудка в бушующие волны.

— Ну, оставляю вас, чтобы вы могли обсудить свои дела, — проговорил капитан Морео и с поклоном отправился прочь.

Галея неслась по волнам подобно стрекозе, весла мерно вздымались и опускались в ровном ритме. Держась за поручень, сир Родрик поглядел на приближающийся берег.

— Я оказался не самым надежным из хранителей.

Кейтилин тронула его за руку.

— Мы прибыли сюда, сир Родрик, без приключений. Это я считаю главным. — Рука ее нырнула под плащ, неловкие пальцы нащупали кинжал. Она успела заметить, что время от времени прикасается к нему, чтобы подбодрить себя. — А теперь мы должны проникнуть к оружейных дел мастеру короля, и остается только молиться, чтобы ему можно было довериться.

— Сир Арон Сантагар человек тщеславный, но честный. — Рука сира Родрика отправилась к лицу, чтобы разгладить бакенбарды, и немедленно — с явным неудовольствием — обнаружила их отсутствие. — Быть может, он узнает этот клинок... но для вас, миледи, риск начнется сразу, как только мы выйдем на берег. При дворе есть люди, которые узнают вас на месте.

Рот Кейтилин напрягся.

— Мизинец, — пробормотала она, увидев умственным взором юношеское лицо, хотя обладатель его более не являлся мальчишкой. Отец его умер несколько лет назад, и теперь Петир сделался лордом Бейлишем, но его до сих пор звали Мизинцем. Прозвище это дал ему в Риверране ее брат Эдмар. Скромные владения Бейлишей располагались на меньшем из Перстов, к тому же Петир был мелковат и невысок для своего возраста.

Сир Родрик прочистил глотку.

— Лорд Бейлиш некогда... э... — Он в нерешительности подыскивал нужное слово.

Кейтилин было не до деликатности.

— Он был воспитанником моего отца. Мы выросли вместе в Риверране. Я видела в нем брата, он же относился ко мне... с более чем братской любовью. Когда было объявлено, что я должна выйти замуж за Брандона Старка, Петир решил оспорить его право на мою руку. Безумный поступок; Брандону уже исполнилось двадцать, а Петиру не было и пятнадцати. Мне пришлось просить, чтобы Брандон пощадил Петира. Он отпустил его, удовольствовавшись одним шрамом. Потом мой отец отослал Петира прочь. С той поры я не видела его. — Она подставила лицо водяной пыли, словно бы резкий ветер мог прогнать воспоминания. — После смерти Брандона он прислал мне письмо в Риверран, но я сожгла его не читая. Тогда я уже знала, что Нед женится на мне вместо брата.

Пальцы сира Родрика вновь попытались найти несуществующие бакенбарды.

— Теперь Мизинец заседает в Малом совете.

— Я знала, что Петир поднимется высоко, — проговорила Кейтилин. — Он всегда был умен, даже в мальчишеские годы, но ум и мудрость — вещи разные. Интересно, что сделали с ним годы?.. — Высоко над головой среди снастей пропел голос впередсмотрящего. Капитан Морео расхаживал по палубе, отдавая приказы, и на «Пляшущей на валах» началась лихорадочная деятельность. Королевская Гавань, раскинувшаяся на трех высоких холмах, медленно разворачивалась перед ними.

Три сотни лет назад, как знала Кейтилин, высоты эти были покрыты лесом, и лишь горстка рыбаков обитала на северном берегу Черноводной возле устья, где глубокая и быстрая река вливалась в море. Потом Эйегон-завоеватель приплыл с Драконьего Камня. Именно здесь его войско и высадилось на берег, именно здесь он поставил на самом высоком холме первое грубое укрепление из дерева и земли.

Теперь город захватил всю землю. Дворцы в рощах, амбары, кирпичные склады, бревенчатые гостиницы, дома купцов, таверны, кладбища, бордели — все друг на друге. Гомон рыбного рынка был слышен даже с моря. Здания разделяли широкие дороги, обсаженные деревьями, от них отделялись кривые улочки, а переулки были такими узкими, что два человека едва могли разойтись. Холм Висеньи венчала септа Бейелора с семью хрустальными башнями. На противоположной стороне города, на холме Рейенис, высились почерневшие стены Драконьего логова. Огромный купол обрушился, бронзовые двери не отпирали уже целый век. Соединяла холмы улица Сестер, прямая, словно стрела. Вдали поднимались стены города — высокие и надежные.

Возле воды вытянулась целая сотня причалов, и гавань была полна судов. Морские рыболовные корабли и речные посыльные суда сновали туда и сюда, перевозчики шестами направляли свои лодки через Черноводную, торговые галеи разгружали товар, доставленный из Браавоса, Пентоса и Лиса. Кейтилин заметила причудливую барку королевы, привязанную возле толстопузого китобоя из Порт-Иббена. Корпус ее покрывала черная смола. Вверху на реке дюжина стройных военных кораблей, спустив паруса, отдыхала у своих причалов, о мощные железные тараны плескала вода.

И над всем этим на высоком холме Эйегона хмурился Красный замок: семь огромных башен, увенчанных железом. Из стены вырастала огромная и мрачная подвесная башня, виднелись сводчатые палаты, залы, крытые переходы, казармы, темницы, амбары, зубчатыс массивныс стены, сложенные из бледного красного камня. Этот замок приказал возвести Эйегон-завоеватель. Завершили стройку при его сыне Мейегоре Жестоком. Он велел обезглавить каждого каменщика, плотника и строителя, трудившегося здесь. Лишь крови дракона подобает знать тайны этой крепости.

Но теперь над укреплениями реяли золотые, а не черные знамена; там, где прежде извергал огонь трехголовый дракон, ныне скакал венценосный олень дома Баратеонов.

Из порта неторопливо выходил корабль с высокими мачтами под флагом Летних островов, огромные белые паруса наполнял ветер. «Пляшущая на валах» миновала его, уверенно направляясь к берегу.

— Миледи, — проговорил сир Родрик. — Отлеживаясь, я понял, как нам нужно поступить. Вам не следует появляться в замке. Я сделаю это и приведу к вам сира Арона в какое-нибудь безопасное место.

Она поглядела на старого рыцаря. Галея остановилась возле пирса, Морео уже вовсю кричал на вульгарном валирийском Вольных Городов.

— Вы будете рисковать не менее, чем я.

Сир Родрик улыбнулся:

— Едва ли. Я поглядел на собственное отражение в воде и едва узнал себя. Последний раз без бакенбард меня видела моя мать, а она умерла сорок лет назад. Думаю, мне ничего не грозит, миледи.

Морео выкрикнул команду. Все шестьдесят весел разом поднялись из воды и, обратив движение, опустились в воду. Галея замедлила ход. Раздался новый крик. Весла скользнули внутрь корпуса. Когда корабль стукнулся о причал и тирошийские матросы соскочили на берег, Морео поднялся наверх, блистая улыбкой.

— Королевская Гавань, миледи, как вы приказывали! Ни один корабль еще не доплывал сюда быстрее и спокойнее. Не потребуется ли вам помощь, чтобы перенести вещи в замок?

— Мы направимся не в замок. Быть может, вы можете порекомендовать нам гостиницу, чистую и уютную, чтобы она стояла не слишком далеко от реки?

Тирошиец принялся теребить раздвоенную зеленую бороду.

— Значит, так. Я знаю несколько заведений, которые могут подойти вам. И все же, если я вправе осмелиться, как насчет второй части платы, которую мы обговорили? И конечно, насчет того серебра, которое вы так любезно обещали. Кажется, речь шла о шестидесяти оленях.

— Для гребцов, — напомнила ему Кейтилин.

— О, конечно же! — вскричал Морео. — Хотя я, например, приберег бы серебро до возвращения в Тирош, ради их жен и детей. Если выдать людям серебро, миледи, они в одну ночь спустят его, играя в кости, или потратят на женщин.

— Есть худшие способы спустить деньги, — вставил сир Родрик. — Зима близко.

— Человек вправе самостоятельно делать свой выбор, — сказала Кейтилин. — Они заработали серебро, а как они потратят его, меня не касается.

— Как вам угодно, миледи, — отвечал Морео, кланяясь и улыбаясь.

На всякий случай Кейтилин сама заплатила каждому гребцу по оленю и дала по медяку двум людям, которые перенесли их сундуки на холм Висеньи в ту гостиницу, которую порекомендовал Морео. Старый покосившийся дом располагался в Угревом переулке. Хозяйничала там кислолицая карга, недоверчиво оглядевшая их рассеянным взором и прикусившая монету, которую дала ей Кейтилин, чтобы убедиться в том, что она не фальшивая. Комнаты были просторны и полны воздуха, а Морео клялся, что лучшей ухи, чем здесь, не сыщешь во всех Семи Королевствах. Но удобнее всего было то, что их именами хозяйка не интересовалась.

— Я думаю, вам лучше держаться подальше от гостиной, — сказал сир Родрик, когда они устроились. — Нельзя заранее знать, кого может сюда принести. — Рыцарь облачился в кольчугу и спрятал длинный меч под темным плащом, капюшон которого легко можно было набросить на голову. — Я вернусь к вечеру вместе с сиром Ароном, — пообещал он. — А теперь отдыхайте, миледи.

Она устала. Путешествие было долгим и изнурительным, а она более не чувствовала себя молодой. Окна выходили на переулки и крыши, за ними тускло поблескивала Черноводная. Кейтилин проследила за удалявшейся фигурой сира Родрика. Рыцарь торопливой походкой направился вниз по людной улице и скоро затерялся в толпе. Пришлось последовать его совету. Матрас оказался набитым соломой, а не перьями, но уснула она сразу.

Проснувшись от стука в дверь, Кейтилин резко села. За окном под лучами заходящего солнца багровели крыши Королевской Гавани. Она проспала дольше, чем намеревалась. Кулак вновь забарабанил в дверь, и голос выкрикнул:

— Откройте! Именем короля! Приказываю!

— Мгновение, — отвечала она, закутываясь в плащ. Кинжал лежал возле постели. Она схватила его, прежде чем отпереть тяжелую деревянную дверь. В комнату ворвались люди в черных кольчугах и золотых плащах городской стражи. Их предводитель улыбнулся, увидев кинжал в ее руке, и сказал:

— Излишняя предосторожность, миледи. Мы должны проводить вас в замок.

— Кто приказал? — спросила она.

Он показал ей ленту. Кейтилин ощутила, как дыхание перехватило ее горло. На сером воске печати вырисовывалось изображение пересмешника.

— Петир, — прошептала она. — Так скоро. Должно быть, что-то случилось с сиром Родриком.

Кейтилин поглядела на старшего из стражников.

— Ты знаешь, кто я?

— Нет, миледи, — отвечал тот, — милорд Мизинец приказал нам только привести вас к нему так, чтобы вы при этом не претерпели никаких неприятностей по дороге.

Кейтилин кивнула:

— Можете подождать снаружи, пока я оденусь.

Она омыла руки в тазу и вытерла их чистым полотном. Неловкие и опухшие пальцы с трудом застегнули платье и завязали под горлом толстый коричневый плащ. Как мог узнать Мизинец, что она находится здесь? Сир Родрик никогда бы не сказал ему этого. Он стар, упрям и безупречно верен. Неужели они опоздали и Ланнистеры уже успели достичь Королевской Гавани? Нет, если бы это было так, Нед тоже был бы здесь, а тогда он сам пришел бы к ней. Как же?..

Тут она поняла. Морео! Тирошиец — черти бы его взяли — знал, кто они и где остановились. Можно было не сомневаться в том, что он хорошо заработал на этом.

Для нее привели коня. Все фонари вдоль улиц были зажжены, и, окруженная стражей, Кейтилин ощущала на себе глаза всего города. Когда они добрались до Красного замка, решетка была опущена и Великие ворота уже закрылись на ночь, хотя в окнах замка было полно мерцающих огней. Гвардейцы оставили своих коней за стеной, проводили ее через узкую калитку, а потом по бесконечной лестнице она поднялась в башню.

Мизинец находился в комнате один, он сидел за тяжелым деревянным столом и писал в свете масляной лампы. Когда ее ввели, он отложил перо, поглядел на нее и негромко сказал:

— Кет!

— Почему ты приказал доставить меня сюда таким образом?

Он поднялся и резко махнул стражникам.

— Оставьте нас.

Люди ушли.

— Надеюсь, что с тобой обходились вежливо, — сказал он после того, как они вышли. — Я дал им твердые наставления. — Он заметил ее повязки. — Твои руки...

Кейтилин игнорировала вопрос.

— Я не привыкла, чтобы со мной обращались, как со служанкой, — сказала она ледяным тоном. — В детстве у тебя были лучшие манеры.

— Я прогневал вас, миледи, простите; я не хотел этого.

Петир явно раскаивался. Взгляд извлек из памяти яркие воспоминания: в детстве он всегда был лукавым ребенком, но после проказ обычно принимал невинное обличье, так уж он был устроен. Годы не слишком-то переменили Петира. Невысокий, он так и не вырос, оставшись на дюйм или два ниже Кейтилин. Тонкий и быстрый, он сохранил острые черты, памятные ей, и те же самые смеющиеся серо-синие глаза. Подбородок его теперь украшала небольшая, острым клинышком бородка, темные волосы Петира пронизывала седина, хотя ему еще не было и тридцати. Шевелюра его гармонировала с серебристым пересмешником, которым был застегнут плащ. В детстве он тоже любил серебро.

— Откуда ты узнал, что я в городе? — спросила она.

— Лорд Варис знает все, — ответил Петир с лукавой улыбкой. — Он скоро присоединится к нам, но сначала я хотел повидать тебя. Кет, как это было давно, сколько же лет прошло?

Кейтилин игнорировала его фамильярность. У нее были более важные дела.

— Итак, меня обнаружил королевский паук?

Мизинец дернулся.

— Не надо так называть его. Он очень чувствителен — должно быть, потому, что евнух. В этом городе не случается ничего такого, о чем не знал бы Варис. А иногда он заранее узнает о том, что случится. У него повсюду есть доносчики... маленькие птички — так он зовет их. Одна из его птах услыхала о твоем прибытии. К счастью, Варис пришел сразу ко мне.

— Почему к тебе?

Он пожал плечами:

— А почему бы и нет? Я здесь мастер над монетой, личный советник короля. Селми и лорд Ренли уехали на север встречать Роберта, лорд Станнис отправился на Драконий Камень, остались только я и мейстер Пицель. Я был самой очевидной кандидатурой. Я всегда был другом твоей сестры Лизы, и Варис знает об этом.

— А Варис знает о...

— Лорд Варис знает обо всем... кроме причин, которые привели тебя сюда. — Он приподнял бровь. — Итак, почему ты здесь?

— Жена вправе желать мужа, а если мать решила повидать дочерей, кто может отказать ей?

Мизинец расхохотался:

— Весьма убедительные доводы, миледи, однако прошу вас не рассчитывать, что я поверю им. Для этого я знаю вас слишком хорошо. Как там говорят Талли?

Горло Кейтилин пересохло.

— Семья, долг, честь, — строгим голосом повторила она. Петир хорошо знал этот девиз.

— Семья, долг, честь, — отозвался он. — И то, и другое, и третье требуют, чтобы ты оставалась в Винтерфелле, где десница оставил тебя. Нет, миледи, что-то случилось, твое внезапное путешествие свидетельствует о срочном деле. Прошу, разреши мне помочь тебе, старые друзья должны полагаться друг на друга.

В дверь негромко постучали.

— Войдите, — позвал Мизинец.

Дверь открыл пухлый, надушенный, напудренный и безволосый, как яйцо, человек, в жилете, расшитом золотой нитью, и свободной мантии из пурпурного шелка. На ногах его были шлепанцы из мягкого бархата с заостренными носами.

— Леди Старк, — сказал он, принимая ее руку обеими, — я просто счастлив видеть вас после столь долгих лет. — Прикосновение его было мягким и влажным, а дыхание отдавало сиренью. — О бедные руки! Неужели вы обожглись, милая леди? Пальцы столь нежны... наш добрый мейстер Пицель делает великолепную мазь, я могу послать за горшочком?

Кейтилин высвободила руку.

— Благодарю вас, милорд, но мой мейстер Лювин уже приглядел за моей раной.

Варис покачал головой:

— Я с глубокой скорбью узнал о случившемся с вашим сыном. Он так молод, но боги жестоки.

— В этом я с вами согласна, лорд Варис, — проговорила она. Титулом этим пользовались лишь из почтения к члену совета; лорд Варис ничем не правил, кроме собственной паутины, и был повелителем лишь своих шептунов.

Евнух развел мягкие руки.

— Но я все-таки надеюсь, милая леди. Я весьма уважаю вашего мужа, нашу новую десницу, и знаю, что мы оба любим короля Роберта.

— Да, — пришлось согласиться ей. — Конечно.

— В стране еще не было короля столь любимого, как наш Роберт, — вмешался Мизинец. Он лукаво улыбнулся. — По крайней мере так уверяет лорд Варис.

— Добрая леди, — заявил Варис с полной убежденностью в голосе. — В Вольных Городах есть люди, обладающие удивительной целительной силой. Скажите лишь слово, и я пошлю за одним из них ради нашего дорогого Брана.

— Мейстер Лювин уже сделал для Брана все возможное, — сказала она, не желая разговаривать об изувеченном сыне здесь, с этими людьми. Мизинцу она доверяла лишь отчасти, а Варису вовсе не доверяла. Нельзя позволять им видеть ее горе. — Лорд Бейлиш сказал мне, что я должна поблагодарить вас за то, что меня доставили сюда.

Варис хихикнул, как распутная девчонка:

— О да. Признаюсь вам в своей вине и надеюсь на прощение, добрая леди. — Он опустился в кресло и сложил руки. — А нельзя ли попросить вас показать нам кинжал?

Ошеломленная, не веря своим ушам, Кейтилин Старк глядела на евнуха. Действительно паук, подумала она, чародей или хуже того. Этот знает вещи, которых не знает никто, кроме...

— А что вы сделали с сиром Родриком? — потребовала она ответа.

Мизинец сделал вид, что ничего не понимает:

— Я ощущаю себя рыцарем, который явился на поле боя, забыв свое копье. О каком кинжале мы говорим? Кто такой сир Родрик?

— Сир Родрик Кассель — мастер над оружием в Винтерфелле, — пояснил ему Варис. — Уверяю вас, леди Старк, с добрым рыцарем ничего не случилось. Он заходил сюда сегодня утром, посетил сира Арона Сантагара в оружейной, где они и поговорили о кинжале. А к закату оба рыцаря вместе оставили замок и отправились к той жуткой дыре, где вы остановились. Они и сейчас там, пьют в гостиной и дожидаются вашего возвращения. Сир Родрик весьма расстроился, обнаружив ваше отсутствие.

— Откуда вы знаете все это?

— Птички нашептывают, пичужки, — отвечал Варис улыбаясь. — Я знаю все, милая леди. Такова природа моей службы. — Он пожал плечами. — Итак, кинжал сейчас при вас?

Кейтилин извлекла оружие из-под плаща и бросила на стол перед ним.

— Вот он. Быть может, ваши пташки начирикают и имя человека, которому он принадлежит?

Варис поднял нож с преувеличенной осторожностью и провел пальцем вдоль края. Выступила кровь, он вскрикнул и уронил кинжал обратно на стол.

— Осторожно, — предупредила Кейтилин. — Он очень острый.

— Ничто так не держит заточку, как валирийская сталь, — проговорил Мизинец и, пока Варис сосал кровоточащий палец, мрачно и многозначительно качал головой, глядя на Кейтилин. Потом Петир непринужденно взвесил нож на руке, опробовал рукоятку. Подбросил в воздух, поймал другой рукой. — Какой баланс! Значит вам нужно отыскать владельца, и за этим вы пожаловали сюда? Для этого сир Арон вам не потребуется, миледи. Надо было сразу обратиться ко мне.

— Ну а если так, — проговорила она, — что скажешь мне ты?

— Я бы рассказал тебе, что в Королевской Гавани видели лишь один такой кинжал.

Взявшись большим и указательным пальцами за острие, он бросил кинжал назад через плечо заученным движением кисти. Нож вонзился в дверь и глубоко застрял в дубовой доске.

— Он мой.

— Твой? — Это было бессмысленно. Петир не приезжал в Винтерфелл.

— Он был моим до турнира в честь именин принца Джоффри, — сказал он, пересекая комнату, чтобы извлечь кинжал из дерева. — В тот день вместе с половиной двора я ставил на сира Джейме. — Застенчивая улыбка вновь сделала из Петира мальчишку. — Когда Лорас Тирелл выбил его из седла, многие из нас чуточку обеднели. Сир Джейме потерял сотню золотых драконов, королева — изумрудный кулон, а я — свой нож. Ее величество получила свой изумруд назад, но победитель сохранил остальное.

— Кто он? — спросила она голосом, сухим от страха. Пальцы ее заныли, незабытая боль вновь пронзила их.

— Бес, — сказал Мизинец, пока лорд Варис следил за ее лицом. — Тирион Ланнистер.

ДЖОН

Во дворе раздавался звон мечей. По груди наступавшего Джона под черной шерстью, вареной кожей и панцирем ледяными струйками сочился пот. Гренн споткнулся, шагнул вперед и неловко отразил удар. Когда он замахнулся мечом, Джон ударил под ним сбоку, угодив сзади в ногу юноши, и тот снова споткнулся. Отбив ответный выпад Гренна, он угодил в шлем. Когда тот попытался ударить сбоку, Джон отбросил его клинок и влепил бронированным кулаком в грудь. Гренн пошатнулся и уселся в снег. Джон выбил его меч ударом по пальцам, заставившим сидящего взвыть.

— Довольно! — Голос сира Аллисера Торне звенел валирийской сталью.

Гренн держался за руку.

— Бастард разбил мне кисть.

— Бастард подсек твои сухожилия, раскроил пустой череп и отрезал руку. Отрезал бы, будь у этих клинков лезвие. Впрочем, тебе повезло. Дозору, кроме разведчиков, нужны и конюхи. — Сир Аллисер махнул Джерену и Жабе. — Поставьте Зубра на ноги, он должен позаботиться о своих похоронах.

Джон отошел в сторону и снял шлем, пока другие юноши поднимали Гренна на ноги. Морозный утренний воздух прикоснулся к его лицу. Он оперся на меч, глубоко вздохнул и позволил себе короткое мгновение наслаждения победой.

— Это длинный меч, а не посох старца, — резко бросил сир Аллисер. — Или у вас ноги болят, лорд Сноу?

Джон ненавидел эту насмешливую кличку, которой сир Аллисер наградил его в первый же день упражнений. Мальчики подхватили ее, и теперь она раздавалась повсюду.

Опустив длинный меч в ножны, Джон ответил:

— Нет.

Торне шагнул к нему, скрипучая черная кожа сухо пришепетывала при ходьбе. Аккуратный мужчина пятидесяти лет, жесткий и сухощавый, седина в черных волосах, и глаза словно кусочки оникса.

— А теперь говори правду, — приказал он.

— Я устал, — признался Джон. Натруженная мечом рука его ныла, он уже начинал ощущать оставленные схваткой синяки.

— Это потому, что ты слабак.

— Я победил.

— Нет. Это Зубр проиграл.

Один из мальчишек фыркнул. Джон знал, что лучше не отвечать. Он побил всех, кого мог выставить против него сир Аллисер, но ничего не добился. Оружейных дел мастер выказывал лишь возмущение. Торне ненавидит его, решил Джон, впрочем, других мальчишек он ненавидит еще сильнее.

— Ну, на сегодня все, — сказал им Торне. — Новую порцию бестолковости нынче я уже не смогу переварить. Если за нами придут Иные, мне останется только молиться, чтобы у них нашлись и стрелки, поскольку вы годитесь только на мишени для стрел.

Следом за прочими Джон направился в арсенал. Он часто ходил здесь один. Группа, в которой он учился, состояла без малого из двадцати юношей, но ни одного из них он не смог бы назвать другом. В основном они были на два-три года старше его, однако таких, кто умел бы владеть оружием хотя бы вполовину хуже Робба в его четырнадцать, среди них не было. Быстрый Дарион опасался ударов. Пип пользовался мечом, как кинжалом. Джерен был слаб, как девица. Гренн нетороплив и неуклюж. Халдер рубил жестко, но постоянно открывался. И каждый новый день, проведенный среди них, заставлял Джона презирать этот сброд все больше и больше.

Оказавшись внутри, Джон, не обращая внимания на всех остальных, повесил меч и ножны на крюк, торчавший из каменной стены. А потом методично начал снимать кольчугу, кожу и пропитанное потом шерстяное белье. В обоих концах длинной комнаты на железных жаровнях тлели угольки, но Джон обнаружил, что дрожит. Здесь холод никогда не оставлял его. Через несколько лет он вообще забудет, что такое тепло.

Усталость навалилась внезапно, когда он натянул грубую повседневную одежду из черной ткани. Джон сел на скамью, пальцы его возились с застежками плаща. Как холодно, подумал он, вспоминая теплые залы Винтерфелла, где горячая вода бежала в стенах, словно кровь в человеческом теле. В Черном замке тепла искать было негде. Стены его были холодны, а люди казались еще холоднее.

Никто не говорил ему, что в Ночном Дозоре придется так туго; никто, кроме Тириона Ланнистера. По дороге на север карлик открыл ему правду, но сделал это чересчур поздно. Джон подумал о том, знал ли его отец, как обстоят дела на Стене. Наверное, знал, решил он и ощутил новую боль.

Даже дядя забросил его в этом холодном месте на краю света. Здесь, наверху мира, знакомый ему остроумный Бенджен Старк сделался другой особой. Он был первым разведчиком и проводил свои дни и ночи с лордом-командующим Мормонтом, мейстером Эйемоном и другими высшими офицерами. Джон был предоставлен менее чем ласковому попечению сира Аллисера Торне.

Через три дня после их прибытия Джон услыхал, что Бенджен Старк собирается повести полдюжины человек на разведку в Зачарованный лес. Той же ночью он отыскал своего дядю в большом, обшитом деревом зале и попросил взять с собой. Бенджен коротко отказал.

— Это не Винтерфелл, — говорил он, разрезая мясо кинжалом и цепляя его вилкой. — На Стене человек получает лишь то, что заслуживает. Джон, ты пока не разведчик, ты — зеленый мальчишка, от которого еще пахнет летом.

Джон возразил глупым голосом:

— Но в именины мне будет уже пятнадцать, я почти взрослый!

Бенджен Старк нахмурился.

— Ты еще мальчишка и таковым останешься, пока сир Аллисер не скажет, что ты годен к службе в Ночном Дозоре. Если ты решил, что кровь Старков позволит тебе заслужить легкие почести, то ошибся. На Стене, принося присягу, мы отрекаемся от наших семей. Твой отец навсегда останется в моем сердце, но мои братья перед тобой. — Он показал кинжалом в сторону окружавших его людей, жестких холодных мужчин, облаченных в черное.

На следующий день Джон встал с рассветом, чтобы проводить дядю. Один из разведчиков, рослый и уродливый, пел непристойную песню, седлая своего коня, дыхание курилось парком в холодном утреннем воздухе. Бен Старк улыбался, но к племяннику обратился без улыбки:

— Сколько раз нужно мне говорить тебе нет, Джон? Переговорим, когда я вернусь.

А потом, провожая взглядом дядю, уводившего коня в тоннель, Джон вспомнил все, что говорил ему на Королевском тракте Тирион Ланнистер, и вдруг представил ярко, словно наяву, Бена Старка мертвым в алом пятне на снегу. От мысли этой ему сделалось нехорошо. Что за странные видения, в кого же он превращается? В своей одинокой каморке Джон отыскал волчонка и спрятал лицо в густой белый мех. Если он должен всегда быть один, значит, одиночество должно сделаться его броней. В Черном замке не было богорощи, в здешней небольшой септе служил пьяный септон, но Джон не мог найти в себе сил, чтобы помолиться старым или новым богам. Если эти боги существуют, подумал он, то они жестоки и безжалостны, словно зима.

Ему не хватало сводных братьев: крохи Рикона, с блестящими глазками выпрашивающего очередную конфету; Робба, соперника и лучшего друга, постоянно находящегося рядом; Брана, упрямого и любопытного, всегда желающего увязаться за Джоном и Роббом и присоединиться к ним в любых делах. Не хватало ему и девочек; даже Сансы, которая ни разу не назвала его по имени с той поры, когда она выросла настолько, чтобы понимать, что такое бастард. И Арья...

ее ему не хватало еще больше, чем Робба, невысокой и бойкой, с расцарапанными коленками и перепутанными волосами, в порванном платье, отчаянной и своенравной. Арья всегда оказывалась не там, где надо — как и он сам, — и всегда умела заставить Джона улыбнуться. Он отдал бы все что угодно, чтобы оказаться сейчас с ней рядом, еще раз взлохматить ее волосы, увидеть ее гримасы, поддержать ее болтовню.

— Ты перебил мне руку, бастард.

Джон поднял глаза, услышав угрюмый голос. Над ним возвышался Гренн: толстая шея, красная рожа, рядом трое дружков. Джон знал Тоддера, невысокого уродливого парня с невнятной речью. Рекруты прозвали его Жабой. Другие двое оказались теми, кого Йорен прихватил с собой на север, — это были насильники, взятые в Перстах. Джон забыл их имена, он старался не разговаривать с ними. Грубые невежды, не знающие чести, они были противны ему.

Джон поднялся.

— Перебью и вторую, если ты вежливо попросишь. — Гренну уже исполнилось шестнадцать, ростом он на целую голову был выше Джона. Но это не испугало бастарда: каждого из них он победил во дворе.

— А может быть, это сделаем мы, — сказал один из насильников.

— Попробуй. — Джон потянулся за мечом, но кто-то перехватил его руку и заломил за спину.

— Из-за тебя нас считают плохими, — пожаловался Жаба.

— Ты был скернавцем еще до того, как я встретил тебя, — ответил Джон. Парень, вцепившийся в его руку, надавил, боль пронзила плечо, но Джон молчал.

Жаба подступил ближе.

— У этого маленького лорденыша большой рот, — заявил он, блеснув крохотными свиными глазками. — А это мамочкин рот, бастард? И кем же она у нас будет, не шлюхой ли? Как ее звать? А то, может, я с ней переспал бы разок-другой. — Он расхохотался.

Джон вывернулся угрем и ударил пяткой между ног мальчишку, державшего его. Раздался громкий крик боли, и Джон освободился. Бросившись на Жабу, он повалил его спиной на скамью и, ухватив обеими руками за горло, ударил затылком об утоптанную землю.

Двое из Перстов перехватили Джона и грубо отбросили в сторону. Гренн начал бить его ногами. Джону оставалось только одно — откатываться от ударов. Их прервал грохочущий голос, прозвучавший в полутьме арсенала:

— ПРЕКРАТИТЬ! НЕМЕДЛЕННО!

Джон поднялся на ноги. Донал Нойе гневно смотрел на них.

— Для драк отведен двор, — проговорил оружейник. — Все ваши ссоры улаживайте снаружи, или я приму их на свой счет. Вам это не понравится.

Жаба сидел на полу, ощупывая затылок. На пальцах его оказалась кровь.

— Он пытался убить меня.

— Верно, я видел это, — вставил один из насильников.

— Он перебил мне руку, — вновь проговорил Гренн.

Оружейник уделил руке самый короткий взгляд.

— Синяк, быть может, ушиб. Мейстер Эйемон даст тебе мазь. Ступай с ним, Тоддер, покажи голову. А все остальные по своим местам. Кроме тебя, Сноу. Останься.

Когда все остальные вышли, Джон тяжело опустился на длинную деревянную скамью, забыв о взглядах, которые молчаливо сулили будущую компенсацию. Рука его пульсировала от боли.

— Дозор нуждается в каждом человеке, которого может получить, — проговорил Донал Нойе, когда они оказались вдвоем. — Даже таком, как Тоддер! Ты не заслужишь никаких почестей, если убьешь его.

Джон гневно вспыхнул.

— Он сказал, что моя мать...

— ...шлюха. Я слыхал. Ну и что?

— Лорд Эддард Старк не из тех людей, кто спит со шлюхами, — едким голосом проговорил Джон. — Его честь...

— ...не помешала ему родить бастарда. Так?!

Джон похолодел от ярости.

— Могу я уйти?

— Ты уйдешь, когда я прикажу тебе.

Джон угрюмо смотрел на дымок, курящийся над жаровней, наконец Нойе взял его за подбородок грубыми пальцами, повернул голову в сторону.

— Смотри на меня, когда я разговариваю с тобой, мальчишка.

Джон поглядел. Грудь и пузо оружейника напоминали два бочонка с элем. Плосконосый, он всегда казался небритым. Левый рукав его черной шерстяной туники был пристегнут к плечу серебряной застежкой в форме длинного меча.

— Слова не сделают твою мать шлюхой. Она останется собой, и все слова Жабы этого не изменят. А ты знаешь, что у нас на Стене есть люди, рожденные шлюхами?

Мать моя не из тех, подумал Джон. Он ничего не знал о матери, Старк не рассказывал сыну о ней. И все же она снилась ему по ночам так часто, что он почти помнил ее лицо. Во снах она приходила прекрасной, знатной и глядела на него добрыми глазами.

— Ты полагаешь, что тебе, бастарду знатного лорда, пришлось туго? — продолжал оружейник. — А вот мальчишка Джерен — сын септона, а Коттер Пайк — сын самой настоящей трактирной шлюхи. Теперь он командует Восточным Дозором у моря.

— Мне все равно, — отвечал Джон. — Они мне безразличны, как безразличны мне вы, Торне, Бенджен Старк и все остальные. Я ненавижу это место. Здесь... слишком холодно.

— Да, здесь холодно, сурово и скучно, это Стена, и такие люди ходят по ней. Ничуть непохожие на те сказки, которыми потчевала тебя нянька? Так что можешь насрать на эти сказки и на свою няню. Такая здесь жизнь, и тебе предстоит такая же судьба, как и всем остальным.

— Жизнь, — с горечью повторил Джон. Оружейник мог говорить о жизни. Он знал ее. Нойе надел черное после того, как потерял руку во время осады Штормового Предела. Перед тем он был кузнецом у брата короля Станниса Баратеона. Донал видел все Семь Королевств от края до края. Он пировал, знал девок и сражался в сотне битв. Говорили, что именно Донал Нойе выковал для короля боевой топор, тот самый, которым Роберт лишил жизни Рейегара Таргариена возле Трезубца. Донал пережил все, чего не суждено испытать Джону, и уже в зрелом возрасте, на четвертом десятке, получил скользящий удар топора. Рана загнила так, что пришлось отнять всю руку. Только тогда изуродованный Донал Нойе отправился на Стену, где его жизнь, можно считать, закончилась.

— Да, жизнь, — отвечал Нойе. — А длинная или короткая — это зависит от тебя, Сноу. Судя по пути, на который ты вступил, однажды ночью один из братьев перережет тебе горло.

— Это не мои братья, — отрезал Джон. — Они ненавидят меня, потому что я лучше их.

— Нет, они ненавидят тебя потому, что ты ведешь себя так, как будто считаешь себя лучше их. Они видят в тебе воспитанного в замке бастарда, который считает себя маленьким лордом. — Оружейник нагнулся ближе. — Ты не лорденыш, помни об этом. Ты Сноу, а не Старк. Ты — бастард и задира.

— Задира?! — Джон едва не поперхнулся. Обвинение оказалось столь несправедливым, что он буквально лишился дыхания. — Это они напали на меня. Их было четверо.

— Четверо, которых ты унизил во дворе. Четверо, которые боятся тебя. Я слежу за вашими боями. Ты не учишься в поединках. Дай тебе острый меч, и они будут мертвы; я знаю это, и они тоже. Ты не предоставляешь им даже шанса. Ты позоришь их. Неужели это тешит твою гордость?

Джон помедлил. Он радовался победам. Почему бы и нет? Но оружейник лишал его теперь и последнего утешения; получалось, что он делает что-то скверное.

— Они же старше меня, — сказал он оборонительным тоном.

— Они сильнее, старше и выше, это правда. Но, держу пари, мастер над оружием научил тебя в Винтерфелле сражаться и с теми, кто выше тебя. Кто это, какой-нибудь старый рыцарь?

— Сир Родрик Кассель, — с опаской отвечал Джон. Он чувствовал ловушку, она смыкалась вокруг него.

Донал Нойе склонился вперед к лицу Джона.

— А теперь подумай вот о чем, парень. Никто из них до сира Аллисера не имел дел с оружейных дел мастерами. Отцы их были фермерами, погонщиками фургонов, браконьерами, кузнецами, рудокопами, наемными гребцами на галеях. Всех своих знаний о боевом мастерстве они поднабрались между палубами, в переулках старой части Ланниспорта, в борделях и тавернах у Королевского тракта. Возможно, прежде чем попасть сюда, им удалось несколько раз постучать палками, но поверь мне, ни один из двадцати не имел денег, чтобы купить настоящий меч. — Взгляд его оставался мрачным. — Теперь вы ощущаете вкус своих побед, лорд Сноу?

— Не зови меня так! — резко сказал Джон, но гнев его поутих. Он вдруг почувствовал себя пристыженным и виноватым. — Я никогда... я не думал...

— Тогда подумай, — остерег его Нойе. — Иначе придется спать с кинжалом под подушкой. Теперь ступай.

Когда Джон оставил арсенал, был почти полдень. Лучи солнца пробивались сквозь облака. Джон повернулся к светилу спиной и возвел глаза к Стене, искрящейся синим хрусталем под солнечными лучами. Даже после всех этих недель вид ее невольно заставлял трепетать его сердце. Столетиями ветер нес пылинки, ранившие ее, шлифовавшие, покрывавшие пленкой... нередко она отливала серостью пасмурного неба. Но когда солнце освещало ее в ясный день, Стена горела собственным светом: колоссальный белый утес, выраставший до половины неба.

— Руки человека не возводили более великого сооружения, — сказал ему Бенджен Старк, когда они впервые заметили Стену с Королевского тракта.

— И вне сомнения, более бесполезного, — добавил Тирион Ланнистер с ухмылкой. Но даже Бес замолчал, когда они подъехали ближе.

До Стены еще было много миль... Бледно-синяя полоса на севере уходила на восток и запад; могучая и ровная, она как будто бы отмечала конец мира. Когда они наконец заметили Черный замок, его деревянные дома и каменные башни показались горсткой игрушек, брошенных на снег возле огромной ледяной горы. Древняя твердыня Черных Братьев была не похожа на Винтерфелл, она ничуть не напоминала замок. У нее не было стен, ее нельзя было защитить ни с юга, ни с запада; все внимание Ночного Дозора было направлено только на север, где и возвышалась Стена. Она поднималась почти на семьсот футов*, и в три раза превышала высоту самой высокой башни Черного замка.

Отец говорил, что по верху Стены может разом проехать дюжина вооруженных рыцарей. Призрачные, если смотреть снизу, катапульты и чудовищные деревянные краны, подобные скелетам огромных птиц, караулили наверху; среди них ходили люди, крохотные, как муравьи.

Вот и сейчас, выйдя из арсенала, Джон ощутил тот же трепет, как и в тот день на Королевском тракте, когда он впервые увидел Стену. Такова уж она. Иногда он забывал о ней, как забывают о небе или земле под ногами, но бывали мгновения, когда, казалось, ничего, кроме Стены, на свете не существует. Она была старше Семи Королевств. И когда Джон поднимал голову к ее гребню, голова его шла кругом. Он буквально чувствовал всю тяжесть давящего на него льда, словно бы Стена готова была разрушиться, а с ее падением мог рухнуть весь мир.

— Гадаешь, что там за ней? — послышался знакомый голос.

Джон оглянулся.

— Ланнистер. Я не видел... то есть я думал, что я здесь один.

---

* около 200 м.

Закутанный в меха, Тирион Ланнистер казался настоящим медвежонком.

— Говорят, что полезно заставать людей врасплох. Никогда не знаешь, что можно тогда узнать.

— От меня ничего не узнаешь, — усмехнулся Джон. Он нечасто встречал карлика после окончания путешествия. Тириона Ланнистера, брата королевы, принимали в Ночном Дозоре, как почетного гостя. Лорд-командующий выделил ему комнаты в Королевской башне, носившей это имя, несмотря на то что ни один король не посещал ее целый век. Ланнистер обедал за собственным столом Мормонта, все свои дни проводил, разъезжая по Стене, а ночами играл в кости и карты и пил вместе с сиром Аллисером, Боуэном Маршем и другими высшими офицерами.

— О, я учусь всему, где бы ни оказался. — Человечек указал на Стену узловатой черной палкой. — Как там я говорил... интересно получается, когда один человек строит стену, другому немедленно нужно узнать, что находится на другой стороне. — Он наклонил голову набок и поглядел на Джона разноцветными глазами. — А ты хочешь узнать, что находится на другой стороне, так ведь?

— Ничего особенного, — проговорил Джон. Он мечтал уехать с Бендженом Старком на разведку, погрузиться в тайны Зачарованного леса, хотел сразиться с дикарями Манса-налетчика, охранять страну от Иных, но о том, чего он хотел, лучше было не говорить. — Разведчики рассказывают, что там только леса, горы и замерзшие озера, много снега и льда.

— А еще там водятся грамкины и снарки, — проговорил Тирион. — Не следует забывать про них, лорд Сноу, иначе зачем же выстроили такую большую штуковину.

— Не называй меня лордом Сноу.

Карлик приподнял бровь.

— Ты бы предпочел зваться Бесом? Дай людям только заметить, что слова ранят тебя, и тебе никогда не избавиться от насмешек. А если к тебе прилепили кличку, прими ее и сделай своим собственным именем. Тогда они не сумеют больше ранить тебя. — Он указал палкой в сторону. — Давай-ка пройдемся. Сейчас в столовой подают какой-то мерзкий отвар, а мне бы хотелось чего-то горячего.

Джон тоже был голоден, а поэтому направился вместе с Ланнистером, подгоняя свой шаг под раскачивающуюся походку карлика. Поднимался ветер, и было слышно, как кряхтят старые деревянные дома, как вновь и вновь хлопает вдали забытая тяжелая ставня. На повороте, глухо ухнув, с крыши перед ними съехал целый снежный пласт.

— Не вижу твоего волка, — сказал Ланнистер по дороге.

— Я посадил его на цепь в старой конюшне, там, где мы занимаемся. Сейчас всех лошадей держат в восточных конюшнях, поэтому он никому не мешает. Остальное время он проводит со мной. А сплю я в башне Хардина.

— Это та, с поломанными зубцами? Та, возле которой на груде щебня стоит камень, прислонившись к стене прямо как наш благородный король Роберт после долгой попойки? Я думал, она давно заброшена.

Джон пожал плечами:

— До того, где ты спишь, здесь никому нет дела. Дома в основном пусты, выбирай себе любую келью.

Когда-то Черный замок вмещал четыре тысячи воинов вместе с конями, слугами и оружием. Теперь в нем обитала едва ли десятая доля прежнего числа защитников Стены, и замок уже начинал разрушаться.

Смешок Тириона Ланнистера струйкой взвился в холодный воздух.

— Постараюсь напомнить твоему отцу, чтобы он арестовал несколько каменщиков и отправил сюда, прежде чем твоя башня рухнет.

Джон понимал насмешку, но не видел смысла в отрицании правды. Некогда Дозор соорудил девятнадцать больших крепостей вдоль Стены, но теперь мог пользоваться лишь тремя: Восточной крепостью, расположенной на сером, продутом ветрами берегу; Сумеречной башней у подножия гор, в которые упиралась своим концом Стена; и Черным замком между ними на Королевском тракте. Остальные крепости, давно заброшенные, превращались в унылые скорбные руины, где холодные ветры свистели в черных окнах и лишь духи усопших выходили на боевые парапеты.

— Лучше спать одному, — упрямо проговорил Джон. — Все боятся Призрака.

— Мудрые ребята, — усмехнулся Ланнистер, меняя тему. — Говорят, что твой дядя слишком долго отсутствует.

Джон вспомнил видение, представившееся ему при расставании, когда он разозлился на дядю — Бенджена Старка, распростертого в снегу, — и быстро отвернулся. Карлик умел ощущать чужие мысли, и Джон не хотел, чтобы спутник заметил вину в его глазах.

— Он обещал вернуться к моим именинам, — заметил Джон. Но именины пришли и ушли, никем не замеченные, две недели назад. — Они разыскивали сира Уэймара Ройса, отец его — знаменосец у лорда Аррена. Дядя Бенджен говорил, что собирается добраться до самой Сумеречной башни и даже подняться в горы.

— Я слышал, что в последнее время пропало довольно много разведчиков, — проговорил Ланнистер, поднимаясь на ступени зала. Он ухмыльнулся и распахнул дверь. — Должно быть, грамкины в этом году голодны.

В просторном зале было холодно, невзирая на огонь, ревущий в большом очаге. Вороны сидели на перекладинах потолка. Выслушивая крики над головой, Джон принял чашу похлебки и ломоть черного хлеба от дежурных поваров. Гренн, Жаба и кое-кто из остальных сидели за скамьями возле тепла, они смеялись и перебранивались грубыми голосами. Джон задумчиво посмотрел на них, а потом выбрал себе место в дальнем конце зала, подальше от остальных едоков.

Тирион Ланнистер сел напротив него, с подозрением принюхиваясь к похлебке.

— Ячмень, лук, морковка, — пробормотал он. — Нужно сказать поварам, что репка — это не мясо.

— Зато бульон бараний. — Джон стащил перчатки и принялся греть руки над паром, поднимающимся из чаши. Запах наполнил его рот слюной.

— Сноу.

Джон узнал голос Аллисера Торне, но теперь в нем слышалась еще незнакомая нотка. Он повернулся.

— Лорд-командующий желает немедленно видеть тебя.

На миг Джон слишком испугался, чтобы пошевельнуться. Зачем лорду-командующему видеть его? Наверное, что-то узнали о Бенджене, подумал он в отчаянии. Он погиб, видение оправдалось.

— Речь идет о моем дяде? — выпалил он. — Он вернулся?

— Лорд-командующий не привык ждать, — сказал сир Аллисер. — А я не привык, чтобы бастарды обсуждали мои приказы.

Тирион Ланнистер повернулся на скамье и поднялся.

— Прекратите, Торне. Вы только напрасно пугаете мальчишку.

— Не вмешивайтесь в дела, вас не касающиеся, Ланнистер. Ваше место не здесь.

— Конечно же, мое место при дворе, — улыбнулся карлик. — Но одно слово, сказанное в нужное ухо, и вы умрете кислым старцем, прежде чем получите другого мальчишку на воспитание. А теперь скажите Сноу, почему Старый Медведь хочет видеть его. Что-то случилось с его дядей?

— Нет, — проворчал сир Аллисер. — Дело совершенно в другом. Этим утром прилетела птица из Винтерфелла, весть касается его брата. Его сводного брата.

— Бран, — выдохнул Джон, вскакивая на ноги. — Что-то случилось с Браном!

Тирион Ланнистер положил руку на его плечо.

— Джон, — сказал он, — мне искренне жаль.

Джон едва слышал его. Смахнув руку Тириона, он выскочил из зала. Захлопнув дверь, он побежал прямо через сугробы старого снега. Когда стражники пропустили его внутрь башни, он бросился наверх, перескакивая через две ступеньки. Перед лордом-командующим он появился в мокрых сапогах и с отчаянием во взоре.

— Бран, — проговорил Джон. — Что там сказано о Бране?

Джиор Мормонт, лорд-командующий Ночного Дозора, ворчливый старик с огромной лысиной во всю голову и клокастой седой бородой, сидел, держа ворона на руке и скармливая ему зернышки.

— Мне говорили, что ты умеешь читать.

Он стряхнул птицу, отлетевшую к окну; хлопая крыльями, ворон опустился на подоконник, наблюдая за Мормонтом, извлекшим свиток бумаги и передавшим его Джону.

— Зерно, — пробормотала птица хриплым голосом. — Зерно, зерно.

Палец Джона ощутил очертания лютоволка на белом воске сломанной печати. Он узнал почерк Робба, но буквы сливались, пока он пытался их прочитать. Джон понял, что плачет. И сквозь слезы осознал смысл этих слов и поднял голову.

— Он проснулся, — сказал он. — Боги вернули его назад.

— Калеку, — отвечал Мормонт. — Мне очень жаль, мальчик, дочитай до конца.

Он поглядел на слова, но они ничего не значили. Ничего более не значили, раз Бран остается в живых.

— Мой брат будет жить, — сказал он Мормонту.

Лорд-командующий покачал головой, набрал целый кулек зерна и свистнул. Ворон перелетел на его плечо с криком:

— Жить, жить.

Джон побежал вниз по лестнице с улыбкой на губах и письмом Робба в руках.

— Мой брат будет жить, — сообщил он стражам. Они обменялись взглядами. Он вбежал в общий зал, где Тирион Ланнистер доканчивал трапезу. Он подхватил карлика под мышки, подбросил в воздух и закружил вокруг себя с возгласом: — Бран будет жить! — Ланнистер казался изумленным. Джон опустил его и сунул в руку бумагу. — Вот, читай.

Вокруг собирались, поглядывая на него с любопытством. Гренн оказался в нескольких шагах от Джона. Рука его была обмотана толстой шерстяной повязкой. Он казался встревоженным и несчастным, а вовсе не угрожающим. Джон подошел к нему. Гренн отодвинулся, выставив вперед обе руки.

— Теперь держись от меня подальше, бастард!

Джон улыбнулся:

— Прости меня за разбитую руку. Робб однажды ударил меня таким же точно образом, только деревянным мечом. Больно было, как в седьмом пекле. Но тебе сейчас еще больнее. Знаешь, если хочешь, давай я научу тебя контрприему.

Его услышал Аллисер Торне.

— Лорду Сноу угодно принять на себя мои обязанности. Да я скорей научу твоего волка жонглировать, чем ты этих зубров фехтовать.

— Принимаю пари, сир Аллисер, — отвечал Джон. — Мне бы хотелось видеть, как Призрак жонглирует. — Джон услыхал, как Гренн затаил дыхание. Все замолчали.

И тут Тирион Ланнистер заржал. К нему присоединились трое Черных Братьев, сидевших за соседним столом. Смех побежал по скамейкам, захихикали даже повара. На балках шевельнулись птицы, наконец даже Гренн улыбнулся.

Аллисер так и не отвел глаза от Джона. Когда смех обежал весь зал, лицо его потемнело и рука сжалась в кулак.

— А вот это была самая прискорбная ваша ошибка, лорд Сноу, — бросил он, словно врагу, самым едким голосом.

ЭДДАРД

Эддард Старк въехал в высокие бронзовые ворота Красного замка усталый, голодный и раздраженный. Он был на коне и мечтал хорошенько попариться в ванне, перекусить жареной дичью, а потом сразу перебраться на перину, когда стюард короля сообщил ему, что великий мейстер Пицель срочно собирает Малый совет. Должность требовала, чтобы Нед почтил собрание своим присутствием.

— Мне было бы удобнее завтра, — спешиваясь, отрезал Нед.

Управляющий отвечал низким поклоном.

— Я передам членам совета ваши слова, милорд.

— Нет, черт побери, — отвечал Нед. Не дело оскорблять совет, даже не приступив к своим обязанностям. — Я посещу их. Только предоставьте мне немного времени, чтобы переодеться во что-нибудь презентабельное.

— Да, милорд, — поклонился стюард. — Мы отвели вам в башне Десницы покои, которые прежде занимал лорд Аррен. Если вы не возражаете, я прикажу, чтобы ваши вещи отправили туда.

— Благодарю, — отвечал Нед, снимая с рук перчатки для верховой езды и заталкивая их за пояс. Челядь уже появилась в воротах. Нед заметил Вейона Пуля, собственного управляющего, и позвал его. — Говорят, что я срочно нужен совету. Пригляди за тем, чтобы мои дочери нашли свои спальни, и скажи Джори, чтобы они там оставались. Пусть Арья никуда не выходит. — Пуль поклонился. Нед повернулся к королевскому стюарду: — Мои фургоны все еще тянутся по городу, и я нуждаюсь в какой-либо приличной одежде.

— Я помогу вам с величайшим удовольствием, — отвечал тот.

Получилось, что, когда облаченный в чужую одежду Нед вошел в зал собраний, усталый до самых костей, четверо членов Малого совета уже ожидали его.

Палата была богато обставлена. Вместо тростника пол покрывали мирийские ковры, в уголке, на ширме, привезенной с Летних островов, играли выписанные яркими красками сказочные животные. Стены были завешены гобеленами норвосской, квохорской и лиссенийской работы. Пара валирийских сфинксов стояла возле двери, глаза из полированного граната пылали на черных мраморных ликах.

Как только Нед появился в дверях, к нему обратился самый неприятный Старку советник — евнух Варис.

— Лорд Старк, я с прискорбием узнал о неприятностях, постигших вас на Королевском тракте. Мы все посетили септу и поставили свечи за здоровье принца Джоффри, я молюсь о его выздоровлении. — Рука его оставила пятна пудры на рукаве Неда, от евнуха пахло какой-то сладкой мерзостью, словно бы могильными цветами.

— Боги услышали нас, — отвечал Нед с холодной вежливостью. — Принц выздоравливает буквально на глазах. — Он высвободил свой рукав из ладоней евнуха и направился через всю комнату к лорду Ренли, стоявшему возле ширмы. Тот негромко разговаривал с коротышкой, который мог быть только Мизинцем. Когда Роберт взошел на трон, Ренли был еще восьмилетним мальчишкой, но теперь он вырос и сделался настолько похожим на брата, что Нед находил сходство смущающим. Встречая Ренли, он иногда думал, что годы пролетели бесследно и Роберт вновь предстал перед ним таким же молодцом, каким был после победы возле Трезубца.

— Вижу, что вы прибыли благополучно, лорд Старк, — проговорил Ренли.

— Как и вы, — отвечал Нед. — Простите, но иногда вы кажетесь мне истинной копией Роберта.

— Плохой копией. — Ренли пожал плечами.

— Хотя куда лучше одетой, — вставил Мизинец. — Лорд Ренли расходует на одежду больше, чем половина дворцовых дам.

Выпад был достаточно справедлив. Темно-зеленый бархат дублета лорда был расшит целой дюжиной золотых оленей. Короткий плащ из золоченой ткани удерживала на плече изумрудная брошь.

— Есть и худшие преступления, — отвечал Ренли со смешком. — Например, одеваться, как это делаешь ты.

Мизинец игнорировал укол. Он смотрел на Неда с улыбкой, граничившей с наглостью.

— Много лет я мечтал познакомиться с вами, лорд Старк. Вне сомнения, леди Кейтилин рассказывала вам обо мне.

— Конечно, — отвечал Нед с холодком в голосе. Лукавая надменность слов задела его. — Насколько я понимаю, вы были близко знакомы и с моим братом Брандоном.

Ренли Баратеон расхохотался. Варис приблизился, прислушиваясь.

— Пожалуй, излишне близко, — проговорил Мизинец. — Я до сих пор ношу на себе знак его уважения. Значит, и Брандон рассказывал обо мне?

— Нередко, и с некоторым пылом, — ответил Нед, надеясь, что тема закрыта. На такие словесные дуэли у него не хватало терпения.

— А я думал, что пыл не в обычаях Старков, — усмехнулся Мизинец. — Здесь на юге поговаривают, что Старков отливают изо льда и все они тают по дороге через Перешеек.

— Лорд Бейлиш, я не намереваюсь таять. Можете не сомневаться в этом. — Нед подошел к столу совета и сказал: — Мейстер Пицель, надеюсь, вы хорошо себя чувствуете?

Великий мейстер мягко улыбнулся из высокого кресла, замыкавшего стол.

— Достаточно хорошо для моих лет, милорд, — отвечал он. — Однако, увы, быстро утомляюсь. — Клочки белых волос обрамляли широкий купол лба над белым лицом. Оплечье мейстера представляло собой не простой металлический воротник, как у Лювина: две дюжины цепей сплетались вместе, образуя изумительное ожерелье, прикрывавшее плечи мейстера до горла. На звенья пошел всякий известный человеку металл: черное железо, червонное золото, яркая медь, тусклый свинец, сталь, олово, бледное серебро, бронза и платина. Работу кузнеца украшали гранаты, аметисты и черные жемчужины, тут и там мелькали рубины и изумруды.

— По-моему, пора начинать, — проговорил великий мейстер, сплетая руки на объемистом чреве. — Боюсь, что я могу уснуть, если ожидание затянется.

— Как угодно. — Королевское место во главе стола оставалось пустым, вышитый золотой ниткой коронованный олень Баратеонов скакал по его спинке. Нед занял кресло возле, как подобает правой руке короля. — Милорды, — произнес он вежливо. — Приношу свои сожаления в том, что заставил вас ждать.

— Вы — десница короля, — отвечал Варис. — Мы рады угодить вам, лорд Старк.

Когда остальные заняли свои привычные места, Эддард Старк вдруг заметил, насколько он не на месте здесь — в этой комнате, посреди этих людей. Он вспомнил, что Роберт говорил ему в крипте под Винтерфеллом. «Я окружен льстецами и глупцами», — сказал тогда король. Нед оглядел стол совета и попытался определить, кого здесь можно считать льстецом, а кого дураком. Прикинув ответ, он промолвил:

— Но вас всего пятеро.

— Лорд Станнис отправился на Драконий Камень вскоре после того, как король уехал на север, — ответил Варис. — А наш галантный сир Барристан, вне сомнения, сопровождает государя по городу, как подобает лорду-командующему Королевской гвардией.

— Быть может, лучше подождать сира Барристана и короля? — предложил Нед.

Ренли Баратеон громко расхохотался:

— Если мы примемся ждать, пока брат мой почтит нас своим королевским присутствием, то застрянем здесь не на один день.

— У нашего доброго короля Роберта много забот, — проговорил Варис. — И чтобы облегчить свою ношу, он доверяет нам кое-какие мелкие дела.

— Лорд Варис хочет сказать, что все эти хлопоты с монетой, урожаем и правосудием до слез утомляют моего царственного брата, — проговорил лорд Ренли. — Поэтому нам выпадает обязанность самим править страной. Время от времени король дает нам одно-два распоряжения. — Он извлек из рукава туго скатанную бумагу, положил ее на стол. — Этим утром он повелел мне скакать вперед со всей поспешностью и попросить великого мейстера Пицеля провести этот совет. У него есть для нас срочное поручение.

Мизинец улыбнулся и вручил Неду бумагу, запечатанную королевской печатью. Нед отковырнул воск большим пальцем и расправил письмо, чтобы иметь возможность прочитать срочное распоряжение короля. Но слова вызывали только возрастающее недоверие. Есть ли конец безрассудствам Роберта? А прикрываться его именем — все равно что сыпать соль на рану.

— Благие боги, — вздохнул он.

— Лорд Эддард хочет этим сказать, — объявил лорд Ренли, — что наш светлейший государь предлагает нам провести великий турнир, дабы почтить его назначение королевской десницей.

— Сколько? — кротко спросил Мизинец.

Нед вычитал ответ в письме:

— Сорок тысяч золотых драконов победителю. Двадцать тысяч тому, кто будет вторым. Еще двадцать победителю общей схватки и десять тысяч победителю среди стрелков.

— Итого девяносто тысяч золотых, — вздохнул Мизинец. — Не говоря уже о прочих расходах. Роберт хочет устроить пышное празднество. А для этого нужны повара, плотники, служанки, певцы, жонглеры, дураки...

— Ну, последних-то у нас тьма, — проговорил лорд Ренли.

Поглядев на Мизинца, великий мейстер Пицель спросил:

— Примет ли казна на себя расходы?

— Это какая казна? — проговорил Мизинец, скривив рот. — Простите мне мою глупость, мейстер. Вы прекрасно знаете, что сокровищница пуста уже не первый год. Мне придется занимать деньги. Вне сомнения, помогут Ланнистеры. Мы уже сейчас должны лорду Тайвину три миллиона драконов, так что уж там говорить еще об одной сотне тысяч.

Нед был ошеломлен.

— Неужели корона должна три миллиона золотых?

— Корона должна более шести миллионов золотых, лорд Старк. В основном Ланнистерам, но мы брали также у лорда Тирелла, в Железном банке Браавоса и у нескольких тирошийских торговых картелей. Недавно мне пришлось обратиться к жрецам. Великий септон дерет хуже, чем дорнийский рыбак.

Нед был потрясен.

— Но ведь после Эйериса Таргариена казна была выше краев полна золотом. Куда оно подевалось?

Мизинец пожал плечами:

— Мастер над монетой должен отыскать деньги. Тратят их король и десница.

— Не верю, чтобы Джон Аррен позволял Роберту такое мотовство! — с пылом проговорил Нед. Великий мейстер Пицель качнул своей большой лысой головой, цепи негромко звякнули.

— Покойный лорд Аррен был добродетельным человеком, но светлейший, увы, не всегда прислушивался к его мудрым советам.

— Мой царственный брат обожает турниры и пиры, — ответил Ренли Баратеон. — И презирает низменные медяки.

— Я поговорю со светлейшим, — пообещал Нед. — Страна не может себе позволить таких расходов.

— Говорите с ним, если угодно, — нахмурился лорд Ренли. — Но нам лучше составить план.

— В другой раз, — отмахнулся Нед, быть может, слишком резко, судя по тому, какими взглядами они посмотрели на него. Ему следует помнить, что теперь он не в Винтерфелле, где выше его был только король; здесь он был всего лишь первым среди равных. — Простите меня, милорды, — сказал он более мягким тоном. — Я устал. Давайте сегодня закончим и возобновим заседание после некоторого отдыха. — Не спрашивая согласия, Нед поднялся, кивнул всем и отправился к двери.

Снаружи поток фургонов и всадников все так же тек сквозь ворота в замок. Двор превратился в грязевую мешанину, конская плоть соседствовала с галдящими людьми. Неду сказали, что король еще не прибыл. После неприятных событий, происшедших возле Трезубца, Старки вместе с челядью ехали впереди основного отряда, подальше от Ланнистеров и растущей напряженности. Роберта видели редко. Поговаривали, что он путешествовал в огромной кибитке и нередко бывал пьян. До прибытия короля оставались часы, но все равно он появится здесь скорее, чем хотелось бы Неду. Одного выражения на лице Сансы ему хватало, чтобы ощутить ярость в душе. Последние две недели путешествия превратились в сущее несчастье. Санса во всем обвиняла Арью и говорила, что погибнуть должна была Нимерия. Арья же словно потерялась после того, как узнала, что случилось с ее приятелем, сыном мясника. Санса засыпала, только наплакавшись, Арья безмолвно сидела целыми днями, а Эддарду Старку снилась морозная преисподняя, предназначенная для Старков Винтерфеллских.

Нед уже пересек внешний двор, перешел под портиком во внутренний и повернул к сооружению, на его взгляд, являвшемуся башней Десницы, когда перед ним появился Мизинец.

— Вы идете не тем путем, Старк, следуйте за мной.

Поколебавшись, Нед последовал за Мизинцем. Тот привел его в башню, они спустились по лестнице, потом пересекли тесный дворик и направились по заброшенному коридору, вдоль стен которого караульщиками выстроились пустые доспехи. Это были реликвии Таргариенов. Черную сталь с драконьими гребнями затянуло пылью.

— Но в мои палаты ведет другая дорога, — сказал Нед.

— Разве я утверждал, что мы идем туда? Не думайте только, что я веду вас в темницу, чтобы перерезать глотку и спрятать труп за камнями в какой-нибудь нише, — отвечал Мизинец голосом, полным сарказма. — У нас нет на это времени, Старк: вас ждет жена.

— Какую игру вы затеяли, Мизинец? Кейтилин находится в Винтерфелле, в сотне лиг отсюда.

— Разве? — Серо-зеленые глаза Мизинца восторженно заблестели. — Тогда, выходит, кто-то перевоплотился в нее с удивительной ловкостью. В последний раз говорю вам: пойдемте. Если же нет, я оставлю вашу жену себе. — И заторопился вниз по ступеням.

Нед последовал за ним, подумав, что день этот, наверное, никогда не закончится. Он не любил дворцовых интриг, но уже начинал понимать, что они, словно хлеб насущный, питали людей, подобных Мизинцу.

Лестница привела их к тяжелой, окованной железом дубовой двери. Петир Бейлиш приподнял засов и пропустил Неда. Они вышли наружу. Сумерки спускались на каменистый утес над рекой.

— Но мы вышли из замка, — сказал Нед.

— Вас не одурачить, Старк, — блаженствовал Мизинец. — Солнце выдало меня или небо? Следуйте за мной. Здесь есть ступени, вырезанные в скале. Постарайтесь не упасть; Кейтилин никогда не поймет меня, если вы разобьетесь насмерть. — С этими словами он перегнулся через край утеса и ловко, как обезьяна, полез вниз.

Внимательно изучив поверхность скалы, Нед последовал за своим спутником, но не столь торопливо. Как обещал Мизинец, в скале обнаружились уступы, невидимые снизу мелкие выемки; нужно было только знать, где их искать. Река оказалась далеко внизу — просто в головокружительной дали. Нед прижимал лицо к скале и старался глядеть вниз не чаще, чем этого требовала необходимость. Достигнув наконец земли, он увидел узкую грязную колею, тянувшуюся вдоль края воды. Отдыхая на камне, Мизинец подкреплял силы яблоком, от которого уже остался один огрызок.

— Стареете, Старк, теряете скорость, — сказал он, небрежно отбрасывая огрызок в быстрый поток. — Но это не важно, остальную часть пути мы проедем верхом.

Их ждали два коня. Поднявшись в седло, Нед отправился следом за Мизинцем в город.

Наконец Бейлиш натянул поводья перед ветхим — в три этажа — деревянным домом, окна которого светились лампами в зарождавшихся сумерках. Звуки музыки и смех плыли над водой. Возле двери на тяжелой цепи висела причудливая масляная лампа с округлым свинцовым красным стеклом.

Нед Старк спешился в ярости.

— Это бордель! — рявкнул он, хватая Мизинца за плечо и разворачивая к себе. — Ты приволок меня в такую даль, чтобы показать мне бордель?!

— Здесь вы увидите свою жену, — отвечал Мизинец.

Большего оскорбления ожидать было нечего.

— Брандон был слишком добр к тебе! — выпалил Нед, толкнув невысокого спутника спиной на стену и выхватывая кинжал.

— Стойте, милорд, стойте, — послышался озабоченный голос. — Он говорит правду. — Сзади послышались шаги. Нед обернулся с кинжалом в руке и увидел спешившего к ним беловолосого старца. Домотканый наряд и рыхлая кожа на подбородке тряслись.

— Не твое дело, — начал Нед и вдруг, узнав старика, с удивлением опустил кинжал. — Сир Родрик?

Родрик Кассель кивнул:

— Ваша леди ждет наверху.

Нед был в недоумении.

— Кейтилин действительно там? Еще один фокус Мизинца? — Он спрятал клинок.

— Если бы так, Старк, — отвечал Мизинец. — Следуйте за мной, но постарайтесь не шествовать, как подобает королевской деснице... изобразите развратника. Негоже, если вас узнают. А лучше всего потискайте по пути пару девиц.

Они вошли внутрь людной комнаты, где жирная бабенка распевала непристойные песни, а молодые девицы посимпатичнее — в льняных или шелковых рубашках — жались к своим любовникам или сидели у них на коленях. Никто не обратил на Неда даже малейшего внимания. Сир Родрик остался внизу, Мизинец повел его на третий этаж к двери.

Кейтилин ждала его. Увидев Неда, она разрыдалась, бросилась к мужу и с пылом обняла его.

— Миледи, — прошептал изумленный Нед.

— Отлично, — проговорил Мизинец, прикрывая дверь за спиной. — Значит, вы узнали ее.

— Я боялась, что ты не придешь, милорд, — прошептала она, припав к его груди. — Петир приносил мне сообщения. Он рассказал о происшествии с Арьей и молодым принцем. Как мои девочки?

— Обе в трауре и полны гнева, — ответил он. — Кет, я не понимаю, что ты делаешь в Королевской Гавани? Что случилось? — спросил Нед у жены. — Ты из-за Брана? Он... — Слово «умер» просто не могло сойти с его губ.

— Из-за Брана, но совсем по другому делу.

Нед растерялся.

— Тогда зачем ты здесь, любовь моя? И что это за дом?

— Вы видели его, — отвечал Мизинец, садясь возле окна. — Это бордель. Неужели вы можете найти место, более неподходящее для Кейтилин Талли? — Он улыбнулся. — К тому же, по случаю, это заведение принадлежит мне, и я мог легко отдать нужные распоряжения. Я принял все меры, чтобы Ланнистеры не узнали, что Кет находится здесь, в Королевской Гавани.

— Но почему? — спросил Нед. И только тут увидел ее руку, сделавшуюся неловкой: свежие красные шрамы, два застывших пальца. — Ты была ранена! — Он взял ее пальцы в свои, повернул. — Боже, какие глубокие порезы... Это меч или... Как это случилось, миледи?

Кейтилин извлекла из-под плаща кинжал и вложила его в ладонь мужу.

— Этот клинок должен был перерезать горло Брану.

Голова Неда дернулась вверх.

— Но кто... и почему...

Она приложила палец к губам.

— Позволь я тебе все расскажу, любовь моя. Так будет быстрее. Слушай.

И она рассказала все, что случилось: начиная от пожара в Библиотечной башне до появления Вариса и гвардейцев вместе с Мизинцем. Когда Кейтилин умолкла, Старк опустился возле стола с кинжалом в руке. Волк Брана спас мальчику жизнь, подумал он. Как же там сказал Джон, когда они с Роббом нашли этих щенков в снегу? Эти щенки предназначены вашим детям, милорд. А он собственной рукой убил волка Сансы, и ради чего? Ощущая собственную вину? Или страх? Если это боги послали детям волков, какой безумный поступок он совершил?

С усилием Нед обратил свои мысли к кинжалу, к тому, что он означал.

— Кинжал Беса, — повторил Нед. Это была бессмыслица. Рука Неда обхватила гладкую рукоять драконьей кости, он вонзил клинок в стол, ощутив, как острие впилось в дерево. Нож застыл, смеясь над ним. — Зачем Тириону Ланнистеру смерть Брана? Мальчик никогда не делал ему плохого.

— Неужели у Старков между ушей только снег? — спросил Мизинец. — Бес никогда не стал бы действовать в одиночку.

Нед поднялся и принялся ходить по комнате.

— Если в этом участвовала королева или же, о боги, сам король... нет, я в это не верю. — И тут же вспомнил холодное утро на поле среди курганов и слова Роберта о том, что он послал бы убийц к последней принцессе из рода Таргариенов. Он вспомнил младенца — сына Рейегара, его разбитую головенку, и как тогда отвернулся король. Как отвернулся он и в приемном зале Дарри, совсем уж недавно. Он еще слышал мольбы Сансы, как и давние рыдания Лианны.

— Вероятнее всего, король не знает, — сказал Мизинец. — Это не впервые. Наш добрый Роберт приучился закрывать глаза на вещи, которых лучше не замечать.

На это Неду нечего было ответить. Перед его глазами возникло лицо сына мясника, рассеченного почти пополам. Король и тогда не сказал ни слова. В голове Неда грохотало.

Мизинец склонился над столом, извлек нож из дерева.

— Обвинение сочтут предательством в обоих случаях. Обвини короля — и попляшешь в руках Илина Пейна, как только слова вылетят из твоего рта. Королева... если удастся найти доказательства и заставить Роберта прислушаться к ним... тогда, быть может...

— У нас есть доказательства, — сказал Нед. — Кинжал.

— Этот? — Мизинец непринужденно подбросил кинжал вверх. — Приятная железка, но она режет обеими сторонами, милорд. И Бес, вне сомнения, присягнет, что потерял клинок в Винтерфелле, или же расскажет, что его украли у него, а поскольку наемник погиб, никто не сможет разоблачить эту ложь. — Он непринужденно перебросил клинок Неду. — Советую вам бросить нож в реку и забыть о том, что он вообще существовал.

Нед прохладно поглядел на него.

— Лорд Бейлиш, я Старк Винтерфеллский. Мой сын искалечен, быть может, он умирает. И он бы уже умер, и Кейтилин вместе с ним, если бы не волчонок, найденный нами в лесу. Если вы действительно верите, что я способен забыть такое, то проявляете столь же огромную глупость, как в молодости, когда изволили выйти с мечом против моего брата.

— Возможно, я и дурак, Старк... но я здесь, а брат ваш гниет в своей мерзлой могиле уже четырнадцать лет. Если вы торопитесь разделить его общество, не стану отговаривать вас, но сам я туда не спешу, покорнейше вас благодарю.

— Вас я позвал бы с собой в последнюю очередь, лорд Бейлиш.

— Вы наносите мне глубокую рану. — Мизинец прижал ладонь к сердцу. — Лично мне Старки всегда казались скучными, но Кет привязана к вам по причинам, которых я понять не могу. Я попытаюсь сохранить вам жизнь, но только ради нее. Безусловно, за такое предприятие возьмется только дурак, но вашей жене я ни в чем не способен отказать.

— Я передала Петиру наши подозрения относительно смерти Джона Аррена, — проговорила Кейтилин. — Он обещал помочь тебе отыскать правду.

Новость не обрадовала Эддарда Старка, однако они и в самом деле нуждались в помощи, а Кет некогда видела в Мизинце почти что брата. Не впервые приходится договариваться с человеком, достойным презрения.

— Очень хорошо, — проговорил Нед, засовывая кинжал за пояс. — Вы упомянули о Варисе. Евнух знает об этом?

— Не от меня, — проговорила Кейтилин. — Ты женат не на дуре, Эддард Старк. Но Варис умеет выведывать тайны любого человека. Он владеет каким-то темным искусством, Нед, я клянусь в этом!

— У него есть шпионы, это всем известно, — презрительно сказал Нед.

— Более того, — настаивала Кейтилин. — Сир Родрик беседовал с сиром Ароном в полной секретности, но паук каким-то образом узнал об их разговоре. Я боюсь этого человека.

Мизинец улыбнулся.

— Предоставьте лорда Вариса мне, милая леди. Если вы позволите мне небольшую непристойность — в этом доме она как нигде уместна, — я держу этого человека за яйца. — Он с улыбкой сжал кулак. — Точнее, держал бы, будь он мужчиной. Видите ли, когда пирог будет разрезан и птички защебечут, Варису это не понравится. На вашем месте я бы больше опасался Ланнистеров, а не евнуха.

Чтобы понять это, Нед не нуждался в Мизинце. Он вернулся мыслями ко дню, когда обнаружилась Арья, и увидел лицо королевы, сказавшей «Волк у нас есть» — таким мягким и тихим голосом. Он подумал и о мальчике Мике, о внезапной смерти Джона Аррена, о падении Брана, об Эйерисе Таргариене, безумном старце, испускающем дух на полу своего собственного тронного зала, где кровь его засохла на золоченом клинке.

— Миледи, — проговорил он, поворачиваясь к Кейтилин, — более вам здесь делать нечего. Я хочу, чтобы вы немедленно вернулись в Винтерфелл. Там, где есть один убийца, могут найтись и другие. Кто бы ни приказал убить Брана, персона эта скоро узнает, что мальчик остался жив.

— Я надеялась повидать девочек... — сказала Кейтилин.

— Это будет крайне неразумно, — вставил Мизинец. — Красный замок полон любопытных глаз, а дети не могут не проболтаться.

— Он говорит правду, любовь моя, — сказал Нед, обнимая жену. — Бери сира Родрика и уезжай в Винтерфелл. Я прослежу за девочками. Отправляйся домой к нашим сыновьям и береги их.

— Как вам угодно, милорд. — Кейтилин подняла лицо, Нед поцеловал ее. Раненые пальцы впились в спину с отчаянной силой, словно бы Кейтилин старалась навсегда удержать его в своих объятиях.

— Не хотят ли лорд и леди воспользоваться спальней? — спросил Мизинец. — Но предупреждаю, Старк, за этот род занятий здесь принято платить.

— Я хочу остаться с ним вдвоем на мгновение, не более, — сказала Кейтилин.

— Очень хорошо. — Мизинец направился к двери. — Только побыстрее. Нам с десницей следует возвратиться во дворец прежде, чем наше отсутствие станет заметным.

Кейтилин подошла к Мизинцу и взяла его руки в свои.

— Я не забуду твоей помощи, Петир. Когда твои люди явились за мной, я не знала, куда они меня приведут: к другу или врагу. Я обнаружила в тебе более чем друга — давно потерянного брата.

Петир Бейлиш улыбнулся:

— Я отчаянно сентиментален, милая леди. Никому не говорите этого. Я потратил многие годы, убеждая двор в том, что я зол и жесток, и мне бы не хотелось, чтобы все мои труды оказались напрасными.

Нед не верил ни единому его слову, но, стараясь говорить вежливо, промолвил:

— Я тоже благодарю вас, лорд Бейлиш.

— Вот ваша благодарность — это истинное сокровище, — с восторгом ответил Мизинец.

Когда дверь закрылась, Нед обернулся к жене:

— Как только ты окажешься дома, пошли слово к Хелману Толхарту и Галбарту Гловеру под моей печатью. Пусть выставят по сотне лучников каждый и пошлют их ко Рву Кейлин. Две сотни надежных стрелков способны удержать Перешеек против любой армии. Прикажи лорду Мандерли привести в порядок все укрепления Белой гавани и приглядеть, чтобы там было достаточно людей. Начиная с этого момента я хочу, чтобы за Теоном Грейджоем тщательно приглядывали. Если будет война, нам отчаянно потребуется флот его отца.

— Война? — Страх проступил на лице Кейтилин.

— Не обязательно, — пообещал ей Нед, надеясь, что эти слова окажутся верными. Он снова обнял ее. — Ланнистеры безжалостны к слабым, что, к скорби своей, узнал Эйерис Таргариен. Но они не полезут на север, не заручившись сначала поддержкой всего королевства. А ее они не добьются. Но мне придется сыграть свою роль в этом дурацком маскараде и сделать вид, словно бы ничего не происходит. Вспомни, зачем я явился сюда, любовь моя. И если я найду доказательства того, что Ланнистеры убили Джона Аррена...

Кейтилин трепетала в его руках. Покрытые шрамами руки обнимали его.

— Если... — проговорила она. — И что будет тогда, любовь моя?

Тут и крылась опасность, Нед знал это.

— Правосудие вершит король, — сказал он. — Выяснив истину, я пойду к Роберту. — «Молясь богам, чтобы он оказался таким, каким я его считаю, а не тем, каким, по-моему, он уже стал», — докончил он про себя.

ТИРИОН

— А вы и в самом деле уверены, что должны так скоро оставить нас? — поинтересовался лорд-командующий.

— Выше всякой уверенности, лорд Мормонт, — ответил Тирион. — Брат мой Джейме будет гадать, что сталось со мной. Что будем делать, если он заподозрит, что вы уговорили меня надеть черную одежду?

— Если бы я только сумел сделать это... — Взяв клешню краба, Мормонт раздавил ее в кулаке. При всем своем возрасте лорд-командующий сохранил медвежью силу. — Вы хитрый человек, Тирион. Такие люди нужны нам на Стене.

Тирион ухмыльнулся.

— Тогда придется собрать карликов со всех Семи Королевств и отправить их к вам, лорд Мормонт. — Оба расхохотались. Высосав мясо из крабьей ноги, Тирион потянулся за следующей. Крабов в бочонке со снегом прислали из Восточного Дозора только сегодня утром, они возбуждали жажду.

За всем столом лишь сир Аллисер Торне сохранил серьезное выражение лица.

— Ланнистер смеется над нами.

— Нет, лишь над вами одним, сир Аллисер, — возразил Тирион. На сей раз в смехе вокруг стола послышалась нервная неуверенность.

Черные глаза Торне с ненавистью смотрели на Тириона.

— У тебя слишком отважный язык для коротышки. А не хочется ли тебе сходить со мной на двор?

— Зачем? — спросил Тирион. — Крабы-то здесь.

Замечание породило новый смех. Сир Аллисер встал, напрягая губы.

— Выйдем-ка, попробуй пошутить там, со сталью в руке.

Тирион показал на свою правую руку.

— А что как не сталь в моей руке, сир Аллисер, хотя вам она может показаться вилкой для крабов. Действительно, удобно для поединка? — Вскочив на кресло, он принялся тыкать в грудь Торне крошечной вилкой.

Смех в башне превратился в рев. Кусочки крабьего мяса вылетали изо рта лорда-командующего, давившегося и задыхавшегося. К сумятице присоединился его ворон, громко выкрикивавший над окном:

— Дуэль! Дуэль! Дуэль!

Сир Аллисер Торне вылетел из комнаты подчеркнуто выпрямившись, словно проглотив кинжал.

Мормонт все еще пытался обрести дыхание. Тирион постучал его по спине.

— Победителю достается добыча, — пояснил он. — Я претендую на порцию Торне.

Наконец лорд-командующий пришел в себя.

— Вы злой человек, раз так раздразнили сира Аллисера, укорил он Тириона. Тот уселся и пригубил вина.

— Когда человек рисует на своей груди мишень, он должен рассчитывать, что рано или поздно кто-нибудь выпустит в него стрелу. Отсутствие юмора приводило к смерти и более веселых людей, чем сир Аллисер.

— Ну что вы, — возразил лорд-стюард Боуэн Марш, человек округлый и красный, словно гранат. — Слышали бы вы те шуточные прозвища, которые он дает своим воспитанникам.

Тирион слыхал кое-какие из этих имен.

— Клянусь, у парней тоже найдется на него несколько кличек, — сказал он. — Сколите лед с ваших глаз, мои добрые лорды. Сиру Аллисеру Торне подобает чистить конюшни, а не учить юных воинов.

— В Дозоре нет недостатка в конюхах, — пробормотал лорд Мормонт. — Последнее время нам не присылают других. Шлют только конюхов, воров и насильников. Сир Аллисер принес присягу, он принадлежит к числу немногих, облачившихся в черное одеяние в ту пору, когда я только сделался лордом-командующим. Он отважно сражался у Королевской Гавани.

— Не на той стороне, — сухо заметил сир Джареми Риккер. — Кому знать, как не мне, я стоял на Стене возле него. Тайвин Ланнистер предоставил нам две перспективы на выбор: или надеть черное, или до вечера расстаться с головами. Не хочу вас задеть, Тирион.

— Чем бы это, сир Джареми? Мой отец любил насаживать головы на пики, в особенности если их обладатели чем-либо прогневали его. А заметив среди врагов столь благородное лицо, как у вас, он, вне сомнения, решил украсить им стены города над Королевскими воротами. По-моему, вы смотрелись бы там потрясающим образом.

— Благодарю вас, — отвечал сир Джареми с недовольной улыбкой.

Лорд-командующий Мормонт откашлялся.

— Иногда я опасаюсь, что сир Аллисер действительно понял вас, Тирион: вы осмеиваете нас и нашу благородную службу.

Тирион пожал плечами:

— Всякий человек нуждается в том, чтобы над ним иногда посмеялись. Иначе, лорд Мормонт, мы начинаем относиться к себе слишком серьезно. Пожалуйста, побольше вина, — он протянул чашу.

Когда Риккер наполнил чашу, Боуэн Марш сказал:

— Для такого небольшого роста у вас, Тирион, жажда гиганта...

— О, на деле лорд Тирион — рослый мужчина, — проговорил мейстер Эйемон, сидевший у дальнего конца стола. Высшие офицеры Ночного Дозора сразу притихли, чтобы услышать слова древнего старца. — По-моему, он истинный гигант среди нас, прикованных к краю света.

Тирион пожал плечами:

— Меня называли разными именами, милорд, но такого среди них я еще не слыхал.

— Тем не менее, — проговорил мейстер Эйемон, и его затянутые молочно-белой пленкой глаза обратились к лицу Тириона. — По-моему, я не ошибаюсь.

Впервые в жизни Тирион Ланнистер обнаружил, что ему не хватает слов. Оставалось только, вежливо склонив голову, сказать:

— Вы слишком добрый человек, мейстер Эйемон.

Слепец улыбнулся. Крошечный, морщинистый и безволосый, он настолько съежился под тяжестью прожитого им века, что мейстерский воротник со звеньями из многих металлов свободно болтался на шее.

— Меня тоже называли многими именами, милорд, — отвечал он. — Но определение «добрый» я слышал нечасто.

На этот раз первым засмеялся Тирион.

Много позже, когда с серьезным занятием — едой — было покончено и все остальные ушли, Мормонт предложил Тириону кресло возле очага и чашу подслащенной водки, столь крепкой, что от нее на глаза наворачивались слезы.

— Королевский тракт на севере бывает опасным, — напомнил лорд-командующий.

— У меня есть Джик и Моррек, — отвечал Тирион. — К тому же Йорен вновь едет на юг.

— Йорен всего лишь один человек. Дозор обязан проводить вас до Винтерфелла, — заявил Мормонт тоном, не допускавшим возражений. — Следует взять не менее троих людей.

— Если вы настаиваете, милорд, — сказал Тирион. — Но вы можете послать со мной молодого Сноу. Он будет рад увидеть своих братьев.

Мормонт нахмурился сквозь густую седую бороду.

— Сноу? Ах да, бастард Старка. Едва ли я пошлю его. Молодым нужно сперва забыть ту жизнь, которую они оставили: матерей, братьев и все прочее. Путешествие домой лишь растревожит его душу. Я знаю, о чем говорю. Мои собственные кровные родственники... После бесчестья моего сына Медвежьим островом правит моя сестрица Мейдж. У меня есть племянницы, которых я никогда не видел. — Он сделал глоток водки. — К тому же Джон Сноу пока еще только мальчишка. А вам потребуются три надежных меча, чтобы вы могли чувствовать себя в безопасности.

— Тронут вашей заботой, лорд Мормонт. — Крепкий напиток наполнял легкостью голову Тириона, но он еще не был настолько пьян, чтобы не понимать: Старый Медведь хочет чего-то добиться от него. — Надеюсь, что смогу отплатить вам за доброту.

— Сможете, — прямо отвечал Мормонт. — Ваша сестра сидит возле короля. Ваш брат — великий рыцарь, а отец — самый могущественный из лордов в Семи Королевствах. Замолвите перед ними слово за нас. Напомните им о нашей нужде. Вы все видели сами, милорд. Ночной Дозор умирает. Теперь нас меньше тысячи. Шесть сотен здесь и две сотни в Сумеречной башне, еще меньше в Восточном Дозоре, и лишь треть из них может выйти на поле боя. Стена протянулась на сотню лиг. Подумайте об этом; если придут враги, я смогу выставить только трех человек на каждую милю Стены.

— Трех с одной третью, — проговорил Тирион зевая.

Мормонт едва слышал его. Старик грел руки перед огнем.

— Я послал Бенджена Старка отыскать сына Джона Ройса, потерявшегося во время первой разведки. Мальчишка Ройс был зелен, как летняя трава, но он настоял на том, что будет командовать отрядом, утверждая, что как рыцарь обязан это сделать. Мне не хотелось оскорбить его лорда-отца, поэтому я сдался. Я дал ему двоих спутников, которых я считал не хуже других дозорных. Тем бо́льшим дураком я оказался.

— Дураком, — согласился ворон. Тирион поглядел вверх. Птица уставилась на него бусинками черных глаз и взъерошила крылья. — Дураком, — повторила она снова. Вне сомнения, старый Мормонт не поймет, если он придушит птицу. Жаль.

Лорд-командующий не замечал оскорблений птицы.

— Гаред был почти столь же стар, как я, и провел на Стене больше лет, — продолжил он. — Тем не менее вышло, что он нарушил присягу и пустился в бега. Я бы никогда не поверил этому, но лорд Эддард прислал мне его голову из Винтерфелла. Ройс же пропал без вести. Один дезертир и двое пропавших. А теперь добавился еще и Бен Старк. — Мормонт глубоко вздохнул. — Кого мне послать на поиски? Через два года мне исполнится семьдесят. Я стар и уже слишком устал от той тяжести, которую мне приходится нести, но если я опущу свою ношу, кто поднимет ее? Аллисер Торне? Боуэн Марш? Лишь слепец, подобный мейстеру Эйемону, не заметил бы на моем месте, кто они такие. Ночной Дозор превратился в войско, набранное из угрюмых парней и усталых стариков. Не считая тех, кто сидел сегодня за моим столом, у меня найдется не более двадцати человек, знающих грамоту; еще меньше таких, которые умеют думать, планировать и вести вперед. Некогда Дозор проводил лето за стройкой, и каждый лорд-командующий считал своим долгом нарастить Стену. Теперь мы боремся за собственное выживание.

Ощущая предельную откровенность собеседника, Тирион несколько смутился. Лорд-командующий был ему здесь хорошим приятелем. Джиор Мормонт провел на Стене добрую часть своей жизни и, конечно же, хотел верить, что все эти годы имеют какое-нибудь значение.

— Обещаю, король услышит о вашей нужде, — отвечал Тирион самым серьезным образом. — Я переговорю с моим отцом и братом Джейме.

И он это сделает, Тирион Ланнистер всегда держал данное слово. Впрочем, он не стал говорить, что король Роберт просто не станет его слушать, лорд Тайвин спросит, где именно он расстался с рассудком, а Джейме всего лишь расхохочется.

— Вы молоды, Тирион, — проговорил Мормонт. — Сколько зим вы видали?

Он пожал плечами:

— Восемь или девять, не помню.

— И все они были короткими.

— Что вы говорите, милорд! — Тирион родился в самой середине ужасно жестокой зимы, продлившейся, по словам мейстеров, целых три года, но первые воспоминания его относились к весне.

— Когда я был мальчишкой, говорили, что длинное лето всегда предвещает долгую зиму. Это лето продлилось девять лет, Тирион, и скоро начнется десятый год, подумайте об этом.

— Когда я был мальчишкой, — ответил Тирион, — моя няня говорила мне, что, если бы люди стали хорошими, боги послали бы миру бесконечное лето. Быть может, мы вели себя лучше, чем нам казалось, и нас наконец ждет Великое Лето. — Он ухмыльнулся.

Лорд-командующий не принял шутки.

— Вы достаточно умны, чтобы не верить в эти сказки, милорд. Дни уже стали короче. Ошибки не может быть. Эйемон получил письма из Цитадели, согласующиеся с его собственными воспоминаниями. Лето кончается. — Мормонт протянул руку и крепко схватил Тириона за кисть. — Вы должны заставить их понять; я уверяю вас, милорд: тьма наступает. В лесах появились жуткие твари: лютоволки, мамонты и снежные медведи ростом с зубра. Сны открывали мне еще более мрачные тени.

— Сны... — отозвался Тирион, думая о том, что нуждается еще в одной чаше крепкого напитка.

Мормонт не желал слышать едкости в его голосе.

— Рыбаки уже видели Белых Ходоков на берегу возле Восточного Дозора!

На этот раз Тирион не смог сдержаться.

— Рыбаки Ланниспорта нередко видят и мерлингов...

— Денис Маллистер пишет, что горный народ двинулся на юг, они проходят возле Сумеречной башни в количествах больших, чем когда-либо прежде. Они бегут, милорд... но от чего? — Лорд Мормонт подошел к окну, поглядел в ночь. — Мои старые кости, Ланнистер, еще никогда не ощущали такого мороза... Сообщите королю мои слова, умоляю вас! Зима близко, и когда настанет долгая ночь, лишь Ночной Дозор будет защищать королевство от тьмы, наползающей с севера. Пусть боги помогут всем нам, если мы окажемся неготовыми.

— Пусть сперва боги помогут мне, если я сегодня не высплюсь! Йорен намерен выехать с первым светом.

Устав от разговора, Тирион поднялся на ноги, сонный от выпитого вина.

— Благодарю вас за любезное отношение ко мне, лорд Мормонт.

— Расскажите им, Тирион. Расскажите и заставьте поверить. В лучшей благодарности я не нуждаюсь. — Мормонт свистнул, и ворон слетел к нему, усевшись на плечо. Лорд-командующий усмехнулся и достал для птицы зерен из кармана. Так и оставил их Тирион.

Снаружи было жутко холодно. Плотно закутанный в меха, Тирион Ланнистер натянул перчатки и кивнул бедолагам, зябшим на карауле возле командирского дома. Он направился через двор к собственным палатам в Королевской башне, торопясь, насколько могли позволить ему короткие ноги. Снег хрустел, сапоги проламывали ночной лед, парок дыхания струился перед ним, подобно знамени. Засунув руки под мышки, Тирион прибавил шагу, надеясь, что Моррек не забыл прогреть его постель горячими кирпичами, взятыми из камина.

За Королевской башней под лучами луны светилась Стена, колоссальная и таинственная. Тирион замер на мгновение и посмотрел на нее. Ноги его ныли от холода и спешки.

Внезапно им овладело странное безумие, желание вновь заглянуть за пределы мира. Последний шанс, подумал Тирион, завтра ему предстоит уехать на юг; он не мог представить себе причин, способных вновь привести его в этот замерзший унылый край. Сулившая тепло и постель Королевская башня оказалась уже позади него, когда Тирион понял, что направляется к бледному громадному палисаду.

С южной стороны к Стене примыкала деревянная лестница, подвешенная на глубоко вмерзших в лед огромных брусьях. Лестница змеилась из стороны в сторону, прорезая поверхность Стены кривым зигзагом. Черные Братья заверили Тириона, что она намного прочнее, чем кажется, но ноги карлика слишком ныли, чтобы он мог решиться на самостоятельный подъем. Поэтому он подошел к железной клетке возле колодца, забрался в нее и три раза потянул за веревку. Тириону пришлось дожидаться целую вечность; огороженный прутьями, он припал к ним. Карлик даже успел удивиться причинам, приведшим его сюда. Он было решил забыть свою нечаянную прихоть и отправиться в постель, когда вдруг клетка вздрогнула и поползла вверх. Она двигалась медленно, сначала рывками, потом пошла более гладко. Земля уплывала вниз, клетка раскачивалась, Тирион впился руками в железные прутья. Холодное прикосновение металла он ощущал даже сквозь перчатки. А Моррек уже разжег очаг в его комнате, отметил Тирион с одобрением. В башне лорда-командующего было темно. Похоже, Старый Медведь разжился большим запасом здравого смысла, чем он. Наконец он поднялся над башней. Черный замок простирался под ним, выгравированный на снегу лунным светом. Сверху было видно, как он суров и пуст; лишенные окон укрепления, осыпающиеся стены, дворы, заваленные ломаным камнем. Вдали мерцали огоньки Кротового городка, крошечной деревни в половине лиги отсюда к югу, у Королевского тракта. Кое-где ярко блестел лунный свет — на воде у подножия ледяных потоков, спускавшихся с горных высот на равнину. Ну а кроме них, Тирион видел лишь продутые ветрами холмы и каменистые поля, кое-где покрытые пятнами снега.

Наконец басистый голос позади него произнес:

— Седьмое пекло, это же карлик! — Клетка вздрогнула и, внезапно замерев, повисла, медленно раскачиваясь взад и вперед.

— Проклятие, достаньте его, — послышалось ворчание, громкий скрип дерева, клетка скользнула в сторону, и Стена оказалась под ногами Тириона. Он дождался, пока клетка остановится, потом открыл дверцу и осторожно шагнул на лед. Тяжелая фигура в черном наклонялась у ворота, вторая придерживала клетку рукой в перчатке. Лица прятались за шерстяными шарфами, открывавшими только глаза; оба человека казались толстяками внутри чередующихся слоев шерсти и кожи... черного на черном.

— И чего же тебе понадобилось здесь среди ночи? — спросил тот, что стоял у ворота.

— Захотелось поглядеть в последний раз.

Люди обменялись кислыми взглядами.

— Гляди на здоровье, — сказал другой. — Только смотри себе под ноги, человечек. Если ты упадешь, Старый Медведь снимет с нас шкуру.

Под большим подъемным краном ютился деревянный домик, Тирион успел заметить тусклое свечение жаровни и ощутил короткое теплое дуновение, когда тот, что был у ворота, быстро открыл дверь и исчез за ней. Тирион остался один.

Здесь было жутко холодно, ветер пытался забраться под его одежду, подобно настырной любовнице. Верх Стены был шире, чем Королевский тракт, так что Тирион не боялся упасть, хотя ноги его немного скользили. Братья разбрасывали битый камень, насыпая пешеходные тропки, но тяжесть несчетных шагов плавила Стену, лед нарастал и поглощал гравий, тогда тропа вновь становилась скользкой, и наступало время снова ломать глыбы.

Впрочем, дорога эта не смущала Тириона. Он поглядел: на восток и на запад перед ним тянулась Стена, просторная белая дорога, не имеющая ни конца ни начала, по обе стороны от которой разверзались темные пропасти. «На запад!» — решил он без особых причин и направился на закат по тропе у северного края Стсны, гдс гравия было больше.

Холод румянил голые щеки, ноги с каждым шагом протестовали все громче и громче, но Тирион игнорировал их жалобы. Ветер кружил вокруг него, гравий поскрипывал под ногами, впереди белая лента, следуя очертаниям холмов, поднималась все выше и выше и наконец терялась за западным горизонтом. Тирион миновал высокую, как городская стена, катапульту, основание ее глубоко ушло в лед. Метательный механизм сняли, чтобы починить, а потом забыли о нем. Катапульта валялась, как сломанная игрушка какого-нибудь великана.

За дальней стороной механизма послышался негромкий голос:

— Стой! Кто идет?

Тирион остановился.

— Если я буду стоять слишком долго, то примерзну к месту, Джон, — сказал он, пока безмолвно скользнувший к нему белый силуэт обнюхивал его одежду. — Здравствуй, Призрак.

Джон Сноу подошел поближе. Укутанный в многочисленные слои кожи и меха, он казался этой ночью выше и тяжелее, капюшон плаща был надвинут на голову.

— Ланнистер, — проговорил он, разматывая шарф, чтобы открыть рот. — Вот уж не ожидал увидеть вас здесь. — В руках юноша держал тяжелое копье, заканчивающееся железом, оно было выше его роста. У бока в кожаных ножнах висел меч. На груди блестел окованный серебром черный боевой рог.

— Я и не собирался сюда, — признался Тирион, — но вдруг зачем-то пошел. Если я сейчас прикоснусь к Призраку, он отгрызет мне руку?

— Нет, пока я рядом, — пообещал Джон.

Тирион почесал белого волка за ухом. Красные глаза бесстрастно смотрели на него. Зверь уже сделался высоким, как его сундук... Еще год, мрачно подумал Тирион, и даже на него придется смотреть снизу вверх.

— Что ты делаешь здесь ночью? — спросил он. — Тут можно лишь отморозить свои мужские предметы...

— Меня назначили в ночную стражу, — ответил Джон. — Сир Аллисер любезно распорядился, чтобы командир дозора обращал на меня особое внимание. Должно быть, надеется, что если я прохожу здесь полночи, то усну во время утренних занятий. Пока мне удавалось разочаровывать его.

Тирион ухмыльнулся:

— А Призрак уже научился жонглировать?

— Нет, — Джон улыбнулся, — но Гренн сегодня выстоял против Халдера, и Пип теперь не так уж часто роняет меч.

— Пип?

— Его зовут Пипаром. Невысокий такой, лопоухий. Он увидел, как я работаю с Гренном, и попросил помочь. Торне даже не показал ему, как надо держать меч. — Он повернулся к северу. — Я должен охранять милю Стены. Ты пройдешься со мной?

— Если ты не будешь торопиться, — сказал Тирион.

— Командир стражи приказал ходить, чтобы кровь моя не замерзла, но не определил, как быстро я должен это делать.

Они пошли. Призрак белой тенью следовал возле Джона.

— Я уезжаю завтра, — сказал Тирион.

— Знаю. — В голосе Джона звучала странная печаль.

— Я намеревался остановиться в Винтерфелле по пути на юг. Если ты хочешь передать туда какую-нибудь весть...

— Передай Роббу, что я намереваюсь вступить в командование Ночным Дозором, чтобы он мог в покое заниматься шитьем с девчонками, и пусть Миккен перекует его меч на подковы для коней.

— Твой брат выше меня, — сказал Тирион с улыбкой. — Отказываюсь передавать такое послание, за которое меня могут убить.

— Рикон спросит, когда я приеду домой. Попытайся объяснить, где я сейчас, если сумеешь. Скажи ему, пусть пользуется всеми моими вещами, пока меня нет, ему это понравится.

Сегодня люди слишком многого хотят от меня, подумал Тирион.

— Но ты можешь все изложить в письме.

— Рикон еще не умеет читать. Но Бран... — Он внезапно остановился. — Я не знаю, что написать Брану. Помоги ему, Тирион.

— Какую помощь я могу предоставить? Я не мейстер и не могу облегчить его боль. Потом, я не знаю таких заклинаний, которые могли бы вернуть ему ноги.

— Ты помог мне, когда я нуждался в твоей помощи, — сказал Джон Сноу.

— Я ничего не дал тебе, — улыбнулся Тирион, — кроме слов.

— Тогда дай свои слова и Брану.

— Ты просишь хромого научить калеку плясать, — пошутил Тирион. — Сколь бы искренним ни было старание, результат окажется жутким. И все же я понимаю, что такое братская любовь, лорд Сноу. Я окажу Брану ту небольшую помощь, на которую способен.

— Благодарю вас, милорд Ланнистер. — Джон стянул рукавицы и протянул свою руку. — Друг мой.

Тирион обнаружил, что странным образом тронут этим жестом.

— Моя родня в основном бастарды, — сказал он с сухой улыбкой. — Но ты первый, кого я зову другом. — Зубами он стащил перчатку и пожал руку Сноу; плоть прикоснулась к плоти, рука мальчика была сильной и твердой.

Вновь надев свою перчатку, Джон повернулся и направился к низкому северному парапету. За ним Стена резко обрывалась, впереди лежали тьма и лед. Тирион последовал за ним, и бок о бок они остановились возле края мира.

Ночной Дозор не допускал, чтобы лес приближался к северной стороне Стены более чем на полмили. Чащобы железоствола, страж-дерева и дуба, прежде росшие здесь, были вырублены столетия назад, чтобы создать широкий простор, через который ни один враг не смог бы пробраться незамеченным. Тирион слышал, что вдоль всей Стены между тремя крепостями дикий лес медленно возвращается назад. Находились даже серо-зеленые страж-деревья и бледностволые чардрева, которые запускали корни в саму Стену, но благодаря потребности Черного замка в дровах лес удерживали топоры Черной Братии. Впрочем, он никогда не отступал далеко. Тирион повсюду видел его; темные деревья вторым бастионом вставали за прогалиной параллельно ледяной Стене. Не многим топорам случалось погулять в том черном лесу, куда не проникал даже лунный свет, неспособный пронзить древние переплетения корня, шипа и ветви. Там, вовне, деревья вырастали высокими, разведчики говорили, что они словно бы таили в себе зло и не любили людей. Нечего удивляться, что Ночной Дозор называет этот лес Зачарованным.

Он стоял здесь перед тьмой, не знавшей огня, под холодным, до костей пронизывающим ветром. Тирион Ланнистер ощутил, что способен поверить в россказни об Иных — о врагах, обитающих в ночи. Собственные шутки о грамкинах и снарках не казались ему теперь настолько уж забавными.

— Где-то там сейчас мой дядя, — громко сказал в темноту Джон Сноу, опершийся на копье. — В ту первую ночь, когда меня послали сюда, я все мечтал, что дядя Бенджен назад вернется ночью, а я увижу его и затрублю в рог. Но он не вернулся. Ни в эту ночь, ни во все остальные.

— Дай время, вернется, — пообещал Тирион.

Вдали на севере завыл волк. На зов ответил другой, потом третий... Призрак склонил голову набок прислушиваясь.

— Если он не вернется, — решил Джон, — мы с Призраком отправимся искать его. — Он положил руку на голову лютоволка.

— Верю тебе, — сказал Тирион. — Но кто тогда отправится искать тебя самого? — Он поежился.

АРЬЯ

Отцу на совете опять пришлось туго. Арья поняла это по его лицу, когда лорд Эддард вышел к обеду, вновь опоздав, что теперь случалось нередко. Первое блюдо, густой и сладкий тыквенный суп, уже собрались уносить, когда Старк вошел в Малый зал. Называли его так, чтобы отличить от Великого зала, где король мог пировать с тысячью гостей, но и в этой длинной палате с высоким сводчатым потолком можно было усадить сотни две людей за устроенные на козлах столы.

— Милорд, — проговорил Джори, когда отец вошел. Он поднялся на ноги, остальные последовали его примеру. Все люди были в новых плащах из плотной серой шерсти, подбитой белым атласом. Выкованная из серебра рука перехватывала у ворота шерстяные складки плащей, знаменуя их принадлежность к домашней страже королевской десницы. Старк привел с собой лишь полсотни человек, и скамьи в основном пустовали.

— Садитесь, — сказал Эддард Старк. — Вижу, вы начали без меня, и рад тому, что в этом городе есть еще люди, сохранившие рассудок. — Он дал знак продолжить трапезу. Слуги начали вносить блюда с ребрами, зажаренными под чесноком и травами.

— Во дворе ходят слухи, что у нас будет турнир, милорд, — проговорил Джори, занимая свое место. — Утверждают, что со всех сторон королевства сойдутся люди, чтобы сражением и на пиру почтить ваше назначение десницей короля.

Арья видела, что отец не очень рад предстоящему событию.

— А не говорят ли во дворе, что мне самому этот турнир совершенно не нужен?

Глаза Сансы округлились, словно два блюдца.

— Будет турнир, — выдохнула она. Санса села между септой Мордейн и Джейни Пуль, подальше от Арьи, но не настолько, чтобы отец сделал ей замечание. — А нам разрешат посетить его, отец?

— Ты знаешь, как я отношусь к таким вещам, Санса. Похоже, мне придется устроить королю Роберту развлечение и изобразить, что оно делается ради меня. Но это не значит, что я должен разрешить своим дочерям смотреть на подобные глупости.

— Ну, пожалуйста, — попросила Санса. — Я бы хотела посмотреть.

Заговорила септа Мордейн:

— Принцесса Мирцелла будет там, милорд, а она младше леди Сансы. Все дамы двора будут присутствовать на таком великом событии. К тому же турнир дается в вашу честь, и будет странно, если ваша семья останется дома.

Отец отвечал с болью в голосе:

— Должно быть, так. Ну хорошо, я устрою место для тебя, Санса. — Он посмотрел на Арью. — Для вас обеих.

— Мне не нужен этот глупый турнир, — скривила лицо Арья. Она знала, что там будет Джоффри, — принца она ненавидела.

Санса подняла голову:

— Нас ждет великолепное зрелище, а на тебя там никто и не посмотрит.

На лице отца вспыхнул гнев.

— Довольно, Санса! Хватит, иначе я передумаю! Я смертельно устал от вашей бесконечной войны. Вы сестры и должны вести себя соответствующим образом, понятно?

Санса закусила губу и кивнула. Арья угрюмо уставилась в тарелку. Она ощутила, как слезы прихлынули к глазам. И с гневом прогнала их, решив не плакать.

Слышен был лишь стук ножей и вилок.

— Прошу извинить меня, — объявил отец всем присутствующим. — Сегодня мне что-то не хочется есть. — И он вышел из зала.

Когда дверь за ним закрылась, Санса обменялась взволнованным шепотом с Джейни Пуль. В дальней части стола Джори рассмеялся шутке, и Халлен завел речь о лошадях:

— Твой-то он боевой, вот он и не лучший для турнира. Не то он, ох, совсем не то.

Мужчины уже слышали все это; Десмонд, Джекс и сын Халлена Харвин потребовали, чтобы он замолчал, а Портер попросил вина.

С Арьей никто не разговаривал. Ее это не волновало. Если бы ей позволили, она предпочла бы есть в своей опочивальне. Иногда так и случалось, когда отец обедал с королем, или каким-нибудь лордом, или с послами, откуда-нибудь вдруг явившимися. В основном они ели в его солярии — отец, она и Санса. Тогда Арья больше всего тосковала о своих братьях. Ей хотелось бы поддразнить Брана, поиграть с маленьким Риконом и увидеть улыбку Робба. Ей хотелось, чтобы Джон взлохматил ее волосы, назвал сестричкой, хотелось услышать его голос, заканчивающий вместе с ней фразы. Но все они были далеко, и рядом никого, кроме Сансы, сестры, даже не желавшей разговаривать с ней, если этого не требовал отец.

У себя в Винтерфелле они ели в большом зале едва ли не через день. Отец говаривал, что тот лорд, который хочет удержать у себя людей, должен обедать вместе с ними.

— Надо знать людей, которые следуют за тобой. — Она слыхала, как он говорил эти слова Роббу. — И пусть они знают тебя. Нельзя требовать, чтобы люди отдавали свою жизнь ради незнакомца.

В Винтерфелле отец всегда держал лишний стул за своим столом, и каждый день компанию его разделял кто-то из людей. Один вечер это мог быть Вейон Пуль, и разговор шел о медяках, хлебных запасах и слугах; на следующий день его сменял, скажем, Миккен, и отец выслушивал его рассказ о броне и мечах, и о том, каким горячим должен быть металл, и как лучше закаливать сталь. На третий день за столом оказывался Халлен с бесконечными разговорами о лошадях, а потом септон Хейли из библиотеки, а потом Джори, а потом сир Родрик... или даже старая Нэн со своими россказнями.

Арья ничего не любила больше, чем сидеть за столом отца, слушать их разговоры. Ей нравились и рассказы людей, сидящих на скамьях: крепких как кожа свободных всадников, учтивых рыцарей, отважных молодых сквайров, седых старых воителей. Она любила швырять в них снежками и таскала им пироги с кухни. Жены их давали Арье ячменные лепешки, она придумывала имена для их младенцев и играла в «чудовище и деву», «спрячь сокровища» и «короля замка» с их старшими детьми. Толстый Том звал ее Арьей Что-Под-Ногами, потому что она всегда оказывалась именно там. Но это было приятнее, чем слышать «Арья-лошадка».

Только все это осталось в Винтерфелле, в мире, вдруг ставшем далеким. Теперь все переменилось. Сегодня они ели со своими людьми впервые с того времени, как прибыли в Королевскую Гавань. Арья ненавидела этот город. И голоса их сделались ей ненавистны, и смех, и рассказы. Люди эти были ее друзьями, она чувствовала себя среди них в безопасности, но теперь вдруг поняла, как они лгут. Это они позволили королеве убить Леди, что само по себе было ужасно. А потом Пес нашел Мику. Джейни Пуль рассказала Арье, что его изрубили в куски и получил мясник сына в мешке; поначалу бедолага решил, что они убили свинью. И никто не возвысил голос, не извлек клинок. Все смолчали... и Харвин, который всегда вел такие смелые речи, и Элин, который намеревался стать рыцарем, и Джори, капитан стражи. И даже отец.

— Он был моим другом, — шептала Арья в тарелку негромко, так, чтобы ее не услышали. Нетронутые ребра уже подернулись тонкой пленкой застывшего сала. Арья поглядела на них и почувствовала себя больной. Она отодвинулась от стола.

— И куда же вы собираетесь направиться, молодая леди? — осведомилась септа Мордейн.

— Я не голодна. — Арья с трудом вспомнила подобающие случаю любезные фразы. — Пожалуйста, разрешите мне выйти из-за стола, — проговорила она напряженным голосом.

— Не разрешаю, — сказала септа. — Ты едва прикоснулась к пище. Сядь и очисти тарелку.

— Очисти ее сама! — Прежде чем ее успели остановить, Арья бросилась к двери. Люди захохотали, септа Мордейн что-то закричала вслед, голос ее поднимался все выше и выше. Толстый Том находился на своем посту, охраняя дверь в башню Десницы. Он заморгал, увидев бегущую Арью и услыхав крики септы.

— Постой, маленькая, задержись, — проговорил он, протянув руку, но Арья скользнула между его ног и бросилась по ступенькам башни. Ноги ее стучали по камню, Толстый Том пыхтел и топал позади нее.

Опочивальня была единственным местом, которое Арья любила во всей Королевской Гавани, но больше всего девочке нравилась дверь — массивная плита из темного дуба, обшитая полосами черного железа. Когда она захлопывала дверь и роняла на место тяжелую защелку, никто не мог пройти в ее комнату: ни септа Мордейн, ни Толстый Том, ни Санса, ни Джори. Никто-никто! Так она поступила и сейчас.

Когда засов оказался на месте, Арья почувствовала себя в безопасности и разревелась.

Она направилась к окну и уселась возле него, хлюпая носом, полная ненависти ко всем, но более всего к себе самой. Это она была виновата в том, что случилось, так утверждали Санса и Джейни.

Толстый Том постучал в дверь.

— Арья, девочка, что случилось? — позвал он. — Ты там?

— Нет! — крикнула она. Стук прекратился. Спустя мгновение она услышала, как он уходит. Толстого Тома всегда легко было одурачить. Арья направилась к сундуку у изножья ее постели. Она склонилась над ним, открыла крышку и обеими руками начала доставать одежду, хватая горстями шелк, атлас, бархат и шерсть и бросая их на пол. Меч лежал на самом дне сундука, там, где она спрятала его. Арья достала оружие почти ласково; она потянула тонкий клинок из ножен.

Игла.

Она вновь подумала о Мике, и глаза ее наполнились слезами. Виновата, виновата, виновата. Ведь это она попросила его пофехтовать с ней... В дверь застучали громче, чем прежде.

— Арья Старк, немедленно открой дверь, слышишь меня?

Арья повернулась с Иглой в руке.

— А тебе лучше бы вообще не входить сюда! — И она отчаянно рубанула по воздуху.

— Десница узнает об этих словах, — рассвирепела септа Мордейн.

— Мне все равно! — закричала Арья. — Убирайся.

— Вы пожалеете о своем наглом поведении, молодая леди, обещаю вам это.

Арья подождала у двери и наконец услышала удаляющиеся шаги септы. С Иглой в руке она подошла к окну и поглядела на двор внизу. Если бы только она умела лазать, как Бран, тогда можно было бы выбраться из окна и спуститься по стене башни, чтобы убежать из этого жуткого места, подальше от Сансы, септы Мордейн, от принца Джоффри, ото всех. Выкрала бы еду на кухне, взяла бы Иглу, надела свои добрые сапоги и теплый плащ. Нимерия нашлась бы в диких лесах возле Трезубца, а потом они вместе вернулись бы в Винтерфелл, чтобы бежать к Джону на Стену. Арья поняла, как жалеет о том, что сводного брата сейчас нет рядом с ней. Тогда ей не было бы столь одиноко.

Негромкий стук в дверь отвлек Арью от окна и от мечтаний о бегстве.

— Арья, — послышался голос отца. — Открой дверь. Мне надо поговорить с тобой.

Арья пересекла комнату и подняла засов. Отец пришел один. Лицо его показалось ей скорее печальным, чем гневным. Это еще более устыдило Арью.

— Можно войти?

Арья кивнула и со стыдом опустила глаза. Отец закрыл дверь.

— Чей это меч?

— Мой. — Арья почти забыла, что Игла осталась в ее руках.

— Дай-ка.

Арья не без колебаний отдала оружие, не зная, получит ли его обратно. Отец повернул меч к свету, осмотрел обе стороны клинка. Попробовал острие пальцем.

— Клинок разбойника, — сказал он. — Однако мне кажется, что я знаю метку этого мастера. Работа Миккена.

Арья не могла солгать ему и просто потупила глаза. Лорд Эддард Старк вздохнул.

— Моя девятилетняя дочь вооружается в моей собственной кузнице, и я ничего не знаю об этом. Десница короля обязан править Семью Королевствами, а я, похоже, даже не способен справиться со своим собственным домом. Откуда у тебя этот меч, Арья? Как ты его получила?

Арья прикусила губу и промолчала. Она не могла предать Джона даже в разговоре с отцом.

Спустя мгновение отец проговорил:

— Впрочем, это ничего не значит. — И серьезно поглядел на меч в своих руках. — Оружие не игрушка для детей, во всяком случае, для девиц. Что сказала бы септа Мордейн, узнав, что ты играешь с мечом.

— Я не играю, — настаивала Арья. — Я ненавижу септу Мордейн.

— Довольно, — отвечал отец голосом резким и жестким. — Септа просто выполняет свои обязанности, и только боги знают, какими тяжкими ты сделала их для бедной женщины. Мы с твоей матерью обременили ее невозможным заданием, захотев превратить тебя в леди.

— А я и не хочу быть леди, — вспыхнула Арья.

— Мне следовало бы прямо сейчас сломать эту игрушку о колено, чтобы положить конец всей чепухе.

— Игла не сломается, — возмутилась Арья, но голос ее противоречил словам.

— Значит, у него есть имя? — Отец вздохнул. — Ах, Арья, Арья. Ты дикарка, моя девочка. Волчья кровь, как говорил мой отец. Она чувствовалась и в Лианне, и в брате моем — в еще большей степени. И обоих она привела к ранней могиле.

Арья услыхала скорбь в его голосе, отец нечасто упоминал о своем отце, брате и сестре, погибших еще до ее рождения.

— Лианна вполне способна была взять меч, если бы это разрешил ей мой лорд-отец. Иногда ты напоминаешь ее... даже внешне.

— Но Лианна ведь была прекрасна... — удивилась Арья. — Так говорили все! — О себе она ничего подобного не слыхала.

— Была, — согласился Эддард Старк, — прекрасна, своенравна и умерла прежде своего времени. — Он поднял меч, как бы пробуя его. — Арья, что ты намереваешься делать с этой... Иглой? Кого ты хочешь прошить ею? Свою сестру? Септу Мордейн? Представляешь ли ты, что нужно делать, берясь за меч?

Она могла вспомнить лишь тот короткий урок, который дал ей Джон.

— Держать его кончиком вперед, — выпалила она.

Отец коротко хохотнул.

— Ну что ж, наверное, в этом вся суть...

Арья отчаянно хотела объясниться, заставить отца понять ее.

— Я пыталась учиться, но... — Глаза ее наполнили слезы. — Я попросила Мику поучить меня. — Горе вернулось сразу. Задрожав, она отвернулась. — Это я просила его. Это моя вина. Это я...

Руки отца вдруг сомкнулись вокруг нее. Она повернулась, уткнувшись ему с рыданиями в грудь.

— Не надо, милая моя, — пробормотал он, — горюй о своем друге, но не вини себя. Не ты убила сына мясника. Кровь его легла на Пса и на жестокую женщину, которой он служит.

— Я ненавижу их, — выдавила сквозь рыдания раскрасневшаяся Арья. — И Пса, и королеву, и короля, и принца Джоффри. Я ненавижу их всех. Джоффри солгал: все было не так, как он говорил. Я ненавижу и Сансу; она солгала, чтобы понравиться принцу.

— Все мы лжем, — проговорил отец. — И ты действительно думаешь, что я поверю в россказни, что Нимерия убежала?

Виноватая Арья раскраснелась.

— Джори обещал мне молчать.

— Джори сдержал свое слово, — ответил отец улыбнувшись. — Есть вещи, о которых мне не надо рассказывать. Даже слепец видит, что волчица никогда не оставила бы тебя по своей воле.

— Нам пришлось бросать камни, — сказала Арья несчастным голосом. — Я велела ей бежать, бежать на свободу; сказала, что больше не хочу ее. Что здесь есть волки, с которыми она сможет играть, — мы слышали их вой. А Джори сказал ей, что леса полны добычи и она добудет себе оленя. Но Нимерия увязалась следом, нам пришлось бросать камни. Я дважды попала. Она визжала и глядела на меня так, что мне сделалось стыдно. Но я ведь поступила правильно, так? Королева бы убила ее.

— Ты поступила правильно, — проговорил отец. — И эта ложь не была... бесчестной. — Отложив Иглу в сторону, он подошел к Арье и снова обнял ее. А потом вновь взял клинок, приблизился к окну, задержался там на мгновение, разглядывая двор, и обратил к ней задумчивые глаза. Затем опустился на сиденье возле окна с мечом на коленях. — Арья, садись. Я попытаюсь растолковать тебе кое-что.

Она тревожно присела на краешек постели.

— Ты еще слишком мала, чтобы возложить на тебя все мои заботы, — сказал он. — Но ты из Старков Винтерфеллских, ты знаешь наш девиз.

— Зима близко, — прошептала Арья.

— Пришли жестокие, злые времена, — сказал отец. — Мы изведали их и у Трезубца, дитя, и когда упал Бран. Ты родилась долгим летом, моя милая, ты не знала ничего другого, но теперь воистину зима близко. Вспомни герб нашего дома, Арья.

— Лютоволк, — сказала она и, вспомнив Нимерию, поджала колени к груди с внезапным испугом.

— Позволь мне рассказать тебе кое-что о волках, дитя. Когда выпадет снег и задуют белые ветры, одинокий волк гибнет, но стая живет. Лето — пора раздоров, но зимой мы обязаны защищать друг друга, охранять, делиться силой. Поэтому, если ты кого-то ненавидишь, постарайся обратить свою ненависть на тех, кто вредит нам. Септа Мордейн — добрая женщина, а Санса... Санса — твоя сестра. Вы не похожи, словно луна и солнце, но в ваших сердцах течет одна кровь. Ты нуждаешься в ней, а она в тебе... А я нуждаюсь в вас обеих, помогите мне боги.

В голосе его прозвучала такая усталость, что Арья проговорила:

— Я не испытываю ненависти к Сансе... настоящей. — Это была лишь половина лжи...

— Я не хочу пугать тебя, но и лгать тоже не следует. Мы оказались в мрачном и опасном месте, дитя мое. Это не Винтерфелл. У нас есть враги, которые готовы причинить нам зло. Мы не можем затевать войну между собой. Твое своенравие, побег, сердитые речи, неповиновение — все это уместно дома. Летние игры ребенка. Здесь — в преддверии зимы — они смотрятся по-другому. Пора взрослеть.

— Я вырасту, — пообещала Арья. Она никогда не любила отца так сильно, как в это мгновение. — Я умею быть сильной, я могу быть сильной, как Робб.

Он протянул ей Иглу рукояткой вперед.

— Бери.

Арья поглядела на меч с удивлением в глазах. Какое-то мгновение она даже боялась взять его, ей казалось, что, если она потянется к мечу, он исчезнет. Но отец сказал:

— Бери, он твой. — И она приняла оружие в руки.

— Я могу оставить его себе? — спросила Арья. — В самом деле?

— В самом деле. — Отец улыбнулся. — Если я заберу его, то через две недели найду под твоей подушкой метательную звезду. Попытайся не проткнуть им свою сестру, как бы тебе ни хотелось это сделать.

— Не проткну. Обещаю тебе. — Арья прижала Иглу к груди, и отец попрощался с ней.

На следующее утро, когда они позавтракали, она извинилась перед септой Мордейн и попросила прощения. Септа посмотрела на нее подозрительно, но отец кивнул.

Через три дня, в полдень, управляющий отца Вейон Пуль отправил Арью в Малый зал. Столы были разобраны, и вдоль всех стен стояли скамьи. Палата казалась пустой. Незнакомый голос сказал:

— Ты опоздал, мальчик. — Худощавый человек с лысеющей головой и огромным, похожим на клюв носом выступил из тени, держа в руках пару тонких деревянных мечей. — Завтра будешь здесь в полдень. — Акцент, интонации говорили о Вольных Городах, быть может, о Браавосе или Мире.

— Кто вы? — спросила Арья.

— Твой учитель танцев. — Он бросил ей один из деревянных клинков. Арья потянулась к нему, промахнулась, и меч упал на пол.

— Завтра ты поймаешь его. А теперь подбери.

Это была не палка, а настоящий деревянный меч с рукояткой, гардой и клинком.

Арья подобрала меч и, нервно вцепившись обеими руками, выставила его перед собой. Меч показался ей много тяжелее Иглы. Лысый пристукнул зубами.

— Так не пойдет, мальчик. Это не длинный меч, который нужно держать двумя руками. Возьми одной рукой.

— Он слишком тяжелый, — сказала Арья.

— Он достаточно тяжел, чтобы тело твое окрепло. К тому же он хорошо отцентрован. Полый внутри, он залит свинцом. Попробуй взять его одной рукой.

Арья сняла правую с рукояти и вытерла вспотевшую ладошку о штаны. Она держала меч в левой руке. Казалось, он одобрял.

— В левой держать хорошо. Все наоборот. Твоим врагам будет неловко. Но ты стоишь неправильно. Поверни тело боком, да, вот так. А знаешь, если посмотреть на тебя сбоку, ты кажешься просто копьем. Это тоже хорошо, попасть труднее. А теперь хватка. Позволь я посмотрю. — Он подошел ближе и уставился на ее руку, потом раздвинул пальцы, перекладывая их. — Вот так. Хватка должна быть ловкой и легкой.

— А если я выроню его? — спросила Арья.

— Сталь должна сделаться частью твоей руки, — сказал ей лысый. — Неужели ты можешь уронить часть руки? Нет, Сирио Форель девять лет был первым мечом морского владыки Браавоса, и он знает такие вещи. Слушай его, мальчик.

Мальчиком он назвал ее уже в третий раз.

— Я девочка, — возразила Арья.

— Мальчик или девочка — не важно, — отвечал Сирио Форель. — Ты фехтовальщик — и это главное. — Он пристукнул зубами. — Вот так и держи. В твоих руках не боевой топор, ты держишь...

— ...Иглу, — докончила за него Арья свирепым голосом.

— Именно так. А теперь мы начнем танец. Помни, дитя, мы учимся не железной пляске Вестероса, пляске рыцаря, рубящего и молотящего. Нет. Это будет танец Браавоса, танец воды, быстрый и внезапный. Все люди созданы из воды, ты это знаешь? Так что, когда ты пронзаешь их, вода вытекает и они умирают. — Он шагнул назад, занося свой собственный деревянный клинок. — А теперь постарайся ударить меня.

Арья попыталась нанести ему удар. И пыталась сделать это четыре часа, пока каждая мышца в ее теле не заболела. А Сирио Форель пристукивал зубами и говорил ей, что делать.

На следующий день началась уже настоящая работа.

ДЕЙЕНЕРИС

— Дотракийское море, — сказал сир Джорах Мормонт, осаживая рядом с ней коня на верхушке гребня.

У их ног открывался необъятный простор, уходивший к далекому горизонту и исчезавший за ним.

Действительно море, подумала Дени. Здесь не было ни домов, ни гор, ни деревьев, ни городов, ни дорог... лишь бесконечные травы, высокие, в рост человека, колыхавшиеся волнами под ветром.

— Здесь столько зелени, — сказала она.

— Это сейчас, — согласился сир Джорах. — Но видели бы вы эти края, когда степь цветет и темно-красные цветы морем крови заливают ее от горизонта до горизонта. Но настаст сухая пора, и мир этот обретает цвет старой бронзы. А это всего лишь хранна, дитя. Здесь существуют сотни разновидностей трав: со стеблями желтыми, как лимон, и темными, как индиго, синие травы, оранжевые травы, травы переливающиеся. Говорят, что в краю теней за Асшаем растут океаны призрак-травы; стебли ее бледны, как молочное стекло, и поднимаются выше головы сидящего на коне всадника. Трава эта убивает все остальные и в темноте светится отблеском пламени, сжигающего погибшие души. Дотракийцы утверждают, что однажды призрак-трава покроет весь мир, и тогда вся жизнь закончится.

Мысль эта заставила Дени поежиться.

— Я не хочу говорить об этом сейчас, — сказала она. — Здесь так прекрасно, что я не желаю думать о смерти.

— Как вам угодно, кхалиси, — отвечал сир Джорах с почтением.

Она услыхала звук голосов и повернулась навстречу им. Они с Мормонтом обогнали отряд, который только сейчас поднялся следом за ними на гребень. Служанка Ирри и молодые лучники ее кхаса скакали с непринужденностью кентавров, но Визерис все еще боролся с короткими стременами и плоским седлом. В степи брат казался жалким. Ему и не нужно было находиться здесь. Магистр Иллирио предлагал ему подождать в Пентосе, предлагал свой гостеприимный дом, но Визерис не согласился. Он решил оставаться с Дрого, пока долг не будет уплачен, пока тот не поможет ему получить обещанную корону.

— Ну а если он попытается надуть меня, то пусть остережется — узнает тогда, что значит будить дракона, — бахвалился Визерис, положив руку на чужой меч. Иллирио, поморгав, пожелал ему удачи.

Дени поняла, что она не желает сейчас слушать жалобы своего брата. День был слишком великолепен для этого. В просторной голубизне высоко над ними кружил охотничий сокол. Море травы колыхалось под вздохами ветра, теплый воздух гладил ее лицо, и Дени чувствовала покой. Не хватало еще, чтобы Визерис испортил ей настроение.

— Подождите здесь, — сказала Дени сиру Джораху. — Пусть все они тоже остановятся. Скажите, что я приказываю.

Рыцарь улыбнулся. Сира Джораха нельзя было отнести к симпатичным людям. Бычьи плечи и шея его заросли жесткой шерстью, которая покрывала руки и грудь настолько густо, что для макушки ничего уже не осталось. Но улыбка его всегда подбадривала Дени.

— Вы быстро научились говорить так, как подобает королеве, Дейенерис.

— Я не королева, — заметила Дени, — а кхалиси. — Она послала кобылу вперед — галопом и в одиночестве.

Склон оказался крутым и каменистым, но Дени скакала бесстрашно, и радость, сливаясь с опасностью, пела в ее сердце. Всю жизнь Визерис твердил ей, что она принцесса, но Дейенерис Таргариен никогда не ощущала себя таковой, пока не села на свою серебристую лошадь.

Поначалу ей было нелегко. Кхаласар свернул лагерь наутро после их брака и направился на восток к Вейес Дотраку, и уже на третий день Дени решила, что умирает. Седло натерло на ее заду жуткие кровавые мозоли. Бедра были стерты, руки пузырились от поводий, мышцы спины и ног ныли так, что она едва могла сидеть. Когда наступал вечер, служанкам приходилось помогать ей спуститься с седла.

Даже ночи не приносили облегчения. Кхал Дрого не обращал на нее внимания в пути, как не смотрел он на нее во время свадьбы; вечера он проводил за вином в обществе воинов и кровных всадников, скакал на отборных конях, смотрел, как пляшут женщины и умирают мужчины. Дени не было места в этой части его жизни. Ей приходилось ужинать в одиночестве или с сиром Джорахом и со своим братом; после, выплакавшись, она засыпала, и каждую ночь, уже перед рассветом, Дрого приходил в ее шатер, будил во тьме и безжалостно, словно жеребец, поднимался на нее. Он всегда брал ее сзади; таков дотракийский обычай. Дени была благодарна ему: муж не видел слез, увлажнявших ее лицо, и она могла уткнуться в подушку, чтобы не вскрикнуть от боли. Покончив с делом, Дрого закрывал глаза и тихо похрапывал засыпая. А Дени лежала рядом, и тело ее ныло, не позволяя уснуть.

День следовал за днем, ночь сменялась ночью, наконец Дени поняла, что больше не выдержит ни мгновения. Придется убить себя, но дальше она не поедет, решила Дени однажды ночью...

Но когда она уснула в ту ночь, то опять увидела дракона. На этот раз обошлось без Визериса. Во сне была только она одна и дракон в черной как ночь чешуе, мокрой и скользкой от крови. От ее собственной крови, ощутила Дени. Глаза дракона казались лужицами расплавленной магмы, а когда он открыл свою пасть, из нее горячей струей ударило жаркое пламя. Она слышала, как дракон поет ей. Дени развела руки, обнимая огонь, предалась ему, позволив охватить ее целиком, очистить и закалить, залечить раны. Она ощущала, как горит и обугливается, как осыпается угольками ее плоть, чувствовала, как кипит, превращаясь в пар, кровь, но боли не было. Она ощутила незнакомую силу и ярость.

На следующий день, как ни странно, тело ее болело не так уж сильно. Словно бы боги услышали ее и пожалели. Служанки заметили перемену.

— Кхалиси, — спросила Чхику, — что случилось? Ты больна?

— Я была больна, — отвечала она, наклоняясь над драконьими яйцами, которые Иллирио подарил ей в день свадьбы. Дени прикоснулась к одному из них, самому большому, и ласково погладила скорлупу. «Черно-алое, — подумала она, — как дракон в моем сне». Камень показался ей странно теплым под пальцами... или она еще дремлет? Дени с опаской отдернула руку.

Начиная с того часа каждый день давался легче предыдущего.

Ноги сделались сильнее, пузыри прорвались, а на руках появились мозоли, мягкая кожа бедер окрепла.

Кхал велел, чтобы служанка Ирри научила Дени ездить верхом на дотракийский манер, но на деле учительницей ее была молодая кобыла. Лошадь, казалось, понимала ее настроение, словно бы сливаясь с Дени в единое существо. С каждым днем Дени чувствовала себя все увереннее в седле. Дотракийцы — жесткий и не сентиментальный народ, и не в их обычаях давать имена животным. Поэтому Дени тайно называла свою лошадь Серебрянкой. И любила ее, как никого в своей жизни.

Когда верховая езда перестала быть для нее испытанием, Дени начала замечать красоту этого края. Она ехала во главе кхаласара вместе с Дрого и его кровными всадниками и потому всегда видела землю свежей и невытоптанной. Это позади нее огромная орда терзала копытами землю, мутила реки и поднимала облака удушающей пыли, но поля впереди них всегда были зелены и ярки.

Они миновали плавные холмы Норвоса, террасные поля и небольшие деревеньки, жители которых тревожно следили за ними с белых оштукатуренных стен. Потом они переправились через три широкие спокойные реки; четвертая же, узкая, оказалась коварной и быстрой, заночевали возле высокого синего водопада, обогнули руины огромного древнего города, где, как утверждали, между почерневших мраморных колонн до сих пор стонали призраки. Они ехали по тысячелетним валирийским дорогам, прямым, как дотракийская стрела. Половину месяца они проезжали через Квохорский лес, ветви которого золотым пологом сходятся высоко над головой, а стволы деревьев никак не тоньше крепостных башен. В лесу обитали огромные лоси, пятнистые тигры и лемуры с серебристым мехом и огромными пурпурными глазами. Но все звери бежали от кхаласара, и Дени не могла их заметить. К этому времени память о перенесенных муках уже начинала блекнуть. После долгой езды тело ее до сих пор побаливало, но теперь в усталости появилось нечто приятное, и Дени с каждым днем все охотнее садилась в седло, ожидая увидеть новые чудеса далеких земель. Она начала даже чувствовать удовольствие и по ночам, а если и вскрикивала, когда Дрого брал ее, то не всегда от боли.

У подножия гребня высокая и гибкая трава окружила ее. Дени перешла на рысь и выехала на равнину, потерявшись в зеленом благословенном одиночестве. В кхаласаре она никогда не оставалась одна. Кхал Дрого приходил к ней лишь после заката, служанки купали ее, умывали и спали возле дверей ее шатра, кровные всадники Дрого и люди ее кхаса никогда не отходили далеко, брат бросал тоскливую тень на ночи и дни. Дени услышала его голос на вершине гребня; захлебываясь гневом, Визерис что-то кричал сиру Джораху. Она поехала дальше, погружаясь в дотракийское море.

Зелень поглотила ее. Воздух был полон ароматов земли и травы, к нему подмешивался запах конской плоти, пота самой Дени и масла, умащавшего ее волосы. Дотракийские запахи. Здесь они казались уместными как нигде. Дени радостно вдыхала воздух. Ей вдруг захотелось ощутить под собой землю: погрузить пальцы ног в жирную черную почву. Соскочив с седла, она пустила Серебрянку пастись, а сама потянула с ног высокие сапоги.

Визерис налетел на нее внезапной летней грозой. Конь встал на дыбы — он осадил его слишком резко.

— Как ты смеешь! — завопил Визерис. — Ты смеешь командовать мной? Мной! — Он соскочил с коня и споткнулся приземляясь. Когда он поднялся на ноги, лицо его побагровело. Он схватил ее за плечи и потряс. — Или ты забыла, кто ты такая? Погляди на себя. Погляди на себя!

Дени не нуждалась в зеркале: босые ноги, волосы умащены маслом, дотракийский кожаный верховой костюм — подаренные на свадьбу штаны и цветной жилет. Весь вид ее свидетельствовал о принадлежности к этой земле. Визерис же казался грязным и неряшливым в городских шелках и кольчуге.

Он продолжал орать:

— Не ты командуешь драконом. Ты понимаешь это? Я — владыка Семи Королевств и не подчинюсь приказам бабы какого-то лошадника. Ты слышала меня? — Он запустил руку под ее жилет, пальцы его болезненно впились ей в грудь. — Ты слышишь меня?

Напрягая все силы, Дени оттолкнула брата. Визерис поглядел на нее, не веря своим глазам. Она никогда не возражала ему, никогда не отвечала на удары. Ярость исказила черты Визериса. Сейчас он ударит ее, и очень сильно, она это знала.

Трах!

Кнут ударил как гром. Петля обхватила Визериса вокруг горла и дернула назад. Ошеломленный и задыхающийся, он полетел в траву. Дотракийские наездники, улюлюкая, окружили его. Тот, что с кнутом, молодой Чхого, выдохнул вопрос. Дени не поняла его слов, но Ирри уже была рядом, а с ней сир Джорах и остальные из ее кхаса.

— Чхого спрашивает, хочешь ли ты его смерти, кхалиси, — проговорила Ирри.

— Нет. — сказала Дени. — Нет.

Чхого понял это. Кто-то из дотракийцев рявкнул нечто похабное, и все расхохотались. Ирри перевела ей:

— Куаро считает, что у него следует отрезать ухо, чтобы научить уважению.

Брат ее стоял на коленях, пальцы пытались сорвать кожаную удавку, он что-то неразборчиво хрипел, пытаясь вздохнуть. Кнут туго перехватил его гортань.

— Скажи, что я не хочу, чтобы ему причиняли боль, — распорядилась Дени.

Ирри повторила ее слова по-дотракийски. Чхого потянул кнут, дернув Визериса, как марионетку на ниточке. Тот снова упал, освобождаясь от кожаного удушающего объятия, под подбородком его выступила тонкая линия крови — там, где кнут глубоко прорезал кожу.

— Я предупреждал его, что такое может случиться, миледи, — сказал сир Джорах Мормонт. — Я просил его остаться на гребне, как вы приказали.

— Я знаю это, — ответила Дени, глядя на Визериса. Побагровевший и рыдающий, лежа на земле, он с шумом втягивал воздух. Жалкое зрелище. Но Визерис всегда был жалок. Почему она никогда не замечала этого раньше? Прежний страх исчез без следа. — Возьмите его лошадь, — приказала Дени сиру Джораху. Визерис охнул. Он не верил своим ушам, не верила им и Дени. Но слова приходили сами. — Пусть брат мой пешком возвращается в кхаласар.

Дотракийцы считают того, кто пешком идет по степи, нижайшим из низких, не имеющим ни чести, ни гордости, — даже не мужчиной. Пусть все увидят, каков он на самом деле.

— Нет! — завизжал Визерис на общем языке. Он повернулся к сиру Джораху со словами, которых не понимали табунщики: — Ударь ее, Мормонт. Побей ее. Это приказывает твой король. Убей этих дотракийских псов и проучи ее.

Изгнанник-рыцарь перевел взгляд с Дени на ее брата: она была боса, между пальцами выступала влажная земля, волосы намаслены, а он в стали и шелках. Дени поняла решение по его лицу.

— Он пройдется пешком, кхалиси, — поклонился рыцарь. И придержал коня брата, пока Дени поднималась на свою Серебрянку.

Визерис смотрел на них раскрыв рот, а потом опустился на землю. Он молчал, не шевелился, только полные яда глаза его провожали их. Скоро он затерялся в высокой траве. Не видя его больше, Дени встревожилась.

— А он найдет путь назад? — спросила она у сира Джораха по дороге.

— Даже такой слепец, как ваш брат, способен отыскать дорогу по нашему следу, — отвечал он.

— Такому гордецу будет слишком стыдно возвращаться.

Джорах расхохотался:

— А что еще ему остается? Если он не сумеет найти кхаласар, то кхаласар, безусловно, найдет его. В дотракийском море, дитя, утонуть трудно.

Дени понимала правоту рыцаря. Кхаласар, целый кочующий город, передвигался по земле не вслепую. Перед главной колонной всегда ехали разведчики, высматривая дичь, добычу или врагов: оба фланга охраняли специальные отряды. Они ничего не пропускали, ни здесь, в этой земле, ни в том месте, откуда пришли. Эти равнины были неотъемлемой частью всего народа... а теперь и ее самой.

— Я ударила его, — сказала она, удивляясь себе. Теперь, когда все закончилось, случившееся казалось странным сном. — Сир Джорах, как по-вашему... Визерис будет сердиться, когда вернется?.. — Она поежилась. — Наверное, я разбудила дракона, правда?

Сир Джорах фыркнул.

— Мертвых не поднять, девочка, ваш брат Рейегар был последним из драконов, и он погиб у Трезубца. Визерис... это даже не змея — тень ее.

Откровенные слова испугали ее. Дени показалось, будто все то, во что она всегда верила, вдруг сделалось сомнительным.

— И вы... и вы присягнули ему мечом?

— Так я и поступил, девочка, — ответил сир Джорах. — Раз ваш брат тень змеи, каковы тогда его слуги? — сказал он с горечью в голосе.

— Но он все еще истинный король. Он...

Джорах осадил коня и поглядел на нее.

— Будем откровенны. Ты хочешь, чтобы Визерис сидел на троне?

Дени уже думала об этом.

— Из него ведь не получится хорошего короля, правда?

— Бывали и хуже... но редко. — Рыцарь пятками ударил в бока и взял с места.

Дени ехала рядом с ним.

— И все же, — сказала она, — простой народ ждет его. Магистр Иллирио утверждает, что люди шьют знамена с драконом и молятся, чтобы Визерис возвратился к ним из-за Узкого моря и освободил их.

— Простой народ вымаливает дождя, здоровых детей и лета, которое никогда бы не кончалось, — усмехнулся сир Джорах. — Игры высоких лордов возле престолов их не волнуют, лишь бы знать оставила народ в покое. — Джорах пожал плечами. — Так было всегда.

Дени какое-то время ехала тихо, обдумывая его слова, словно головоломку. Они противоречили всему, что твердил ей Визерис... Оказывается, простому народу все равно — истинный ты король или узурпатор. Но чем больше она обдумывала слова Джораха, тем больше правды чувствовала в них.

— А о чем молитесь вы, сир Джорах? — спросила она.

— О доме, — ответил он скорбным голосом.

— И я молюсь о доме, — сказала она, поверив себе.

Сир Джорах усмехнулся.

— Тогда оглянись вокруг себя, кхалиси. — Но Дени видела вокруг себя не равнину. Ей представлялась Королевская Гавань, огромный Красный замок, построенный Эйегоном-завоевателем. И твердыня на Драконьем Камне. В памяти ее крепость горела тысячью огней, светилось каждое окно. В памяти ее все двери были красными.

— Нет, мой брат никогда не вернет Семь Королевств, — сказала Дени. И вдруг поняла, что знала это давным-давно. А точнее — всю свою жизнь. Просто она никогда не позволяла себе произносить эти слова даже шепотом, а теперь сказала их вслух — перед Джорахом Мормонтом и всем миром.

Сир Джорах смерил ее взглядом:

— И вы сомневаетесь в этом?

— Визерис не способен возглавить войско, даже если мой благородный муж предоставит ему воинов, — сказала Дени. — У него нет ни гроша, а единственный рыцарь, который следует за ним, ценит его не дороже змеи. Дотракийцы смеются над его слабостью. Он никогда не приведет нас домой.

— Мудрая девочка. — Рыцарь улыбнулся.

— Я не девочка, — бросила она с яростью в голосе. Пятки Дени ударили в бока лошади, и Серебрянка понеслась галопом. Она мчалась быстрей и быстрей, оставляя позади Джораха, Ирри и всех остальных. Теплый ветер развевал волосы, а заходящее солнце слепило Дени глаза. Она достигла кхаласара, когда уже стемнело.

Рабы поставили ее палатку на берегу напоенного ручьем пруда. От сплетенного из травы дворца на холме доносились грубые голоса. Скоро начнется хохот, когда мужчины ее кхаса расскажут о том, что приключилось сегодня в траве. К тому времени Визерис уже прихромает обратно, и каждый мужчина, женщина и дитя в стане узнают, что он пешеход. В кхаласаре не может быть тайн.

Дени передала Серебрянку рабам, чтобы они приглядели за лошадью, и вошла в шатер. Под шелками было прохладно и сумрачно. Опуская за собой полог, Дени заметила, как далекий красный огонь ржавым пальцем прикоснулся к драконьим яйцам, лежащим в шатре. На мгновение алое пламя вспыхнуло перед ее глазами сотней языков. Дени заморгала, и они исчезли.

Это камень, сказала она себе. Это всего лишь камень. Даже Иллирис говорил так, ведь все драконы давно погибли. Она положила ладонь на черное яйцо, пальцы ласково обняли скорлупу. Камень был теплым. Почти горячим. «Солнце», — прошептала Дени. Это солнце согрело яйца в пути...

Она приказала служанкам приготовить ванну. Дореа развела огонь возле шатра, а Ирри и Чхику принесли большую медную ванну, тоже подарок к свадьбе. Они сняли ее с вьючных лошадей, а потом натаскали воды из пруда. Когда вода согрелась, Ирри помогла ей опуститься и присела рядом.

— А вы видели когда-нибудь дракона? — начала расспрашивать Дени, пока Ирри терла ей спину, а Чхику вычесывала песок из волос. Она слышала, что первые драконы пришли с востока, из Края Теней за пределами Асшая и с островов Яшмового моря. Быть может, в этих странных и диких краях еще обитала их родня.

— Драконы исчезли, кхалиси, — сказала Ирри.

— Они мертвы, — согласилась Чхику. — Давным-давно.

Визерис рассказывал ей, что последний дракон Таргариенов умер не более полутора веков назад — во время правления Эйегона III, прозванного Погубителем Драконов. На взгляд Дени, это случилось не слишком давно.

— Неужели они исчезли повсюду? — спросила она разочарованным голосом. — Даже на востоке?

Магия умерла на западе, когда Рок поразил Валирию и земли Длинного лета. И укрепленная чарами сталь, и заклинатели бурь, и драконы не смогли вернуть ее, но Дени всегда слыхала, что на востоке дела обстоят иначе. Говорили, что мантикоры еще обитали на островах Яшмового моря, что джунгли Йи Ти кишели василисками, что заклинатели бурь, колдуны и аэроманты открыто практиковали свое искусство в Асшае, ну а маги, обращавшиеся к мертвецам и крови, в черноте ночи творили свои жуткие чудеса. Неужели на всей земле не найдется места для драконов?

— Драконов нет, — заявила Ирри. — Отважные мужчины убивают их, потому что дракон ужасен и зол. Это известно.

— Известно, — согласилась Чхику.

— Торговец из Куарта говорил мне однажды, что драконы спустились с луны, — проговорила светловолосая Дореа, согревая полотенце у огня. Чхику и Ирри были почти ровесницами Дени, дотракийки эти попали в рабство, когда Дрого разбил кхаласар их отца. Дореа была старше, ей скоро должно было исполниться двадцать. Магистр Иллирио выискал ее в Лиссе, в одном из веселых домов. Мокрые серебристые волосы упали на глаза Дени, с любопытством повернувшей голову.

— С луны?

— Он сказал мне, что луна была яйцом, кхалиси, — проговорила лиссенийка. — Некогда на небе было две луны, но одна подошла слишком близко к солнцу и лопнула от жары. Тысяча тысяч драконов вырвались из ее недр наружу пить пламя солнца. Вот почему драконы выдыхают пламя. Однажды и вторая луна поцелуется с солнцем; она лопнет, и драконы вернутся.

Обе дотракийки засмеялись.

— Ты глупая светловолосая рабыня, — сказала Ирри. — Луна — это не яйцо. Она богиня и супруга солнца. Это известно.

— Известно, — согласилась Чхику.

Кожа Дени порозовела, когда она выбралась из ванны. Чхику уложила ее, чтобы размять и умастить тело. Потом Ирри побрызгала ее цветочными духами и киннамоном. Дореа расчесала волосы, и они заблестели, как витое серебро. А Дени все думала о луне, яйцах и драконах...

Ужин был прост и неприхотлив: фрукты, сыр, жареный хлеб и кувшинчик подслащенного медом вина, чтобы запить все это.

— Дореа, останься и поешь со мной, — проговорила Дени, отослав остальных служанок. Волосы лисенийки отливали медом, а глаза напоминали летнее небо.

Оказавшись с Дени вдвоем, Дореа потупила глаза.

— Ты милостива ко мне, кхалиси, — сказала она, хотя чести в этом не было — от нее требовались только услуги...

Потом, когда поднялась луна, они сидели и разговаривали.

Той ночью, когда явился кхал Дрого, Дени уже ожидала его. Застыв в дверях шатра, Дрого поглядел на нее с удивлением. Неторопливо поднявшись, она распахнула свои ночные шелка и позволила им опуститься на землю.

— Сегодня ночью мы должны выйти наружу, господин, — сказала она, потому что дотракийцы полагают, что все самое важное в жизни человека должно совершаться под открытым небом.

Кхал Дрого вышел за ней под лунный свет, колокольчики в его волосах негромко позвякивали. В нескольких ярдах от шатра находилась мягкая трава, туда-то и повела его Дени. Он попытался перевернуть ее, но она остановила его.

— Нет, — сказала Дени. — Этой ночью я должна видеть твое лицо.

В сердце кхаласара нет уединения. Раздевая кхала, Дени чувствовала на себе чужие глаза, она слышала негромкие голоса, проделывая то, что посоветовала ей Дореа. Все это пустяк. Разве она не кхалиси? Важен лишь его взгляд, и, сев на него, она заметила в нем такое, чего не видела прежде. Дени скакала на кхале столь же яростно, как на своей Серебрянке, и в миг высшего наслаждения кхал Дрого выкрикнул ее имя.

...Когда они перебрались на противоположную сторону дотракийского моря, Чхику коснулась пальцами мягкого живота Дени и проговорила:

— Кхалиси, ты понесла ребенка.

— Я знаю, — ответила ей Дени.

Это были ее четырнадцатые именины.

БРАН

Внизу во дворе Рикон бегал с волками.

Бран следил за ним от окна. Куда ни поворачивал младший брат, первым там оказывался Серый Ветер, забегавший вперед, преграждая ему дорогу. Тут Рикон замечал его, разражался восторженным визгом и несся в противоположную сторону. Лохматый Песик бегал за ним, кружился и огрызался, только когда другие волки подбегали слишком близко. Шерсть его потемнела, он сделался черным, а в глазах его загорелся зеленый огонь. Бранов Лето стал серебристо-дымчатым, и желто-золотые глаза его замечали все, что было нужно. Лето был ниже ростом, чем Серый Ветер, и вел себя осторожнее. Бран считал его самым смышленым среди всего помета. До него доносилось пыхтение и смех братца Рикона, носившегося по утоптанной земле на неокрепших еще детских ножках.

Глаза Брана защипало. Ему хотелось спуститься вниз, смеяться и бегать. Разгневавшись на себя, Бран стер слезы, прежде чем они успели пролиться. Пришел и ушел восьмой день его именин. Теперь он стал большим, почти мужчиной, и плакать больше не собирался.

— Это была только ложь, — через силу сказал он, вспоминая ворона из своего сна. — Я не могу летать. Я не смогу даже бегать.

— Вороны всегда лгут, — согласилась старая Нэн, сидевшая в кресле со своим вязаньем. — Я знаю сказку о вороне.

— Мне не нужны никакие сказки, — возмутился Бран. Прежде он любил старую Нэн и ее истории. Но не сейчас. Сейчас все стало иначе. Она сидела с ним целыми днями, приглядывала за ним и убирала, старалась, чтобы он не чувствовал одиночества, но так было только хуже.

— Я ненавижу твои глупые россказни!

Старуха улыбнулась ему беззубым ртом.

— Мои россказни? Нет, мой маленький лорд, они не мои. Сказки эти существовали до меня, останутся и после моей смерти...

Уродливая старуха, презрительно подумал Бран, высохшая, морщинистая, почти слепая, у нее едва хватает сил, чтобы подняться по лестнице. А что за вид: редкие пряди белых волос едва покрывают пятнистый розовый череп! Никто не знал, сколько ей на самом деле лет, но отец утверждал, что Нэн звали старой, когда еще он был мальчишкой. Безусловно, в Винтерфелле не найти человека старше ее. А может быть, и во всех Семи Королевствах. Нэн взяли в замок к Брандону Старку в то время, когда его мать умерла при родах. Взяли к одному из малышей, скорее всего к дяде лорда Рикарда: старая Нэн поразному рассказывала о себе. Но во всех вариантах ее истории маленький мальчик умер в три года от летней простуды, и старая Нэн осталась в Винтерфелле со своими собственными детьми. Оба ее сына погибли на войне, в которой король Роберт завоевал престол; внук был убит на стенах Пайка во время мятежа Беелона Грейджоя. Дочери давным-давно повыходили замуж, перебрались из замка и умерли от старости. Из потомков Нэн с ней оставался лишь Ходор, простодушный гигант, работавший в конюшне, а старая Нэн жила и жила, шила, вязала и рассказывала сказки.

— Мне безразлично, чьи это сказки, — ответил ей Бран. — Я ненавижу их. — Он не нуждался в сказках, как и в старухе Нэн. Он хотел, чтобы рядом с ним были мать и отец. Он хотел бегать вместе со всеми, и чтобы Лето скакал возле него. Ему хотелось залезть на разбитую башню и накормить зерном ворон. Он мечтал сесть на своего пони и проехаться рядом с братьями. Он хотел снова стать таким, как прежде.

— Я знаю повесть о мальчике, который ненавидел сказки, — проговорила старуха Нэн с дурацкой улыбочкой. Спицы ее шевелились — цок и цок, цок и цок, — и Бран был готов уже закричать на нее.

Он знал, что прежнее не вернется. Ворон просто обманул его, он заманил его летать, но проснулся Бран искалеченным, и мир изменился. Все его бросили, мать и отец, сестры и даже незаконнорожденный брат Джон. Отец обещал, что он поедет на настоящем коне в Королевскую Гавань, но они уехали без него. Мейстер Лювин послал одну птицу с посланием к лорду Эддарду, другую к матери, третью к Джону, но ответов не было.

От Винтерфелла до Королевской Гавани много миль, много и ястребов, так что весть могла и не достичь их. И все же Брану казалось, что все они умерли, пока он спал... или же умер он сам, а они забыли его. Джори, сира Родрика и Вейона Пуля тоже не было в замке, как и Халлена, Харвина, Толстого Тома и с ними четверти гвардии.

Остались лишь Робб и малыш Рикон, но Робб стал другим.

Он превратился в лорда Робба или, во всяком случае, все время пытался сделать это. На боку его висел настоящий меч, брат никогда более не улыбался. Дни его уходили на занятия с войском и тренировки во владении мечом; Робб звенел сталью во дворе, а Бран уныло следил за ним из окна. Вечерами Робб запирался с мейстером Лювином, разговаривал с ним или занимался книгами. Иногда он выезжал с Халлисом Молленом и отсутствовал целыми днями, находясь в поездке по далеким крепостям. Когда его не было больше дня, Рикон начинал плакать и спрашивать Брана, вернется ли наконец Робб. Но когда он возвращался домой в Винтерфелл, у лорда Робба находилось больше времени для Халлиса Моллена и Теона Грейджоя, чем для своих братьев.

— Я могу рассказать тебе о Брандоне-строителе, — сказала старая Нэн. — Ты всегда любил эту повесть.

Тысячи и тысячи лет назад Брандон-строитель соорудил Винтерфелл и — как говорили некоторые — Стену. Бран знал всю повесть, но она никогда не была его любимой. Наверное, ее любил кто-нибудь из других Брандонов. Иногда Нэн говорила с ним так, словно он был тем Брандоном, младенцем, которого она воспитывала столько лет назад, а иногда путала с дядей Брандоном, убитым Безумным королем еще до рождения Брана. Нэн прожила столько лет, сказала ему однажды мать, что все Брандоны Старки смешались в ее голове в одно лицо.

— Я не люблю эту повесть, — сказал он. — Я люблю страшные. — Услыхав какое-то движение снаружи, Бран повернулся к окну. Рикон бежал по двору к сторожевой башне, волки следовали за ним. Но окно его смотрело не в ту сторону, и Бран не видел, что происходит внизу. С разочарованием он ударил кулаком по ноге и не ощутил ничего.

— О мое сладкое летнее дитя, — негромко проговорила старая Нэн. — Что ты знаешь о страхе? Страх бывает зимой, мой маленький лорд, когда снег заносит стены на сотню футов, а ледяной ветер с воем вырывается с севера. Страшно бывает долгими ночами, когда солнце прячет свой лик на годы и годы, и маленькие дети рождаются, живут и умирают во тьме, а лютоволки тощают и голодают, и Белые Ходоки расхаживают по лесам.

— Ты хочешь сказать, Иные? — спросил Бран.

— Иные, — согласилась старая Нэн. — Тысячи и тысячи лет назад пришла зима, холодная, жестокая, бесконечная, какой не помнили люди. А потом пришла ночь, затянувшаяся на целое поколение; короли тряслись от холода и умирали в своих замках, как простые свинопасы в хижинах. Женщины душили детей, чтобы не видеть, как они умирают, плакали и ощущали, как слезы замерзают на их щеках. — Голос ее умолк, спицы тоже. Нэн поглядела на Брана выцветшими мутными глазами и спросила: — Итак, дитя, ты хочешь услышать именно такую повесть?

— Ну, — нерешительно отвечал Бран. — Да, только...

Старая Нэн кивнула, и спицы зацокали.

— В этой тьме впервые появились Иные. Холодные мертвые твари, они ненавидели железо, огонь и солнечные лучи... любое создание, в жилах которого течет живая кровь. Они опустошали крепости, города и королевства, убивали героев, за их бледными конями оставались разбитые армии. Мечи мужчин не могли остановить их, даже девы и младенцы не вызывали у них жалости. Они гнали дев по замерзшим лесам и кормили своих мертвых слуг плотью детей человека.

Голос Нэн сделался очень тихим, она уже почти шептала, и Бран невольно пригнулся вперед, чтобы слышать.

— Это было во дни перед приходом андалов, задолго до бегства женщин через Узкое море из городов Ройна; сотней королевств тех времен правили Первые Люди, отобравшие эти земли у Детей Леса. Но там и здесь в обширных лесах, в деревянных городах и полых холмах жили последние Дети Леса, и лики на деревьях несли стражу. Холод и смерть полнили землю, и последний герой решил отыскать Детей, в надежде на то, что их древняя магия поможет отвоевать то, что потеряли армии мужей. Он отправился в мертвую землю с мечом в руке, взяв с собой пса и дюжину спутников. Он искал много лет и уже начал терять надежду, не умея отыскать Детей в их тайных городах посреди леса. Один за другим умирали его друзья, пал его конь, наконец сдохла даже собака, а меч промерз настолько, что клинок его переломился, когда он попытался воспользоваться им. Тогда Иные почуяли запах его горячей крови и безмолвно отправились в погоню, выслав по его следу стаи бледных пауков ростом с пса.

Дверь отворилась, сердце Брана подпрыгнуло в груди от неожиданного испуга, но это был лишь мейстер Лювин, позади него на лестнице маячил Ходор.

— Ходор! — пробурчал конюх, как было в его обычае, и широко улыбнулся.

Мейстер Лювин не улыбался.

— У нас гости, — объявил он. — Бран, твое присутствие необходимо.

— А я как раз слушаю повесть, — пожаловался Бран.

— Сказки подождут, мой маленький лорд; как только ты вернешься сюда, я продолжу, — сказала старая Нэн. — Гости не столь терпеливы, иногда они прибывают с собственными рассказами.

— А кто приехал? — спросил Бран у мейстера Лювина.

— Тирион Ланнистер, с ним люди Ночного Дозора со словом от твоего брата Джона. Сейчас с ними Робб. Ходор, поможешь ли ты Брану спуститься в зал?

— Ходор! — с радостью согласился конюх. Он пригнул огромную лохматую голову, чтобы пройти в дверь. В Ходоре было почти семь футов роста; трудно было поверить, что в жилах его течет та же самая кровь, что у старухи Нэн. Бран подумал: неужели и этот человек съежится, как и его прапрабабушка, когда станет старым? Впрочем, едва ли... проживи этот великан хоть тысячу лет.

Ходор поднял Брана буквально как перышко и прижал мальчика к могучей груди. От него сладко пахло конем, и запах этот казался приятным Брану. Могучие, заросшие коричневым волосом руки бугрились мышцами.

— Ходор, — проговорил он снова. Теон Грейджой когда-то сказал, что многого, конечно, Ходор не знает, но в том, что ему известно собственное имя, сомневаться не приходится. Когда Бран рассказал это старой Нэн, она раскудахталась, словно курица, и объяснила, что по-настоящему Ходора зовут Уолдер. Никто не знает, откуда взялся этот самый Ходор, сказала она, но когда Уолдер стал так говорить, все начали звать его этим именем.

Они оставили старую Нэн в башне вместе с ее спицами и воспоминаниями. Спускаясь с Браном вниз по ступеням, Ходор фальшиво напевал; мейстер Лювин следовал за ними торопливой походкой, стараясь приноровиться к длинным шагам конюха.

Робб сидел на высоком престоле отца в броне, кольчуге и вареной коже, с суровым выражением лица, подобающим Роббу-лорду. Теон Грейджой и Халлес Моллен стояли за ним. Дюжина стражников выстроилась вдоль серых каменных стен под узкими высокими окнами. В центре зала ожидал карлик со своими слугами и четырьмя одетыми в черное незнакомцами из Ночного Дозора. Бран ощутил напряженность, едва Ходор внес его в зал.

— Любой, кто служит в Ночном Дозоре, вправе рассчитывать на привет и долгое пребывание в Винтерфелле, — говорил Робб голосом Робба-лорда. Меч его лежал на коленях, нагую сталь мог видеть весь мир. Даже Бран понимал, что значит, когда гостя приветствуют нагой сталью.

— Любой, кто служит в Ночном Дозоре, — отвечал карлик, — но только не я, я правильно понял тебя, парень?

Робб встал и указал на карлика мечом.

— Пока здесь нет отца и матери, правлю я, ты понял, Ланнистер? Я тебе не мальчишка.

— Раз ты лорд, научись говорить вежливо, как подобает владыке, — отвечал коротышка, не обращая внимания на оказавшееся перед лицом острие. — Похоже, все манеры твоего отца достались твоему незаконнорожденному брату.

— Джон, — выдохнул Бран на руках Ходора.

Карлик обернулся к нему:

— Значит, мальчик действительно остался в живых, а я не мог в это поверить. Вас, Старков, трудно убить.

— Вам, Ланнистерам, следовало бы это запомнить, — проговорил Робб, опуская меч. — Ходор, принеси сюда моего брата.

— Ходор, — проговорил Ходор, с улыбкой направляясь вперед. Он опустил Брана на высокий престол Старков, на котором владыки Винтерфелла восседали с тех дней, когда они еще звали себя королями Севера. Холодный камень сиденья был отполирован несчетными прикосновениями, резные головы лютоволков скалились с концов массивных подлокотников. Бран ухватился за них, беспомощные ноги болтались внизу. В огромном сиденье он казался себе ребенком.

Робб опустил руку на его плечо.

— Ты сказал, что у тебя есть дело к Брану. Вот он перед тобой, Ланнистер.

Бран ощутил на себе взгляд Тириона. Черный глаз и зеленый глядели на него, изучая и взвешивая.

— Мне сказали, что ты прекрасно лазал, Бран, — произнес наконец человечек. — Скажи, как вышло, что в тот день ты упал?

— Я не падал... никогда! — настаивал Бран. Он ведь никогда не падал, никогда, никогда, никогда.

— Дитя не помнит ничего, что случилось в день падения; ни как он падал, ни как лез по стене, — мягко проговорил мейстер Лювин.

— Интересно, — сказал Тирион Ланнистер.

— Мой брат здесь нс для того, чтобы отвсчать на твои вопросы, Ланнистер, — резко возразил Робб. — Делай свое дело и отправляйся в путь.

— У меня для тебя подарок, — улыбнулся карлик Брану. — Хотелось бы тебе ездить на коне, мальчик?

Мейстер Лювин шагнул вперед.

— Милорд, ребенок не способен пользоваться ногами, он не сможет усидеть на лошади.

— Ерунда, — возразил Ланнистер. — На хорошем коне и в хорошем седле усидит даже калека.

Слово это ножом пронзило сердце Брана. Он ощутил, как прихлынули к глазам непрошеные слезы.

— Я не калека!

— Тогда я не карлик, — ответил Тирион, скривив рот. — Мой отец с радостью услышит это. — Грейджой расхохотался.

— Какую лошадь и седло ты предлагаешь? — спросил мейстер Лювин.

— Просто нужно подыскать умного конька, — отвечал Ланнистер. — Мальчик не может пользоваться ногами, чтобы управлять животным, поэтому следует приспособить лошадь к всаднику, приучить ее повиноваться поводьям и голосу. Я бы начал с необъезженной годовалой лошади, чтобы ее не переучивать. — Тирион достал из-за пояса свиток. — Передайте это вашему седельнику. Он сделает все нужное.

Любопытный, как крохотная серая белка, мейстер Лювин взял бумагу из рук карлика. Развернув листок, он пригляделся.

— Понимаю. Великолепный рисунок, милорд. Да, это получится. Мне следовало бы самому придумать такое седло.

— Мне это было проще сделать, мейстер. Это седло не столь уж отличается от моего собственного.

— Значит, я действительно сумею ездить верхом? — спросил Бран. Он хотел поверить, но боялся. Быть может, это еще одна ложь. И ворон обещал, что он сумеет летать.

— Сумеешь, — сказал ему карлик. — Клянусь тебе, мальчик, на конской спине ты будешь таким же высоким, как и все они.

Робб Старк казался озадаченным.

— Это какая-то ловушка, Ланнистер? Зачем тебе Бран? С чего ты вдруг решил помочь ему?

— Об этом попросил твой брат, а сердце мое полно нежности к калекам, бастардам и сломанным вещам. — Тирион Ланнистер приложил руку к сердцу и ухмыльнулся.

Дверь во двор распахнулась, и солнце ударило в зал. Следуя за запыхавшимся Риконом, вошли лютоволки. Широко раскрыв глаза, мальчик остановился у двери, но волки направились дальше. Они сразу увидели Ланнистера или, быть может, уловили его запах.

Первым заворчал Лето, Серый Ветер последовал его примеру и они подошли к человечку, остановившись по обе стороны от него.

— Волкам не нравится твой запах, Ланнистер, — прокомментировал Теон Грейджой.

— Значит, пора и откланяться, — сказал Тирион. Он отступил на шаг назад... и сзади объявился ощерившийся Лохматый Песик. Ланнистер отступил, и Лето бросился на него с другой стороны. Тот пошатнулся на кривых ногах, но Серый Ветер вцепился в рукав, оторвав от него полоску ткани.

— Нельзя! — выкрикнул Бран с высокого престола, когда люди Ланнистера потянулись к стали. — Лето, сюда. Лето, ко мне!

Услышав голос, лютоволк посмотрел сначала на Брана, потом на Ланнистера. Зверь отступил от человечка и опустился возле болтающихся ног Брана.

Робб затаил дыхание. А потом вздохнул и позвал:

— Серый Ветер! — и лютоволк без звука метнулся к хозяину. Теперь лишь Лохматый Песик ворчал на карлика, глаза его светились зеленым огнем.

— Рикон, отзови его! — крикнул Бран своему маленькому брату. Опомнившись, тот закричал:

— Домой, Лохматик, домой. — Волк последний раз рыкнул на Ланнистера и направился к Рикону, сразу обнявшему его за шею.

Тирион Ланнистер развязал шарф, прикоснулся ко лбу и проговорил ровным голосом:

— Как интересно...

— Все ли в порядке с вами, милорд? — спросил один из его людей с мечом в руке, с опаской поглядев в сторону лютоволков.

— Рукав мой порван, и штаны вдруг подмокли, но, если не считать ущерба моему достоинству, все в порядке.

Даже Робб казался потрясенным.

— Волки... не знаю, почему они так поступили...

— Должно быть, приняли меня за обед. — Ланнистер скованно поклонился Брану. — Благодарю вас за то, что вы их отозвали, молодой сир. Уверяю вас, звери, безусловно, сочли бы меня непригодным для еды. Ну а теперь я действительно отправляюсь.

— Одно только мгновение, милорд, — проговорил мейстер Лювин. Он подошел к Роббу, и они пригнули головы шепчась. Бран попытался услышать, что они говорят, но голоса были слишком тихи.

Робб Старк наконец опустил меч в ножны.

— Я... похоже, я... поторопился, — сказал он. — Вы были добры к Брану, и... — Робб с усилием овладел собой. — Словом, Винтерфелл гостеприимно примет вас, если вы хотите этого, Ланнистер.

— Избавь меня от этой лживой любезности, мальчик. Ты не любишь меня и не хочешь, чтобы я находился здесь. Я видел гостиницу за вашими стенами, в Зимнем городе. Я найду там постель, и каждый из нас будет спокойнее спать. За несколько медяков я даже сумею отыскать пригожую девку, которая согреет мне простыни. — Он обратился к одному из Черных Братьев, к старику с перепутанной бородой: — Йорен, с рассветом мы едем на юг. Ты найдешь меня на дороге.

И Тирион направился к выходу, переваливаясь по залу на коротких ногах, мимо Рикона и всех остальных. За ним последовали его люди.

Четверо из Ночного Дозора остались. Робб с неуверенностью повернулся к ним.

— Я приготовил вам комнаты, и вы найдете достаточно горячей воды, чтобы смыть дорожную пыль. Надеюсь, вы почтите нас своим присутствием за столом. — Слова звучали неловко, даже Бран это заметил: речь свою брат заучил и говорил не от сердца, но тем не менее Черные Братья поблагодарили его.

Лето проводил по ступеням башни Ходора, отнесшего Брана в постель. Старая Нэн спала в своем кресле. Ходор, сказав «Ходор», подхватил свою прапрабабушку и унес ее, негромко похрапывающую, в соседнюю комнату, а Бран остался лежать размышляя. Робб обещал устроить пир вместе с гостями Ночного Дозора в Великом зале.

— Лето, — позвал он. Волк прыгнул в постель. Бран крепко обнял его и ощутил горячее дыхание на своей щеке. — Теперь я смогу ездить верхом, — шепнул он своему другу. — И мы с тобой снова поедем в лес на охоту, как раньше. — А потом Бран уснул.

Во сне своем он лез, карабкался к вершине древней, лишенной окон башни, пальцы его с трудом находили зацепку между почерневшими кирпичами, ноги пытались найти опору. Все выше и выше он забирался, уходя сквозь облака в ночное небо, но башня все еще поднималась над ним. Он остановился, чтобы поглядеть вниз, но голова его закружилась, и Бран ощутил, как скользят пальцы. Бран закричал и всеми силами попытался уцепиться за камень. Земля была в тысяче миль внизу, а он не мог лететь. Не мог! Бран дождался, пока сердце перестало колотиться, и, отдышавшись, вновь полез вверх. Только назад пути не было. Высоко над ним на фоне огромной бледной луны уже вырисовывались очертания горгулий. Руки его болели и ныли, но Бран не смел передохнуть. Он заставил себя лезть быстрее. Горгульи следили за его подъемом. Глаза их горели красным жарким огнем, словно уголья в жаровне. Возможно, когда-то они были львами, но теперь лики их исказились. Бран слышал, как они перешептываются между собой негромкими, жуткими каменными голосами. Не слушай, сказал он себе. Слушать нельзя, и пока ты не слышишь их, можно не беспокоиться. Но тут горгульи отделились от камня, поползли вниз по стене башни к месту, где повис Бран, и он понял, что о безопасности нечего и думать.

— Я не слышал, — плакал он, а они все приближались. — Я не слышал, не слышал.

Он проснулся в слезах, затерявшись во тьме, и сразу увидел над собой огромную тень.

— Я не слышал, — прошептал Бран, сотрясаясь от страха, но тень произнесла «Ходор» и зажгла свечу возле его постели. Бран вздохнул с облегчением. Ходор отер пот с его лица влажной теплой тканью, переодел ловкими мягкими руками. Потом, когда настало время, он отнес мальчика в Великий зал, где длинный стол был разложен на козлах возле очага. Место лорда во главе стола пустовало, по правую руку сидел Робб, а Бран напротив него. В тот вечер они ели молочного поросенка, пирог с голубями и репу, прожаренную в масле, на сладкое повар обещал соты с медом. Лето хватал объедки из руки, а Серый Ветер и Лохматый Песик ссорились из-за кости в углу. Псы Винтерфелла теперь не смели приближаться к дворцовому залу. Сперва Бран находил подобную застенчивость странной, но теперь уже начал привыкать к ней.

Йорен был старшим среди черной братии, поэтому управляющий посадил его между Роббом и мейстером Лювином. От старика пахло кислятиной, похоже, он давно не мылся. Он рвал мясо зубами, разгрызал кости, чтобы высосать мозг. Услыхав имя Джона Сноу, он пожал плечами и буркнул:

— Погибель сира Аллисера, — и двое из его спутников зашлись смехом, причин которого Бран не понимал, но когда Робб спросил о дяде Бенджене, черная братия зловеще примолкла.

— Что такое? — спросил Бран.

Йорен вытер свои пальцы о жилет.

— Новости скверные, милорды, и жестоко платить ими за вашу трапезу и кров, но если человек задает вопрос, он должен получить ответ. Старк исчез.

Другой из Черных сказал:

— Старый Медведь отправил его разыскивать Уэймара Ройса, но он так и не вернулся, милорд.

— Старк слишком долго отсутствует, — сказал Йорен. — Он наверняка погиб.

— Мой дядя жив, — громко сказал Робб Старк, в его голосе послышался гнев. Он поднялся со скамьи и положил руку на рукоять меча. — Вы слышите меня? Мой дядя жив! — Голос его прозвенел между каменных стен, и Бран неожиданно испугался.

Старый, пропахший кислятиной Йорен, не смущаясь, поглядел на Робба.

— Как вам угодно, милорд, — проговорил он, обсасывая кусок мяса.

Самый молодой из черной братии неуютно поежился на своем месте.

— На Стене нет человека, который знал бы Зачарованный лес лучше Бенджена Старка. Он отыщет дорогу назад.

— Возможно, — отвечал Йорен. — Возможно, отыщет, а может быть, и нет. В этот лес, случалось, уходили весьма сведущие люди, но не возвращались обратно.

Бран вспомнил повесть старой Нэн об Иных и последнем герое, которого гнали сквозь ледяные леса мертвяки и пауки ростом с собаку. На миг он испугался, но наконец вспомнил, чем закончилась история.

— Дети помогут ему, — выпалил он. — Дети Леса!

Теон Грейджой расхохотался, а мейстер Лювин ответил:

— Бран, Дети Леса мертвы, они исчезли тысячелетие назад. От них остались только лики на деревьях.

— Здесь внизу* ваши слова, может, и верны, мейстер, — сказал Йорен. — Но наверху, за Стеной, кто может быть в чем-либо уверен? Наверху человек не всегда может сказать, что живет, а что уже умерло...

Той ночью, после того как тарелки были очищены, Робб сам унес Брана в постель. Серый Ветер шел первым, Лето последним. Робб был силен для своих лет, и хотя Бран весил не более чем узел с бельем, но на крутой и темной лестнице Робб успел запыхаться.

Он опустил Брана в постель, укрыл его одеялом и погасил свечу. Какое-то время Робб посидел возле него во тьме. Бран хотел заговорить с ним, но не знал, что сказать.

— Обещаю, мы подыщем для тебя лошадь, — шепнул наконец Робб.

— А они когда-нибудь вернутся? — спросил Бран.

— Да, — ответил Робб с такой надеждой в голосе, что Бран понял: это голос его брата, а не лорда Робба. — Мать скоро вернется домой. Быть может, мы сумеем верхом встретить ее. Правда, она удивится, увидев тебя на лошади. — Даже в темной комнате Бран ощущал улыбку брата. — Ну а потом мы сможем съездить на север, поглядеть на Стену. Мы даже не предупредим Джона о нашем приезде, просто нагрянем к нему однажды вдвоем. Вот будет приключение!

---

* В средневековье север нередко ассоциировался с верхом, вершиной мира.

— Приключение, — повторил Бран с завистью. Он услышал короткое рыдание брата. В комнате было так темно, что он не мог видеть слез на лице Робба, и потому просто протянул руку. Пальцы их соединились.

ЭДДАРД

— Смерть лорда Аррена глубоко опечалила всех нас, милорд, — проговорил великий мейстер. — И я буду рад поведать всем то, что знаю об этом. Садитесь же. Хотите подкрепиться? Быть может, вам угодно фиников? У меня есть великолепная хурма. Увы, вино теперь возмущает мое пищеварение, но я могу предложить вам чашу подслащенного медом мороженого молока. На такой жаре оно освежает.

Жара действительно угнетала. Нед ощущал, что шелковая рубашка липнет к его груди. Густой влажный воздух покрывал город, словно мокрое шерстяное одеяло. Возле реки царил беспорядок: беднота оставила свои жаркие, лишенные воздуха обиталища и устроилась спать у воды, где только и можно было вздохнуть.

— Это будет весьма любезно с вашей стороны, — отвечал Нед усаживаясь.

Большим и указательным пальцами Пицель приподнял крохотный серебряный колокольчик и негромко позвонил. Стройная молодая служанка торопливо вошла в солярий.

— Мороженого молока для королевской десницы и для меня самого; будь добра, деточка, сделай послаще.

Девушка отправилась за питьем, а великий мейстер сплел пальцы вместе и опустил ладони на чрево.

— Простонародье утверждает, что последний год лета всегда бывает самым жарким. Это далеко не так, однако порой народные поверья оказываются справедливыми. В подобные дни я завидую вам, северянам, привыкшим к летнему снегу. — Тяжелая, усыпанная драгоценными камнями цепь на шее старика мягко звякнула, когда он переменил позу. — Конечно, лето Мейекара было жарче этого и лишь немного короче. Даже в Цитадели находились дураки, предполагавшие, что пришло наконец великое лето, которое никогда не закончится, но на седьмой год вышел срок и ему, и после короткой осени на нас обрушилась жуткая долгая зима. Летняя жара была кошмарной. Старый город днями исходил потом и варился в тени; он оживал только ночью, мы гуляли в садах возле реки и спорили о бегах. Я помню запах этих ночей, милорд, — духи и пот; помню дыни, лопавшиеся от спелости, персики и гранаты, ночные тени и лунный свет. Тогда я был молодым человеком, и цепь моя еще ковалась. Жара не утомляла меня так, как сейчас. — Тяжелые веки прикрывали глаза Пицеля, он казался почти уснувшим. — Извините меня, лорд Эддард. Вы явились сюда не для того, чтобы слушать дурацкие воспоминания о лете, закончившемся еще до рождения вашего отца. Простите старческую болтливость, если сумеете. Ум — словно меч: старый клинок рассыпается ржавчиной. А вот и молоко. — Служанка поставила между ними блюдо, и Пицель улыбнулся ей: — Милая девочка! — Он приподнял чашу, попробовал и кивнул. — Благодарю, можешь идти.

Когда девица ушла, Пицель обратил к Неду свои бледные, выцветшие, в прожилках глаза.

— Итак, о чем мы говорили? Ах да! Вы спрашивали о лорде Аррене...

— Да. — Нед вежливо пригубил ледяное молоко, оно приятно холодило горло, но на его вкус казалось чересчур сладким.

— Откровенно говоря, десница некоторое время казался непохожим на самого себя, — проговорил Пицель. — Мы много лет заседали вместе в совете, и знаки были вполне очевидны, но я относил их на счет великой тяжести, которую лорд Аррен так долго и верно нес. На его широкие плечи легли все тяготы королевства. Более того, сын его вечно болел, а леди-жена так волновалась за мальчика, что не отпускала его от себя. Уже этого достаточно, чтобы утомить даже крепкого человека, а лорд Джон был не слишком молод. Поэтому я не удивлялся его усталости и грусти. Так мне казалось в то время, но сейчас я менее уверен в прошлом. — Он затряс головой.

— А что вы сможете сказать мне о его последней болезни?

Великий мейстер развел руки жестом беспомощной печали.

— Однажды он явился ко мне и попросил некую книгу, крепкий и здоровый как всегда, хотя мне и показалось, что какая-то мысль глубоко тревожит его. А на следующее утро он уже корчился от боли и не мог подняться с постели.

Мейстер Колемон решил, что он застудил желудок. Погода была жаркой, и десница часто употреблял вино со льдом, что могло расстроить пищеварение. Лорд Джон продолжал слабеть, и я отправился к нему сам, но боги не даровали мне сил, чтобы спасти его.

— Я слыхал, что вы отослали мейстера Колемона?

Утвердительный кивок великого мейстера совершился медленно и непреклонно — как движение ледника.

— Да, так я поступил тогда и, боюсь, что леди Лиза никогда не простит мне этого. Возможно, я ошибался, но в то время я не видел лучшего выхода. Мейстер Колемон для меня словно сын, и я никогда не позволил бы себе усомниться в его способностях, но он был еще так молод! А молодые нередко не понимают всей хрупкости старого тела. Он очищал организм лорда Аррена слабительными настоями и перечным соком, и я побоялся, что такое лечение может убить больного.

— Может быть, лорд Аррен что-нибудь говорил в последние часы своей жизни?

Пицель нахмурил чело.

— На последней стадии лихорадки десница несколько раз произнес имя «Роберт», но кого он звал — короля или сына, я сказать не могу. Леди Лиза не позволяла мальчику входить к больному, чтобы он не заразился. Король пришел и несколько часов просидел возле постели, занимая лорда Джона разговором и надеясь шутками подбодрить его. Король просто был полон сострадания!

— И это все? Какими были последние слова лорда Аррена?

— Увидев, что надежд больше нет, я дал деснице маковое молоко, чтобы избавить его от мук. Но перед тем, как закрыть глаза в последний раз, лорд Джон что-то шепнул королю и своей жене и благословил своего сына. «Крепкое семя», — проговорил он. А потом его речь сделалась слишком неразборчивой, чтобы ее можно было понять. Смерть пришла лишь следующим утром, но лорд Джон находился в глубоком забытьи. Он более не открыл уст.

Нед еще раз глотнул молока, пытаясь подавить отвращение к приторному питью.

— А вы не находили в смерти лорда Аррена чего-нибудь неестественного?

— Неестественного? — переспросил древний мейстер едва ли не шепотом. — Нет, я бы так не сказал. Смерть всегда приносит с собою скорбь, но на свой собственный лад она — самое естественное событие из всех, приключающихся с человеком, лорд Эддард. Джон Аррен теперь упокоился с миром, избавившись от своих тягот.

— А как насчет болезни, которая унесла его? — проговорил Нед. — Приключалось ли нечто подобное с другими людьми?

— Почти сорок лет я был великим мейстером Семи Королевств, — проговорил Пицель. — Под нашим добрым королем Робертом, и под предшественником его Эйерисом Таргариеном, и отцом его Джейхерисом Вторым, помню даже несколько коротких месяцев правления отца Джейехериса — Эйегона Удачливого, милорд. Но скажу вам одно: каждый случай не похож на другие, и все они как один. Смерть лорда Джона была не страннее любой другой.

— Его жена полагает иначе.

Великий мейстер кивнул:

— Теперь я вспомнил, вдова Джона Аррена является сестрой вашей благородной жены, но простите старику прямолинейность; горе может повергнуть в смятение даже могучий и дисциплинированный ум, каковым леди Лиза, увы, не обладает. После последних неудачных родов она видела врагов в каждой тени, а смерть лорда-мужа вывела ее из равновесия.

— Итак, вы вполне уверены в том, что Джон Аррен умер от внезапной хвори?

— Да, — ответил Пицель серьезным голосом. — Что же еще могло явиться причиной этой смерти, как не болезнь, мой добрый лорд?

— Яд, — негромко предположил Нед.

Сонные глаза Пицеля разом открылись. Древний мейстер неуютно поежился на своем месте.

— Возмутительная мысль. У нас не Вольные Города, где подобные преступления нередки. Великий мейстер Эйтельмур писал, что все люди лелеют убийство в своем сердце, но и тогда отравитель не достоин даже пренебрежения. — Он помолчал мгновение, погрузившись в думу. — Ваше предположение вполне допустимо, милорд, однако я сомневаюсь. Распознать яды может каждый деревенский мейстер, а лорд Аррен не обнаруживал признаков отравления. Кроме того, десницу любили все. Только чудовище, воплотившееся в человеческую плоть, осмелилось бы отравить столь благородного лорда.

— Говорят, что яд — это оружие женщины.

Пицель задумчиво погладил бороду.

— Так говорят. Женщины, труса... и евнуха. — Он прокашлялся и сплюнул на тростник густой ком мокроты. Вверху громко каркнул ворон. — Лорд Варис был рожден рабом в Лисе, вы знаете это? Не доверяйте паукам, милорд.

Подобных слов можно было и не говорить. От присутствия Вариса по плоти всегда бежали мурашки.

— Я запомню ваши слова, мейстер. Благодарю вас за помощь. Похоже, я отнял у вас достаточно много времени. — Лорд Эддард встал.

Великий мейстер Пицель с трудом, медленно поднялся из кресла и проводил Неда до двери.

— Надеюсь, я некоторым образом помог вашему уму избавиться от тяжести. Если я смогу помочь вам чем-нибудь еще, стоит лишь попросить.

— Еще одна вещь, — проговорил Нед. — Мне хотелось бы посмотреть книгу, которую вы одолжили Джону перед его внезапной болезнью.

— Боюсь, что вы найдете ее неинтересной, — проговорил Пицель. — Этот увесистый том великий мейстер Маллеон посвятил родословиям великих домов.

— И все же мне хотелось бы посмотреть его.

Старик открыл дверь.

— Ну, как угодно. Книга у меня где-то здесь. Когда я найду ее, то прикажу немедленно доставить прямо в ваши палаты.

— Вы в высшей степени любезны, — ответил Нед и, словно бы вдруг припомнив, проговорил: — Кстати, не позволите ли вы мне задать самый последний вопрос? Вы упомянули, что король находился возле смертного одра лорда Аррена. Интересно, а сопутствовала ли ему королева?

— Вовсе нет, — покачал головой Пицель. — Она вместе с детьми как раз отъехала на Бобровый утес в обществе своего отца. Лорд Тайвин прибыл в город вместе со свитой на турнир в честь именин принца Джоффри и, вне сомнения, рассчитывал, что его сын Джейме завоюет венец чемпиона, но ему пришлось перенести жестокое разочарование. Мне выпало отослать королеве слово о внезапной кончине лорда Аррена. Никогда не отсылал я птицу с более тяжелым сердцем.

— Черные крылья, черные слова, — пробормотал Нед. Пословицу эту старая Нэн часто повторяла, когда он был мальчишкой.

— Так говорят рыбацкие женки, — согласился великий мейстер Пицель. — Но мы знаем, что так бывает отнюдь не всегда. Когда птица мейстера Лювина принесла весть о вашем Бране, каждое верное сердце в замке возрадовалось, разве не так?

— Благодарю вас, мейстер.

— Боги милостивы. — Пицель склонил голову. — Приходите ко мне почаще, лорд Эддард. Я здесь, чтобы служить.

«Да, — подумал Нед, закрывая за собой дверь, — но кому?»

Возвращаясь в свои покои, он застал Арью на ступенях винтовой лестницы башни Десницы. Она крутила руками, как ветряная мельница, пытаясь застыть на одной ноге. К грубому камню прикасались босые ноги. Нед остановился и поглядел на нее.

— Арья, что ты делаешь?

— Сирио говорит, что водяной плясун может стоять на одном пальце несколько часов. — Девочка замахала руками, потеряв равновесие.

Неду пришлось улыбнуться.

— На каком пальце? — поддразнил он.

— На любом, — отвечала взволнованная вопросом Арья. Она перепрыгнула с правой ноги на левую, опасно покачнувшись, прежде чем восстановить равновесие.

— Неужели это нужно делать именно здесь? — спросил он. — Падать по ступенькам далеко и больно.

— Сирио говорит, что водяной плясун никогда не падает. — Она опустила ногу и встала на обе. — Отец, а Бран приедет и будет жить вместе с нами?

— Не скоро, моя милая, — отвечал он. — Нужно, чтобы силы сперва вернулись к нему.

Арья прикусила губу.

— А что будет делать Бран, когда он вырастет?

Нед нагнулся к ней.

— Чтобы найти ответ на этот вопрос, у него еще достаточно лет впереди. А нам пока достаточно знать, что он будет жить. — Той ночью из Винтерфелла прилетела птица, и Эддард Старк отвел девочек в здешнюю богорощу — выходящий на реку уголок, заросший вязом, ольхой и высоким тополем. Сердцем здесь был огромный дуб, древние его конечности оплела ползучая жимолость; все вместе они склонились перед ним, принося благодарность, как перед чардревом. Санса уснула, лишь взошла луна, Арья только через несколько часов свернулась на траве под плащом Неда. Все ночные часы он один стерег дочерей. Наконец над городом рассвело, и темно-красные цветки драконьего зева окружили лежащих девочек.

— Мне снился Бран, — шепнула Санса. — Он улыбался.

— Он собирался стать рыцарем, — сказала Арья. — Рыцарем Королевской гвардии. А Бран может стать рыцарем?

— Нет, — отвечал Нед, не считая необходимым обманывать дочь. — Со временем он, наверное, сделается владетелем большой крепости и будет заседать среди советников короля. А может быть, станет зодчим, будет возводить замки подобно Брандону-строителю, или уплывет на корабле через Закатное море, или примет веру твоей матери и станет верховным септоном.

Но ему никогда не бежать возле своего волка, подумал он со скорбью слишком глубокой, чтобы ее можно было выразить словами. Не лечь рядом с женщиной и не обнять своего сына.

Арья наклонила голову набок.

— А я могу стать советником короля, возводить замки или стать верховным септоном?

— Ты, — отвечал Нед, поцеловав ее в лоб, — выйдешь замуж за короля и будешь править его замком, а твои сыновья станут рыцарями, принцами, лордами, может, среди них будет и верховный септон.

Арья скривилась.

— Нет, — сказала она. — Все это суждено Сансе. — Поджав правую ногу, она встала на левую. Нед вздохнул и оставил дочь.

Оказавшись в своей палате, Нед стянул взмокший от пота шелк и плеснул на голову холодной воды из чаши, стоявшей возле постели. Элин вошел, когда он вытирал лицо.

— Милорд, — проговорил он, — явился лорд Бейлиш и просит аудиенции.

— Проводи его в мой солярий, — кивнул Нед, протягивая руку за свежей рубахой, скроенной из самого легчайшего полотна, которое он смог отыскать. — Я немедленно приму его.

Когда Нед вошел, Мизинец сидел у окна и следил за рыцарями Королевской гвардии, фехтовавшими внизу во дворе.

— Если бы ум старика Селми был столь же быстр, как его клинок, — заметил он задумчивым голосом, — заседания нашего совета проходили бы намного живее...

— Сир Барристан — человек доблестный и почтенный, как никто в Королевской Гавани. — Нед привык уважать состарившегося седоволосого лорда-командующего Королевской гвардией.

— И скучен как никто, — добавил Мизинец, — хотя, на мой взгляд, его ждет удача в турнире. В прошлом году он выбил из седла Пса, а победителем был всего лишь четыре года назад.

Вопрос о том, кто может победить в турнире, ни в какой мере не интересовал Эддарда Старка.

— Я полагаю, ваш визит имеет причину, лорд Петир, или же вы просто хотите насладиться видом из моего окна?

Мизинец улыбнулся:

— Я обещал Кет помочь вам в вашем расследовании и сделал это.

Нед растерялся. Обещал или не обещал, но он не мог найти в себе сил довериться лорду Петиру Бейлишу, чересчур уж скорому мыслью.

— У вас есть для меня что-нибудь?

— Кто-нибудь, — поправил Мизинец. — Точнее говоря, четыре души. Вам не пришло в голову опросить слуг покойного десницы?

Нед нахмурился.

— Если бы я смог это сделать! Леди Аррен увезла всю свою челядь назад в Орлиное Гнездо. — Да, Лиза ничем не помогла ему. Все приближенные ее мужа бежали вместе с ней.

— Большая часть, — поправил Мизинец. — Но не все. Несколько человек осталось. Беременная кухарка спешно вышла замуж за одного из конюхов лорда Ренли, помощник конюшего перешел в городской дозор, горшечник был прогнан за кражу, остался и сквайр лорда Аррена.

— Его сквайр? — Нед был приятно удивлен, сквайры нередко бывали хорошо осведомлены о делах и обстоятельствах своих господ.

— Это сир Хью из Долины, — назвал имя Мизинец. — Король возвел мальчика в рыцари после смерти лорда Аррена.

— Надо послать за ним и всеми остальными, — сказал Нед.

Мизинец вздрогнул.

— Милорд, прошу вас, подойдите к окну.

— Зачем?

— Подойдите, я кое-что покажу вам, милорд.

Хмурясь, Нед подошел к окну. Петир Бейлиш сделал небрежный жест.

— Видите на той стороне двора в дверях арсенала мальчишку, сидящего на ступенях и полирующего меч оселком?

— Ну и что?

— Это доносчик Вариса. Паук весьма интересуется и вашей особой, и всеми вашими делами. — Мизинец шевельнулся. — А теперь поглядите на стену над конюшней. Видите гвардейца, спрятавшегося за зубец?

Нед заметил его.

— Еще один из шептунов евнуха?

— Нет. Этот служит королеве. Отметим, что он наслаждается прекрасным видом на дверь этой башни, чтобы лучше видеть, кто к вам приходит. Есть и другие, многих из которых не знаю даже я; Красный замок полон соглядатаев. Почему, по-вашему, мне пришлось спрятать Кет в борделе?

Эддард Старк не имел склонности к подобным интригам.

— Седьмое пекло! — выругался он. Казалось, что человек на стене следит именно за ним. С внезапной неуверенностью Нед отошел от окна. — Неужели в этом проклятом городе все кому-то доносят?

— Едва ли, — отвечал Мизинец. Он принялся откладывать пальцы на руке. — Молчим мы с вами... король... Хотя, если подумать, король слишком много рассказывает королеве, и я не столь уж уверен в вас. — Он поднялся. — Есть ли среди ваших людей человек, которому вы полностью доверяете?

— Да, — отвечал Нед.

— В таком случае у меня есть в Валирии великолепный дворец, который я готов уступить вам недорого, — промолвил Мизинец с насмешливой улыбкой. — Лучше бы вы ответили отрицательно, милорд, но пусть будет так. Пошлите эту вашу доверенную персону к сиру Хью и ко всем остальным. За вами следят, но даже Варис-паук не сможет проследить за всеми, кто служит вам. — Он направился к двери.

— Лорд Петир, — окликнул его Нед. — Я... благодарен вам за помощь. Быть может, я ошибся в своей недоверчивости.

Мизинец провел пальцем по остроконечной бородке.

— Вы плохой ученик, лорд Эддард. Проявив ко мне недоверие, вы сделали самый мудрый поступок из всех, совершенных вами в Королевской Гавани.

ДЖОН

Когда новый рекрут вошел во двор для занятий, Джон как раз показывал Дариону боковой удар.

— Держи ноги порознь, — учил он, — если не хочешь поскользнуться. Хорошо. А теперь размахнись, как будто нанесешь удар, и вложи весь вес в клинок.

Дарион опустил меч и поднял забрало.

— Семеро богов, — пробормотал он. — Погляди на это создание, Джон.

Сноу повернулся и сквозь прорезь забрала увидел в дверях арсенала самого жирного мальчишку из всех, кого ему когда-либо приходилось встречать. Судя по всему, он должен был весить стоунов двадцать*. Меховой воротник вышитой куртки прятался под многочисленными подбородками. Бледные глаза нервно шевелились на округлом лице, пухлые потные пальцы мяли бархат дублета.

— Мне сказали, что я должен прийти сюда на... занятия, — сказал он, ни к кому в особенности не обращаясь.

— Лорденыш, — заметил Пип, повернувшись к Джону. — Южанин, похоже, откуда-то из-под Вышесада.

Пип объездил Семь Королевств с труппой марионеток и хвастал, что может по говору определить, откуда кто родом. На груди отороченного мехом кафтана мальчика алой ниткой был вышит шагающий охотник. Джон не знал такого герба. Сир Аллисер Торне посмотрел на новичка и сказал:

— Похоже, на юге кончились и браконьеры, и воры и на Стену теперь посылают даже свиней. Неужели эти меха и бархат соответствуют вашему представлению о панцире, милорд Ветчинский?

Оказалось, что новый рекрут привез с собой собственную броню, простроченный дублет, вареную кожу, панцирь, кольчугу и шлем, даже огромный щит из кожи и дерева, украшенный тем же самым шагающим охотником, который был на его кафтане. Черного на нем ничего не было, и сир Аллисер настоял, чтобы новичок переоделся. На это ушло почти все утро. Объем новоприбывшего заставил Донала Нойе разобрать кольчугу и наставить на боках кожаные пластины. Чтобы нахлобучить шлем на голову парня, оружейнику пришлось снять забрало. Кожа настолько туго обтянула его ноги и руки, что он едва мог шевельнуться. В боевом наряде новичок казался готовой лопнуть переваренной сарделькой.

— Остается надеяться, что ты окажешься не настолько безнадежным, как это представляется, — сказал сир Аллисер. — Халдер, проверь, что умеет сир Поросенок.

Джон Сноу вздрогнул. Халдер и рожден был в каменоломне, и учился на мастера каменных дел. Ему было шестнадцать; высокий и мускулистый, он умел наносить самые жестокие удары. Джон знал это по себе.

— Зрелище будет отвратительнее, чем задница шлюхи, — пробормотал Пип и оказался прав.

Схватка продолжалась не более минуты. Толстяк скоро оказался на снегу; он сотрясался всем телом, из-под разбитого шлема и между пухлыми пальцами текла кровь.

* приблизительно 127 кг.

— Сдаюсь! — завопил он. — Не надо, сдаюсь, не бей меня! — Раст и кое-кто из мальчишек уже смеялись, но сир Аллисер и не думал заканчивать поединок.

— На ноги, сир Поросенок, — приказал он. — Берите ваш меч. — Мальчишка жался к земле, и Торне махнул Халдеру. — Бей его плоской стороной клинка, пока он не найдет свои ноги.

Халдер смачно шлепнул по щеке своего противника.

— Можешь ударить покрепче, — поддразнил Торне.

Халдер взялся за длинный меч обеими руками и отвесил новый удар, раскроивший кожу даже плоской стороной. Новичок взвыл от боли.

Джон Сноу шагнул вперед. Пип положил руку в кольчужной рукавице ему на плечо.

— Не надо, Джон, — проговорил он, тревожно глянув на сира Аллисера Торне.

— На ноги, — повторил Торне. Жирный парень попытался подняться, поскользнулся и вновь упал. — Сир Поросенок начинает понимать идею, — отметил сир Аллисер. — Еще раз.

Халдер занес меч для другого удара.

— Нарежь нам ветчинки! — со смехом попросил Раст.

Джон стряхнул с плеча руку Пипа.

— Халдер, довольно.

Халдер поглядел на сира Аллисера.

— Бастард говорит, а крестьяне трепещут, — сказал оружейных дел мастер резким холодным голосом. — Напоминаю вам, лорд Сноу, что здесь распоряжаюсь я.

— Погляди на него, Халдер, — сказал Джон, стараясь не замечать Торне. — Нет чести в побоях, наносимых лежащему врагу; к тому же он сдался. — Сноу нагнулся над толстяком.

Халдер опустил меч и подтвердил:

— Он сдался.

Ониксовые глаза сира Аллисера были обращены к Джону Сноу.

— Наш бастард, похоже, влюбился, — сказал он, увидев, что Джон помогает жирному мальчишке подняться на ноги. — Покажите-ка мне вашу сталь, лорд Сноу.

Джон извлек свой длинный меч. Он осмеливался искушать сира Аллисера только до известного предела и сейчас уже опасался, что перешел его.

Торне улыбнулся.

— Бастард решил защитить свою возлюбленную! Что ж! Это будет для него хорошим упражнением. Крыса, Прыщ, помогите нашему Камнеголовому. — Раст и Албетт подошли к Халдеру. — Вас троих достаточно, чтобы наша хрюшка завизжала. Надо только пройти мимо бастарда.

— Держись позади меня, — сказал Джон толстяку. Сир Аллисер изредка выставлял против него двух противников, но трех еще никогда. Джон знал, что сегодня уснет в синяках, с порезами, и приготовился к натиску.

Внезапно Пип оказался возле него.

— Трое на двое, так будет интереснее! — весело сказал невысокий парень, опуская забрало и обнажая меч. Прежде чем Джон успел возразить, Гренн шагнул вперед и стал третьим.

Двор охватила смертельная тишина. Джон ощущал на себе взгляд сира Аллисера.

— Чего ты ждешь? — спросил он у Раста обманчиво мягким голосом.

Первым шевельнулся Джон. Халдер едва успел вовремя вытащить меч.

Джон погнал его назад, атакуя каждым ударом, заставляя старшего юношу отступать. Знай своего врага, учил его сир Родрик; и Джон знал Халдера: жесткого, сильного, но нетерпеливого, не умеющего обороняться. Ошеломи его, и он откроется, это столь же неотвратимо, как заход солнца.

Во дворе раздался звон стали, в битву вступили остальные. Джон отбил нацеленный в голову жестокий удар, столкновение мечей еще отдавалось в руке. Он ударил Халдера сбоку по ребрам и был награжден глухим болезненным бормотанием. Контрудар пришелся Джону в плечо. Кольчуга хрустнула, и в шее вспыхнула боль, но на мгновение Халдер утратил равновесие, и Джон подсек его ногу; тот шумно упал, разразившись ругательствами.

Гренн отбивался, стоя на месте, как учил его Джон, он отпускал Албетту больше, чем тот рассчитывал получить, но Пипу приходилось тяжело. Раст был на два года старше его и тяжелее фунтов на сорок. Шагнув из-за спины Пипа, Джон ударил по шлему насильника, как в колокол. Раст пошатнулся, и Пип скользнул под его защиту, сбил с ног и приставил клинок к горлу. Джон шагнул вперед. Оказавшись перед двумя мечами, Албетт отступил.

— Сдаюсь! — закричал он.

Сир Аллисер Торне с презрением наблюдал за схваткой.

— Сегодня этот марионеточный фарс чересчур затянулся, — проворчал он и направился прочь. Занятие было закончено.

Дарион помог Халдеру встать. Сын каменщика сорвал шлем и бросил его через двор.

— А мне на мгновение уже показалось, что я наконец достал тебя, Сноу.

— Одно мгновение и мне так казалось, — отвечал Джон. Плечо его пульсировало под броней и кожей от боли. Опустив меч в ножны, Джон попытался снять шлем, но едва он поднял руку, боль заставила его скрипнуть зубами.

— Позволь мне, — сказал чей-то голос. Толстые пальцы отвязали шлем от воротника и заботливо сняли его. — Он ранил тебя?

— Мне не впервой получать синяки. — Тронув плечо, Джон дернулся. Двор вокруг них опустел. Он заметил, что кровь пропитала волосы жирного мальчика под его шлемом, расколотым Халдером.

— Мое имя Сэмвел Тарли, я с Рогова... — Он смолк и облизнул губы. — То есть был с Рогова Холма, пока не приехал сюда. Я решил уйти в черные. Мой отец — лорд Рендилл, знаменосец Тиреллов из Хайгардена. Я был его наследником, только... — Голос его умолк.

— А я Джон Сноу, бастард Неда Старка из Винтерфелла.

Сэмвел Тарли кивнул.

— Я... если хочешь, можешь звать меня Сэмом. Моя мать звала меня так.

— А ты можешь звать его лордом Сноу, — произнес подошедший к ним Пип. — Тебе незачем знать, как мать звала его.

— Эти двое — Гренн и Пипар, — сказал Джон.

— Гренн — это уродливый, — сказал Пип.

Тот нахмурился.

— Твоя рожа уродливее моей! У меня хотя бы уши не как у летучей мыши...

— Благодарю вас всех, — серьезным голосом сказал Сэм.

— Почему ты не встал и не бился? — спросил Гренн.

— Я хотел, но... просто не мог... Я не хотел, чтобы он бил меня. — Сэм поглядел на землю. — Я... боюсь, что я трус. Мой лорд-отец всегда говорил так.

Гренна словно ударило громом. Даже Пипу нечего было сказать на это, а бывший актер находил нужное слово буквально для всего. Какой человек добровольно назовет себя трусом?

Сэмвел Тарли, должно быть, прочитал мысли по их лицам, глаза его встретили взгляд Джона и метнулись испуганными зверьками.

— Простите... я... — сказал он. — Простите, я не хотел... быть таким. — И тяжелым шагом направился к оружейной.

Джон окликнул его.

— Тебя ранили, — сказал он. — Завтра будет лучше.

Сэм печально оглянулся.

— Нет, лучше не будет, — сказал он, смахнув слезы. — Ничего из меня не получится.

Когда он ушел, Гренн нахмурился.

— Трусов никто не любит, — сказал он неуверенным голосом. — Жаль, что мы ему помогли. Что, если нас примут за трусов?

— Ты слишком глуп, чтобы быть трусом, — сказал ему Пип.

— Неправда! — возмутился Гренн.

— Да что ты? Если на тебя в лесу навалится медведь, у тебя не хватит ума убежать!

— Это я не побегу? — настаивал Гренн. — Да я бегаю быстрее, чем ты. — Он внезапно умолк и нахмурился, заметив ухмылку Пипа, и только тут понял свои слова. Толстая шея его побагровела. Джон предоставил им возможность ссориться, а сам вернулся в арсенал, повесил меч и стащил потрепанную броню.

Жизнь в Черном замке следовала определенному распорядку; утро уделялось игре с мячом, дни предназначались для работы. Черные Братья использовали новобранцев на многих делах, чтобы узнать, на что способны новички. Иногда Джон получал возможность вздохнуть свободно, когда их с Призраком посылали на охоту за дичью для стола лорда-командующего, но на каждый день, проведенный в лесу, приходилась дюжина в арсенале, где Джон крутил точило, пока однорукий кузнец затачивал топоры, затупившиеся после употребления, или качал мехи, пока Нойе ковал новый меч. Иногда он бегал с вестями, стоял на карауле, чистил конюшни, оперял стрелы, помогал мейстеру Эйемону ухаживать за птицами или Боуэну Маршу разбираться в счетах и бухгалтерских книгах.

В тот день командир стражи отправил его к подъемной клети с четырьмя бочонками битого камня. Приходилось разбрасывать гравий по ледяным тропам наверху Стены. Работа одинокая и скучная, даже если тебе сопутствует Призрак, но Джон обнаружил, что ему это безразлично. В ясный день с вершины Стены можно было увидеть полмира, а воздух всегда казался холодным и колким. Там он мог думать, и неожиданно для себя Джон обнаружил, что думает о Сэмвеле Тарли и — как ни странно — о Тирионе Ланнистере. Интересно, как обошелся бы Тирион с толстяком? Люди в основном склонны отрицать жестокую правду, они не хотят обращаться к ней лицом, говорил ему карлик ухмыляясь. Мир полон трусов, которые хотели бы выглядеть героями. Довольно странная разновидность отваги — признаваться в своей трусости, как это сделал Сэмвел Тарли.

Ушибленное плечо мешало делать работу. Джон закончил посыпать дорожки, когда уже завечерело. Он остался наверху, чтобы посмотреть, как солнце, садясь, окрашивает кровью западный небосклон. Наконец, когда сумерки уже сгустились на севере, Джон закатил пустые бочонки в клетку и махнул рукой, чтобы люди у ворота помогли ему спуститься вниз.

Когда они с Призраком появились в общем зале, вечерняя трапеза была уже почти закончена. Возле огня несколько черных братьев играли в кости за подогретым вином. Его друзья сидели на ближайшей к задней стене скамье и смеялись. История, которую рассказывал Пип, была в самом разгаре. Мальчишка-кукольник был прирожденным лжецом и умел говорить на сотню различных голосов: он не рассказывал свои истории, а переживал их; изображая всех героев, он был то королем, то становился свинопасом. Изображая девицу из пивной или принцессу, он говорил писклявым фальцетом, который повергал всех в безудержный смех, доводивший до слез и полного расслабления; евнухи в его исполнении всегда довольно явно напоминали сира Аллисера... Джон получал такое же удовольствие от россказней Пипа, как и все остальные... но все же в тот вечер он отвернулся от них и направился к концу стола, где сидел Сэмвел Тарли, стараясь держаться подальше от всех остальных.

Толстяк как раз доедал кусок пирога со свининой, которым сегодня ужинали все, когда Джон примостился напротив. Завидев Призрака, Сэм еще шире раскрыл глаза.

— Неужели это волк?

— Лютоволк, — ответил Джон. — Его зовут Призрак. Лютоволк начертан на гербе моего отца.

— А у нас шагающий охотник, — отвечал Сэмвел Тарли.

— Ты любишь охоту?

Толстяк пожал плечами.

— Ненавижу. — Казалось, что он вот-вот разрыдается.

— Ну, что еще произошло? — спросил его Джон. — Неужели ты всегда так испуган?

Сэмвел поглядел на остатки пирога на своей тарелке и тряхнул головой, боясь даже заговорить. Взрыв хохота наполнил зал — Пип запищал тоненьким голосом. Джон встал.

— Выйдем наружу.

Жирное лицо с подозрением уставилось на него.

— Зачем? Что мы будем там делать?

— Поговорим, — отвечал Джон. — Ты видел Стену?

— Я толстый, но не слепой, — отвечал Сэмвел Тарли. — Конечно, я видел ее, все семь сотен футов.

Но тем не менее он встал, накинул на плечи подбитый мехом кафтан и следом за Джоном вышел из общего зала — с опаской, словно бы ожидал столкнуться с какой-то жестокой шуткой. Призрак топал возле них.

— Никогда не думал, что все будет так, — говорил Сэм на ходу. Слова парком вились в холодном воздухе. Толстяк сопел и пыхтел, пытаясь держаться вровень с Джоном. — Вокруг руины... и этот...

— Холод? — На замок опускался мороз, и Джон слышал, как негромко хрустят посеревшие травы под его сапогами.

Сэм кивнул.

— Ненавижу холод, — сказал он. — Прошлой ночью я проснулся во тьме, очаг погас, и я был уверен, что к утру замерзну до смерти.

— Должно быть, там, откуда ты явился, много теплее.

— Впервые в жизни я увидел снег в этом месяце. Мы ехали через поля и курганы: я и люди, которых мой отец послал на север проводить меня, — и вдруг эта белая пыль посыпалась сверху, как тихий дождь. Вначале мне показалось, что это красиво, такие пушинки плывут по небу... Но снег шел и шел, и наконец я промерз до костей. Бороды моих людей покрылись снежной коркой, на плечах выросли целые сугробы, но снег все шел. Я боялся, что он никогда не кончится.

Джон улыбнулся.

Стена поднималась над ними, поблескивая в свете почти полной луны. В небе горели ясные звезды.

— И они собираются послать меня туда? — спросил Сэм. Тут он увидел огромную деревянную лестницу, и лицо его скривилось, как от кислого молока. — Я умру, если мне придется проделать этот путь.

— Там есть ворот, — сказал Джон. — Тебя могут поднять в клети.

Сэм Тарли хмыкнул носом.

— Я не люблю высоты.

Это было уж слишком. Джон нахмурился, не веря себе.

— Неужели ты боишься всего на свете? — спросил он. — Не понимаю. Если ты действительно такой трус, что тебе делать здесь? Зачем тебе вступать в Ночной Дозор?

Сэм Тарли поглядел на него, и круглое лицо его побледнело. Он опустился на покрытую снегом землю и зарыдал, сотрясаясь всем телом. Джону снова оставалось только стоять и ждать. Подобно снегопаду над курганами, слезы не хотели прекращаться.

Что нужно было делать, понял Призрак; безмолвный как тень, белый лютоволк подошел к мальчику и принялся слизывать теплые слезы с лица Сэмвела Тарли. Мальчишка вскрикнул, вздрогнул... и буквально за одно сердцебиение его рыдания превратились в смех.

Джон тоже расхохотался. А потом они сидели на мерзлой земле, укрывшись плащами; Призрак сидел между ними, а Джон рассказывал, как они с Роббом нашли щенков. Все это казалось происшедшим тысячу лет назад. Давно ему не случалось вспоминать о Винтерфелле.

— Иногда он мне снится, — признался Джон. — Я прохожу по длинным и пустым залам. Голос мой отдается вокруг, но никто не отвечает мне, и я иду все быстрее — открываю двери и выкрикиваю имена. Я не знаю даже, кого ищу. Чаще всего отца, но иногда Робба, или младшую сестру Арью, или своего дядю.

Воспоминание о Бенджене Старке вдруг опечалило его: дядя все не вернулся. Старый Медведь выслал разведчиков на поиски. Сир Джареми Риккер увел два отряда, а Куорен Полурукий вышел навстречу из Сумеречной башни, но они ничего не нашли, если не считать меток на деревьях, которыми дядя обычно помечал путь. На каменистых высотах северо-запада метки внезапно пропали, а с ними и следы Бена́ Старка.

— А ты кого-нибудь находишь в замке в этом своем сне? — спросил Сэм.

Джон покачал головой:

— Никого. Замок пуст. — Он никому не рассказывал об этом сне и не понимал, зачем теперь говорит о нем Сэму, но почему-то откровенность казалась уместной. — Даже вороны оставили свои гнезда, а в башне полно костей. Это всегда пугает меня. Тогда я бегу, распахиваю двери настежь, через три ступеньки взлетаю на башню, кричу, ищу хоть кого-нибудь, а потом оказываюсь перед дверью в крипту. Внутри темно, я вижу лишь спускающиеся вниз ступеньки. Иногда я знаю, что мне надо спуститься туда, но я не хочу этого делать. Я боюсь того, что может ожидать меня. Там, внизу, лежат старые Короли Зимы, они сидят на своих тронах, у ног их застыли каменные волки, а на коленях лежат железные мечи. Но не их я боюсь, я кричу им, что я не Старк и это не мое место, но ничего не помогает. Мне надо идти, и я спускаюсь, держась рукой за стену, и нет факела, чтобы осветить мне путь. Становится все темнее и темнее, наконец я начинаю кричать... — Он умолк и нахмурился в смущении. — И вот тут я всегда пробуждаюсь в холодном поту. Ты ведь знаешь, какой холод в этой темной келье! Призрак прыгает ко мне на постель, утешая теплом своего тела. И я вновь засыпаю, уткнувшись лицом в косматую шкуру лютоволка... А тебе снится Рогов Холм? — спросил Джон после недолгого молчания.

— Нет. — Губы Сэма сжались и напряглись. — Я ненавидел замок. — Он почесал за ухом и задумался.

Сэмвел Тарли заговорил не скоро. Джон Сноу внимательно слушал его и узнал, как случилось, что мальчик этот, признавшийся в собственной трусости, оказался на Стене.

Тарли принадлежали к древнему и честному роду знаменосцев Мейса Тирелла, лорда Вышесада, Хранителя Юга. Тарли Сэмвел, старший сын лорда Рендилла, был рожден наследником этих земель, сильной крепости и знаменитого двуручного великого меча, Губителя сердец, выкованного из валирийской стали и передававшегося от отца к сыну почти пять сотен лет.

Вся гордость, которую ощутил лорд-отец при рождении Сэмвела, улетучилась, когда оказалось, что мальчик растет неловким и тихим, полным. Сэм любил слушать музыку и сочинять песни, любил носить мягкий бархат, играть в кухне замка возле поваров, вдыхая аромат лимонного пирога или черничного торта. Он отдавал свое сердце книгам, котятам и даже танцам — при всей своей неловкости. Но от вида крови Сэма мутило, он плакал даже над убитым цыпленком. Дюжина оружейных дел мастеров посетила Рогов Холм и оставила его после безуспешных попыток превратить Сэмвела в рыцаря, каким хотел видеть его отец. Мальчишку ругали, шлепали, били, морили голодом. Один из учителей, чтобы укрепить в Сэме боевой дух, заставлял его спать в кольчуге. Другой одел его в платье матери и в таком виде провел через двор замка, чтобы позором направить к доблести. Но Сэм только толстел и становился еще более запуганным. Наконец разочарование лорда Рендилла обратилось в гнев и презрение.

— Однажды, — признался Сэм голосом, стихшим до шепота, — в замок пришли двое колдунов из Кварта, белокожие и синегубые. Они убили зубра и заставили меня выкупаться в горячей крови, но и после этого я не стал отважным, как они обещали. Мне стало дурно, а потом меня вырвало. Отец приказал их выгнать.

Наконец после трех дочерей леди Тарли родила своему лорду-мужу второго сына. Начиная с этого дня лорд Рендилл просто забыл про старшего сына, уделяя все свое внимание младшему, грубому и неприхотливому, больше отвечающему его нраву. Тут Сэмвел получил несколько лет сладкой жизни, которые он посвятил музыке и книгам.

И вот настал день его пятнадцатых именин. Проснувшись, Сэм обнаружил, что лошадь его оседлана. Трое латников отца отвезли его в лес возле Рогова Холма к месту, где отец свежевал оленя.

— Теперь ты почти взрослый человек и мой наследник, — сказал лорд Рендилл Тарли своему старшему сыну, пластая тушу длинным ножом. — Ты не предоставил мне повода отказаться от тебя, но я не позволю тебе унаследовать землю и титул, которые должны отойти к Дикону. Губитель сердец должен принадлежать человеку достаточно сильному, чтобы поднять его, а ты недостоин даже прикоснуться к рукояти этого меча. Поэтому я решил, что сегодня ты объявишь о своем желании облачиться в черную одежду. Ты откажешься от всего в пользу своего брата и отправишься на север прежде, чем завечереет.

Если ты не сделаешь этого, утром мы отправимся на охоту, и где-нибудь в этих лесах твоя лошадь споткнется, а ты вылетишь из седла и умрешь... так я скажу твоей матери. У нее женское сердце; в нем хватает доброты и для тебя, я не хочу причинять ей боль. Пожалуйста, не думай, что тебе удастся не покориться мне. Ничто не доставит мне большего удовольствия, чем заколоть такую свинью, каковой ты являешься. — Руки отца уже обагрились до локтя, и он отложил нож в сторону. — Итак, выбирай. Ночной Дозор... — Он запустил руку внутрь туши, вырвал сердце и сжал его в кулаке, выдавливая кровь. — Или это...

Сэм рассказал свою повесть спокойным и мертвым голосом, словно бы все это случилось не с ним, а с кем-то другим. Странно, отметил Джон, он даже ни разу не пустил слезу. Потом, когда Сэм договорил, они сидели рядом и какое-то время слушали ветер. И не было другого звука во всем мире.

Наконец Джон рассудил:

— Надо возвратиться в общий зал.

— Зачем? — спросил Сэм.

Джон пожал плечами:

— Там сейчас разливают горячий сидр или вино с пряностями, если ты предпочитаешь его. Иногда вечерами Дарион поет нам, если у него есть настроение. Раньше он был певцом... ну, не совсем, конечно, учеником певца.

— А как он попал сюда? — спросил Сэм.

— Лорд Рован из Золотой Рощи обнаружил его в постели собственной дочери. Девушка была на два года старше, и Дарион клянется, что она сама открыла ему окно, но перед отцом она назвала его поступок насилием... Так он и попал сюда. Когда мейстер Эйемон услышал его пение, он сказал, что голос Дариона напоминает ему гром, облитый медом, — улыбнулся Джон. — Жаба иногда тоже поет, если кваканье можно назвать таким словом. Застольным песням мейстер Эйемон научился в винном погребке своего отца. Пип утверждает, что голос его можно уподобить моче, пролитой на говенную кучу. — Они вместе захохотали.

— Мне бы хотелось услышать их обоих, — признался Сэм. — Но они выгоняют меня... — Сэм смутился. — Утром он вновь потребует, чтобы я сражался, так ведь?

— Так, — вынужден был ответить Джон.

Сэм неловко поднялся на ноги.

— Лучше попытаюсь уснуть. — Он сгорбился и направился в спальню.

Когда Джон возвратился в обществе одного только Призрака, все собрались в общей комнате.

— Где ты был? — спросил Пип.

— Я говорил с Сэмом, — ответил он.

— Вот уж истинно трус, — проговорил Гренн. — Когда он брал свой пирог, на скамье были места, но он побоялся даже сесть с нами.

— Лорд Беконский считает себя слишком важным и с такими, как мы, не знается, — предположил Джерен.

— Я видел, как он ест свиной пирог, — проговорил, блаженствуя, Жаба. — Как вы думаете, не из своего ли братца? — И он захрюкал.

— Прекрати! — отрезал Джон.

Все умолкли, поразившись его внезапной ярости.

— Послушайте, — произнес Джон в тишине и рассказал им о своем плане. Пип поддержал его, как и рассчитывал Джон. Потом заговорил Халдер, и слова его оказались приятной неожиданностью. Гренн сперва заторопился, встревожился, но Джон знал, чем тронуть его. По одному сдавались и все остальные. Одних Джон переубедил, других улестил, третьих устыдил, пригрозил тем, кому необходимо. Наконец все согласились... все, кроме Раста.

— Вы, девки, можете поступать как угодно, — заявил Раст. — Но если Торне выставит меня против леди Хрюшки, я намереваюсь отрезать себе добрый кусок свининки. — Он расхохотался прямо в лицо Джону и оставил их.

Несколько часов спустя, когда замок уснул, трое из них нанесли визит в его келью. Гренн держал руки, Пип сидел на ногах, и Джон услышал прерывистое дыхание Раста, когда Призрак вскочил ему на грудь. Глаза лютоволка светились красными угольками, и зубы его самую чуточку прикоснулись к мягкой коже на шее парня, выпустив только капельку крови.

— Помни, что мы знаем, где ты спишь, — негромко сказал Джон.

На следующее утро Джон слышал, как Раст уверял Албетта и Жабу в том, что случайно порезался за бритьем.

Начиная с этого дня ни Раст, ни другие не причиняли боли Сэмвелу Тарли. Когда сир Аллисер выставлял их против него, парни просто стояли на месте и отбивали неуклюжие удары толстяка. Если оружейных дел мастер требовал активных действий, они, приплясывая, легко ударяли Сэма по панцирю, шлему и ногам. Сир Аллисер ярился и угрожал, называл всех трусами, бабами и еще худшими словами, но Сэм оставался цел. Через несколько вечеров по настоянию Джона он присоединился к общей вечерней трапезе и занял место на скамье возле Халдера. Прошло еще две недели, и он нашел в себе силы включиться в общий разговор, смеялся рожицам Пипа и поддразнивал Гренна.

Жирный, неловкий и запуганный, Сэмвел Тарли не был дураком. Однажды вечером он зашел к Джону в его келью.

— Я не знаю, почему ты это сделал, — сказал Сэм, — но я понимаю, что это сделал ты... — Он застенчиво отвернулся. — У меня никогда еще не было друга.

— Мы не друзья, — улыбнулся Джон, опуская ладонь на широкое плечо Сэма. — Мы братья!

Так и есть на самом деле, подумал он, когда Сэм отправился к себе. Робб, Бран и Рикон были сыновьями его отца, он по-прежнему любил их, но все же Джон знал, что никогда не был одним из них. Об этом позаботилась Кейтилин Старк. Серые стены Винтерфелла до сих пор тревожили его сны, но Черный замок теперь сделался его жизнью, и братьями его стали Сэм, и Гренн, и Халдер, и Пип, и все остальные отверженные, облачившиеся в черные одежды Ночного Дозора.

— Дядя мой сказал правильно, — шепнул он Призраку. Удастся ли только ему еще раз повстречать Бенджена Старка и рассказать дяде о его правоте?

ЭДДАРД

— Причиной всех наших неприятностей, милорд, является турнир десницы, — пожаловался командир городской стражи королевскому совету.

— Королевский турнир, — поправил Нед вздрогнув. — И уверяю вас, деснице он не нужен.

— Называйте его как хотите, милорд. Но рыцари съезжаются со всего королевства, и на каждого рыцаря приходятся два вольных всадника, трое ремесленников, шестеро воинов, дюжина купцов, две дюжины шлюх, а воров столько, что и не сосчитать. От жары половина города лежит в лихорадке, ну а при всех этих гостях... Прошлой ночью у нас был утопленник, драка в таверне, три случая поножовщины, изнасилование, два пожара, несчетное число грабежей и пьяные скачки по улице Сестер. Предыдущей ночью у Великой септы, в Радужном пруду обнаружили отрезанную голову женщины. Никто не знает, как она попала туда и где тело этой неизвестной...

— Как ужасно, — съежился Варис.

Лорд Ренли Баратеон проявил меньше сочувствия:

— Если ты не умеешь охранять покой короля, Янос, то городской страже, возможно, придется обойтись без твоих услуг.

Крепкий и мордастый Янос Слинт надулся, как рассерженная лягушка, лысина его покраснела.

— Сам Эйегон Дракон не сумел бы сейчас поддержать покой, лорд Ренли. Мне нужно больше людей.

— Сколько? — спросил Нед, наклоняясь вперед. Роберт, как всегда, не затруднил себя посещением совета, поэтому, как десница, он говорил от лица короля.

— Столько, сколько можно выделить, лорд десница.

— Наймите пятьдесят человек, — разрешил ему Нед. — Лорд Бейлиш оплатит ваши расходы.

— Из каких это средств? — спросил Мизинец.

— Найдете. Вы нашли сорок тысяч золотых драконов для кошелька чемпиона и, конечно же, сумеете отыскать горсть медяков, чтобы сохранить покой короля. — Нед повернулся к Яносу Слинту: — Еще я предоставляю вам двадцать добрых мечей из моей собственной охраны, чтобы они помогли страже, пока толпы не рассеются.

— Благодарствую, лорд десница, — ответил Слинт кланяясь. — Обещаю, что ваши люди попадут в хорошие руки.

Когда начальник стражи вышел, Эддард Старк повернулся к остальным членам совета:

— Чем скорее закончится это безрассудство, тем лучше. — Мало ему расходов и хлопот, все они просто старались посыпать солью рану Неда, называя турнир его именем, словно бы он был причиной его. А Роберт явно считал, что он должен ощущать себя польщенным.

— Когда происходят такие события, страна процветает, — проговорил великий мейстер Пицель. — Они предоставляют великим возможность прославиться, а низким забыть о невзгодах.

— И наполняют золотом многие карманы, — добавил Мизинец. — Все гостиницы в городе уже полны, городские шлюхи ходят враскоряку и звенят на каждом шагу.

Лорд Ренли расхохотался.

— Как жаль, что брата моего Станниса нет среди нас; помните, как он предложил запретить бордели? Король спросил его, не стоит ли заодно запретить есть, испражняться и дышать. Откровенно говоря, я нередко удивляюсь, каким образом Станнис сделал свою уродливую дочь. Он идет на брачное ложе, как воин на битву, с мрачной решимостью в глазах и стремлением выполнить свой долг.

Нед не присоединился к общему смеху.

— Меня тоже интересует ваш брат Станнис. Хотелось бы знать, когда он намеревается завершить свой визит на Драконий Камень и занять свое место в нашем совете?

— Только когда мы утопим всех шлюх в море, — сострил Мизинец, вызывая еще больший смех.

— На сегодня с меня довольно разговоров о шлюхах, — сказал Нед поднимаясь. — До завтрашнего утра!

Когда Нед подошел к башне Десницы, у двери караулил Харвин.

— Позови ко мне Джори и скажи, чтобы твой отец заседлал моего коня, — приказал Нэд своему дружиннику, пожалуй, излишне резко.

— Как прикажете, милорд.

Красный замок и турнир уже довели меня до ручки, думал Нед поднимаясь. Он тосковал по утешению, которое приносили ему руки Кейтилин, по стуку мечей Робба и Джона на тренировочном дворе, по прохладным ночам севера. В своей палате он снял взмокшие на совете шелка и, ожидая появления Джори, уселся за книгу «Происхождение и история великих домов Семи Королевств с жизнеописаниями многих высоких лордов, благородных дам и их детей, записанными мейстером Маллеоном». Пицель не обманул, и томик оказался весьма увесистым. Но Джон Аррен когда-то читал эту книгу, и Нед не сомневался в том, что у него были на то причины. Какая-то тайна крылась среди хрупких желтых страниц, и ее следовало разгадать. Но что же искать? Книге было больше века. Едва ли сейчас живет хотя бы один человек, родившийся, когда Маллеон писал эти страницы.

Нед вновь открыл раздел, посвященный дому Ланнистеров, и принялся медленно листать страницы в надежде увидеть что-нибудь интересное. Ланнистеры, семейство древнее, возводили свое происхождение к Ланну Умному, шуту века героев, персоне, вне сомнения, столь же легендарной, как и Брандстроитель. Ланн был кумиром певцов и сказителей. В легендах говорилось, что Ланн изгнал семейство Кастерли, властвовавшее над Кастерли Рок, иначе Бобровым утесом, не прибегая к другому оружию, кроме своего ума, и украл у солнца золото, чтобы окрасить им свои кудри. Только умница Ланн, наверное, сумел бы разгадать тайну этого пухлого тома...

Резкий стук в дверь возвестил о приходе Джори Касселя. Нед закрыл том Маллеона и разрешил войти.

— Я обещал передать в городскую стражу двадцать наших людей до конца турнира, — сказал Нед. — Полагаюсь в выборе на тебя. Передай Элину команду и постарайся объяснить людям, что им надлежит останавливать драки, а не начинать их. — Поднявшись, он открыл кедровый сундук и снял нижнюю льняную рубаху. — Ты нашел конюха?

— Стражника, милорд, — отвечал Джори. — Он клянется, что больше даже не прикоснется к коню.

— И что он сказал?

— Он утверждает, что хорошо знал лорда Аррена. Они были друзьями. — Джори фыркнул. — Десница всегда давал мальчишкам по медяку в дни именин, сказал он. Умел обращаться и с лошадьми. Никогда не загонял коней и приносил им морковку и яблоки, так что животные всегда были ему рады.

— Морковку и яблоки, — повторил Нед. Похоже, что этот парень окажется еще менее полезным, чем все остальные. А он был последним из четверки, которую назвал Мизинец. Джори по очереди переговорил с каждым из них. Сир Хью проявил сдержанность и молчаливость вкупе с надменностью свежеиспеченного рыцаря. Если десница желает поговорить с ним, он охотно примет его, но не потерпит допроса от простого капитана гвардии, даже если указанный капитан на десять лет старше и умеет обращаться с мечом в сотню раз искуснее. Служанка по крайней мере проявила вежливость. Она сказала, что лорд Джон читал больше, чем полезно человеку, что хрупкое здоровье сына печалило десницу, ссорившегося из-за него со своей благородной супругой. Горшечник, ныне кожевенник, ни разу не обменялся даже словом с лордом Джоном, но он знал достаточно кухонных сплетен: лорд ссорился с королем, лорд едва прикасался к пище, лорд решил отослать мальчишку, чтобы его воспитывали на Драконьем Камне, лорд весьма увлекался разведением охотничьих собак, лорд посетил оружейника, чтобы заказать новую наборную броню из синего серебра с голубым яшмовым соколом и перламутровой луной на груди... Заказывать панцирь с ним ездил сам брат короля, но не лорд Ренли, а Станнис.

— А заметил ли наш стражник что-нибудь интересное?

— Парень клянется, что лорд Джон был сильнее любого рыцаря, даже вдвое младше его. Он часто ездил кататься верхом с лордом Станнисом.

Снова Станнис, подумал Нед. Любопытное совпадение. Джон Аррен и лорд Станнис придерживались отношений дружественных, но не совсем сердечных, и пока Роберт ездил на север в Винтерфелл, Станнис удалился на Драконий Камень, главную крепость Таргариенов, которую некогда захватил для своего брата. И не было известно, когда он собирается возвратиться.

— Так куда же они ездили вместе? — спросил Нед.

— Мальчишка утверждает, что они посещали бордель.

— Бордель? — удивился Нед. — Лорд Орлиного Гнезда и десница короля посещает бордель в обществе Станниса Баратеона? — Он покачал головой, не веря себе и гадая, как воспринял бы лорд Ренли этот анекдот. О распутстве Роберта пели похабные песни в застольях по всем королевствам, но Станнис являлся человеком совсем другого сорта. Лишь на год моложе короля, он был суров, неулыбчив и не забывал ни о чем — в том числе и о чувстве долга.

— Мальчишка настаивает, что это так. Он утверждает, что десница брал с собой двоих стражей и они каждый раз посмеивались над хозяином, когда возвращали ему лошадей.

— И куда они ездили? — спросил Нед.

— Мальчишка не знает. Это известно страже.

— Жаль, что Лиза увезла свою дружину в Долину, — сухо заметил Нед. — Боги стараются досадить нам. Леди Лиза, мейстер Колемон, лорд Станнис... все, кто действительно может знать, что именно случилось с Джоном Арреном, находятся сейчас в тысяче лиг отсюда.

— А не вызвать ли вам лорда Станниса с Драконьего Камня?

— Пока еще рано, — покачал головой Нед. — Только когда я разберусь в том, что происходит и на чьей он стороне.

Случившееся интриговало его. Почему Станнис уехал? Быть может, он играл какую-то роль в убийстве Джона Аррена? Или же он чего-то боится? Нед просто не мог представить себе событие, способное напугать Станниса Баратеона, некогда выдержавшего в Штормовом Пределе целый год осады, питавшегося крысами и кожей сапог, пока лорды Тирелл и Редвин сидели напротив его стен и пировали среди своих дружин.

— Принеси, пожалуйста, мой дублет. Серый, с вышитым лютоволком... я хочу, чтобы оружейник знал, кто я такой. Будет более разговорчивым.

Джори направился к гардеробу.

— Лорд Ренли брат не только королю, но и лорду Станнису...

— И все-таки его, похоже, не приглашали в эти поездки. — Нед был уверен в том, что Ренли не так прост, при всей его приветливости и легкой улыбке.

Несколько дней назад Ренли отвел Неда в сторону, чтобы показать роскошный медальон из розового золота. Внутри находилась миниатюра, изображавшая прекрасную молодую девушку с глазами голубки под водопадом мягких каштановых волос. Ренли хотел узнать, не напоминает ли Неду кого-нибудь эта девица, и когда Нед лишь пожал плечами, проявил явное разочарование. Девушку эту, как признался он потом, звали Маргери, она была сестрой Лораса Тирелла, но находились люди, утверждавшие, что она напоминала Лианну.

— Не может быть! — возразил Нед, заинтересовавшись. Неужели лорд Ренли, так похожий на молодого Роберта, влюбился в девушку, которую считал похожей на молодую Лианну? Более чем странно...

Джори подал дублет, и Нед вдел руки в рукава.

— Быть может, лорд Станнис вернется на турнир Роберта, — проговорил он, пока Джори поправлял одежду на спине.

— Это было бы весьма удачно, милорд, — отвечал Джори.

Нед пристегнул к поясу длинный меч.

— Иными словами, весьма и весьма маловероятно. — Он мрачно улыбнулся.

Джори набросил на плечи Неда плащ, застегнув его на горле знаком десницы, и проговорил:

— Оружейник живет над своей мастерской, в большом доме наверху Стальной улицы. Элин знает дорогу, милорд.

Нед кивнул:

— Пусть боги помогут этому горшечнику, если он заставит меня гоняться за тенями!

Но ведь тот Джон Аррен, которого знал Нед Старк, был не из тех, кто ценит украшенную драгоценностями и посеребренную броню. Сталь есть сталь, она нужна для защиты, а не для украшения. Конечно, он мог переменить свою точку зрения после многих лет пребывания при дворе... Однако подобное событие удивило бы Неда.

— Что еще я могу сделать?

— Полагаю, тебе пора начать посещать веселые дома.

— Тяжелое дело, милорд, — ухмыльнулся Джори. — Но люди будут рады помочь. Портер уже положил начало.

Оседлали любимого коня Неда, он ждал во дворе. Под сталью шлемов и кольчуг гвардейцы наверняка истекали потом, но не произнесли даже слова жалобы.

Лорд Эддард выехал из-под Королевских ворот на вонючую улицу, и серо-белый плащ заполоскал за его плечами; Нед видел повсюду внимательные глаза и потому послал лошадь рысью. Оба гвардейца последовали за ним. Проезжая по людным городским улицам, он часто оглядывался назад. Томард и Десмонд рано утром оставили замок, чтобы расположиться на намеченном им маршруте и проследить, не последует ли за ним кто-нибудь, но, невзирая на это, Нед не был уверен в себе. Тень королевского паука и его пташек смущала его, как деву брачная ночь.

Стальная улица начиналась от рыночной площади, возле Речных ворот. Над толпой на ходулях шествовал акробат, подобный огромному насекомому, целая орда босых ребятишек с восторженными воплями тянулась за ним. В стороне двое оборвышей, возрастом не старше Брана, сошлись в поединке на мечах под громкие поощрения, мешавшиеся с яростными проклятиями. Поединок закончила старуха: перегнувшись из окна, она выплеснула ведро помоев на головы противников. В тени стены расположились фермеры, громко вопившие:

— Яблоки, лучшие яблоки, в два раза дешевле! Кровавая дыня, сладкая словно мед! Репка-турнепка, лук и коренья, все сюда, все сюда, репка-турнепка, лук и коренья, все сюда!

Грязные ворота были открыты, под их портиком уместился эскадрон городской стражи, золотые плащи опирались на копья. С запада как раз поднимался отряд всадников, и стражники оживились, послышались приказы, они принялись разгонять телеги и пешеходов, чтобы пропустить рыцаря со свитой. Въехавший в ворота всадник держал в руках длинное черное знамя. Шелк трепетал на ветру, словно живой; на ткани было вышито ночное небо, прорезанное молниями.

— Дорогу лорду Берису!

Позади знамени ехал сам молодой лорд, стремительный всадник с непокрытой рыжей головой, в черном атласном плаще, усыпанном звездами.

— Сражаться на турнире в честь десницы, милорд? — окликнул его караульный.

— Побеждать на турнире в честь десницы! — выкрикнул лорд Берис под восторженные вопли толпы.

Нед свернул с площади в самом начале Стальной улицы и отправился по извилистому длинному подъему мимо кузнецов, работавших в открытых кузнях, свободных всадников, торгующихся над кольчугами, и седых торговцев, продающих старые лезвия и бритвы прямо с фургонов. Чем выше они поднимались, тем больше становились строения. Нужный им человек жил почти на самой вершине холма, в огромном доме из оштукатуренного дерева, верхние этажи которого нависали над узкой улицей. На черном дереве двойных дверей была вырезана сцена охоты, вход стерегли двое каменных рыцарей, облаченных в причудливые доспехи из полированной красной стали, с выгравированными на них гербами в виде грифона и единорога. Нед оставил своего коня Джексу и прошел внутрь.

Мастер быстро заметил знак на плаще Неда и герб на его дублете и заторопился вперед, улыбаясь и кланяясь.

— Вина для королевской десницы, — приказал он молодой худощавой служанке, указывая Неду на диван. — Меня зовут Тобхо Мотт, милорд, прошу вас чувствовать себя как дома. — На мастере был белый бархатный плащ с молотами, вышитыми на рукавах серебряной ниткой, на шее висела тяжелая золотая цепь с сапфиром величиной с голубиное яйцо. — Если вы нуждаетесь в новом оружии для турнира, то нашли нужное место.

Нед не стал останавливать его.

— Моя работа дорога, и я не буду извиняться за это, милорд, — сказал мастер, наполняя два одинаковых серебряных кубка. — Клянусь, нигде в Семи Королевствах вы не найдете работы, равной моей. Если хотите, обойдите каждую кузницу в Королевской Гавани и сравните сами. Выковать кольчугу может любой деревенский кузнец, но я изготовляю произведения искусства.

Потягивая вино, Нед позволил хозяину продолжить.

— Рыцарь Цветов купил у меня всю броню, — хвастался оружейник. — Среди моих клиентов много высоких лордов, понимающих толк в отличной стали, даже сам лорд Ренли, брат короля... Быть может, лорд-десница уже видел новую броню лорда Ренли: зеленый панцирь и шлем с золотыми рогами? Ни один другой оружейник в городе не сумеет добиться такого оттенка. Один лишь Тобхо знает секрет нанесения цвета на сталь, для этого необходима эмаль и особая краска. Быть может, деснице нужен клинок? Тобхо научился изготовлять валирийскую сталь в кузницах Квохора еще мальчишкой. Лишь знающий заклинания человек способен взять в руки старое оружие и обновить его. Кстати, знак дома Старков — лютоволк? Я могу изготовить шлем в виде головы этого зверя, прямо как настоящий, дети будут разбегаться от вас на улицах, — посулил он.

Нед улыбнулся:

— Это ты делал шлем в виде соколиной головы для лорда Аррена?

Тобхо Мотт помедлил и отставил в сторону вино.

— Десница собственной персоной приехал тогда ко мне вместе с лордом Станнисом, братом короля. Увы, они не почтили меня своим покровительством.

Выжидая, Нед поглядел на мастера. Он давно обнаружил, что иногда молчание позволяет добиться большего, чем поток вопросов. Так произошло и на этот раз.

— Они хотели увидеть мальчика, — сказал оружейник. — Поэтому я отвел их в кузницу.

— Мальчика? — отозвался Нед. Он не имел ни малейшего представления, о ком шла речь. — Быть может, и я тоже захочу посмотреть мальчика.

Тобхо Мотт с прохладной взвешенностью поглядел на него.

— Как вам угодно, милорд, — сказал он без малейшего следа былой любезности. И повел Неда к задней двери, потом через узкий двор в каменную пещеру, где и совершалась работа. Когда оружейник открыл дверь, порыв жаркого воздуха заставил Неда ощутить себя ступающим в пасть дракона. В каждом углу кузницы пылал очаг, пахло дымом и серой. Бродячие оружейники отрывались от молотов и клещей только для того, чтобы стереть пот со лба, тем временем нагие до пояса ученики вздымали мехи.

Мастер подозвал высокого парня. Он был не старше Робба, руки и грудь молодого кузнеца змеились мышцами.

— Это лорд Старк, новая десница короля, — объяснил он.

Мальчик поглядел на Неда впалыми глазами и откинул со лба пропитанные пóтом волосы... густые, непричесанные и черные, словно чернила. Тень первой бороды уже легла на его лицо.

— Это Джендри. Он силен для своих лет, к тому же любит работать. Покажи деснице шлем, который ты сделал.

Почти застенчиво мальчик отвел их к скамье, на которой лежал стальной шлем, сделанный в виде бычьей головы с двумя огромными изогнутыми рогами.

Нед повертел шлем в ладонях; лучшая сталь, еще не полированная, но работа великолепна.

— Отличная вещь. Я был бы рад, если бы ты продал мне ее.

Парень выхватил шлем из рук Неда.

— Он не для продажи!

Тобхо Мотта словно поразил ужас.

— Парень, перед тобой десница короля, и если шлем нужен его светлости, лучше подари его. Он почтил тебя уже одной только просьбой.

— Я сделал его для себя, — сказал парень упрямым голосом.

— Тысяча извинений, милорд, — заторопился мастер. — Такой шлем может сделать любой странствующий кузнец. Простите его, а я обещаю изготовить вам шлем, подобного которому вы еще не видели.

— Он не сделал ничего такого, что нуждалось бы в моем прощении. Джендри, а когда лорд Аррен приходил к тебе, о чем он спрашивал?

— Он задавал мне вопросы... и все, милорд.

— А какие вопросы?

— Как я поживаю, хорошо ли со мной обращаются, люблю ли я свою работу, и еще раз спрашивал о моей матери. Кто она и на кого похожа...

— И что ты сказал ему? — спросил Нед.

Мальчишка откинул назад волосы, только что упавшие обратно на лоб.

— Она умерла, когда я был еще мал. Такая светловолосая, пела мне иногда, а работала она в пивной.

— И лорд Станнис тоже расспрашивал тебя?

— Лысый? Нет, он не сказал ни слова, только глядел на меня так, как будто бы я изнасиловал его дочь.

— Прибери свой грязный язык, — сказал мастер. — Это же десница самого короля. — Юноша потупил глаза. — Смышленый парнишка, но упрямый. Этот шлем... все тут зовут парня Бычьей Башкой, вот он и сделал такой.

Нед прикоснулся к голове мальчика и погладил густые черные волосы.

— Погляди на меня, Джендри! — Ученик кузнеца поднял лицо. Нед посмотрел на его щеки, глаза, жгущие синим огнем. Да, подумал он, теперь и я вижу это. — Возвращайся к работе, парень. Зря я оторвал тебя от дел. — Вместе с мастером они направились назад. — А кто заплатил за его обучение? — спросил Нед непринужденным тоном.

Мотт встревожился.

— Вы видели парня. Какой сильный! Руки его созданы для молота. Он много обещает, и я взял его бесплатно.

— А теперь говори правду, — предложил Нед. — Улицы полны крепких ребят, но в тот день, когда ты начнешь брать учеников бесплатно, сразу рухнет Стена. Кто платил за него?

— Лорд, — начал мастер нерешительно, — он не назвался, и у него не было герба на плаще. Он заплатил золотом — дал в два раза больше, чем обычно, и сказал, что платит, во-первых, за обучение, а во-вторых, за молчание.

— Опиши его.

— Крепкий, круглый в плечах и не такой высокий, как вы. Каштановая борода, но в ней была рыжина, клянусь. Богатый плащ, это я помню, тяжелый пурпурный бархат, шитый серебряными нитями, но капюшон прятал голову, и я не разглядел лица. — Он помедлил мгновение. — Милорд, я не хочу неприятностей.

— Никто из нас не хочет неприятностей, но, увы, настали тревожные времена, мастер Мотт, — строго произнес Нед. — Ты знаешь, кто этот мальчик?

— Я всего лишь оружейник, милорд, и знаю лишь то, что мне говорят.

— Ты знаешь, кто этот мальчик, — терпеливо повторил Нед. — И это не вопрос!

— Парень этот — мой ученик, — ответил мастер и поглядел в глаза Неда взглядом упрямым и твердым, как старое железо. — А кем был до того, как попал ко мне, не мое дело.

Нед кивнул, он решил, что оружейник Тобхо Мотт нравится ему.

— Если настанет день, когда Джендри захочет взяться за меч, а не за молот, пришли его ко мне. Он похож на воина. А пока я благодарю тебя, мастер Мотт, и обещаю, что если мне потребуется шлем, чтобы пугать детей, я немедленно отправлюсь к тебе.

Охрана ждала снаружи возле коней.

— Ну как, что-нибудь отыскали, милорд? — спросил Джекс, когда Нед сел в седло.

— Нашел, — ответил Нед в раздумье. Что потребовалось Джону Аррену от королевского бастарда и почему любопытство стоило ему жизни?

КЕЙТИЛИН

— Миледи, вам следовало бы покрыть голову, — сказал сир Родрик. Кони их шли на север. — Простудитесь.

— Это всего лишь вода, сир Родрик, — ответила Кейтилин.

Влажные волосы облепили ее лицо, прилипли ко лбу, она вполне понимала, насколько неопрятной кажется ныне, но это ее не смущало. Южный дождь — ласковый, теплый. Кейтилин нравилось прикосновение капель к лицу, мягкое, как поцелуй матери. Она словно бы вернулась в свое детство, в долгие серые дни Риверрана. Кейтилин вспомнила богорощу, поникшие ветви, тяжелые от воды, смех брата, гонявшегося за ней между грудами сырой листвы. Она вспомнила, как делала вместе с Лизой пирожки из грязи, почувствовала их приятную тяжесть, коричневую скользкую глину, выступавшую между пальцев. Хихикая, они подавали их Мизинцу, тот однажды даже наелся глины и прохворал целую неделю. Какими маленькими они тогда были!

Кейтилин почти забыла об этом. На севере дождь всегда был холодным и жестоким; иногда ночами он превращался в лед. Дождь этот мог напитать урожай, а мог и убить, и даже взрослые люди прятались от него. Под северным дождем маленькие девочки не играли.

— А я весь промок, — пожаловался сир Родрик. — До костей. — Лес плотно обступил их, ровный стук дождя по листве сопровождал негромкое чавканье, когда лошади высвобождали копыта из грязи. — Сегодня нам потребуется костер и горячая еда.

— У перекрестка есть постоялый двор, — сказала ему Кейтилин. В юности она нередко ночевала там, когда путешествовала с отцом. Лорд Хостер Талли в расцвете сил не знал отдыха: он всегда куда-нибудь да ездил. Кейтилин еще помнила содержательницу постоялого двора, толстуху по имени Маша Хедль, днем и ночью жевавшую кислолист и всегда находившую для девочки улыбку и сладкий пирог. Пироги ее сочились медом и были приятны на вкус, но тогда Кейтилин боялась этой улыбки, потому что жвачка навсегда окрасила зубы Маши в багровый цвет, превращая ее улыбку в кровавый ужас.

— Гостиница, — сказал сир Родрик печально. — Если бы... Но мы не сумеем остановиться там и остаться неизвестными, лучше отыскать небольшую крепость. — Он умолк, заслышав впереди на дороге звуки: плеск воды, звяканье металла, ржание коней. — Всадники, — предупредил сир Родрик, опуская руку на рукоять меча. Даже на Королевском тракте осторожность никому не вредила.

Звуки приближались из-за неторопливого изгиба дороги, и они наконец заметили встречных: колонну вооруженных мужчин, с шумом переправлявшуюся через раздувшийся ручей. Кейтилин остановилась, пропуская их. Знамя в руке первого из всадников намокло и висело тряпкой, но воины были облачены в индиговые плащи, и на их плечах летел серебряный орел Сигарда.

— Маллистеры, — шепнул сир Родрик, как будто она не знала. — Миледи, лучше опустите капюшон на голову. — Кейтилин не шевельнулась.

Лорд Ясон Маллистер ехал во главе своих рыцарей, сын Патрек около, а сквайры следовали за ними. Путь их лежал к Королевской Гавани, на турнир десницы, это было понятно. В течение последней недели путников на Королевском тракте было что мух. Рыцари и свободные всадники, певцы с арфами и барабанами, тяжелые фургоны, груженные хмелем, зерном, бочонками с медом; торговцы, ремесленники, шлюхи — все они направлялись на юг.

Кейтилин отважно поглядела на лорда Ясона. Последний раз она видела его на собственном брачном пиру, он обменивался шутками с ее дядей; Маллистеры были знаменосцами Талли, и он поднес новобрачной пышные дары. Каштановые волосы с тех пор успела сбрызнуть морская соль, и время убрало лишнее с его лица, и все же годы не умерили гордости лорда Ясона. Он ехал как человек, который ничего не страшится. Кейтилин позавидовала ему: ей пришлось научиться страху. Когда всадники подъехали, лорд Ясон коротко кивнул, но это был только жест — любезность знатного лорда к встреченным путникам. Узнавание ни на мгновение не промелькнуло в его свирепых глазах, а сын лорда даже не соизволил поглядеть на нее.

— Он не узнал вас, — удивился сир Родрик.

— Он увидел на обочине дороги пару забрызганных грязью путников, мокрых и усталых. Ему даже в голову не пришло, что здесь может оказаться дочь его сюзерена. По-моему, мы можем спокойно остановиться в гостинице, сир Родрик.

Уже почти стемнело, когда они добрались до постоялого двора, расположенного на перекрестке дорог к северу от великого слияния у Трезубца. Маша Хедль еще более растолстела и поседела; она до сих пор жевала свой кислолист и удостоила их лишь самым поверхностным взглядом, забыв сопроводить его кровавой улыбкой.

— Две комнаты наверху — это все, что у меня есть, — сказала она, не прекращая жевать. — Они под часовой башней, так что еду вы не пропустите, однако некоторые считают, что там слишком шумно, но я ничего не могу сделать. Гостиница набита битком, точнее, почти битком! Словом, вы ночуете или в этих комнатах, или на дороге...

Комнатушки, низкие и пыльные, узкие, словно пеналы, располагались наверху узкой лестницы.

— Оставьте сапоги здесь, — сказала Маша, получив от них деньги, — мальчишка почистит их. Я не хочу, чтобы вы таскали грязь по лестнице наверх. Кстати, про колокол: опоздавшие не едят. — Ни улыбки, ни слова о сладких пирожках.

Когда зазвонил колокол, звук его действительно оказался оглушающим. Переодевшись в сухое, Кейтилин сидела у окна и смотрела, как дождь струится по стеклу, мутному и полному пузырей; снаружи уже сгущался влажный сумрак. Кейтилин едва различала грязный перекресток двух великих дорог.

Перекресток дал им время подумать. На запад до Риверрана доехать легко. Отец всегда давал ей мудрый совет, когда он был более всего нужен ей, и она хотела поговорить с ним о собирающейся буре. Если кому и нужно готовиться к войне, то в первую очередь Риверрану, близкому соседу Королевской Гавани, на владения которого с запада бросал тень своего могущества Бобровый утес. Если бы отец чувствовал себя лучше, она бы рискнула, но Хостер Талли последние два года провел в постели, и Кейтилин не хотелось утруждать его.

Восточная дорога шла по диким местам и считалась еще более опасной; она поднималась через скалистые предгорья и густые леса к Лунным горам. Минуя перевалы и глубокие пропасти, она приводила к Долине Арренов и каменистым Перстам за ней. Высоко над Долиной неприступное Орлиное Гнездо тянулось своими башнями к небу. Там она найдет свою сестру... и, быть может, некоторые из ответов, необходимых Неду. Конечно, Лиза знает больше, чем осмелилась написать в письме. Возможно, у нее есть те самые доказательства, которые нужны Неду, чтобы погубить дом Ланнистеров, а если дело дойдет до войны, им потребуются Аррены и восточные лорды, служащие им.

Однако горная дорога опасна. На перевалах водятся сумеречные коты, нередки обвалы, а кланы горцев, не соблюдая законов, спускались с высот, грабили и убивали, исчезая, как растаявший снег, когда Долина высылала рыцарей. Даже Джон Аррен — а Орлиное Гнездо еще не знало более великого господина — всегда путешествовал через горы с сильным отрядом. Кейтилин же могла положиться только на одного пожилого рыцаря, вооруженного в основном своей верностью.

Нет, решила она, Риверрану и Орлиному Гнезду придется подождать. Ее дорога лежит на север, в Винтерфелл, где ждут сыновья и обязанности. Как только они благополучно минуют Перешеек, она может открыться любому из знаменосцев Неда и послать вперед гонцов с приказом выставить конный дозор на Королевский тракт.

Дождь скрывал от ее глаз поля за перекрестком. Но Кейтилин отчетливо видела эти места в своей памяти. Рыночная площадь находилась как раз напротив, в миле за ней располагалась деревня: с полсотни белых домиков вокруг невысокой каменной септы. Домиков должно было прибавиться, лето выдалось долгим и мирным... Далее на север от Трезубца Королевский тракт шел вдоль Зеленого Зубца. Через плодородные земли и пышные леса, мимо богатых городков, крепких твердынь и замков речных владетелей.

Кейтилин знала их всех. Блэквудов и Брекенов, вечных врагов, чьи ссоры постоянно приходилось улаживать ее отцу; леди Уэнт, последнюю представительницу рода, обитавшую вместе со своими призраками под сводами огромных залов Харренхолла; раздражительного лорда Фрея, пережившего семь жен и наполнившего свои два замка детьми, внуками, правнуками, бастардами и прабастардами. Все они были знаменосцами Талли и мечом принесли присягу Риверрану. Кейтилин гадала, хватит ли этого, если дело дойдет до войны. Отец ее был самым надежным человеком из всех, когда-либо живших на свете, и она не сомневалась в том, что он созовет знамена... но придут ли они? Дарри, Риджерсы, Мутоны тоже присягнули Риверрану, однако они сражались с Рейегаром Таргариеном возле Трезубца, а лорд Фрей вместе со своим войском явился туда, когда битва уже закончилась, предоставляя повод для некоторых сомнений в том, к кому из соперников намеревался он присоединиться. После битвы он торжественно клялся победителям в том, что намеревался стать на их сторону, но с тех пор отец именовал его покойным лордом Фреем. До войны дойти не должно, лихорадочно подумала Кейтилин. Ее нельзя допустить.

Сир Родрик зашел за ней как раз когда колокол перестал звонить.

— Надо поспешить, если вы хотите поужинать сегодня, миледи.

— Будет безопаснее, если мы не будем звать друг друга рыцарем и дамой до тех пор, пока не пересечем Перешеек, — сказала она. — Обычные путешественники привлекают меньше внимания. Назовемся, скажем, отцом и дочерью, отправившимися в путь по какому-то семейному делу.

— Как вам угодно, миледи, — согласился сир Родрик, осознав ошибку, только когда она расхохоталась. — Привычку одолеть трудно... дочь моя. — Он попытался потянуть за отсутствующие бакенбарды и вздохнул.

Кейтилин взяла его за руку.

— Пойдемте, отец, — сказала она. — Вот увидите, Маша Хедль кормит хорошо, только постарайтесь не хвалить ее, чтобы она так страшно не улыбалась.

Гостиная оказалась длинной, и в ней сквозило; в одном углу ее выстроились рядком огромные деревянные бочки, в другом располагался очаг. Слуга носился с ломтями мяса, Маша тем временем цедила пиво из кегов, привычно жуя кислолист.

Скамьи были полны. Горожане и фермеры мешались с самыми разнообразными путниками: перекресток дорог сводит вместе странных соседей — красильщиков с руками, окрашенными черной и пурпурной краской, рыбаков, пропахнувших рыбой... Бугрящийся мышцами молотобоец сидел возле старого септона, привыкшие к суровой жизни наемники обменивались новостями с мягкотелыми, расплывшимися купцами.

На постоялом дворе собралось больше вооруженных людей, чем хотелось бы Кейтилин. На одежде троих, что устроились возле очага, скакал жеребец Брекkенов, с ними соседствовал большой отряд в синих стальных кольчугах и серебристых шлемах, знак на плече этих людей тоже был известен Кейтилин: двойные башни дома Фрея. Она попыталась приглядеться к лицам: все они были слишком молоды, чтобы знать ее. Когда она уехала на север, самый старший из них был, наверное, моложе, чем Бран.

Сир Родрик выбрал для нее укромное место на скамье возле кухни. Напротив них сидел молодой симпатичный юноша и держал на коленях деревянную арфу.

— Семь благословений вам, добрые люди, — сказал он, когда они сели. Перед ним на столе стояла пустая чаша для вина.

— И тебе того же, певец, — отвечала Кейтилин. Сир Родрик потребовал хлеба, мяса и пива тоном, не терпящим возражения. Певец, молодой человек лет восемнадцати, непринужденно посмотрел на них, спросил, куда они направляются, откуда приехали и с какими новостями. Забрасывая быстрыми как стрелы вопросами, он не дожидался ответа.

— Мы оставили Королевскую Гавань две недели назад, — ответила Кейтилин на самый безопасный из его вопросов.

— Туда-то я и направляюсь, — поведал юноша. Как она подозревала, он больше стремился рассказать собственную историю, чем выслушивать их. Певцы ничего не любят больше, чем звуки собственных голосов. — На турнир в честь десницы съедутся богатые лорды с толстыми кошельками. В последний раз я едва сумел увезти свое серебро... точнее, увез бы, если бы в тот день не поставил все на Цареубийцу.

— Боги неблагосклонны к игрокам, — сурово проговорил сир Родрик. Как северянин, он разделял взгляды Старков на турниры.

— Ко мне они действительно были неблагосклонны, — ответил певец. — Жестокие боги и рыцарь Цветов разорили меня.

— Вне сомнения, неудача послужила тебе уроком, — сказал сир Родрик.

— Безусловно. В этот раз я поставлю на сира Лораса.

Сир Родрик попытался потянуть себя за бакенбарды, которых, естественно, не оказалось на месте, но прежде, чем он успел сделать замечание, явился слуга. Он поставил перед ними поднос с хлебом, наполнил их тарелки ломтями жареного мяса, источавшими горячий сок. На другой тарелке высилась горка крошечных луковок, огненного перца и грибов. Сир Родрик с жадностью приступил к еде, мальчишка бросился за пивом.

— Меня зовут Мариллон, — проговорил певец, прикоснувшись пальцем к струне. — Вне сомнения, вы слышали мою игру?

Подобное утверждение заставило Кейтилин улыбнуться. На такой дальний север, каковым является Винтерфелл, странствующие певцы забредали нечасто, но она помнила эту породу по девичьим годам в Риверране.

— Боюсь, что нет, — улыбнулась она.

Певец извлек из арфы укоризненный аккорд.

— Вы много потеряли. А кто из певцов вам нравился больше всех остальных?

— Алия из Браавоса, — немедленно ответил сир Родрик.

— О, я пою куда лучше, чем этот старый скрипун, — сказал Мариллон. — Если у вас найдется серебряная монетка за песню, я охотно докажу вам свою правоту.

— Медяк или два у меня найдутся, но я скорее брошу их в колодец, чем буду слушать твой вой, — буркнул сир Родрик. Мнение его о певцах было общеизвестно; музыка вообще создана для девиц, и он не мог понять, почему здоровому парню приходит в голову возиться с арфой, когда ему лучше взяться за меч.

— Ваш дед — человек едкий, — обратился Мариллон к Кейтилин. — Я хотел почтить вас, воздать должное вашей красоте. Я и создан для того, чтобы петь перед королями и высокими лордами.

— Ну, это заметно, — сказала Кейтилин. — Лорд Талли любит песни, как я слыхала. Ты, вне сомнения, бывал в Риверране?

— Сотню раз, — непринужденно отвечал певец. — Там для меня держат наготове комнату, а молодой лорд относится ко мне, как к брату.

Кейтилин улыбнулась, представив, что сказал бы об этом Эдмар. Однажды какой-то певец утащил в степь девицу, которая нравилась брату, и с той поры Эдмар вообще возненавидел их породу.

— А как насчет Винтерфелла? — спросила она. — Ездил ли ты когда-нибудь на север?

— Зачем? — спросил Мариллон. — Там только метели и медвежьи шкуры, а Старки не разбираются в музыке, им бы только слушать вой волков.

Внезапно Кейтилин увидела, что в противоположном конце комнаты распахнулась дверь.

— Хозяйка, — послышался голос слуги. — Нам нужно разместить коней, милорд Ланнистер требует комнату и горячей воды.

— О боги, — проговорил сир Родрик, и Кейтилин стиснула его руку.

Маша Хедль уже кланялась и улыбалась, обнажая жуткие красные зубы.

— Простите, милорд, но гостиница полна до отказа, заняты все комнаты, простите.

Их четверо, заметила Кейтилин. Старик в черном одеянии Ночного Дозора, двое слуг... и он сам, маленький, но отважный.

— Мои люди переночуют у вас на конюшне, а что касается меня самого, то много места не займу, как можно видеть. — Карлик насмешливо ухмыльнулся. — Мне хватит жаркого огня в очаге и отсутствия блох в соломе...

Маша Хедль стояла возле него.

— Милорд, у нас все занято, турнир, ничего нельзя поделать...

Тирион Ланнистер извлек монету из кошелька, подбросил над головой, поймал, подбросил снова. Даже на том конце комнаты, где сидела Кейтилин, трудно было не заметить, что она золотая.

Вольный всадник в полинялом голубом плаще вскочил на ноги.

— Я приглашаю вас в свою комнату, милорд!

— Вот умный человек, — объявил Ланнистер, бросив монету через всю комнату. Вольный всадник подхватил ее в воздухе. — И какой сообразительный! — Карлик повернулся к Маше Хедль: — Надеюсь, вы дадите мне поесть?

— Все что угодно, милорд, все что угодно, — запела хозяйка. Чтоб ты подавился, подумала Кейтилин, представив себе Брана, задыхающегося, захлебывающегося собственной кровью.

Ланнистер поглядел на ближайший стол.

— Моим людям достаточно того, что вы подаете всем остальным. Двойную порцию каждому, как же иначе, мы — после тяжелой дороги. А мне подайте жареную птицу — цыпленка, утку, голубя, безразлично. И еще бутылку лучшего вина. Йорен, вы отужинаете со мной?

— Да, милорд, — поклонился черный брат.

Карлик пока еще не поглядел в дальний конец комнаты, и Кейтилин уже благодарила людные скамьи между ними, когда Мариллон внезапно вскочил на ноги.

— Милорд Ланнистер! — возопил он. — Я буду рад развлечь вас за едой. Позвольте мне спеть о великой победе вашего отца у Королевской Гавани.

— Ничто не может с такой надежностью погубить мой ужин, — сухо проговорил карлик. Разные глаза его коротко остановились на певце, отвернулись... и взгляд упал на Кейтилин. Он поглядел на нее, озадаченный. Она отвернулась, но слишком поздно. Карлик уже улыбался.

— Леди Старк, какое неожиданное удовольствие, — проговорил он. — К сожалению, я разминулся с вами в Винтерфелле.

Мариллон, открыв рот, уставился на него, смятение уступало место досаде; тем временем Кейтилин поднялась на ноги. Она услышала, как сир Родрик ругнулся. И чего этому уроду не сиделось на Стене, подумала она, зачем...

— Леди... Старк? — глупо проговорила Маша Хедль.

— В последний раз ночуя здесь, я звалась Кейтилин Талли, — сказала она хозяйке. Кейтилин услышала общий ропот, все взгляды устремились на нее. Она оглядела комнату, лица рыцарей и наемников и глубоко вздохнула, чтобы замедлить отчаянное биение сердца. Рискнуть ли? Но времени на раздумья не было, только мгновение, и она услышала, как звенит в ушах ее собственный голос. — Сир, действительно ли на вашем плаще вышита черная летучая мышь Харренхолла? — обратилась она к пожилому человеку, которого заметила только что.

Мужчина поднялся на ноги.

— Да, миледи.

— И леди Уэнт по-прежнему старинный и истинный друг моего отца, лорда Хостера Талли из Риверрана?

— Так, — ответил он.

Сир Родрик спокойно поднялся и извлек меч из ножен.

Карлик, моргая, глядел на них, и в разноцветных глазах его отражалось непонимание.

— Красному скакуну всегда рады в Риверране, — сказала она троим сидящим у очага. — Отец мой числит Джонаса Брекена среди своих самых старых и верных защитников.

Трое воинов обменялись неуверенными взглядами.

— Наш лорд почтен вашим доверием, — не без колебаний ответил один из них.

— Завидую вашему отцу, у него такие прекрасные друзья, — вмешался Ланнистер, — но я не понимаю, чего вы хотите, леди Старк.

Не обращая внимания на него, она обратилась к отряду, облаченному в синее и серое. Люди эти находились в центре событий, их было более двадцати.

— Я вижу и ваш герб: двойные башни Фреев. Как поживает ваш добрый лорд, сиры?

Поднялся капитан.

— Лорд Уолдер прекрасно себя чувствует, миледи. В день своих девяностых именин он намеревается заключить новый брак и просит вашего лорда-отца почтить его свадьбу своим присутствием.

Тирион Ланнистер фыркнул. И тут Кейтилин поняла, что он в ее руках.

— Этот человек явился гостем в мой дом и замыслил там убийство моего сына, семилетнего мальчика! — объявила она всей комнате, указывая на Ланнистера. Сир Родрик стоял возле нее с мечом в руках. — Именем короля Роберта и волей добрых лордов, которым вы служите, я приказываю вам схватить его и помочь доставить преступника в Винтерфелл, где он будет ожидать королевского правосудия.

Кейтилин не сразу поняла, что более обрадовало ее: звук дюжины извлеченных мечей или выражение лица Тириона Ланнистера.

САНСА

Санса отправилась на турнир десницы в обществе септы Мордейн и Джейни Пуль. Занавески из желтого шелка, столь тонкого, что она могла видеть сквозь него, превращали в золото весь мир вокруг. За городскими стенами устроили целые сотни павильонов, и простой люд собирался тысячами, чтобы посмотреть на турнир. От великолепия у Сансы захватило дух: сверкающие панцири, огромные кони, убранные в золото и серебро, крики толпы, знамена, трепещущие на ветру... и сами рыцари — мужественные и недоступные.

— Тут даже красивее, чем в песнях, — прошептала она, когда они отыскали выделенные им места среди прочих высокородных лордов и леди. В тот день Санса была одета великолепно, зеленое платье подчеркивало осеннее золото волос; она знала, что на нее глядят, и улыбалась.

Все смотрели, как выезжают на поле герои песен, одна сказочная личность сменяла другую. Вот показались семеро рыцарей Королевской гвардии, не считая Джейме Ланнистера. Все они были в чешуйчатой броне молочного цвета, прикрытой плащами, белыми, как свежевыпавший снег. Такой же белый плащ на плечах Джейме покрывали золотые доспехи, дополнявшиеся золотым шлемом в виде головы льва и золотым мечом. Прогромыхал лавиной сир Григор Клиган, иначе Скачущая Гора. Санса вспомнила лорда Джона Ройса, гостившего в Винтерфелле два года назад.

— Его бронзовой броне тысячи и тысячи лет, на ней выгравированы магические руны, ограждающие его от всякого зла, — шепнула она Джейни.

Септа Мордейн показала на лорда Ясона Маллистера, облаченного в индиго, украшенного чеканным серебром, с орлиными крыльями на шлеме. У Трезубца он скосил троих знаменосцев Рейегара. Потом девушки посмеялись над воинствующим жрецом Торосом из Мира, бритоголовым, в широком красном облачении, но септа рассказала им, что некогда он первым поднялся на стены Пайка с пылающим мечом в руке.

Других всадников Санса не знала. Засечные рыцари из Перстов, Вышесада, гор Дорна, невоспетые свободные всадники, новоиспеченные сквайры, сыновья знатных лордов, наследники малых домов. Эти молодые люди еще не совершили великих деяний, но Санса и Джейни сошлись на том, что наступит время и Семь Королевств отзовутся на звук их имен. Сир Белон Свонн, лорд Брайс Карон из Марки. Наследник Бронзового Джона сир Эндар Ройс вместе с младшим братом сиром Робаром; на их посеребренной стальной броне искрилась бронзовая филигрань с теми же древними рунами, которые охраняли отца. Близнецы сир Хорас и сир Хоббер, щиты которых украшала виноградная гроздь Редвинов — алый виноград на синеве. Патрек Маллистер, сын лорда Ясона. Шестеро Фреев с Переправы: сир Яред, сир Хостин, сир Дэнуэл, сир Эммон и сир Тео, сир Первин, сыновья и внуки старого лорда Уолдера Фрея, а с ними его незаконнорожденный сын Мартин Риверс.

Джейни Пуль открыто призналась, что вид Джалабхара Ксо, принца, изгнанного с Летних островов, пугает ее: алые перья зеленого шлема рассыпались над темным как ночь лицом. Но потом она увидела молодого Бериса Дондарриона, волосы которого были подобны красному золоту, а черный щит пересекала молния, и объявила, что готова выйти за него замуж прямо сейчас.

Пес тоже значился в списках, как и брат короля, красавец лорд Ренли, владыка Штормового Предела. Джори, Элин и Харви выехали на поле от Винтерфелла и севера.

— Джори среди здешних рыцарей похож на нищего, — фыркнула септа Мордейн. Сансе оставалось только согласиться. Иссиня-черный пластинчатый доспех Джори не был украшен даже гербом; тонкий серый плащ, свисавший с его плеч, напоминал грязную тряпку. Тем не менее он хорошо показал себя, выбив из седла Хораса Редвина в первом поединке, а во втором — одного из Фреев. В третьем он трижды съезжался с вольным всадником по имени Лотор Брун, облаченным в столь же простую броню, как и его собственная. Никто из них не упал, но Брун крепче держал пику и точнее наносил удары, поэтому король присудил победу ему. Элин и Харвин добились меньшего: Харвина выбил из седла в первом же поединке сир Меррин из Королевской гвардии, Элин уступил сиру Белону Свонну.

Поединки продолжались весь день до сумерек, копыта огромных боевых коней терзали траву, и поле скоро сделалось похожим на выбитую пустошь. Дюжину раз Джейни и Санса дружно вскрикивали, когда всадники съезжались, в щепу разбивая пики, а простонародье криками подбадривало своего фаворита. Когда падали рыцари, Джейни закрывала глаза, как испуганная девчонка, но Санса была сработана из более крепкого материала. Знатной даме подобает уметь вести себя на турнирах. Даже септа Мордейн, одобрительно кивая, отметила ее сдержанность.

Цареубийца выступал блестяще. Он непринужденно, как на учениях, выбил из седла сира Эндара Ройса и лорда Брайса Карона из Марки. А потом с трудом вырвал победу у седовολосого Барристана Селми из Королевской гвардии, выигравшего первые две схватки у рыцарей, которые были на тридцать и сорок лет моложе его.

Сандор Клиган и его огромный брат сир Григор Гора тоже казались неудержимыми, они побеждали одного врага за другим самым жестоким образом. Самое ужасное случилось во время второго поединка сира Григора, когда его пика дрогнула и ударила молодого рыцаря Долины под горло с такой силой, что наконечник пробил ворот доспеха и убитый на месте юноша упал в каких-то десяти футах от Сансы. Острие пики сира Григора обломилось и осталось в его шее, и кровь медленными толчками оставляла тело. На новом и блестящем панцире играл свет, солнце сверкнуло зайчиком на его руке и ушло в облака. Плащ его, нежно-голубой, как небо в ясный летний день, и расшитый по краю полумесяцами, побурел, впитывая кровь, и луны превратились в алые.

Джейни Пуль отчаянно разрыдалась, и септа Мордейн увела ее в сторону, чтобы та пришла в себя, но Санса сидела, сложив на коленях руки, и наблюдала за происходящим со странным интересом. Она еще не видела смерти. Санса подумала, что ей следовало бы заплакать, но слезы не шли. Наверное, она израсходовала весь свой запас на Леди и Брана. Конечно, будь это Джори, сир Родрик или отец, она отреагировала бы иначе, сказала она себе. Молодой рыцарь в синем плаще ничего не значил для нее, так, какой-то незнакомец из Долины Аррен, чье имя она забыла сразу, как только услыхала его. Мир тоже забудет его, поняла Санса. Песен о нем не споют. Как жаль...

Наконец тело унесли, на поле выбежал мальчишка с лопатой, забросавший грязью кровавое пятно. И поединки возобновились.

Сир Белон Свонн тоже уступил Григору, а лорд Ренли проиграл Псу. Ренли вылетел в воздух из седла буквально вверх ногами. Голова брата короля ударилась о землю с громким треском, и толпа охнула, однако это всего лишь отломился золотой рог с его шлема. Поднявшегося на ноги Ренли простонародье встретило радостными криками: народ любил симпатичного брата короля Роберта. С изящным поклоном он вручил отломанный отросток победителю. Пес фыркнул и забросил обломок в толпу, где люди принялись толкаться над куском золота. К тому времени септа Мордейн возвратилась одна.

— Джейни почувствовала себя нехорошо, и ей пришлось помочь вернуться в замок, — объявила она. Санса почти забыла о Джейни.

Потом засечный рыцарь в клетчатом плаще опозорил себя, убив лошадь под Берисом Дондаррионом, и был объявлен выбывшим из борьбы. Лорд Берис перенес седло на другого скакуна, но только для того, чтобы быть выбитым из него Торосом из Мира. Сир Арон Сантагар и Лотор Брун съезжались трижды, но безрезультатно. Потом сир Арон уступил лорду Ясону Маллистеру, а Брун — Робару, младшему сыну лорда Ройса. В конце концов на поле остались четверо: Пес и его чудовищный брат Григор, Джейме Ланнистер Цареубийца и юный сир Лорас Тирелл, которого звали рыцарем Цветов.

Сир Лорас был младшим сыном Мейса Тирелла, лорда Вышесада, Хранителя Юга. В свои шестнадцать лет он оказался на поле самым молодым среди рыцарей, но в то утро в первых же поединках выбил из седла поочередно троих королевских гвардейцев. Санса еще не видела такого красавца. Панцирь его был украшен причудливым узором, изображавшим букет из тысячи различных цветов, а снежно-белого жеребца покрывала попона, сплетенная из красных и белых роз. После каждой победы сир Лорас снимал шлем и медленно объезжал поле; увидев в толпе прекрасную деву, он вынимал из покрывала белую розу и бросал ей. В своем последнем поединке в тот день он съехался с молодым Ройсом. Древние руны сира Робара не смогли защитить его: сир Лорас с жутким грохотом расколол щит своего противника и выбил его из седла в грязь. Робар остался стонать на земле, а молодой победитель отправился объезжать поле. Наконец кликнули носилки, и недвижимого Робара унесли в шатер. Но Санса этого не видела: она смотрела лишь на сира Лораса, и когда белый конь остановился перед ней, подумала, что сердце ее разорвется.

Остальным девушкам он дарил белые розы, но для нее выбрал красную.

— Милая леди, — проговорил юноша, — ни одна победа не может быть прекраснее вас! — Санса застенчиво приняла цветок, онемев от подобной галантности. Голову сира Лораса украшала копна каштановых с рыжинкой кудрей, глаза светились, как расплавленное золото. Санса вдохнула слабый аромат цветка, и пока юноша отъезжал, не спускала с него взгляда.

Когда Санса наконец подняла глаза, возле нее оказался невысокий мужчина с остроконечной бородкой и проседью в волосах; он показался ей ровесником отца.

— Наверное, вы одна из ее дочерей, — сказал он, улыбаясь одним только ртом, но не серо-зелеными глазами. — Вы похожи на Талли.

— Я Санса Старк, — ответила она со смущением.

Мужчина был облачен в тяжелый плащ с меховым воротником, застегнутым брошью в виде серебряного пересмешника, и держался с непринужденностью знатного лорда.

— Я не имею чести знать вас, милорд.

Септа Мордейн торопливо взяла ее за руку.

— Милое дитя, это лорд Бейлиш, член Малого королевского совета.

— Некогда ваша мать была моей королевой красоты, — дохнув на Сансу мятой, негромко проговорил мужчина. — У вас ее волосы. — Пальцы его вдруг прикоснулись к ее щеке, к золотому локону. А потом он резко повернулся и ушел.

К этому времени луна уже поднялась и толпа устала, поэтому король объявил, что последние три поединка состоятся на следующее утро перед общим турниром. Простолюдины разошлись по домам, обсуждая схватки минувшего дня, придворные отправились на берег реки, где их ждал пир. Шесть громадных зубров жарились на кострах уже несколько часов; туши медленно поворачивались на деревянных вертелах, поварята старательно обмазывали их маслом и травами до тех пор, пока мясо не запеклось и не начало истекать соком. Возле павильонов поставили скамьи и разложили столы, уставили их сладкими травами, клубникой и свежевыпеченным хлебом.

Сансе и септе Мордейн отвели весьма почетные места слева от приподнятого помоста, на котором рядом с королевой восседал король. По правую руку от матери уселся принц Джоффри, и Санса ощутила, как напряглось его горло. Принц не сказал ей ни слова после того жуткого события, а она не осмеливалась заговорить с ним. Вначале она решила, что ненавидит его за то, что случилось с Леди, но, выплакав все слезы, убедила себя в том, что не Джоффри виноват; причиной всему королева, ее-то и следует ненавидеть, ее и Арью. Если бы не Арья, ничего бы с ними вообще не случилось... Сегодня она просто не могла ненавидеть Джоффри: принц был слишком прекрасен. На темно-синем дублете блестел двойной ряд вышитых золотых львиных голов, чело его украшала тонкая корона из золота и сапфиров. Волосы отливали жарким металлом. Санса глядела на него и трепетала; она боялась, что принц не обратит на нее внимания или, хуже того, в припадке ненависти выгонит ее, плачущую, из-за стола.

Но Джоффри только улыбнулся ей, поцеловал ее руку — красивый и любезный, как подобает принцу из песен, и сказал:

— Сир Лорас умеет понимать красоту, милая леди.

— Он был слишком добр ко мне, — пробормотала она, пытаясь оставаться скромной и спокойной, хотя душа ее пела. — Сир Лорас — истинный рыцарь. Как вы думаете, он победит завтра, милорд?

— Нет, — отвечал Джоффри. — С ним расправится или мой Пес, или, может быть, дядя Джейме. А через несколько лет, когда я вырасту и меня включат в списки, я превзойду их всех. — Джоффри поднял руку, подзывая слугу с бутылкой ледяного летнего вина, и налил в ее чашу. Санса поглядела на септу Мордейн, но Джоффри приподнялся и наполнил чашу септы; она кивнула и вежливо поблагодарила его, но не сказала ни слова.

Слуги наполняли чаши всю ночь, но потом Санса не сумела даже вспомнить вкуса вина, ее и так пьянили чары этой ночи, голова кружилась от великолепия, красоты, о которой Санса втайне мечтала всю жизнь. Перед павильоном короля сидели певцы, заполнявшие сумерки музыкой. Жонглер подкидывал в воздух горящие дубинки. Собственный шут короля, Лунатик, — простак, лицо пирожком, — выплясывал на ходулях и без умолку вышучивал всех и каждого с такой откровенной жестокостью, что Санса усомнилась в его простоте. Даже септа Мордейн была беспомощна перед ним: шут завел песенку о верховном септоне, и она хохотала так, что выплеснула вино на платье.

Джоффри казался воплощенной любезностью. Он весь вечер разговаривал с Сансой, осыпал ее комплиментами, развлекал, делился дворцовыми сплетнями, объяснял выходки Лунатика. Санса была настолько поражена, что, забыв о своем воспитании, более не обращала внимания на септу Мордейн, сидевшую слева от нее.

Тем временем блюда приносили и уносили. Густой суп из ячменя и оленины, салаты из сладкотравья, шпината и слив, посыпанные толчеными орехами. Улитки под медом и чесноком. Санса еще никогда не ела улиток, но Джоффри показал ей, как надо извлекать моллюска из раковины, и сам подал ей первый сладкий кусочек. За этим последовала запеченная в глине форель, только что выловленная в реке, и принц помог Сансе разбить хрупкую корочку, под которой таилась волокнистая белая мякоть. Затем начались мясные блюда, и он опять позаботился о ней, отрезав от ноги зубра прекрасный кусок и с улыбкой положив на ее тарелку. Впрочем, судя по скованным движениям, правая рука еще беспокоила Джоффри, однако он не жаловался.

Потом пошли сласти: пирог с голубями, запеченные яблоки, благоухающие корицей, и лимонный пирог под сахарной глазурью. Но к этому времени Санса уже настолько наелась, что сумела управиться только с двумя маленькими пирожками с лимоном, невзирая на то что очень любила их. Она как раз подумывала, не взяться ли за третий, когда король начал кричать. Король Роберт становился все говорливее с каждым блюдом. Время от времени Санса слышала, как он смеется или выкрикивает распоряжения, заглушая музыку, стук тарелок и утвари, но они сидели слишком далеко от него, чтобы она могла разобрать слова. Теперь Роберта слышали все.

— Нет! — прогрохотал он, заглушая все разговоры. Потрясенная Санса видела, что король поднялся на ноги, шатаясь и побагровев. В руке Роберт держал кубок с вином, хотя уже был пьян. — Не приказывай мне, женщина! — рявкнул он, обращаясь к королеве Серсее. — Король здесь я, понимаешь? Я правлю в этой стране, и если я сказал, что выеду завтра на турнир, то выеду! — Все только глядели разинув рты.

Санса заметила сира Барристана, Ренли, брата короля, и еще того невысокого человечка, который так странно говорил с ней и прикоснулся к ее волосам. Но никто не сделал попытки вмешаться. Лицо королевы скрывала бескровная маска, настолько белая, что ее, пожалуй, можно было бы вылепить из снега. Серсея поднялась из-за стола и, собрав свои юбки, молча бросилась к выходу. Челядь направилась следом.

Джейме Ланнистер положил ладонь на плечо короля, но король оттолкнул его в сторону. Ланнистер споткнулся и упал. Король расхохотался.

— Тоже мне великий рыцарь! Я легко сумею втоптать тебя в грязь... Помни это, Цареубийца! — Он ударил в грудь украшенным драгоценными камнями кубком, расплескивая вино по атласной рубахе. — Давайте мне мой молот, и ни один рыцарь в королевстве не выстоит против меня!

Джейме Ланнистер поднялся и отряхнулся.

— Как вам угодно, светлейший государь, — ответил он напряженным голосом.

Лорд Ренли с улыбкой шагнул вперед:

— Ты пролил вино, Роберт. Позволь мне подать тебе новый кубок.

Санса вздрогнула, когда Джоффри вдруг положил свою руку на ее ладонь.

— Становится поздновато, — сказал принц. На лице его застыло странное выражение, словно он больше не видел ее. — Нужно ли проводить вас до замка?

— Нет, — ответила Санса и, поглядев на септу Мордейн, вдруг заметила, что та спит, положив голову на стол, и мягко и весьма благовоспитанно прихрапывает.

— Я хотела сказать... да, спасибо, я буду очень признательна. Я устала, а дорога такая темная. Я буду рада какой-то защите.

Джоффри выкрикнул:

— Пес!

Сандор Клиган словно бы мгновенно соткался из тьмы, так быстро он появился. Он уже успел заменить панцирь красной шерстяной туникой, на груди которой была нашита кожаная собачья голова. Факелы заливали его обгорелое лицо тусклым светом.

— Да? — проговорил он.

— Отведи мою невесту в замок. Пригляди, чтобы с ней ничего не случилось, — отрывисто проговорил принц. И, не сказав ей даже слова на прощание, направился прочь.

Санса буквально всем телом ощутила на себе взгляд Пса.

— А ты уже решила, что Джоффри сам отправится провожать тебя? — Он расхохотался, смех его напоминал грызню собак на псарне. — На это рассчитывать нечего!

Он тянул ее, не сопротивляющуюся, за собой.

— Пошли, не только тебе надо поспать... Я уже крепко выпил, а завтра мне, возможно, придется убить собственного брата! — Он вновь расхохотался.

С внезапным ужасом Санса толкнула септу Мордейн в плечо, надеясь разбудить ее, но та лишь громче всхрапнула. Король Роберт направился прочь, и половина скамей разом опустела. Пир закончился, а с ним и прекрасный сон.

Пес прихватил факел, чтобы освещать их путь. Санса следовала за ним. Почва была каменистой и неровной, в мерцающем свете тени двигались и перемещались под ее ногами. Санса шла, опустив глаза, старательно выбирая место, куда можно было ступить. Они проходили между павильонов, перед каждым из которых высилось знамя и висела броня; молчание становилось тяжелее с каждым шагом: Санса не могла выносить общество этого человека, настолько он пугал ее. Однако она была воспитанной девушкой. Истинная леди не позволит себе обратить внимание на внешность человека, сколь безобразным он бы ни был, сказала она себе.

— Вы выступили сегодня самым доблестным образом, сир Сандор, — заставила она себя пробормотать.

Сандор Клиган огрызнулся:

— Избавь меня от своих пустых комплиментов, девчонка, и от твоего сира. Я не рыцарь. Я плюю на них и на их обеты. Вот мой брат — рыцарь. Ты видела, как он сегодня ездил?

— Да, — проговорила Санса затрепетав. — Он был...

— Таким доблестным? — договорил Пес.

Он смеется над ней, поняла Санса.

— Никто не смог противостоять ему, — гордясь собой, наконец проговорила она. Это не было ложью.

Сандор Клиган внезапно остановился посреди темной пустоши. Ей пришлось встать рядом.

— Твоя септа хорошо научила тебя. Ты похожа на одну из пташек, прилетевших с Летних островов, вот что. На хорошенькую говорливую пичужку, повторяющую все хорошие слова, которым ее научили.

— Это нехорошо. — Санса ощутила, как сердце затрепетало в груди. — Вы пугаете меня. Я хочу уйти.

— Никто не может противостоять ему, — скрежетнул Пес. — Вот это правда. Никто не способен противостоять Григору. А хорошо он сделал этого мальчишку, своего второго противника! Ты видела, правда? Дурак. Незачем ему было выезжать в такой компании. Ни денег, ни сквайра, некому помочь надеть доспехи. Он плохо завязал воротник. Ты думаешь, что Григор не заметил этого? Или ты полагаешь, что пика сира Григора дернулась вверх случайно? Хорошая разговорчивая девчушка, если ты в это веришь, то уж точно пустоголова, как птица. Пика Григора смотрит туда, куда ее направляет Григор. Погляди на меня. Погляди на меня! — Сандор Клиган протянул огромную руку, повернул ее лицо, взяв за подбородок. Опустившись на корточки перед ней, он поднес факел к своему лицу. — Смотри, вот тебе хорошенькое личико, смотри на здоровье. Я знаю, что ты этого не хочешь, я следил за тобой все время на Королевском тракте, да насрать мне на это! Гляди внимательно!

Пальцы держали ее челюсть, словно железный капкан. Он не отрывал глаз, пьяных, гневных. Приходилось смотреть.

Правая сторона лица его казалась изможденной: острые скулы, серый глаз под тяжелым лбом, нос большой и изогнутый, жидкие темные волосы. Клиган отращивал их и зачесывал набок, потому что на другой стороне его лица они не росли.

Левой половины лица не было. Ухо отгорело, осталась лишь дырка. Глаз еще видел, но его окружал змеиный клубок шрамов, обожженную жесткую черную плоть покрывали рытвины и глубокие трещины, в которых, когда Сандор шевелился, поблескивало что-то красное и влажное... снизу на челюсти съежившаяся плоть открывала кусочек кости.

Санса заплакала. Выпустив ее, Клиган загасил факел в грязи.

— Значит, нет у тебя хорошеньких слов для моей рожи, девица? Для этого твоя септа не знает никаких комплиментов? — Ответа не последовало, он продолжил: — Многие думают, что это случилось в какой-то битве... во время осады, в горящей башне; говорят, что у моего врага был в руках факел. Один дурак даже спросил, не дохнул ли на меня дракон.

На этот раз смех его был мягок, но в нем слышалась горечь.

— Но я скажу тебе, девушка, как это было, — прохрипел он — голос в ночи, тень, подвинувшаяся так близко, что она ощутила запах выпитого вина. — Я был моложе тебя, мне было тогда семь, а может, даже и шесть. В деревне возле стен крепости моего отца один резчик по дереву устроил свою лавку и, чтобы добиться поддержки, послал нам подарки. Старик делал восхитительные игрушки. Я не помню, что получил тогда, но мне больше понравился подарок Григора — разрисованный деревянный рыцарь, каждый сустав его двигался и был закреплен веревочкой, поэтому он мог сражаться. Григор был на пять лет старше меня и перерос эту игрушку. Он уже стал сквайром, мускулистый как бык и почти шести футов ростом. Поэтому я взял его рыцаря, но кража не принесла мне счастья — я держался настороже, и все-таки он поймал меня. В его комнате была жаровня. Григор не сказал даже слова, просто взял меня под мышки, уткнул лицом в горящие угли и держал так, невзирая на все мои вопли. Ты видела, какой он сильный. И уже тогда вырвать меня у него сумели только трое взрослых мужчин. Септоны говорят о семи пеклах. Что они знают? Только те, кто был обожжен, как я, знают, что такое истинный ад.

Отец сказал всем, что постель моя загорелась, а наш мейстер лечил меня мазями. Мазями! Григор тоже получил свою мазь. Четыре года спустя его помазали семью елеями, он принес свои рыцарские обеты, и Рейегар Таргариен, ударив его по плечу, сказал: «Восстань, сир Григор!»

Скрежещущий голос умолк. Сандор безмолвно сидел перед ней на корточках, громадный черный силуэт растворился в ночи, прячась от ее глаз. Санса слышала неровное дыхание Сандора, ей было жаль его, и она поняла, что страх почему-то исчез. Молчание затянулось, оно продолжалось так долго, что она вновь начала бояться, но теперь уже за него, а не за себя. Она нащупала массивное плечо рукой.

— Он не настоящий рыцарь, — шепнула она.

Пес откинул голову назад и взревел. Санса отступила назад, но он поймал ее за руку.

— Ты права! — прорычал он. — Да, пичуга, он не настоящий рыцарь.

Весь остаток пути до города Сандор Клиган промолчал. Он довел ее до места, где ждали повозки, приказал вознице отвезти их в Красный замок и уселся с ней рядом. Они в молчании въехали через Королевские ворота, миновали не освещенные факелами городские улицы. Через заднюю калитку он провел Сансу в замок... обожженное лицо дергалось, в глазах пряталась задумчивость. Он держался на шаг позади нее, пока она поднималась по лестнице в башню. Сандор проводил Сансу до коридора, ведущего в ее опочивальню.

— Благодарю вас, милорд, — кротко проговорила Санса.

Пес поймал ее руку и наклонился поближе.

— То, о чем я рассказал тебе сегодня, — проговорил он еще более грубо, чем обычно. — Если ты когда-нибудь скажешь Джоффри... своей сестре или отцу... любому из них...

— Не скажу, — прошептала Санса. — Обещаю.

Этого было мало.

— Если скажешь кому-нибудь, — закончил он, — я убью тебя.

ЭДДАРД

— Я сам отстоял по нему панихиду, — проговорил сир Барристон Селми, и они поглядели на тело, лежавшее в задней части повозки. — У него никого здесь не было. Говорят, в Долине осталась мать.

В бледных лучах рассвета молодой рыцарь казался уснувшим. Он не был красив, но смерть сгладила грубые черты, а Молчаливые Сестры облачили его в лучшую бархатную рубаху с высоким воротником, закрывшим рану, оставленную пикой на его горле. Эддард Старк поглядел на лицо и подумал, что этот мальчик, наверное, умер из-за него. Знаменосец Ланнистеров убил его прежде, чем Нед успел поговорить с юношей.

Неужели это простое совпадение? Он понял, что никогда не узнает этого.

— Хью пробыл сквайром Джона Аррена четыре года, — проговорил Селми. — Король произвел его в рыцари в память Джона до того, как мальчишка уехал на север. Он отчаянно добивался этого звания, но, увы, не был готов к нему.

Нед в ту ночь спал скверно и ощущал, что навалившаяся не по годам усталость одолевает его.

— Никто из нас не бывает готов, — проговорил он.

— К посвящению в рыцари?

— К смерти. — Нед аккуратно укрыл мальчика плащом, между полумесяцев на синем атласе проступало кровавое пятно. Когда мать спросит, как погиб ее сын, с горечью подумал он, ей ответят, что он сражался на турнире в честь десницы короля, Эддарда Старка.

Бессмысленная смерть. Войну нельзя превращать в игру. Нед повернулся к женщине, стоявшей возле повозки. Серые одежды прятали и тело ее, и лицо, все, кроме глаз. Молчаливые Сестры готовили людей к могиле, но увидеть лицо смерти значило навлечь на себя неудачу.

— Отошлите его доспехи в Долину. Они понадобятся матери.

— Панцирь его стоит достаточно сребреников, — проговорил сир Барристан. — Мальчик заказал броню специально для турнира. Работа простая, но добротная. Даже не знаю, заплатил ли он кузнецу.

— Он заплатил вчера, милорд, и заплатил дорого, — заметил Нед. А Молчаливой Сестре указал: — Отошлите панцирь матери, я улажу отношения с оружейником. — Она склонила голову.

Потом сир Барристан направился с Недом в Королевский павильон. Лагерь начинал шевелиться. Жирные сосиски шипели и плевались над очагами, в воздухе пахло перцем и чесноком. Молодые сквайры забегали по поручениям, отданным проснувшимися хозяевами; они зевали и потягивались, встречая день. Слуга, державший под мышкой гуся, преклонил колено, завидев их.

— Милорды, — пробормотал он; гусь тем временем гоготал и щипал его за пальцы.

Щиты, выставленные у шатров, говорили о своих владельцах: серебряный орел Сигарда, соловьи Брайса Карона, гроздья винограда Редвинов, щетинистый вепрь, красный бык, горящее дерево, белый баран, тройная спираль, пурпурный единорог, пляшущая дева, черная гадюка, двойные башни, филин и, наконец, чисто-белые щиты Королевской гвардии, отражавшие лучи рассвета...

— Король намеревается принять участие в общей схватке, — проговорил сир Барристан, проезжая мимо щита сира Меррина, на котором осталась глубокая царапина, нанесенная копьем сира Лораса, выбросившим рыцаря из седла.

— Да, — ответил Нед мрачно. Джори разбудил его ночью, чтобы известить о новости.

Нечего удивляться, что он спал так скверно.

Сир Барристан выглядел обеспокоенным.

— Говорят, что ночные красотки с рассветом теряют свою красоту, а вино отрекается от своих детей в свете утра...

— Так говорят, — согласился Нед, — но о Роберте этого не скажешь. — Другие могли бы отречься от слов, выкрикнутых в пьяном угаре, но Роберт Баратеон запомнит их и не отступит.

Павильон короля стоял возле воды, и наползавший с реки утренний туман окутывал его серыми клочьями. Сооруженный из золотистого шелка, он представлял собой самое большое и величественное сооружение в лагере. Возле входа стоял боевой молот — рядом с колоссальным щитом, украшенным коронованным оленем дома Баратеонов.

Нед надеялся найти короля спящим после выпитого вина. Но удача оставила его: Роберт уже встал и пил пиво из полированного рога, высказывая при этом неудовольствие двоим молодым сквайрам, пытавшимся упаковать его тело в броню.

— Светлейший государь, — проговорил один из них едва ли не сквозь слезы, — панцирь вам мал. Он не подходит вам. — Рука его дрогнула, и воротник, который он пытался пристроить вокруг толстой шеи Роберта, упал на землю.

— Седьмое пекло! — выругался Роберт. — Неужели мне придется делать это самому! Подберите, засранцы... Не стой, Лансель! Не стой с открытым ртом, подбирай! — Парнишка торопливо оглянулся, и король заметил Неда. — Погляди-ка на этих олухов, Нед. Моя жена настояла, чтобы я взял эту парочку сквайрами, а от них нет никакого толка. Не умеют даже одеть человека в его собственный панцирь и еще называют себя сквайрами! А я говорю, что они свинопасы, одетые в шелка!

Неду хватило одного взгляда, чтобы понять причину всех сложностей.

— Мальчишки не виноваты, — сказал он королю. — Ты слишком растолстел для этих доспехов, Роберт.

Роберт Баратеон хорошенько глотнул пива, бросил опустевший рог на меховое покрывало, вытер рот тыльной стороной руки и мрачно буркнул:

— Растолстел? Это я-то? Разве так положено разговаривать с королем? — Внезапный хохот налетел бурей. — Ах, проклятие, Нед, объясни мне, ну почему ты всегда бываешь прав?

Сквайры нервно заулыбались, когда король повернулся к ним.

— Эй вы. Да, оба! Вы слыхали слова десницы. Король слишком толст для его панциря. Ступайте за сиром Ароном Сантагаром. Скажите ему, что мне необходимо срочно расставить нагрудную пластину. Живо! Чего вы ждете?

Наталкиваясь друг на друга, мальчишки поспешили выбраться из шатра. Роберт сохранял на лице своем деланный гнев, пока они не ушли. А потом опустился в кресло и зашелся в хохоте.

Сир Барристан Селми похихикал вместе с ним, даже Эддард Старк умудрился улыбнуться. На него, как всегда, словно тучи наползали серьезные думы. Он успел разглядеть сквайров: симпатичные мальчишки, светловолосые и хорошо сложенные. Один, кудрявый и золотоволосый, был ровесником Сансы, другой, наверное, пятнадцатилетний, с песчаными волосами и тонкими усиками, глядел на мир изумрудно-зелеными глазами королевы.

— Хотелось бы мне увидеть сейчас лицо Сантагара, — проговорил Роберт. — Надеюсь, что у него хватит ума отослать их к кому-нибудь еще. Надо бы заставить их побегать весь день.

— А кто эти ребята? — спросил его Нед. — Родня Ланнистерам?

Роберт кивнул, вытирая слезы с глаз.

— Кузены, сыновья брата лорда Тайвина. Одного из покойных братьев. А может быть, и здравствующего, не помню. У моей жены слишком уж большое семейство, Нед.

И весьма честолюбивое, подумал Нед. Он не стал ничего говорить, но его встревожило то, что Роберт и ночью и днем окружен родней королевы. Жадность Ланнистеров, их любовь к должностям и почестям как будто бы не имели границ.

— Поговаривают, что вы с королевой вчера поссорились?

Физиономия Роберта мгновенно скисла.

— Эта баба попыталась запретить мне драться. Сейчас она сидит в замке. Твоя сестра никогда не опозорила бы меня таким образом!

— Ты не знал Лианну так, как я, Роберт, — ответил Нед. — Ты видел только ее красоту, но под ней таилось железо. Она сказала бы тебе, что в общей схватке тебе нечего делать.

— И ты тоже? — нахмурился король. — Старк, ты прокис. Ты слишком много лет просидел на севере, и все жизненные соки в тебе замерзли. Но в моем теле они еще бегут. — Он хлопнул себя по груди, чтобы доказать это.

— Ты король, — напомнил ему Нед.

— Я сажусь на проклятый престол, когда обязан это делать. Неужели поэтому я должен отказывать себе в том, что любит всякий мужчина? В лишнем глотке вина, в девице, что верещит в постели, в конских боках между моими ногами! Седьмое пекло, Нед, как мне хочется отлупить кого-нибудь!

Ответил ему сир Барристан Селми.

— Светлейший государь, — проговорил он. — Королю не подобает участвовать в схватке. Это не честно. Кто осмелится ударить вас?

Роберт вполне искренне удивился.

— Любой, черт побери. Пусть только сумеют! И последний оставшийся на ногах человек...

— ...окажется тобой, — проговорил Нед. Он немедленно понял, что Селми попал в точку. Опасности, которые сулила общая схватка, лишь раззадоривали Роберта, но подобное соображение ранило гордость. — Сир Барристан прав. В Семи Королевствах не найдется такого человека, который рискнул бы поднять на тебя руку.

Король поднялся на ноги, побагровев.

— Ты хочешь сказать, что эти брыкучие трусы позволят мне победить?

— Безусловно, — отвечал Нед. Сир Барристан Селми склонил свою голову в безмолвном согласии.

На мгновение Роберт разгневался настолько, что даже не смог заговорить. Король метнулся в угол шатра, резко повернулся и зашагал обратно с мрачным и гневным лицом. Подхватив с земли нагрудную пластину панциря, он запустил ею в Барристана Селми, по-прежнему не находя слов от ярости. Селми уклонился.

— Убирайтесь, — сказал король холодным голосом. — Убирайтесь, пока я не убил вас.

Сир Барристан заторопился к выходу. Нед уже собрался последовать за ним, когда король вновь позвал его:

— А ты останься, Нед.

Нед повернул назад. Роберт вновь взял рог, наполнил его пивом из бочонка в углу и протянул Неду.

— Пей, — сказал он отрывисто.

— Я не хочу...

— Пей. Король приказывает.

Нед приложился к рогу. Черное густое пиво оказалось настолько крепким, что у него защипало глаза.

Роберт сел.

— Проклятие на твою голову, Нед Старк. На твою и Джона Аррена, я любил вас обоих, и что же вы со мной сделали? Это тебе нужно было становиться королем, тебе или Джону.

— У тебя было больше прав, светлейший.

— Я велел тебе пить, а не спорить. Раз ты сделал меня королем, так по крайней мере потрудись любезно слушать, пока я говорю, черт побери. Погляди на меня, Нед. Видишь, что сделала из меня эта королевская власть? Боги, я слишком разжирел для своего панциря. Как могло дойти до такого позора?

— Роберт...

— Пей и молчи, пока король говорит. Клянусь тебе, я никогда не чувствовал себя таким живым, когда добивался этого престола, и таким мертвым после того, как занял его. А Серсея... За нее я должен отблагодарить Джона Аррена. Я не хотел жениться после того, как у меня отняли Лианну. Но Джон заявил, что государство нуждается в наследнике и Серсея Ланнистер составит для меня хорошую пару. Он уверял меня, что она привяжет ко мне лорда Тайвина, на случай, если Визерис Таргариен когда-нибудь попытается вернуть престол своего отца. — Король покачал головой. — Я любил этого старика, клянусь, но теперь думаю, что он был большим дураком, чем мой Лунатик. Серсея красива, это так, но она холодна... а как стережет свою щель! Можно подумать, что у нее между ног спрятано все золото Бобрового утеса. Эй, дай-ка сюда это пиво, если ты не хочешь пить его. — Король опустошил рог, перевернул его, рыгнул, вытер рот. — Поверь, Нед, мне действительно жаль твою девочку. Это я о волке. Мой сын лгал, клянусь в этом душой. Мой сын... ты своих детей любишь, так?

— Всем сердцем, — отвечал Нед.

— Тогда я открою тебе секрет. Много раз я мечтал отказаться от короны. Уехал бы на корабле в Вольные Города, взял бы с собой молот и проводил время в стычках или со шлюхами, для этого я и создан. Король-наемник, как полюбили бы меня певцы! И знаешь, что меня останавливает? Мысль о том, что Джоффри окажется на моем троне, а Серсея будет из-за спины нашептывать ему на ухо. Мой сын... Как я мог сделать такого, а, Нед?

— Он всего лишь мальчишка, — неловко ответил Нед. Принца Джоффри он недолюбливал, но в голосе Роберта слышалась истинная боль. — Неужели ты забыл, каким дикарем был в его возрасте?

— Я бы не беспокоился, если бы мальчишка был дикарем. Ты же не знаешь его так, как я. — Король вздохнул и покачал головой. — К тому же, возможно, ты прав. Джон часто бывал недоволен мной, однако же я вырос и сделался добрым королем. — Роберт поглядел на Неда, хмурясь его молчанию. — Мог бы уже сказать слово и согласиться со мной, мог бы!

— Светлейший... — начал Нед, выбирая слова.

Роберт хлопнул Неда по спине.

— Ладно, скажи просто, что я лучший король, чем Эйерис, и закончим на этом. Ты никогда не умел лгать ни ради любви, ни ради чести, Нед Старк. Я еще молод, и теперь, когда ты вновь рядом со мной, все переменится. Мы сделаем мое правление таким, что о нем будут петь, и пусть Ланнистеры убираются в седьмое пекло. Ветчиной пахнет. А как ты думаешь, кто победит сегодня? Ты видел парня Мейса Тирелла? Его зовут рыцарь Цветов. Вот это сын, истинная гордость своего отца! На последнем турнире он сбросил Цареубийцу на землю — прямо на золоченую задницу! Видел бы ты выражение на лице Серсеи... Я хохотал, пока не заломило в боках. Ренли утверждает, что у него есть сестра, четырнадцатилетняя девочка, прекрасная, как рассвет...

Они позавтракали возле реки на раскладном столе черным хлебом, вареными гусиными яйцами и рыбой, поджаренной на луке с беконом. Меланхолия короля улетучилась вместе с утренним туманом, и, приступив к апельсину, Роберт уже размяк и принялся вспоминать об утре в Орлином Гнезде, когда они были мальчишками...

— ...и подарил Джону бочонок апельсинов? Только они сгнили и я бросил один через стол, угодив прямо в физиономию Даккса. Помнишь сквайра Редфорда с изрытым оспой лицом? Он бросил в меня другим, и пока Джон решал, что делать, апельсины залетали по всему чертогу во все стороны! — Он громогласно расхохотался, и даже Нед улыбнулся воспоминанию.

Это был тот мальчишка, с которым он рос, это был тот самый Роберт Баратеон, которого он знал и любил. И если он сумеет доказать, что Ланнистеры подстроили нападение на Брана, что именно они убили Джона Аррена, этот человек поверит ему. Тогда Серсея падет, а вместе с ней и Цареубийца, ну а если лорд Тайвин осмелится поднять Запад, Роберт раздавит его, как раздавил он Рейегара Таргариена у Трезубца. Все было ясно.

Завтрак этот показался Неду вкуснее всех трапез за последнее время, и вскоре лорд Старк заулыбался. А потом настало время турнира.

Нед отправился вместе с королем на поле сражения. Он обещал посмотреть финальные схватки вместе с Сансой. Септа Мордейн, как выяснилось, прихворнула, а дочь не хотела пропустить конца состязаний. Увидев Роберта на своем месте, он отметил, что Серсея Ланнистер решила не появляться; место возле короля оказалось свободным. Этот факт также вселил в Неда некоторые надежды.

Он протолкался к месту, где сидела дочь, как раз когда затрубили трубы, объявляя о первой схватке. Санса была настолько увлечена, что не сразу заметила появление отца.

Первым выехал Сандор Клиган в оливково-зеленом плаще, прикрывающем серо-пепельный панцирь. Лишь шлем в виде собачьей головы украшал доспех.

— Сотня золотых драконов на Цареубийцу, — объявил громко Мизинец, когда появился Джейме Ланнистер на элегантном чистокровном гнедом. Конь был покрыт позолоченной кольчужной попоной. Джейме сверкал с головы до ног. Даже пика его была изготовлена из золотого дерева, доставленного с Летних островов.

— По рукам, — отвечал лорд Ренли. — Нынешним утром Пес кажется мне голодным.

— Всякий голодный пес знает, что лучше не кусать руку, которая кормит его, — сухо отозвался Мизинец.

Сандор Клиган с громким лязгом уронил забрало и занял свое место. Сир Джейме послал воздушный поцелуй какой-то женщине среди простонародья, мягко опустил забрало и выехал на конец дорожки. Оба рыцаря опустили копья.

Неду Старку хотелось бы, чтобы проиграли оба, но Санса смотрела на них, блестя от волнения глазами. Сооруженная на скорую руку галерея затряслась, когда лошади перешли в галоп. Пес наклонился вперед, копье его ровно покачивалось, но Джейме чуть изменил положение в мгновение, предшествующее удару. Острие копья Клигана лишь скользнуло по золотому щиту с изображением льва, а сам Ланнистер точно попал в щит Пса. Дерево треснуло, Клиган пошатнулся, пытаясь удержаться в седле. Санса охнула. Неровный ропот пробежал по толпе.

— На что мне лучше потратить ваши деньги, милорд? — обратился Мизинец к Ренли.

Пес ухитрился усидеть в седле. Он развернул своего коня и направился к загородке для второй схватки. Ланнистер бросил сломанное копье и подхватил новое, успев обменяться шутками со сквайром. Пес бросился вперед жестким галопом, Ланнистер спокойно скакал навстречу. На этот раз, когда Джейме изменил позу, Сандор Клиган повторил его движение. Пики разлетелись в щепки, и когда обломки опустились на землю, лишившийся ездока кровный гнедой отправился пощипать травку, а сир Джейме Ланнистер повалился в грязь в своей золотой, но уже помятой броне.

Санса проговорила:

— Я знала, что Пес победит...

Мизинец услыхал ее.

— Если вы знаете, кто победит во втором поединке, скажите об этом сейчас, прежде чем Ренли успеет раздеть меня догола, — обратился он к Сансе, и Нед улыбнулся.

— Жаль, что с нами нет Беса, — заметил лорд Ренли, — тогда я выиграл бы в два раза больше.

Джейме Ланнистер был уже на ногах, но при падении пышный львиный шлем его повернулся, смялся и не желал сниматься с головы. Простолюдины улюлюкали и тыкали пальцами, но Нед слышал громовой хохот короля Роберта, заглушавший все прочие голоса. В конце концов слепому и спотыкающемуся Ланнистеру пришлось отправиться к кузнецу.

К этому времени сир Григор Клиган уже оказался в своем углу ограждения. Эддард Старк еще не видел столь высокого рыцаря. Роберт Баратеон и его братья — люд рослый, как, впрочем, и Пес, да и у него самого в Винтерфелле остался конюх по имени Ходор, рядом с которым все выглядели малышами. Но рыцарь, которого звали Скачущей Горой, возвышался бы и над Ходором. В нем было футов восемь, руки казались стволами небольших деревьев. Рослый верховой конь превратился в пони между его облаченных в железо ног, пика в его руках напоминала ручку метлы. В отличие от своего брата сир Григор жил не при дворе. Он вел уединенную жизнь и оставлял собственные земли разве что ради войн и турниров. Он находился возле лорда Тайвина во время падения Королевской Гавани, тогда юному рыцарю было всего лишь семнадцать лет, но он уже прославился — ростом и невозмутимой свирепостью. Утверждали, что именно Григор разбил о стену голову младенца Эйегона Таргариена; поговаривали, что потом он изнасиловал его мать, дорнийскую принцессу Элию, прежде чем зарубить ее. Обо всем этом при Григоре не вспоминали.

Нед Старк не помнил, чтобы когда-либо разговаривал с ним, хотя Григор сопутствовал им среди других рыцарей во время мятежа Беелона Грейджоя. Нед глядел на него с беспокойством. Он редко верил слухам, но о сире Григоре рассказывали весьма жуткие вещи. Говорили, что он намеревается жениться в третий раз, а в отношении причин смерти первых двух жен ходили разные слухи. Все считали замок его местом зловещим, где даже слуги исчезают без счета, а псы боятся войти в зал. Сестра его скончалась при сомнительных обстоятельствах, известно было и про пожар, который изуродовал его брата, и про несчастный случай на охоте, когда погиб отец. Григор унаследовал замок, золото и фамильное достояние. Его младший брат Сандор в тот же самый день покинул замок, чтобы поступить наемником к Ланнистерам; утверждали, что он ни разу не заехал в родной дом даже с коротким визитом.

Когда рыцарь Цветов появился у входа, по толпе пробежал шум и лорд Старк услышал лихорадочный шепот Сансы:

— О, как он прекрасен. — Стройное, как тростник, тело сира Лораса Тирелла прикрывала сказочная серебряная броня, отполированная до зеркального блеска и украшенная переплетенными виноградными лозами и крохотными голубыми незабудками. Чернь успела заметить, что лепестки цветов выложены сапфирами, и вздох вырвался из тысячи глоток. На плечах юноши висел тяжелый плащ, сотканный тоже из незабудок — на этот раз настоящих: сотни свежих цветов были нашиты на плотную шерстяную материю.

Лошадь его была стройна, как и сам наездник, это была прекрасная серая кобыла, словно созданная для быстрой езды. Почуяв ее запах, огромный жеребец сира Григора заржал. Мальчишка из Хайгардена шевельнул ногами, и его лошадь метнулась вперед, легкая как плясунья. Санса вцепилась в руку Неда.

— Отец, пусть сир Григор не ранит его, — проговорила она. Нед заметил на платье дочери розу, которую вчера подарил ей сир Лорас. Джори рассказал ему об этом.

— Это турнирные пики, — объяснил он дочери. — При столкновении они ломаются, ран не бывает. — Однако Нед помнил мальчика в телеге, прикрытого плащом с полумесяцами...

Сир Григор с трудом управлялся с конем. Жеребец ржал, бил копытом и тряс головой. Гора лягнул животное кованым сапогом — лошадь взвилась и едва не сбросила его.

Рыцарь Цветов отдал салют королю, направился в дальний конец арены и взял копье на изготовку. Сир Григор вывел жеребца на линию, пытаясь сдержать его уздой. Тут все началось. Конь Горы сорвался в тяжелый галоп, навстречу ему потоком шелка текла кобыла. Сир Григор выставил вперед щит и копье, одновременно стараясь удержать непокорного коня, и вдруг Лорас Тирелл оказался рядом, острие его копья ударило именно в нужное место, и в мгновение ока Гора рухнул на землю, повалив и коня грудой стали и плоти.

Нед услышал аплодисменты, восторженные крики, свист, восклицания, взволнованный шепот, но громче всего скрежетал хриплый хохот Пса. Рыцарь Цветов отправился на конец арены. Пика его даже не расщепилась. Сапфиры мерцали на солнце, и он, улыбаясь, поднял свое забрало. Простонародье обезумело.

Сир Григор Клиган выбрался посреди поля из-под коня и, кипя яростью, вскочил на ноги. Сорвав шлем, он хлопнул им о землю. Лицо его потемнело от гнева, а волосы посыпались на глаза.

— Меч! — крикнул он сквайру, и мальчишка подбежал к нему с оружием. К этому времени конь Григора тоже поднялся на ноги.

Григор Клиган убил коня одним ударом — настолько мощным, что наполовину перерубил шею животного. Крики восторга в одно сердцебиение превратились в панические вопли. Жеребец упал на колени и, заржав, умер. К этому времени Григор уже шагал по дорожке в сторону сира Лораса Тирелла, зажав в руке окровавленный меч.

— Остановите его! — закричал Нед, но голос его потерялся в реве толпы. Все вокруг вопили, Санса плакала.

Все случилось так быстро... Рыцарь Цветов еще только крикнул, чтобы ему подали меч, когда сир Григор отбросил в сторону его сквайра и схватил за поводья. Кобыла почуяла кровь и взвилась на дыбы. Сир Лорас удержался в седле, но с трудом. Размахнувшись двуручным мечом, сир Григор нанес жестокий удар, угодивший юноше в грудь и выбросивший его из седла. Лошадь в панике бросилась в сторону, а оглушенный сир Лорас повалился в грязь. Но когда Григор занес свой меч для убийственного удара, скрежещущий голос остановил его:

— Пусть живет! — И облаченная в сталь рука отвела меч от мальчика.

Гора повернулся в безмолвной ярости и замахнулся уже со всей своей силой, но Пес перехватил удар и отвел его. Тут два брата схватились и, казалось, целую вечность молотили друг друга, пока ошеломленному Лорасу Тиреллу помогали уйти в безопасное место. Трижды Нед видел, как сир Григор направлял свирепые удары в шлем с песьей головой, а Сандор оставил не один порез на незащищенном лице брата.

Прекратил драку голос короля... Голос короля и двадцать мечей. Джон Аррен всегда говорил, что голос предводителя войска должен быть слышен на всем поле боя, и Роберт доказал справедливость этих слов еще на Трезубце. Прибегнув к этому способу, он прогремел:

— Прекратите это безумие. Именем короля!

И Пес преклонил колено. Удар сира Григора вспорол воздух, и он наконец пришел в себя. Григор выронил меч, яростно поглядел на Роберта, окруженного Королевской гвардией и дюжиной рыцарей и стражников. Не говоря более ни слова, он направился прочь, оттолкнув с пути Барристана Селми.

— Пусть уходит, — проговорил Роберт, и все сразу закончилось.

— Так, значит, Пес теперь чемпион*? — спросила Санса у Неда.

— Нет, — отвечал он. — Будет еще один финальный поединок, между Псом и рыцарем Цветов.

Тем не менее Санса оказалась права. Несколько мгновений спустя сир Лорас Тирелл вышел на поле в простом льняном дублете и сказал Сандору Клигану:

— Я обязан вам жизнью, день принадлежит вам, сир!

— Я не сир, — ответил Пес, но тем не менее принял победу и чемпионскую награду и, быть может, впервые за свою жизнь, признание народа. Его приветствовали, когда он оставил арену, чтобы возвратиться в свой павильон.

Тогда Нед вместе с Сансой в компании Мизинца, лорда Ренли и кое-кого еще направились на поле для стрелков.

— Тирелл, конечно, знал, что кобыла его была в поре, — говорил Мизинец. — Клянусь, мальчишка все продумал заранее. А Григор всегда выбирает огромных злых жеребцов, у которых больше свирепости, чем разума.

Мысль эта как будто развлекла его. В отличие от сира Барристана Селми.

---

* Слово «чемпион» существует со времен средневековья.

— Хитрость не приносит чести, — чопорно провозгласил старик.

— Меньше чести, да больше золота — на целых двадцать тысяч, — улыбнулся лорд Ренли.

В тот день юноша по имени Анже, простолюдин с Дорнских болот, выиграл соревнования стрелков, одолев сира Белона Свонна и Джалабхара Ксо на сотне шагов, после того как все остальные лучники отсеялись на более коротких расстояниях. Нед послал к нему Элина, чтобы предложить место в гвардии десницы, но парень, еще не остывший от вина, победы и не снившихся прежде богатств, отказался. Общая схватка затянулась на три часа. В ней приняли участие почти сорок человек. Свободные всадники, засечные рыцари и свежеиспеченные сквайры, стремившиеся добиться репутации, дрались тупым оружием посреди грязи и крови, маленькие отряды съезжались, рубились, сражались между собой и друг против друга, чего требовали создающиеся и тут же разрушающиеся скоротечные альянсы; наконец на коне остался лишь один из сражавшихся. Победителем оказался красный жрец Торос из Мира, бритоголовый безумец, бившийся сверкающим мечом.

Ему уже приходилось выигрывать общую схватку, огненный меч пугал коней, самого же Тороса ничто испугать не могло. К итогам сражения можно было отнести три сломанные конечности, перебитую ключицу, дюжину раздавленных пальцев; двух коней пришлось прирезать, а порезам, ушибам и синякам не было числа. Нед был отчаянно рад тому, что Роберт не принял участия в схватке.

Вечером на пиру Эддард Старк испытал новый прилив надежды: Роберт находился в хорошем настроении, Ланнистеров нигде не было видно, и даже дочери вели себя хорошо. Джори привел Арью, и Санса говорила с сестрой вполне вежливо.

— Турнир был великолепен, — вздохнула она. — Тебе надо было посмотреть. А как ты поплясала?

— Все тело болит, — отозвалась Арья, с удовлетворением предъявляя огромный пурпурный синяк на ноге.

— Должно быть, ты ужасно танцуешь, — с сомнением проговорила Санса.

Потом, пока Санса слушала труппу певцов, исполнявших сложное рондо из переплетенных баллад, именуемое Пляской драконов, Нед сам осмотрел синяк.

— Надеюсь, Форель не слишком сурово обходится с тобой, — сказал он.

Арья встала на одну ногу. Это удалось ей куда легче, чем прежде.

— Сирио утверждает, что всякая ссадина — это урок, а каждый урок идет на пользу.

Нед нахмурился. Этот Сирио Форель предъявил великолепные характеристики, ну а его пышный браавосианский стиль прекрасно подходил к тонкому клинку Арьи, и все же... Несколько дней назад она ходила повсюду с полоской темного шелка, завязанной на глазах. Сирио учит ее видеть ушами, носом и кожей, объяснила она. А перед этим он учил ее кружиться и делать сальто назад.

— Арья, а ты уверена, что хочешь именно этого?

Она кивнула:

— А завтра мы идем ловить кошек.

— Кошек? — вздохнул Нед. — Наверное, я ошибся, наняв этого браавосийца. Если хочешь, я попрошу Джори заняться с тобой. Можно даже переговорить с сиром Барристаном, в молодости он был лучшим мечом во всех Семи Королевствах.

— Они не нужны мне, — отвечала Арья. — Я хочу Сирио.

Нед провел пальцами по волосам. Любой пристойный фехтовальщик мог научить Арью началам боя без этой чуши; без повязок, сальто, стояния на одной ноге, но он знал свою младшую дочь и успел убедиться, что спорить с ней бесполезно.

— Ну, как ты хочешь, — сказал он. Безусловно, когда-нибудь это ей надоест. — Старайся быть осторожной.

— Обязательно, — обещала она, перепрыгивая с правой ноги на левую.

Поздно ночью Нед проводил девочек через город и уложил их в постель. Оставив Сансу наедине с ее мечтами, а Арью с синяками, Нед поднялся в собственные палаты на вершине башни Десницы. День выдался теплым, и в комнате было душно и жарко. Нед подошел к окну и приоткрыл тяжелые ставни, чтобы впустить прохладный ночной воздух. На противоположной стороне Великого двора в окне Мизинца горели свечи. Время уже перевалило за полночь. Веселье у реки едва начинало затихать.

Нед извлек кинжал и принялся изучать его. Клинок Мизинца, выигранный на пари Тирионом Ланнистером, посланный, чтобы убить Брана во сне. Почему? Зачем карлику понадобилась смерть Брана? Зачем вообще кто-то захотел покуситься на его жизнь?

Кинжал и падение Брана каким-то образом связывались с убийством лорда Аррена. Нед чувствовал это нутром, но правда о смерти Джона по-прежнему оставалась столь же скрытой от него, как и прежде. Лорд Станнис не вернулся на турнир в Королевскую Гавань, Лиза Аррен хранила молчание за высокими стенами Орлиного Гнезда. Сквайр погиб, а Джори все еще обследовал публичные дома. Он располагал только бастардом Роберта.

В том, что угрюмый ученик оружейника является сыном короля, Нед не сомневался. Черты Баратеонов несомненно отпечатались на его лице, скулах, глазах, черных волосах. Ренли был еще слишком молод, чтобы сын его мог достичь такого возраста, холодный Станнис замкнулся в своей гордости, поэтому Джендри, безусловно, сын Роберта.

Но что же он узнал, обнаружив мальчика? По Семи Королевствам король оставил немало детей. Он открыто признал одного из своих бастардов: мальчика в возрасте Брана, рожденного от знатной матери. Парнишку воспитывал кастелян лорда Ренли в Штормовом Пределе.

Нед вспомнил первое дитя Роберта, дочь, родившуюся в Долине, когда Роберт был, по сути дела, мальчишкой. Такая милая крохотная девчонка. Молодому лорду Штормового Предела ребенок понравился, Роберт ежедневно заходил поиграть с младенцем, даже после того, как потерял интерес к его матери. И при этом нередко прихватывал с собой для компании Неда, вне зависимости от его желания. Девочке должно исполниться семнадцать или восемнадцать; она теперь старше, чем был Роберт, когда она родилась. Странная мысль. Подобные связи мужа, естественно, не радовали Серсею, но в конце концов какая разница — один бастард у короля или сотня? Закон и обычай не предоставляли незаконнорожденным особых прав. Ни Джендри, ни девушка из Долины, ни мальчик из Штормового Предела не представляли опасности для законных детей Роберта.

Размышления Неда прервал негромкий стук в дверь.

— К вам человек, милорд, — доложил Харвин. — Он не хочет называть свое имя.

— Впустите, — произнес Нед удивленно. Посетитель, коренастый, в потрескавшихся, покрытых грязью сапогах и тяжелом коричневом балахоне из самой грубой домотканой ткани, прятал свое лицо под капюшоном, а руки в объемистых рукавах.

— Кто вы? — спросил Нед.

— Друг, — ответил из-под капюшона низкий голос. — Нам надо поговорить наедине, лорд Старк.

Любопытство оказалось сильнее осторожности.

— Харвин, оставь нас, — сказал он.

Гость откинул капюшон, лишь когда они остались вдвоем за закрытыми дверями.

— Лорд Варис? — удивленно проговорил Нед.

— Лорд Старк, — вежливо попросил Варис усаживаясь, — не нальете ли вы мне вина?

Нед наполнил две чаши летним напитком и вручил одну из них Варису.

— Я мог бы пройти в футе от вас, но так и не узнать, — сказал он, не веря своим глазам. Он еще не видел, чтобы евнух одевался во что-нибудь, кроме шелков и бархата, самого богатого дамаскина; теперь же от этого человека разило потом, а не пахло сиренью.

— Именно на это я и надеялся, — отвечал Варис. — Нехорошо получится, если некоторые люди узнают, что мы разговаривали наедине; королева не сводит с вас глаз. Великолепное вино, благодарю вас.

— А как вы прошли мимо остальных стражей? — спросил Нед. — Кейн дежурил у башни, а Элин на лестнице.

— В Красном замке есть пути, доступные лишь призракам и паукам. — Варис улыбнулся, извиняясь. — Я не задержу вас надолго, милорд. Есть вещи, которые вы должны знать. Теперь вы — десница короля, а король глуп. — Сладкие интонации в голосе евнуха исчезли, тонкий голос резал как нож. — Он ваш друг, я знаю это, и тем не менее он глуп... и обречен, если только вы не спасете его. Беда грозила ему сегодня. Они собирались убить короля во время схватки.

Потрясение лишило Неда дара речи.

— Кто?

Варис отпил вина.

— Если мне и в самом деле необходимо объяснять это вам, тогда вы еще больший дурак, чем Роберт, и я попал не туда.

— Ланнистеры, — проговорил Нед. — И королева... Нет, не верю. Это не Серсея. Она же просила его не участвовать в схватке!

— Она запретила ему драться перед лицом своего брата, его рыцарей и половины двора. Скажите мне откровенно, знаете ли вы более надежный способ заставить короля Роберта выехать на поле битвы? Я спрашиваю вас!

Сердце Неда заныло. Евнух попал в точку; скажите Роберту Баратеону, что он не может, не должен или не имеет права что-либо делать, и можно считать дело сделанным.

— Но если бы он выехал на поле боя, кто осмелился бы ударить короля?

Варис пожал плечами.

— На поле выехали сорок всадников. У Ланнистеров много друзей. Кто сумел бы назвать убийцу посреди всей сумятицы, лошадиного ржания и хруста костей, рядом с Торосом из Мира и его дурацким огненным мечом, если бы какой-нибудь случайный удар повалил государя? — Подойдя к бутыли, он сам наполнил свою чашу. — А потом убийца горестно припал бы к ногам покойного. Я просто слышу его рыдания и вижу скорбь. Вне сомнения, благородная и скорбная вдова пощадила бы его, подняла бы несчастного на ноги и благословила добрым поцелуем. У юного короля Джоффри тоже не осталось бы другого выхода, кроме как простить его. — Евнух провел рукой по щеке. — А может, Серсея приказала бы сиру Илину снести ему голову. Меньше риска для Ланнистеров, так почему бы не удивить своего маленького друга?

Нед ощутил, как в душе его окреп гнев.

— Вы знали о заговоре и ничего не сделали!

— Я командую шептунами, а не воинами.

— Вы должны были обратиться ко мне раньше.

— О да, конечно. И вы бросились бы прямо к королю. И как поступил бы Роберт, узнав об опасности? Как вы думаете?

Нед прикинул.

— Он проклял бы всех и выехал бы на поле, чтобы показать, что он никого не боится.

Варис развел руки.

— А теперь я сделаю еще одно признание, лорд Эддард. Мне хотелось узнать, как в этой ситуации поступите лично вы. Вы спросили, почему я не обратился к вам. Я должен ответить. Ну что ж, потому, что я не доверял вам, милорд.

— Вы не доверяли мне? — Нед был самым явным образом удивлен.

— В Красном замке обитает две разновидности людей, лорд Эддард, — проговорил Варис. — Те, что верны государству, и те, что верны лишь самим себе. До нынешнего утра я не знал, кто вы, и ждал... но теперь я знаю это. — Он напряженно улыбнулся, на мгновение лицо евнуха и носимая им прилюдно маска соединились. — Я начинаю понимать, почему королева настолько опасается вас. Да-да, в самом деле.

— Скорее ей следовало бы бояться вас, — сказал Нед.

— Нет. Я — это я. Король пользуется моими услугами, но они позорят его. Наш Роберт могучий и доблестный воин, а подобные воплощения рыцарства не любят соглядатаев, шпионов и евнухов. Если настанет день, когда Серсея шепнет ему: «Убей этого человека», — Илин Пейн снесет мне голову мановением руки... Кто тогда будет оплакивать Вариса? И на юге, и на севере песен о пауках не поют. — Он протянул к Неду влажную руку. — Но что касается меня, лорд Старк... я думаю... нет, знаю... король не убьет вас, даже ради своей королевы, и в этом может быть наше спасение.

Какое-то мгновение Эддард Старк чувствовал одно желание: возвратиться в свой Винтерфелл, к чистой простоте севера, где врагами были зима и одичалые, обитающие за Стеной.

— Но у Роберта, безусловно, есть еще верные друзья, — возразил он. — Его братья, его...

— ...жена? — договорил за него Варис, обрезав улыбкой. — Братья ненавидят Ланнистеров, это верно, но между ненавистью к королеве и любовью к королю есть большая разница, так? Сир Барристан любит свою честь, великий мейстер Пицель любит свое дело... а Мизинец любит Мизинца.

— А Королевская гвардия?

— Бумажный щит, — ответил евнух. — Попытайтесь не обнаруживать свое потрясение, лорд Старк. Джейме Ланнистер присягнул на верность братству Белых Мечей, но все мы знаем, какова цена его клятве. Времена, когда мужи, подобные Райему Редвину и принцу Эйемону, Рыцарю Дракона, носили белый плащ, рассыпались в прах и ушли в песни. Из всех семерых лишь сир Барристан ковался из истинной стали, но Селми стар. Сир Борос и сир Меррин до мозга костей верны королеве, и я испытываю глубокие сомнения в отношении остальных. Нет, милорд, когда дело воистину дойдет до мечей, вы окажетесь единственным истинным другом, на которого сможет рассчитывать Роберт Баратеон.

— Надо предупредить Роберта, — сказал Нед. — Если вы говорите правду, даже часть ее, то король должен узнать все.

— И какие же доказательства мы предъявим ему? Мои слова против их слов? Песни моих пташек против речей королевы и Цареубийцы, против его братьев и совета, против Хранителей Востока и Запада, против всей мощи Бобрового утеса? Можно сразу просто послать за сиром Илином, чтобы избавить нас от хлопот. Я знаю, где закончится эта дорога.

— Итак, если вы правы, они выждут какое-то время и предпримут новую попытку?

— Так и будет, — ответил Варис, — и скорее рано, чем поздно. Вы заставляете их нервничать, лорд Эддард. Но мои пташки слушают, и вместе мы сможем отвести удар. — Он поднялся, опустил капюшон на лицо. — Благодарю вас за вино. Мы будем встречаться с вами. Но на следующем заседании совета постарайтесь обращаться ко мне с вашим привычным пренебрежением. Вы не найдете эту задачу сложной.

Он был уже возле двери, когда Нед окликнул его:

— Варис! — Евнух повернулся. — Как умер Джон Аррен?

— Я ждал этого вопроса.

— Расскажите.

— Эту штуковину зовут слезами Лисс. Вещь редкая и дорогая, чистая, как вода, и не оставляет следов. Я просил лорда Аррена завести дегустатора, молил его в этой самой комнате, но он ничего не пожелал слушать. Он сказал, что такая мысль не может прийти в голову мужчине.

Неду следовало выяснить все остальное.

— А кто дал ему яд?

— Один из близких друзей, деливших с ним мясо и мед. Кто именно? Не знаю, таких много. Лорд Аррен был добрым, доверчивым человеком. — Евнух вздохнул. — Крутился там такой юноша, всем в своей судьбе он был обязан Джону Аррену, но когда вдова его бежала в Орлиное Гнездо со своей свитой, он остался в Королевской Гавани, проявляя признаки благосостояния. Сердце мое всегда радуется, когда молодые становятся заметными. — Голос его хлестал кнутом, отмеривая каждое слово. — Он показался мне таким галантным на турнире: в яркой новой броне, с этими полумесяцами на плаще. Как жаль, что он умер столь не ко времени, прежде чем вы успели с ним поговорить...

Нед и так уже ощущал себя наполовину отравленным.

— Сквайр, — проговорил он. — Сир Хью. — Голова Неда раскалывалась. — Но почему? Почему именно сейчас? Джон Аррен был десницей четырнадцать лет! Почему они решили убить его?

— Потому что он начал задавать вопросы, — шепнул Варис, прежде чем скользнуть в дверь.

ТИРИОН

Стоя на предутреннем холодке перед Чиггеном, свежевавшим его коня, Тирион Ланнистер записал на счет Старков еще один долг. Из внутренностей коня повалил пар, когда приземистый наемник вспорол живот лошади своим охотничьим ножом. Руки его двигались уверенно, не совершая лишних движений; работу следовало сделать быстро, прежде чем запах крови заставит сумеречных котов спуститься с высот.

— Сегодня никто из нас не останется голодным, — проговорил Бронн. — Он уже напоминал тень: тонкие и жестокие брови, черные глаза, черные волосы и щетинистая борода.

— Не говори обо всех, — сказал Тирион. — Я не люблю конину. А в особенности не люблю есть собственных лошадей.

— Мясо есть мясо. — Бронн пожал плечами. — Дотракийцы любят конину больше, чем говядину или свинину.

— Разве я похож на дотракийца? — кислым голосом спросил Тирион. Дотракийцы и в самом деле ели коней; еще они бросали больных детей свирепым псам, тянувшимся позади кхаласара. Дотракийские обычаи мало привлекали его.

Чигген отрезал тонкую полосу окровавленного мяса от туши и поднял перед ним.

— Хочешь попробовать, карлик?

— Мой брат Джейме подарил мне эту кобылу на двадцать третий день рождения, — проговорил Тирион ровным голосом.

— Тогда передай ему благодарность и от нас... если увидишь когда-нибудь. — Чигген ухмыльнулся и, показав желтые зубы, проглотил сырое мясо в два глотка. — Хорошая лошадка.

— Все равно лучше поджарить с луком, — вставил Бронн.

Нс говоря болсс ни слова, Тирион похромал прочь. Холод глубоко угнездился в его костях, ноги болели так, что он едва мог ходить. Быть может, повезло как раз мертвой кобыле. Его же ожидали долгие часы езды, потом несколько глотков пищи и короткий холодный сон на голой земле. Завтра будет то же самое, и послезавтра, и потом... только боги знают, когда это закончится.

— Проклятие, — пробормотал Тирион, с трудом продвигаясь по дороге, чтобы присоединиться к своим похитителям, и прибавил про себя: «Черт бы побрал и ее, и всех Старков!»

Воспоминание обжигало горечью. Только что он заказывал ужин, и в мгновение ока оказался перед полным залом вооруженных людей. Джик потянулся за мечом, а жирная хозяйка гостиницы завопила:

— Только без мечей, только не здесь, прошу вас, милорды!

Тирион поспешно опустил руку Джика, прежде чем соперники получили повод изрубить их в куски.

— Ты забыл про учтивость, Джик? Наша добрая хозяйка просит обойтись без мечей. Сделаем, как она хочет...

Он изобразил улыбку, понимая, что она окажется неуклюжей.

— Вы совершаете прискорбную ошибку, леди Старк. Я не участвовал ни в каких нападениях на вашего сына. Честью своей...

— Честью Ланнистера, — только и сказала она, поднимая вверх руки. — Шрамы эти оставил кинжал убийцы, которого ты послал, чтобы перерезать горло моему сыну.

Тирион ощутил вокруг себя гнев, густой и дымный, порезы на руках этой женщины прибавили ему силы.

— Убей-ка его, — прошипел из угла какой-то грязный оборванец. Новые голоса присоединились к этому предложению много скорее, чем он ожидал. Еще недавно дружелюбные незнакомцы, теперь они требовали его крови, словно несытые псы.

Тирион громко проговорил, пытаясь изгнать дрожь из голоса:

— Если леди Старк считает, что я должен ответить за какое-то преступление, я поеду с ней и отвечу за него.

Иначе поступить было нельзя, попробовать пробиться к выходу силой означало найти себе раннюю могилу. На помощь жене Старка пришла добрая дюжина мечей: человек из Харренхолла, трое Бреккенов, пара неприглядного вида наемников, для которых, на взгляд, убить все равно что плюнуть. К ним присоединилось еще несколько дурней-работников, просто не понимавших, что происходит. Чем же мог располагать против них Тирион? Кинжалом у пояса и двоими людьми. Джик великолепно справлялся с мечом, но на Моррека едва ли можно было рассчитывать: отчасти конюх, отчасти повар, отчасти слуга, он не был ни в коей мере воином. Что же касается Йорена, что бы там он ни чувствовал про себя, Черные Братья присягали не принимать участие в раздорах внутри государства. Йорен помогать не станет.

И в самом деле, черный брат молчаливо отступил в сторону, когда старый рыцарь, стоявший возле Кейтилин Старк, проговорил:

— Возьмите у них оружие, — и наемник Бронн шагнул вперед, чтобы выхватить меч из пальцев Джика и избавить всех троих от кинжалов. — Хорошо, — сказал старик, когда напряженность в гостиной заметно пошла на убыль. — Даже великолепно.

Тирион узнал этот ворчливый голос: мастер над оружием из Винтерфелла, обривший себе бакенбарды.

Брызгая алой слюной, жирная хозяйка принялась молить Кейтилин Старк:

— Только не убивайте его здесь!

— Его вообще не надо убивать, — грустно пошутил Тирион.

— Отведите его куда-нибудь, но у меня никакой крови, миледи. Я не хочу участвовать в ссорах знатных господ.

— Мы вернемся с ним назад в Винтерфелл, — сказала она.

Тирион подумал: тогда, быть может... К этому мгновению он уже успел оглядеть комнату и уточнил ситуацию. Увиденное не полностью удовлетворило его. Да, жена Старка действовала с умом, в этом нечего сомневаться. Заставить их сперва публично подтвердить присягу, которую они принесли ее отцу-лорду, а потом попросить оказать помощь слабой женщине... Да, это было мило! Но все же ее успех оказался не столь полон, как она могла бы предположить. В комнате, по грубому счету, было около пятидесяти человек. На просьбу Кейтилин Старк откликнулась едва ли не дюжина; остальные казались смятенными, испуганными или мрачными. Лишь двое из Фреев поднялись, как отметил Тирион. Но и они сразу опустились на свои места, когда капитан остался на месте. Он бы улыбнулся, если бы осмелился.

— Мой отец будет гадать, что случилось со мной. — Тирион поглядел на меченосца, предложившего ему свою комнату. — Он заплатит хорошие деньги человеку, который известит его обо всем, что произошло сегодня в этом зале.

Лорд Тайвин, конечно, не станет развязывать мошну, но Тирион сам исправит положение, когда добьется свободы.

Сир Родрик посмотрел на госпожу вполне понятным в таком положении встревоженным взглядом.

— Его люди поедут с нами, — объявил старый рыцарь. — А остальных мы отблагодарим, если они сохранят молчание о том, что видели здесь.

Тирион сделал все, чтобы не расхохотаться. Молчание? Старый дурак! Если только не увезти с собой всех собравшихся, весть разлетится во все стороны сразу же после их отъезда. Свободный всадник с золотой монетой в кармане как стрела полетит на Бобровый утес. Если не он, тогда эту весть донесет кто-то другой. Йорен увезет эту весть на юг. Дурак-певец сделает из этого песню. Фреи доложат своему лорду, и только боги знают, что он тогда предпримет. Да, лорд Уолдер Фрей присягнул Риверрану, но этот осторожный человек прожил долгую жизнь, стараясь всякий раз принять сторону победителя. В худшем случае он всего лишь отошлет своих птиц на юг, в Королевскую Гавань, но вполне может осмелиться и на большее.

Кейтилин Старк времени не теряла:

— Мы выезжаем немедленно. Нам нужны свежие кони и припасы на дорогу. Все вы можете рассчитывать на вечную благодарность дома Старков. Тем из вас, кто захочет помочь нам охранять пленников, чтобы доставить их живыми в Винтерфелл, я обещаю хорошую награду.

Больше ничего не потребовалось: дураки рванулись вперед. Тирион поглядел на их лица: они, конечно, получат отличную награду, сказал он себе, но не ту, на которую рассчитывают. И все же, когда пленников выводили наружу, седлали коней под дождем, связывали руки длинной и грубой веревкой, Тирион Ланнистер не испытывал истинного испуга. В Винтерфелле ему не бывать, он мог в этом поклясться. Через день за ним вышлют погоню, птицы поднимутся в воздух, и кто-нибудь из речных лордов захочет заслужить благосклонность его отца и вмешается в дело. Тирион как раз поздравлял себя с тонкостью своих замыслов, когда кто-то надвинул капюшон на его глаза и поднял в седло.

Они выехали под дождем и сразу взяли в галоп, и уже вскоре бедра Тириона заныли, а задницу просто дергало от боли. Даже когда они оказались на безопасном расстоянии от гостиницы и Кейтилин Старк замедлила ход до рыси, отягощенное вынужденной слепотой положение его не изменилось. Лошадь везла его по неровной земле, каждый поворот был чреват падением. Капюшон глушил звуки, и Тирион не слышал, что говорят вокруг него; дождь успел пропитать ткань, липнувшую к его лицу, даже дышать было тяжело. Веревка ранила запястья и словно бы затягивалась все туже по мере приближения ночи. «А я намеревался устроиться возле теплого очага с жареной дичью! Зачем только этот проклятый свистун открыл свой поганый рот», — подумал с горечью Тирион. Проклятый певец отправился с ними.

— О случившемся могут сочинить великую песню, и это сделаю я, — сказал он Кейтилин Старк, объявляя о своем намерении ехать вместе с ними, чтобы увидеть, чем закончится «великолепное приключение». Тирион весьма сомневался в том, что мальчишка будет считать путешествие великолепным, когда всадники Ланнистеров догонят их.

Дождь наконец прекратился, и рассветные лучи сочились сквозь мокрую ткань, закрывавшую его глаза, когда Кейтилин Старк подала команду спешиваться. Грубые руки стянули Тириона с коня, развязали его кисти и стащили капюшон с головы. Увидев узкую каменную дорогу, дикие предгорья и зубчатые снеговые пики на далеком горизонте, он ощутил, что вся надежда разом оставила его.

— Это горная дорога, — выдохнул Тирион, глядя на леди Старк обвиняющими глазами. — Восточная дорога, а вы говорили, что мы едем в Винтерфелл!

Кейтилин Старк удостоила его легчайшей из улыбок.

— Говорила — часто и громко, — согласилась она. — И не сомневаюсь, что ваши друзья направятся на север. От души желаю им поторопиться.

Даже теперь, несколько дней спустя, воспоминание наполнило его горькой яростью. Всю свою жизнь Тирион гордился своей хитростью, единственным даром, которым наделили его боги, и все же семижды проклятая волчица Кейтилин Старк перехитрила его на всех поворотах. Факт этот более удручал его, чем само похищение.

Они остановились только для того, чтобы поесть и самим покормить коней, а потом вновь тронулись с места. На этот раз Тириона избавили от капюшона. После второй ночи руки его более не связывали, а когда они поднялись выше, то перестали и охранять. Никто, похоже, не опасался, что он убежит. Да и с чего бы вдруг? Здесь, наверху, земля была суровой и дикой, а высокогорная дорога, в сущности, представляла собой всего лишь каменистую тропку. Пусть он и убежит, но как далеко можно добраться в одиночестве и без провизии? Сумеречные коты легко загрызут его, а кланы, гнездящиеся в горных твердынях, разбойники и убийцы склоняются не перед законом, а только перед мечом.

И жена Старка безжалостно гнала их вперед. Тирион знал, куда они направляются... знал с того самого мгновения, когда с глаз его сняли капюшон. В этих горах правил дом Арренов. Вдова покойного десницы, урожденная Талли, сестра Кейтилин Старк, не дружила с Ланнистерами. Тирион успел немного познакомиться с леди Лизой за время, проведенное ею в Королевской Гавани, и не стремился возобновить знакомство.

Похитители теснились вокруг ручья, невдалеке от горной дороги. Лошади уже напились ледяной воды и теперь общипывали кочки бурой травы, пробивавшейся между камнями. Джик и Моррек держались рядом, угрюмые и несчастные. Над ними, опершись на копье, стоял Мохор, округлая железная шапка на его голове казалась похожей на котелок. Поблизости Мариллон-певец натирал маслом свою деревянную арфу и сетовал на ущерб, который сырость причиняет ее струнам.

— Нам надо передохнуть, миледи, — говорил засечный рыцарь сир Уиллис Воде, обращаясь к Кейтилин Старк. Он служил леди Уэнт, человек прямой и крепкий, он первым поднялся в гостинице, чтобы помочь Кейтилин.

— Сир Уиллис говорит правду, миледи, — вступил в разговор сир Родрик. — Мы потеряли уже третьего коня...

— Если нас догонят Ланнистеры, мы потеряем не только коней, — напомнила им Кейтилин. Обветренное лицо ее исхудало, но не утеряло решимости.

— На это шансы невелики, — заметил Тирион.

— Леди не спрашивает твоего мнения, карлик, — отрезал Курлекет, рослый и жирный олух с короткими стрижеными волосами и поросячьим лицом. Он был из Брекkенов и служил оружием лорду Джонасу. Тирион постарался запомнить все имена, чтобы отблагодарить потом каждого по отдельности за любезное обращение. Ланнистеры всегда расплачивались по своим долгам. Курлекет еще узнает об этом, как и его друзья, Лхарис и Мохор, и добрый сир Уиллис, и наемники Бронн и Чигген. Особенно жестокий урок намечался для Мариллона, обладателя сладкого тенора, старательно рифмовавшего «бес — он», «Тирион» и «в позументы облачен» в своей песне об этом бесчинстве.

— Пусть говорит, — приказала леди Старк.

Тирион Ланнистер уселся на скалу.

— Сейчас преследователи, если погоню выслали, что далеко не обязательно, скорее всего мчатся по Перешейку, рассчитывая, что вы заляжете где-нибудь на Королевском тракте. Безусловно, весть о моем похищении достигла ушей моего отца. Но лорд Тайвин не слишком любит меня, и я совсем не уверен, что он решит побеспокоить себя.

Слова эти были ложью только отчасти, лорд Тайвин Ланнистер ценил своего уродливого сына не более чем зеленую фигу, однако он не терпел никаких оскорблений чести дома.

— Здесь жестокий край, леди Старк, и вы не найдете помощи, пока не достигнете Долины. Каждый потерянный конь еще более отяготит остальных. Хуже того: вы рискуете потерять меня. Я невелик ростом и не силен, и если я умру, зачем все это? — В этом не было лжи, Тирион не знал, сколько еще сумеет выдержать подобную скорость.

— Возможно, в вашей смерти и есть смысл, Ланнистер, — ответила Кейтилин Старк.

— А я думаю, нет, — заметил Тирион. — Если бы вы хотели меня убить, нужно было только приказать, и один из ваших надежных друзей охотно наградил бы меня кровавой улыбкой. — Он поглядел на Курлекета, однако тупость мешала тому оценить насмешку.

— Старки не убивают людей в постели.

— И я тоже, — сказал он. — Еще раз говорю вам, я не принимал участия в покушении на жизнь вашего сына.

— Убийца был вооружен вашим кинжалом.

Тирион почувствовал прилив внутреннего жара.

— Это не мой кинжал, — с нажимом проговорил он. — Сколько же раз я должен клясться в этом? Леди Старк, что бы там ни говорили обо мне, я далеко не глуп, а лишь глупец снабдит наемного убийцу своим собственным клинком.

На мгновение ему показалось, что в глазах ее промелькнуло сомнение, но она возразила:

— Зачем было Петиру лгать мне?

— А зачем медведь гадит в лесу? — вопросил он. — Потому что такова его природа. Для людей, подобных Мизинцу, лгать все равно что дышать. Уж вам-то по крайней мере следовало знать это.

Кейтилин шагнула к нему с напряженным лицом.

— Как вас понимать, Ланнистер?

Тирион склонил голову набок.

— Ну что ж, наверное, все при дворе слышали, как он лишал вас невинности.

— Это ложь! — воскликнула Кейтилин Старк.

— Что за злой бес, — проговорил шокированный Мариллон.

Курлекет извлек кинжал, зловещую штуковину из черного железа.

— Одно только слово, миледи, и я брошу его лживый язык к вашим ногам. — Поросячьи глазки подернулись влагой от такой перспективы.

Кейтилин Старк поглядела на Тириона с таким холодом, какого он еще не видел на ее лице.

— Петир Бейлиш некогда любил меня, но он тогда был мальчишкой. Страсть его явилась трагедией для всех нас. Но она была неподдельной и чистой, так что незачем насмехаться над ней. Петир просил моей руки, и это его полностью оправдывает. А вы действительно злой человек, Ланнистер!

— Ну а вы действительно дура, леди Старк. Мизинец никогда не любил никого, кроме Мизинца, и клянусь вам, что он хвастал не вашей рукой, но спелыми грудями, страстным ртом, жаром между ваших ног.

Курлекет схватил его за волосы и резким движением откинул назад голову, открывая горло. Тирион ощутил шеей холодный поцелуй стали.

— Пустить ему кровь, миледи?

— Убейте меня, и правда умрет вместе со мной, — выдохнул Тирион.

— Пусть говорит, — приказала Кейтилин Старк.

Курлекет неуверенно выпустил волосы Тириона.

Ланнистер глубоко вздохнул.

— А как, по словам Мизинца, попал ко мне этот кинжал? Скажите мне!

— Вы проиграли его на пари во время турнира в честь именин принца Джоффри.

— Когда рыцарь Цветов сбросил с коня моего брата Джейме, так он сказал, да?

— Да, — признала Кейтилин, морщина легла на ее лоб.

— Всадники!

С источенного ветром карниза над ними донесся крик. Сир Родрик отослал Лхариса наверх следить за дорогой, пока они отдыхают.

Мгновение затянулось, никто не шевелился. Кейтилин Старк отреагировала первой.

— Сир Родрик, сир Уиллис, по коням! — крикнула она. — Остальные конные позади. Мохор, охраняй пленников...

— Дайте нам оружие! — Тирион вскочил на ноги и схватил ее за руку. — Вам потребуется каждый меч.

Она понимала, что он прав, Тирион видел это. Кланы горцев не интересовались причинами вражды великих домов. Они с равной готовностью прирежут и Старка, и Ланнистера — точно так, как убивают друг друга. Разве что пощадят Кейтилин: она еще достаточно молода, чтобы рожать сыновей. И все же она медлила.

— Я слышу их! — выкрикнул сир Родрик. Прислушиваясь, Тирион повернул голову на топот копыт дюжины лошадей, приближающийся все ближе. И вдруг все разом задвигались, потянулись к оружию, бросились к лошадям. Сверху посыпались камешки; Лхарис, скользя и оступаясь, спустился с гребня. Он приземлился прямо перед Кейтилин Старк, неопрятный мужчина с лохматыми длинными волосами, торчащими из-под конического стального шлема.

— Человек двадцать, а может, и двадцать пять, — выдохнул он. — Молочные Змеи или Лунные Братья, точнее не знаю. Должно быть, у них повсюду соглядатаи, они знают, что мы здесь.

Сир Родрик Кассель был уже на коне, с длинным мечом в руке. Моррек притаился за скалой, обеими руками сжимая заканчивающееся острым железом копье, зубы стискивали кинжал.

— Эй, певец, — окликнул сир Уиллис Воде, — помоги мне с нагрудником. — Мариллон застыл, вцепившись в арфу, лицо его побелело как молоко, и слуга Тириона Моррек торопливо вскочил на ноги, чтобы помочь рыцарю вооружиться.

Тирион не отпускал Кейтилин Старк.

— У вас нет выбора, — сказал он. — Нас трое, и четвертый будет охранять нас... Четверо человек — они могут отделить нас от смерти.

— Дайте мне слово, что вы сложите мечи после того, как закончится схватка.

— Мое слово? — Копыта грохотали совсем близко. Тирион криво усмехнулся. — Даю вам его, леди, но моя честь — честь Ланнистера.

Одно мгновение казалось, что Кейтилин плюнет на него, но вместо этого она отрезала:

— Вооружайтесь! — и отправилась прочь.

Сир Родрик перебросил Джику его меч и ножны и развернулся навстречу врагу. Моррек взял лук и колчан и припал на колено возле дороги. Он был гораздо лучшим стрелком, чем фехтовальщиком. Бронн подъехал, предлагая Тириону двухсторонний топор.

— Никогда не сражался топором. — Оружие казалось Тириону незнакомым и неудобным: короткая рукоятка, тяжелое головище с отвратительным острием на конце.

— Думай, что колешь дрова, — проговорил Бронн, извлекая длинный меч из заброшенных на спину ножен. Сплюнув, он направился вперед, чтобы стать возле Чиггена и сира Родрика. Сир Уиллис уже поднялся на ноги, чтобы присоединиться к ним, но все еще возился со своим шлемом — металлическим горшком с тонкой прорезью для глаз и длинным плюмажем из черного шелка.

— Бревна не кровоточат, — проговорил Тирион, ни к кому, собственно, не обращаясь. Без панциря он ощущал себя нагим. Он огляделся, отыскивая укрытие, и бросился к Мариллону. — Подвинься.

— Убирайся! — закричал ему мальчишка. — Я певец и не хочу участвовать в этой свалке.

— Что, уже потерял любовь к приключениям? — Тирион пнул молодца, тот подвинулся, и как раз вовремя. Мгновение спустя враги наехали на них.

Не было ни герольдов, ни знамен, ни рогов, ни барабанов, только звякнули тетивы Моррека и Лхариса, и из рассветной мглы выехали горцы: худые и смуглые, в вареной коже и резной броне, скрывавшие лица за решетками полушлемов. Руки в перчатках сжимали всякого рода оружие: длинные мечи, пики, заостренные косы, шипастые дубинки, кинжалы и тяжелые железные молоты. Возглавлял отряд рослый человек в плаще из полосатой шкуры сумеречного кота, вооруженный большим двуручным мечом.

Сир Родрик закричал:

— За Винтерфелл! — и тронул коня.

Бронн и Чигген ехали возле него, выкрикивая какой-то бессловесный боевой призыв. Сир Уиллис следовал за ними, размахивая шипастым кистенем вокруг головы.

— Харренхолл! Харренхолл! — пел он.

Тирион ощутил внезапное желание вскочить, замахнуться топором и выкрикнуть:

— Бобровый утес! — Но приступ безумия быстро прошел, и он нагнулся пониже.

Раздалось ржание испуганных лошадей, звон металла о металл. Меч Чиггена рассек обнаженное лицо наездника в панцире, а Бронн вихрем рванулся вперед, разя горцев направо и налево. Сир Родрик молотил рослого всадника в плаще из шкуры сумеречного кота, кони их плясали, противники обменивались ударами. Джик вскочил на коня и без седла бросился в схватку. Тирион заметил, как стрела выросла из горла человека в плаще из кошачьей шкуры, тот открыл рот, чтобы закричать, но из него хлынула только кровь. Противник упал, и сир Родрик вступил в схватку с кем-то еще.

Вдруг Мариллон завизжал, прикрывая голову арфой, — через их скалу перепрыгнул конь. Всадник обернулся к ним, размахивая шипастой булавой, и Тирион вскочил на ноги. Ухватив топор обеими руками, он коротко взмахнул, и лезвие, чавкая, впилось в горло прыгающей лошади. Топор дернул руку, и Тирион едва не выронил оружие. Когда животное с хрипом упало, он умудрился вырвать топор и неловко уклонился в сторону. Мариллону повезло меньше. Конь и наездник упали как раз на певца. Тирион отпрыгнул назад, и пока нога бандита оставалась под павшим конем, погрузил топор ему в спину, как раз над лопаткой.

Стараясь вырвать оружие, он услыхал за собой стон Мариллона.

— Кто-нибудь, помогите же мне, — выдохнул певец. — Боги милосердные, у меня кровь идет.

— По-моему, это лошадиная кровь, — заметил Тирион. Ладонь певца высунулась из-под мертвого животного, скребясь в грязи, словно пятиногий паук.

Тирион наступил каблуком на протянувшиеся пальцы и услышал удовлетворивший его хруст.

— Закрой глаза и изобрази, что ты умер, — посоветовал он певцу, а потом поднял топор и повернулся.

После этого все сложилось как надо. Тяжелая от запаха крови заря наполнилась криками и воплями, мир преобразился в хаос. Стрелы свистели мимо его уха, звякали по камням. Он видел, что Бронн лишился коня и сражался, держа по мечу в каждой руке. Тирион держался края схватки, он перескакивал со скалы на скалу и выпрыгивал из тсней, чтобы подрубить ноги проезжавших коней. Наткнувшись на раненого горца, он избавил его от жизни, а заодно и от полушлема, оказавшегося, пожалуй, тесноватым, но Тирион рад был любой защите. Джика срубили сзади, пока он резал горца впереди себя, а потом Тирион переступил через тело Курлекета; поросячья физиономия была разбита булавой, но Тирион узнал свой кинжал, разжимая руку убитого. Засовывая его за пояс, он услыхал женский крик.

Кейтилин Старк жалась к каменной поверхности скалы, ее окружали трое: один на коне и двое пеших. Она неловко держала оружие ранеными руками, но спина ее уже припала к скале, и они обступили ее с трех сторон.

Пусть получит, сука, подумал Тирион, однако почему-то шагнул вперед. Он ударил первого под колено, прежде чем они успели заметить его; тяжелая головка топора перерубила плоть и кость, словно гнилое бревно. А бревна все-таки кровоточат, пришла в голову Тириона безумная мысль, когда к нему направился второй противник. Тирион нырнул под меч и ударил вперед топором, горец отшатнулся назад, и Кейтилин Старк сзади вспорола ему горло. Всадник вдруг вспомнил, что у него где-то неподалеку срочное дело, и взял с места в галоп.

Тирион огляделся: враги были убиты, ранены или бежали. Пока он был занят боем, схватка каким-то образом закончилась. Вокруг лежали умирающие кони и раненые люди, они стонали или кричали. К невероятному изумлению, он оказался не среди них. Тирион разжал пальцы и выронил топор на землю. Ладони его сделались липкими от крови. Тирион мог бы присягнуть, что они дрались полдня, но солнце даже не успело сойти с места.

— Значит, первая битва? — спросил его Бронн; склонившись над телом Джика, наемник стягивал с убитого сапоги. Хорошие сапоги, какие и подобает носить людям лорда Тайвина: толстая и гибкая, натертая маслом кожа, — куда лучше тех, которые истоптал Бронн.

Тирион кивнул.

— Отец мой будет ужасно горд, — сказал он. Ноги карлика так болели, что он едва мог стоять. Как ни странно, во время схватки он не замечал этой боли.

— А теперь тебе нужно бабу, — проговорил Бронн. Черные глаза его блеснули. Наемник затолкал сапоги в переметную суму. — После первой крови нет ничего лучше, поверь мне на слово.

Чигген оторвался от грабежа, довольно фыркнул и облизнулся.

Тирион посмотрел на леди Старк, занимавшуюся ранами сира Родрика.

— Я-то что — она не согласится, — проговорил он.

Вольные всадники разразились хохотом, Тирион ухмыльнулся и подумал: это начало. Потом он склонился возле ручья и смыл кровь с лица ледяной водой. Хромая, направился к остальным и вновь поглядел на убитых. Мертвые горцы были худы и оборванны, из-под лохматых шкур невысоких коньков торчали все ребра. Оружие, которое оставили убитым Бронн и Чигген, делало это войско не слишком впечатляющим. Молоты, дубинки, коса... Тирион вспомнил рослого противника сира Родрика, одетого в шкуру сумéречного кота и сражающегося двуручным мечом, но когда он обнаружил его тело на каменистой земле, убитый не показался ему высоким. Тирион отметил, что клинок его был щербатым, дешевую сталь покрывала ржавчина. Нечего удивляться тому, что горцы оставили на земле девять тел.

Они потеряли только троих: двоих из людей лорда Бреккена, Курлекета и Мохора; погиб его собственный слуга Джик, отважно бросившийся в битву на незаседланном коне. Дураком жил, дураком и погиб, подумал Тирион.

— Леди Старк, я настаиваю, чтобы вы всячески поторопились, — проговорил сир Уиллис Воде, внимательно оглядывая гребни холмов сквозь прорезь шлема. — Мы отогнали их, но далеко они не отъедут.

— Сначала мы должны похоронить наших мертвецов, сир Уиллис, — ответила она, — они были храбрыми людьми, и я не оставлю их воронам и сумеречным котам.

— Почва слишком каменистая, чтобы рыть могилу, — проговорил сир Уиллис.

— Тогда мы можем набрать камней для кэрна*.

— Собирайте все камни, которые вам нужны, — сказал ей Бронн, — но без меня или Чиггена. У нас есть более важное дело, чем закидывать мертвецов камнями. Например, я хочу дышать. — Он оглядел выживших. — Те из вас, кто надеется пережить сегодняшний вечер, поедут с нами.

— Миледи, увы, он говорит правду, — усталым голосом заметил сир Родрик. Старый рыцарь был ранен, на руке его остался глубокий порез, кроме того, копье задело его шею, и голос его теперь звучал по-стариковски. — Если мы задержимся здесь, они снова нападут, и уж второй схватки мы можем не пережить.

Тирион видел гнев на лице Кейтилин, но у нее выхода не оставалось.

— Тогда пусть боги простят нас. Хорошо, едем немедленно.

Теперь недостатка в конях не было. Тирион перенес свое седло на пятнистого мерина Джика, казавшегося достаточно крепким, чтобы протянуть еще три или четыре дня. Он уже собирался подняться в седло, когда Лхарис шагнул вперед и сказал:

— А сейчас отдай мне этот кинжал, карлик.

— Пусть оружие останется у него, — сказала Кейтилин Старк, поглядев вниз со своего коня. — И кинжал, и топор. Возможно, они понадобятся, если на нас нападут снова.

— Благодарю вас, леди, — ответил Тирион, садясь в седло.

— Приберегите свои благодарности, сир, — сказала она. — Я доверяю вам не более, чем раньше. — Кейтилин отъехала, прежде чем он успел придумать ответ.

Тирион поправил краденый шлем и забрал топор у Бронна. Он вспомнил, как начинал это путешествие, со связанными кулаками и в капюшоне, надвинутом на голову, и счел переме-

---

* надмогильный холм из камней.

ну вполне положительной. Пусть леди Старк не доверяет ему, но теперь у него есть топор, а значит, он может рассчитывать на жизнь в этой игре.

Сир Уиллис Воде повел их дальше. Бронн ехал последним, леди Старк в середине, сир Родрик тенью маячил возле нее. Мариллон бросал на Тириона гневные взгляды. У певца оказались сломанными несколько ребер, арфа и все четыре пальца на играющей руке, но все же удача не совсем оставила его; Мариллон каким-то образом разжился плащом из шкуры сумеречного кота и теперь — наконец-то! — молча горбился под густой черной шкурой, прорезанной белыми полосами.

Едва отъехав на полмили, они услышали позади басовитое рычание сумеречных котов, а потом яростную грызню зверей над оставленными ими трупами. Мариллон заметно побледнел. Тирион подъехал к нему.

— Трусливый юнец, — сказал он, — превосходная рифма к слову «певец»! — Пришпорив коня, он присоединился к сиру Родрику и Кейтилин Старк.

Она поглядела на него, плотно сжав губы.

— Как я говорил, прежде чем нас столь грубо прервали, — начал Тирион, — в басне Мизинца есть один серьезный порок. Что бы вы ни думали обо мне, леди Старк, клянусь вам в одном: я никогда не держу пари против своих родственников.

АРЬЯ

Одноухий кот изогнул спину и зашипел на нее.

Арья кралась по переулку, легко ступая на пятки босых ног, прислушиваясь к трепету сердца, глубоко и медленно вздыхая. Тихая, как тень, сказала она себе, легкая, словно перышко. Кот настороженно поглядел на девочку, ожидая ее приближения.

Ловить кошек — дело нелегкое, руки Арьи покрылись полузажившими царапинами, оба колена успели ободраться о грубую землю. Сначала даже жирному кухаркиному коту удавалось спастись от нее, но Сирио не освобождал ее от этого дела ни днем, ни ночью. Когда она прибежала к нему с кровоточащими руками, он сказал:

— Выходит, ты такая медлительная? Будь побыстрее, девочка. Враги не станут царапать тебя. — Он присыпал ее раны мирийским огнем, ожегшим кожу, ей даже пришлось прикусить губы, чтобы не вскрикнуть. А потом снова послал за кошками.

В Красном замке их было полно: дремлющих на солнце ленивых старых котов, настороженных мышеловов, быстрых маленьких котят с когтями острыми, словно иголочки, причесанных и доверчивых кошечек знатных дам, облезлых разбойников, промышлявших в грудах отбросов. Арья по одному ловила их и с гордостью приносила показать Сирио Форелю. Она всех переловила, кроме этого одноухого черного дьявола.

— Это и есть настоящий король замка, — объяснил ей один из золотых плащей. — Он — воплощенный грех и сама подлость. Однажды, когда король давал пир в честь отца королевы, этот черный негодяй выскочил из-под стола и выхватил жареную перепелку прямо из пальцев лорда Тайвина. Роберт хохотал так, что едва не лопнул. Держись-ка подальше от него, дитя.

Кот поводил ее по замку: он дважды обогнул башню Десницы, потом направился через внутренний двор, потом через конюшню, потом вниз по витой лестнице, мимо маленькой кухни и свиного двора, потом мимо казарм золотых плащей, потом вдоль речной стены, потом вновь по ступеням, снова взад и вперед, над Гульбищем Предателя, потом снова вниз, через ворота, вокруг колодца, внутрь странных сооружений и наружу... Наконец Арья перестала понимать, где находится.

И все-таки он попался. Стены поднимались высоко с каждой стороны, путь преграждала лишенная окон каменная глыба. «Тихая, словно тень, — повторяла она, скользя вперед, — легкая, словно перышко».

Когда Арья оказалась в трех шагах, кот сорвался с места. Он метнулся влево, потом вправо, и вправо и налево поворачивалась Арья, преграждая ему путь. Кот вновь зашипел и попытался проскользнуть между ее ног. «Быстрая, как змея», — подумала Арья, смыкая на нем руки. Она со смехом прижала к себе кота, тот когтями драл ее кожаную куртку. Невзирая на это, Арья поцеловала его в лоб и откинула голову раньше, чем когти успели впиться в ее лицо. Кот взвыл и начал плеваться.

— А что он делает с этой кошкой?

От удивления Арья выронила кота и повернулась на голос. Кот исчез в мгновение ока. В конце переулка стояла девочка с головой в золотых кудряшках, хорошенькая, словно кукла, в синем атласном платье. Возле нее находился пухлый светловолосый мальчишка с миниатюрным мечом у пояса, на кармане дублета которого жемчугами был вышит скачущий олень. Принцесса Мирцелла и принц Томмен, подумала Арья. Над детьми возвышалась септа, огромная, как тяжеловоз, а за ней вырастали два громадных стражника в пурпурных плащах домашней гвардии Ланнистеров.

— Что ты делаешь с этим котом, мальчик? — спросила Мирцелла суровым голосом, а брату сказала: — Какой оборвыш, правда? Только погляди! — Она хихикнула.

— Грязный оборванец, вонючий мальчишка, — согласился Томмен.

«Они не узнали меня, — поняла Арья. — Они даже не поняли, что я девочка». Нечего удивляться: она была босая и грязная, волосы ее взлохматились после долгой беготни по замку, куртку порвали кошачьи когти, грубые домотканые штаны были закатаны выше ободранных коленок. Когда занимаешься ловлей кошек, приходится забыть про шелка и юбки. Она торопливо склонила голову и опустилась на одно колено. Быть может, они не узнают ее. В противном случае до конца этой истории ей не дожить. Септа Мордейн падет замертво, а Санса со стыда никогда больше не заговорит с ней.

Старая толстая септа шагнула вперед.

— Мальчик, откуда ты взялся? Тебе нечего делать в этой части замка.

— Этих отсюда не выставишь, — сказал один из красных плащей. — Бороться с ними все равно что гонять крыс.

— Чей ты, мальчик? — спросила септа. — Отвечай! Что с тобой случилось, или ты разговаривать не умеешь?

Голос Арьи застрял в глотке; если она ответит, Томмен и Мирцелла, конечно, узнают ее.

— Годвин, приведи-ка его сюда, — сказала септа. Самый рослый из стражников направился к ней по переулку.

Паника стиснула ее горло рукой гиганта. Арья не заговорила бы, даже если от этого зависела бы ее жизнь. «Спокойная, как тихая вода», — про себя проговорила она.

Арья шевельнулась, лишь когда Годвин потянулся к ней. Быстро, как змея, девочка нырнула налево, пальцы скользнули по руке, она крутнулась вокруг него. Гладкая, словно летний шелк, она уже бежала по переулку, пока он поворачивался. Быстрая, как олень! Септа закричала. Арья проскользнула между ее ног, толстых и белых, как мраморные колонны, вскочила, врезалась в принца Томмена, перепрыгнула через него, а когда он уселся — увернулась от второго стражника, а потом побежала, оставив всех позади.

Она слышала крики, затем, приближаясь, загромыхали сапоги. Арья упала и покатилась. Красный плащ пролетел мимо нее, споткнулся, и Арья вскочила на ноги. Она заметила над собой окно, высокое, узкое, почти бойницу. Арья подпрыгнула, ухватилась за подоконник и втянула свое тело внутрь. Словно угорь просачиваясь в щель, она затаила дыхание. Свалившись на пол перед испуганной посудомойкой, она подскочила, смахнула грязь с одежды и вновь побежала — в дверь, по длинному коридору, по лестнице, через укромный дворик. Завернув за угол, она перелезла через стену и нырнула в узкое окошко, попав в подвал, темный, как угольная яма. Звуки отступали все дальше.

Арья запыхалась и поняла, что потерялась. Если ее узнали — она пропала, в этом нельзя было сомневаться. Но ведь она была такой быстрой. Быстрой, словно олень.

Она припала во тьме к влажной каменной стене, чтобы услышать звуки погони, — ничего, кроме биения ее же собственного сердца и далекого стука капель воды. Тихая, словно тень, сказала она себе. И принялась размышлять о том, где находится. Когда они только приехали в Королевскую Гавань, ей даже снились кошмарные сны о том, как она теряется в замке. Отец сказал, что Красный замок меньше Винтерфелла, но во снах замок виделся ей невероятно огромным каменным лабиринтом, стены которого передвигались позади нее. Арье казалось, что она скитается по мрачным залам, мимо блеклых гобеленов, спускается по бесконечным винтовым лестницам, бежит через дворики или по мостам, кричит, но не слышит ответа. В некоторых комнатах красные каменные стены словно источали кровь, но окон она не могла сыскать нигде. Иногда Арье слышался далекий голос отца, и, как бы она ни спешила, зов становился все слабее и тише, наконец он растворялся во мраке, и она оставалась одна.

Вокруг было очень темно. Арья обхватила голые колени, прижалась к ним грудью и поежилась. Она тихо переждет здесь и досчитает до десяти тысяч. А потом можно будет выбраться наружу и попытаться отыскать дорогу домой. Но когда она досчитала до восьмидесяти семи, в помещении явно посветлело — глаза ее приспособились к темноте. Окружающие Арью силуэты медленно обретали форму. Из тьмы на нее смотрели ряды острых зубов. Арья сразу сбилась со счета. Она зажмурила глаза и закусила губу, постаравшись забыть все свои страхи. Вот она откроет их, и чудовища исчезнут, словно бы их не было никогда. Она постаралась представить, что Сирио находится сейчас рядом и из темноты нашептывает ей на ухо. Тихая, как вода, напомнила она себе. Сильная, как медведь, свирепая, как росомаха. И вновь открыла глаза.

Чудовища остались на месте, но страх исчез.

Арья поднялась на ноги и с опаской приблизилась к ним. Ее окружали черепа. Девочка прикоснулась к одному из них, чтобы узнать, не привиделся ли он ей. Но пальцы Арьи легли на массивную челюсть. Кость казалась на ощупь гладкой, холодной и жесткой. Арья провела пальцем по черному зубу, острому, словно кинжал, заточенный самой тьмой. Прикосновение заставило ее поежиться.

— Это мертвая голова, — сказала она вслух, — лишенный сил череп, и он не может причинить мне вреда. — И все же Арье казалось, что чудовище непонятным образом знает, где находится. Девочка ощущала на себе взгляд его пустых глазниц, прозревающих сквозь мрак; в этом темном, похожем на пещеру подземелье обитало нечто, не испытывающее к ней ни малейшей симпатии. Арья бочком отодвинулась от черепа, но наткнулась на второй — еще больший, чем первый. На мгновение зубы его прикоснулись к плечу девочки, череп словно бы попытался впиться в ее плоть. Арья резко повернулась, ранив палец об острый клык, и побежала. Впереди вдруг вырос еще один череп, самый большой из всех, но Арья даже не замедлила движения. Она перепрыгнула через ряд острых зубов, высоких, словно мечи, и, миновав костяную, вечно голодную пасть, припала к двери. Руки Арьи нащупали тяжелое железное кольцо, прикрепленное к дереву, и она потянула. Дверь мгновение посопротивлялась, а потом начала медленно поворачиваться внутрь со скрипом столь громким, что его, вне сомнений, было слышно всему городу. Приоткрыв дверь, Арья проскользнула в щель и оказалась в коридоре. В подземелье чудовищ было темно, но коридор показался ей самой черной из всех семи преисподних. Тихая, как вода, напомнила себе Арья, но, позволив своим глазам привыкнуть, она ничего не увидела, если не считать смутных очертаний двери, через которую она вошла сюда. Арья взмахнула рукой перед своим лицом, но ощутила только движение воздуха. Она словно бы ослепла. Водяной плясун видит всеми своими чувствами, напомнила себе девочка. Она закрыла глаза, на счет три выровняла дыхание, успокоилась и вытянула вперед руки. Слева пальцы ее прикоснулись к грубому неотесанному камню. Не отрывая ладони от поверхности,

Арья направилась вдоль стены — небольшими скользящими шажками. Все коридоры куда-нибудь да ведут.

Если куда-то можно войти, значит, можно и выйти. Страх режет глубже меча. Арья не собиралась пугаться. Ей казалось, что она шла уже долго, когда стена вдруг окончилась и порыв холодного ветра прикоснулся к ее щеке. Растрепавшиеся волосы легко прикасались к коже.

Где-то далеко внизу послышались голоса... шорох сапог, далекий говор. Неровный свет чуть прикасался к стене, она поняла, что стоит наверху огромного черного колодца, футов на двадцать уходившего в землю. В стены его были врезаны огромные камни; поворачиваясь, они спускались вниз ступенями лестницы, нисходящей в ад, о котором рассказывала старая Нэн. И что-то выходило из этой тьмы, прямо из недр земли...

Арья перегнулась через край, ощутила лицом холодное дыхание воздуха. Далеко внизу светился факел, казавшийся ей сверху огоньком свечи. А рядом с ним она заметила двоих мужчин. Гигантские тени их плясали по стенам колодца. Она слышала голоса, гулко раздающиеся в шахте.

— ...нашел одного бастарда, — сказал один. — Скоро обнаружит и остальных. Через день-другой, пару недель...

— Что он предпримет, когда узнает правду? — спросил другой голос с текучим акцентом Вольных Городов.

— Это знают одни только боги, — отвечал первый голос. Арья видела серый дымок, клубами поднимавшийся от факела, превращаясь в змеистую струю. — Эти дураки попытались убить его сына, хуже того, они все превратили в фарс. А этого человека просто так в сторону не отодвинешь. Хочу предостеречь: волк и лев скоро вцепятся друг другу в глотку, хотим мы этого или нет.

— Слишком скоро, слишком уж скоро, — пожаловался голос с прежним акцентом. — Что хорошего принесет нам война сейчас? Мы не готовы к ней. Ее надо задержать.

— С таким же успехом можно попытаться остановить время... или ты принимаешь меня за волшебника?

Второй хихикнул:

— Никак не менее!

Пламя буквально трепетало на холодном ветру. Высокие тени почти добрались до Арьи. Мгновение спустя перед ней внизу появился человек с факелом, за ним следовал второй. Арья отодвинулась от колодца, легла на живот и вжалась в стену. Она задержала дыхание — мужчины уже были вровень с ней.

— Что ты хочешь чтобы я сделал? — спросил тот, что нес факел, — крепкий мужчина в коротком плаще с откинутым капюшоном. Обутые в тяжелые сапоги, ноги его ступали бесшумно. На нем были рубаха из варсной кожи, кольчуга, у пояса короткий меч и кинжал. Стальной шлем прикрывал голову. Арья усмотрела в нем нечто знакомое.

— Если может умереть один десница, то почему не может погибнуть другой? — ответил мужчина с акцентом и с раздвоенной желтой бородой. — Тебе уже знаком этот танец, мой друг.

Этого Арья еще не видела, она не сомневалась. Толстяк этот двигался с непринужденностью водяной плясуньи. На пальцах его поблескивали кольца — красное золото и бледное серебро, рубины, сапфиры, желтая щель тигрового глаза. Кольца были на каждом пальце, на некоторых даже по два.

— Раньше — это не теперь, и новая десница — другой человек, — возразил человек со шрамом, когда они вышли в коридор. Неподвижная, словно камень, напомнила себе Арья, тихая, словно тень. Ослепленные светом своего факела, они не видели ее, прижавшуюся к стене буквально в нескольких футах от них.

— Быть может, — отвечал человек с раздвоенной бородой, останавливаясь, чтобы перевести дыхание после долгого подъема. — Тем не менее мы должны получить передышку. Принцесса брюхата. Кхал не станет утруждать себя до рождения сына. Ты знаешь, каковы эти дикари.

Мужчина с факелом что-то толкнул, и Арья услышала густой грохот: огромный, багровый в свете факела камень опустился с потолка. Она едва не вскрикнула. Там, где только что был спуск в колодец, лежала плита, прочная и ровная.

— Но если он не поторопится, то опоздает, — сказал крепкий человек в стальном шлеме. — В игре теперь участвуют не два игрока, как прежде, если так когда-то и было. Станнис Баратеон и Лиза Аррен бежали за пределы моей власти; поговаривают, что они собирают возле себя мечи. Рыцарь Цветов переписывается с Вышесадом, требует, чтобы лорд-отец прислал ко двору его сестру. Четырнадцатилетняя девушка мила, прекрасна и послушна; лорд Ренли и сир Лорас намереваются уложить ее в постель к Роберту, а потом женить его на ней и сделать новую королеву. Мизинец... одни только боги знают, в какую игру играет Мизинец. И все же лишь лорд Старк тревожит мои сны. Он знает бастарда, знает книгу, скоро узнает и всю правду. А теперь жена его благодаря вмешательству Мизинца похитила Тириона Ланнистера. Лорд Тайвин сочтет это за нападение, а Джейме, непонятно почему, привязан к чертенку. Если Ланнистеры выступят против Севера, не смогут остаться в стороне и Талли. Ты говоришь — подожди... Поспеши, вот что я тебе отвечу! Даже самый легкий из жонглеров не может вечно держать в воздухе сотню шаров.

— Ты более чем жонглер, мой старый друг, ты — истинный волшебник. И я только прошу тебя продлить свои чары. — Они отправились по коридору туда, откуда явилась Арья... мимо комнаты с чудовищами.

— Сделаю все, что смогу, — ответил человек, несущий факел. — Мне нужно золото и еще пятьдесят птиц.

Позволив обоим удалиться подальше, Арья крадучись последовала за ними. Тихая, словно тень.

— Так много? — Голоса удалялись, свет становился слабее. — Тех, кто тебе нужен, трудно найти... они слишком молоды, чтобы знать их грамоту... быть может, постарше... не умрут так легко...

— Нет. С молодыми спокойнее... будь с ними ласковее...

— ...если они попридержат языки...

— ...риск...

Уже после того, как голоса растаяли вдали, Арья долго еще видела впереди свет факела, дымящуюся звезду, которая так и просила последовать за собой. Дважды она пропадала, но Арья шла прямо и оба раза оказывалась наверху узких крутых лестниц, но внизу светил факел, и она спешила, спешила за ним... Однажды Арья споткнулась о камень и упала на стену; рука ее нащупала сырую землю между досками, а ведь прежде стены тоннеля были одеты камнем.

Наверное, она пробиралась куда-то за город и преодолела не одну милю. Наконец и факел, и люди исчезли, но идти приходилось только вперед. Арья вновь нащупала стену и последовала дальше, слепая и потерявшаяся, стараясь представить, что Нимерия топает рядом с ней во тьме. Наконец она очутилась по колено в гнусной вонючей жиже, почти не надеясь увидеть снова дневной свет; она жалела, что не в силах пробежать по этой мерзости, как сделал бы Сирио...

Арья выбралась из подземелья, когда уже стемнело. И обнаружила, что стоит в жерле сточной канавы, извергающейся в реку. От тела ее пахло так скверно, что Арья разделась и, бросив грязную одежду на берегу, нырнула в глубокие черные воды. Она поплавала, пока не ощутила себя чистой, и, ежась, вылезла на берег. Пока Арья стирала свою одежду, по прибрежной дороге несколько раз проезжали какие-то всадники, но если они и сумели заметить нескладную голую девчонку, стиравшую свои тряпки в лунном свете, то не стали обращать на нес вниманис.

Арья оказалась в нескольких милях от замка, но в Королевской Гавани потеряться было нельзя: стоило только поглядеть вверх, чтобы увидеть Красный замок высоко на горе Эйегона. Когда Арья достигла ворот, одежда ее почти высохла. Решетку опустили, и ворота уже заложили, поэтому Арья направилась прямо к боковой двери. Караулившие у ворот золотые плащи ответили хохотом на просьбу Арьи впустить ее.

— Ступай прочь, — сказал один из них. — Кухонные отбросы уже унесли, а после восьми попрошайничать запрещено.

— Я не попрошайка, — сказала она. — Я здесь живу.

— А я сказал — ступай прочь. Или хочешь получить по уху, чтобы лучше слышать?

— Я хочу видеть моего отца.

Стражники обменялись взглядами.

— Я бы и сам хотел трахнуть королеву... с большим удовольствием, — сказал тот, что помоложе.

Старший нахмурился.

— А кто твой папаша, парень, городской крысолов?

— Десница короля, — отвечала Арья.

Оба расхохотались, но потом старший замахнулся кулаком, небрежно, как отгоняют собаку. Арья заметила удар быстрее, чем рука дошла до нее. Она отскочила в сторону невредимая.

— Я не мальчик. — Она плюнула к их ногам. — Я Арья Старк из Винтерфелла, и если кто-нибудь из вас притронется ко мне рукой, мой лорд-отец прикажет насадить ваши головы на пики. Если не верите, позовите Джори Касселя или Вейона Пуля из башни Десницы. — Она уперла руки в бедра. — А теперь открывайте ворота, или кому-нибудь нужно дать по уху, чтобы лучше слышал?..

Когда Харвин и Толстый Том привели ее домой, отец в одиночестве сидел в солярии, масляная лампа неярко горела возле его локтя. Он склонился над самой большой книгой из всех, которые видела Арья; потрескавшиеся желтые страницы пухлого фолианта в кожаной обложке были исписаны неразборчивым почерком. Отец закрыл книгу, чтобы выслушать сообщение Харвина. Поблагодарив своих людей, он отослал их и с суровым лицом повернулся к Арье.

— Понимаешь ли ты, что я разослал половину своей стражи искать тебя? — сказал Эддард Старк, когда они остались вдвоем. — Септа Мордейн от испуга наполовину потеряла рассудок. А сейчас она отправилась в свою септу молиться о твоем благополучном возвращении. Арья, тебе ведь известно, что я запретил вам выходить за ворота замка без моего разрешения.

— А я и не выходила из ворот, — выпалила она. — Я не хотела этого. Я была в подземелье, а потом они повернули в этот тоннель; там было темно, у меня не было ни факела, ни свечи, поэтому мне пришлось последовать за ними. А вернуться назад тем путем, которым пришла, я не могла из-за чудовищ. Отец, они говорили, что хотят убить тебя! Не чудовища, а двое мужчин. Они не видели меня. Я стояла тихая, словно камень, и спокойная, словно тень, но я слышала их разговор. Они сказали, что у тебя есть книга и бастард и что если один десница мог умереть, то может погибнуть и другой... Это и есть та книга? А Джон — бастард?

— Джон? Арья, о чем ты? Кто это говорил?

— Это они, — объяснила она. — Жирный такой человек с кольцами, с раздвоенной желтой бородой, и другой — в кольчуге и стальном шлеме. Жирный говорил, что им нужно медлить, а другой торопил его, он сказал, что не может вечно жонглировать, и волк со львом пожрут друг друга, и это будет фарс. — Арья попыталась вспомнить разговор, но она не все поняла тогда, а теперь мысли совсем смешались в ее голове. — Жирный сказал, что у принцессы будет ребенок. А тот, в стальном шлеме, с факелом, сказал, что надо поторопиться. По-моему, он колдун.

— Колдун? — повторил Нед без улыбки. — Значит, у него была длинная белая борода и высокая остроконечная шапка, усеянная звездами?

— Нет, он ничуть не напоминал рассказы старой Нэн. Он был совсем не похож на волшебника, это жирный сказал, что он колдун.

— Предупреждаю тебя, Арья, если ты сплетаешь эту ниточку из воздуха...

— Нет, нет, я сказала тебе, что все случилось в подземелье, возле тайного хода. Я ловила кошек и... — Арья скривилась. Если она признается в том, что толкнула принца Томмена, отец действительно рассердится на нее. — ...залезла в это окно, а там обнаружила чудовищ.

— Чудовища и волшебники, — сказал отец. — Похоже, ты испытала истинное приключение. Значит, те люди, разговор которых ты подслушала, разговаривали о жонглерах и марионетках?

— Да, — сказала Арья, — только...

— Арья, это были кукольники, — сказал ей отец. — В Королевской Гавани сейчас находится дюжина трупп, они хотят заработать, ведь на турнир собралось много людей. Не знаю, что эти двое делали в замке... Возможно, король попросил их дать представление.

— Нет. — Она упрямо вздернула голову. — Они не были...

— Тебе не следует увязываться за людьми и шпионить за ними. И я совершенно не хочу, чтобы моя дочь лазала в чужие окна за кошками. Погляди-ка на себя, моя милая. Все руки исцарапаны. С меня довольно. Скажи Сирио Форелю, что я хочу переговорить с ним.

Его прервал короткий резкий стук.

— Лорд Эддард, прошу прощения, — проговорил Десмонд, приоткрыв чуточку дверь. — Прибыл один из Черных Братьев, он просит аудиенции. Утверждает, что дело срочное. Я решил, что вы захотели бы узнать об этом.

— Дверь моя всегда открыта для Ночного Дозора, — ответил отец.

Десмонд впустил человека в грязной одежде, с нестриженой бородой, показавшегося Арье согбенным и уродливым, но отец любезно приветствовал гостя и спросил его имя.

— Йорен, если угодно милорду. Прошу прощения за вторжение в столь поздний час. — Он поклонился Арье. — Это, должно быть, ваш сын, он похож на вас.

— Я девочка, — взволнованно поправила Арья. Раз старик прибыл сюда со Стены, наверное, он проехал через Винтерфелл. — А вы знаете моих братьев? — спросила она взволнованно. — Робб и Бран сейчас в Винтерфелле, а Джон на Стене. Джон Сноу, он в Ночном Дозоре. Вы должны знать его, у него лютоволк, белый с красными глазами. А Джон уже стал разведчиком? Я — Арья Старк.

Старик в провонявшей черной одежде странными глазами смотрел на нее, но Арья не могла остановиться.

— А когда вы отправитесь обратно на Стену, то можете прихватить письмо Джону, если я напишу? — Она жалела о том, что сводного брата не было здесь. Он бы поверил ее рассказам и о подземелье, и о толстом человеке с раздвоенной бородой, и о чародее в стальном шлеме.

— Дочь моя нередко забывает о любезности, — проговорил Эддард Старк со слабой улыбкой, смягчавшей жесткость его слов. — Прошу вашего прощения, Йорен. Вас послал мой брат Бенджен?

— Никто не посылал меня, милорд, за исключением старого Мормонта. Я прибыл сюда, чтобы найти людей для Стены, и когда соберется двор Роберта, я преклоню колено и возопию о помощи! Надеюсь, что у короля и его десницы найдется какое-нибудь отребье в темницах, от которого здесь будут рады отделаться. Впрочем, мы говорим и за Бенджена Старка. Кровь его почернела, а потому он стал моим братом в такой же мере, как и вашим. Я прибыл сюда ради него. Я скакал сюда, едва не загнал коня, но оставил остальных позади.

— Остальных?

Йорен сплюнул.

— Наемников, вольных всадников и прочую сволочь. Эта гостиница была полна сброда, я заметил, как они взяли след. Запах крови или золота — для них все едино. Не все из них направились в Королевскую Гавань. Кое-кто поскакал на Бобровый утес — путь до него короче. Так что лорд Тайвин уже получил весть, можете не сомневаться в этом.

Отец нахмурился:

— О чем идет речь?

Йорен поглядел на Арью и молвил:

— Лучше говорить с глазу на глаз, милорд, прошу вашего прощения.

— Как хотите. Десмонд, проводи мою дочь в ее комнату. — Он поцеловал Арью в лоб. — Завтра договорим.

Арья стояла как вкопанная.

— А ничего плохого не случилось с Джоном? — спросила она у Йорена. — Или с дядей Бендженом?

— Что касается Старка, сказать не могу. Мальчишка Сноу благоденствовал, когда я оставил Стену, но речь пойдет не о них.

Десмонд взял ее за руку.

— Пойдем, миледи. Ты слыхала своего отца-лорда.

Арье ничего не оставалось, как последовать за ним, жалея, что это не Толстый Том. Уж его-то она сумела бы задержать у двери по какой-либо причине, чтобы подслушать сообщение Йорена. Но Десмонд был слишком простодушен для подобных фокусов.

— А сколько гвардейцев здесь у моего отца? — спросила она, спускаясь в свою палату.

— В Королевской Гавани? Пятьдесят.

— Вы никому не позволите убить его, а? — спросила она.

Десмонд расхохотался.

— Не бойся, маленькая леди, лорда Эддарда охраняют день и ночь. С ним ничего не будет.

— У Ланнистеров больше пятидесяти людей.

— Это так, но каждый северянин стоит десятка южан, поэтому спи спокойно.

— А что, если убивать его пошлют волшебника?

— А вот на это отвечу, — ухмыльнулся Десмонд, извлекая свой длинный меч, — что волшебники умирают, как и все остальные люди, если у них отрубить голову.

ЭДДАРД

— Роберт, умоляю тебя, — попросил Нед, — пойми, что ты говоришь; ты хочешь убить ребенка.

— Эта шлюха беременна! — Королевский кулак с грохотом обрушился на стол. — Я предупреждал тебя об этом, Нед. Еще там, среди курганов, но ты не захотел слушать меня. Значит, слушай сейчас. Я хочу, чтобы все они погибли — и мать, и ребенок, и этот дурак Визерис. Понятно я выражаюсь? Я хочу, чтобы они умерли!

Прочие члены совета изо всех сил старались изобразить, что находятся совсем не здесь. Вне сомнения, они вели себя весьма мудро. Эддард Старк редко чувствовал себя в подобном одиночестве.

— Ты навсегда опозоришь себя, если такое случится.

— Беру грех на душу, только пусть будет сделано. Я не настолько слеп, чтобы не видеть тени топора, подвешенного над моей собственной шеей.

— Над тобой нет топора, — возразил Нед королю. — Ты видишь тени; опасность исчезла двадцать лет назад и теперь не существует.

— Так ли? — негромко спросил Варис, вытирая напудренные руки. — Милорд, вы обижаете меня. Неужели я вынесу ложь на суд короля и совета?

Нед холодно поглядел на евнуха.

— Вы принесли нам шепоток предателя, находившегося за полмира отсюда, милорд. Что, если Мормонт ошибается?.. Что, если он лжет?

— Сир Джорах не посмеет обмануть меня, — проговорил Варис с лукавой улыбкой. — Не рассчитывайте на это, милорд. Принцесса беременна.

— Пусть будет так. Но если вы ошибаетесь, нам нечего опасаться. Если у нее будет выкидыш, нам тоже ничего не грозит, как и если она родит дочь, а не сына. Потом ребенок может умереть в младенчестве...

— Ну а если это окажется мальчик? — настоятельно проговорил Роберт. — Если он выживет?

— Узкое море все еще разделяет нас. Я начну опасаться дотракийцев в тот самый день, когда узнаю, что они научили своих коней скакать по воде.

Глотнув вина, король яростно посмотрел на Неда.

— Итак, ты советуешь мне ничего не делать, пока драконий ублюдок не высадит свою армию на моих берегах?

— Этот драконий ублюдок еще в чреве матери, — возразил Нед. — Даже Эйегон-завоеватель приступил к завоеваниям не сразу после того, как его отняли от груди.

— Боги! Старк, ты упрям, как зубр! — Король оглядел стол совета. — Неужели у остальных отнялись языки? Может ли кто-нибудь вразумить этого недоумка, отморозившего свою унылую физиономию?

С елейной улыбкой Варис положил мягкую ладонь на рукав Неда.

— Я вполне понимаю терзания вашей совести, лорд Эддард, поверьте, это действительно так. И сам я без какой-либо радости объявил совету эту прискорбную новость. Мы обдумываем ужасное преступление. Но ведь всем, кто берет на себя бремя власти, приходится совершать зло ради государственного блага, сколь бы противны ни были эти поступки нам самим.

Лорд Ренли пожал плечами.

— Вопрос кажется мне достаточно ясным. Нам следовало убить Визериса и его сестру еще годы назад, но светлейший брат мой допустил ошибку, прислушавшись к Джону Аррену.

— Милосердие никогда не бывает ошибкой, лорд Ренли, — ответил Нед. — У Трезубца присутствующий здесь сир Барристан зарубил добрую дюжину моих друзей... моих и Роберта. Когда его доставили к нам, тяжелораненого, на пороге смерти, Русе Болтон предложил перерезать ему глотку, но ваш брат сказал: «Я не убью прекрасного бойца, проявившего верность своему властелину», — и послал своего собственного мейстера перевязать раны сира Барристана. — Он одарил короля долгим холодным взглядом. — Хорошо бы этот человек присутствовал здесь сегодня.

У Роберта хватило стыда покраснеть.

— Тогда дело обстояло иначе, — попытался он оправдаться. — Сир Барристан был рыцарем Королевской гвардии.

— А Дейенерис — всего лишь четырнадцатилетняя девочка. — Нед понимал, что выходит за пределы разумного, однако не мог сохранить молчание. — Роберт, прошу тебя, объясни мне, разве мы поднялись против Эйериса Таргариена не для того, чтобы положить конец детоубийствам?

— Чтобы положить конец Таргариенам! — буркнул король.

— Светлейший государь, я никогда не предполагал, что вы боитесь Рейегара. — Нед попытался изгнать презрение из голоса, но не сумел этого сделать. — Неужели возраст лишил вас мужества настолько, что вы трепещете перед тенью нерожденного ребенка?

Роберт побагровел.

— Ни слова больше! — отрезал он. — Ни слова больше, или ты забыл, кто здесь король?

— Нет, светлейший государь, — проговорил Нед. — А вы?

— Довольно! — взревел король. — Я устал от этого разговора. Давайте наконец кончать с этим, проклятие! Ну, каково ваше мнение?

— Ее надо убить, — объявил лорд Ренли.

— У нас нет выхода, — пробормотал Варис. — Как ни прискорбно, как ни прискорбно...

Сир Барристан Селми оторвал от стола взгляд бледно-голубых глаз и проговорил:

— Светлейший государь, честь велит нам встречать врага на поле боя, а не убивать его в чреве матери. Простите меня, но я вынужден поддержать мнение лорда Эддарда.

Великий мейстер Пицель прочистил глотку; на процесс этот, казалось, ушли минуты.

— Мой орден служит государству, а не правителю. Прежде я давал советы королю Эйерису столь же преданно, как и королю Роберту, а поэтому не испытываю вражды к его дочери. И все же я спрошу вас: неужели снова начнется война... сколько воинов погибнет и сколько городов сгорит? Скольких детей отнимут от матерей, чтобы насадить на копье? — Он погладил свою роскошную белую бороду... бесконечно скорбный, бесконечно усталый. — Разве мудрость и доброта не велят нам, чтобы Дейенерис Таргариен умерла, но тысячи и десятки тысяч остались жить?

— Именно доброта, — отозвался Варис. — Хорошо и справедливо сказано, великий мейстер. Как вы правы!

Если боги по своей прихоти даруют Дейенерис Таргариен сына, королевство изойдет кровью.

Мизинец говорил последним. Когда Нед посмотрел на него, лорд Петир прикрыл ладонью зевок.

— Когда судьба приводит тебя в постель к уродливой женщине, лучше всего закрыть глаза и приступить к делу, — объявил он. — От ожидания она не станет красавицей. Делай ее, и все тут.

— Как это — делай? — спросил озадаченный сир Барристан.

— Сталью, — отвечал Мизинец.

Роберт повернул лицо к деснице.

— Вот и все, Нед. Вы с Селми остались в одиночестве по этому вопросу. Остается только решить, кто возьмется убить ее?

— Мормонт добивается королевского прощения, — напомнил ему лорд Ренли.

— Со всем рвением, — отвечал Варис, — но жизнь он любит еще больше. Сейчас принцесса находится возле Вейес Дотрак, где всякий, взявший в руки клинок, погибнет. Если я расскажу вам, как дотракийцы обойдутся с беднягой, который направит свое оружие против кхалиси, никто из присутствующих не сможет уснуть сегодня. — Он погладил напудренную щеку. — Тогда остается яд... слезы Лисс, скажем так. Кхал Дрого даже не догадается, что смерть ее не была естественной.

Сонные глаза мейстера Пицеля открылись. Он подозрительно покосился на евнуха.

— Но яд — оружие труса, — усомнился король.

С Неда было довольно.

— Вы посылаете наемников убить четырнадцатилетнюю девчонку и еще разговариваете о чести? — Он отодвинул назад кресло и встал. — Сделай это сам, Роберт. Человек, который выносит приговор, должен сам занести меч. Погляди в ее глаза, прежде чем убьешь. Посмотри на ее слезы, выслушай последние слова. По крайней мере хоть это ты должен сделать.

— Боги! — ругнулся король, не имея более сил сдержать свою ярость. — Ты до сих пор настаиваешь! — Потянувшись к бутылке вина, стоявшей возле его локтя, король обнаружил, что она пуста, и отбросил ее к стенке. — У меня кончилось и вино, и терпение. Довольно. Пусть будет сделано!

— Я не буду участвовать в убийстве, Роберт. Поступай как хочешь, но не проси, чтобы я приложил к этому собственную печать.

Какое-то мгновение Роберт словно не понимал, что говорит Нед. Подобное упорство не относилось к числу блюд, часто подающихся при дворе. Но понимание приходило, и лицо его преображалось. Глаза короля сузились, багрянец выполз на шею из-под бархатного воротника. В гневе он ткнул пальцем в сторону Неда.

— Вы — королевская десница, лорд Старк. И вы поступите так, как я прикажу вам, или я найду другого помощника, который исполнит это дело.

— Желаю вам успеха. — Нед отстегнул тяжелую застежку, скреплявшую складки его плаща, искусно сделанную серебряную руку, служившую знаком его сана, и положил на стол перед королем, скорбя о том человеке, который возложил на него эту тяжесть... о том, которого он любил. — Я считал тебя лучшим человеком, Роберт. Я думал, что мы выбрали благородного короля.

Лицо Роберта побагровело.

— Вон! — рявкнул он, задыхаясь от ярости. — Вон, проклятый, или я разделаюсь с тобой. Чего ты ждешь? Ступай, беги в свой Винтерфелл, только потрудись, чтобы я более не видел твоей физиономии, иначе, клянусь, я пристрою твою голову на пику!

Нед поклонился и, не ответив ни слова, повернулся, ощущая взгляд Роберта всем своим телом. Выходя из палаты совета, он услышал, как сразу возобновилось обсуждение за его спиной.

— На Браавосе существует общество так называемых Безликих Людей, — предложил великий мейстер Пицель.

— А вы представляете, во что обойдутся их услуги? — пожаловался Мизинец. — За половину той цены, которую они заломят, можно нанять целое войско обычных наемников, даже если речь будет идти об убийстве того купца. Не знаю уж, сколько они запросят за принцессу.

Дверь за спиной закрылась, голоса стихли. Возле палаты в длинном белом плаще и броне Королевской гвардии замер сир Борос Блаунт. Угольком глаза он быстро глянул на Неда, но вопросов задавать не стал.

День выдался тяжелый и мрачный; направившись через двор к башне Десницы, Нед ощутил собирающийся в воздухе дождь. Он был бы рад грозе. Дождь позволил бы ему почувствовать себя хоть чуточку более чистым. Добравшись до своего солярия, он призвал Вейона Пуля. Управляющий явился немедленно.

— Вы посылали за мной, милорд-десница?

— Больше не десница, — ответил Нед. — Мы с королем поссорились. Возвращаемся в Винтерфелл.

— Немедленно начинаю приготовления, милорд. Нам потребуется две недели, чтобы подготовиться к путешествию.

— У нас нет двух недель, возможно, даже дня. Король посулил надеть мою голову на пику. — Нед нахмурился. Он не верил, что король способен повредить ему... нет, только не Роберт. Сейчас он зол, но Нед исчез с его глаз, и ярость его остынет, как бывало всегда.

Всегда ли? И вдруг Нед с тревогой вспомнил о Рейегаре Таргариене, погибшем уже пятнадцать лет назад. А ведь Роберт по-прежнему ненавидит его! Неприятная мысль... потом нельзя забывать о том, что Кейтилин задержала карлика, Йорен известил его об этом прошлой ночью. Все скоро откроется, и это в тот момент, когда король в гневе на него... Конечно, Роберт ценит Тириона Ланнистера не дороже незрелой фиги. Но похищение заденет его гордость, а что предпримет королева — вообще невозможно сказать.

— Наверное, будет лучше, если я отправлюсь вперед, — сказал Нед Пулю. — Возьму дочерей и небольшую охрану. Остальные последуют за мной, когда соберутся. Извести Джори, но более никого, и ничего не предпринимай, пока мы с девчонками не уедем. Замок полон глаз и ушей, и я предпочту, чтобы о планах моих не знали.

— Как вам угодно, милорд.

Когда Пуль вышел, Эддард Старк направился к окну и задумался, сев возле него. Роберт явно не оставил ему никакого выбора. А вообще-то следовало бы поблагодарить короля. Здорово будет возвратиться в Винтерфелл. Жаль, что он приезжал сюда. Сыновья ждут его, быть может, у них с Кейтилин теперь родится еще один сын, ведь они еще достаточно молоды. Кроме того, он успел заметить, что уже тоскует о снеге, о глубокой ночной тишине Волчьего леса.

И все же мысль об отъезде сердила его. Сколько он не успел сделать! Теперь Роберт и его совет, полный льстецов и трусов, окончательно разорят королевство... хуже того, продадут его Ланнистерам в уплату за долги. Потом, он до сих пор не узнал правды о смерти Джона Аррена. Конечно, ему удалось отыскать несколько кусков головоломки, которые убедили его в том, что Джон действительно был убит, но все это пока только помет, оставленный хищником на лесной тропе. Нед еще не видел самого зверя, хотя ощущал его присутствие — затаившегося и опасного.

Он вдруг внезапно понял, что лучше вернуться в Винтерфелл морем. Нед не был моряком и предпочел бы Королевский тракт, но корабль мог сделать остановку на Драконьем Камне, там он сумеет переговорить со Станнисом Баратеоном. Пицель отослал за воды ворона с вежливым письмом за подписью Неда, предлагавшего лорду Станнису занять свое место в Малом совете. Ответа не было, и молчание лишь усугубило его подозрения. Лорд Станнис явно знает, почему погиб Джон Аррен. Нед в этом не сомневался. Истина, которую он разыскивал, вполне могла ожидать его в древней островной твердыне дома Таргариенов.

Ну а когда он узнает этот секрет, что тогда? От некоторых тайн лучше держаться подальше, иные опасно делить даже с теми, кого ты любишь и кому доверяешь. Нед извлек привезенный Кейтилин кинжал из ножен на поясе. Нож Беса? Зачем карлику понадобилась смерть Брана? Конечно, чтобы он молчал. Новый секрет или еще одна нить из той же паутины?

Замешан ли Роберт в этой истории? Не хочется верить, но ведь прежде он не думал, что Роберт способен подослать убийцу к беременной женщине. Кейтилин пыталась предостеречь его. Ты знал человека, сказала она, а король тебе не знаком. Чем скорее ему удастся оставить Королевскую Гавань, тем лучше. Если завтра утром какой-нибудь из кораблей отправится на север, следует оказаться на нем.

Вызвав Вейона Пуля, Нед послал его к причалам, чтобы все разузнать без шума, но быстро.

— Найди мне надежный корабль с искусным капитаном, — велел он управителю. — Меня не интересует ни размер кают, ни качество, ни убранство. Судно должно быть лишь быстроходным и надежным. Я хочу отплыть немедленно.

Пуль только что получил распоряжение, но Томард уже объявлял гостя:

— Лорд Бейлиш желает видеть вас, милорд.

Нед хотел уже отказаться от этой встречи, но передумал. Он еще не освободился и обязан участвовать в их играх.

— Проводите его ко мне.

Лорд Петир вступил в солярий так, словно бы утром ничего не стряслось... разрезной бархатный дублет серебристо-молочного цвета, серый шелковый плащ подбит мехом черной лисы, на лице обычная насмешливая улыбка.

Нед холодно приветствовал его.

— Могу ли я узнать причину вашего визита, лорд Бейлиш?

— Я не задержу вас: к обеду меня ждет леди Танда. Будет пирог с ягнятиной и жареный молочный поросенок. Достопочтенная леди мечтает женить меня на своей младшей дочери, поэтому стол ее всегда восхитителен. По правде говоря, я скорее женюсь на свинье, но не говорите ей этого. Я обожаю пирог с ягнятиной.

— Не смею задерживать вас, милорд, — отвечал Нед с ледяным пренебрежением. — В настоящий момент мне трудно представить себе человека, в чьем обществе я нуждался бы меньше, чем в вашем.

— Вы не правы. Хорошенько подумав, вы, бесспорно, найдете еще несколько имен. Скажем, Вариса, или Серсеи, или самого Роберта. Светлейший буквально зашелся в гневе! Он не сразу успокоился и после того, как вы оставили нас сегодня утром. Насколько я помню, слова «наглость» и «неблагодарность» довольно часто встречались в его речи.

Нед не почтил его ответом. Он не стал предлагать своему гостю сесть, но Мизинец уселся без приглашения.

— После того как вы бурей вылетели из зала, я был вынужден уговорить их не обращаться к услугам Безликих Людей, — промолвил он непринужденно. — Просто Варис распространит слух, что мы сделаем лордом всякого, кто покончит с девчонкой.

Нед скривился.

— Итак, теперь мы даруем титулы даже убийцам.

Мизинец пожал плечами:

— Титул — вещь дешевая. Безликие Люди обойдутся дороже. И этим я, по правде говоря, более услужил Дейенерис, чем вы своими речами о чести. Пусть какой-то наемник попытается убить ее, возмечтав о титуле. Скорее всего ему ничего не удастся, и дотракийцы долго еще будут внимательно охранять ее. Если же мы подошлем к ней одного из Безликих Людей, можно заранее заказывать похороны.

Нед нахмурился:

— Заседая в совете, вы говорили об уродливых женщинах и стальных поцелуях, а теперь пытаетесь убедить меня в том, что попытались защитить девушку? За какого же дурака вы меня принимаете?

— Просто за колоссального, — со смехом отвечал Мизинец.

— Вас всегда настолько развлекает мысль об убийстве, лорд Бейлиш?

— Лорд Старк, меня развлекает не убийство, а вы. Вы правите, как человек, танцующий на подтаявшем льду. Смею сказать, всплеск будет весьма впечатляющим. И первые трещины побсжали сегодня утром.

— Первые и последние, — резко ответил Нед. — С меня довольно.

— Когда вы собираетесь возвратиться в Винтерфелл, милорд?

— Как только смогу. А какое вам дело до этого?

— Никакого... но если вы не оставите нас до завтрашнего вечера, я охотно отведу вас в тот бордель, который ваш Джори так безуспешно искал, — Мизинец улыбнулся, — и ничего не скажу леди Кейтилин.

КЕЙТИЛИН

— Миледи, вам следовало заранее известить нас о вашем приезде, — сказал ей сир Доннел Уэйнвуд, пока их кони одолевали перевал. — Мы бы послали отряд навстречу. Высокогорная дорога теперь не настолько безопасна для столь маленького отряда, как в прошлые времена.

— К своему прискорбию, мы успели убедиться в этом, сир Доннел, — ответила Кейтилин. Иногда ей казалось, что сердце ее обратилось в камень. Шестеро отважных мужчин погибли, чтобы она могла приехать сюда, а она не находила в себе слез для них и даже начала забывать их имена. — Горцы досаждали нам день и ночь. Мы потеряли троих в первом нападении и еще двоих во втором, слуга Ланнистера умер от лихорадки, после того как раны его воспалились. Когда мы увидели ваших людей, я уже решила, что приближается наш конец. — Она вспомнила, как их маленький отряд выстроился для последней отчаянной схватки — с клинками в руках, спинами к скале. Карлик еще точил край топора, отпуская какую-то едкую шутку, когда Бронн заметил на знамени приближавшихся всадников луну и сокола посреди небесной синевы и белизны стяга дома Аррена. Кейтилин еще не приводилось видеть более приятного зрелища.

— Кланы набрались храбрости после смерти лорда Джона, — проговорил сир Доннел, крепкий юноша лет двадцати, с честным и открытым лицом, широким носом и взлохмаченной густой каштановой шевелюрой. — Если бы это зависело от меня, то я бы повел в горы сотню человек и выкурил горцев из их крепостей. После нескольких суровых уроков все было бы в порядке, но ваша сестра мне это запретила. Она даже не разрешила своим рыцарям отправиться на турнир в честь десницы. Она хочет, чтобы все наши мечи оставались дома и могли защитить Долину. Но от кого — этого не знает никто. Кое-кто уже говорит — от теней. — Он тревожно поглядел на Кейтилин. — Надеюсь, я не наговорил лишнего, миледи? Я не хотел вас обидеть.

— Откровенные речи не задевают меня, сир Доннел. — Кейтилин знала, кого боялась ее сестра. Не теней, а Ланнистеров, подумала она про себя, оглянувшись на карлика, ехавшего возле Бронна. После смерти Чиггена они сдружились — словно два вора. Карлик оказался много хитрее, чем этого бы хотелось. Когда они въехали в горы, он был ее пленником, связанным и беспомощным. Кем же он сделался теперь? Тирион оставался пленником, но тем не менее ехал с кинжалом у пояса и с топором, привязанным к седлу, в плаще из кошачьей шкуры, выигранном в кости у певца, и в короткой кольчуге, которую Ланнистер снял с убитого Чиггена. Две дюжины вооруженных людей окружили карлика и остаток ее потрепанного отряда — рыцари и воины, служащие ее сестре Лизе и юному сыну Джона Аррена, но Тирион не обнаруживал никаких признаков страха. «Неужели я ошиблась?» Уже не впервые Кейтилин подумала, что он, может быть, не виновен в покушении на жизнь Брана, в смерти лорда Аррена и всех остальных. Ну а если так, какой же вид тогда она будет иметь? Чтобы привезти Беса сюда, свои жизни отдали шестеро мужчин.

Она решительно отогнала сомнения.

— Когда мы доберемся до вашей крепости, я буду рада, если вы немедленно пошлете за мейстером Колемоном. Сира Родрика лихорадит, он ранен. — Она уже не однажды опасалась, что галантный старый рыцарь не выдержит путешествия. В последние дни он едва находил силы сидеть в седле, и Бронн уже предлагал ей предоставить старика собственной судьбе, но Кейтилин не желала даже слушать об этом. Кончилось тем, что сира Родрика привязали к седлу. Она велела Мариллону приглядывать за ним.

Сир Доннел помедлил, прежде чем ответить.

— Леди Лиза приказала мейстеру безотлучно находиться в Орлином Гнезде, возле лорда Роберта, — ответил он. — Здесь у ворот есть септон, приглядывающий за ранеными. Он может перевязать раны вашего человека.

Кейтилин скорее положилась бы на знания мейстера, чем на молитву септона. Она уже собиралась сказать это, когда заметила впереди длинные парапеты, врезанные в скалу с обеих сторон ущелья. Там, где проход сужался так, что лишь четверо всадников могли проехать рядом, к скалистым склонам прижимались две сторожевые башни, соединенные крытым мостиком из посеревшего от непогоды камня, изгибавшимся над дорогой. Молчаливые лица замерли у бойниц в башне, на мостике и стенах. Когда они уже заканчивали подъем, навстречу им выехал рыцарь на сером коне и в сером же панцире, а на плаще его играла красно-голубая волна Риверрана, и блестящая черная рыба из оправленного золотом обсидиана скалывала плащ на груди.

— Кто тут держит путь через Кровавые ворота? — спросил он.

— Сир Доннел Уэйнвуд вместе с миледи Кейтилин Старк и ее спутниками, — ответил молодой рыцарь. Хранитель ворот поднял забрало.

— То-то леди показалась мне знакомой. Далеко же ты заехала от дома, маленькая Кет.

— И ты тоже, дядюшка, — ответила она улыбаясь. Этот хриплый грубоватый голос разом возвратил ее на двадцать лет назад, ко дням ее детства.

— Теперь мой дом за моей спиной, — сказал он ворчливо.

— А мой дом в твоем сердце, — ответила ему Кейтилин. — Сними шлем, я хотела бы вновь увидеть твое лицо.

— Увы, годы не пощадили его, — покачал головой Бринден Талли, но, когда он снял шлем, Кейтилин решила, что дядя солгал. Конечно, лицо его покрылось морщинами, время украло последнее осеннее золото из волос, густо припорошив их сединой, но улыбка осталась прежней, кустистые брови напоминали раскормленных гусениц, а в глубине синих глаз прятался смех. — А леди знает о твоем приезде?

— У меня не было времени посылать гонца, — сказала Кейтилин. Ее спутники догоняли ее. — Боюсь, что мы приехали перед бурей, дядя.

— Можно ли нам въехать в Долину? — спросил сир Доннел. Здешние воеводы всегда соблюдали обычаи.

— Именем Джона Аррена, лорда Орлиного Гнезда, защитника Долины, истинного Хранителя Востока, разрешаю вам свободный проход и обязываю соблюдать мир, — ответил сир Бринден. — Езжайте.

Так она въехала под сень Кровавых ворот, у которых во Времена Героев погибла дюжина армий. За укреплениями горы расступались, открывая зеленые поля, синее небо и снежные вершины, от вида которых дыхание перехватывало в груди. Долина Аррен купалась в утреннем свете. Она уходила на восток; спокойный край богатого чернозема, широких медленных рек и сотен небольших озер, зеркалами отражавших лучи солнца, со всех сторон огражденный грозными пиками. На этих высотах росли пшеница, кукуруза, ячмень, и даже в Вышесаде плоды были не слаще, а тыквы не больше здешних. Они находились в западном конце Долины, где высокогорная дорога, одолев последний перевал, начинала извилистый спуск к низинам в двух милях внизу. Долина здесь сужалась, — конному ехать полдня, — и Северные горы казались настолько близкими, что Кейтилин просто хотелось потрогать их рукой. Над горами возвышался зубчатый пик, называвшийся Копьем Гиганта. Все прочие горы глядели на него снизу вверх, вершина его терялась среди ледяных туманов. С массивного западного отрога горы стекал призрачный поток Слез Алисы. Даже отсюда Кейтилин видела сверкающую полоску водопада — блестящую нитку на темном камне.

Заметив, что Кейтилин остановилась, дядя подъехал поближе и указал:

— Нам туда — к Слезам Алисы. Отсюда видно только белое пятнышко, но если приглядеться, можно заметить стены, когда их освещает солнце.

Семь башен, говорил Нед, семь белых кинжалов, вонзающихся в чрево небес, они такие высокие, что с парапетов можно увидеть облака, проплывающие под ногами.

— А долго ли туда ехать?

— Возле горы мы окажемся к вечеру, — объяснил дядя Бринден, — на подъем уйдет еще один день.

За спиной ее заговорил сир Родрик Кассель:

— Миледи, боюсь, что сегодня я не смогу ехать дальше. — Лицо его под неровными, лишь недавно отросшими бакенбардами осунулось; сир Родрик показался Кейтилин просто изможденным, она даже испугалась, что он упадет с коня.

— Вам этого не следует делать, — сказала она. — Вы уже выполнили все, о чем я могла попросить вас, все — и в сотню раз больше. Мой дядя проводит меня до Орлиного Гнезда. Ланнистер должен ехать со мной, но нет причин, которые могли бы воспретить вам и всем остальным отдохнуть здесь и набраться сил.

— Принимать таких гостей для нас честь, — проговорил сир Доннел с серьезной любезностью молодости. Если не считать сира Родрика, из отряда, что выехал с ней из гостиницы на перекрестке дорог, уцелели лишь Бронн, сир Уиллис Воде и Мариллон-певец.

— Миледи, — проговорил Мариллон, выезжая вперед. — Умоляю, разрешите мне проводить вас в Гнездо, чтобы я мог увидеть окончание повести, начало которой совершилось на моих глазах. — Мальчишка казался осунувшимся, однако странно решительным, глаза его лихорадочно блестели.

Кейтилин не просила певца сопровождать их; решение принял он сам. Как Мариллон сумел уцелеть во время путешествия, когда много отважных воинов остались непогребенными позади, она понять не могла. Однако Мариллон находился сейчас перед ней, и тонкая бородка придавала ему почти взрослый вид. Быть может, она кое-что должна ему, раз он доехал так далеко.

— Очень хорошо, — сказала она.

— Я тоже поеду, — объявил Бронн.

Это предложение ей понравилось меньше. Без Бронна они не сумели бы пробиться в Долину, Кейтилин понимала это. Такого ярого бойца, как наемник, ей еще не приходилось видеть, а меч его помог им достичь безопасности. Но Кейтилин все-таки не нравился этот человек. Отваги ему было не занимать и силы хватало, однако она не видела в нем ни доброты, ни верности. Кроме того, он слишком часто оказывался возле Ланнистера, они постоянно переговаривались и смеялись над какими-то шутками. Она предпочла бы разлучить его с карликом именно здесь и сейчас, но согласившись на то, чтобы Мариллон продолжил дорогу в Орлиное Гнездо, она не могла вежливо отказать в этом праве и Бронну.

— Как угодно, — отвечала она, отметив при этом, что он не попросил у нее разрешения.

Сир Уиллис Воде остался вместе с сиром Родриком. Негромко нашептывая, септон уже возился над их ранами. Оставили здесь и коней, измученных долгой дорогой. Но сир Доннел обещал послать птиц с известием об их приезде в Орлиное Гнездо и к Воротам Луны. Из конюшни вывели свежих мохнатых лошадей горной породы, привычных к здешним краям, и через час они продолжили путь. Вместе с дядей Кейтилин возглавила спуск в Долину. За ними следовали Бронн, Тирион Ланнистер, Мариллон и шестеро людей Бриндена.

Когда они уже проделали треть пути по горной тропе и немного удалились вперед от своего отряда, Бринден Талли повернулся к ней и проговорил:

— А теперь, девочка, рассказывай мне об этой своей боли.

— Я уже давно выросла, дядя, — ответила Кейтилин, тем не менее приступая к рассказу. На всю повесть ушло больше времени, чем она ожидала, — нужно было рассказать и о письме Лизы, и о падении Брана, и о кинжале убийцы, и о Мизинце, и о ее случайной встрече с Тирионом Ланнистером на перекрестке дорог.

Дядя слушал безмолвно, тяжелые брови прикрывали глаза, и с каждым ее словом он все больше мрачнел. Бринден Талли всегда умел слушать... всех, кроме ее отца. Брат лорда Хостера, он был моложе его на пять лет, и они постоянно ссорились, насколько помнила Кейтилин. Во время самой громкой из ссор, когда Кейтилин уже исполнилось восемь, лорд Хостер назвал Бриндена черным козлом среди стада Талли. Расхохотавшись, Бринден указал на герб их дома — прыгающую форель — и заметил, что тогда уж его следует называть черной рыбой, а не козлом, и начиная с того дня принял ее изображение в качестве личного герба.

Раздоры братьев не закончились ко дню Лизиной свадьбы. На брачном пиру Бринден объявил брату, что оставляет Риверран, чтобы служить Лизе и ее новому мужу, лорду Орлиного Гнезда. С тех пор, судя по редким письмам Эдмара, лорд Хостер ни разу не произнес имени своего брата.

Тем не менее все свое детство именно к Бриндену Черной Рыбе бегали дети лорда Хостера со своими слезами и рассказами, когда отец бывал слишком занят, а мать слишком больна. Кейтилин, Лиза, Эдмар... даже Петир Бейлиш, воспитанник их отца... Бринден терпеливо выслушивал всех, как делал сейчас, радовался их победам и утешал в детских несчастьях.

Когда она договорила, дядя долго молчал и, отпустив поводья, позволил коню самостоятельно спускаться по крутой скалистой тропе.

— Надо известить твоего отца, — сказал он наконец. — Если Ланнистеры выступят, Винтерфелл далеко, Долина спряталась за своими горами, но Риверран лежит прямо на их пути.

— Я опасаюсь именно этого, — признала Кейтилин. — Я попрошу мейстера Колемона отослать птицу сразу, как только мы достигнем Орлиного Гнезда. — Следовало передать и распоряжения, отданные через нее Недом своим знаменосцам, чтобы они приступили к укреплению Севера. — А какое настроение в Долине? — спросила она.

— Здесь все в гневе, — сообщил Бринден Талли. — Лорда Джона очень любили, и все были оскорблены, когда король возложил на Джейме Ланнистера обязанность, которую Аррены исполняли почти три сотни лет. Лиза распорядилась, чтобы ее сына называли истинным Хранителем Востока. Кроме того, не только твоя сестра сомневается в причинах смерти десницы. — Он без улыбки поглядел на Кейтилин. — А тут еще и мальчик.

— Мальчик? Что с ним? — Кейтилин пригнулась, объезжая нависающую скалу. В голосе ее звучала тревога.

— Лорду Роберту Аррену, — вздохнул он, — всего только шесть лет, он постоянно хворает и начинает рыдать, когда у него отбирают игрушки. Он истинный наследник Джона Аррена, клянусь всеми богами, однако находятся и такие, кто утверждает, что он слишком слаб, чтобы сесть на место отца. Нестор Ройс управлял Долиной последние четырнадцать лет, пока лорд Джон служил королю, и многие шепчут, что ему следует сохранить власть, пока мальчишка не повзрослеет. Другие считают, что Лизе нужно выйти замуж и поскорее. Женихи слетаются прямо как вороны на побоище. В Орлином Гнезде их полно.

— Этого следовало ожидать, — проговорила Кейтилин. Чему удивляться: Лиза еще молода, а Королевство Горы и Долины можно считать превосходным приданым. — Но возьмет ли Лиза другого мужа?

— Она говорит, что возьмет, если найдется человек, который устроит ее. Но она уже отвергла лорда Нестора и дюжину других вполне подходящих женихов. Лиза клянется, что на этот раз сама выберет себе лорда-мужа.

— В таком случае тебе не следует винить ее в разборчивости.

Сир Бринден фыркнул:

— А я и не виню, но... мне кажется, что Лиза только играет с женихами. Ей приятно это занятие, но я думаю, что сестра твоя намеревается править самостоятельно, пока возраст не позволит мальчику сделаться лордом Орлиного Гнезда не только по имени.

— Женщина способна править столь же мудро, как и мужчина, — заметила Кейтилин.

— Не всякая женщина, — проговорил ее дядя, оглянувшись по сторонам. — Вот что, Кет, Лиза — это не ты. — Он помедлил мгновение. — Откровенно говоря, я опасаюсь, что ты не найдешь у своей сестры той помощи, на которую рассчитываешь.

Кейтилин была озадачена.

— Что ты имеешь в виду?

— Из Королевской Гавани вернулась не та девочка, которая отправилась на юг со своим мужем, когда он был назначен десницей. Прошедшие годы тяжело дались ей. Ты должна это понимать. Лорд Аррен был заботливым мужем, но брак был заключен из политических соображений, а не по любви.

— Как и мой собственный.

— Начинались они одинаково, но тебе выпала лучшая судьба, чем сестре. Вспомни, ведь у нее двое мертворожденных, в два раза больше выкидышей, смерть лорда Аррена... Кейтилин, боги дали Лизе единственное дитя, и твоя сестра живет ради бедного мальчика. Нечего удивляться тому, что она скрылась, лишь бы не выдать его Ланнистерам. Сестра твоя боится, девочка, и более всего она боится Ланнистеров. Она тайком бежала в долину из Красного замка, подобно ночному татю, лишь для того, чтобы выхватить своего сына из львиной пасти... а теперь ты привозишь льва прямо к ее порогу.

— В цепях, — проговорила Кейтилин. Справа разверзалось ущелье, исчезавшее во мраке. Кейтилин подобрала поводья и придержала коня.

— О! — Дядя ее оглянулся назад, где Тирион Ланнистер неторопливо спускался, следуя за ними. — Я вижу топор на седле, кинжал за поясом и наемника, который жмется к нему, как голодная тень. Где же ты увидела цепь, моя милая?

Кейтилин неловко пошевелилась в седле.

— Карлик оказался здесь далеко не случайно. В цепях или нет, но он мой пленник, и Лизе не меньше, чем мне, нужно, чтобы он ответил за свои преступления. Ланнистеры убили ее лорда-мужа, и ее собственное письмо предупредило нас об этом.

Бринден Черная Рыба оделил ее усталой улыбкой.

— Надеюсь, что ты права, дитя, — вздохнул дядя. Но в голосе его звучало сомнение.

Солнце повернуло к западу, когда склон под копытами их коней начал переходить в равнину. Дорога сделалась шире и выпрямилась, Кейтилин впервые заметила по бокам ее дикие цветы и травы. Как только они спустились в Долину, кони пошли быстрее, и теперь они ехали через пышные зеленые рощи, сонные деревеньки, мимо садов и полей золотой пшеницы, вброд перешли дюжину озаренных солнцем ручьев. Дядя послал вперед воина со штандартом. К древку были прикреплены два знамени: луна и сокол дома Аррена, а под ним его собственная черная рыба. Фургоны селян, тележки торговцев и всадники из меньших домов жались к обочине, чтобы пропустить их.

Тем не менее, когда они добрались до укрепленного замка у подножия Копья Гиганта, наступила полная тьма. На стенах горели факелы, рогатый полумесяц выплясывал в темных водах, наполнявших ров. Подъемный мост уже подняли и опустили решетку, но Кейтилин видела огоньки в окнах квадратной башни.

— Ворота Луны, — проговорил дядя, когда отряд остановился. Латник со штандартом отправился ко рву, чтобы позвать караульных. — Владения лорда Нестора. Он должен ожидать нас. Погляди!

Кейтилин подняла взор к небу — вверх, вверх и вверх. Сначала перед ее глазами проплывали лишь деревья и скалы, колоссальная туша огромной горы, прячущейся в черной, как беззвездное небо, ночи. А потом она заметила и те далекие огоньки наверху — башню, вырастающую из крутого склона; окна ее оранжевыми глазами глядели сверху. Над ней виднелась вторая, более высокая и далекая, еще выше маячила третья — мерцающей искоркой в небе. Ну а вверху, где кружили орлы, лунный свет озарял белые стены. У нее невольно закружилась голова, так высоко были эти бледные башни.

— Воистину Орлиное Гнездо, — услышала она потрясенный шепот Мариллона.

Раздался резкий голос Тириона Ланнистера:

— Должно быть, Аррены не очень любят гостей... Если вы намереваетесь заставить нас подниматься на эту гору во тьме, я предпочту быть убитым на месте.

— Нет, мы проведем ночь в замке и отправимся наверх утром, — сказал ему Бринден.

— Жду не дождусь, — хихикнул карлик. — А как мы туда попадем? Я не умею ездить на... козах.

— Нам помогут мулы, — ответил ему Бринден с улыбкой.

— В склон горы врезаны ступени, — сказала Кейтилин. Нед рассказывал ей о них, когда вспоминал о своей юности, проведенной здесь в обществе Роберта Баратеона и Джона Аррена.

Дядя кивнул:

— Сейчас слишком темно, чтобы заметить их, но ступени никуда не денутся... Лестница чересчур крута и узка для лошадей, но мулы осилят подъем. Тропу охраняют три замка — Каменный, Снежный и Небесный. Мулы доставят нас до Небесного.

Тирион Ланнистер с сомнением посмотрел вверх:

— Ну а дальше?

Бринден улыбнулся:

— А дальше дорога становится слишком крутой даже для мулов. Оставшийся путь мы проделаем пешком, но желающий может подняться туда в корзине. Орлиное Гнездо находится на горе под открытым небом, но в погребах его устроены шесть воротов с длинными железными цепями, которые поднимают припасы наверх. Если милорд Ланнистер не возражает, я могу распорядиться, чтобы его подняли вместе с хлебом, пивом и яблоками.

Карлик коротко хохотнул.

— Только в том случае, если бы я был тыквой, — отвечал он. — Но мой лорд-родитель, увы, будет самым горестным образом уязвлен, если его сын, истинный Ланнистер, отправится навстречу судьбе вместе с турнепсом. Если вы продолжите подъем на ногах, мне придется составить вам компанию. Мы, Ланнистеры, люди гордые.

— Гордые? — переспросила Кейтилин. Насмешливая непринужденность пленника разгневала ее. — Наглые, по мнению многих. Наглые, жадные и рвущиеся к власти.

— Брат мой, вне сомнения, человек наглый, — заметил Тирион Ланнистер. — Отец мой — воплощенная жадность, а моя милая сестра Серсея рвется к власти всем своим существом. Я же неповинен во всех этих грехах, словно маленький ягненок. Могу даже проблеять ради вашего развлечения.

Подъемный мост заскрипел, опускаясь, и Кейтилин не успела ответить. Потом загремели смазанные цепи, потянувшие вверх решетку. Из ворот вышли вооруженные люди, чтобы факелами осветить им дорогу, и дядя повел их через ров. Нестор Ройс, Верховный стюард Долины и Хранитель Ворот Луны, ожидал гостей во главе своих рыцарей во дворе, чтобы поприветствовать.

— Леди Старк, — проговорил он, кланяясь неловко, поскольку был слишком толст.

Кейтилин слезла с коня, чтобы стать перед ним. Она знала этого человека лишь понаслышке; двоюродный брат Бронзового Джона из младшей ветви дома Ройсов был достаточно заметным владыкой в этой стране.

— Лорд Нестор, — сказала она, — мы проделали долгое, утомительное путешествие. Умоляю вас предоставить нам на сегодняшнюю ночь ваш гостеприимный кров, если мы вправе воспользоваться им!

— Мой кров принадлежит вам, миледи, — ответил лорд Нестор ворчливым тоном. — Но ваша сестра леди Лиза прислала из Орлиного Гнезда слово. Она хочет немедленно увидеть вас. Все остальные разместятся здесь, их пошлют наверх с первым светом.

Дядя Кейтилин соскочил с коня.

— Что еще за безумная прихоть? — спросил он, не скрывая раздражения. Бринден Талли никогда не умел придерживать свой язык. — Ночной подъем, и до полнолуния далеко, даже Лиза должна понимать, что так можно и шею сломать.

— Мулы знают дорогу, сир Бринден. — Возле лорда Нестора появилась сухощавая девица лет семнадцати или восемнадцати. Темноволосая и коротко стриженная, она была одета в кожаный костюм для верховой езды и легкую посеребренную кольчугу. Девчонка поклонилась Кейтилин с большим изяществом, чем ее господин. — Даю слово, миледи, по пути наверх с вами ничего не случится. Сопровождать вас — для меня дело чести. Я поднималась ночью не одну сотню раз. Микель даже говорит, что отец мой, наверное, был горным козлом.

Самоуверенный голосок заставил Кейтилин улыбнуться.

— Как тебя зовут, дитя?

— Мия Стоун, если это угодно миледи.

Кейтилин особой радости не испытывала и с трудом сохранила улыбку на своем лице. Стоунами — камнями — звали бастардов в Долине, на севере их именовали Сноу — снегом, в Вышесаде они носили фамилию Флауэрс — цветы; в каждом из Семи Королевств обычай предусматривал особое имя для детей, рожденных без такового. Сама Кейтилин не имела ничего против этой девушки, но Мия вдруг напомнила ей о бастарде Неда, отосланном на Стену, и мысль эта заставила ее почувствовать одновременно гнев и собственную вину. Она попыталась найти слова для ответа.

Молчание заполнил лорд Нестор.

— Мия — девушка умная, и раз она клянется в том, что доставит вас к леди Лизе целой и невредимой, значит, так и будет. Она ни разу не подводила меня.

— Ну что ж, отдаюсь в твои руки, Мия Стоун, — улыбнулась наконец Кейтилин. — Лорд Нестор, прошу вас приглядеть за моим пленником.

— А я прошу наделить пленника чашей вина и жареным с корочкой каплуном, чтобы он не умер от голода, — проговорил Ланнистер. — Неплохо бы еще и девицу, но наверняка я прошу слишком многого...

Наемник Бронн громко расхохотался.

Лорд Нестор не обратил внимания на выходку.

— Как вам угодно, миледи, все будет сделано, — ответил он и только потом поглядел на карлика. — Проводите милорда Ланнистера в камеру в башне и принесите ему мяса и меда.

Пока Кейтилин прощалась с дядей и всеми прочими, Тириона Ланнистера увели. Наконец и она последовала за девушкой через замок. Оседланные мулы ожидали их во дворе. Мия помогла Кейтилин подняться в седло, а стражник в небесноголубом плаще отворил узкие Западные ворота. За ними начинался густой лес, где сосны мешались с елями, черной стеной высилась гора, но ступеньки оказались вполне приемлемы: врезанные в камень, они поднимались к небу.

— Некоторым людям легче подниматься, если они закрывают глаза, — проговорила Мия, выводя мулов в темный лес. — Если человек напугался или у него закружилась голова, он может слишком крепко вцепиться в животное. Мулы этого не любят.

— Я родилась в семье Талли и вышла замуж за Старка, — ответила Кейтилин. — Меня нелегко испугать. Ты зажжешь факел? — Ступеньки укрывал смоляной мрак.

Мия скривилась:

— Факелы слепят глаза. В такую ясную ночь довольно луны и звезд. Микель говорит, что у меня глаза совы. — Она поднялась в седло и послала мула на первую ступеньку. Животное Кейтилин последовало за ним самостоятельно.

— Ты уже упоминала Микеля, — сказала Кейтилин. Мулы ступали ровно и неторопливо, что, безусловно, успокаивало.

— Микель — это мой любимый, — объяснила Мия. — Микель Редфорд. Он сквайр сира Лина Корбрея. Мы поженимся, как только он станет рыцарем, — в следующем году или через год.

Она говорила, как Санса, такая радостная и невинная в своих мечтаниях. Кейтилин улыбнулась, но к улыбке ее подмешивалась печаль. Редфорды из Долины — род старинный; Кейтилин помнила, что в их жилах текла кровь Первых Людей. Вполне возможно, что этот Микель любит ее. Однако никто из Редфордов никогда не вступал в брак с бастардами. Семья подыщет для него более подходящую пару — среди

Корбреев, Уэйнвудов или Ройсов; быть может, найдется даже дочь еще более знатного рода за пределами Долины. И если Микель Редфорд когда-нибудь и ляжет в постель с этой девицей, то никак не с благословения его родителей.

Подъем оказался легче, чем предполагала Кейтилин. Деревья подступали близко, они наклонялись над тропой, образуя шелестящую зеленую кровлю, не пропускавшую сквозь себя даже лунный свет. Казалось, что они поднимаются по длинному черному коридору. Но мулы ступали верно и не знали усталости, а Мия Стоун и впрямь была наделена глазами зверя. Они поднимались, тропа вилась по склону горы, туда и сюда поворачивали ступени. Густой ковер из опавших иголок укрывал землю, и подковы мулов глухо постукивали по скале. Тишина убаюкивала ее, и вскоре Кейтилин обнаружила, что едва справляется с мягкой дремой.

Должно быть, она все-таки уснула, потому что перед ними вдруг возникли массивные, окованные железом ворота.

— Каменный замок, — радостно объявила Мия, спускаясь с коня.

Поверху каменные стены были усажены железными остриями, над ними возвышались две округлые приземистые башни. Ворота распахнулись на голос Мии. Встретивший их рыцарь, распоряжавшийся в придворном замке, приветствовал Мию по имени и предложил им по ломтю жареного мяса с луком — горячему, прямо со сковородки. Кейтилин вдруг поняла, насколько она голодна. Она поела во дворе, пока конюхи переносили седла на свежих мулов. Горячий сок стекал по подбородку, капал на плащ, но голод заставил ее забыть обо всем.

А потом она села на нового мула и вновь выехала под звездный свет. Вторая часть подъема показалась Кейтилин более опасной. Здесь тропа пошла круче, ступени оказались более изношенными и то тут, то там были засыпаны щебенкой и битым камнем. С полдюжины раз Мии пришлось спешиваться, чтобы отодвинуть с тропы упавшие камни.

— Незачем, чтобы мулы ломали здесь себе ноги, — пояснила она. Кейтилин была вынуждена согласиться. Теперь она острее ощущала высоту. Деревья пригнулись к скалам, и ветер дул много сильнее, резкие порывы дергали за одежду и бросали волосы на глаза. Время от времени ступени поворачивали в обратную сторону, и она могла видеть внизу Каменный замок. А под ним, еще ниже, Ворота Луны. Факелы на стенах этого замка казались уже затерявшимися в ночи свечками.

Снежный замок оказался меньше Каменного: одна укрепленная башня, деревянный дом и конюшня, укрывшаяся под низкой стеной из грубого камня. Но замок прижался к поверхности Копья Гиганта так, чтобы господствовать над всем подъемом. Врагу, вознамерившемуся захватить Орлиное Гнездо, пришлось бы преодолевать этот подъем под градом камней и стрел, сыплющихся на него из Снежного замка. Начальствовавший над замком суетливый молодой рыцарь с помеченным оспой лицом предложил им хлеб, сыр и возможность согреться перед огнем, но Мия отказалась.

— Нужно ехать, миледи, — проговорила она. — Если вы не против... — Кейтилин кивнула.

Им снова предоставили свежих мулов. Кейтилин дали белого. Мия улыбнулась, заметив его.

— Белячок у нас умница, миледи. Он крепко держится на ногах, даже на льду, но будьте с ним вежливы. А то начнет брыкаться, если не понравитесь ему.

Белый мул как будто бы ничего не имел против Кейтилин и лягаться не стал. Льда тоже не оказалось, и она была благодарна за это.

— Мать говорила, что сотни лет назад отсюда начинался снег, — сказала ей Мия. — А там, наверху, всегда было бело и лед никогда не таял. — Она пожала плечами. — Я даже не помню, чтобы снег настолько опускался с вершин, но, наверное, так было в прежние времена.

Как она молода, подумала Кейтилин, пытаясь вспомнить, была ли она когда-нибудь такой. Эта девушка прожила половину своей жизни летом и не знала ничего.

«Зима близко, дитя», — хотелось сказать ей. Слова просились с губ, и Кейтилин едва не проговорила их. Наверное, и она наконец превращается в Старка.

Над Снежным замком ветер сделался живым существом. Он то выл рядом, как волк в пустыне, то срывался неизвестно куда, словно пытаясь обмануть их тишиной. Звезды здесь сияли яснее, они были настолько близки, что Кейтилин, казалось, могла бы потрогать их, а огромный рогатый месяц плыл по чистой черноте неба.

Тут Кейтилин обнаружила, что предпочитает смотреть вверх, а не вниз. Ступени потрескались за века, пока зимы и весны сменяли друг друга, осыпались под копытами несчастных мулов, и даже во тьме высота стискивала ее сердце. Когда они подъехали к высокой седловине между двумя каменными глыбами, Мия спешилась.

— Тут мулов лучше перевести, — сказала она. — Они могут испугаться ветра, миледи.

Кейтилин неловко выбралась из тени и поглядела на тропу впереди. Участок длиной в двадцать футов и в три шириной с обеих сторон шел над отвесным обрывом. Она слышала, как воет ветер. Мия непринужденно шагнула вперед, мул шел за ней, словно бы через двор замка. Настала ее очередь. Но едва она сделала первый шаг, страх стиснул Кейтилин своими челюстями. Она всем телом ощущала эту пустоту — огромный воздушный простор, открывшийся вокруг нее. Кейтилин остановилась, дрожа, боясь пошевелиться. Ветер выл и дергал за плащ, пытаясь сбросить ее вниз.

Кейтилин чуточку отодвинулась назад, сделав самый крохотный шаг, но позади нее стоял мул, и отступать было некуда. Я умру здесь, подумала она, ощущая холодный пот, выступивший на спине.

— Леди Старк! — крикнула Мия с другой стороны пропасти. Девушка, казалось, стояла в тысяче лиг от нее. — С вами все в порядке?

Кейтилин Талли Старк проглотила остатки гордости.

— Я... я не способна сделать это, дитя! — выкрикнула она.

— Ну что вы, — успокоила ее незаконнорожденная девица. — Вам это по силам. Поглядите, какая широкая здесь тропа.

— Я не хочу глядеть на нее! — Мир словно бы закружился вокруг, горы, небо и мулы сливались, как рисунки на детском волчке. Кейтилин закрыла глаза, чтобы успокоить дыхание.

— Я вернусь за вами, — сказала Мия. — Не шевелитесь, миледи.

Шевелиться Кейтилин намеревалась в последнюю очередь. Она прислушивалась к вою ветра и шелесту кожи о камень. А потом Мия оказалась рядом и взяла ее за руку.

— Закройте глаза, если хотите, и отпустите поводья. Беляк сам пойдет за нами. Все хорошо, миледи, я поведу вас, путь здесь легкий, вы сами увидите. Ступайте сюда. Вот, вот так, шевельните ногой, просто скользните ею вперед. Видите! А теперь еще раз. Легко. Здесь можно даже бежать. Еще шаг. И еще один.

Так, шаг за шагом, незаконнорожденная девица перевела через пропасть слепую и дрожащую Кейтилин, а белый мул кротко следовал за ними.

Путевой замок, именуемый Небесным, представлял собой всего лишь высокую, полумесяцем сложенную из диких камней без раствора стену, прилипшую к боку горы, но, наверное, только лишенные крыши башни Валирии могли бы показаться Кейтилин Старк более прекрасными. Отсюда наконец начиналась снеговая корона. Поседевшие от непогоды камни Небесного замка были покрыты изморозью, длинные ледяные копья свисали со склонов.

На востоке уже забрезжил рассвет, когда Мия Стоун кликнула стражей, и перед ними открылись ворота. Внутри стены оказалось лишь несколько рамп и беспорядочное нагромождение валунов и камней. Вне сомнения, брошенный отсюда камень породил бы настоящую лавину. В скале перед ними разверзлось отверстие.

— Тут находятся конюшня и казарма, — сказала Мия. — Остаток пути придется проделать внутри горы. Быть может, вам будет слишком темно, но там по крайней мере не дует. Мулы дальше не пойдут. Там устроено нечто вроде трубы со ступеньками, не лестница, но идти можно. Еще один час, и мы окажемся на месте.

Кейтилин поглядела вверх. Прямо над ее головой в лучах рассвета уже белели основания стен Орлиного Гнезда. Замок располагался не более чем в шести сотнях футов над ней. Снизу белые стены казались маленькими. Она вспомнила слова Бриндена Талли о корзине и вороте.

— У Ланнистеров, быть может, есть гордость, — сказала она Мие. — Но у Талли больше рассудка. Я ехала верхом весь день и почти целую ночь. Прикажи опустить корзинку, лучше я отправлюсь наверх вместе с репкой.

Солнце уже поднялось над горами к тому времени, когда Кейтилин Старк наконец достигла Орлиного Гнезда. Крепкий седовласый человек в небесно-синем плаще и нагруднике с чеканными луной и соколом помог ей выбраться из корзины. Это был сир Вардис Иген, капитан домашней гвардии Джона Аррена. Возле него стоял мейстер Колемон, тонкий, нервный. Слишком мало волос и чересчур много шеи.

— Леди Старк, — приветствовал ее сир Вардис. — Рад вашему прибытию, какая приятная неожиданность!

Мейстер Колемон закачал головой в знак согласия.

— В самом деле, миледи, в самом деле! Я отослал слово к вашей сестре. Она велела, чтобы ее разбудили, как только вы прибудете в замок.

— Надеюсь, она хорошо отдохнула... — Кейтилин рассчитывала, что некоторая едкость в ее тоне пройдет незамеченной.

Мужчины проводили ее от ворот вверх по спиральной лестнице. По стандартам великих домов Орлиное

Гнездо было небольшим замком: семь тонких башен жались друг к другу, словно стрелы в колчане на плече огромной горы. Здесь не нужны были конюшни, кузни и псарни, но Нед утверждал, что житницы замка столь же вместительны, как и в Винтерфелле, а в башнях может расположиться пять сотен латников. И все же замок казался Кейтилин странно пустым, по его каменным залам гуляло гулкое эхо.

Лиза ожидала ее в своем солярии, еще не переодевшись со сна. Длинные, осеннего цвета волосы спускались на нагие белые плечи и вниз по спине. Стоявшая сзади служанка причесывала свою госпожу, но едва Кейтилин вошла, сестра вскочила на ноги и улыбнулась.

— Кет, — проговорила она. — О, Кет, как я рада снова видеть тебя, моя милая сестрица! — Она побежала навстречу с раскрытыми объятиями. — Как же давно мы встречались в последний раз, — прижалась Лиза к сестре. — О, как это было давно!

С последней встречи миновало пять лет, слишком жестоких для Лизы. Сестра была на два года моложе Кейтилин, однако теперь выглядела намного старше. Низкая ростом, она располнела, а побледневшее лицо ее сделалось одутловатым. Голубые глаза Талли стали блеклыми и водянистыми, теперь они, казалось, не знали покоя. Небольшой рот сделался воинственным. Поглядев на Лизу, Кейтилин вспомнила тонкую высокогрудую девушку, стоявшую возле нее в тот далекий день в септе Риверрана. Какой очаровательной и полной надежд казалась она! От красоты сестры остался лишь водопад золотистых густых волос, спускавшихся на ее грудь.

— Ты выглядишь хорошо, — соврала Кейтилин, — но кажешься... усталой.

Сестра опустила руки.

— Усталой? Конечно же...

Тут она заметила всех остальных: и свою служанку, и мейстера Колемона, и сира Вардиса.

— Оставьте нас, — проговорила Лиза. — Я хочу побеседовать с сестрой с глазу на глаз.

Пока они выходили, Лиза держала Кейтилин за руку... и отпустила ее в тот же самый момент, когда за приближенными закрылась дверь. Кейтилин сразу увидела, как переменилось лицо сестры. Словно бы облако затмило солнце.

— Неужели у тебя не осталось ума?! — рявкнула Лиза. — Ты привезла его сюда — без моего разрешения, даже без предупреждения, и теперь вовлечешь нас в свои ссоры с Ланнистерами...

— Мои ссоры? — Кейтилин едва могла поверить собственным ушам. В очаге горел жаркий огонь, но в голосе Лизы не слышалось теплоты. — Сначала это была твоя ссора; ты прислала мне это проклятое письмо, в котором написала, что Ланнистеры убили твоего мужа.

— Я просто хотела предупредить тебя, советовала держаться от них подальше! Я никогда не собиралась драться с Ланнистерами! Боги, неужели ты не понимаешь, Кет, что ты наделала?

— Мама? — послышался тоненький голос, Лиза обернулась, тяжелое одеяние распахнулось. В дверях стоял Роберт Аррен, лорд Орлиного Гнезда. Не выпуская из рук потрепанную тряпичную куклу, он глядел на них круглыми глазами. Худенький, невысокий для своего возраста и болезненный, он то и дело начинал дрожать. Мейстеры звали это заболевание трясучкой. — Я услышал голос...

Нечего удивляться, подумала Кейтилин, Лиза едва не кричала. Сестра поглядела на нее, словно уколола кинжалом.

— Это твоя тетя Кейтилин, малыш. Моя сестра — леди Старк. Ты помнишь ее?

Мальчик, не узнавая, поглядел на Кейтилин.

— Кажется, — ответил он, моргнув, хотя ему было меньше года, когда леди Старк в последний раз видела племянника.

Лиза уселась возле очага и сказала:

— Иди к маме, мой милый. — Она расправила его ночную рубашку и погладила тонкие каштановые волосы. — Правда, красавец? И он такой сильный, не верь тому, что о нем говорят. Джон знал это. Семя крепкое, сказал он мне. Это были его последние слова. Он все говорил: «Роберт, Роберт», — и стискивал мою руку так, что остались отметины. «Скажи им, что семя крепкое». Его семя. Он хотел, чтобы все знали, каким сильным вырастет мой малыш.

— Лиза, — сказала Кейтилин, — если ты не ошибаешься насчет Ланнистеров, тем больше у нас причин действовать быстро. Мы...

— Не при младенце, — сказала Лиза. — У него такой нежный характер, так, мой милый?

— Мальчик этот — лорд Орлиного Гнезда и хранитель Долины, — напомнила ей Кейтилин. — Пора нежностей прошла. Нед думает, что дело дойдет до войны.

— Тихо! — рявкнула Лиза. — Ты испугаешь мальчика. — Маленький Роберт глянул через плечо на Кейтилин и задрожал. Кукла упала, он прижался к матери. — Не бойся, мой ласковый, — шепнула Лиза. — Мама здесь, и ничего не случится. — Распахнув одежду, она извлекла бледную тяжелую грудь, оканчивающуюся красным соском. Мальчишка потянулся, прижался к груди и принялся сосать. Лиза погладила его голову.

Кейтилин не могла найти слов.

И это сын Джона Аррена, не веря себе, думала она. Она вспомнила своего собственного мальчишку, трехлетнего Рикона, который был в два раза моложе Роберта и в пять раз сильнее. Нечего удивляться, что лорды Долины противятся. Она впервые поняла, почему король попытался забрать это дитя от матери, чтобы воспитать у Ланнистеров...

— Мы здесь в безопасности, — сказала Лиза. Но Кейтилин не поняла, к кому она обращается — к ней или к мальчику.

— Не будь дурой, — возразила Кейтилин, покоряясь пробудившемуся гневу. — Никто здесь не в безопасности. И ты прискорбно ошибаешься, если считаешь, что, спрятавшись здесь, заставишь Ланнистеров забыть о себе.

Лиза прикрыла уши мальчика ладонью.

— Даже если они сумеют провести войско через горы и возьмут Кровавые ворота, Орлиное Гнездо неприступно. Ты сама видела это. Ни один враг не доберется до нас!

Кейтилин хотелось ударить сестру. «Дядя Бринден пытался предупредить меня», — вспомнила она и сказала:

— Неприступных замков не бывает.

— Кроме нашего, — настойчиво повторила Лиза. — Все так утверждают. Но я не знаю теперь, что делать с Бесом, которого ты привезла сюда...

— Он плохой? — спросил лорд Орлиного Гнезда, не выпуская соска, сделавшегося влажным и красным.

— Он очень плохой человек, — ответила ему Лиза, прикрываясь. — Но мама не позволит сделать больно своему маленькому мальчику.

— Пусть тогда уезжает. Прогоните его! — сказал Роберт.

Лиза погладила голову сына.

— Быть может, мы так и сделаем, — пробормотала она. — Быть может, именно так мы и поступим.

ЭДДАРД

Он обнаружил Мизинца в гостиной комнате борделя, лорд Бейлиш дружелюбно беседовал с высокой элегантной женщиной в расшитом перьями одеянии, покрывавшем черную, словно чернила, кожу. У очага Хьюард играл в фанты с пышной девкой. Судя по всему, он уже проиграл пояс, кольчугу и правый сапог, девица же еще едва расстегнула свой наряд. Возле окна, по которому текли струи дождя, стоял Джори Кассель, с сухой улыбкой на лице он следил за Хьюардом и наслаждался зрелищем.

Нед остановился у подножия лестницы и натянул перчатки.

— Пора уходить. Мои дела здесь закончены.

Хьюард вскочил на ноги, поспешно собирая свои вещи.

— Как вам угодно, милорд, — сказал Джори. — Я помогу Уилу привести коней. — Он направился к двери.

Мизинец прощался долго. Он поцеловал руку чернокожей женщине, шепнул ей на ухо какую-то шутку, от которой она расхохоталась, и только потом повернулся к Неду.

— Ваши дела, — спросил он непринужденным тоном, — или Роберта? Говорят, что десница видит сны короля, отдаст приказы голосом короля и правит мечом короля. Значит ли это, что ваш член также можно приравнять к королевскому?..

— Лорд Бейлиш, — проговорил Нед. — Вы слишком далеко заходите. Конечно, я благодарен вам за помощь. Нам пришлось бы потратить не один год, чтобы самостоятельно обнаружить этот бордель. Но это не значит, что я намереваюсь терпеть ваши насмешки. Я более не десница короля.

— Лютоволк — зверь лютый, — заметил Мизинец, резко скривив рот.

Под теплым дождем, хлеставшим с черного неба, они направились к конюшне.

Нед набросил на голову капюшон плаща. Джори вывел его коня. Молодой Уил следовал за ним, одной рукой выводя кобылу Мизинца; другой он застегивал пояс и завязывал брюки. Из дверей конюшни выглянула, хихикая, босоногая шлюха.

— Возвращаемся в замок, милорд? — спросил Джори. Нед кивнул и вскочил в седло. Мизинец последовал его примеру. Джори и другие поскакали за ними.

— А у Катаи отличное заведение, — проговорил Мизинец. — Я почти решил купить его. Бордель — куда более надежное вложение денег, чем корабли, я давно понял это. Шлюхи тонут редко, а когда их берут на абордаж пираты, то, как и все прочие, они платят за это доброй монетой. — Лорд Петир усмехнулся собственному остроумию.

Нед позволил ему трещать. Спустя какое-то время спутник его успокоился, и они ехали дальше в молчании. Улицы Королевской Гавани казались пустыми и темными. Дождь прогнал всех горожан под крыши. Капли стучали по голове Неда — теплые, как кровь, и безжалостные, как старинный грех. Струйки воды бежали по его лицу.

— Роберт не ограничится только моей постелью, — говорила ему Лианна в ту далекую ночь, когда их отец обещал руку дочери молодому лорду Штормового Предела. — Я слыхала, что в Долине у него есть ребенок от какой-то девушки. — Нед держал младенца на своих руках и посему не мог отрицать этого, как не мог он солгать сестре, однако смог заверить ее в том, что поведение Роберта до брака ничего не значит; сказал, что человек он хороший и будет любить ее всем своим сердцем. Лианна лишь улыбнулась. — Любовь — милая штука, драгоценный мой Нед, но она не изменяет природу человека...

Девушка была так молода, что Нед не посмел спросить ее о возрасте. Наверняка она была девственницей — в лучших борделях всегда отыщут девственницу для толстосума. Легкие рыжие волосы и веснушки, припорошившие нос. Когда она извлекла грудь, чтобы дать сосок младенцу, Нед заметил веснушки на ее груди.

— Я назвала ее Баррой, — сказала она, пока ребенок сосал. — Она так похожа на него, милорд, правда. Его нос, его волосы...

Это было действительно так, Эддард Старк прикоснулся к тонким темным волосикам младенца. Черным шелком они казались его пальцам. Как он помнил, у первой дочери Роберта были столь же тонкие волосы.

— Когда увидите его, милорд, скажите... если это будет вам угодно, скажите ему, какая она прекрасная девочка!

— Я сделаю это, — пообещал Нед. Проклятие! Роберт поклянется в вечной любви и забудет про обеих еще до вечера, но Старк выполнит свои обещания. Он вспомнил обет, данный им Лианне на смертном одре, и цену, которую заплатил, чтобы выполнить его.

— И скажите ему, что я больше ни с кем не была, клянусь, милорд, и старыми богами, и новыми. Катая говорит, что у меня из-за ребенка есть еще полгода, и я надеюсь, что он вернется. Скажите ему, что я жду, правда! Я не хочу ни денег, ни камней, его одного. Он всегда был так добр ко мне...

Добр к тебе, подумал Нед.

— Я скажу ему, дитя, и обещаю тебе — Барра не будет знать нужды.

Она улыбнулась, столь трепетно и нежно, что сердце его раскололось. И сейчас ночью, под дождем, Нед видел перед собой лицо Джона Сноу — помолодевшее собственное лицо. Если боги настолько немилосердны к бастардам, подумал он, зачем же они наполняют мужчин похотью?

— Лорд Бейлиш, что вам известно о бастардах Роберта?

— Ну, для начала, у него их больше, чем у вас.

— Сколько же?

Мизинец пожал плечами. Ручейки влаги затекали под его плащ.

— Какая разница? Если не стеснять себя в количестве женщин, какая-нибудь да одарит тебя подарком, а светлейший никогда не страдал от застенчивости. Я знаю, что он признал парня, которого зачал в ночь свадьбы лорда Станниса в Штормовом Пределе. Едва ли он мог поступить иначе. Мать его, Флорент, племянница леди Селисы, одна из ее прислужниц. Ренли утверждает, что Роберт схватил девицу прямо в пиршественном зале и уволок ее наверх, где и взял в брачной постели, пока Станнис и его невеста танцевали. Лорд Станнис решил, что король запятнал честь дома его жены, и потому, когда мальчик родился, отправил его к Ренли. — Он искоса глянул на Неда. — Еще я слыхал, что у Роберта была пара близнецов от служанки на Бобровом утесе, этих он сделал три года назад, когда посетил Запад, чтобы принять участие в турнире в честь лорда Тайвина. Серсея приказала убить детей и продала мать мимоезжему торговцу. Слишком уж жестокий укол чести Ланнистеров, и к тому же возле их дома!

Нед скривился, подобные уродливые повести рассказывали о каждом великом лорде королевства. Он вполне мог поверить, что Серсея Ланнистер способна решиться на такой поступок... но неужели король позволил ему совершиться? Тот Роберт, которого знал Нед, не смирился бы с этим; прежний Роберт не умел еще закрывать глаза на то, чего не хотел видеть.

— Почему же Джон Аррен воспылал таким интересом к незаконным детям короля?

Невысокий спутник отвечал пожатием влажных плеч.

— Он был десницей короля. Наверняка Роберт попросил его приглядеть, чтобы дети его не испытывали нужды.

Нед уже промок до костей, застыла даже его душа.

— Наверное, все не столь просто, иначе зачем же его убили?

Мизинец стряхнул капли с волос и расхохотался.

— Ага! Должно быть, лорд Аррен узнал, что светлейший наполняет чревеса каких-то шлюх и рыбацких женок, и поэтому ему пришлось навеки замолчать... Нечего удивляться! Позвольте такому человеку жить, и он установит, что солнце поднимается на востоке.

Ответить было нечего, и лорд Старк нахмурился. Впервые за многие годы он подумал о Рейегаре Таргариене. Интересно, как часто он посещал бордели... должно быть, не слишком.

Дождь хлынул сильнее, вода щипала глаза и барабанила по земле. Ручейки черной воды бежали с холма.

— Милорд! — крикнул Джори, и в голосе его была тревога: буквально в мгновение ока улица наполнилась вооруженными людьми. Нед видел кольчуги на коже, поручни и поножи, стальные шлемы с золотыми львами на гребнях. Плащи прилипали к спинам. Он не считал, но их было по меньшей мере десяток, целая цепочка пеших перекрывала улицу длинными мечами и железными копьями.

— Сзади! — вскрикнул Уил, но когда Нед развернул коня, латников, перекрывавших путь к отступлению, оказалось еще больше. Меч Джори со звоном вылетел из ножен.

— Дорогу, или вы умрете!

— Волки завыли, — осклабился их предводитель. Нед видел струйки дождя, стекавшие по его лицу. — А стая-то невелика!

Мизинец направил коня вперед шаг за шагом.

— Что это значит? Этот человек — десница короля!

— Он был десницей короля. — Грязь хлюпнула под копытами кровного гнедого скакуна. Линия расступилась. На золотом нагруднике панциря гневно рычал лев Ланнистеров. — Теперь, откровенно говоря, я не знаю, что он собой представляет.

— Ланнистер, это безумие, — проговорил Мизинец. — Пропусти. Нас ждут в замке. Что ты делаешь?

— Он знает, что делает, — отвечал Нед невозмутимо.

Джейме Ланнистер улыбнулся.

— Совершенно верно. Я ищу моего брата. Вы помните моего брата, лорд Старк? Он был с нами в Винтерфелле, такой светловолосый, с разными глазами и острый на язык. Невысокий такой...

— Я прекрасно помню его, — отвечал Нед.

— Мне кажется, он нарвался на какие-то неприятности по дороге. Мой лорд-отец раздражен. Вы не представляете, кто мог пожелать зла моему брату?

— Ваш брат взят по моему приказу, он должен ответить за свои преступления, — ответил Нед Старк.

Мизинец застонал в отчаянии:

— Милорды...

Сир Джейме выхватил длинный меч из ножен и послал коня вперед.

— Обнажите сталь, лорд Эддард. Я зарублю вас, как Эйериса, но лучше, чтобы вы умерли с клинком в руках... — Джейме послал Мизинцу холодный презрительный взгляд. — Лорд Бейлиш, если бы я боялся запятнать кровью дорогую одежду, то поторопился бы отсюда!

Мизинца можно было и не понуждать.

— Я приведу городскую стражу, — пообещал он Неду. Строй Ланнистеров расступился, пропуская его, и сомкнулся позади. Мизинец ударил пятками в бока кобылы и исчез за углом.

Люди Неда обнажили мечи, но их было трое против двадцати. Из окон и дверей за ними следили глаза, но никто не собирался вмешиваться. Однако люди Старка были на конях, а все Ланнистеры — пешие, за исключением самого Джейме. Быстрый бросок мог принести им свободу, но лорду Неду Старку показалось, что у него есть более надежная тактика.

— Только убей меня, Цареубийца, — предупредил он, — и Кейтилин прикажет прирезать твоего Тириона.

Джейме Ланнистер ткнул в грудь Неда позолоченным мечом, отведавшим крови последнего из королей-драконов.

— Разве? Неужели благородная Кейтилин Талли из Риверрана способна убить заложника? Едва ли... — Он вздохнул. — Но я не хочу ставить жизнь моего брата в зависимость от женской прихоти. — Джейме убрал золоченый меч в ножны. — Поэтому я отпускаю вас к Роберту; рассказывайте, как я напугал вас; но сомневаюсь, чтобы король обратил на это внимание. — Джейме откинул мокрые волосы назад и развернул коня. Оказавшись за линией мечников, он оглянулся на капитана. — Трегар, приглядите, чтобы с лордом Старком ничего не случилось.

— Как вам угодно, милорд.

— И все же... мы не можем оставить его полностью безнаказанным. Поэтому, — сквозь ночь и дождь Нед увидел белозубую улыбку Джейме, — убейте его людей!

— Нет! — выкрикнул Нед Старк, выхватывая меч. Джейме уже отъехал по улице, когда услышал крик Уила. Люди Ланнистеров сходились навстречу. Нед затоптал одного, призраки в красных плащах расступились перед его мечом. Джори Кассель ударил коня пятками и бросился вперед. Подкованное сталью копыто с мерзким хрустом раздробило лицо гвардейцу Ланнистеров. Другой отступил, и на мгновение Джори очутился на свободе. Уил ругнулся, когда его стащили с умирающего коня, под дождем замелькали мечи. Нед подскакал к ним и обрушил свой меч на шлем Трегара. Сотрясение от удара заставило стиснуть зубы, Трегар упал на колени, львиный гребень был перерублен пополам, кровь хлынула на лицо. Хьюард рубил по рукам, хватавшим коня за уздечку, но копье поразило его в живот. Внезапно Джори оказался среди них, красный дождь тек с его меча.

— Нет! — закричал Старк. — Джори, назад! — И тут лошадь его поскользнулась под ним и рухнула в грязь. Вспыхнула ослепляющая боль, рот его наполнился кровью.

Нед видел, как они подрубили ноги коня Джори, стащили его на землю, как заметались мечи. Когда лошадь Неда поднялась на ноги, он попытался последовать ее примеру, но снова упал, задохнувшись криком, успев заметить перед этим разорвавшую кожу кость. Более он не видел ничего, а дождь шел, шел и шел.

Открыв снова глаза, лорд Эддард понял, что оказался со своими убитыми. Лошадь пододвинулась ближе, но, почуяв едкий запах крови, метнулась прочь. Нед пополз через грязь, стиснув зубы от мучительной боли. Он полз, наверное, годы. Из освещенных окон смотрели лица, люди начали выходить из дверей, но никто не шевельнулся, чтобы помочь. Мизинец и городская стража обнаружили его на улице, обнимающим тело Джори Касселя. Золотые плащи отыскали где-то носилки, но путешествие назад в замок слилось в сплошную муку, и Нед не один раз терял сознание. Он помнил только, как вырос перед ним Красный замок в первом свете зари. Дождь превратил бледно-розовые камни стен в кровавые.

А потом над ним с чашей в руках возник великий мейстер, он шептал:

— Пейте, милорд. Пейте, это маковое молочко, оно облегчит боль. — Нед помнил, как глотнул, а Пицель велел кому-то вскипятить вина и потребовал чистого шелка. Потом все исчезло.

ДЕЙЕНЕРИС

Конные ворота, ведущие в Вейес Дотрак, были сделаны в виде двух гигантских коней, которые, стоя на задних ногах, соединялись передними копытами в сотне футов от мостовой, образуя остроконечную арку.

Дени не знала, зачем городу понадобились ворота, раз у него не было стен, да и строений тоже, насколько она могла видеть. И все же ворота стояли, колоссальные и прекрасные, а между огромных коней маячили далекие пурпурные горы. Величественные скакуны бросали долгие тени на волнующуюся траву, когда кхал Дрого провел свой кхаласар по пути богов. Кровные всадники кхала ехали возле него.

Дени следовала за ним на своей Серебрянке, ее сопровождали сир Джорах Мормонт и вновь севший на коня брат Визерис. После того дня, когда она заставила его пешком возвратиться в кхаласар, дотракийцы насмешливо назвали его кхал рхей мхаром — королем, сбившим ноги. На следующий день кхал Дрого предложил ему место в повозке, и Визерис согласился. В своем упрямом невежестве он даже не понял, что над ним посмеялись: телеги предназначались для евнухов, калек, рожающих женщин, младенцев и дряхлых стариков. Этим он заслужил новое прозвище: кхал рхагат — тележный король. Брат, не зная этого, посчитал, что таким образом кхал извиняется перед ним за те неудобства, которые причинила ему Дени. Она упросила сира Джораха не рассказывать брату правду, чтобы он не испытывал стыда. Рыцарь ответил, что пережить чуточку позора королю не вредно, но поступил, как она просила. Дени потребовались долгие просьбы и постельные фокусы, чтобы наконец уговорить Дрого смягчиться и позволить Визерису присоединиться к ним во главе колонны.

— А где город? — спросила она, проезжая под бронзовой аркой. Нигде не было видно ни зданий, ни людей — лишь трава и дорога, возле которой выстроились древние монументы, вывезенные из стран, ограбленных дотракийцами за многие века.

— Впереди, — отвечал сир Джорах. — Под горой.

Позади Конных ворот выстроились краденые боги и герои. Забытые божества мертвых городов грозили небу обломившимися молниями. Дени ехала возле их ног. Каменные короли глядели на нее со своих престолов, лица их выщербились и покрылись пятнами, даже имена потерялись в туманах времен. Гибкие молодые девы плясали на мраморных плитах, одетые в одни только цветы, или же выливали воздух из разбитых кувшинов. Возле дороги в траве стояли чудовища: черные железные драконы с драгоценными камнями вместо глаз, ревущие грифоны, мантикоры, занесшие колючие хвосты для удара, и другие звери, имени которых она не знала. Некоторые статуи были настолько очаровательны, что от их красоты захватывало дыхание, другие вселяли такой ужас, что Дени даже не хотела разглядывать их. Эти, как пояснил ей сир Джорах, скорее всего были вывезены из Края Теней за Асшаем.

— Их так много, — проговорила она, пока ее Серебрянка неторопливо шествовала вперед, — и из стольких земель!

Визерис не обнаружил подобной впечатлительности.

— Мусор мертвых городов, — усмехнулся он. Он старался говорить на общем языке, который знали лишь немногие дотракийцы, но Дени все равно оглянулась на мужчин своего кхаса, чтобы удостовериться в том, что его не слышали. Ничего не замечая, он продолжал: — Эти дикари умеют только красть произведения рук более благородных народов... Красть и убивать. — Он расхохотался. — Да, они умеют убивать! Иначе были бы для меня бесполезны...

— Теперь это мой народ, — проговорила Дени. — Тебе не следовало бы называть их дикарями, брат.

— Дракон говорит что хочет, — ответил Визерис на общем языке. Он глянул через плечо на Агго и Ракхаро, ехавших позади, и почтил их насмешливой улыбкой. — Вот видишь, у этих дикарей не хватает ума понять речь цивилизованных людей. — Заросший мхом каменный монолит поднимался возле дороги футов на пятьдесят. Визерис поглядел на него со скукой в глазах. — Сколько же еще мы должны проторчать возле этих руин, прежде чем Дрого сможет выделить мне войско? Я устал от ожидания.

— Принцессу следует представить дош кхалину.

— Старухам, — прервал сира Джораха брат, — а потом, как мне говорили, устроят какой-то марионеточный фарс, будет произнесено пророчество относительно щенка, которого она собирается родить. Но зачем это мне? Я устал от конины, меня тошнит от вонючих дикарей. — Он понюхал широкий рукав своей туники, по обычаю намоченный духами. Помощи было немного: рубаха пропиталась грязью. Шелк и плотная шерсть, в которых Визерис выехал из Пентоса, испачкались и истрепались за время долгого путешествия.

Сир Джорах Мормонт ответил:

— На западном рынке найдется пища, соответствующая вашему вкусу, светлейший. Торговцы из Вольных Городов приезжают сюда со своими товарами. А кхал выполнит свои обещания в должное время.

— Скорей бы, — мрачно заметил Визерис. — Мне обещали корону, и я хочу добиться ее. Над драконом нельзя смеяться. — Заметив непристойное женское изваяние с шестью грудями и головой хорька, он направился в его сторону, чтобы рассмотреть повнимательнее.

Дени почувствовала облегчение, но тревога ее не уменьшилась.

— Я молюсь, чтобы мое солнце и звезды не заставили его ожидать слишком долго, — сказала она сиру Джораху, когда брат отъехал достаточно далеко и не мог слышать ее.

Рыцарь с сомнением поглядел на Визериса.

— Вашему брату следовало остаться коротать время в Пентосе. Для него нет места в кхаласаре. Иллирио пытался предупредить его об этом.

— Он уедет, как только получит свои десять тысяч воинов, мой благородный муж обещал ему золотую корону.

Сир Джорах буркнул:

— Да, кхалиси, но... дотракийцы смотрят на эти вещи иначе, чем мы на западе. Я говорил об этом Визерису, Иллирио тоже. Но ваш брат не слушает. Владыки табунов не торгуются. Визерис считает, что продал вас, и хочет получить свою цену. Но кхал Дрого считает, что получил вас в качестве подарка, и он наделит Визериса ответным даром... но в свое время. Нельзя же требовать подарок, тем более у кхала. У кхала вообще ничего нельзя требовать!

— Но нельзя заставлять его ждать. — Дени не понимала, почему защищает своего брата. — Визерис утверждает, что смог бы завоевать Семь Королевств с десятью тысячами дотракийских крикунов...

Сир Джорах фыркнул:

— Визерис не сумел бы даже вычистить конюшню, дай ему десять тысяч метел.

Дени постаралась не удивляться презрению в его тоне.

— Ну а если... ну а если бы это был не Визерис? — спросила она. — Если бы войско повел кто-нибудь другой? Сильный воин? Могли бы дотракийцы действительно покорить Семь Королевств?

На лице сира Джораха отразилась задумчивость, их кони шли рядом по пути богов.

— Оказавшись в изгнании, я видел в дотракийцах полуобнаженных варваров, диких, как их кони. И если бы меня спросили тогда, принцесса, ответил бы, что тысяча добрых рыцарей без хлопот управится со стотысячной ордой дотракийцев.

— Ну а если я спрошу сейчас?

— А сейчас, — отвечал рыцарь, — я не столь уж в этом уверен. Дотракийцы сидят на коне лучше любого рыцаря, они полностью лишены страха, и луки их бьют дальше наших. В Семи Королевствах лучник стреляет стоя, из-за щитов или частокола. Дотракийцы же целятся с коня — нападая и отступая, они в равной степени смертоносны... Потом, их так много, миледи. Один ваш благородный муж насчитывает сорок тысяч конных воинов в своем кхаласаре.

— А это действительно очень много?

— Ваш брат Рейегар вывел столько людей к Трезубцу, — заметил сир Джорах. — Но среди них было в десять раз меньше рыцарей. Остальные были стрелки, вольные всадники, пехота, вооруженная копьями и пиками. Когда Рейегар пал, многие побросали оружие и бежали с поля битвы. Как долго продержится такой сброд против сорока тысяч крикунов, жаждущих крови? Неужели куртки из вареной кожи способны защитить их от настоящего ливня стрел?

— Да, долго они не устоят, — проговорила Дейенерис.

Мормонт кивнул:

— Но учтите, принцесса, если у лорда Семи Королевств будет больше разума, чем у гуся, все кончится иначе. Всадники не умеют брать крепости. Едва ли они смогут покорить самый слабый замок в Семи Королевствах, но если у Роберта Баратеона хватит глупости дать сражение...

— А он действительно глуп? — спросила Дени.

Сир Джорах думал недолго.

— Роберту следовало бы родиться дотракийцем. Ваш кхал скажет, что только трус прячется за каменной стеной, вместо того чтобы встретить врага с клинком в руке. Король не станет оспаривать эту мысль. Он силен и отважен... и достаточно опрометчив, чтобы встретить дотракийскую орду в открытом поле. Но окружающие его люди играют на своих волынках собственную мелодию. Брат короля Станнис, лорд Тайвин Ланнистер, Эддард Старк... — Он плюнул.

— Вы ненавидите этого лорда Старка? — спросила Дени.

— Он забрал у меня все, что я любил, из-за нескольких заеденных блохами браконьеров и своей драгоценной чести, — с горечью ответил сир Джорах. По его тону она поняла, что потеря оказалась болезненной. Он быстро переменил тему. — А вот, — показал он вперед, — Вейес Дотрак, город табунщиков.

Кхал Дрого и его кровные уже вели их по западному базару, по широким дорогам за ним. Дени со спины Серебрянки разглядывала непривычные окрестности. Вейес Дотрак оказался сразу и самым большим, и самым маленьким городом из тех, которые она видела. Она решила, что он, наверное, раз в десять больше Пентоса, широкие, продутые ветром улицы его заросли травой, дикими цветами. В Вольных Городах запада башни, дома и лачуги, мосты, лавки и залы теснились друг к другу, но Вейес Дотрак разлегся, не стесняя себя под теплым солнцем, — древний, пустой и надменный.

Даже строения казались ей странными. Она заметила павильоны из резного камня, сплетенные из травы дворцы размером в целый замок, шаткие деревянные башни, облицованные мрамором ступенчатые пирамиды, бревенчатые дворы, открытые небу. Некоторые дворцы вместо стен были окружены терновыми изгородями.

— Они не похожи друг на друга, — сказала она.

— Отчасти ваш брат сказал правду, — признал Джорах. — Дотракиец не умеет строить. Тысячу лет назад, чтобы сделать дом, он вырыл бы себе яму в земле и соорудил бы над ней плетеную травяную крышу. Здания, которые вы видите, возвели рабы или были доставлены сюда из земель, ограбленных дотракийцами.

Большинство из дворцов, даже самые огромные, казались заброшенными.

— А где люди, которые здесь живут? — спросила Дени. На базаре было полно снующих и крикливых мужчин, однако она заметила, что это лишь свнухи.

— Только старухи из дош кхалина постоянно обитают в священном городе вместе со своими рабами и слугами, — ответил сир Джорах. — И все же Вейес Дотрак достаточно велик, чтобы предоставить кров каждому дотракийцу из каждого кхаласара, если все кхалы вдруг одновременно возвратятся к Матери гор. Старухи предсказывали, что такой день придет. И Вейес Дотрак должен быть готов принять всех своих детей.

Кхал Дрого наконец остановился возле восточного рынка, где торговали караванщики, пришедшие из Йи Ти, Асшая и Сумеречных земель; Матерь гор высилась над головой. Дени улыбнулась, вспомнив рабыню магистра Иллирио, рассказывавшую ей о дворце в две сотни комнат с дверями из чистого серебра. Деревянный дворец кхала представлял собой зал для пиршества, грубо срубленные стены поднимались футов на сорок, крыша была изготовлена из расшитого шелка, огромный вздувающийся тент можно было поднять, чтобы оградиться от дождя, или спустить, чтобы открыть над собой беспредельное небо. Вокруг зала располагались конские загоны, огражденные высокими зарослями, очаги, сотни грубых землянок, выраставших из земли подобно миниатюрным холмам, поросшим травой.

Небольшая армия рабов отправилась вперед, чтобы подготовиться к прибытию кхала Дрого. Каждый всадник, выпрыгивая из седла, снимал с пояса свой аракх и вручал его ожидавшему рабу вместе со всем прочим оружием. Кхал Дрого не был здесь исключением. Сир Джорах объяснил ей, что в Вейес Дотрак запрещается носить оружие и проливать кровь свободного человека. Даже ссорящиеся кхаласары забывали здесь про вражду и делились мясом и медом. Пред ликом Матери гор все дотракийцы были родней, одним кхаласаром, одним стадом.

Кохолло явился к Дени, когда Ирри и Чхику помогали ей спуститься с Серебрянки. Старейший из троих кровных всадников Дрого, коренастый, лысый и кривоносый, потерял зубы лет двадцать назад, когда получил удар булавой, спасая молодого кхалакку от наемников, надеявшихся продать его врагам отца. Кохолло связал свою жизнь с Дрого в тот самый день, когда благородный муж Дени появился на свет.

У каждого кхала были свои кровные всадники. Поначалу Дени видела в них нечто вроде королевских гвардейцев, поклявшихся защищать своего господина, но здесь связь уходила глубже. Чхику объяснила ей, что кровный всадник — это не просто телохранитель, что все они братья кхала, его тени, самые преданные друзья.

Кровь моей крови, как звал их Дрого, так оно и было. Они жили единой жизнью. Древние традиции табунщиков требовали, чтобы в день смерти кхала вместе с ним умерли бы и его кровные всадники, готовые сопровождать его в Сумеречных землях. Если кхал погибал от руки врага, они жили, пока не свершали месть за убитого, а потом с радостью следовали за ним в могилу. В некоторых кхаласарах, говорила Чхику, кровные всадники разделяли с кхалом и вино, и даже жен, но только не лошадей. Конь мужчины принадлежит лишь ему самому...

Дейенерис была рада, что кхал Дрого не придерживался этих древних обычаев. Ей бы не понравилось принадлежать кому-то еще. Но если старый Кохолло обращался с ней достаточно ласково, остальные пугали ее; Хагго, огромный и молчаливый, часто смотрел на нее с яростью, словно бы забывая о том, кто она, а Квото, обладатель жестоких глаз и быстрых рук, любил причинять ей боль. Его прикосновения оставляли синяки на ее мягкой белой коже, Дореа и Ирри иногда рыдали из-за него по ночам. Даже лошади как будто боялись Квото.

И все же они были связаны с кхалом Дрого и в жизни, и в смерти, поэтому Дейенерис оставалось только смириться и принять их. Иногда она даже жалела, что у ее отца не было таких защитников. В песнях белые рыцари Королевской гвардии всегда были благородными, доблестными и верными, и тем не менее король Эйерис погиб от рук одного из них, красивого юноши, которого теперь все звали Цареубийцей, а второй, сир Барристан Отважный, перешел на службу к узурпатору. Дени уже начала было подумывать о том, что Семь Королевств населяют лживые люди. Вот когда ее сын сядет на Железный трон, она позаботится о том, чтобы у него были свои собственные кровные всадники, готовые защитить его от любого посягательства Королевской гвардии.

— Кхалиси, — сказал Кохолло по-дотракийски, — Дрого, кровь моей крови, приказал мне сказать тебе, что этой ночью он должен подняться на Матерь-гору, чтобы принести жертву богам в честь благополучного возвращения.

Лишь мужчины могли ступить на Матерь, Дени знала это. Кровныс всадники кхала отправятся вместе с ним и возвратятся на рассвете.

— Скажи моему солнцу и звездам, что я мечтаю о нем и буду с нетерпением ждать его возвращения, — отвечала она с благодарностью. Дитя внутри ее подросло, теперь Дени легко уставала, а потому бывала рада отдыху. Беременность словно бы заново воспламенила страсть Дрого, и сго объятия оставляли Дени в изнеможении.

Дореа повела ее к пологому холму, приготовленному для них с кхалом. Внутри было холодно и сумрачно, словно в шатре, сделанном из земли.

— Чхику, пожалуйста, ванну, — приказала она, желая смыть дорожную пыль со своей кожи и прогреть усталые кости. Было приятно сознавать, что они задержатся на какое-то время на месте и ей не придется завтра подниматься на Серебрянку.

Вода оказалась обжигающей, как она и любила.

— Сегодня я сделаю подарки своему брату, — рассудила она, пока Чхику мыла ее волосы. — В священном городе он должен выглядеть королсм. Дореа, сбегай отыщи его и пригласи поужинать со мной. — Визерис лучше относился к лисенийке, чем к ее дотракийским служанкам, быть может, потому, что магистр Иллирио позволил ему переспать с ней в Пентосе.

— Ирри, сходи на базар и купи фруктов и мяса. Чего угодно, кроме конины.

— Лошадь лучше всего, — заметила Ирри. — Лошадь делает мужчину сильным.

— Визерис не любит конины.

— Сделаю, как ты хочешь, кхалиси.

Она вернулась назад с козьей ногой и корзиной фруктов и овощей. Чхику зажарила мясо со сладкими травами и огнеными стручками, облила его медом; кроме того, были дыни, гранаты, сливы и какие-то странные восточные фрукты, названий которых Дени не знала. Пока служанки готовили еду, Дени разложила одежду, которую приготовила для брата. Тунику и штаны из хрустящего белого полотна, кожаные сандалии, шнуровавшиеся до колена, бронзовый пояс из медальонов, кожаный жилет, расшитый огнедышащими драконами, — все она проверила своими руками.

Дотракийцы начнут уважать его, если Визерис перестанет быть похожим на бродягу, думала она. Быть может, теперь он простит ее за позор, случившийся посреди степи. Все-таки Визерис еще оставался ее королем и братом. Оба они от крови дракона.

Дени как раз разглаживала последний из подарков, плащ из песчаного шелка, зеленый словно трава, с бледно-серой каймой, которая подчеркнет серебро его волос, когда появился Визерис, увлекая за собой Дореа. Подбитый глаз ее покраснел от удара.

— Как ты смеешь присылать ко мне эту шлюху со своими приказами! — начал он, грубо бросив служанку на ковер.

Гнев его застал Дени врасплох.

— Я лишь хотела... Дореа, что ты сказала ему?

— Кхалиси, прости меня. Я отправилась к нему, как ты сказала, и передала, что ты велишь ему присоединиться к тебе за ужином.

— Никто не приказывает дракону, — огрызнулся Визерис. — Я твой король! Мне следовало прислать тебе назад ее голову!

Лисенийка застонала, но Дени успокоила ее прикосновением.

— Не бойся, он тебя не ударит. Милый брат, прошу, прости ее, девушка ошиблась; я велела ей попросить тебя отужинать со мной, если так будет приятно твоей светлости. — Она взяла его за руку и повела через комнату. — Погляди. Это я приготовила для тебя.

Визерис подозрительно нахмурился:

— Что это такое?

— Новое одеяние, я приказала сделать его специально для тебя, — застенчиво улыбнулась Дени.

Он поглядел на нее и пренебрежительно усмехнулся:

— Дотракийские тряпки. Значит, решила переодеть меня?

— Прошу тебя... тебе будет прохладнее и удобнее, я подумала... что если ты оденешься подобно дотракийцам... — Дени не знала, как сказать так, чтобы не пробудить дракона.

— В следующий раз ты потребуешь, чтобы я заплел косу?

— Я никогда... — Ну почему он всегда так жесток? Она ведь только хотела помочь ему. — У тебя нет права на косу, ты еще не одержал ни одной победы...

Этого не следовало говорить. Ярость блеснула в сиреневых глазах Визериса, но он не посмел ударить ее на глазах служанок, посреди воинов ее кхаса. Подобрав плащ, Визерис обнюхал его.

— Пахнет мочой. Быть может, я воспользуюсь им как попоной для коня.

— Я велела Дореа вышить его специально для тебя, — с обидой сказала Дени. — Эти одеяния достойны любого кхала.

— Я владыка Семи Королевств, а не какой-нибудь перепачканный травой дикарь с колокольчиками в волосах! — Визерис плюнул и схватил ее за руку. — Ты забываешься, девка! Ты думаешь, что этот большой живот защитит тебя, если ты разбудишь дракона?

Пальцы его болезненно впились в руку Дени, и на мгновение Дени вновь ощутила себя девчонкой, съежившейся перед лицом его гнева. Она протянула другую руку и ухватилась за тот предмет, который оказался под ней: пояс, который она хотела подарить ему, тяжелую цепь из причудливых бронзовых медальонов. Размахнувшись, она ударила изо всех сил.

Удар пришелся в лицо, и Визерис выпустил ее. Кровь побежала по щеке, там, где край одного из мсдальонов рассек кожу.

— Это ты вечно забываешься, — сказала Дени. — Неужели ты ничего не понял тогда в степи? А теперь убирайся, прежде чем я велю моему кхасу выволочь тебя наружу. И молись, чтобы кхал Дрого не услышал об этом, или он вспорет тебе живот и накормит тебя твоими собственными внутренностями!

Визерис поднялся на ноги.

— Когда я вернусь в свое королевство, ты с горечью вспомнишь об этом дне, девка! — Он направился прочь, зажимая раненое лицо и оставив подарки.

Капли его крови забрызгали прекрасный шелковый плащ. Дени прижала мягкую ткань к щеке и села, скрестив ноги, на спальных матрасах.

— Твой ужин готов, кхалиси, — объявила Чхику.

— Я не голодна, — печально проговорила Дени. Она внезапно почувствовала усталость. — Разделите пищу между собой, пошлите сиру Джораху, если хотите. — И через мгновение добавила: — Пожалуйста, принеси мне одно из драконьих яиц.

Ирри принесла яйцо с густо-зеленой скорлупой, бронзовые пятнышки искрились на его чешуйках, пока Дени поворачивала его маленькими руками. Потом она легла на бок, набросила на себя шелковый плащ и прижала яйцо к животу и маленьким нежным грудям. Она любила эти чудесные камни. Яйца дракона были настолько прекрасны, что иногда одно прикосновение к ним заставляло ее почувствовать себя сильнее, отважнее, словно бы она извлекла силы из замкнутых внутри них каменных драконов.

Так она лежала, обнимая яйцо, и вдруг ощутила, что дитя впервые шевельнулось в ней, словно бы ребенок стремился дотронуться до брата, кровь до крови.

— Это ты дракон, — шепнула Дени. — Ты и есть истинный дракон! Я знаю это. Знаю. — Она улыбнулась, а потом уснула, увидев во сне дом.

БРАН

Падал легкий снежок, Бран ощущал прикосновение хлопьев к лицу; тая, они прикасались к его коже каплями самого ласкового и тихого из дождей. Он сидел на коне, глядя на медленно ползущую вверх железную решетку. Невзирая на старания сохранить спокойствие, сердце трепетало в его груди.

— Ты готов? — спросил Робб.

Бран кивнул, пытаясь скрыть страх. После своего падения он не выезжал за пределы Винтерфелла, но считал, что должен держаться горделиво, как подобает рыцарю.

— Тогда поедем. — Робб ударил пятками высокого серобелого мерина, и конь отправился под решетку.

— Ступай, — шепнул Бран собственной лошади и легко прикоснулся к ее шее; крохотная гнедая кобылка шагнула с места. Бран назвал ее Плясуньей. Ей было два года, но Джозет утверждал, что она умнее, чем положено быть лошади. Ее специально приучили подчиняться узде, голосу и прикосновению.

Бран уже ездил на ней вокруг двора. Сперва Джозет или Ходор вели ее, сам он был пристегнут к громадному седлу, которое нарисовал для него Бес. Но последние две недели Бран самостоятельно ездил на ней, пуская рысцой по кругу и обретая смелость с каждым новым оборотом.

Они ехали под сторожевой башней и по подъемному мосту, потом миновали внешние стены. Серый Ветер и Лето носились рядом, принюхиваясь к ветру. Сзади скакал Теон Грейджой с длинным луком и с колчаном, полным широких стрел. Он сказал, что решил завалить оленя. За Грейджоем следовали четверо гвардейцев в панцирях и шлемах и Джозет, тоненький как тростинка конюший, которого Робб назвал мастером над лошадьми на время отсутствия Халлена. Мейстер Лювин замыкал кавалькаду на осле. Бран чувствовал бы себя лучше, если бы они с Роббом отправились только вдвоем, но Хал Моллен не желал и слушать об этом, а мейстер Лювин поддержал его. Если Бран упадет с коня и что-нибудь повредит, мейстер должен оказаться рядом, чтобы оказать немедленную помощь.

Сразу за замком раскинулась рыночная площадь, но деревянные лавки пустовали. Они проехали по грязным сельским улицам, мимо рядов небольших опрятных домов, сложенных из бревен и нетесаного камня. Жильцы наcсляли, наверное, лишь каждый пятый дом, о чем свидетельствовали тонкие струйки дыма, тянущиеся из труб. Остальные вернутся, когда сделается холоднее. Когда выпадет снег и ледяные ветры задуют с севера, говорила старая Нэн, фермеры бросят свои замерзшие поля и далекие крепости, нагрузят добро в фургоны, и зимний городок оживет. Бран никогда не видел его людным, но мейстер Лювин утверждал, что этот день приближается. Долгое лето кончалось, наступала зима.

Редкие деревенские жители с тревогой поглядывали на сопровождавших кавалькаду лютоволков. Один даже в испуге выронил дрова, но по большей части здешний люд привык к этим зверям. Заметив юношей, они преклоняли колена, и Робб приветствовал встречных кивком, подобающим лорду. Ноги Брана не могли сжать бока лошади, и ему поначалу было несколько неловко, однако огромное седло с высокими лукой и спинкой оказалось удобным, а ремни, перехлестнутые через грудь и бедра, не позволяли ему упасть. Спустя некоторое время ритм поездки начал казаться вполне естественным. Беспокойство оставило Брана, и робкая улыбка выползла на лицо.

Две служанки стояли под вывеской «Дымящегося полена», местной пивной. Когда Теон Грейджой окликнул их, младшая девушка покраснела и прикрыла лицо. Теон пришпорил своего коня, чтобы догнать Робба.

— Милая Кира, — проговорил он со смешком. — В постели вьется, словно куница, а скажи ей слово на улице — розовеет как дева. Я не рассказывал тебе о ночи, когда она и Бесса...

— Помолчи, Теон, Бран слышит нас, — остановил его Робб, поглядев на брата.

Тот отвернулся, изображая, что ничего не слышал, но он чувствовал на себе взгляд Грейджоя; вне сомнения, тот улыбался. Этот парень вообще всегда улыбался, словно бы сам мир вокруг был такой штукой, которую понять мог лишь он один. Робб как будто восхищался Теоном и наслаждался его обществом, но Бран так и не проникся теплыми чувствами к воспитаннику отца.

Робб подъехал ближе.

— Ты хорошо держишься, Бран.

— Я хочу ехать быстрее, — попросил он.

Робб улыбнулся:

— Ну, как угодно! — и перевел мерина на рысь. Волки скользнули за ним, а Бран резко дернул поводьями, и Плясунья ускорила шаг. Позади закричал Теон Грейджой, загрохотали копыта остальных лошадей.

Плащ Брана раздувался и трепетал на ветру, снег бил ему в лицо. Робб уже ускакал вперед, но время от времени он оглядывался, чтобы убедиться в том, что Бран и все остальные следуют за ним. Бран вновь хлопнул уздой. И Плясунья скользнула гладким, словно шелк, галопом. Расстояние сокращалось, он догнал Робба на краю Волчьего леса, в двух милях за зимним городком. Братья далеко опередили остальных.

— Значит, я могу ездить верхом! — воскликнул Бран ухмыляясь. Ему казалось, что он летит.

— Мы могли бы посоревноваться, но боюсь, что ты победишь. — Голос Робба звучал непринужденно и даже шутливо, но Бран чувствовал, что брата что-то тревожит.

— Я не хочу скачек. — Бран поискал взглядом лютоволков. Оба исчезли в лесу. — А ты слышал, как Лето выл прошлой ночью?

— Серый Ветер тоже встревожен, — ответил Робб. Его желтые волосы взлохматились, рыжеватый пушок уже покрывал подбородок, он выглядел даже старше своих пятнадцати лет. — Иногда мне кажется, что они что-то знают... или ощущают... — Робб вздохнул. — Я никогда не могу понять, сколько можно сказать тебе, Бран. Жаль, что ты еще маленький.

— Но мне уже восемь! — обиделся Бран. — Восемь — ненамного меньше пятнадцати, и после тебя я наследую Винтерфелл.

— Да, это так. — В голосе Робба прозвучала печаль и даже испуг. — Бран, я должен кое-что рассказать тебе. Вчера прилетела птица из Королевской Гавани. Мейстер Лювин разбудил меня.

Бран ощутил внезапный ужас. Черные крылья, черные слова, как говаривала старая Нэн, и последние крылатые вестники доказали справедливость поговорки. Сначала Робб написал лорду-командующему Ночным Дозором, и птица вернулась назад с сообщением о том, что дядя Бенджен по-прежнему не нашелся. Потом пришла весть из Орлиного Гнезда от матери, но в ней не было добрых новостей. Мать не обещала скоро возвратиться, она только написала, что захватила Беса. Бран отчасти симпатизировал коротышке, однако имя Ланнистеров холодными пальцами прикоснулось к его спине. Он знал кое-что о Ланнистерах — такое, что следовало вспомнить, — однако как только Бран начинал задумываться об этом, его немедленно одолевало головокружение, а желудок сжимался в камень. Робб провел большую часть дня за закрытыми дверями в обществе мейстера Лювина, Теона Грейджоя и Халлиса Моллена. После этого по всему северу разослали гонцов на быстрых конях с приказами Робба. Бран слышал разговоры о Рве Кейлин — древней крепости, которую Первые Люди построили у Перешейка. Никто не говорил ему, что происходит, но Бран понимал — дела плохи.

Теперь прибыл другой ворон, а с ним новая весть. Бран решил надеяться.

— Быть может, эту птицу прислала мать? Она не собирается домой?

— Весть послал Элин из Королевской Гавани. Погиб Джори Кассель, а с ним Уил Хьюард. Их убил Цареубийца. — Робб подставил лицо снежным хлопьям, таявшим на его коже. — Пусть боги упокоят их!

Бран не знал, что сказать. Ему казалось, что побили его самого. Джори стал капитаном домашней гвардии Винтерфелла еще до его рождения.

— Они убили Джори? — Бран вспомнил, как Джори гонялся за ним по крышам. Он мог представить его шагающим через двор, в кольчуге и панцире, и на обычном своем месте на скамье в Великом зале, подшучивающим за обедом. — Зачем кому-то понадобилось убить Джори?

Робб молча покачал головой, в глазах его была заметна боль.

— Я не знаю, и... Бран, это не самое худшее: в схватке отец попал под упавшую лошадь. Элин утверждает, что у него раздроблена нога... и мейстер Пицель дал ему маковое молочко, но они не знают, когда он... когда он... — Топот копыт заставил его оглянуться на дорогу, на подъехавшего с компанией Грейджоя. — Когда он проснется, — закончил Робб и, положив руку на рукоять меча, продолжил торжественным голосом лорда: — Бран, обещаю тебе, что бы ни случилось потом, я не позволю, чтобы это осталось забытым.

Какая-то нотка в его голосе еще больше испугала Брана.

— Что ты сделаешь? — спросил он, когда Теон Грейджой подъехал к ним.

— Теон думает, что нужно созвать знамена, — сказал Робб.

— Кровь за кровь! — Впервые Грейджой перестал улыбаться. Худое смуглое лицо казалось голодным, черные волосы почти прикрыли глаза.

— Только лорд может созвать знамена, — проговорил Бран. Снег повалил еще гуще.

— Если умрет ваш отец, — сказал Теон, — Робб сделается лордом Винтерфелла.

— Он не умрет! — завопил Бран.

Робб взял его за руку и негромко сказал:

— Не умрет, не беспокойся. Но... честь Севера теперь в моих руках. Расставаясь с нами, наш лорд-отец велел мне быть опорой для тебя и Рикона. Я почти взрослый человек, Бран.

Бран поежился.

— Мне бы хотелось, чтобы мать вернулась, — сказал он жалким голосом. И поискал взглядом мейстера Лювина; его осел рысцой одолевал подъем где-то вдалеке. — А что говорит об этом мейстер Лювин?

— Мейстер осторожен, как старая женщина, — отвечал Теон.

— Отец всегда прислушивался к его совету, — напомнил Бран своему брату. — И мать тоже.

— Я слушаю его, — настоятельно проговорил Робб. — Я слушаю всех.

Радость, которую испытал Бран в начале поездки, разом исчезла, растаяв, словно снежные хлопья. Не так уж давно мысль о том, что Робб соберет знамена и отправится на войну, наполнила бы его восторгом, но теперь он ощущал только ужас.

— Может быть, вернемся? — спросил Бран. — Мне холодно.

Робб огляделся.

— Надо отыскать волков. Ты можешь постоять здесь?

— Выдержу столько, сколько и вы. — Мейстер Лювин настаивал на короткой поездке, чтобы не сбить кожу седлом. Но Брану не хотелось признаваться в слабости перед братом. Ему уже надоело, что все трясутся над ним и расспрашивают о здоровье.

— Тогда мы поохотимся на охотников, — проговорил Робб.

Они повернули своих коней с Королевского тракта и направились в Волчий лес. Теон, помедлив, последовал за ними в отдалении; он пошучивал и разговаривал с гвардейцами.

Под деревьями было прекрасно. Бран заставил Плясунью идти шагом, он чуть придерживал поводья и оглядывался вокруг. Бран знал этот лес, но после долгого заточения в Винтерфелле ему почудилось, что он оказался здесь в первый раз. Запахи наполняли его ноздри: колкий и бодрящий аромат сосновых иголок, идущий от земли запах сырой гниющей листвы, запахи диких зверей и дым далеких очагов. Бран заметил черную белку, шевельнувшуюся на покрытых снегом ветвях дуба, и остановился, чтобы разглядеть серебристую паутину императорского паука.

Теон, а с ним и остальные отставали все больше и больше, Бран более не слышал их голосов. Спереди донесся слабый плеск текущей воды. Звук становился громче, наконец они добрались до ручья. Слезы защипали его глаза.

— Бран, — спросил Робб, — что с тобой случилось?

Бран покачал головой.

— Я просто вспомнил. Когда-то Джори приводил нас сюда ловить форель. Тебя, меня и Джона. Помнишь?

— Помню, — ответил Робб голосом спокойным и грустным.

— Я тогда ничего не поймал, — продолжал Бран. — И Джон отдал мне свою рыбу, когда мы отправились в Винтерфелл. А мы увидим когда-нибудь Джона?

— Дядя Бенджен гостил у нас вместе с королем, — напомнил Робб. — И Джон будет посещать нас, увидишь.

Торопливая вода поднялась высоко. Робб спешился и повел своего мерина через брод. В самом глубоком месте вода достала ему до середины бедра. Привязав коня к дереву на той стороне, Робб вернулся за Браном и Плясуньей. Вода бурлила и пенилась возле камней. Бран ощутил влагу на своем лице, когда Робб повел его через реку. Бран улыбнулся на мгновение: он вновь ощутил себя здоровым и сильным. Мальчик поглядел на деревья и представил себе, что сидит на самой вершине, а лес простирается внизу.

Перебравшись через ручей, они услыхали вой, долгий нарастающий стон, ветром прошелестевший среди деревьев. Бран поднял голову и прислушался.

— Лето, — проговорил он. И тут первому волку принялся вторить другой.

— Они добыли зверя, — сказал Робб, поднимаясь обратно в седло. — Съезжу-ка посмотрю. Подожди здесь. Теон и все остальные вот-вот подъедут.

— Я хочу поехать с тобой, — проговорил Бран.

— Один я быстрее найду их. — Робб пришпорил мерина и исчез среди деревьев.

Как только он исчез, лес сомкнулся вокруг Брана. Снег повалил гуще. Касаясь земли, он таял, но камни, корни и ветви были уже покрыты свежей порошей. Ожидая, он почувствовал себя неуютно. Бран не ощущал своих ног, бессильно болтавшихся в стременах, но ремень держал грудь, а талая влага пропитывала перчатки, холодила ладони. Бран не знал, где могли задержаться Теон, мейстер Лювин и все остальные. Услышав шорох листвы, поводьями он повернул Плясунью, рассчитывая увидеть друзей, но вместо них у ручья показались оборванные незнакомцы.

— Добрый день вам всем, — проговорил Бран тревожным голосом. С первого взгляда заметив, что это не лесовики и не селяне, Бран вдруг осознал, насколько богато одет. На нем был новый кафтан из плотной темно-серой шерсти, с серебряными пуговицами, тяжелая серебряная застежка скрепляла подбитый мехом плащ на плечах. Перчатки тоже были оторочены мехом.

— Ты здесь один? — спросил самый рослый, лысый мужчина с красным обветренным лицом. — Заблудился в Волчьем лесу, бедолага?

— Я не заблудился. — Брану не понравилось, как незнакомцы глядят на него. Насчитав четверых, он повернул голову и увидел еще двоих позади себя. — Брат мой уехал всего лишь мгновение назад, моя охрана сейчас будет здесь.

— Охрана? — проговорил второй. Серая щетина покрывала его худое лицо. — И что же они охраняют, маленький лорд? Не серебряную ли застежку на твоем плече?

— Хорошенькая, — проговорил женский голос. Обладательница его не слишком напоминала женщину. Высокая, худая, с таким же озлобленным, как и у всех остальных, лицом, она опиралась на восьмифутовое черное копье из дуба, оканчивающееся ржавой сталью, волосы ее скрывал полушлем в форме чаши.

— Дай-ка поглядеть, — сказал лысый.

Бран с тревогой уставился на него. Незнакомец был облачен в грязные лохмотья, одежду сию усеивали вылинявшие до серости бурые, голубые и темно-зеленые заплаты, но прежде этот плащ был, видимо, черным. Рослый небритый мужчина тоже был в черном рванье. Заметив это, Бран вздрогнул. Он вдруг вспомнил о клятвопреступнике, которого обезглавил отец, когда они нашли щенков лютоволка. Человек тот также был облачен в черное, и отец говорил, что это дезертир из Ночного Дозора. Нет человека более опасного, вспомнил Бран слова лорда Эддарда; дезертир знает, что, попавшись, расстанется с жизнью, и посему не остановится перед любым преступлением, сколь бы злодейским или жестоким оно ни оказалось.

— Застежку, парень, — сказал рослый, протягивая руку.

— Лошадь мы тоже возьмем, — сказала другая женщина, невысокая — даже ниже, чем Бран, — плосколицая, с длинными желтыми волосами. — Слезай, да поживее. — Из рукава в ее ладонь скользнул нож, зазубренный, словно пила.

— Нет, — выпалил Бран. — Я не могу...

Рослый мужчина перехватил поводья, прежде чем Бран сообразил повернуть и ускакать.

— Можешь, лорденыш, и слезешь — ты ведь понимаешь, что так будет лучше для тебя самого.

— Стив, погляди, он привязан, — указала копьем высокая женщина. — Быть может, мальчишка говорит правду?

— Привязан? — проговорил Стив, извлекая кинжал из ножен на поясе. — С ремнями управиться просто.

— Значит, ты калека? — спросила невысокая женщина.

Бран вспыхнул.

— Я Брандон Старк из Винтерфелла, и лучше отпустите моего коня, иначе все вы погибнете.

Худой мужчина с серым щетинистым лицом расхохотался.

— Мальчишка-то действительно Старк. Лишь у Старка хватит глупости угрожать, когда более смышленый человек начнет просить!

— Срежь этого петушка и затолкай ему что-нибудь в рот, — предложила невысокая женщина. — Пусть умолкнет!

— Хали, ты не только уродлива, но и глупа, — сказала высокая женщина. — Мальчишка этот мертвым ничего не стоит, но за живого... Проклятие богам, подумайте сами, как расщедрится Манс, заполучив родственника Бенджена Старка в заложники!

— Проклятие твоему Мансу, — ругнулся рослый. — Или ты собираешься вернуться туда, Оша? Значит, ты еще большая дура. Неужели ты считаешь, что Белые Ходоки посчитаются с тем, что у тебя заложник? — Он повернулся к Брану и полоснул по перевязи, придерживающей бедро. Кожа со вздохом рассеклась.

Быстрый и беззаботный удар проник глубоко. Поглядев вниз, Бран заметил бледное тело там, где удар распорол шерстяные штаны. Затем потекла кровь. Ощущая странную легкость в голове, он поглядел на красную струйку. Боли не было — даже намека. Рослый мужчина с удивлением буркнул что-то себе под нос.

— А теперь кладите оружие, и я обещаю вам быструю и безболезненную смерть! — выкрикнул Робб.

Бран поглядел в отчаянной надежде на подоспевшего брата. Но слова Робба сделались менее убедительными оттого, что голос его дрогнул. Он был верхом; окровавленный труп лосенка переброшен через круп коня, рука в перчатке сжимает меч.

— Вот и братец, — сказал мужчина с серым щетинистым лицом.

— А он у нас рыцарь, — усмехнулась Хали, невысокая женщина. — Ты решил драться с нами, мальчик?

— Не глупи, парень. Ты один против шестерых. — Высокая Оша опустила свое копье. — Слезай с коня и бросай меч. Мы отблагодарим тебя за лошадь и за мясо, и вы с братом сможете направиться домой.

Робб свистнул. Мягко затопали лапы по мокрым листьям, подлесок разделился, замахали нижние ветви, расставаясь со снегом, и Серый Ветер вместе с Лето вылетели из чащи. Лето принюхался и заворчал.

— Волки, — охнула Хали.

— Лютоволки, — поправил Бран. Еще не выросшие и наполовину, они были выше любого волка, которого ему приходилось видеть, однако различия было нетрудно заметить. Мейстер Лювин и псарь Файлен научили его этому. Голова лютоволка была круглее, ноги длиннее, а более тонкая морда выдавалась вперед. В этих зверях ощущалось нечто призрачное и жуткое, особенно в сумеречном лесу под тихим снегом. Пасть Серого Ветра была испачкана кровью.

— Собаки, — презрительно бросил лысый. — А мне как раз говорили, что ничто так не греет ночью, как волчья шкура. — Он сделал резкий жест рукой. — Убейте их.

Робб крикнул:

— За Винтерфелл! — и ударил по бокам коня. Мерин соскочил с берега, оборванцы бросились вперед. Человек с топором беззаботно шагнул навстречу. Меч Робба с муторным треском угодил ему в лицо, брызнула яркая кровь. Тут небритый потянулся к поводьям и на мгновение перехватил их, но на него сзади набросился Серый Ветер. С плеском и криком свалившись в ручей, он отчаянно замахал ножом, когда голова его оказалась под водой. Лютоволк прыгнул за ним, и вода окрасилась кровью. Робб и Оша обменивались ударами посреди ручья, ее длинное копье — змея со стальной головой — пыталось ужалить его в грудь раз, два и три, но каждый раз Робб отбивал в сторону наконечник своим длинным мечом. На четвертый или пятый раз высокая слишком перегнулась вперед и потеряла равновесие на доли секунды. Ударом Робб поверг ее вниз.

Оказавшись чуть в стороне, Лето метнулся к Хали. Она замахнулась ножом. Лето отпрыгнул в сторону, ощерился и бросился вновь. На этот раз челюсти его сомкнулись на лодыжке женщины. Перехватив нож обеими руками, невысокая женщина ударила вниз, но лютоволк словно бы видел движение. На мгновение он отскочил, но пасть его была полна кожи, ткани и кровавой плоти. Хали пошатнулась и упала, а лютоволк вновь набросился на нее, перевернул на спину и вцепился в живот.

Шестой из оборванцев попытался бежать от кровопролития, но далеко не ушел. Он уже карабкался по другой стороне берега, когда промокший насквозь Серый Ветер выпрыгнул из ручья. Отряхнувшись, лютоволк бросился за беглецом, остановил его, вцепившись зубами в бедро, бросил на землю, а потом перехватил за горло, когда тот с криком откатился к воде.

Теперь оставался только рослый Стив. Он полоснул по нагрудной перевязи Брана, схватил его за руку и дернул. Бран разом упал. Он очутился на земле, ноги подогнулись под ним, одна оказалась в воде. Холода он не ощущал, но сразу почувствовал сталь, когда Стив приложил кинжал к горлу.

— Назад, — предостерег рослый. — Или я перережу ему горло, клянусь.

Тяжело дыша, Робб остановил коня. Ярость оставила его, и рука с мечом опустилась.

В этот момент Бран увидел, как Лето терзал Хали, выпустив из ее живота клубок блестящих синих змей. Широкие глаза женщины уставились в небо, и Бран не мог понять, мертва она или еще жива. Небритый и тот, что был с топором, лежали без движения, но Оша поднялась на колени и ползла к своему упавшему копью. Серый Ветер направился к ней.

— Отзови его! — крикнул рослый. — Отзови их обоих, или калека умрет!

— Серый Ветер, Лето, ко мне, — сказал Робб. Лютоволки остановились, повернули головы. Серый Ветер вернулся к Роббу. Лето остался на месте, не отрывая глаз от Брана и человека возле него. Он зарычал, открыв горячую и кровавую пасть, глаза волка горели.

Опираясь на тупой конец копья, Оша поднялась на ноги. Кровь текла из раны на руке, оставленной мечом Робба. Бран видел капельки пота, выступившие на лице рослого человека. Стив был перепуган не менее чем он сам, понял Бран.

— Старки, — пробормотал мужчина. — Кровавые Старки. — Он возвысил голос. — Оша, убей волков и забери у него меч.

— Сам убивай их, — ответила она. — Я не подойду к этим чудовищам. — На мгновение Стив потерялся. Рука дрогнула. Бран ощутил кровь там, где нож, дернувшись, порезал его кожу. Вонь немытого тела наполняла его нос, от рослого разило страхом.

— Эй! — крикнул он Роббу. — У тебя есть имя?

— Я — Робб Старк, наследник Винтерфелла.

— А это твой брат?

— Да.

— Если ты хочешь, чтобы он остался в живых, слезай с коня.

Робб помедлил мгновение. Потом медленно и решительно спешился и встал с мечом в руке.

— А теперь убей волков.

Робб не шевельнулся.

— Делай. Волки или мальчишка.

— Нет! — закричал Бран отчаянно. Если Робб выполнит его приказ, Стив убьет их обоих, как только лютоволки окажутся мертвы. Лысый ухватил рукой его за волосы и жестоко потянул, Бран даже всхлипнул от боли.

— А ты, калека, закрой рот, слышал?! — Он потянул крепче. — Слышишь меня?

Что-то негромко звякнуло в лесу позади него. Стив задохнулся, и широкий наконечник стрелы вырос из его груди. Стрела оказалась ярко-красной, кровь словно бы окрасила ее. Кинжал упал с горла Брана. Рослый пошатнулся и лицом вперед рухнул в воду. Стрела переломилась. Бран видел, как, судорожно дергаясь, он расставался с жизнью.

Оша оглянулась, когда гвардейцы отца появились из-за деревьев со сталью в руке. Оша бросила копье.

— Пожалуйста, милорд, — обратилась она к Роббу.

Стражники со странно побледневшими лицами осматривали сцену кровопролития, без особой уверенности поглядывая на волков. И когда Лето вернулся, чтобы оторвать кусок от трупа Хали, Джозет выронил нож и отвернулся к ближайшему кусту. Даже появившийся из-за деревьев мейстер Лювин был потрясен, но только на мгновение. Тряхнув головой, он сразу направился через ручей к Брану.

— Ты ранен?

— Он порезал мне ногу, — ответил Бран. — Но я ничего не чувствую.

Мейстер склонился, чтобы обследовать рану, и Бран повернул голову. Теон Грейджой стоял возле страж-дерева с луком в руках и, как всегда, улыбался. Возле него в мягкую землю было всажено полдюжины стрел, но понадобилась лишь одна.

— Мертвый враг — это прекрасно, — объявил он.

— Джон всегда говорил мне, что ты осел, Грейджой, — громко отвечал Робб. — Пожалуй, мне следовало бы привязать тебя во дворе и позволить Брану попрактиковаться в стрельбе.

— Ты должен поблагодарить меня за то, что я спас жизнь твоему брату.

— А если бы ты промахнулся? — ответил Робб. — Что, если бы ты только ранил этого? Что, если бы рука его дрогнула и он ударил Брана? На нем мог быть доспех, ты же видел разбойника только со спины. Что случилось бы тогда с моим братом? Думал ли ты об этом, Грейджой?

Улыбка исчезла с лица Теона. Угрюмо пожав плечами, он принялся собирать стрелы — одну за другой.

Робб ожег гвардейцев яростным взглядом.

— А вы куда запропастились? — потребовал он ответа. — Я был уверен, что вы следуете за нами.

Люди обменялись расстроенными взглядами.

— Так и было, милорд, — отвечал самый молодой из них, борода его еще курчавилась нежным пушком. — Только сперва мы подождали мейстера Лювина с его ослом, прошу вашего прощения, а потом получилось, что... — Он поглядел на Теона и торопливо отвернулся в смущении.

— Я заметил индюка, — проговорил Теон, раздосадованный вопросом. — Откуда я знал, что ты оставишь мальчишку одного?

Робб повернул голову и снова поглядел на Теона, однако ничего не сказал. Бран никогда еще не видел его в таком гневе. Наконец он опустился на колено возле мейстера Лювина.

— Серьезна ли рана моего брата?

— Простая царапина, — отвечал мейстер, смочив ткань в ручье, чтобы смыть порез. — Двое из них носили черное, — сказал он Роббу, не отрываясь от дела.

Робб поглядел на тело Стива, распростертое в потоке ручья, быстрые воды колыхали его оборванный черный плащ.

— Дезертиры из Ночного Дозора, — сказал он мрачно. — Лишь дураки могли настолько приблизиться к Винтерфеллу.

— Безумие и отчаяние нередко похожи друг на друга, — проговорил мейстер Лювин.

— Следует ли похоронить их, милорд? — спросил кто-то.

— Они не стали бы хоронить нас, — ответил Робб. — Отрубите им головы, отошлем на Стену. А остальное оставьте воронам.

— А как быть с этой? — Куент ткнул большим пальцем в сторону Оши.

Робб подошел к ней. Женщина была на голову выше его, но немедленно упала на колени.

— Подарите мне жизнь, милорд Старк, я буду служить вам.

— Мне? Что мне делать с клятвопреступницей?

— Я клятву не нарушала. Это Стив и Уоллен бежали со Стены, а не я. Среди черных ворон нет места женщине.

Теон Грейджой подошел поближе.

— Отдай ее волкам, — посоветовал он Роббу. Глаза женщины обратились к останкам Хали и она, задрожав, торопливо отдернулась. Смутились даже гвардейцы.

— Она женщина, — сказал Робб.

— Она из одичалых, — заметил Бран. — Она советовала сохранить мне жизнь и отвести к Мансу-налетчику.

— У тебя есть имя? — спросил Робб.

— Оша, если будет угодно милорду, — пробормотала женщина потерянным голосом.

Мейстер Лювин встал.

— Неплохо бы допросить ее.

Бран заметил облегчение на лице брата.

— Как вам угодно, мейстер. Уэйн, свяжи ей руки. Она вернется с нами в Винтерфелл... а будет жить или умрет, зависит от того, что расскажет нам.

ТИРИОН

— Хочешь есть? — спросил Морд, окинув его злым взглядом. Короткопалая толстая рука держала блюдо отборных бобов.

Тирион Ланнистер успел наголодаться, но он не мог позволить, чтобы этот мужлан увидел его слабость.

— Неплохо бы ножку ягненка, — сказал он с груды грязной соломы в углу камеры. — Подойдет и блюдо горошка с жареным луком, и свежий хлеб, помазанный маслом... с пряным вином, чтобы лучше проскочило в желудок. Если вина нет, сгодится и пиво, попытаюсь быть не слишком разборчивым.

— Вот и бобы, — проговорил Морд, протягивая блюдо.

Тирион вздохнул. Тюремщик, служивший Лизе Аррен, представлял собой двадцать стоунов глупого жира, который дополняли бурые гнилые зубы и темные глазенки. Левую сторону его лица украшал шрам, оставленный топором, отрубившим ухо вместе с частью щеки. Он был столь же предсказуем, насколько и уродлив, но Тирион действительно испытывал голод. Он протянул руку к тарелке.

Морд отдернул ее ухмыляясь.

— Вот она, — проговорил он, ставя блюдо за пределами досягаемости Тириона.

Карлик неловко поднялся на ноги, испытывая боль в каждом суставе.

— Неужели каждый раз нужно устраивать из еды дурацкую игру? — Он потянулся к бобам.

Морд отодвинулся, ухмыляясь гнилыми зубами.

— Вот она, карлик. — Он выставил тарелку из камеры — туда, где она кончалась и начиналось небо. — Ты не хочешь есть? Иди-ка возьми.

Руки Тириона были слишком коротки, чтобы дотянуться до блюда, и он не намеревался так близко подходить к этому краю. Хватит одного лишь короткого движения белого толстого пуза Морда, и жизнь его завершится, оставив красное пятно на камнях Небесного замка, как случилось со многими пленниками Орлиного Гнезда за истекшие столетия.

— Если подумать, я вовсе не голоден, — объявил он, отступая в уголок камеры.

Морд заворчал и разжал пухлые пальцы. Ветер подхватил тарелку, перевернув ее. Тюремщик расхохотался, чрево его тряслось, как чаша с пудингом.

Тирион ощутил короткий укол ярости.

— Ах ты, трахнутый сын изъеденного язвами осла, — проговорил он. — Чтоб ты сдох от кровавого поноса!

За это на обратном пути Морд отпустил Тириону пинок подкованным сталью сапогом.

— Я это тебе запомню, — корчась на соломе, выдохнул Тирион.

— Я сам убью тебя, клянусь! — Тяжелая, окованная железом дверь захлопнулась. Тирион услышал звон ключей.

Для своего роста у меня слишком прожорливый рот и слишком болтливый, подумал карлик, отползая назад в угол сооружения, которое Аррены насмешливо именовали своей темницей. Тирион скрючился под тонким одеялом, кроме которого у него здесь ничего не было, разглядывая бездонное синее небо и далекие горы, уходившие, казалось, в бесконечность. Он пожалел о плаще из шкуры сумеречного кота, выигранном у Мариллона в кости после того, как певец стащил одеяние с тела убитого предводителя разбойников. Шкура пахла тленом и кровью, но была теплой и толстой. Морд сразу же отобрал ее.

Ветер теребил его одеяло порывами, острыми, словно когти. Камера была прискорбно мала даже для карлика. Там, где в любой настоящей тюрьме действительно была бы стена, пол кончался и начиналось небо, так что Тирион не испытывал недостатка в свежем воздухе, солнечном свете, в звездах и луне по ночам, но он охотно променял бы сейчас все это на самую мокрую и мрачную темницу в недрах Бобрового утеса.

— Ты улетишь отсюда, — посулил ему Морд, втолкнув в камеру. — Дней через двадцать или тридцать, а может, и пятьдесят, но все равно улетишь!

Аррены содержали лишь одну тюрьму и охотно предоставляли своим узникам возможность побега. В тот первый день, набравшись отваги, Тирион лег на живот и подполз к краю, чтобы поглядеть вниз. Отделенный воздушным простором, Небесный замок находился в шести сотнях футов под ним. Нагнув голову вправо и влево, он заметил другие камеры, сверху тоже. Прямо пчела в каменных сотах, только без крыльев!

В холодной камере ветер завывал и днем, но худшее заключалось в том, что пол был наклонным. Уклон был небольшим, но и его было достаточно. Тирион боялся закрыть глаза, чтобы не скатиться во сне и не проснуться во внезапном ужасе у края обрыва. Нечего удивляться тому, что эти небесные камеры доводили людей до безумия.

Синева зовет. «Боги, помилуйте меня», — написал на стене один из прежних обитателей камеры веществом, похожим на кровь. Вначале Тирион даже заинтересовался, кто это мог быть, что с ним стало, но потом решил, что лучше все-таки этого не знать.

А надо было только закрыть свой рот...

Все началось с несчастного мальчишки, глядевшего на него с трона из резного чардрева, под украшенными луной и соколом знаменами Аррена. На Тириона Ланнистера всякий смотрел сверху вниз, но этот шестилетний сопляк, моргнув красными глазами, спросил с пухлой подушки, которую ему подкладывали, чтобы сделать повыше.

— А он плохой?

— Плохой, — согласилась леди Лиза, занимавшая рядом престол пониже. Она была вся в голубом, напудрена и надушена — ради женихов, наполнявших двор.

— Он такой маленький, — хихикнул лорд Орлиного Гнезда.

— Это Тирион-Бес из дома Ланнистеров, убийца твоего отца. — Она возвысила голос, чтобы слова ее были слышны в конце чертога Орлиного Гнезда. Отражаясь от молочно-белых стен и тонких колонн, звук доносился до слуха каждого человека. — Он убил десницу нашего короля.

— Значит, я убил и его? — подобно глупцу спросил Тирион.

В такой миг подобало держать рот на замке, а голову склоненной. Теперь он понимал это; седьмое пекло, он знал это даже тогда. Высокий чертог Арренов был длинным и строгим, стены его, облицованные белым с синими прожилками мрамором, обжигали холодом, но окружающие его лица были еще холоднее. Сила Бобрового утеса была далеко, и в долине Арренов Ланнистеры друзей не имели. Покорность и молчание послужили бы ему лучшей защитой.

Но Тирион находился не в том настроении, чтобы проявлять рассудительность. К стыду своему, он сдался на последнем отрезке подъема, короткие ноги не могли поднять его дальше в Орлиное Гнездо. Бронн пронес карлика остаток пути, и унижение лишь подливало масла в огонь его ярости.

— Итак, мне пришлось основательно потрудиться, — проговорил он с горьким сарказмом. — Интересно, когда я нашел время на все эти убийства?

Ему следовало бы помнить, с кем он имеет дело. Лиза Аррен и ее задохлик и при дворе не обнаруживали симпатии к шутке, в особенности когда она была направлена против них.

— Бес, — холодно бросила Лиза, — постарайся следить за своим колким языком и разговаривай с моим сыном вежливо, иначе у тебя появится причина сожалеть об этом. Помни, где ты находишься. Это Орлиное Гнездо, тебя окружают верные рыцари Долины, люди, которые любили Джона Аррена. Любой из них охотно умрет за меня.

— Леди Аррен, если со мной что-нибудь случится, мой брат Джейме постарается, чтобы именно так и произошло. — Выплюнув эти слова, Тирион понял, насколько они безумны.

— А умеете ли вы летать, милорд Ланнистер? — спросила леди Лиза. — Неужели у карликов есть крылья? Если нет, я попросила бы проглотить следующую угрозу раньше, чем она придет в голову.

— Я не угрожаю, — отвечал Тирион, — а даю обещание.

Маленький лорд Роберт вскочил на ноги в таком беспокойстве, что даже выронил куклу.

— Ты не можешь сделать нам больно! — завопил он. — Никто не может здесь сделать нам больно! Мама, скажи ему, что он не сможет сделать нам больно! — Мальчишка начал дергаться.

— Орлиное Гнездо неприступно, — спокойным голосом проговорила Лиза Аррен. Она прижала к себе сына, окружив его оградой полных белых рук. — Этот Бес просто пытается испугать нас, милое дитя. Все Ланнистеры лжецы. Никто не причинит тебе зла, мой милый мальчик!

Черт побери, она была и в самом деле права. Испытав дорожные трудности, Тирион прекрасно представлял себе, каково придется рыцарям, с боем поднимающимся по лестнице: камни и стрелы будут сыпаться на них с неба, и враги будут защищать каждую ступеньку. Возможностей слова «кошмар» тут явно не хватало. Нечего удивляться тому, что Орлиное Гнездо так ни разу и не было взято врагом.

Но Тирион опять не сумел промолчать.

— Не то чтобы неприступно, — сказал он, — а просто неудобно лезть наверх...

Молодой Роберт показал вниз дрожащей рукой.

— Ты лжец. Мама, я хочу видеть, как он летает.

Стражи в небесно-синих плащах схватили Тириона за руки и оторвали от пола.

Одни боги знают, что бы случилось тогда, если бы не Кейтилин Старк.

— Сестра, — проговорила она со своего места за троном, — прошу тебя, вспомни: этот человек — мой пленник, и я не хочу ему вреда.

Лиза Аррен бросила на сестру холодный взгляд, потом поднялась и, шелестя длинными юбками, кинулась к Тириону. Ему даже показалось, что она ударит его, но Лиза приказала выпустить Тириона. Когда карлика поставили на пол, ноги ему отказали и Тирион упал.

Понимая, что он представляет собой, Тирион с трудом стал на колени лишь для того, чтобы, ощутив спазмы в ногах, вновь повалиться на пол. Хохот загулял по высокому чертогу Арренов.

— Маленький гость моей сестры слишком устал, чтобы стоять, — объявила леди Лиза. — Сир Вардис, проводите его вниз в тюрьму. Одна из наших небесных камер поможет ему опомниться.

Стражники вздернули его на ноги. Тирион Ланнистер болтался среди них, слабо брыкаясь, побагровев от стыда.

— Я вам это припомню, — пообещал он, когда его понесли прочь. Ничего другого Тириону и не оставалось.

Сначала он утешал себя тем, что заточение продлится недолго: Лиза Аррен просто решила унизить его, вот и все. Она скоро пришлет за ним. Если же нет, тогда Кейтилин Старк наверняка захочет допросить его. Но на этот раз он будет следить за своим языком. Они не посмеют убить его: он все-таки оставался Ланнистером с Бобрового утеса, и, пролив его кровь, сестры накличут на себя войну. Так, во всяком случае, он убеждал себя самого.

Но теперь он более не был в этом уверен.

Быть может, похитители решили сгноить его здесь; однако Тирион опасался, что сил у него может не хватить на долгое гниение. Он слабел с каждым днем, и потом Морд рано или поздно должен был сделать свое дело, если только тюремщик до этого не успеет заморить его насмерть голодом. Еще несколько голодных ночей, и синева начнет призывать к себе и его.

Он попытался представить себе, что происходит за стенами его, так сказать, камеры. Получив известие, лорд Тайвин, безусловно, послал погоню. Джейме, возможно, уже ведет войско через Лунные горы, если только не едет на север в Винтерфелл. Подозревает ли кто-нибудь за пределами Долины, куда именно Кейтилин Старк отвезла его? Он подумал о том, что предпримет Серсея, когда услышит о его похищении. Король может приказать освободить его, но кого послушает Роберт — свою королеву или десницу? Тирион не испытывал иллюзий относительно любви короля к его сестре.

Если у Серсеи хватит ума, она настоит на том, чтобы король сам решил участь Тириона. Даже Нед Старк не смог бы возразить против этого, не запятнав чести короля. Тирион будет только рад: в каких бы убийствах его ни обвиняли, пока у Старков не было никаких доказательств. Пускай себе излагают свое дело перед Железным троном и лордами королевства. Это погубит их. Если бы у Серсеи хватило ума понять это...

Тирион Ланнистер вздохнул. Сестра его была не лишена определенной низменной хитрости, но гордость ослепляла ее. Она увидит в ситуации оскорбление и предоставившуюся возможность убрать врагов. Джейме был еще хуже. Опрометчивый, упрямый и раздражительный, он никогда не развязывал узел, если его можно было разрубить ударом меча.

Тирион попытался представить, кто из них нанял убийцу, чтобы заставить замолчать мальчишку Старков, и действительно ли они ускорили смерть лорда Аррена. Если старый десница действительно убит, то это было подстроено искусно и гладко. Люди его возраста во все времена умирали от внезапных болезней. Напротив, олух, явившийся с краденым ножом к Брандону Старку, вел себя невероятно неловко. И разве не было это странно, если хорошенько подумать?

Тирион поежился, ощутив действительно жуткое подозрение: что, если в лесу сражаются не только лютоволк и лев, но кто-то третий воспользовался их схваткой как прикрытием? Тирион Ланнистер не любил, чтобы им пользовались...

Следовало выбираться отсюда и поскорее. Шансов справиться с Мордом практически не существовало, и никто не намеревался передать ему шестисотфутовую веревку, чтобы он мог бежать на свободу. Язык завел его в эту камеру, язык должен и вывести.

Тирион поднялся на ноги, стараясь по возможности игнорировать уклон, вечно толкавший к краю, и застучал кулаком в дверь.

— Морд! — завопил он. — Тюремщик! Морд, ты мне нужен!

Тириону пришлось барабанить минут десять, прежде чем он услышал шаги. Карлик отступил назад, и дверь со скрипом открылась.

— Шумишь, — пробурчал Морд, глаза которого налились кровью, в одной из его ладоней была зажата широкая кожаная полоска, огибавшая кулак.

Никогда не показывай испуг, напомнил себе Тирион и спросил:

— А ты не хочешь разбогатеть?

Морд ударил его ленивым движением. Тирион пошатнулся и стиснул зубы от боли.

— Не болтать, карлик, — предупредил Морд.

— Золото, — проговорил Тирион, изображая улыбку. — Бобровый утес полон золота... аххх. — На этот раз Морд ударил сильнее, полоска щелкнула. Удар пришелся Тириону в ребра, он рухнул на колени, скуля от боли. А потом заставил себя поглядеть на тюремщика. — Богат, как Ланнистер, — выпалил он. — Так говорят люди, Морд...

Морд заурчал. Свистнув в воздухе, ремень ударил Тириона по лицу. Боль на мгновение лишила карлика сознания, он даже не помнил, как упал, но, открыв глаза, обнаружил, что лежит на полу камеры. В ухе звенело, а во рту было полно крови; он потянулся за опорой, чтобы подняться, но пальцы прикоснулись... к пустоте. Тирион отвел руку назад так быстро, как будто обжегся, и попытался не дышать. Он лежал на самом краю — в нескольких дюймах от синевы.

— Хочешь еще что-нибудь сказать? — Морд взял ремень в обе руки и резко потянул его. Щелчок заставил Тириона подпрыгнуть. Тюремщик расхохотался.

«Он не сбросил меня, — в отчаянии сказал себе Тирион, отползая от края. — Я нужен Кейтилин Старк живым, и он не посмеет убить меня». Тыльной стороной ладони он отер кровь с губ, ухмыльнулся и сказал:

— Ну это, пожалуй, грубовато, Морд. — Тюремщик скосился, пытаясь понять, не смеются ли над ним. — Мне нужны такие сильные люди, как ты. — Ремень вновь взвился, но на этот раз Тирион сумел отодвинуться прочь. Удар скользнул по плечу, не причинив боли. — Золото, — повторил он, крабом отползая назад. — Больше золота, чем ты видел в своей жизни. Достаточно, чтобы купить земли, женщин, лошадей и... чтобы сделаться лордом. Представь себе — лорд Морд. — Тирион отхаркнул комок крови и мокроты, сплюнул его в небо.

— Никакого золота, — отвечал Морд.

Значит, услышал, подумал Тирион.

— Меня избавили от кошелька, когда взяли в плен, но золото по-прежнему принадлежит мне. Кейтилин Старк может заключить меня в темницу, но она не станет грабить своего пленника. Это бесчестно. Помоги мне, и все золото будет твоим.

Морд вновь замахнулся, но на сей раз удар вышел не столь решительным — Тирион перехватил ремень рукой и удержал его.

— Ты ничем не рискуешь — тебе нужно только передать весть.

Тюремщик вырвал кожаную полоску из рук Тириона.

— Весть, — проговорил он, словно бы никогда не слышал этого слова. Морд нахмурился, на лбу его залегли морщины.

— Вы слышали меня, милорд? Лишь передайте мое слово вашей госпоже. Скажите ей... — Что может заставить Лизу Аррен передумать? Вдохновение немедленно явилось к Тириону Ланнистеру. — Скажите ей, что я хочу признаться в своих преступлениях.

Морд занес руку, и Тирион съежился, ожидая нового удара, но тюремщик медлил. Подозрительность и жадность ссорились в его глазах. Золота он хотел, но подвоха опасался. Его, похоже, часто обманывали.

— Лжешь, карлик. Ты хочешь обмануть меня! — мрачно буркнул он.

— Могу дать письменное обязательство, — пообещал Тирион. Неграмотные иногда относились к письму с презрением, другие, напротив, испытывали суеверное почтение к написанному слову, как будто оно представляло какое-нибудь волшебство. К счастью, тюремщик принадлежал к последним. Морд опустил ремень.

— Напиши про золото. Про много золота...

— О, будет много золота, — заверил его Тирион. — Кошелек только для начала, друг мой. Мой брат носит панцирь из литого золота. — На деле панцирь Джейме был сделан из позолоченной стали, но эти олухи никогда не поймут разницы...

Морд задумчиво теребил ремень, но в конце концов сдался и отправился за бумагой и чернилами. Когда письмо было написано, тюремщик подозрительно нахмурился, глядя на бумагу.

— А теперь передай мою весть, — приказал Тирион.

Он ежился в полусне, когда за ним пришли поздно ночью. Морд открыл дверь, сохраняя молчание. Сир Вардис Иген разбудил Тириона носком сапога.

— На ноги, Бес. Миледи хочет видеть тебя.

Тирион попытался протереть глаза и кривился с деланным недовольством.

— Она-то, вне сомнения, хочет, но что заставляет вас считать, что я хочу видеть ее?

Сир Вардис нахмурился. Тирион помнил его по годам, которые он провел в Королевской Гавани в качестве начальника домашней дружины десницы. Серебряные волосы, квадратное лицо, крупные черты и полнос отсутствие улыбки.

— Твое желание меня не касается. На ноги, или я прикажу нести тебя.

Тирион неловко поднялся на ноги.

— Холодная ночь, — сказал он небрежно, — а в чертоге, наверное, еще холоднее. Я не хочу простудиться. Морд, будь другом, принеси мой плащ.

Тюремщик скривился, на лице его проступило подозрение.

— Мой плащ, — проговорил Тирион. — Шкуру сумеречного кота, которую ты взял от меня на хранение. Помнишь?

— Принеси ему проклятый плащ, — приказал сир Вардис.

Морд не осмелился возражать. Отвесив Тириону взгляд, сулящий расплату, он отправился за плащом. Завязывая шкуру на шее, Тирион улыбнулся:

— Благодарю. Я буду вспоминать тебя всякий раз, когда стану надевать его. — Перебросив край чересчур длинного меха через правое плечо, он впервые за последние дни почувствовал себя согревшимся. — Ведите меня, сир Вардис.

Большой зал дома Арренов был освещен пятьюдесятью факелами, горящими на стенах. Леди Аррен сидела на троне в черном шелковом платье с луной и соколом, вышитыми жемчужинами на груди. Поскольку Лиза явно не собиралась в Ночной Дозор, Тирион решил, что она сочла траурное одеяние самым подходящим, чтобы слушать его признания. Длинные, как солома, волосы, заплетенные в сложную косу, опускались на ее левое плечо. Высокий трон возле нее пустовал, маленький лорд Орлиного Гнезда, конечно же, спал и трясся во сне. Тирион был в высшей мере благодарен за это судьбе.

Ланнистер глубоко поклонился и оглядел зал. Как он и надеялся, леди Аррен созвала своих рыцарей и свиту, чтобы они выслушали его признание. Он увидел морщинистое лицо сира Бриндена Талли и пухлую физиономию лорда Нестора Ройса. Возле Нестора находился человек помоложе, с пышными черными бакенбардами, который мог быть лишь его наследником, сиром Альбаром. Представлены были почти все основные дома Долины. Тирион заметил сира Лина Корбрея, старого лорда Хантера на подагрических ногах, вдовевшую леди Уэйнвуд в окружении сыновей. Других гербов Тирион не знал: сломанное копье, зеленая гадюка, горящая башня, крылатая чаша...

Среди лордов Долины оказалось несколько его знакомых по высокогорной дороге. Бледный от полузаживших ран сир Родрик Кассель стоял возле сира Уиллиса Воде. Мариллон-певец успел найти себе новую деревянную арфу. Тирион улыбнулся; что бы ни случилось сегодня, важно, чтобы события не остались в тайне, ну а певец разнесет повесть по всем Семи Королевствам.

В дальнем углу зала у колонны устроился Бронн. Черные глаза вольного всадника были обращены к Тириону, рука его непринужденно лежала на рукояти меча. Тирион поглядел на него и задумался...

Кейтилин Старк заговорила первой:

— Нам сказали, что ты хочешь признаться в своих преступлениях!

— Именно так, миледи, — ответил Тирион.

Лиза Аррен улыбнулась сестре:

— Небесная камера сломает любого. В ней злодея видят боги, там нет тьмы, где он мог бы укрываться от их глаз.

— Он не кажется мне сломленным, — заметила леди Кейтилин.

Леди Лиза не обратила внимания.

— Говори, — приказала она Тириону.

А теперь пора бросить кости, подумал он, торопливо глянув на Бронна. С чего же начать?

— Признаюсь, я очень злой карлик. Грехи мои и преступления несчетны, милорды и леди. Я спал со шлюхами — и не однажды, а сотни раз. Я желал смерти моему лорду-отцу и моей сестре, нашей доброй королеве. — Позади него кто-то хихикнул. — Я не всегда обращался со слугами с добротой. Я играл в кости и плутовал при этом, признаюсь со стыдом. Я говорил много жестоких и злобных вещей о благородных лордах и дамах двора. — Послышался хохот. — Однажды я...

— Молчать! — Бледное лицо Лизы Аррен порозовело. — И что же ты сейчас делаешь, карлик?

Тирион свесил голову на плечо.

— Как что? Исповедуюсь в своих преступлениях, миледи.

Кейтилин Старк шагнула вперед.

— Вас обвиняют в том, что вы подослали наемного убийцу, чтобы убить моего сына Брана в постели, и соучаствовали в убийстве лорда Джона Аррена, десницы короля.

Тирион беспомощно пожал плечами:

— А вот в этих преступлениях, увы, я признаться не могу. Я ничего не знаю об этих убийствах.

Леди Лиза поднялась со своего деревянного престола.

— Я не намереваюсь подвергаться твоим насмешкам. Ты устроил себе развлечение и, вне сомнения, насладился им. Сир Вардис, отведите его назад в темницу... Но на этот раз пусть камера будет меньше и с более крутым полом.

— Неужели так творится правосудие в Долине? — вскричал Тирион так громко, что сир Вардис застыл на мгновение. — Неужели честь не может проехать под Кровавыми воротами? Вы обвиняете меня в преступлениях, я отрицаю свою вину, и поэтому меня бросают в открытую камеру на холод и голод. — Он приподнял голову, показывая всем синяки, которые Морд оставил на его лице. — Где правосудие короля? Разве Орлиное Гнездо не часть Семи Королевств? Вы обвиняете меня. Очень хорошо. Я требую суда! Позвольте мне говорить, и пусть моя правда или ложь будут открыты перед лицом богов и людей!

Негромкий ропот наполнил высокий зал. В самую точку, подумал Тирион. Ему, знатному господину, сыну самого могущественного лорда страны, брату королевы, нельзя было отказать в правосудии. Гвардейцы в небесно-синих плащах направились в сторону Тириона, но сир Вардис велел им остановиться и поглядел на леди Лизу.

Ее маленький рот дернулся в воинственной усмешке.

— Если ты будешь допрошен и обнаружен виновным в тех преступлениях, в которых тебя обвиняют, тогда, по собственным законам короля, ты должен будешь заплатить своей жизнью. У нас в Орлином Гнезде нет палача. Откройте Лунную дверь.

Толпа зрителей расступилась, открыв узкую дверь из чардрева между двумя мраморными колоннами, на белом дереве которой был вырезан полумесяц. Стоявшие рядом отступили, когда пара гвардейцев направилась к ней. Один из мужчин отодвинул тяжелый бронзовый запор, второй навалился на дверь. Синие плащи взметнулись с плеч, подхваченные внезапным порывом ветра, с воем ворвавшегося через открывшийся проем. За дверью зияла пустота ночного неба, усеянного холодными безразличными звездами.

— Вот оно, королевское правосудие, — проговорила Лиза Аррен. Пламя факелов заметалось по стенам, языки их гасли то тут, то там.

— Лиза, по-моему, это неразумно, — проговорила Кейтилин Старк, пока черный ветер кружил по залу.

Сестра не обращала на нее внимания.

— Вы хотите суда, милорд Ланнистер? Очень хорошо, суд будет. Сын мой выслушает твои слова, и ты услышишь его приговор. Потом ты выйдешь отсюда... Этой дверью или другой...

Она довольна собой, подумал Тирион, тут нечему удивляться. Чем мог угрожать ей суд, когда приговор будет выносить ее слабак сын? Тирион поглядел на Лунную дверь. «Мама, я хочу видеть, как он полетит!» — сказал мальчишка. Скольких же человек этот курносый дурачок уже велел выкинуть через эту дверь?

— Благодарю вас, моя добрая леди, но я не вижу нужды беспокоить лорда Роберта, — вежливо сказал Тирион. — Боги знают, что я не виновен. Я приму их суждение, а не суд человека. Я требую суда поединком.

Буря внезапного хохота наполнила высокий зал Арренов. Лорд Нестор Ройс фыркнул, сир Уиллис хихикнул, сир Лин Корбрей хохотнул, остальные откинули назад головы и загоготали; слезы побежали по их лицам. Мариллон неловко перебирал лады, едва касаясь своей новой деревянной арфы кончиками пальцев сломанной руки. Даже ветер как будто завыл с возмущением, врываясь через Лунную дверь.

Водянистые глаза Лизы Аррен стали неуверенными. Он вывел ее из равновесия.

— Конечно, у тебя есть на это право.

Молодой рыцарь с зеленой гадюкой, вышитой на плаще, шагнул вперед и опустился на колено.

— Миледи, умоляю о чести защитить ваше дело.

— Эта честь должна принадлежать мне, — сказал старый лорд Хантер. — Ради той любви, которую я испытываю к вашему лорду-мужу, позвольте мне отомстить за его смерть.

— Мой отец верно служил лорду Джону управляющим Долины, — буркнул сир Альбар Ройс. — Позвольте мне услужить его сыну.

— Боги чтят человека, выступающего за справедливость, — отвечал сир Лин Корбрей. — Однако им нередко оказывается тот, кто лучше владеет мечом. Все мы знаем, кто здесь лучший боец. — Он скромно улыбнулся.

Еще дюжина рыцарей попыталась добиться внимания. Тирион был несколько обескуражен количеством незнакомцев, готовых убить его. Что, если план его все-таки не слишком умен?

Леди Лиза подняла руку, призывая к молчанию.

— Благодарю вас, милорды. Сын мой, безусловно, отблагодарит вас так, словно бы он присутствовал среди нас. В Семи Королевствах нет людей столь же отважных и верных, как рыцари Долины. Если бы я могла, то даровала бы всем вам эту честь. Сир Вардис Иген, вы всегда были правой рукой моего благородного мужа. Вы будете нашим чемпионом*.

Сир Вардис не проявил восторга.

— Миледи, — проговорил он серьезным голосом, опускаясь на одно колено, — прошу вас возложить эту ответственность на другого, я не испытываю желания драться. Этот человек не воин, поглядите на него. Он карлик, в два раза ниже меня и хром. Позорно убивать такого человека и называть это правосудием.

Великолепная мысль, рассудил Тирион, я с ней согласен!

Лиза с яростью поглядела на него:

— Ты потребовал поединка. А теперь я требую назначить своего чемпиона, как это сделали мы.

— Мой брат Джейме охотно примет участие в нем.

— Твой драгоценный Цареубийца в сотнях лиг отсюда, — отрезала Лиза Аррен.

— Пошлите за ним птицу, и я охотно дождусь его прибытия.

— Ты встретишься с сиром Вардисом завтра.

— Певец, — сказал Тирион, обращаясь к Мариллону, — когда ты сложишь балладу о сегодняшнем дне, не пропусти этого мгновения: пусть там будет сказано, как леди Аррен отказала карлику в праве выбора чемпиона и как выставила против хромого недоростка своего лучшего рыцаря.

— Я тебе ни в чем не отказывала! — выпалила Лиза Аррен, в пронзительном голосе ее слышалось раздражение. — Называй своего чемпиона, Бес, если ты считаешь, что найдешь здесь человека, готового умереть ради тебя.

— Если вы не против, я предпочту такого, который готов убить ради меня, — ответил Тирион, оглядывая длинный зал. Никто не шевельнулся. На мгновение он подумал, что совершает колоссальную ошибку. Но позади кто-то шевельнулся.

— Я выйду за карлика, — вызвался Бронн.

ЭДДАРД

Ему снился странный сон: трое рыцарей в белых плащах, давно разрушенная башня и Лианна на окровавленном ложе.

Во сне с ним были друзья, как и тогда, в жизни. Гордый Мартин Кассель, отец Джори; верный Тео Валл; Этан Гловер,

---

* средневековый термин, означающий рыцаря, в поединке защищающего чью-либо честь или жизнь.

бывший тогда эсквайром Брандона, сир Марк Рисвелл, мягкоречивый и благородный сердцем; житель озера Хоуленд Рид; лорд Дастин на своем огромном рыжем коне. Нед помнил их лица, как свое собственное; но годы вторгаются в память человека даже во сне, даже если он дал обет не забывать ничего. Ему снились тени, призраки, сотканные из тумана.

Всемером они стояли перед троими — во сне, как и в жизни. Но троих трудно было назвать обыкновенными воинами. Они ожидали перед круглой башней, позади краснели горы Дорна, белые плащи раздувал ветер. Они не превратились в тени — лица оставались ясными даже теперь. Сир Эртур Дейл, Меч Зари, скорбно улыбался. Рукоять великого меча Рассвет поднималась над его правым плечом. Сир Освелл Уэнт, припав на одно колено, правил клинок точилом. На белой эмали шлема расправляла крылья черная летучая мышь его дома. Между ними стоял свирепый сир Герольд Хайтауэр, Белый Бык, лорд-командующий Королевской гвардии.

— Я искал вас у Трезубца, — сказал Нед.

— Нас не было там, — отвечал сир Герольд.

— Горе постигло бы узурпатора, если бы мы там были, — проговорил сир Освелл.

— Когда пала Королевская Гавань и сир Джейме убил вашего короля золотым мечом, я пытался узнать, где вы.

— Мы были далеко, — отвечал сир Герольд. — Иначе Эйерис по-прежнему сидел бы на Железном троне, а наш лживый брат горел бы в адском пекле.

— Я спускался к Штормовому Пределу, чтобы снять осаду, — сказал ему Нед. — Там лорды Тирелл и Редвин сложили знамена, а все их рыцари преклонили колена в знак верности. Я был уверен, что вы окажетесь среди них.

— Мы ни перед кем не склонимся, — проговорил сир Эртур Дейл.

— Сир Уиллем Дарри бежал на Драконий Камень с вашей королевой и принцем Визерисом. Я думал, что вы будете сопровождать их.

— Сир Уиллем человек добрый и верный, — заметил сир Освелл.

— Но он не принадлежит к числу гвардейцев, — возразил сир Герольд. — Королевская гвардия никогда не бежит.

— Ни прежде, ни теперь, — подтвердил сир Эртур, надевая шлем.

— Мы дали обет, — пояснил старый сир Герольд.

Призраки зашевелились возле Неда с призрачными мечами в руках. Их было семеро против троих.

— Ну а теперь начнем, — сказал сир Эртур Дейл, Меч Зари. Он извлек Рассвет и взялся за рукоять обеими руками. Бледный, как молочное стекло, клинок горел живым светом.

— Нет, — ответил Нед со скорбью в голосе. — Теперь и закончим. — И тогда он услышал за собой крик Лианны:

— Эддард!

Ветер бросил на кровавое небо тучу лепестков розы, синих, как глаза смерти.

— Лорд Эддард, — вновь прокричала Лианна.

— Обещаю, — прошептал он. — Лиа, я обещаю...

— Лорд Эддард! — позвал мужской голос из тьмы.

Со стоном Эддард Старк открыл глаза, лунный свет вливался сквозь высокие окна башни Десницы.

— Лорд Эддард? — Над постелью склонилась тень.

— Как... как долго? — Простыни сбились, нога в лубке, в боку пульсирует боль.

— Шесть дней и семь ночей. — Голос принадлежал Вейону Пулю. Стюард поднес чашу к губам Неда. — Выпейте, милорд.

— Что?..

— Чистая вода. Мейстер Пицель сказал, что вам захочется пить.

Нед глотнул. Сухие губы потрескались. Вода оказалась сладкой, как мед.

— Король оставил приказ, — проговорил Вейон Пуль, когда чаша опустела. — Он желает поговорить с вами, милорд.

— Завтра, — сказал Нед. — Когда я окрепну.

Он не мог сейчас встретить бывшего друга лицом к лицу, сон лишил его сил, сделал слабым, как котенка.

— Милорд, — проговорил Пуль, — король приказал прислать вас к нему, как только вы откроете глаза. — Стюард торопливо принялся зажигать свечи.

Нед громко ругнулся. Роберт никогда не был известен своим терпением.

— Передай королю, что я слишком слаб, чтобы явиться к нему. Если он хочет переговорить со мной, я буду рад принять его у себя. Надеюсь, ты найдешь его в глубоком сне. И позови... — Нед уже собрался назвать Джори, когда вспомнил. — Позови капитана моей стражи.

Элин вступил в опочивальню через мгновение после того, как стюард откланялся.

— Милорд!

— Пуль утверждает, что прошло шесть дней, — сказал Нед. — Я должен знать положение дел.

— Цареубийца бежал из города, — доложил Элин. — Говорят, что он направился на Бобровый утес к своему отцу. Повесть о том, как леди Кейтилин захватила Беса, у всех на устах. Я выставил дополнительную стражу, если вы не против.

— Не против, — заверил его Нед. — Как дочери?

— Они посещали вас каждый день, милорд. Санса тихо молится, но Арья... — он помедлил, — не произнесла ни слова после того, как вас принесли сюда. Такая свирепая кроха. Я никогда не видел подобной ярости в девочке.

— Что бы ни случилось, — проговорил Нед, — я хочу, чтобы дочери мои были в безопасности. Боюсь, что это только начало.

— С ними не случится плохого, лорд Эддард, — заверил Элин. — Пока я жив.

— А Джори и все остальные...

— Я передал останки Молчаливым Сестрам, чтобы их отослали на север, в Винтерфелл. Джори хотел бы лежать возле своего деда...

...Возле деда, ведь отец Джори был похоронен далеко на юге. Мартин Кассель погиб вместе с остальными. Тогда Нед велел разрушить башню и сложить из ее кровавых камней восемь кэрнов на гребне. Говорили, что Рейегар называл это место Башней Счастья, но у Неда с ней были связаны горькие воспоминания. Да, их было семеро против троих, но лишь двое смогли покинуть это место; сам Эддард Старк и маленький житель озера Хоуленд Рид. Эддард не усматривал доброго предзнаменования в том, что сон этот приснился ему именно сейчас, после столь многих лет.

— Ты распорядился правильно, Элин, — проговорил Нед, увидев возвратившегося Вейона Пуля. Стюард поклонился.

— Светлейший государь здесь, милорд, а вместе с ним и королева.

Нед подвинулся выше, дернулся, когда ногу пронзила боль. Он не рассчитывал увидеть Серсею. Встреча эта не сулила добра.

— Впусти их и оставь нас. Наши слова не должны выйти за пределы этих стен.

Пуль молча вышел.

Роберту хватило времени, чтобы облачиться в черный бархатный дублет с коронованным оленем Баратеонов, вышитым на груди золотой ниткой, и золотую мантию под плащом из светлых и темных квадратов. Рука короля держала бутыль вина, лицо его раскраснелось после выпивки. Серсея Ланнистер вошла следом, волосы ее украшала усыпанная самоцветами тиара.

— Светлейший государь, — проговорил Нед, — прошу прощения, но я не могу подняться.

— Ерунда, — отозвался король ворчливо. — Хочешь вина? Из Ибора. Хороший урожай.

— Только немного, — сказал Нед. — Голова моя еще тяжела после макового молока.

— Человек на вашем месте должен радоваться тому, что голова его вообще еще остается на плечах, — объявила королева.

— Тихо, женщина! — отрезал Роберт. Он поднес Неду чашу вина. — Нога еще болит?

— Немного, — отвечал Нед. Голова его пылала, но он не хотел признаваться в слабости перед королевой.

— Пицель утверждает, что нога заживет. — Роберт нахмурился. — Как я понимаю, тебе известно, что сделала Кейтилин?

— Так-то оно так. — Нед отпил вина. — Но моя леди-жена не виновна в своем поступке, светлейший государь. Она сделала это по моему распоряжению.

— Я недоволен тобой, Нед, — буркнул Роберт.

— По какому праву вы смеете прикасаться к моим родственникам? — потребовала ответа Серсея. — Кем, по-вашему, вы являетесь?

— Десницей короля, — ответил ей Нед с ледяной любезностью. — Иначе говоря, персоной, которую ваш лорд-муж обязал поддерживать в королевстве мир и выполнять королевское правосудие.

— Вы были десницей, — начала Серсея, — но теперь...

— Молчать! — взревел король. — Ты спросила его, и он ответил... — Серсея умолкла в холодном гневе, и Роберт повернулся к Неду: — Чтобы поддерживать в королевстве мир, ты говоришь? Так вот как ты поддерживаешь мир, Нед? Погибло семеро...

— Восьмеро, — поправила королева. — Трегар умер сегодня утром от удара, полученного им от лорда Старка.

— Похищение на Королевском тракте и пьяное побоище на моих улицах, — проговорил король. — Я этого не потерплю.

— У Кейтилин были все причины, чтобы арестовать

Беса...

— Я сказал, что не потерплю этого! В пекло все причины. Ты прикажешь ей немедленно отпустить карлика и помиришься с Джейме.

— Трое моих людей погибли на моих глазах, потому что Джейме Ланнистер пожелал наказать меня. Неужели я должен это забыть?

— Мой брат не был причиной ссоры, — сказала королю Серсея. — Лорд Старк пьяным возвращался из борделя. Люди его напали на Джейме и его стражу — именно так, как жена его схватила Тириона на Королевском тракте.

— Не верь этому, Роберт, ты знаешь меня, — проговорил Нед. — Спроси лорда Бейлиша, если сомневаешься. Он был там.

— Я говорил с Мизинцем, — ответил Роберт. — Он сказал, что поехал за золотыми плащами до того, как началась схватка, но он признает, что вы возвращались из какого-то борделя.

— Какого-то борделя? Разуй свои глаза, Роберт, я ездил туда посмотреть на твою дочь! Мать назвала ее Баррой, она похожа на твою первую девочку, которая родилась в Долине, когда мы были мальчишками. — Говоря эти слова, он глядел на королеву, лицо которой превратилось в застывшую маску, бледную и ничего не выражающую.

Роберт покраснел.

— Барра, — пророкотал он. — Решила сделать мне приятное, чертова баба. Я думал, что у нее больше ума.

— Ей нет и пятнадцати, она уже шлюха, и ты считаешь, что она может быть разумной? — ответил, не веря себе, Нед. Нога его отчаянно разболелась, и трудно было сдержаться. — Дурочка любит тебя, Роберт.

Король поглядел на Серсею.

— Тема эта не подходит для ушей королевы.

— Светлейшей государыне не понравится все, что я могу сказать, — заметил Нед. — Мне передали, что Цареубийца бежал из города. Прикажи мне вернуть его и поставить перед правосудием.

Король задумчиво покрутил чашу с вином и пригубил.

— Нет, — решил он. — С меня довольно. Джейме убил у тебя троих, ты у него пятерых. На этом и закончим.

— Таково, значит, твое представление о справедливости? — вспыхнул Нед. — Я рад, что больше не являюсь твоим десницей.

Королева поглядела на мужа:

— Если бы какой-нибудь человек осмелился обратиться к Таргариену, как говорит с тобой этот...

— Ты что, принимаешь меня за Эйериса? — прервал ее Роберт.

— Я принимаю тебя за короля! Джейме и Тирион твои братья по законам брака и родственных связей. Старки изгнали одного из них и захватили другого. Человек этот бесчестит тебя каждым своим дыханием, и ты кротко стоишь здесь, спрашиваешь, болит ли его нога и не хочется ли ему вина?

Роберт потемнел от гнева.

— Сколько раз, женщина, должен я приказывать тебе попридержать язык?

Лицо Серсеи изобразило все оттенки презрения.

— Как же это нас перепутали боги? — сказала она. — По всем правилам, тебе следовало бы носить юбку, а мне броню.

Багровый от гнева король ударил ее тыльной стороной ладони по щеке, Серсея споткнулась о стул и сильно ударилась, но не вскрикнула. Тонкие пальцы легли на щеку, бледная и гладкая кожа покраснела. На следующее утро синяк, это уж точно, зальет половину ее лица.

— Буду носить его как знак чести, — объявила она.

— Только носи в молчании, иначе я еще раз почту тебя, — посулил Роберт. Он кликнул гвардейцев.

В комнате появился сир Меррин Трант, высокий и строгий в своей белой броне.

— Королева устала. Проводите ее в опочивальню. — Не говоря ни слова, рыцарь помог Серсее подняться на ноги и вывел ее.

Роберт потянулся к бутылке и вновь налил свою чашу.

— Теперь видишь, что она со мной делает, Нед. — Король опустился в кресло, сжимая чашу с вином. — Любящая жена, мать моих детей. — Ярость оставила его, в глазах короля Нед теперь видел скорбь и даже испуг. — Мне не следовало бить ее. Это не... это не королевский поступок. — Он поглядел на руки, словно бы не вполне понимая, что они собой представляют. — Я всегда был силен... никто не мог выстоять передо мной. Никто. Но как бороться с тем, кого нельзя ударить? — В смятении король потряс головой. — Рейегар... Рейегар победил, проклятие! Я убил его, Нед, я вонзил шип в его черный панцирь, в его черное сердце, и он умер у моих ног. Об этом поют песни. И все же он каким-то образом победил. Теперь он с Лианной, а мне досталась Серсея. — Он осушил чашу.

— Светлейший государь, — сказал Нед, — мы должны переговорить...

Роберт прижал пальцы к вискам.

— Меня смертельно тошнит от разговоров. Утром я отправляюсь в Королевский лес на охоту. Все, что ты хочешь сказать, может подождать до моего возвращения.

— Если боги будут милостивы, я не стану ждать твоего возвращения. Ты приказал мне возвращаться в Винтерфелл, помнишь?

Роберт встал, ухватившись за одну из опор балдахина, чтобы устоять.

— Боги редко бывают добры, Нед. Возьми свою вещь. — Из кармана в подкладке плаща он достал тяжелую застежку в форме руки и бросил на постель. — Хочешь ли ты этого или нет, но ты остаешься моей десницей, проклятый! Я запрещаю тебе уезжать.

Нед взял серебряную застежку. Похоже, у него не оставалось выбора. Нога его пульсировала, он чувствовал себя беспомощным, как ребенок.

— Наследница Таргариенов...

Король застонал:

— Седьмое пекло, не начинай сначала этот разговор. С этим покончено, я не желаю больше слышать об этом!

— Почему ты хочешь, чтобы я был твоей десницей, если не желаешь слушать моих советов?

— Почему? — Роберт расхохотался. — Хочу и все тут. Комуто ведь надо править этим проклятым королевством! Бери знак своей власти, Нед. Он подобает тебе. Но если ты еще хоть раз бросишь его мне в лицо, клянусь, я сразу же приколю проклятую штуковину на плащ Джейме Ланнистера!

КЕЙТИЛИН

Восточный небосклон порозовел и позолотился, когда солнце поднялось над Долиной Арренов. Держась руками за тонкий резной камень, Кейтилин Старк стояла у окна и смотрела, как освещается небо. Мир внизу пробуждался: становился из черного индиговым, а потом зеленым, рассвет крался уже по полям и лесам. Бледный туман поднимался от Слез Алисы, окружая стекавший с плеча горы призрачный поток в его долгом падении вдоль обрыва Копья Гиганта; Кейтилин даже ощущала лицом слабое прикосновение влаги.

Алиса Аррен увидела смерть своего мужа, братьев и всех своих детей, однако при жизни не пролила ни слезинки, посему после смерти боги велели ей не знать усталости, пока слезы ее не увлажнят черную землю Долины, в которую ушли люди, некогда любимые ею. Алиса умерла шесть тысяч лет назад, но до сих пор ни одна капля потока еще не достигла почвы Долины. Кейтилин попыталась представить, каким будет водопад ее собственных слез после смерти.

— Рассказывайте остальное, — сказала она.

— Цареубийца собирает войско у Бобрового утеса, — ответил сир Родрик Кассель из комнаты позади нее. — Ваш брат пишет, что он послал гонцов на утес, потребовав, чтобы лорд Тайвин открыл свои намерения, но тот ему не ответил. Эдмар приказал лорду Венсу и лорду Пайперу охранять проход под Золотым Зубом. Он обещает вам, что не отдаст ни пяди земли дома Талли, не увлажнив ее кровью Ланнистеров.

Кейтилин отвернулась от заполнившего окно рассвета. Краса его не слишком-то утешала. Как неприятно, что предстоящий им мерзкий день начинается такой красотой.

— Эдмар посылал гонцов и дал обещание, — сказала она. — Но Эдмар не лорд Риверрана. Что слышно о моем лорде-отце?

— Послание молчит о лорде Хостере, миледи. — Сир Родрик потянул себя за бакенбарды. Пока он оправлялся от своих ран, они отросли — белые словно снег и щетинистые; старый мастер над оружием стал наконец похож на себя самого.

— Отец не поручил бы оборону Риверрана Эдмару, если бы не чувствовал себя очень плохо, — сказала она озабоченно. — Надо было разбудить меня сразу, как только прилетела эта птица.

— Ваша леди-сестра посчитала, что вам лучше поспать, так сказал мейстер Колемон...

— Меня надо было разбудить, — настаивала она.

— Мейстер сказал, что ваша сестра намеревается поговорить с вами после поединка.

— Значит, она все еще не отказалась от этого фарса? — скривилась Кейтилин. — Карлик сыграл на ней, как на волынке, а Лиза слишком глуха, чтобы слышать мелодию. Чем бы ни кончилось сегодняшнее утро, сир Родрик, нам пора ехать отсюда. Место мое в Винтерфелле — возле моих сыновей. Если у вас хватит сил сесть на коня, я попрошу Лизу, чтобы нам дали отряд, который проводит нас до Заячьего города. Оттуда мы можем кораблем отправиться домой.

— Опять кораблем? — Сир Родрик буквально на глазах позеленел, однако сдержал дрожь в голосе. — Как прикажете, миледи.

Старый рыцарь остался ждать возле ее двери, когда Кейтилин кликнула выделенных ей Лизой служанок. Надо бы переговорить с сестрой до поединка, быть может, она передумает, прикидывала Кейтилин одеваясь. Политика Лизы зависела от настроения, а настроение ее менялось ежечасно. Застенчивая девочка, которой сестра была в Риверранс, превратилась в женщину, попеременно гордую, пугливую, жестокую, мечтательную, безрассудную, застенчивую, упрямую, тщеславную, то есть непостоянную и непредсказуемую.

Когда ее подлый тюремщик приполз, чтобы рассказать о признании Тириона Ланнистера, Кейтилин просила Лизу принять карлика с глазу на глаз, но нет, ничто не могло изменить решения сестры, собравшейся блеснуть перед доброй половиной Долины. И теперь еще это...

— Ланнистер — мой пленник, — раздраженно сказала Кейтилин сиру Родрику, когда они спускались по ступенькам башни и шли по холодным белым залам Орлиного Гнезда. На ней было простое серое платье с серебряным поясом. — Следует напомнить об этом сестре!

Из дверей палат Лизы вылетел ее дядя.

— Идете на дурацкий праздник? — воскликнул сир Бринден. — Я бы посоветовал тебе вколотить капельку здравого смысла в сестрицу, если бы считал, что это возможно. Похоже, ты только расшибешь себе лоб...

— Прилетела птица из Риверрана, — начала Кейтилин, — с письмом от Эдмара...

— Я знаю, дитя. — Бринден нервно теребил застегивавшую плащ черную рыбу, которая была единственным украшением в его одежде. — Мне пришлось узнать об этом от мейстера Колемона. Я попросил у твоей сестры тысячу опытных людей, чтобы отправиться с ними в Риверран со всей возможной скоростью. И знаешь, что она мне ответила? «Долина не может выделить не только тысячи мечей, но даже одного, дядя! А ты — Рыцарь Ворот, твое место здесь». — Порыв детского смеха вырвался из открытой двери позади них, и Бринден мрачно глянул через плечо. — Ну я и сказал ей, что она вполне может искать себе нового Рыцаря Ворот. Пусть я и Черная Рыба, но я пока еще Талли. И я отъезжаю в Риверран сегодня вечером.

Кейтилин не могла скрыть удивления.

— Один? Ты прекрасно знаешь, что одному человеку нечего делать на высокогорной дороге, а мы с сиром Родриком возвращаемся в Винтерфелл. Поедем вместе, дядя. Я дам тебе твою тысячу, Риверран не останется в одиночестве.

Бринден подумал мгновение, потом резко кивнул.

— Пусть будет, как ты говоришь. До дома далеко, но мне тем более хочется попасть туда. Я подожду вас внизу. — Он направился прочь, плащ развевался позади него.

Кейтилин обменялась взглядом с сиром Родриком. Они направились в дверь — на тонкий нервный детский смешок.

Палаты Лизы выходили в небольшой сад, засаженный голубыми цветами, — кружок земли и травы, со всех сторон окруженный высокими белыми башнями. Строители намеревались устроить здесь богорощу, но Орлиное Гнездо лежит на твердом камне, и, сколько бы ни носили земли из долины, чардрево так и не пустило здесь корни. Поэтому лорды Орлиного Гнезда засадили свободное место травой и расставили статуи посреди невысоких цветущих кустарников. Здесь два поединщика должны были рискнуть, отдав свои жизни и судьбу Тириона Ланнистера в руки богов.

Лиза, только что нарядившаяся в молочный бархат, дополненный ниткой сапфиров и лунных камней на белой шее, собрала свой двор на террасе над местом сражения и сидела в окружении свиты: рыцарей, а также знатных и не столь уж знатных лордов. Многие среди них все еще надеялись на брак с ней — на ее ложе, на право править Долиной Арренов. Судя по наблюдениям Кейтилин за время пребывания в Орлином Гнезде, надежды их были тщетны.

Для кресла Роберта соорудили деревянный помост, лорд Орлиного Гнезда хихикал и хлопал в ладоши, пока горбатый кукольник в сине-белой одежде заставлял двух деревянных рыцарей рубить и колоть друг друга. Были выставлены кувшины с густыми сливками и корзинки с черной смородиной, гости попивали сладкое, надушенное апельсином вино из чеканных серебряных чаш.

— Дурацкий праздник, — сказал Бринден.

На той стороне террасы Лиза весело смеялась какой-то шутке сира Хантера и накалывала ягоду из корзинки острием кинжала сира Лина Корбрея. Этих женихов Лиза поощряла более всего... по крайней мере сегодня. Кейтилин едва ли сумела бы сказать, который из двоих менее подходил ей. Изуродованный подагрой Хантер был даже старше Джона Аррена, судьба прокляла его тремя задиристыми сыновьями, один другого жаднее. Сир Лин проявлял безрассудство иначе; сухощавый и симпатичный наследник древнего, но обедневшего дома, он был тщеславен, опрометчив и вспыльчив... Кроме того, шептали, что интимные прелести женщин подозрительно мало волнуют его.

Заметив Кейтилин, Лиза приветствовала ее сестринским объятием и влажным поцелуем в щеку.

— Правда, очаровательное утро? Боги улыбаются нам! Отведай вина, милая сестрица. Лорд Хантер любезно прислал нам этот напиток из собственных погребов.

— Спасибо тебе, Лиза, нет. Мы должны поговорить.

— Потом, — обещала сестра, уже отворачиваясь от нее.

— Сейчас, — проговорила Кейтилин более громким голосом, чем хотела. На голос ее уже оборачивались. — Лиза, ты не можешь позволить себе подобное безрассудство. Бес имеет цену, покуда он жив. Мертвым он годен только для ворон. Ну а если победит его рыцарь...

— На это шансы невелики, миледи, — опередил ее лорд Хантер, прикоснувшись к плечу Кейтилин рукой в старческих пятнах. — Сир Вардис — крепкий боец. Он разделается с наемником.

— Кто знает, милорд? — сказала Кейтилин. — Сомневаюсь. — Она видела Бронна на высокогорной дороге; наемник отнюдь не случайно уцелел в путешествии, когда остальные погибли. В бою он двигался словно пантера, а уродливый меч казался частью его руки.

Женихи Лизы собирались поблизости, как пчелы вокруг цветка.

— Ну, женщины слабо разбираются в подобных вещах, — уверил ее сир Мортон Уэйнвуд. — Сир Вардис — рыцарь, милая леди. А люди, подобные его противнику, в сердце своем всегда трусливы. Окруженные тысячью собратьев, они достаточно полезны в битве, но в поединках мужество оставляет их.

— Значит, вы понимаете, что делаете, — сказала Кейтилин с любезностью, от которой во рту стало больно. — Чего мы добьемся смертью карлика? Или вы воображаете, что Джейме будет разбираться, судили его брата или нет, прежде чем сбросить с горы?

— Обезглавьте его, — посоветовал сир Лин Корбрей. — Когда Цареубийца получит голову Беса, это послужит ему предостережением.

Лиза нетерпеливо тряхнула длинными — до груди — осенними волосами.

— Лорд Роберт желает видеть, как он полетит, — ответила она, словно бы выложив самый убедительный аргумент. — А Бес пусть винит тогда только себя самого. Это он потребовал суда поединком.

— Миледи Лиза не могла достойно отказать ему, даже если бы она захотела, — многозначительно проговорил лорд Хантер.

Игнорируя всех, Кейтилин обратилась лицом к сестре:

— Напоминаю тебе, Тирион Ланнистер — мой пленник.

— А я напоминаю тебе: этот карлик убил моего лорда-мужа! — Голос Лизы возвысился. — Он отравил десницу короля, оставил мое милое дитя без отца, и теперь я намереваюсь расплатиться с ним! — Крутнув юбками, Лиза зашагала по террасе. Сиры Лин, Мортен и прочие женихи прохладно откланялись и отправились следом за ней.

— Значит, вы думаете, что это сделал он? — спросил сир Родрик негромко, когда они вновь остались одни. — Что Тирион убил лорда Джона? Бес отрицает это самым решительным образом...

— Я полагаю, что лорда Аррена убили Ланнистеры, — ответила Кейтилин, — но кто сделал это — Тирион, сир Джейме, королева или все они вместе, — сказать не могу.

Лиза называла Серсею в том письме, которое прислала в Винтерфелл, но теперь она казалась уверенной, что именно Тирион был убийцей... не потому ли, что карлик здесь, под рукой, а королева пребывала в безопасности за стенами Красного замка, в сотнях лиг к югу? Кейтилин едва ли не жалела о том, что не сожгла письмо своей сестры прежде, чем прочитать его.

Сир Родрик потянул себя за бакенбарды.

— Яд, не... Это действительно мог быть и карлик. Или Серсея. Ведь говорят же, что яд — оружие женщины. Прошу вашего прощения, миледи. Но чтобы Цареубийца... я не слишком-то симпатизирую ему, но он не из той породы. Он слишком любит вид крови на своем золотом мече. Яд ли это был, миледи?

Кейтилин нахмурилась от смутной неловкости.

— А как еще можно было сделать смерть похожей на естественную? — Позади нее лорд Роберт заверещал от восторга, когда один из марионеточных рыцарей разрубил другого напополам и из раны на террасу хлынул поток красных опилок. Кейтилин поглядела на племянника и вздохнула. — Мальчишка не знает никакой дисциплины. Он никогда не сделается крепким настолько, чтобы править, если только не забрать его от матери на какое-то время.

— Его лорд-отец согласился бы с вами, — сказал голос возле ее локтя. Она обернулась и увидела мейстера Колемона с чашей вина в руке. — Он намеревался отослать мальчишку на Драконий Камень, как вы знаете... но я влез в ваш разговор. — Адамово яблоко задергалось на горле мейстера. — Боюсь, слишком увлекся чудесным вином лорда Хантера. Перспектива кровопролития смущает мои нервы.

— Вы ошибаетесь, мейстер, — сказала Кейтилин. — Речь шла о Бобровом утесе, а не о Драконьем Камне, и к приготовлениям приступили после смерти десницы без согласия моей сестры.

Голова мейстера, заканчивающая абсурдно длинную шею, дернулась, едва ли не превращая в марионетку его самого.

— Нет, прошу вашего прощения, миледи, именно лорд Джон...

Внизу громко ударил колокол, и высокие лорды, — а следом за ними и служанки, — оставив свои дела, двинулись к балюстраде. Внизу три стражника в небесно-синих плащах уже вывели вперед Тириона Ланнистера. Септон Орлиного Гнезда проводил его в центр сада к вырезанной из белого с прожилками мрамора статуе плачущей женщины, вне сомнения изображавшей Алису.

— Скверный коротышка, — сказал лорд Роберт хихикая. — Мама, а можно я пущу его полетать? Я хочу увидеть, как он полетит.

— Потом, мой милый, — посулила ему Лиза.

— Сперва суд, — напомнил сир Лин Корбрей, — а потом казнь.

Мгновение спустя оба противника появились на противоположных сторонах сада. Рыцаря сопровождали два молодых сквайра, наемника — мастер над оружием Орлиного Гнезда.

Сир Вардис Иген был закован в сталь от головы до пят, на кольчуге — тяжелая пластинчатая броня, под кольчугой — стеганый кафтан. Большие округлые сочленения, покрытые молочно-белой и голубой эмалью, под цвет луне и соколу дома Арренов, защищали уязвимые соединения руки и плеча. Юбка из жесткого металла прикрывала его тело ниже поясницы до середины бедра, прочный воротник охватывал горло, от висков шлема разбегались соколиные крылья, а забрало изображало острый металлический клюв с узкой прорезью для глаз.

Бронн был настолько легко вооружен, что казался почти нагим рядом с рыцарем. Наемник ограничился черной кольчужной рубахой на проваренной коже и круглым стальным шишаком с носовой стрелкой, шею сзади прикрывала кольчужная сетка. Высокие кожаные сапоги со стальными пластинами в известной мере защищали его ноги, диски черного железа были нашиты на пальцы перчаток. Тем не менее Кейтилин отметила, что наемник на половину ладони выше своего соперника и руки его длиннее... Кроме того, Бронн был на пятнадцать лет моложе сира Вардиса, насколько она могла судить.

Обратившись лицом друг к другу, они преклонили колени в траве перед плачущей женщиной. Ланнистер стоял между ними. Септон достал из мягкой тряпочной сумки на поясе граненую хрустальную сферу. Он высоко поднял камень над головой, и радуги заплясали на лице Беса. Высоким торжественным напевом септон попросил богов воззреть долу и засвидетельствовать истину в душе этого человека; даровать ему жизнь и свободу, если он невиновен, в ином случае — послать ему смерть. Голос его гремел меж стен.

Когда последний отголосок его слов угас, септон опустил свой кристалл и заторопился прочь. Тирион повернулся и успел что-то шепнуть Бронну, прежде чем стражники увели его. Наемник, гоготнув, поднялся и смахнул травинку с колена.

Лорд Аррен, владыка Орлиного Гнезда и Хранитель Долины, нетерпеливо закопошился на своем высоком престоле.

— Хочу, чтобы они начали драться! — заканючил он.

Сиру Вардису помог подняться один из его сквайров. Другой принес ему треугольный щит, едва ли не в четыре фута высотой, — тяжелое дерево, усыпанное железными нашлепками. Щит надели на его левую руку. Когда оружейных дел мастер Лизы предложил Бронну подобный щит, наемник сплюнул и отмахнулся. Трехдневная черная щетина закрывала его челюсти и щеки, но не брился он отнюдь не потому, что ему нечем было это сделать: лезвие его меча грозно светилось, как и подобает часами точившейся стали, к краю которой даже прикоснуться опасно.

Сир Вардис протянул руку в кольчужной перчатке, а сквайр вложил в нее изящный обоюдоострый длинный меч. Клинок украшал тонкий серебряный узор, изображавший горное небо. Рукоять была украшена соколиной головой, поперечина изображала крылья.

— Этот меч выковали для Джона в Королевской Гавани, — горделиво сказала Лиза своим гостям, наблюдая за пробным замахом сира Вардиса. — Он всегда брал его, садясь на Железный трон вместо короля Роберта. Правда, очаровательная вещь? Я подумала, что нашему чемпиону подобает отомстить за Джона его собственным клинком.

Гравированное серебряное лезвие было, вне всяких сомнений, прекрасным, но Кейтилин показалось, что сир Вардис наверняка чувствовал бы себя увереннее со своим собственным мечом. Но тем не менее ничего не сказала, устав от бесполезных споров с сестрой.

— Пусть они сойдутся! — крикнул лорд Роберт.

Сир Вардис обратился лицом к лорду Орлиного Гнезда, салютуя, приподнял свой меч:

— За Орлиное Гнездо и Долину!

Окруженный стражей Тирион Ланнистер сидел на балконе по другую сторону сада. Бронн повернулся к нему с небрежным салютом.

— Они ждут твоего приказа, — сказала леди Лиза своему благородному сыну.

— Бейтесь! — завизжал мальчишка, дрожащими руками впиваясь в поручни кресла. Сир Вардис с усилием поднял тяжелый щит. Бронн повернулся к нему. Мечи столкнулись раз и другой, пробуя оборону. Наемник отступил на шаг. Рыцарь последовал за ним, выставив перед собой щит. Он попытался ударить, но Бронн вовремя отскочил, и серебряный клинок рассек только воздух. Бронн вильнул вправо. Сир Вардис повернулся, отгораживаясь щитом, и шагнул вперед, осторожно ставя ноги на неровную землю. Наемник отступал, слабая улыбка играла на его губах. Сир Вардис атаковал рубящим ударом, но Бронн еще раз отступил, легко вскочив на невысокий, поросший мхом камень. Теперь наемник забирал налево, подальше от щита, к незащищенному боку рыцаря. Сир Вардис попытался подрубить его ноги, но не сумел дотянуться. Бронн отскочил еще дальше. Сир Вардис снова повернулся.

— Этот лишен доблести, — объявил лорд Хантер. — Остановись и прими бой, трус! — К нему присоединились сочувствующие голоса.

Кейтилин поглядела на сира Родрика. Ее мастер над оружием коротко кивнул:

— Наемник добивается, чтобы сир Вардис преследовал его. Вес панциря и щита утомит даже самого сильного мужчину!

Она едва не каждый день видела, как упражняются мужчины в фехтовании, в свое время посетила с полсотни турниров, но здесь все выглядело как-то иначе и жутче: в этой пляске один ошибочный шаг сулил смерть. И вдруг вспомнила другой поединок — столь же ясно, как если бы он состоялся вчера.

...Они встретились в нижнем дворе Риверрана. Увидев, что на Петире только шлем, нагрудник и кольчуга, Брандон тут же расстался с большей частью своего вооружения. Петир попросил у нее какой-нибудь знак симпатии, чтобы повязать его, но она отказала: лорд-отец обещал ее руку Брандону Старку, ему она и подарила свой бледно-голубой шарф, на котором вышила прыгающую форель Риверрана. Передавая жениху кусочек ткани, она попросила его:

— Петир — просто глупый мальчишка, но я люблю его как брата. Мне будет горько, если он умрет.

Жених посмотрел на нее холодными серыми старковскими глазами и обещал пощадить мальчишку, который любил ее.

Та схватка окончилась, не успев начаться. Брандон был уже взрослым мужчиной, и он погнал Мизинца по двору, а потом по причальной лестнице, осыпая его дождем ударов на каждом шагу; наконец, покрытый кровью от дюжины неглубоких порезов, мальчишка начал шататься.

— Сдавайся, — то и дело требовал Брандон, но Петир только угрюмо тряс головой и продолжал наскоки.

Когда река омыла их сапоги, Брандон сумел закончить схватку жестоким обратным ударом, прорезавшим кольчугу, кожу и мягкий бок Петира ниже ребер; Кейтилин даже не усомнилась в том, что рана была смертельной. Падая, Петир поглядел на нее, пробормотал «Кет», и алая кровь хлынула между его облаченными в перчатку пальцами. Ей казалось, что она забыла об этом...

Это было так давно. Столько времени прошло до того дня, когда ее доставили к нему в Королевскую Гавань!

Через две недели Мизинец набрался сил, чтобы сесть в носилки и оставить Риверран. Лорд-отец запретил Кейтилин посещать раненого приятеля в башне, где он лежал в постели. Лиза помогала мейстеру ухаживать за Петиром; она была в те дни застенчивей и мягче. Заглядывал к нему и Эдмар, но Петир не захотел видеть его. Брат ее принимал участие в поединке в качестве сквайра Брандона, и Мизинец этого ему не простил. Когда он достаточно окреп, лорд Талли немедленно отослал своего воспитанника на Персты в закрытых носилках, чтобы тот закончил свое лечение на родной, продутой всеми ветрами скале.

Звон стали вернул Кейтилин к настоящему. Сир Вардис наступал на Бронна, подавляя его весом, щитом и мечом. Наемник отступал назад, отбивая каждый удар; легко переступая через камни и корни, он не отводил глаз от соперника. Он был быстрее, как уже заметила Кейтилин. Серебряный меч рыцаря ни разу не прикоснулся к Бронну, успевшему уже наделать щербин своим уродливым серым клинком на оплечье сира Вардиса.

Короткий поток ударов иссяк так же неожиданно, как и начался: Бронн скользнул в сторону и остановился за статуей плачущей женщины. Сир Вардис ударил в ту сторону, где остановился наемник, и выбил искру из беломраморного бедра Алисы.

— Они сражаются не по правилам, мама, — пожаловался лорд Орлиного Гнезда. — Я хочу, чтобы они дрались.

— Подожди, мое милое дитя, — утешила его мать. — Наемник не может бегать целый день.

Некоторые из лордов, находившихся на террасе, уже обменивались сухими шутками и наполняли свои чаши, но разноцветные глаза Тириона Ланнистера следили за боевой пляской с противоположной стороны сада, как за самым важным событием на земле.

Бронн, жестокий и быстрый, вынырнул из-за статуи и направил двуручный меч в незащищенный правый бок рыцаря. Сир Вардис парировал, но неудачно, и меч наемника ударил ему в голову. Звякнул металл, и соколиное крыло, хрустнув, отломилось. Чтобы прийти в себя, сир Вардис отступил назад и поднял щит. Полетели щепки: меч Бронна ударил в дубовую стену. Наемник снова шагнул налево, подальше от щита, и угодил сиру Вардису поперек живота; острый как бритва клинок оставил на броне яркий след.

Сир Вардис шагнул вперед, вложив весь свой вес в серебряный клинок. Бронн отбил удар в сторону и пляшущим движением уклонился. Рыцарь ударился об изваяние плачущей женщины, пошатнувшееся на своем постаменте. Ошеломленный, он отступил и принялся вертеть головой, разыскивая противника. Узкая прорезь в шлеме сужала поле зрения.

— Позади тебя, сир! — вскричал лорд Хантер, но слишком поздно. Бронн обеими руками обрушил свой меч на локоть правой руки сира Вардиса. Защищавший сустав тонкий вздутый металл треснул. Рыцарь охнул, поворачиваясь и поднимая оружие. На этот раз Бронн остался на месте. Мечи запорхали среди белых башен Гнезда, наполняя стальной песней сад.

— Сир Вардис ранен, — сказал сир Родрик серьезным голосом.

Кейтилин не нуждалась в подобных пояснениях. Глаза верно служили ей, она видела яркую струйку крови, спускавшуюся по руке рыцаря. Каждое новое движение получалось чуть более медленным, не таким размашистым. Сир Вардис повернулся боком к врагу, пытаясь закрыться щитом, но Бронн скользнул вокруг него, быстрый как кошка. Наемник, казалось, обрел новую силу. Теперь его удары оставляли на панцире рыцаря глубокие отметины. Свежие зарубки блестели на броне сира Вардиса на правом бедре, на клювастом шлеме, пересекались на нагрудной пластине, особо длинная осталась на воротнике. Налокотник с луной и соколом на правой руке сира Вардиса разлетелся на две половинки, одна из них повисла на завязках. Все слышали его трудное дыхание, воздух со свистом вырывался через забрало.

Даже ослепленные надменностью рыцари Долины понимали, что происходит внизу, но только не ее сестра.

— Довольно, сир Вардис! — свысока воскликнула Лиза. — Кончайте с ним, мой ребенок устал!

Надо сказать, что сир Вардис Иген был верен своей госпоже до последнего мгновения. Только что он отступил назад, прячась за искалеченным щитом, но вдруг все переменилось. Внезапный бычий бросок заставил Бронна потерять равновесие. Сир Вардис столкнулся с ним и ударил краем щита в лицо наемника. Бронн едва-едва не упал, он отшатнулся назад, споткнулся о камень и ухватился за плачущую женщину, чтобы удержаться на ногах. Отбросив щит, сир Вардис бросился вперед, обеими руками занеся меч. Правая рука его от локтя до пальцев была покрыта кровью, и отчаянный удар раскроил бы Бронна от шеи до пупа... если бы только наемник оставался на месте.

Но Бронн вновь отступил. И прекрасный гравированный серебряный меч Джона Аррена, отскочив от мраморного локтя плачущей женщины, отломился на треть длины от вершины клинка. Бронн оперся плечом о спину статуи. Изношенное ветром и непогодой изваяние Алисы Аррен пошатнулось и упало с великим грохотом, придавив собой сира Вардиса Игена.

Бронн мгновенно оказался возле него, отбросив остатки оплечья в сторону, чтобы открыть слабое место между рукой и нагрудной пластиной. Сир Вардис лежал на боку, придавленный разбитым торсом статуи. Кейтилин услыхала стон рыцаря, когда наемник обеими руками вогнал клинок, надавив всем своим весом, между рукой и ребрами... Сир Вардис Иген содрогнулся и затих.

Молчание легло на Орлиное Гнездо. Бронн стянул свой шишак и бросил его на траву. Принявшие удар щита губы его были разбиты и окровавлены, черные как уголь волосы промочил пот. Наемник выплюнул выбитый зуб.

— Все кончилось, мама? — проговорил лорд Орлиного Гнезда.

Нет, хотела сказать Кейтилин, все только началось.

— Да, — мрачно ответила Лиза голосом столь же холодным и мертвым, как капитан ее гвардии.

— Значит, я могу выбросить коротышку?

На противоположной стороне сада Тирион Ланнистер поднялся на ноги.

— Какого-нибудь другого коротышку, только не этого, — произнес он в полной тишине. — Этот коротышка намеревается спуститься вниз своим ходом. Спасибо вам большое.

— Вы полагаете... — начала Лиза.

— Я полагаю, что дом Арренов помнит свой девиз, — продолжал Бес. — «Высокий как честь»!

— А ты обещала, что я брошу его полетать, — завопил лорд Орлиного Гнезда, начиная трястись.

Лицо леди Лизы раскраснелось от ярости.

— Боги сочли угодным объявить его невиновным, дитя. У нас не остается другого выхода, как освободить карлика. — Она возвысила голос. — Стража! Возьмите милорда Ланнистера и его наемника и заберите их отсюда, чтобы я больше не видела ни того, ни другого. Отправьте их к Кровавым воротам, выставите на дорогу. Проверьте, чтобы они получили коней и припасы — так, чтобы хватило до Трезубца, и все свои вещи и оружие. На высокогорной дороге без оружия не обойдешься.

— На высокогорной дороге, — повторил Тирион Ланнистер.

Лиза позволила себе чуть улыбнуться. Своего рода смертный приговор, поняла Кейтилин. Тирион Ланнистер должен понимать это. Тем не менее карлик почтил леди Аррен насмешливым поклоном.

— Как вам угодно, миледи, — проговорил он. — Дорога как будто знакомая.

ДЖОН

— Вы столь же безнадежны, как и все мальчишки, с которыми мне приходилось иметь дело, — объявил сир Аллисер Торне, собрав их во дворе. — Ваши руки годятся только для навозных лопат, а не для мечей, и если бы это зависело только от меня, все вы пасли бы свиней. Но прошлой ночью мне передали, что Гуерен ведет по Королевскому тракту пятерых новых ребят. Быть может, за одного или двоих можно будет дать горшок мочи. Чтобы освободить для них место, я решил передать восьмерых из вас на усмотрение лорда-командующего.

Он назвал прозвища одно за другим:

— Жаба, Каменная Голова, Зубр, Дубовник, Прыщ, Обезьяна, сир Лунатик. — Напоследок он поглядел на Джона и объявил: — И Бастард.

Пип с восторженным возгласом подбросил меч в воздух. Сир Аллисер припечатал его к месту взглядом рептилии.

— В Ночном Дозоре вас будут звать мужчинами, но вы будете еще бóльшими дураками, чем ярмарочная мартышка, если поверите в это. Вы так и остались мальчишками, зелеными, пахнущими летом, и когда придет зима, будете дохнуть как мухи! — С этим сир Аллисер Торне и оставил их.

Остальные собрались вокруг названных восьмерых, со смехом, ругательствами и поздравлениями. Халдер хлопнул Жабу по мягкому месту плоской частью меча и воскликнул:

— Жаба из Ночного Дозора!

Крикнув, что Черному Брату положен конь, Пип вспрыгнул на плечи Гренна; они повалились на землю и принялись бороться. Дарион бросился внутрь арсенала и вернулся с бурдюком кислого красного. Ухмыляясь как дураки, они передавали вино из рук в руки, и тут Джон заметил Сэмвела Тарли, стоявшего в одиночестве под голым мертвым деревом в уголке двора. Джон предложил ему бурдюк.

— Глотни вина?

Сэм тряхнул головой:

— Нет, спасибо тебе, Джон.

— С тобой все в порядке?

— Очень даже, — солгал толстый парень. — Я так рад за тебя! — Круглое лицо задрожало, и он выдавил улыбку. — Когда-нибудь ты станешь первым разведчиком, каким был твой дядя.

— Как мой дядя, — поправил Джон. Он никак не мог смириться со смертью Бенджена Старка. Прежде чем он успел сказать что-то еще, Халдер воскликнул:

— Эй, неужели ты собираешься выпить все в одиночку? — Пип выхватил вино и со смехом ускакал в сторону. Гренн схватил его за руку, Пип чуть нажал бурдюк, и тонкая красная струйка брызнула в лицо Джона. Халдер запротестовал против подобной траты доброго напитка. Джон смахнул с лица капли вина. Тем временем Маткар и Джерин взобрались на Стену и принялись забрасывать всех снежками.

К тому времени, когда он вырвался на свободу со снегом в волосах и пятнами вина на куртке, Сэмвел Тарли уже исчез.

В тот вечер ради праздника Трехпалый Хоб приготовил ребятам особый обед. Когда Джон появился в общем зале, лорд-стюард провел его к скамье возле очага. Старшие хлопали его по руке. Восьмерка будущих братьев пировала сегодня над седлом ягненка, запеченного с чесноком и травами, посыпанного мятой и обложенного плавающей в масле мягкой желтой репкой.

— С собственного стола лорда-командующего, — объяснил Боуэн Марш.

Еще был салат из шпината, цыплячьего гороха и зеленой турнепки и чаша замороженной черники со сладкими сливками.

— Как вы думаете, оставят нас вместе? — принялся гадать Пип, когда они блаженствовали от сытости.

Жаба скривился:

— Надеюсь, что нет. Меня уже тошнит от вида твоих ушей.

— Ого, — проговорил Пип. — Послушайте, ворона обзывает вóрона черным! Ты, конечно же, будешь разведчиком, Жаба. Тебя выставят из замка подальше — как только возможно, — и когда явится Манс-налетчик, тебе останется просто поднять забрало; увидев твою рожу, одичалые в страхе убегут.

Расхохотались все, кроме Гренна:

— Надеюсь, что я уже стал разведчиком!

— И ты, и все остальные, — сказал Маткар. Всякий, кто носил черное, поднимался на Стену; всякий обязан был взять сталь, обороняя ее, однако разведчики были истинным сердцем Ночного Дозора. Это они осмелились выезжать за Стену, прочесывать Зачарованный лес и ледяные горные высоты к западу от Сумеречной башни, выискивая одичалых, гигантов и чудовищных снежных медведей.

— Не все, — сказал Халдер. — Я хочу в строители. Что будут делать разведчики, если Стена обрушится?

Орден строителей поставлял каменщиков и плотников, занимавшихся починкой крепостей и башен, горняков, копавших тоннели и бивших камень для дорог и троп, лесничих, срубавших новую поросль там, где лес слишком близко подступал к Стене. Прежде они, как говорили, вырубали огромные ледяные блоки из замерзших озер в недрах Зачарованного леса и волокли их на санках на юг к Стене, чтобы сделать ее выше. Но те дни закончились не один век назад; теперь Черные Братья могли только проехать по Стене от Восточного Дозора до Сумеречной башни, выискивая трещины и проталины и при необходимости ремонтируя их.

— Старый медведь не дурак, — рассудил Дарион. — Ты, конечно, будешь строителем, а Джон разведчиком. Он среди нас лучший фехтовальщик и наездник, а дядя его был первым разведчиком, прежде чем... — Голос его неловко умолк, когда он понял, что собирался сказать.

— Бенджен Старк по-прежнему остается первым разведчиком, — ответил ему Джон Сноу, поигрывая чашей черники. Все прочие пусть отказываются от надежд на возвращение его дяди, но он подождет. Джон отодвинул ягоды, почти не прикоснувшись к ним, и поднялся со скамьи.

— Ты что, нс хочсшь их есть? — спросил Жаба.

— Они твои. — Джон едва попробовал парадные блюда Хоба. — Ничего в глотку не лезет! — Взяв плащ с крюка возле стены, он направился наружу.

Пип увязался за ним.

— Джон, что случилось?

— Сэм, — признался тот. — Его не было сегодня за столом.

— Да, он не из тех, кто пропускает еду, — сказал Пип задумчиво. — Ты думаешь, он заболел?

— Он испугался, ведь мы оставляем его. — Джон вспомнил день, когда оставил Винтерфелл, горькую сладость прощания, изувеченного Брана в постели, Робба с припорошенными снегом волосами, Арью, получившую в подарок Иглу и осыпавшую его поцелуями. — Когда мы произнесем слова, у каждого из нас появятся обязанности. Кого-то из нас могут отослать в Восточный Дозор, кого-то в Сумеречную башню. Сэм останется учиться в обществе Раста, Куджера и новых ребят, которые едут по Королевскому тракту. Одни лишь боги знают, что они собой представляют, но можно не сомневаться: сир Аллисер выставит их против Сэма при первой же возможности.

Пип скривился.

— Ты сделал все, что мог.

— Все, что мог, но этого мало, — сказал Джон.

Глубокое беспокойство охватило его, когда он возвращался в башню Хардина за Призраком. Лютоволк направился вместе с ним в конюшню. Когда они вошли, кони попугливее начали брыкаться в стойлах и закладывать уши. Джон заседлал свою кобылу, поднялся в седло и выехал из Черного замка на юг — в лунную ночь. Призрак несся впереди него, он словно летел над землей и исчез в мановение ока. Джон отпустил его: волку нужно охотиться.

У него не было никаких особых намерений. Он просто хотел проехаться. Некоторое время Джон следовал вдоль ручья, прислушиваясь к ледяному треньканью воды на камнях, потом взял через поля к Королевскому тракту. Дорога простиралась перед ним — узкая, каменистая, заросшая высокой травой — и ничего, собственно, не сулила, однако вид ее наполнил душу Джона Сноу странным волнением. На другом конце дороги лежал Винтерфелл, а за ним Риверран, Королевская Гавань, Орлиное Гнездо и другие края: Бобровый утес, Остров Ликов, Красные горы Дорна, сотня островов Браавос посреди моря и курящиеся руины древней Валирии. И ничего этого Джон никогда не увидит. Мир остался на одном конце ночной дороги, а он стоял в другом ее конце.

Как только он принесет присягу, Стена навсегда сделается его домом — пока он не состарится, не сделается таким, как мейстер Эйемон.

— Я еще не присягнул, — пробормотал Джон. Он не был разбойником, обязанным принять черное в качестве расплаты за свои преступления. Он пришел сюда по собственному желанию и пока может по своему же желанию и уехать... Роковые слова еще не произнесены. Достаточно было только поехать вперед, и он мог оставить Стену. Когда луна вновь обретет полноту, он уже окажется в Винтерфелле, около своих братьев.

Около своих сводных братьев, напомнил ему внутренний голос. И рядом с леди Старк, которая вовсе не будет рада ему. Для него нет места в Винтерфелле, как нет места и в Королевской Гавани. Даже собственная мать не нашла для него места в своей жизни. Мысль о ней повергла его в скорбь. Он попытался представить, кем она могла быть, на кого похожа и почему отец оставил ее. Наверное, потому, что она была шлюхой или осквернительницей семейного ложа, дурак! Существом темным и бесчестным, иначе почему лорд Эддард стыдился упоминать ее имя?

Джон Сноу отвернулся от Королевского тракта и поглядел назад. Огни Черного замка скрывала горка, но Стена оставалась на месте — бледная под луной, огромная и холодная, протянувшаяся от горизонта до горизонта.

Он развернул коня и направился домой.

Призрак вернулся, как только Джон поднялся на гребень и заметил свет ламп в башне лорда-командующего. С влажной от крови мордой лютоволк пристроился возле его коня. Возвращаясь назад, Джон вновь подумал о Сэмвеле Тарли. И въезжая в конюшню, уже знал, что надо делать.

Комнаты мейстера Эйемона располагались в крепком деревянном доме при грачевнике. Достаточно старый и дряхлый мейстер делил свои покои с двумя молодыми слугами, которые помогали ему при исполнении обязанностей. Братья пошучивали, что мейстеру подсунули двух самых больших уродов во всем Ночном Дозоре, поскольку по слепоте он не мог видеть их лиц. Лысый коротышка Клидас был начисто лишен подбородка, маленькие розовые глазки напоминали кротовьи. У Четта на шее выросла шишка величиной с голубиное яйцо, лицо побагровело от свищей и нарывов. Наверное, поэтому он всегда казался сердитым.

На стук открыл Четт.

— Мне нужно переговорить с мейстером Эйемоном, — заявил Джон.

— Мейстер уже в постели, и тебе тоже следует спать. Приходи завтра, быть может, он примет тебя. — Четт начал закрывать дверь.

Джон вставил в щель ногу.

— Мне нужно переговорить с ним немедленно. Утром будет слишком поздно.

Четт нахмурился:

— Мейстер не привык, чтобы его будили посреди ночи. Ты знаешь, какой он старый?

— Он достаточно стар, чтобы обращаться с гостями более любезно, чем ты, — сказал Джон. — Передай ему мои извинения. Я не стал бы прерывать его отдых, если бы дело не было спешным.

— А если я откажусь?

Нога Джона надежно перекрывала дверь.

— Я буду стоять здесь всю ночь, если придется.

Черный Брат с раздраженным бурчанием открыл дверь, впуская его.

— Ступай в библиотеку, там есть дрова. Растопи очаг. Я не хочу, чтобы мейстер простудился из-за тебя!

Когда Четт ввел мейстера Эйемона, Джон уже развел в очаге трескучий огонь. Старик был в ночной одежде, но горло его перехватывала цепь ордена. Мейстер не снимал ее даже на ночь.

— Кресло возле огня — дело приятное, — сказал он, ощущая теплоту на лице. Когда мейстер уселся поудобнее, Четт прикрыл ноги старика мехом и отошел к двери.

— Мне очень жаль, что пришлось разбудить вас, мейстер, — сказал Джон Сноу.

— Ты не разбудил меня, — ответил мейстер Эйемон. — С возрастом я все меньше нуждаюсь во сне, а я достаточно стар. Нередко мои ночи заполняют собой призраки людей, ушедших пятьдесят лет назад, и я встречаю их, как будто мы и не расставались. Таинственный полуночный гость для меня приятное развлечение. Итак, говори мне, Джон Сноу, почему ты пришел ко мне в столь неподходящий час?

— Попросить, чтобы Сэмвела Тарли освободили от учебы и посвятили в братья Ночного Дозора.

— Это решает не мейстер Эйемон, — выскочил вперед Четт.

— Наш лорд-командующий предоставил право обучать рекрутов сиру Аллисеру Торне, — ответил негромко мейстер. — Только он может сказать, когда парень будет готов к присяге, как ты, конечно, и сам знаешь. Почему же тогда ты обращаешься ко мне?

— Лорд-командующий прислушивается к вашим советам, — улыбнулся ему Джон. — А раненые и больные Ночного Дозора находятся в вашем распоряжении.

— Разве Сэмвел Тарли ранен или болен?

— Будет, — пообещал Джон, — если вы не поможете.

Он рассказал ему все, даже то, как спустил Призрака на Раста. Мейстер Эйемон слушал безмолвно, слепые глаза были обращены к огню, но лицо Четта темнело с каждым словом.

— Мы теперь не сможем помогать ему, и у Сэма не будет даже шанса, — закончил Джон. — С мечом он безнадежен. Моя сестра Арья смогла бы разрубить его на части, а ей еще нет и десяти. Если сир Аллисер заставит его драться, Сэмвел скоро превратится в калеку или погибнет.

Четт не мог более терпеть.

— Я видел этого жирного мальчишку в общем зале, — сказал он. — Это свинья и безнадежный трус, если правда все то, что ты говоришь!

— Быть может, ты и прав, — сказал мейстер Эйемон. — А скажи мне, Четт, как бы ты поступил с таким мальчишкой?

— Предоставил бы его самому себе, — ответил прислужник. — Стена не место для слабых. Пусть учится, пока не будет готов, сколько бы лет на это ни потребовалось.

Сир Аллисер или сделает из него мужчину, или убьет — если так захотят боги.

— Это глупо, — сказал Джон. Он глубоко вздохнул, собираясь с мыслями. — Помню, как однажды я спрашивал у мейстера Лювина, почему он носит цепь вокруг шеи...

Мейстер Эйемон легко прикоснулся к собственной цепи, костлявый морщинистый палец погладил тяжелые металлические кольца.

— Продолжай!

— Лювин сказал мне, что оплечье мейстера делается в виде цепи, чтобы он не забывал о том, что дал присягу служить, — сказал Джон вспоминая. — Потом я спросил, почему все кольца делаются из разных металлов. Ведь серебряная цепь лучше смотрится с серым одеянием. Мейстер Лювин расхохотался. Мейстер кует свою цепь занятиями, — объяснил он мне. Различные металлы олицетворяют разные науки. Золото — знак знания денег и расчета, серебро — умения исцелять, железо — военного дела. Он сказал, что есть и другие истолкования. Наплечье должно напоминать мейстеру о стране, которой он служит, так ведь? Лорды — это золото, рыцари — сталь, но из двух звеньев цепь не скуешь, нужны серебро и железо, свинец и олово, медь и бронза и все остальные — то есть фермеры, кузнецы, торговцы и прочие люди. В цепи должны быть разные металлы, потому что стране нужны разные люди.

Мейстер Эйемон улыбнулся:

— И что же?

— Ночному Дозору также нужны всякие люди. Зачем существуют разведчики, стюарды и строители? Лорд Рендилл не смог сделать из Сэма воина, и сир Аллисер тоже ничего не добьется. Из олова не выкуешь железный меч, сколько ни стучи молотом, но это не значит, что олово бесполезно. Почему бы Сэму не стать стюардом?

Четт не выдержал и опять влез в разговор:

— Я стюард. Неужели ты думаешь, что это легкое дело, подходящее для толстяков? Орден стюардов поддерживает жизнь Дозора. Мы охотимся, возделываем землю, ухаживаем за конями, доим коров, возим и колем дрова, готовим еду. Как ты думаешь, кто делает одежду? Кто привозит припасы с юга? Стюарды!

Мейстер Эйемон ответил мягче:

— Твой друг охотник?

— Он ненавидит охоту, — пришлось признать Джону.

— Умеет ли он возделывать поле? — спросил мейстер. — Сможет ли он править фургоном или плыть под парусом? Сумеет ли он забить корову?

— Нет.

Четт нахально захихикал:

— Видсл я, что случается с изнеженными лорденышами, когда они берутся за дело! Поставь его сбивать масло, так кровавые мозоли набьет. Дай колун, чтобы колоть дрова, так ногу себе отрубит!

— Но я знаю, в чем Сэм не уступит никому другому.

— Говори, — приказал мейстер Эйемон.

Джон с опаской глянул на побагровевшего Четта, стоявшего возле двери с сердитым лицом.

— Он может помочь лично вам, — сказал он. — Он умеет считать, читать и писать. Я знаю, что Четт не умеет читать, а у Клидаса слабые глаза. Сэм прочел каждую книгу в библиотеке своего отца. Он ладит с воронами, животные любят его. Призрак сразу привязался к нему. Он умеет многое, если не считать военного дела. Ночному Дозору нужен каждый человек. Зачем же бесцельно убивать его, когда лучше приставить к делу!

Мейстер Эйемон закрыл глаза. На короткое мгновение Джон было решил, что он уснул. Но наконец старик произнес:

— Мейстер Лювин хорошо выучил тебя, Джон Сноу. Твой ум, похоже, столь же ловок, как твой клинок.

— Значит ли это...

— Это значит, что я обдумаю твои слова, — твердо сказал ему мейстер. — А теперь, похоже, я сумею уснуть. Четт, проводи нашего юного брата до двери!

ТИРИОН

Они укрылись в осиновой роще, неподалеку от высокогорной дороги. Тирион собирал хворост, пока кони пили из горного ручья. Он нагнулся, чтобы подобрать обломанную ветвь, и критически осмотрел ее.

— А эта подойдет? Я не умею разводить огонь. Костром всегда занимался Моррек.

— Костром? — спросил Бронн сплевывая. — Неужели ты настолько проголодался, чтобы хотеть себе смерти, карлик? Или здравый смысл распрощался с твоей головой?

Дым костра немедленно привлечет сюда горцев со всей округи. А я, Ланнистер, намереваюсь пережить это путешествие.

— И как ты надеешься сделать это? — спросил Тирион. Подхватив сухую ветвь рукой, он искал другие среди редкого подлеска. Натруженная в пути спина его ныла; выехали они с рассветом, когда сир Лин Корбрей с каменным лицом выставил их за Кровавые ворота и велел никогда не возвращаться в Долину.

— У нас нет и шанса с боем пробиться назад, — сказал Бронн. — Но двое проедут дальше, чем десятеро, и привлекут к себе меньше внимания. Чем меньше дней мы проведем в этих горах, тем более вероятно, что мы сумеем добраться до приречья. Скакать придется быстро и усердно. Будем путешествовать ночью, прятаться днем, избегать дороги, где только можно. Еще придется не шуметь и не зажигать костров.

Тирион Ланнистер вздохнул:

— Великолепный план, Бронн. Делай как хочешь... однако прости, если я не стану задерживаться, чтобы похоронить тебя.

— Ты решил пережить меня, карлик? — Наемник ухмыльнулся. Улыбка его зияла дырой там, где сир Вардис Иген краем щита выбил ему зуб.

Тирион пожал плечами:

— Если скакать усердно и быстро ночами, можно без особых хлопот свалиться с горы и разбить себе череп. Я лично предпочитаю передвигаться без спешки и ненужных усилий. Я знаю, как тебе нравится конина, Бронн, но если наши лошади падут на этот раз, седлать придется уже сумеречных котов. Потом, горцы все равно заметят нас — что бы мы ни делали. Их глаза и сейчас смотрят в нашу сторону. — Тирион указал одетой в перчатку рукой в сторону высоких, продутых ветром утесов.

Бронн скривился:

— Раз так, мы уже мертвецы, Ланнистер.

— И в таком случае я предпочитаю хотя бы умереть в уюте, — ответил Тирион. — Нам нужен костер. Ночи здесь холодны, и горячая пища согреет наши животы и поднимет дух. Как, по-твоему, может здесь найтись какая-нибудь дичь? Леди Лиза по доброте своей в изобилии снабдила нас соленой говядиной, твердым сыром и черствым хлебом, однако мне не хотелось бы сломать себе зуб в такой дали от ближайшего мейстера.

— Я найду мясо. — Темные глаза Бронна с подозрением глянули на Тириона из-под водопада черных волос. — Я могу бросить тебя здесь, у этого дурацкого костра. И забрать твоего коня, чтобы у меня был запасной. Что ты будешь делать тогда, карлик?

— Умру скорее всего. — Тирион нагнулся, чтобы подобрать еще одну палку.

— И ты не считаешь, что так я и поступлю?

— Ты бы сделал это прямо сейчас, если бы знал, что таким образом сохранишь себе жизнь. Вспомни, как ты поторопился избавить от жизни своего друга Чиггена, когда тот получил стрелу в живот. — Запрокинув голову Чиггена назад, Бронн вогнал ему острие кинжала прямо под ухо, а потом объяснил Кейтилин Старк, что спутник его умер от раны.

— Он был уже все равно что мертв, — отвечал Бронн. — А стоны его могли бы навести на нас горцев. Чигген сделал бы то же самое со мной... И он не был мне другом, просто нам случилось ехать рядом в одну сторону. Не ошибись, карлик. Я бился за тебя, но не испытываю к тебе любви.

— Мне нужен был твой клинок, — ответил Тирион, бросая хворост на землю, — а не любовь.

Бронн ухмыльнулся:

— Ты отважен, как наш брат наемник, даю слово. А как ты узнал, что я стану на твою сторону?

— Узнал? — Тирион неловко опустился на коротких ногах, чтобы развести костер. — Я бросил кости. Там, в гостинице, вы с Чиггеном помогли захватить меня. Почему? Остальные считали, что обязаны совершить подобный поступок, этого требовала честь лордов, которым они служили, но что заставило вас присоединиться к ним? Ведь у вас не было лорда и обязанностей, вы не должны были угождать какой-то там чести. Зачем же связываться?

Достав нож, Тирион принялся состругивать тонкие полоски коры с одной из ветвей, чтобы использовать в качестве растопки.

— Зачем вообще наемники что-нибудь делают? Ради золота. Вы думали, что леди Кейтилин наградит вас за помощь, быть может, даже возьмет на службу. Этого хватит, надеюсь. У тебя есть кремень?

Бронн запустил два пальца в кисет на поясе и достал кремень. Тирион поймал его в воздухе.

— Благодарю, — сказал он. — Дело в том, что ты не был знаком со Старками. Лорд Эддард — человек гордый, достопочтенный и честный, а его леди-жена еще хуже. О, вне сомнения, она в конце концов отыскала бы для тебя монету-другую и вложила бы ее тебе в руку — вместе с вежливым словом и презрительным взглядом, но вы надеялись не на это. Старки желают видеть отвагу, верность и честь в тех людях, которых берут на службу. Ну а вы с Чиггеном, откровенно говоря, низменные подонки. — Тирион ударил кремнем о кинжал, пытаясь высечь огонь, но безуспешно.

Бронн фыркнул:

— У тебя смелый язык, человечек. Однажды кто-нибудь захочет отрезать его и затолкать тебе в глотку.

— Это мне все пророчат. — Тирион поглядел на наемника. — Разве я обидел тебя? Прошу прощения... Но ты же подонок, Бронн, ошибки быть не может. Долг, честь, дружба... Что говорят тебе эти слова? Только не затрудняй себя, мы оба знаем ответ. И тем не менее ты не глуп. Когда мы добрались до Долины, леди Старк более не нуждалась в тебе... в отличие от меня... А Ланнистеры никогда не испытывали недостатка в золоте. Когда настал момент бросать кости, я рассчитывал на то, что у тебя хватит ума, чтобы понять, где лежит твоя выгода. К моему счастью, ты это понял. — Он вновь ударил камнем о сталь и снова без результата.

— Дай-ка, — сказал Бронн, присаживаясь на корточки. — Я сделаю. — Он забрал кремень из рук Тириона и высек искру с первого удара. Кусок коры задымился.

— Отличная работа, — сказал Тирион. — Пусть ты и негодяй, однако человек необычайно полезный, а с мечом в руке почти не уступаешь моему брату Джейме. Чего ты хочешь, Бронн? Золота? Земли? Женщин? Сохрани мою жизнь, и ты получишь все это.

Бронн осторожно раздувал огонек, язычки пламени сразу вспрыгнули повыше.

— А если ты погибнешь?

— Ну, тогда меня хотя бы один человек оплачет от всего сердца, — ухмыльнулся Тирион. — Золото-то кончится вместе со мной!

Костер запылал. Бронн поднялся, опуская кремень в кисст, и бросил Тириону кинжал.

— Честная сделка, — сказал он. — Мой меч принадлежит тебе... Только не рассчитывай, что я буду преклонять колено и называть тебя милордом всякий раз, когда ты присаживаешься посрать. Я не умею быть чьим-либо прихвостнем.

— И другое тоже, — отвечал Тирион. — Я ничуть не сомневаюсь, что ты предашь и меня, словно леди Старк, если усмотришь свою выгоду. Но если настанет день, когда ты почувствуешь желание продать меня, запомни, Бронн: я могу дать столько же, сколько тебе предложат, даже больше. Мне нравится жить. А теперь, как ты думаешь, нельзя ли нам сообразить насчет ужина?

— Позаботься о лошадях, — сказал Бронн, извлекая длинный кинжал, который носил на бедре. И направился в лес.

Через час кони были вычищены и накормлены, огонь весело потрескивал, и нога молодого козленка висела над костром, капая на уголья шипящим жиром.

— Нам не хватает теперь только хорошего вина, чтобы залить нашего козленка, — проговорил Тирион.

— А к вину бабы и дюжины спутников, — согласился Бронн. Он сидел, скрестив ноги, возле костра, шлифуя край своего длинного меча точильным камнем. Шелестящий звук вселял в душу Тириона странную уверенность.

— Скоро совсем стемнеет, — сказал наемник. — Я подежурю первую стражу... не знаю только, к добру это или нет. Может, будет лучше, если нас прирежут во сне.

— Что ты! По-моему, они окажутся здесь задолго до того, как дойдет до сна. — Запах жареного мяса наполнил рот Тириона слюной.

Бронн посмотрел на него через костер.

— У тебя есть план, — сказал он ровным голосом, сквозь скрип камня по стали.

— Назовем его надеждой, — сказал Тирион. — И еще раз бросим кости.

— Поставив свои жизни в качестве заклада?

Тирион пожал плечами:

— А что еще у нас осталось?

Склонившись над очагом, он отрезал себе тоненький ломтик мяса.

— Ах, — вздохнул он, блаженно жуя. Жир побежал по его подбородку. — Мясо, пожалуй, жестковато, не помешали бы и какие-нибудь приправы, однако мне жаловаться не пристало: если бы мы остались в Орлином Гнезде, я бы плясал на краю обрыва, пытаясь выслужить вареный боб.

— И все же ты дал тюремщику кошелек с золотом, — проговорил Бронн.

— Ланнистеры всегда платят свои долги.

...Морд едва поверил своим глазам, когда Тирион бросил ему кожаную мошну. Глаза тюремщика округлились, как вареные яйца, когда, потянув за веревочку, он увидел внутри блеск золота.

— Я приберег его для себя, — сказал Тирион с кривой улыбкой, — но тебе было обещано золото, вот оно.

Денег было много больше, чем человек, подобный Морду, мог бы заработать, тираня узников целую жизнь.

— Помни мои слова, я дал тебе только попробовать! Если тебе когда-нибудь надоест служить леди Аррен, приезжай на Бобровый утес, и я выплачу тебе остаток долга.

Рассыпая золотые драконы, Морд упал на колени и пообещал, что поступит именно так.

Бронн извлек свой кинжал и снял мясо с очага. Он принялся срезать с кости толстые обугленные ломти, а тем временем Тирион смастерил из двух горбушек черствого хлеба нечто вроде тарелок.

— А что ты сделаешь, если мы доберемся до реки? — спросил наемник, не отрываясь от дела.

— О, начну со шлюхи, перины и бутылки вина. — Тирион протянул свою миску, и Бронн наполнил ее мясом. — А потом отправлюсь на Бобровый утес или в Королевскую Гавань. У меня есть некоторые настоятельные вопросы в отношении некоего кинжала, на которые я бы хотел услышать ответ...

Наемник пожевал и глотнул.

— Значит, ты утверждаешь, что прав и нож не был твоим?

Тирион тонко улыбнулся.

— Разве я похож на лжеца?

К тому времени, когда животы их наполнились, на небе высыпали звезды и полумесяц уже поднялся над горами. Тирион расстелил на земле шкуру сумеречного кота и растянулся, подложив под голову седло.

— Наши друзья не спешат.

— На их месте я бы опасался засады, — сказал Бронн. — Зачем нам вести себя столь открыто, как не заманивать их в ловушку?

Тирион кивнул:

— Тогда можно и спеть, может, в ужасе разбегутся! — Он начал насвистывать.

— Ты обезумел, карлик, — сказал Бронн, вычищая жир кинжалом из-под ногтей.

— Где твоя любовь к музыке, Бронн?

— Если тебе нужна музыка, заставил бы певца защищать тебя.

Тирион ухмыльнулся:

— Вот бы был видок! Хорошо бы посмотреть, как он отмахивался своей арфой от сира Вардиса!

Тирион вновь засвистел.

— Знаешь эту песню?

— То и дело слышу в кабаках и борделях.

— Мирийская. «Время моей любви». Сладкая и печальная, если понимаешь слова. Ее все пела девушка, с которой я в первый раз в своей жизни лег в постель, и я так и не смог забыть мелодию. — Тирион поглядел на небо. В чистой ночной прохладе над горами горели звезды, ясные и не знающие жалости, словно сама правда.

— Я познакомился с ней похожей ночью, — неожиданно для себя начал рассказывать Тирион. — Мы с Джсймс возвращались из Ланниспорта, когда услышали крик: она выбежала на дорогу, а двое мужчин преследовали ее по пятам и выкрикивали угрозы. Мой брат извлек меч и отправился следом за ними. А я остался защищать девицу. Она оказалась молоденькой, не больше чем на год старше меня, темноволосой, тонкой, с личиком, от которого растаяло бы и твое сердце, что уж говорить обо мне. Из простонародья, полуголодная, немытая... но очаровательная. Мужчины эти успели сорвать с нее почти все лохмотья, и пока Джейме гонял их по лесу, я накинул на нее плащ. Когда брат вернулся назад, я уже узнал ее имя и историю. Дочь мелкого землевладельца, она осиротела, когда отец умер от лихорадки по дороге в... да, в общем, в никуда.

Джейме лез из шкуры, чтобы догнать этих мужчин. Разбойники нечасто осмеливаются нападать на путников возле Бобрового утеса, и он усмотрел в этом оскорбление. Девушка пережила слишком большой испуг и боялась идти одна, поэтому я предложил отвезти ее на ближайший постоялый двор, накормить и напоить. Брат тем временем отправился на Бобровый утес за помощью.

Она оказалась настолько голодной, что я даже не поверил своим глазам. Мы съели двух цыплят, начали третьего и выпили за разговором целую бутылку вина. Мне было тогда только тринадцать, и, увы, вино ударило мне в голову. Дальше я помню только, как разделял с ней ложе. Не знаю, кто был застенчивей, я или она. Не знаю, где я отыскал тогда отвагу. Когда я лишил ее девственности, она заплакала, а потом поцеловала меня и спела эту песенку. И к утру я уже влюбился.

— Ты? — В голосе Бронна звучало удивление.

— Невероятно, правда ли? — Тирион снова начал насвистывать. — Более того, я женился на ней, — наконец признался он.

— Ланнистер с Бобрового утеса взял в жены дочь мелкого землевладельца? — спросил Бронн. — И как тебе это удалось?

— О, ты даже не знаешь, что может соорудить мальчишка с помощью лжи, пятидесяти сребреников и пьяного септона. Я не смел привести свою невесту домой на Бобровый утес и поэтому устроил ее в собственном домике, и две недели мы с ней играли в мужа и жену. Потом септон протрезвел и признался во всем моему лорду-отцу.

Тирион удивился той грусти, которую он все еще ощущал даже по прошествии стольких лет. Наверное, он очень устал.

— Тут и пришел конец моему браку. — Тирион сел и, моргая, уставился в огонь умирающего костра.

— Он прогнал девчонку?

— Отец поступил лучше, — отвечал Тирион. — Сперва он заставил моего брата сказать мне правду: видишь ли, девица была шлюхой. Джейме подстроил все приключение, дорогу, нападение разбойников и все прочее. Он решил, что мне пора познать женщину. Он заплатил девушке двойную плату, зная, что она будет у меня первой.

— Потом, когда Джейме признался, лорд Тайвин, чтобы закрепить урок, приказал привести мою жену и отдал ее гвардейцам. Они расплатились с ней достаточно честно: по серебряку с человска, — много ли шлюх может потребовать такую плату? А меня заставил сесть в уголке казармы и смотреть; наконец она набрала столько серебряков, что монеты уже сыпались сквозь пальцы и катились по полу... — Дым ел глаза, и; откашлявшись, Тирион отвернулся от огня. — Лорд Тайвин заставил меня пойти последним, — сказал он спокойным голосом. — И дал мне золотую монету, потому что, как Ланнистер, я стоил большего.

Некоторое время спустя он вновь услышал привычный шелест стали о камень: Бронн снова взялся за меч.

— В тринадцать, или в тридцать, даже в три года я бы убил того человека, который обошелся бы со мной подобным образом.

Тирион повернулся к нему лицом.

— Однажды тебе, быть может, представится такая возможность. Запомни, что я сказал тебе: Ланнистеры всегда платят долги! Я попытаюсь уснуть. Разбуди меня, если смерть придет к нам. — Тирион зевнул.

Он завернулся в шкуру и закрыл глаза. Каменистая почва была неудобным и холодным ложем, однако спустя некоторое время карлик уснул. Ему снилась небесная камера, только на этот раз тюремщиком был он сам и, встав во весь внушительный, как это иногда бывало у него во сне, рост, ремнем бил отца, подталкивая его к пропасти...

— Тирион. — Зов Бронна прозвучал негромко и настоятельно.

Тирион вскочил в мгновение ока. Костер уже прогорел до углей, и отовсюду на них наползали тени. Бронн припал на колено с мечом в одной руке и кинжалом в другой. Тирион тихо проговорил:

— Подходите к очагу, ночь холодна. Увы, у нас нет вина, чтобы предложить вам, но мы будем рады поделиться козлятиной.

Движения прекратились. Тирион заметил, как блеснул лунный свет на металле.

— Наши горы, — отозвался голос из деревьев, гулкий, жесткий и недружелюбный. — Наша коза.

— Ваша коза, — согласился Тирион. — Кто вы?

— Когда вы встретитесь со своими богами, — проговорил другой голос, — скажите им, что это Гунтер, сын Гурна, из рода Каменных Ворон отослал вас к ним. — Треснула ветка, и на свет выскочил худой мужчина в рогатом шлеме, вооруженный длинным ножом.

— И Шагга, сын Дольфа, — послышался первый голос, глубокий и полный смертельной угрозы. Слева шевельнулся валун, встал и превратился в человека. Могучим, неторопливым и крепким казался он во всех своих шкурах, с дубиной в правой руке и топором в левой. Грохнув ими друг о друга, он шагнул вперед.

Остальные голоса выкрикивали свои имена: Конн, Торрек, и Джаггот... Тирион забывал их, едва услышав; нападавших было по крайней мере десятеро. Некоторые держали мечи и ножи, другие были вооружены вилами, косами, деревянными копьями. Дождавшись, когда все назовутся, Тирион дал ответ:

— А я Тирион, сын Тайвина, из клана Ланнистеров с Бобрового утеса. Мы охотно заплатим вам за козла, которого съели.

— Что ты отдашь нам, Тирион, сын Тайвина? — спросил человек, назвавшийся Гунтером. Он казался их вожаком.

— В моем кошельке найдется серебро, — ответил Тирион. — Эта кольчуга велика мне, но она будет впору Конну, и мой боевой топор более подобает для могучей длани Шагги, чем тот топор дровосска, который он сейчас держит.

— Полумуж хочет заплатить нам нашей собственной монетой, — сказал Конн.

— Конн говорит правду, — сказал Гунтер. — Твое серебро принадлежит нам, твои кони тоже. Твоя кольчуга, твой боевой топор и нож на твоем поясе тоже наши. У вас нет ничего, кроме жизней. Как ты хочешь умереть, Тирион, сын Тайвина?

— Лежа в постели, напившись вина, ощущая на моей шишке рот девушки, и в возрасте восьмидесяти лет, — отвечал он.

Громадный Шагга расхохотался первым и громче всех. Остальным было не так весело.

— Конн, бери их коней, — приказал Гунтер. — Убей второго и забери коротышку. Пусть доит коз и смешит матерей.

Бронн вскочил на ноги:

— Кто хочет умереть первым?

— Нет! — резко сказал Тирион. — Гунтер, сын Гурна, выслушай меня. Мой дом богат и могуществен. И если Каменные Вороны проводят нас через горы, мой лорд-отец осыплет вас золотом.

— Золото лорда с Низких земель ничего не стоит, как и обещания коротышки, — отвечал Гунтер.

— Быть может, я и не дорос до мужчины, — сказал Тирион, — однако у меня хватает отваги встречаться лицом к лицу с моими врагами. А что делают Каменные Вороны, когда рыцари выезжают из Долины? Прячутся за скалами и дрожат от страха!

Шагга гневно взревел и ударил дубиной о топор. Джаггот ткнул едва ли не в лицо Тириона обожженным в костре концом деревянного копья. Ланнистер постарался не вздрогнуть.

— Неужели вы не в состоянии украсть оружие получше? — спросил он. — Этим можно разве что бить овец... и то, если овца не будет сопротивляться. Кузнецы моего отца умеют делать самую лучшую сталь.

— Вот что, маленький человечишка, — взревел Шагга. — Можешь вволю смеяться над моим топором, когда я отрублю тебе мужские признаки и скормлю их козлу.

Но Гунтер поднял руку:

— А я выслушаю его слова. Матери голодают, а сталь может насытить больше ртов, чем золото. Что ты отдашь нам за ваши жизни, Тирион, сын Тайвина! Мечи? Пики? Кольчуги?

— Все это и даже больше, Гунтер, сын Гурна, — отвечал Тирион Ланнистер с улыбкой. — Я отдам вам Долину Аррен.

ЭДДАРД

Лучи рассвета лились сквозь узкие высокие окна колоссального тронного зала Красного замка, подчеркивая темно-бордовые полосы на стенах, оставшиеся там, где прежде висели головы драконов. Теперь камень прикрывали гобелены со сценами охоты, яркие в своей зелени, синеве и охре. Тем не менее Неду Старку казалось, что в зале властвует единственный цвет алой крови.

Он сидел на высоком и огромном древнем престоле Эйегона-завоевателя, чудовищном и причудливом сооружении из железных шипов и зубастых ребер невероятно скомканного металла. Седалище — как говорил Роберт — адски неудобное, и тем более теперь, когда боль в его раздробленной ноге пульсировала все сильнее с каждой новой минутой. Металл под ним с каждым часом становился все тверже, а зубастая сталь за спиной мешала откинуться назад. Король не должен чувствовать себя легко на престоле, утверждал Эйегон-завоеватель, повелев своим мастерам выковать трон из мечей, сложенных его врагами. Боги, прокляните Эйегона за его надменность, угрюмо думал Нед, а заодно и Роберта с его охотой!

— Вы совершенно уверены, что это не просто разбойники? — негромко спросил Варис из-за стола совета, поставленного у подножия трона. Великий мейстер Пицель неловко шевельнулся возле него, Мизинец тем временем играл с пером. Остальные советники отсутствовали. В лесу заметили белого оленя, и лорд Ренли с сиром Барристаном присоединились к ставке, составив компанию вместе с принцем Джоффри, Сандором Клиганом, Белоном Свонном и половиной двора. Поэтому и пришлось ему, Неду, замещать короля на Железном троне.

Впрочем, он мог хотя бы сидеть. Присутствующие же, за исключением членов совета, обязаны были стоять — склонившись на коленях. Просители, собравшиеся возле высоких дверей, рыцари, высокие лорды, дамы у гобеленов, мелкий люд в галерее, стражи в кольчугах, золотых или серых плащах, — все стояли.

Деревенские были на коленях: мужчины, женщины и дети, окровавленные и потрепанные, на лицах написан страх. Их охраняли трое рыцарей, которые доставили селян в качестве свидетелей.

— Разбойники, лорд Варис? — Голос сира Реймена Дарри сочился презрением. — Конечно, это были разбойники, вне всяких сомнений — ланнистерские разбойники.

Нед ощущал напряженность в зале, высокие лорды и слуги замерли с равным вниманием. Чему удивляться? Запад готов взорваться как порох, после того как Кейтилин схватила Тириона Ланнистера. Риверран и Бобровый утес созвали знамена, войска собрались в проходе под Золотым Зубом. Кровь потечет — дело только во времени. Обсуждать можно было одно: как лучше прижечь рану.

Сир Карил Венс, вполне способный сойти за красавца, если бы не багровое, цвета вина, родимое пятно, пометившее его лицо, скорбно поглядел в сторону склонившихся селян.

— Это все, что осталось от острога Шеррир, лорд Эддард. Остальные погибли вместе с жителями Вендского городка и Кукольникова брода.

— Встаньте, — приказал Нед селянам. Он никогда не доверял словам, произнесенным с колен. — Все встаньте.

Обитатели острога по одному, по двое начали подниматься на ноги. Одной древней старухе пришлось помочь, а молодая девушка в окровавленной одежде все стояла на коленях, глядя невидящими глазами на сира Ариса Скхарта, застывшего у подножия трона в белой броне гвардейца, готового защитить и оборонить короля. И королевскую десницу, усмехнувшись, подумал Нед.

— Джосс, — сир Реймен Дарри обратился к пухлому лысеющему человеку в фартуке пивовара, — расскажите деснице, что произошло в Шеррире.

Джосс кивнул:

— Если это угодно светлейшему...

— Светлейший государь охотится за Черноводной, — сказал Нед, удивляясь тому, что человек может провести всю свою жизнь в нескольких днях езды от Красного замка и не иметь представления о внешности короля. Нед был облачен в белый полотняный дублет с вышитым на груди лютоволком Старков. Черный шерстяной плащ скрепляла на горле серебряная застежка в форме руки. Черный, белый и серый — все краски истины. — Я лорд Эддард Старк, десница короля. Скажи мне, кто ты такой и что тебе известно об этих налетчиках.

— Я содержу... содержал... милорд, я содержал в Шеррире пивную возле Каменного моста. Лучшее пиво к югу от Перешейка, все говорили так, прошу прощения, милорд. Но теперь мое заведение погибло вместе со всем остальным, милорд. Они явились и сперва выпили все, что могли, а потом вылили остальное и подожгли мою пивную! И пролили бы мою кровь, если бы сумели поймать меня, милорд.

— Нас сожгли, — проговорил фермер, стоявший возле пивовара. — Они приехали ночью с юга, запалили поля и дома, убили тех, кто попытался остановить их. Это были не налетчики, милорд. Они не стали красть наше добро, мою молочную корову просто убили и оставили на съедение мухам и воронам.

— А моего ученика зарубили, — продолжил приземистый мужчина с мышцами кузнеца и перевязанной головой. Он явился ко двору в самом лучшем кафтане, но штаны его были залатаны, а дорога оставила на плаще пыль и пятна. — Гоняли его по полям, сидя на лошадях, и с хохотом тыкали в него копьями, словно в дичь. Мальчишка спотыкался и кричал, наконец рослый проткнул его пикой насквозь!

Девушка, оставшаяся на коленях, подняла голову к Неду, сидевшему над ней на высоком престоле:

— Они убили и мою мать, светлейший. Еще они... они... — Голос угас, словно бы она забыла приготовленные слова, девушка зарыдала.

Сир Реймен Дарри возобновил повествование:

— В Вендском городке жители укрылись в остроге за деревянными стенами. Налетчики обложили соломой дерево и сожгли всех живьем. Когда люди открыли ворота, чтобы бежать от огня, их перестреляли из луков, всех — даже женщин с грудными младенцами.

— Как ужасно, — пробормотал Варис. — На какие жестокости способны люди!

— То же самое сделали бы и с нами, но крепость Шеррира сложена из камня, — объяснил Джосс. — Они хотели нас выкурить, но рослый сказал, что вверх по течению есть более сочный плод, и они отправились к Кукольникову броду.

Склоняясь вперед, Нед ощутил холодное прикосновение стали к своим пальцам. Между ними торчали клинки; кривые острия мечей словно когти выступали из подлокотников престола. Миновало уже три столетия, однако о некоторые еще можно было обрезаться. Железный трон был полон ловушек для неосторожного. Песни утверждали, что на него пошла тысяча мечей, раскаленных добела яростным дыханием Балериона, Черного и Ужасного. Пятьдесят девять дней из острых лезвий, шипов и полос металла ковали седалище, способное убить человека и — если можно было верить легендам — пользовавшееся этой возможностью.

Эддард Старк не мог понять, что делает в этом зале, но все же сидел надо всеми, и люди ожидали от него справедливости.

— Какие есть доказательства тому, что все это совершили Ланнистеры? — спросил он, пытаясь удержать гнев под контролем. — Эти люди приехали в алых плащах или под львиным стягом?

— Даже Ланнистеры не способны на такую слепую тупость, — отрезал сир Марк Пайпер, пылкий молодой петушок, слишком уж молодой и слишком горячий, на взгляд Неда, однако преданный друг брата Кейтилин Эдмара Талли.

— Все налетчики были на конях и в броне, милорд, — отвечал невозмутимый сир Карил. — Со стальными пиками, длинными мечами и боевыми топорами для бойни. — Он показал в сторону одного из потрепанных беженцев. — Ты! Да, ты... никто не намеревается бить тебя. Расскажи деснице, что ты говорил мне.

Старик качнул головой.

— Я об их лошадях, — начал он, — это были боевые кони. Я много лет работал на конюшне у старого сира Виллема и знаю разницу. Этих животных никогда не впрягали в соху, и пусть боги будут свидетелями моих слов.

— Итак, разбойники приехали на хороших конях, — заметил Мизинец. — Что, если они украли коней в каком-нибудь из разоренных селений?

— А сколько людей было в этом отряде? — спросил Нед.

— По крайней мере сотня, — ответил Джосс, одновременно с ним перевязанный кузнец произнес «пятьдесят», к ним присоединилась стоявшая позади бабушка:

— Сотни, милорд, целая армия.

— Ты более чем права, добрая женщина, — сказал ей лорд Эддард. — Значит, вы говорите, что они не подняли знамен. Ну а что вы скажете об их панцирях? Вы заметили какие-нибудь украшения, девизы на щитах или шлемах?

Пивовар Джосс покачал головой:

— Увы, милорд, но мы видели лишь простую броню, разве что... разве что предводитель их, он был одет, как все остальные, но... все дело в его росте, милорд. Люди, которые говорят, что гиганты мертвы, никогда не видели этого человека. Клянусь, он ростом с быка, а от голоса камни лопаются!

— Гора! — громко проговорил сир Марк. — В этом не может быть сомнения. Итак, дело рук Григора Клигана...

Под окнами и в дальнем конце зала забормотали, даже на галерее послышались нервные шепотки. И знатному лорду, и простолюдину было точно известно, что означала бы правота сира Марка. Сир Григор Клиган являлся одним из знаменосцев лорда Тайвина Ланнистера.

Нед внимательно посмотрел на испуганные лица селян. Нечего удивляться, что они держались с такой опаской. Они ведь полагали, что их доставили сюда для того, чтобы назвать лорда Тайвина мясником и убийцей перед королем, его собственным зятем. Едва ли рыцари спрашивали их согласия. Великий мейстер Пицель внушительно поднялся над столом совета, позвякивая цепочкой.

— Сир Марк, при всем уважении к вам вынужден заметить: вы не можете утверждать, что этот разбойник являлся именно сиром Григором. Рослых людей в королевстве много.

— Это таких, как Скачущая Гора? — спросил сир Карил. — Я никогда не встречал подобных ему.

— Как и все здесь! — с жаром воскликнул сир Реймен. — Даже собственный брат рядом с ним щенок. Милорды, откройте ваши глаза. Разве вы не узнаете его руку по количеству трупов? Это Григор.

— Зачем же сиру Григору разбойничать? — спросил Пицель. — По милости своего сюзерена он держит крепкий замок, владеет собственными землями. Он прошел посвящение в рыцари.

— Он ложный рыцарь, — произнес сир Марк. — Безумный пес лорда Тайвина!

— Милорд десница, — объявил Пицель жестким голосом, — я требую, чтобы вы напомнили этому доброму рыцарю, что лорд Тайвин Ланнистер является отцом нашей милостивой королевы.

— Благодарю вас, великий мейстер Пицель, — произнес Нед. — Боюсь, что мы могли бы забыть об этом, если бы не ваше напоминание!

С высоты трона он видел людей, выскальзывающих из дверей в дальнем конце зала. Зайцы разбегаются по кустам, решил он... а может быть, и крысы спешат к сыру королевы. Заметив на галерее септу Мордейн и возле нее Сансу, он ощутил вспышку гнева: это не место для девушки. Но септа не могла заранее знать, что сегодняшний суд являет собой событие чрезвычайное, отличающееся от нудного потока прошений, споров между повздорившими соседями и разногласий относительно положения пограничных камней.

Внизу за столом совета Петир Бейлиш потерял интерес к своему перу и наклонился вперед:

— Сир Марк, сир Карил, сир Реймен... нельзя ли задать вам вопрос? Эти крепости находились под вашей защитой. Где вы находились, когда началось смертоубийство и пожары?

Сир Карил Венс поклонился:

— Я служил моему лорду-отцу в ущелье под Золотым Зубом, совместно с сиром Марком. Когда известие о погроме достигло сира Эдмара Талли, он приказал нам взять небольшой отряд, найти уцелевших и доставить их к королю.

Вперед выступил сир Реймен Дарри:

— Сир Эдмар призвал меня в Риверран со всей моей силой. Дожидаясь его приказа, я стоял за рекой, напротив стен замка, когда слово достигло меня. И когда я смог вернуться в свои собственные земли, Клиган и его мерзавцы уже переправились за Красный Зубец и ушли в холмы Ланнистера.

Мизинец задумчиво погладил остроконечную бородку.

— Ну а если они вернутся снова, сир?

— Если они придут снова, мы зальем их кровью сожженные ими поля, — с жаром ответил сир Марк Пайпер.

— Сир Эдмар выслал людей в каждый поселок или острог, что лежат в дне езды от рубежа, — объявил сир Карил. — Следующему налетчику придется труднее.

Именно этого и добивается лорд Тайвин, подумал про себя Нед. Ланнистер стремится по капле выпустить силу из Риверрана, заставить мальчишку расточить свои мечи. Брат его жены молод, не столь умен, как отважен. Он попытается удержать свою землю до последнего дюйма, защитить всякого — мужчину, женщину и ребенка, — кто зовет его лордом, а Тайвин Ланнистер достаточно проницателен, чтобы понимать это.

— Если ваши поля и крепости находятся в безопасности, — проговорил лорд Петир, — что же вы просите у трона?

— Лорды Трезубца поддерживают королевский мир, — произнес сир Реймен Дарри. — Ланнистеры нарушили его. Мы просим разрешения расплатиться с ними сталью за сталь. Мы требуем правосудия для простых людей Шеррира, Вендского городка и Кукольникова брода.

— Эдмар согласен с тем, что мы должны отплатить Григору Клигану его кровавой монетой, — объявил сир Марк. — Но старый лорд Хостер приказал нам явиться сюда и потребовать королевского разрешения на ответный удар.

Слава богам за совет старого лорда Хостера. Тайвин Ланнистер соединял в себе лиса и льва. Если он действительно послал сира Григора грабить и жечь, — а Нед в этом не сомневался, — то позаботился и о том, чтобы тот совершил свои злодеяния под покровом ночи и без знамен, как обычный разбойник. И если Риверран ответит ударом, Серсея и ее отец будут настаивать на том, что королевский мир нарушили Талли, а не Ланнистеры. Только боги знают, кому тогда поверит Роберт.

Великий мейстер Пицель вновь поднялся на ноги.

— Милорд десница, если эти добрые люди полагают, что сир Григор нарушил свои священные обеты ради грабежа и насилия, пусть они тогда отправятся к его сюзерену и принесут свои жалобы. Преступления эти не касаются престола. Пусть они обратятся к правосудию лорда Тайвина.

— В этой стране творится королевское правосудие, — ответил Нед, — на севере, юге, востоке и западе все, что мы делаем, совершается именем Роберта.

— Правосудием короля, — добавил великий мейстер Пицель. — Именно так, и поэтому мы должны оставить этот вопрос до возвращения светлейшего государя.

— Король охотится за рекой и скорее всего не вернется еще несколько дней, — проговорил лорд Эддард. — Роберт обязал меня занимать его место, слушать его ушами, отвечать его голосом. Так я и поступлю... Однако я согласен, королю следует сообщить об этом. — Нед заметил знакомое лицо возле гобеленов. — Сир Робар!

Сир Робар Ройс шагнул вперед и поклонился.

— Милорд!

— Ваш отец охотится с королем, — сказал Нед. — Можете ли вы доставить ему весть о том, что было сегодня сказано и сделано здесь?

— Немедленно, милорд.

— Значит ли это, что мы получили разрешение отомстить сиру Григору? — спросил Марк Пайпер, обращаясь к трону.

— Отомстить? — переспросил Нед. — Помнится, мы разговаривали о правосудии. Если вы сожжете поля Клигана и убьете его людей, королевский мир не восстановится, вы только принесете исцеление своей раненой гордости.

Он отвернулся, прежде чем молодой рыцарь успел произнести гневный протест, и обратился к селянам:

— Люди Шеррира, я не могу вернуть вам дома и урожай, как не могу и вернуть жизнь вашим убитым. Но тем не менее именем короля Роберта я вправе явить вам толику правосудия.

Все глаза в тронном зале смотрели на него, ожидая. Оторвав себя от трона напряжением рук, Нед медленно поднялся на ноги, раздробленная кость в лубке стонала от боли. Он постарался преодолеть боль; не время обнаруживать слабость.

— Первые Люди считали, что судья, назначивший смертный приговор, сам должен и исполнять его своим мечом; и на севере мы до сих пор придерживаемся этого правила. Не люблю заставлять других делать мое собственное дело... однако, похоже, у меня нет выхода. — Он указал на свою разбитую ногу.

— Лорд Эддард! — Голос донесся с западной стороны зала, вперед отважно шагнул совсем юный и стройный мальчишка. Без доспехов сир Лорас Тирелл казался даже моложе своих шестнадцати лет. Бледно-голубой шелк его одеяния перепоясывала цепь из золотых роз, знак его дома. — Окажите мне честь, разрешите заменить вас. Поручите мне это дело, милорд, и клянусь, я вас не подведу!

Мизинец хихикнул:

— Сир Лорас, если мы пошлем лишь вас одного, сир Григор пришлет назад только вашу голову, вставив сливу в ваш милый рот. Гора не из тех, кто склонит свою шею перед чьим-либо правосудием.

— Я не боюсь Григора Клигана, — надменно бросил сир Лорас.

Нед медленно опустился на жесткое железное сиденье уродливого трона Эйегона. Глаза его обежали лица, расположившиеся у стены.

— Лорд Берис, — позвал он. — Торос из Мира, сир Глэдден, лорд Лотар.

Поименованные мужи по одному шагнули вперед.

— Каждый из вас должен взять с собой по двадцать человек и доставить мое слово к крепости Григора. Вместе с вами направятся двадцать моих собственных гвардейцев. Лорд Берис Дондаррион, вы будете командовать, как подобает вашему чину.

Молодой золотоволосый лорд поклонился:

— Как вам угодно приказать, лорд Эддард!

Нед возвысил голос так, чтобы его услышали в дальнем конце тронного зала:

— Именем Роберта из дома Баратеона, первого носителя сего имени, короля андалов, ройнаров и Первых Людей, владыки Семи Королевств и хранителя государства, по слову Эддарда из дома Старков, королевской десницы, приказываю вам ехать на запад со всей поспешностью, под знаменем короля, пересечь Красный Зубец и явить королевское правосудие лживому рыцарю Григору Клигану и всем, кто соучаствовал в его преступлениях. Я обвиняю его и осуждаю; лишаю его всех чинов и титулов, всех земель, доходов и владений и приговариваю его к смерти. Пусть боги будут милосердны к душе его.

Когда голос десницы умолк, рыцарь Цветов в смущении спросил:

— Лорд Эддард, а что делать мне?

Нед посмотрел на него. Сверху лорд Тирелл казался почти таким же юным, как Робб.

— Никто не сомневается в вашей доблести, сир Лорас, но мы совершаем правосудие, а вы ищете мести. — Он поглядел на лорда Бериса. — Выезжайте с первым светом. Такие вещи следует делать быстро.

Нед поднял руку:

— Престол сегодня не желает выслушивать новые жалобы.

Элин и Портер поднялись по крутым железным ступеням, чтобы помочь ему. Спускаясь, Нед заметил угрюмый взгляд Лораса Тирелла, однако мальчишка ушел прежде, чем Нед оказался на полу тронного зала.

У подножия Железного трона Варис собирал бумаги со стола совета. Мизинец и великий мейстер Пицель уже откланялись.

— А вы куда более отважный человек, чем я, милорд, — проговорил евнух негромко.

— Как так, лорд Варис? — отрывисто спросил Нед. Нога пульсировала, и он не чувствовал охоты играть словами.

— На вашем месте я бы послал сира Лораса. Он так хотел это сделать... Кроме того, человек, враждующий с Ланнистерами, должен постараться сделать Тиреллов своими друзьями.

— Сир Лорас молод, — проговорил Нед. — Смею сказать, он переживет свое разочарование.

— Ну а сир Илин? — Евнух погладил пухлую припудренную щеку. — Он — именно он в конечном счете — выполняет королевское правосудие. Посылать других людей совершать его дело... Некоторые могут усмотреть в подобном поступке серьезное оскорбление!

— Я не намеревался обидеть его. — На деле Нед не доверял немому рыцарю, хотя, быть может, всего лишь потому, что не любил палачей. — Напомню вам, что Пейны — знаменосцы дома Ланнистеров. Я предпочел воспользоваться услугами людей, не присягавших лорду Тайвину.

— Очень предусмотрительно, вне сомнения, — проговорил Варис. — Тем не менее я случайно заметил в задней части зала сира Илина, и в его бледных глазах не было заметно особой радости, хотя трудно сказать что-то определенное о нашем молчаливом рыцаре. Надеюсь, он тоже переживет свое разочарование. Ведь сир Илин так любит свою работу...

САНСА

— А он не захотел послать сира Лораса, — в тот же вечер Санса рассказывала Джейни Пуль, ужиная с нею на скорую руку при свете лампы. — Наверное, это из-за его ноги.

Лорд Эддард ужинал у себя в спальне вместе с Элином, Харвином и Вейоном Пулем, чтобы не тревожить сломанную ногу, а септа Мордейн пожаловалась на то, что перетрудила ноги, простояв целый день в галерее. Предполагалось, что к ним присоединится Арья, но та запаздывала со своего урока танцев.

— Его нога? — неуверенно спросила Джейни, девушка хорошенькая и темноволосая, почти ровесница Сансе. — Неужели сир Лорас повредил ногу?

— Речь идет не о ноге сира Лораса, — отвечала Санса, деликатно обгладывая цыплячью ножку. — А о ноге отца, глупая. Ему так больно, что он становится раздражительным. Иначе, я не сомневаюсь, отец послал бы сира Лораса.

Решение отца до сих пор смущало ее. Когда рыцарь Цветов сказал свое слово, Санса уже решила, что на ее глазах воплотится в жизнь одна из сказок старухи Нэн. Сир Григор, конечно, чудовище, и сир Лорас, как положено истинному герою, должен убить его. Он и похож был на истинного героя, стройный красавец с золотыми розами вокруг тонкой талии и густыми каштановыми волосами, непослушной челкой спускавшимися на глаза. И отец отказал ему! Санса расстроилась так, что просто ничего не могла сказать. Она объяснила это септе Мордейн, когда они шли по лестнице с галереи, но септа ответила, что не дело дочери сомневаться в решениях лорда-отца.

И тут в разговор вступил лорд Бейлиш:

— Ох, не знаю, септа. Некоторые из решений ее лорда-отца нуждаются в доле сомнения, а молодая леди столь же мудра, как и очаровательна. — Он низко поклонился Сансе, и она даже не вполне поняла, слышит ли комплимент или насмешку.

Септа Мордейн была очень огорчена тем, что лорд Бейлиш подслушал их разговор.

— Это просто слова, милорд, — проговорила она. — Девичья болтовня. Она ничего не хотела этим сказать!

Лорд Бейлиш погладил свою крохотную остроконечную бородку и улыбнулся:

— Ничего? Скажи мне, дитя, а почему ты послала бы сира Лораса?

Тут Сансе просто пришлось рассказать ему и о героях, и о чудовищах. Советник короля улыбнулся.

— Ну что ж, я бы руководствовался другими причинами, однако... — Он прикоснулся к ее щеке, прочертив на ней короткую линию большим пальцем. — Жизнь это не песня, моя милая. Однажды, к скорби своей, ты это узнаешь.

Сансе не хотелось рассказывать все это Джейни; ей не хотелось даже вспоминать.

— Королевское правосудие исполняет сир Илин, а не сир Лорас, — сказала Джейни. — Лорду Эддарду следовало послать его.

Санса поежилась. Ей было не по себе всякий раз, когда она глядела на сира Илина Пейна. При виде его Сансе казалось, что какая-то мертвечина прикасается к ее голой коже.

— Сир Илин похож на чудовище. Я рада, что отец не выбрал его.

— Лорд Берис такой же герой, как и сир Лорас, такой же отважный и доблестный.

— Наверное, — согласилась Санса не без некоторого сомнения. Берис Дондаррион, конечно, красив, но он почти что старик; скоро ему двадцать два; рыцарь Цветов гораздо лучше подходит на эту роль. Конечно, Джейни сразу влюбилась в лорда Бериса, когда впервые увидела его на поле. Санса считала это глупостью. Ведь Джейни всего лишь дочь стюарда, и как бы она ни сходила с ума, лорд Берис никогда не обратит своего внимания на девушку, настолько уступающую ему в положении, даже если она в два раза младше его.

Однако жестоко так говорить, поэтому Санса прихлебнула молока и переменила тему разговора.

— Мне приснилось, что именно Джоффри добудет белого оленя, — сказала она. Точнее говоря, это было ее желанием, но лучше было назвать его сном. Все знали, что сны бывают пророческими. Белых оленей считали существами редкими и волшебными, и в сердце своем она решила, что ее галантный принц более достоин подобной добычи, чем его пьяница-отец.

— Тебе приснилось? В самом деле? Значит, принц Джоффри просто подошел к оленю и прикоснулся к нему рукой, не причинив вреда?

— Нет, — отвечала Санса. — Он застрелил его золотой стрелой и привез мне. — В песнях благородные рыцари никогда не убивали волшебных зверей — только подходили и гладили, — но она знала, что Джоффри любит охотиться, в особенности убивать... лишь зверей, конечно. Санса не сомневалась, что ее принц не принимал участия в убийстве Джори и всех остальных бедняг, во всем виноват был его злобный дядя; одно слово — Цареубийца. Она знала, что отец ее до сих пор из-за этого в гневе, однако нечестно обвинять Джоффа. Это все равно как обвинять ее в том, что натворила Арья.

— Сегодня вечером я видела твою сестру, — выпалила Джейни, словно прочитав мысли Сансы. — Она ходила на руках по конюшне. Зачем, по-твоему, ей это понадобилось?

— Я уверена лишь в том, что вообще не понимаю, зачем Арья что-либо делает. — Санса ненавидела конюшни, всю эту вонь, докучливых мух и конский помет. Отправляясь на прогулку верхом, она всегда предпочитала, чтобы конюх подал ей заседланную лошадь к крыльцу. — Ты хочешь еще услышать, что было при дворе?

— Конечно, — обрадовалась Джейни.

— Туда приехал Черный Брат, старый такой и вонючий, — продолжила рассказ Санса, — он просил людей для Стены. — Это ей не понравилось вовсе. Сансе всегда представлялось, что Ночной Дозор состоит из мужей, подобных дяде Бенджену. Таких в песнях звали Черными Рыцарями Стены. Но посланец Ночного Дозора был горбат и уродлив, и к тому же одежда его явно кишела блохами. Неужели Ночной Дозор на самом деле выглядит иначе? Она почувствовала жалость к своему сводному брату Джону. — Отец спросил, не найдется ли в зале рыцарей, которые готовы оказать честь своим домам, уйдя в чернецы, однако никто не шагнул вперед, поэтому он отдал этому Йорену тех, кого извлек из королевских темниц, и отослал его обратно. А потом к нему приехали эти два брата, свободные всадники из Дорнской Марни, и присягнули мечами на службу королю. Отец принял их клятву...

Джейни зевнула.

— А лимонные пирожки есть?

Санса не любила, когда ее прерывали, однако приходилось согласиться с тем, что лимонный пирог представлял собой более интересную тему, чем происходившее в тронном зале.

— Посмотрим, — сказала она.

На кухне лимонных пирожков не обнаружилось, однако обнаружилась половинка холодного пирога с клубникой, что было ничуть не хуже. Девицы съели его на ступеньках башни, хихикая, сплетничая и делясь секретами; словом, в ту ночь Санса отправилась в постель, ощущая себя такой же врединой, как и Арья.

На следующее утро она проснулась еще до рассвета и сонная подобралась к окошку, чтобы поглядеть, как лорд Берис выстраивает своих людей. Они выехали с первыми лучами солнца, перед отрядом полоскались три стяга: коронованный олень короля летел за высоким древком, лютоволк Старков и двойная молния лорда Бериса — за более короткими. Все было так красиво, как в ожившей песне: звякали мечи, мерцали факелы, на ветру плясали знамена, ржали и фыркали кони, золотые лучи пронзили насквозь решетку, когда она поползла вверх. Люди Винтерфелла казались особенными красавцами в своих серебристых панцирях и длинных серых плащах.

Элин держал в руке знамя Старков. Увидев, как он подъехал к лорду Берису, чтобы обменяться с ним словами, Санса ощутила неподдельную гордость. Элин был красивее Джори; когда-нибудь и он станет рыцарем.

Башня Десницы, казалось, опустела после их отъезда, и, спустившись вниз, Санса обрадовалась даже обществу Арьи.

— А куда все подевались? — поинтересовалась сестра, обдирая шкурку с ярко-красного апельсина. — Отец отослал их ловить Джейме Ланнистера?

Санса вздохнула:

— Они уехали вместе с лордом Берисом, чтобы обезглавить сира Григора Клигана. — Она повернулась к септе Мордейн, черпавшей деревянной ложкой овсянку. — Септа, а лорд Берис выставит голову сира Григора наверху собственных ворот или привезет ее сюда, чтобы это сделал король? — Они с Джейни Пуль поспорили об этом вчера вечером.

Септа была потрясена:

— Леди не подобает говорить о подобных вещах за овсянкой! Где твое воспитание, Санса? Клянусь, последнее время ты ведешь себя ничем не лучше сестры.

— А что натворил Григор? — спросила Арья.

— Он сжег острог и убил кучу людей, женщин и детей тоже.

Арья скривилась:

— Джейме Ланнистер убил Джори, Хьюарда и Уила, а Пес зарубил Мику. Их тоже следовало бы обезглавить.

— Это совсем не одно и то же, — сказала Санса. — Пес присягнул Джоффри, а твой мальчишка, да еще сын мясника, набросился на принца.

— Ты лжешь, — бросила Арья. Руки ее стиснули кровавый апельсин так, что красный сок закапал между пальцев.

— Ладно, давай, обзывайся как хочешь, — непринужденно сказала Санса. — Ты не осмелишься так поступать, когда я выйду замуж за Джоффри. Тебе придется кланяться мне и называть светлейшей государыней!

Она взвизгнула, увидев, что Арья бросила апельсин; влажно хлюпнув, он угодил Сансе прямо в лоб и шлепнулся на юбку.

— Светлейшая государыня, вы испачкали личико соком, — заметила Арья.

Сок тек вдоль носа, ел глаза. Санса стерла его салфеткой. Но заметив ущерб, причиненный упавшим на подол плодом ее прекрасному шелковому платью цвета слоновой кости, она закричала снова.

— Ты ужасна, — завопила она Арье. — Лучше было бы, если бы убили тебя, а не Леди!

Септа Мордейн неловко вскочила на ноги.

— Об этом узнает ваш лорд-отец! Ступайте по своим палатам, немедленно. Немедленно!

— Я тоже? — Слезы наполняли глаза Сансы. — Это нечестно!

— Никаких обсуждений. Ступайте!

Санса отправилась прочь, подняв голову. Она будет королевой, а королевы не плачут. По крайней мере когда это видят люди. Вернувшись к себе в опочивальню, она заложила дверь щеколдой и сняла платье. Кровавый апельсин оставил на шелке расплывчатое красное пятно.

— Ненавижу ее! — закричала Санса. Скомкав платье, она швырнула его в холодный очаг на пепел, оставшийся после вчерашнего вечера. Обнаружив, что красная жидкость просочилась и на нижнюю юбку, она не сдержалась и зарыдала. Сорвав всю остальную одежду, Санса бросилась в постель и плакала до тех пор, пока не заснула.

Септа Мордейн постучала в ее дверь уже около полудня.

— Санса! Лорд-отец хочет видеть тебя.

Девочка села и прошептала:

— Леди! — На мгновение ей показалось, что волчица вернулась и сидит у постели, глядит на нее золотыми скорбными и всезнающими глазами. Ей снился сон, поняла Санса. Леди вернулась к ней, они бегали вместе и... и... Пытаться вспомнить было все равно как ловить первый снег ладонями. Сон померк, и Леди вновь оказалась мертва.

— Санса! — Стук прозвучал резче. — Ты слышишь меня?

— Да, септа. Не позволите ли вы мне сперва одеться? Я быстро. — Глаза ее покраснели от слез, однако Санса постаралась привести себя в порядок.

Лорд Эддард горбился над огромным, переплетенным в кожу томом, когда септа Мордейн ввела Сансу в солярий; его нога, укрытая лубком, скрывалась под столом.

— Подойди сюда, Санса, — сказал он не столь уж и строго, когда септа отправилась за сестрой. — Сядь возле меня. — Он закрыл книгу.

Септа Мордейн вернулась с Арьей, все еще пытавшейся вырваться из ее рук. Санса надела очаровательную бледно-зеленую дамаскиновую мантилью и изобразила раскаяние, но на сестре ее оставалась та же самая крысиная кожа и домотканое платье, в которых она была за завтраком.

— А вот и вторая, — объявила септа.

— Благодарю вас, септа Мордейн. Я хочу переговорить с моими дочерьми с глазу на глаз, прошу прощения. — Откланявшись, септа ушла.

— Все начала Арья, — торопливо затараторила Санса, стремясь заполучить первое слово. — Она обозвала меня лгуньей и бросила в меня апельсин, испортила мое платье, шелковое, цвета слоновой кости, которое мне подарила королева Серсея, когда мы обручились с принцем Джоффри. Арье завидно, что я выйду замуж за принца. Она пытается все испортить, она ведь терпеть не может красоты, добра и великолепия.

— Довольно, Санса! — В голосе лорда Эддарда слышалось резкое нетерпение.

Арья подняла глаза:

— Прости, отец. Я была не права и прошу прощения у моей милой сестры.

Санса настолько удивилась, что на мгновение лишилась дара речи. Наконец она обрела голос:

— А как насчет моего платья?

— Быть может, я сумею отстирать его, — предположила Арья с сомнением в голосе.

— Стирка не поможет, — ответила Санса, — даже если ты будешь тереть весь день и ночь. Шелк погиб.

— Тогда я... сошью тебе новое, — сказала Арья.

Санса презрительно закинула голову:

— Ты? В сшитом тобой платье можно лишь чистить свинарник!

Отец вздохнул:

— Я позвал вас сюда не для того, чтобы вы ссорились из-за одежды. Я отсылаю вас обеих домой в Винтерфелл.

Во второй раз Санса лишилась дара речи и ощутила, как глаза ее вновь наполнились влагой.

— Ты не можешь так поступить, — сказала Арья.

— Пожалуйста, отец, — наконец выдавила Санса. — Пожалуйста, не надо.

Лорд Старк почтил дочерей усталой улыбкой:

— Наконец-то вы сошлись хоть на чем-то.

— Я не сделала ничего плохого, — принялась умолять Санса. — Я не хочу возвращаться.

Ей нравилось в Королевской Гавани пышное великолепие двора, лорды и леди в шелке, бархате и драгоценных камнях, огромный город, полный людей. Турнир оказался самым волшебным событием во всей ее жизни. А сколько она еще не видела: пиршества в честь урожая, бала-маскарада, представления кукольников. Она просто не могла представить себе, что лишится всего этого.

— Отошли Арью. Она начала ссору, отец. Клянусь тебе, я буду хорошей. Разреши мне остаться, и я обещаю стать изящной, благородной и любезной, как королева.

Рот отца странно дернулся.

— Санса, я отсылаю вас не из-за ваших ссор, хотя боги ведают, как я устал от них. Я хочу, чтобы вы вернулись в Винтерфелл ради вашей же собственной безопасности. Трех моих людей зарезали как собак не далее чем в лиге от места, где мы сейчас сидим, и что делает Роберт? Он уезжает на охоту!

Арья как всегда по-дурацки закусила губу.

— А можно ли взять с нами Сирио?

— Кому нужен твой дурацкий учитель танцев? — вспыхнула Санса. — Папа, я только сейчас вспомнила, я ведь не могу уехать, потому что должна выйти замуж за принца Джоффри. — Собравшись с духом, она улыбнулась. — Я люблю его, папа, я на самом деле люблю его — как королева Нейерис любила принца Эйемона, Рыцаря-дракона, как Джонквиль любила сира Флориана. Я хочу стать его королевой и рожать ему детей...

— Милая моя, — проговорил отец мягко. — Послушай меня. Когда ты подрастешь, я подыщу тебе суженого среди знатных лордов, человека, достойного тебя, отважного, благородного и сильного. А твое обручение с Джоффри было ужасной ошибкой. Этот мальчишка — не принц Эеймон, поверь мне.

— Это не так, — принялась настаивать Санса. — Я не хочу никаких отважных и благородных, я хочу только его! Мы будем такими счастливыми, как поют в песнях, ты увидишь. У меня родится сын с золотыми волосами, и однажды он станет королем всей страны, самым величайшим, отважным как волк, гордым как лев.

Арья скривилась:

— Только если его отцом не будет Джоффри, он — трусливый лжец, и к тому же он олень, а не лев.

Санса ощутила, как слезы подступили к ее глазам.

— Это не так! Он совсем не похож на старого пьяницу короля, — закричала она на сестру, забывшись в своем горе.

Отец странными глазами поглядел на дочерей.

— Боги, — воскликнул он негромко, — устами младенца... — и позвал септу Мордейн, а девочкам сказал: — Я найму быструю торговую галею, которая доставит вас домой. В эти дни море безопаснее Королевского тракта. Вы отправитесь домой, как только я отыщу нужный корабль, вместе с септой Мордейн и подобающей вам охраной... и — ладно — вместе с Сирио Форелем, если он согласится поступить на мою службу. Но никому не говорите об этом! Лучше, чтобы никто не знал о наших планах. Мы поговорим обо всем завтра.

Санса рыдала, спускаясь следом за септой Мордейн по ступенькам. Всего ее лишили: и турниров, и двора, и принца. Они вернутся назад, в серые стены Винтерфелла, которые вновь замкнут ее. Жизнь ее закончилась, еще не начавшись.

— Прекрати плакать, дитя, — сурово сказала септа Мордейн. — Я не сомневаюсь, что твой лорд-отец прекрасно знает, что для тебя лучше.

— Вообще-то не так уж и плохо, — сказала Арья. — Мы поплывем на галее. Новое приключение, а потом мы вернемся к Брану и Роббу, старой Нэн, Ходору и всем остальным. — Она прикоснулась к руке сестры.

— К Ходору! — завопила Санса. — Тебе надо жениться на Ходоре, ты такая же глупая, волосатая и уродливая! — Вырвав руку, она бросилась в свою опочивальню и закрыла за собой дверь.

ЭДДАРД

— Боль — это благой дар богов, лорд Эддард, — вещал великий мейстер Пицель. — Она означает, что кость восстанавливается, плоть сама исцеляет себя. Радуйтесь.

— Я поблагодарю богов, когда нога моя перестанет болеть.

Пицель поставил закупоренный флакон на столик у кровати.

— Вот маковое молоко, выпейте, если боль сделается слишком сильной.

— Я и без того сплю слишком много.

— Сон — великий целитель.

— А я надеялся на ваши услуги.

Пицель рассеянно улыбнулся:

— Приятно видеть вас в таком едком настроении, милорд. — Он пригнулся поближе и понизил голос: — Сегодня утром ворон принес письмо королеве от ее лорда-отца. Я подумал, что вам следует знать об этом.

— Черные крылья, черные слова, — мрачно отозвался Нед. — И что же пишет Ланнистер?

— Лорд Тайвин находится в великом гневе на людей, которых вы послали за сиром Григором Клиганом, — признался мейстер. — Как я и опасался. Помните, я говорил это вам на совете.

— Пусть себе гневается, — сказал Нед. Каждый раз, когда ногу его пронзала боль, он вспоминал улыбку Джейме Ланнистера и мертвого Джори на его руках. — Пусть напишет королеве любое количество писем. Лорд Берис едет под знаменем самого короля. Если лорд Тайвин попытается помешать свершению королевского правосудия, ему придется ответить Роберту. Наш светлейший государь любит охотиться, но еще больше он любит усмирять непокорных лордов.

Пицель откинулся назад, звякнула его мейстерская цепь.

— Как вам угодно! Я зайду к вам утром. — Старик поспешно собрал свои вещи и откланялся. Нед ничуть не сомневался в том, что путь Пицеля лежит прямо в королевские апартаменты, чтобы передать их разговор королеве. — Я подумал, что вам следует знать об этом... — Словно бы это не Серсея велела мейстеру передать угрозы ее отца. Нед надеялся, что его ответ заставит ее хоть немного дрогнуть. Лорд Старк не испытывал большой уверенности в Роберте, однако Серсее об этом знать незачем.

Когда Пицель отправился восвояси, Нед приказал подать чашу подслащенного медом вина. Ум его чуть затуманился — но только чуть. Нужно было как следует подумать. Тысячу раз он спрашивал себя о том, как поступил бы Джон Аррен, если бы ему суждено было перейти к действиям после того, что он узнал. Впрочем, быть может, именно действия и погубили его.

Странно получается: иногда невинные глаза ребенка способны заметить вещи, скрытые от взрослых людей. Потом, когда Санса вырастет, надо будет рассказать ей, как она расставила все по местам. Он совершенно не похож на старого пьяницу короля, объявила она в гневе неведения, и простая истина пронзила его смертным холодом. Этот меч и убил Джона Аррена, подумал тогда Нед. Убьет он и Роберта, смертью медленной, но несомненной. Раздробленная нога со временем исцелится, но измена может отравить и убить душу.

Через час после визита великого мейстера явился Мизинец, в сливового цвета дублете с пересмешником, черной нитью вышитым на груди, и в полосатом черно-белом плаще.

— Я не могу задерживаться у вас долго, милорд, — объявил он. — Леди Танда рассчитывает, что я отобедаю с ней. Вне сомнения, она зажарит мне упитанного тельца. Но если он окажется столь же упитанным, как ее дочка, я лопну и умру. Ну, как ваша нога?

— Горит, болит и дергает, так что я буквально схожу с ума.

Мизинец поднял бровь.

— В будущем постарайтесь не попадать под упавшую лошадь. Только я посоветовал бы вам выздоравливать побыстрей. В стране неспокойно. До Вариса с запада доносятся зловещие слухи. Свободные всадники и наемники съезжаются на Бобровый утес, конечно же, не для того, чтобы развлечься беседой с лордом Тайвином.

— А что говорит король? — потребовал ответа Нед. — Как долго еще намеревается Роберт пребывать на охоте?

— Учитывая его характер, я бы сказал, что светлейший предпочел бы остаться в лесу, пока вы с королевой не скончаетесь от старости, — ответил лорд Петир, чуть заметно улыбнувшись. — Однако, поскольку это невозможно, я надеюсь, что король вернется, как только убьет какого-нибудь зверя. Белого оленя они отыскали... точнее, то, что осталось от него. Волки первыми встретились с ним и оставили светлейшему государю только ножки да рожки. Роберт был в ярости! Теперь до него дошли слухи о каком-то чудовищном вепре, обитающем в чаще леса. А посему он отправился за ним. Принц Джоффри вернулся сегодня утром вместе с Ройсами, сиром Белоном Свонном и еще двадцатью участниками охоты. Остальные сопровождают короля.

— А Пес? — спросил Нед хмурясь. Теперь, когда сир Джейме бежал из города, чтобы присоединиться к отцу, среди людей Ланнистеров более всех его тревожил Сандор Клиган.

— О, Пес вернулся вместе с Джоффри и направился прямо к королеве. — Мизинец улыбнулся. — Я охотно расстался бы с сотней серебряных оленей, чтобы спрятаться дроздом в тростниках, когда он узнает о том, что мы отправили лорда Бериса обезглавить его брата.

— Даже слепец способен видеть, что Пес ненавидит своего брата.

— Это так, но ненависть к Григору — его личное дело, и у вас нет прав убивать его. Как только Дондаррион смахнет маковку с Горы, земли Клиганов и доходы перейдут к Сандору. Но я не стану дожидаться его благодарности. Ну а теперь извините! Леди Танда ожидает меня со своими упитанными тельцами.

Направляясь к двери, лорд Петир заметил увесистый труд великого мейстера Маллеона на столе и в праздном любопытстве перевернул обложку.

— Происхождение и история великих домов Семи Королевств с жизнеописаниями многих высоких лордов и благородных дам и их детей, — прочел он. — По-моему, нет более скучного чтива. Снотворное средство, милорд?

В какое-то мгновение Неду захотелось рассказать ему все, но шутки Мизинца чем-то раздражали его. Лорд Петир был слишком умен, и насмешливая улыбка не сходила с его губ.

— Джон Аррен изучал этот том перед последней болезнью, — осторожно проговорил Нед, проверяя реакцию.

И Мизинец ответил как всегда — шуткой:

— В таком случае смерть может явиться благословенным облегчением! — Лорд Петир Бейлиш поклонился и отправился прочь.

Эддард Старк позволил себе выругаться. Если не считать его собственных людей, в этом городе не было ни одного человека, которому он мог доверять. Мизинец прятал Кейтилин и помог Неду в его расследовании, однако быстрота, с которой он направился спасать свою шкуру, когда Джейме вместе со своими людьми вырос из пелены дождя, все еще не изгладилась из его памяти. Варис был еще хуже. При всех своих изъявлениях верности евнух знал слишком много, но делал чересчур мало. Великий мейстер Пицель с каждым днем все более и более казался Неду человеком Серсеи, а сир Барристан явно окостенел от возраста. Он просто посоветовал бы Неду заниматься своими делами.

Времени оставалось прискорбно мало. Скоро король вернется с охоты, и по долгу чести Нед должен был отправиться к нему со всеми своими находками. Вейон Пуль устроил, чтобы Санса и Арья через три дня отплыли на «Владычице ветра», только что пришедшей из Браавоса. Они вернутся в Винтерфелл перед сбором урожая. Нед более не мог медлить. Слишком велика была опасность.

И все же прошлой ночью ему приснились дети Рейегара. Лорд Тайвин бросил их тела к подножию Железного трона, обернув в алые плащи его домашней гвардии. Умный поступок: кровь не так заметна на красной ткани. Крохотная принцесса, босая, в ночной рубашонке, а мальчик... мальчик...

Нед не мог позволить, чтобы это снова случилось. Государство не выдержит еще одного безумного короля, отдавшегося припадку кровожадности и мести. Нужно спасти детей.

Роберт умел проявлять милосердие. Он простил не только сира Барристана. Великий мейстер Пицель, Варис-паук, лорд Беелон Грейджой прежде считались врагами Роберта, и король взял их в друзья, возвратив честь и должность за присягу в верности. Если человек был отважным и честным, Роберт относился к нему со всем почтением, положенным мужественному врагу.

Но здесь было нечто совсем другое: яд в ночи, нож, пронзающий душу. Такого он не простит, как не простил он Рейегара. Он убьет их всех, понял Нед. И все же он знал, что не сумеет смолчать. Это долг его — перед Робертом, перед государством, перед тенью Джона Аррена... и перед Браном, который, вне сомнения, случайно узнал какую-то часть всей истины. Иначе зачем они попытались убить его?

Попозже, днем, он призвал к себе Томарда, объемистого гвардейца с имбирного цвета усами, которого дети звали Толстым Томом. После смерти Джори и отъезда Элина Толстый Том принял команду над гвардией. Мысль эта вселила в Неда смутное беспокойство. Томард был человеком солидным: надежным, верным, не знавшим усталости, способным — в определенных рамках; однако ему было под пятьдесят, и даже в молодые годы он никогда не проявлял особой прыти. Наверное, Нед поторопился расстаться с половиной своей гвардии, в том числе со всеми лучшими людьми.

— Мне потребуется твоя помощь, — сказал Нед, когда Томард появился с выражением некой задумчивости на лице, которое всегда ложилось на черты гвардейца, когда его призывали пред очи господина. — Отведи меня в богорощу.

— Это разумно, лорд Эддард? При вашей ноге и всем прочем?

— Быть может, и нет, но это необходимо.

Томард призвал Варли. Опершись руками о плечи обоих, Нед умудрился спуститься по крутым ступенькам башни и переправиться через двор.

— Я хочу, чтобы стражу удвоили, — сказал он Толстому Тому. — Пусть никто не входит и не выходит из башни Десницы без моего разрешения.

Том моргнул.

— Милорд, сейчас, когда Элина и остальных нет, нас и так не хватает!

— Это ненадолго. Удлини караулы.

— Как вам угодно, милорд, — поклонился Том. — Можно ли спросить почему...

— Лучше не спрашивай, — ответил Нед отрывисто.

В богороще никого не было, как всегда в этом городе, в этой цитадели южных богов. Ногу Неда пронзила молния боли, когда его опустили на траву возле сердце-дерева.

— Благодарю вас. — Он извлек из рукава бумагу, запечатанную знаком его дома. — Будьте любезны, передайте немедленно!

Томард поглядел на имя, которое Нед написал на бумаге, и тревожно облизнул губы.

— Милорд...

— Делай то, что я приказал тебе, Том, — сказал Нед.

Как долго пришлось ему ожидать в тишине богорощи, Нед не мог бы сказать. Среди деревьев властвовал покой. Толстые стены гасили шум, как всегда стоявший над замком. Нед слышал пение птиц, стрекот сверчков, шелест листьев под мягким ветром. Сердце-деревом был здесь дуб, безликий и бурый, но Нед Старк тем не менее ощущал присутствие богов. Здесь и нога его почти успокоилась.

...Она явилась к нему на закате, когда облака над стенами и башнями побагровели. Она пришла одна, как он и просил ее.

На этот раз она была одета просто: кожаные ботинки и охотничий зеленый костюм. Когда она откинула назад капюшон бурого плаща, Нед увидел синяк на ее лице, оставленный рукой короля. Сливовый тон успел поблекнуть и пожелтеть, и опухоль спала, однако синяк есть синяк.

— Почему именно здесь? — спросила Серсея Ланнистер, останавливаясь над ним.

— Чтобы видели боги.

Она опустилась возле него на траву. Все движения королевы были изящны. Светлые кудри трепал ветерок, а глаза отливали зеленой летней листвой. Нед давно уже не замечал ее красоты, но на этот раз не мог не обратить на нее внимания.

— Я знаю, почему умер Джон Аррен, — сказал он.

— В самом деле? — Королева глядела ему в лицо, настороженная словно кошка. — И поэтому призвали меня сюда, лорд Старк?.. Чтобы загадать мне загадку? Или вы намереваетесь захватить меня? Как ваша жена — моего брата?

— Если бы вы действительно верили в это, то не пришли бы. — Нед мягко прикоснулся к ее щеке. — Это уже не впервые, так?

— Случалось раз или два. — Королева отодвинулась от его руки. — Но не по лицу. Тогда Джейме убил бы его даже ценой собственной жизни. — Она возмущенно поглядела на Неда. — Мой брат стоит сотни таких, как ваш друг.

— Ваш брат или ваш любовник? — спросил Нед.

— И то и другое сразу. — Королева не стала скрывать истину. — Мы провели детство вместе. А почему бы и нет? Чтобы сохранить чистоту крови, Таргариены выдавали брата за сестру три сотни лет. А мы с Джейме не просто брат и сестра. Мы — одна личность в двух телах. Мы делили одно чрево, и он вышел в этот мир, держа меня за ногу, так говорил наш старый мейстер. Когда он во мне, я ощущаю себя... целой. — Призрачная улыбка мелькнула на ее губах.

— А мой сын Бран...

К чести ее, Серсея не отвернулась.

— Он видел нас. Вы любите своих детей, правда?

В утро перед общей схваткой Роберт задавал ему тот же самый вопрос. И Нед ответил точно так же:

— Всем сердцем.

— Ну и я своих люблю не меньше.

Нед подумал, что если ему потребуется заплатить жизнью какого-то неизвестного ребенка за жизнь Робба, Сансы, Арьи, Брана и Рикона, что он сделает? Боги, как поступит Кейтилин, если нужно будет отдать жизнь Джона ради ее детей? Он не знал ответа и помолился, чтобы никогда его не узнать.

— Все трое от Джейме, — проговорил он. Это был не вопрос.

— Благодарение богам...

Семя крепко, взывал Джон Аррен со своего смертного одра, и так оно и было. Все бастарды короля черноволосы как ночь. Великий мейстер Маллеон писал, что последний брак между оленем и львом состоялся девяносто лет назад, когда Тия Ланнистер вышла за Гоуэна Баратеона, третьего сына правящего лорда. Их единственный отпрыск, названный в томе Маллеона рослым, крепким и черноволосым мальчишкой, умер в младенчестве. За тридцать лет до того мужчина из рода Ланнистеров взял в жены девицу из Баратеонов. Она родила ему трех дочерей и сына, и все были черноволосы. И сколько бы ни искал Нед на хрупких пожелтевших страницах, всегда оказывалось, что золото уступало углю.

— Прошла дюжина лет, — сказал Нед. — Как случилось, что у вас нет детей от короля?

Она надменно подняла голову.

— Твой Роберт однажды наградил меня ребенком, — сказала она голосом, полным презрения. — Мой брат отыскал женщину, чтобы она очистила меня, король так и не узнал об этом. Откровенно говоря, я едва переношу его прикосновения и уже много лет не пускала его в себя... Я знаю другие способы удовлетворить его, когда он, бросив своих шлюх, бредет ко мне на нетвердых ногах. Что бы мы ни делали, король обычно бывает настолько пьян, что, побывав у меня, к утру обо всем забывает.

Как могли они все быть такими слепыми? Правда все время стояла перед ними, написанная на лицах детей. Нед ощутил дурноту.

— Я помню Роберта в тот день, когда он вступил на престол, он был королем каждым дюймом своего тела, — сказал Нед негромко. — Тысяча других женщин любила бы его всем сердцем. Что он сделал такого, что вы возненавидели его?

Глаза ее вспыхнули в сумерках зеленым огнем, как у львицы на ее гербе.

— В нашу брачную ночь, когда мы впервые разделили постель, он называл меня именем твоей сестры. Он был на мне, во мне... от него разило вином, и он шептал — Лианна!

Нед вспомнил бледно-голубые розы, и ему на мгновение захотелось плакать.

— Не знаю, кого из вас мне жалеть...

Королева явно удивилась.

— Приберегите свою жалость для себя, лорд Старк. Мне она не нужна.

— Вы знаете, что я обязан сделать?

— Обязан? — Королева опустила руку на его здоровую ногу, как раз над коленом. — Истинный мужчина делает то, что он хочет, а не то, что он обязан. — Пальцы ее прикоснулись к бедру легчайшим из обещаний. — Государство нуждается в сильной деснице. Джофф еще далек от зрелости. Никто не хочет новой войны, и меньше всех ее хочу я. — Рука ее прикоснулась к его лицу, его волосам. — Если друзья могут стать врагами, то и враги способны превратиться в друзей. Ваша жена в тысяче лиг отсюда, а брат мой бежал. Будьте добры ко мне, Нед. Клянусь, вы никогда не пожалеете об этом.

— То же самое вы предлагали и Джону Аррену?

Она ударила его.

— Отпечаток вашей ладони для меня знак чести, — сухо заметил Нед.

— Чести! — плюнула она. — Как вы смеете становиться передо мной в позу благородного лорда? За кого вы меня принимаете? У вас есть собственный бастард, я видела его. Кем же была его мать, интересно? Какой-нибудь дорнийской крестьянкой, которую вы изнасиловали возле горящего дома? Шлюхой? Или это скорбная сестра, леди Эшара? Я слыхала, что она утопилась. Из-за чего вдруг? Из-за брата, которого вы убили, или из-за ребенка, которого вы выкрали? Скажите же, мой достопочтенный лорд Эддард, чем же вы лучше меня, Роберта или Джейме?

— Начнем с того, — проговорил Нед, — что я не убиваю детей. Слушайте меня хорошенько, миледи. Эту историю я расскажу только один раз, и, когда король возвратится с охоты, я выложу ему всю правду. К этому времени вы должны уехать, вместе с детьми, втроем, но только не на Бобровый утес. На вашем месте я бы отплыл на корабле в Вольные Города, или подальше — на Летние острова, или в Порт-Иббен. Куда унесет ветер.

— Изгнание — горькая чаша, — заметила королева.

— Более сладкая, чем та, из которой ваш отец напоил детей Рейегара, — ответил Нед. — И более добрая, чем вы заслуживаете. Неплохо бы взять с собой и отца вместе с братьями. Золото лорда Тайвина купит всем комфорт и поможет нанять мечи. Вам они потребуются. Обещаю, что куда бы вы ни бежали, гнев Роберта повсюду последует за вами — если потребуется, и на край земли.

Королева встала.

— А как насчет моего гнева, лорд Старк? — спросила она негромко, ее глаза впились в лицо Неда. — Вы могли взять власть в свои руки. Это было нетрудно сделать. Джейме рассказал мне, как вы обнаружили его на Железном троне в тот день, когда пала Королевская Гавань, и заставили спуститься с него. Это и был ваш момент. Вам осталось лишь подняться по этим ступенькам и сесть. Какая прискорбная ошибка!

— Я наделал куда больше ошибок, чем вы можете представить, — улыбнулся Нед. — Но не числю среди них этого поступка.

— О нет. Вы ошибаетесь, милорд, — настаивала Серсея. — Тот, кто играет в престолы, либо погибает, либо побеждает. Середины не бывает!

Накинув капюшон, чтобы скрыть опухшее лицо, она оставила его во тьме под дубом в тишине богорощи — под иссиня-черным небом, на котором начали высыпать звезды.

ДЕЙЕНЕРИС

Сердце дымилось на вечернем холодке, когда кхал Дрого подал ей кровавую плоть обагренными до локтя руками. Позади кхала стояли кровные всадники — на песке, на коленях возле туши дикого жеребца, с каменными ножами в руках. Кровь жеребца казалась черной в неровном оранжевом свете факелов, на высоких меловых стенах ямы.

Дени прикоснулась к своему мягкому округлившемуся животу. Капли пота выступили на ее коже, стекали по лбу. Она ощущала на себе взгляд старух дош кхалина, кремни глаз темнели на морщинистых лицах. «Ты не должна дрогнуть или убояться, ты дочь дракона», — сказала она себе и обеими руками поднесла сердце жеребца ко рту и впилась зубами в жесткое упругое мясо.

Теплая кровь наполнила рот Дени, побежала по подбородку. От вкуса ее замутило, однако она заставила себя прожевать и проглотить первый кусок. Дотракийцы полагали, что сердце жеребца сделает ее сына сильным, быстрым и бесстрашным, но только если она сумеет съесть его целиком. Если женщина давилась кровью или исторгала мясо, предзнаменование считалось неблагоприятным; дитя могло оказаться мертворожденным, слабым или уродливым. Или даже родиться девочкой...

Служанки помогли Дени подготовиться к церемонии, невзирая на слабость желудка, преследовавшую ее последние два месяца. Дени пообедала чашей полусвернувшейся крови, чтобы привыкнуть к вкусу, а Ирри заставила ее жевать нарезанную полосами вяленую конину, пока челюсти ее не заболели. Перед обрядом она ничего не ела целый день и ночь, чтобы голод помог ее телу удержать в себе сырое мясо.

Сердце дикого жеребца состояло из одних только мышц, и Дени приходилось отрывать зубами и долго жевать каждый кусок. Сталь не могла блеснуть внутри священных пределов Вейес Дотрак, под сенью Матери гор, и ей приходилось рвать мясо зубами и ногтями. Желудок ее бурлил и волновался, но Дени ела, испачкав лицо в крови, иногда выплескивавшейся на губы.

Она ела, кхал Дрого возвышался над ней с лицом твердым, словно бронзовый щит. Длинная черная коса кхала блестела, умащенная маслом. На усах играли золотые кольца, коса пела золотыми колокольчиками, тяжелый пояс литого золота перехватывал середину его тела, но грудь оставалась нагой. Когда силы оставляли ее, Дени глядела на Дрого, просто глядела и снова жевала и глотала, жевала и глотала, жевала и глотала. Под конец Дени показалось, что она заметила свирепую гордость в его темных миндалевидных глазах, но уверенной она быть не могла: лицо кхала нечасто выдавало его мысли.

Наконец все было закончено. Липкими пальцами она поднесла к губам последний кусок и заставила себя проглотить его. И только тогда Дени обернулась к старухам, каргам дош кхалина.

— Кхалака дотрайя мранха! — произнесла она, стараясь точно произносить дотракийские слова. — Принц едет во мне!

Фразу эту она заучивала несколько дней с помощью своей служанки Чхику, чтобы не ошибиться в произношении.

Самая древняя из старух, согбенная и иссохшая, превратившаяся в палку, возвела к небу единственный черный глаз и руки.

— Кхалака дотрайя! — вскричала она. — Принц едет!

— Он едет! — вступили другие женщины. — Ракх! Ракх! Ракх хадж! Мальчик, мальчик, сильный мальчик...

Бронзовыми птицами запели колокола, зычно рявкнул хриплый боевой рог. Женщины завели распев. Под раскрашенными кожаными жилетами тряслись иссохшие мешки, поблескивавшие от масла и пота. Евнухи, прислуживавшие старухам, бросали пучки сушеной травы на огромную бронзовую жаровню, и облака благоуханного дыма поднимались к звездам. Дотракийцы видели в звездах сотворенных из огня небесных коней, неисчислимый табун этот каждой ночью проносится по небосклону.

Дым поднимался, песнь умолкла, и древняя старуха закрыла единственный глаз, чтобы лучше разглядеть будущее. Вокруг воцарилось полнейшее молчание. Дени слышала только далекий зов ночных птиц, шипение и треск факелов, мягкий блеск воды в озере. Ночные глаза дотракийки не отрывались от нее.

Кхал Дрого положил ладонь на руку Дени. Она почувствовала напряженность в его пальцах. Даже такой могущественный кхал, как Дрого, испытывал страх, пока дош кхалин искал в дыму черты грядущего. За спиной Дени трепетали ее служанки.

Наконец старуха открыла глаз и подняла руки.

— Я видела его лицо и слышала грохот его копыт, — провозгласила она тонким дрожащим голосом.

— Грохот его копыт! — хором подтвердили остальные.

— Скачет он, быстрый как ветер, а за конем его кхаласар покрывает землю; мужам сим нет числа, и ракхи блестят в их ладонях, подобно лезвиям меч-травы. Свирепый как буря будет этот принц. Враги его будут трепетать перед ним, и жены их возрыдают кровавыми слезами и в скорби раздерут свою плоть. Колокольчики в его волосах будут петь о его приближении, и молочные люди в своих каменных шатрах будут страшиться одного только его имени. — Старуха затрепетала и поглядела на Дени словно бы в испуге. — Принц едет, и он будет тем жеребцом, который покроет весь мир.

— Жеребцом, который покроет весь мир! — хором отозвались свидетельницы, и ночь ответила звону их голосов.

Одноглазая старуха поглядела на Дени.

— А как же будет он зваться, жеребец, который покроет весь мир?

Дени встала, чтобы ответить.

— Его будут звать Рейего, — проговорила она слова, которым научила ее Чхику. Руки ее невольно легли на живот, защищая ребенка, когда дотракийцы взревели:

— Рейего, Рейего, Рейего, Рейего!

Имя сына еще звенело в ушах Дени, когда кхал Дрого повел ее прочь из ямы. Кровные всадники следовали за ними. Во главе процессии они вышли на Божий путь, широкую, заросшую травой дорогу, протянувшуюся сквозь самое сердце Вейес Дотрак, от Конских ворот к Матери гор. Первыми, вместе с евнухами и слугами, шли старухи из дош кхалина, некоторые опирались на высокие резные посохи, с трудом передвигая древние трясущиеся ноги по дороге, другие же шествовали горделиво, как любой из владык табунщиков. Некогда каждая из старух была кхалиси. Жену присылали сюда править великим дотракийским народом после смерти благородного мужа, когда новый кхал со своей кхалиси занимал его место перед всадниками. Даже могущественнейшие из кхалов преклонялись перед мудростью и властью дош кхалина. И все же Дени было как-то не по себе от мысли, что однажды и ей суждено будет оказаться среди них, захочет она того или нет.

Позади мудрых старух шли остальные: кхал Ого и его сын, кхалакка Фого, кхал Джомо и его жены, главные из приближенных Дрого, служанки Дени, слуги и рабы кхала и так далее. Колокола и барабаны задавали величественный ритм движению процессии, торжественно шествовавшей по Божьему пути. Украденные герои и боги мертвых народов размышляли во тьме. Вдоль шествия торопливо бежали рабы с факелами в руках, и мерцающие эти огни заставляли великие монументы казаться почти живыми.

— А что значит имя Рейего? — спросил ее Дрого на обычном языке Семи Королевств — при возможности Дени старалась научить его нескольким словам. Дрого учился быстро, когда хотел этого, однако акцент его оставался таким невозможным, что ни сир Джорах, ни Визерис не понимали ни слова из того, что говорил кхал.

— Мой старший брат Рейегар был свирепым воином, мое солнце и звезды, — отвечала она мужу. — Он умер до моего рождения. Сир Джорах говорит, что он был последним из драконов.

Кхал Дрого поглядел на нее сверху вниз. Лицо его казалось медной маской, но ей показалось, что под длинными черными усами, поникшими под весом золотых колец, промелькнула тень улыбки.

— Это хорошее имя, Дан Арес, жена, луна моей жизни, — проговорил он.

Они приехали к озеру, которое дотракийцы именовали Чревом Мира; окруженные зарослями тростников воды его всегда оставались чистыми и спокойными. Тысячу лет назад, как сказала ей Чхику, первый мужчина выехал из его глубин верхом на первом коне.

Процессия остановилась на травянистом берегу, тем временем Дени разделась и сбросила свою грязную одежду на землю. Нагая, она осторожно ступила в воду. Ирри утверждала, что у озера этого нет дна, однако Дени ощущала, как мягкая грязь просачивается между ее пальцами, пока она шла, раздвигая высокий тростник. Луна плавала на спокойных черных водах, разбиваясь на осколки и складываясь вновь, когда волны от ее ног накладывались на отражение. Мурашки пробежали по ее нежной коже, когда холодок поднялся вверх по ее бедрам, поцеловал нижние губы. Кровь жеребца засохла на ее руках и около рта. Зачерпнув обеими ладонями, Дени подняла священную воду над головой, очищая себя и дитя, находящееся внутри ее чрева; кхал и все остальные глядели на нее. Она слышала, как бормотали старухи дош кхалина, и гадала, что они говорят.

Когда мокрая и дрожащая Дени выбралась из озера, служанка ее Дореа заторопилась к ней с одеянием из крашеного шелка, но кхал Дрого отослал ее прочь движением руки. Он с одобрением глядел на вздувшееся чрево и налившиеся груди жены, и Дени заметила, как напряглась его мужественность под штанами из конской шкуры, закрытыми под тяжелыми золотыми медальонами пояса.

Она подошла к нему и помогла распустить шнурок. Могучий кхал взял ее за бедра и поднял в воздух, словно ребенка. Колокольчики в волосах его запели.

Обхватив мужа руками за плечи, Дени спрятала лицо у него на груди. Три быстрых движения — и все было кончено.

— Жеребец, который покроет весь мир, — шепнул Дрого. Руки его пахли конской кровью. В миг высшего наслаждения он прикусил кожу на ее шее, а потом снял с себя, и семя его потекло по бедрам Дени. Только потом он позволил ей одеться в надушенный шелк. Ирри надела мягкие шлепанцы на ее ноги.

Кхал Дрого завязал штаны, отдал приказ, и на берег вывели коней. Кохолло была предоставлена честь помочь кхалиси подняться на свою Серебрянку. Дрого пришпорил своего жеребца и направился прочь по Божьему пути, под луной и звездами. Дени легко догнала его.

Шелковый тент, покрывавший сверху приемный зал кхала Дрого, сегодня был свернут, и луна последовала за ними внутрь дворца. Четырехфутовые языки пламени плясали на трех огромных каменных очагах. В воздухе пахло жареным мясом и перебродившим кобыльим молоком. Полный зал гудел — здесь на подушках сидели те, чей сан и имя не давали права присутствовать при церемонии. Дени въехала в арку, проехала дальше по проходу между сидящими; все глядели на нее. Дотракийцы перекрикивались, превознося ее чрево и грудь, возвеличивая жизнь, растущую внутри нее. Дени не понимала всего, что они говорили, но одна фраза заглушала все остальные.

— Жеребец, который покроет весь мир, — звучал тысячеголосый хор.

Рокот барабанов и стоны труб разносились в ночи. Полуодетые женщины кружили и плясали на низких столах, среди блюд и подносов с мясом, сливами, финиками и гранатами. Многие мужчины уже перепились перебродившего молока, но Дени знала: сегодня аракхам не звенеть друг о друга; здесь, в священном городе, запрещалось обнажать мечи и лить кровь.

Кхал Дрого спешился и занял свое место на высокой скамье. Кхал Джоммо и кхал Ого, уже находившиеся в Вейес Дотрак со своими кхаласарами, были удостоены самых почетных мест — справа и слева от Дрого. Позади троих кхалов сидели кровные всадники, ниже располагались три жены кхала Джоммо.

Дени спустилась со своей Серебрянки и отдала поводья рабу. Когда Дореа и Ирри устроили для нее подушки, она поискала взглядом своего брата. Визериса можно было бы заметить даже в противоположном конце людного зала, но ни серебряной головы брата, ни бледного лица, ни городских лохмотьев нигде не было видно. Она обратила взгляд к людным столам возле стен, где мужчины, чьи косы были даже короче их мужского признака, сидели на бахромчатых ковриках и плоских подушках у невысоких столов, но все лица были черноглазы и меднокожи. Она отыскала сира Джораха Мормонта в середине зала возле главного очага. Место это считалось почетным и даже весьма: дотракийцы ценили искусство рыцаря во владении мечом. Дени послала Чхику привести его к своему столу. Мормонт явился немедленно и опустился перед ней на одно колено.

— Кхалиси, — проговорил он, — приказывайте, повинуюсь.

Она хлопнула по набитой подушке из конской шкуры возле себя.

— Садись и поговори со мной.

— Вы оказываете мне честь. — Рыцарь уселся на подушку, скрестив ноги. Раб склонился перед ним, предлагая деревянное блюдо, полное спелых фиг. Сир Джорах взял одну и откусил половину.

— А где мой брат? — спросила Дени. — Он должен был прийти на пир.

— Я видел светлейшего государя этим утром, — сказал ей Мормонт. — Он говорил, что собирается на западный рынок, чтобы найти вина.

— Вина? — с явным недовольством в голосе повторила Дени. Визерис не мог переносить вкуса перебродившего молока, которое пили дотракийцы, она знала это; в эти дни брат частенько посещал базары, выпивая с торговцами, приводившими великие караваны с запада и востока. Похоже, он находил их общество более приятным.

— Вина, — подтвердил сир Джорах. — Потом он захотел нанять в свое войско кого-нибудь из наемников, охраняющих караваны.

Служанка положила перед ним пирог с кровью, и рыцарь обеими руками взял его.

— А это разумно? — спросила она. — У него нет золота, чтобы заплатить солдатам. Что, если они предадут его? — Провожатые караванов редко тревожили себя мыслями о чести, узурпатор, засевший в Королевской Гавани, хорошо заплатил бы им за голову брата. — Вам следовало бы пойти с ним, чтобы приглядеть за его безопасностью. Вы же присягнули ему!

— Мы находимся в Вейес Дотрак, — напомнил ей рыцарь. — Здесь никто не вправе обнажить клинок и пролить кровь.

— Но люди тем не менее умирают, — сказала она. — Так сказал мне Чхого. Некоторые из торговцев привозят с собой рослых евнухов, которые удавливают воров шелковой лентой. При этом кровь не проливается, и боги спокойны.

— Тогда будем надеяться, что ваш брат проявит достаточно мудрости и не будет ничего красть. — Сир Джорах стер жир со рта тыльной стороной ладони и пригнулся над столом. — Он намеревался забрать у вас драконьи яйца, но я предупредил, что отсеку ему руку, если он посмеет даже прикоснуться к ним.

На мгновение Дени почувствовала такое потрясение, что у нее даже не хватило слов.

— Мои яйца... но они же мои... их мне подарил магистр Иллирио, это подарок к свадьбе, но зачем они Визерису... это всего лишь только камни...

— Этим же словом можно назвать и рубины, алмазы и огненные опалы, принцесса... но драконьи яйца встречаются куда реже. Торговцы, с которыми он пьет, позволят отрезать свою мужественность даже за один из этих камней, ну а за три Визерис сможет нанять столько наемников, сколько ему потребуется.

Дени не знала, даже не подозревала об этом.

— Тогда он должен получить их. Ему незачем их красть. Ему нужно только попросить! Он мой брат... и мой истинный король.

— Да, он ваш брат, — согласился сир Джорах.

— Вы не понимаете, сир, — сказала она. — Мать моя умерла, давая мне жизнь, а отец и мой брат Рейегар погибли еще до того. Я не знала бы даже их имен, если бы их не назвал мне Визерис. Он у меня один. Единственный. Кроме него, у меня никого нет.

— Так было прежде, — сказал сир Джорах, — но теперь это не так, кхалиси. Вы теперь стали дотракийкой. В чреве вашем едет жеребец, который покроет весь мир. — Он поднял чашу, и раб наполнил ее перебродившим кобыльим молоком, кислым и полным комков.

Дени отмахнулась. Даже от запаха ее затошнило, и она не хотела рисковать, не хотела расставаться с кусками конского сердца, которое с таким трудом заставила себя съесть.

— Что это значит? — спросила она. — Что это за жеребец? Все кричат мне эти слова, но я не понимаю их смысла.

— Жеребец — это кхал кхалов, предсказанный в древнем пророчестве, дитя. Он объединит дотракийцев в единый кхаласар и приведет их к концам земли, так было обещано. Все люди мира покорятся ему.

— Ой, — сказала Дени тоненьким голосом. Рука ее погладила платье над раздувшимся животом. — А я назвала его Рейего...

— От этого имени кровь в жилах узурпатора застынет.

Вдруг Дореа потянула ее за локоть.

— Госпожа моя, — настоятельно шепнула служанка, — ваш брат...

Дени поглядела в дальний конец длинного, лишенного крыши зала и заметила брата, который направлялся к ней. Судя по неуверенной походке, нетрудно было понять, что Визерис отыскал свое вино... а с ним и долю того, что он выдавал за отвагу.

На Визерисе были алые шелка, грязные и запачканные в дороге. Плащ и перчатки из черного бархата выцвели на солнце. Пересохшие сапоги его скрипели, серебристые волосы спутались, на поясе в кожаных ножнах висел длинный меч. Дотракийцы заметили оружие, когда он проходил, и Дени услышала их проклятия и угрозы, гневный ропот приливом охватывал ее. Умолкла и музыка, и притих нервный, оступающийся рокот барабанов.

Жуткое предчувствие охватило ее сердце.

— Ступайте к нему, — приказала она сиру Джораху. — Остановите его. Приведите сюда. Скажите ему, что он может получить свои драконьи яйца, если это все, в чем он нуждается.

Рыцарь быстро вскочил на ноги.

— Где моя сестра? — крикнул Визерис голосом, полным вина. — Я пришел пировать. Как ты смела сесть за трапезу без меня? Никто не смеет приступать к еде прежде, чем начнет есть король. Где она? Эта шлюха не может укрыться от дракона!

Он остановился возле самого большого из трех очагов, вглядываясь в лица дотракийцев. В зале собралось тысяч пять человек, но лишь горстка из них знала общий язык. Но даже если слова его оставались непонятными, одного взгляда на Визериса было достаточно, чтобы все понять.

Сир Джорах торопливо подошел к нему, что-то шепнул на ухо и взял за руку, но Визерис вырвался.

— Убери свои руки! Никто не смеет прикасаться к дракону без его разрешения!

Дени тревожно посмотрела вверх на высокую скамью. Кхал Дрого что-то говорил кхалам, сидевшим возле него. Кхал Джоммо ухмылялся, а кхал Ого уже громко хохотал.

Смех заставил Визериса поднять глаза.

— Кхал Дрого, — сказал он заносчиво, — я прибыл на пир! — Он отшатнулся от сира Джораха, пытаясь подняться к трем кхалам на высокой скамье.

Кхал Дрого поднялся, выплюнул дюжину слов на дотракийском быстрее, чем Дени могла понять его, и указал пальцем.

— Кхал Дрого говорит, что место твое не на высокой скамье, — перевел сир Джорах ее брату. — Кхал Дрого говорит, что место твое там.

Визерис поглядел в сторону, в которую указал кхал. В дальней части длинного зала, в уголке у стены, прячась в тени так, чтобы лучшие люди не видели их, сидели нижайшие из нижайших. Юные, еще не побывавшие в стычках юноши, старики с затуманившимися глазами и одеревеневшими суставами. Слабоумные и раненые. Вдали от мяса и еще дальше от чести.

— Это не место для короля, — объявил ее брат.

— Место это, — отвечал кхал Дрого на общем языке, которому научила его Дени, — как раз и подобает королю, стершему ноги. — Он хлопнул в ладоши. — Телегу! Подайте телегу кхалу Рхаггату...

Пять тысяч дотракийцев разразились смехом и воплями. Сир Джорах стоял возле Визериса и кричал ему на ухо, но в зале поднялся столь громогласный рев, что Дени не слышала его слов. Брат ее отвечал криком, и они схватились; наконец Мормонт бросил Визериса на пол.

Брат ее извлек меч.

Нагая сталь мелькнула жутким багрянцем, отражая свет очагов.

— Убирайся от меня! — прошипел Визерис. Сир Джорах отступил на шаг, и брат ее неуверенно поднялся на ноги. Он махнул над головой чужим клинком, который магистр Иллирио дал Визерису, чтобы тот приобрел более царственный вид. Дотракийцы со всех сторон призывали проклятия на его голову.

Дени испустила безмолвный крик ужаса. Она-то знала, что ждет обнажившего меч в Вейес Дотрак, хотя брат не представлял этого.

Визерис повернул голову на ее голос и наконец заметил сестру.

— А, вот и она! — сказал он с улыбкой. И направился к ней, рассекая воздух, словно освобождая дорогу в стане врагов, хотя никто не пытался остановить его.

— Клинок... убери меч, — попросила она его. — Пожалуйста, Визерис. Это запрещено. Опусти меч и садись на подушки. Пей, ешь. Тебе нужны драконьи яйца? Возьми их, только брось меч.

— Делай, как она говорит тебе, дурак, — закричал сир Джорах. — Иначе они убьют всех нас.

Визерис расхохотался.

— Они не посмеют убить нас. Это им запрещено проливать кровь в священном городе... а не мне. — Он приложил острие меча к груди Дейенерис и провел им по ее животу. — Я хочу получить то, зачем прибыл сюда, — сказал он сестре. — Я хочу корону, и он обещал мне ее. Он купил тебя, но не заплатил. Скажи ему, что я хочу получить то, что мне причитается, или я заберу тебя назад... Тебя и драконьи яйца. А он может взять своего паршивого жеребенка. Я вырежу подлеца и подарю ему.

Меч пронзил шелка и кольнул пупок. Визерис плакал, Дейенерис видела это, он плакал и хохотал одновременно, этот человек, который прежде был ее братом. Вдали, словно где-то в другом мире, Дени слышала рыдания Чхику; она не смела переводить, в страхе перед кхалом, который мог привязать ее к собственному коню и протащить до самой Матери гор. Дени положила руки на плечи девушки и сказала:

— Не бойся, я сама скажу ему.

Дени не знала, хватит ли у нее слов, но когда она договорила, кхал Дрого произнес несколько отрывистых предложений на дотракийском, и она увидела, что он понял ее.

Солнце ее жизни спустился вниз с высокой скамьи.

— Что он сказал? — спросил человек, который был ее братом.

В зале стало так тихо, что она слышала колокольчики в волосах кхала Дрого, мягко певшие при каждом его шаге. Кровные всадники следовали за ним, как три медные тени. Дейенерис похолодела.

— Он говорит, что ты получишь великолепную золотую корону, от которой затрепещет любой человек...

Визерис улыбнулся и опустил свой меч. Это было печальнее всего, эта его улыбка так мучила ее потом.

— Только этого я и хотел, он сам обещал мне!

Когда муж, солнце ее жизни, подошел к ней, Дени обняла его за плечи. Кхал произнес слово, и кровные всадники бросились вперед. Квото схватил человека, который был ее братом за руки, Хагго раздробил ему руку резким поворотом огромных ладоней. Кохолло вырвал меч из обмякших пальцев. Но даже теперь Визерис еще ничего не понял.

— Нет, — закричал он, — вы не смеете прикасаться ко мне, я — дракон, я — дракон, и я получу корону!

Кхал Дрого расстегнул пояс, медальоны его были отлиты из чистого золота, массивного и украшенного, каждый был величиной в руку человека. Кхал выкрикнул приказ. Рабы потянули с очага тяжелый кухонный котел, вылили отвар на землю и вернули горшок в огонь. Дрого бросил в него пояс и принялся невозмутимо смотреть на медальоны, покрасневшие и начавшие оплывать. Дени видела, как пламя пляшет в ониксе его глаз. Раб подал кхалу пару толстых перчаток из конского волоса, он натянул их на руки, даже не поглядев на невольника.

Визерис завопил отчаянным тонким голосом труса, увидевшего свою смерть. Он брыкался и вырывался, скулил как пес и рыдал как дитя, но дотракийцы крепко держали его. Сир Джорах пробился к боку Дени, положил руку на ее плечо.

— Отвернитесь, моя принцесса, умоляю вас.

— Нет. — Она сложила свои руки на вздувшемся животе, защищая дитя.

Наконец Визерис поглядел на нее.

— Сестра, прошу... Дени, скажи им... пусть они... милая сестрица...

Когда золото наполовину расплавилось и начало растекаться, Дрого потянулся к пламени и выхватил горшок.

— А вот и корона! — взревел он. — Вот и корона для тележного короля! — Кхал перевернул горшок над головой человека, который был ее братом.

Вопль, который издал Визерис Таргариен, когда жуткий железный шлем прикрыл его лицо, ничуть не напоминал человеческий. Ноги его выбили отчаянную дробь по утоптанной земле, движения их замедлились, остановились. Капли расплавленного золота стекали на его грудь, воспламеняя алый шелк... но ни капли крови не было пролито.

Он не был драконом, подумала Дени, ощутив неожиданное спокойствие. Огонь не может убить дракона.

ЭДДАРД

Он шел через крипту под Винтерфеллом, как ходил тысячу раз до этого. Короли зимы следили за ним ледяными глазами, а лютоволки у их ног поворачивали огромные каменные головы и рычали. Он подошел к последней гробнице, где спал отец его, возле Брандона и Лианны.

— Обещай мне, — шепнуло изваяние Лианны. На нем была гирлянда из бледно-голубых роз, глаза сестры плакали кровью.

Эддард Старк вздрогнул, сердце его колотилось, простыни перепутались. В комнате было темно как в яме, кто-то барабанил в двери.

— Лорд Эддард, — позвал громкий голос.

— Мгновение. — Ничего не соображавший, нагой, он прохромал через темную палату. Когда он открыл дверь, то обнаружил там Томарда с занесенным кулаком и Кейна с тоненькой свечой в руке. Между ними стоял личный стюард короля.

Лицо его могло быть высеченным из камня, настолько мало оно показывало.

— Милорд десница, — проговорил стюард, — светлейший король требует вашего немедленного присутствия.

Итак, Роберт вернулся с охоты. Время закончилось.

— Мне потребуется несколько мгновений, чтобы привести себя в порядок. — Нед оставил человека ожидать снаружи.

Кейн помог ему одеться. Белая льняная рубаха и серый плащ, брюки, разрезанные вдоль заключенной в лубок ноги, знак должности и в последнюю очередь — пояс из тяжелых серебряных звеньев. Он спрятал валирийский кинжал на груди.

Кейн и Томард повели его через внутренний двор. В Красном замке было темно и тихо, луна невысоко висела над стенами — еще не созревшая, но стремящаяся к полноте. На стене расхаживал стражник в золотом плаще.

Королевские покои находились в твердыне Мейегора, массивной квадратной крепости, истинном сердце Красного замка, обнесенной стенами двенадцати футов толщиной и окруженной сухим рвом, усаженным железными шипами. Это был замок внутри замка. Сир Борос Блаунт охранял дальний конец моста, белая стальная броня казалась призрачной в лунном свете. Оказавшись внутри, Нед миновал еще двоих рыцарей Королевской гвардии. Сир Престон Гринфилд стоял у подножия ступеней, а сир Барристан Селми ожидал у дверей королевской опочивальни. Трое людей в белых плащах, подумал он, вспоминая, и странный холодок пробежал по его спине. Лицо сира Барристана было бледнее брони. Неду хватило лишь одного взгляда на него, чтобы понять, что случилось нечто ужасное. Королевский стюард отворил дверь.

— Лорд Эддард Старк, — объявил он.

— Введите его сюда, — проговорил странный глухой голос.

Пламя горело в двух очагах в каждом конце опочивальни, наполняя комнату мрачным кровавым огнем. Жара внутри удушала. Роберт лежал под пологом на постели. Около ложа его возвышался великий мейстер Пицель, лорд Ренли беспокойно расхаживал перед закрытыми окнами. Слуги сновали взад и вперед, подкладывая поленья в очаг, и кипятили вино. Серсея Ланнистер сидела на краю постели возле своего мужа. Волосы ее были взлохмачены, словно со сна, но в глазах королевы дремоты не было. Она следила за Недом, которому Томард и Кейн помогали пересечь комнату. Ему казалось, что он двигался очень медленно, словно бы во сне.

Король лежал в сапогах. Нед видел засохшую грязь и травинки, прилипшие к коже сапог, носками торчащих из-под прикрывавшего его одеяла. Зеленый дублет остался на полу, распоротый и брошенный, ткань покрывали засохшие кровавые пятна. В комнате пахло дымом, кровью и смертью.

— Нед, — шепнул король, увидев его. Лицо Роберта было белее молока. — Подойди... ближе.

Люди помогли Неду приблизиться. Он оперся рукой на столб балдахина. Одного только взгляда на Роберта было довольно, чтобы понять, как плохо королю.

— Что?.. — спросил он, и горло его перехватило.

— Вепрь. — Лорд Ренли оставался в охотничьем зеленом костюме, плащ его был запачкан кровью.

— Дьявол, — хрипел король. — Я сам виноват. Перебрал вина, проклятие, промахнулся!

— А где были все вы? — потребовал Нед ответа у лорда Ренли. — Где был сир Барристан и Королевская гвардия?

Рот лорда Ренли дернулся.

— Брат приказал нам отступить в сторону и не мешать ему брать вепря.

Эддард приподнял одеяло. Они сделали все, что могли, чтобы зашить рану, но этого было мало. Зверь был наверняка матерым. Он распорол живот короля снизу до груди своими клыками. Пропитанные вином повязки, которые накладывал великий мейстер Пицель, уже почернели от крови, от раны жутко разило. Желудок Неда перевернулся, он опустил одеяло.

— Воняет, — сказал Роберт, — смертью воняет, или ты думаешь, что я не понимаю этого? Ловко обошелся со мной это сукин сын! Но я... я расплатился с ним, Нед. — Улыбка короля была столь же жуткой, как его рана; зубы были в крови. — Я вогнал ему нож прямо в глаз. Спроси их, если не веришь!

— Истинно так, — пробормотал лорд Ренли, — мы привезли тушу с собой, как приказал мой брат.

— Для пира, — прошептал Роберт. — А теперь оставьте нас, все оставьте. Я должен поговорить с Недом.

— Роберт, милый мой господин... — начала Серсея.

— Я сказал, все уйдите, — бросил Роберт с тенью прежней свирепости. — Что в моих словах непонятного, женщина?

Серсея подобрала свои юбки и достоинство и направилась к двери, за ней последовали лорд Ренли и все остальные. Великий мейстер Пицель помедлил, трясущимися руками предлагая королю чашу густого белого настоя.

— Маковое молоко, светлейший государь. Выпейте, чтобы уменьшить боль.

Роберт отмахнулся тыльной стороной руки.

— Убери чашу. Скоро я отосплюсь, старый дурак. Убирайся.

С ужасом посмотрев на Неда, великий мейстер Пицель побрел вон из комнаты.

— Проклятие, Роберт, — проговорил Нед, когда они остались одни. Нога его пульсировала так, что он почти ослеп от боли. Или, быть может, это горе туманило его глаза. Он нагнулся к постели, к лицу друга. — Ну почему ты всегда был таким упрямым?

— Ах, мать-перемать, Нед, — проговорил хриплым голосом король. — Я убил его, и все тут. — Прядь спутанных волос прикрыла его глаза, он смахнул ее и поглядел на Неда. — Надо было бы и тебя тоже. Ну не можете дать человеку поохотиться в мире. Сир Робар отыскал меня... Снять голову с Григора? Ну и идея. Я не сказал Псу, пусть Серсея сама удивит его.

Смех короля превратился в ворчание, когда боль пронзила его.

— Боги милосердные, — пробормотал король в муке. — Девочка, Дейенерис, она всего лишь только ребенок... Вот поэтому... боги послали вепря... чтобы наказать меня... — Король закашлялся, отплевываясь кровью. — Я был не прав, я был не прав... она всего только девочка. Мизинец... Варис, Мизинец, даже мой брат... все они... но никто не воспротивился мне, кроме тебя, Нед. Только ты... — Он с усилием поднял руку. — Перо и бумага здесь, на столе. Пиши, что я приказываю.

Нед разгладил бумагу на колене, взял перо.

— Повинуюсь, светлейший государь.

— По слову и воле Роберта из дома Баратеонов, первого носителя этого имени, короля андалов и так далее... вставишь проклятые титулы, ты знаешь, как они звучат... Повелеваю Эддарду из дома Старков, лорду Винтерфелла и деснице короля, принять обязанности лорда-регента и протектора королевства после моей... после моей смерти... и править моим именем... до тех пор, пока сын мой Джоффри не достигнет нужного возраста.

«Роберт... Джоффри не твой сын», — хотел сказать Нед, но слова эти не шли. Лицо Роберта искажала слишком сильная мука. Он не мог ранить его еще сильнее. И, нагнув голову, лорд Старк принялся писать, но там, где король сказал «мой сын Джоффри», он написал «мой наследник». Ложь эта оставила на душе его грязный отпечаток. «Чего только не приходится совершать, да простят меня боги».

— Что еще я должен сказать?

— Скажи... все что нужно. Хранить и оборонять старых богов и новых, ты знаешь слова. Пиши все. Я подпишу. Передашь совету после моей смерти.

— Роберт, — проговорил Нед голосом, полным горя, — ты не должен умирать. Ну постарайся. Страна нуждается в тебе.

Роберт стиснул его руку.

— Ты... неумелый лжец, Нед Старк, — промолвил он, одолевая боль, — страна... страна знает... каким паршивым королем я был. Хуже Эйериса, да простят меня боги.

— Нет, — сказал Нед своему умирающему другу. — Зачем так говорить, светлейший государь! Тебя с Эйерисом даже сравнить нельзя!

Роберт умудрился улыбнуться.

— Ну теперь люди хотя бы скажут... что в последней воле... я не ошибся. Ты ведь не подведешь меня! Теперь править тебе. Ты ведь любишь это занятие еще меньше, чем я, но ты справишься, Нед. Написал?

— Да, светлейший государь. — Нед подал Роберту бумагу.

Король вслепую поставил подпись, оставив на бумаге кровавое пятно.

— Приложишь печать. А вепря съешьте на поминках, — скрежетнул Роберт, — с яблоком во рту и поджарьте до хруста. Съешьте ублюдка. Сделай так, Нед, хотя тебе-то кусок в глотку не полезет. Обещай мне, Нед!

— Обещаю. — И в памяти отозвался голос Лианны, те же слова: «Обещай мне, Нед!»

— Девочка, — сказал король. — Дейенерис. Пусть живет. Если ты можешь, если это... не слишком поздно... переговори с ними... с Варисом, Мизинцем, пусть они не убивают ее. Помоги моему сыну, Нед, сделай его... лучшим королем, чем был я. — Он дернулся. — Да смилуются боги над нами.

— Смилуются, мой друг, — обещал Нед. — Обязательно.

Король закрыл глаза и как будто расслабился.

— Был убит свиньей, — пробормотал он. — Можно бы и посмеяться, но слишком уж больно.

Неду не хотелось смеяться.

— Позвать всех назад?

Роберт слабо кивнул:

— Как хочешь. Боги, почему здесь так холодно?

Слуги торопливо вошли и принялись подкладывать дрова в огонь. Королева ушла, принеся этим какое-то облегчение. Если у нее остались хоть крохи ума, Серсея заберет детей и убежит с ними еще до рассвета, подумал Нед. Она и так задержалась здесь слишком долго.

Король Роберт определенно не горевал без жены. Он попросил своего брата Ренли и великого мейстера Пицеля стать свидетелями и приложил печать к горячему желтому воску, которым Нед капнул на грамоту.

— А теперь дайте мне что-нибудь от боли и позвольте умереть.

Великий мейстер Пицель поспешно смешал ему новую чашу макового молока. На этот раз король выпил все без остатка. Густую бороду усеяли белые капли, когда Роберт отбросил пустую чашу в сторопу.

— Я усну?

Нед склонился над ним:

— Да, милорд.

— Отлично, — улыбнулся король. — Я передам Лианне твою любовь, Нед. Позаботься о моих детях.

Слова эти повернулись в животс Нсда ударом ножа. На мгновснис он потерялся. Он не мог заставить себя солгать. А затем вспомнил его бастардов... маленькую Барру у груди матери, Мию, оставшуюся в Долине, Джендри у наковальни и остальных.

— Я буду охранять твоих детей, как своих собственных, — медленно проговорил он.

Роберт кивнул и закрыл глаза. На глазах Неда старый друг осел на подушки, и маковое молоко смыло боль с его лица. Король погрузился в сон.

Тяжелые цепи негромко звякнули, когда великий мейстер Пицель подошел к Неду.

— Я сделал все, что было в моих силах, милорд, однако рана успела загнить. На дорогу ушло два дня, и я увидел его уже слишком поздно. Я могу лишь уменьшить страдания светлейшего государя, но одни только боги могут теперь исцелить его.

— Сколько ему осталось? — спросил Нед.

— По всем правилам он должен был уже скончаться. Я еще не видел, чтобы человек так яростно держался за жизнь.

— Мой брат всегда был могуч, — заметил лорд Ренли, — хотя, может быть, и нс слишком мудр.

В обжигающей жаре опочивальни чело его увлажнил пот. Он мог показаться призраком Роберта — молодой и темноволосый красавец.

— Он убил вепря! Внутренности уже вываливались из его живота, но тем не менее он убил вепря. — В голосе его слышалось удивление.

— Роберт был не из тех, кто оставляет поле боя, пока враг стоит на ногах, — кивнул Нед.

Снаружи за дверью сир Барристан по-прежнему охранял вход в башню.

— Мейстер Пицель дал королю маковое молоко. Приглядите, чтобы никто не потревожил его без моего разрешения, — распорядился Нед.

— Как прикажете, милорд. — Сир Барристан, казалось, постарел еще более. — Я не сумел исполнить свою священную клятву.

— И самый верный рыцарь не смог бы защитить короля от него самого, — проговорил Нед. — Роберт любил охотиться на вепрей. При мне он взял их, наверное, тысячу.

Король не знал трепета, упирался в землю ногами, с огромным копьем в руке, притом нередко ругая зверя, бросавшегося на него, и ожидал — до самого последнего мгновения. И когда вепрь оказывался рядом, убивал несущегося зверя одним коротким и уверенным движением.

— Никто не знал, что именно этот вепрь принесет ему смерть.

— Вы добры ко мне, лорд Эддард.

— То же самое сказал и король. Он обвинил вино.

Седоволосый рыцарь устало кивнул.

— Когда мы выгнали вепря из логова, светлейший государь едва не сползал из седла, однако он приказал нам отступить.

— Интересно, сир Барристан, — негромко спросил Варис, — а кто дал королю это вино?

Нед не заметил приближения евнуха, но, обернувшись, увидел его. Черное бархатное одеяние Вариса мело по земле, лицо покрывал слой свежей пудры.

— Вино было из собственного бурдюка короля, — проговорил сир Барристан.

— Единственного бурдюка? Охота пробуждает жажду.

— Я не считал, сколько их было. Сквайр всегда приносил новый мех по требованию короля.

— Такой услужливый мальчик, — сказал Варис. — Старался, чтобы светлейший не ощущал жажды.

Во рту Неда сделалось горько. Он вспомнил двух светловолосых юнцов, которых Роберт посылал искать кузнеца, чтобы растянуть нагрудник. В тот вечер на пиру король всем рассказывал эту повесть и всякий раз трясся от хохота.

— Который из них?

— Старший, — ответил сир Барристан. — Лансель.

— Я отлично знаю юношу, — сказал Варис. — Преданный молодой человек. Сын сира Кивана Ланнистера, племянник лорда Тайвина и кузен королевы. Надеюсь, милый мальчик ни в чем не обвиняет себя. Дети в своей юной невинности настолько ранимы! Я это прекрасно помню...

Безусловно, Варис некогда был молодым. Впрочем, Нед сомневался, что он вообще когда-либо был невинным.

— Вы упомянули о детях. Роберт изменил свои намерения в отношении Дейенерис Таргариен. Какие бы распоряжения вы ни отдали, я хочу, чтобы их отменили. Немедленно.

— Увы, — отвечал Варис, — даже если я сделаю это немедленно, и то будет уже поздно. Птички, увы, уже улетели. Но я выполню все, что могу, милорд. Прошу вашего прощения. — Он поклонился и скользнул вниз по ступеням, негромко ступая по камням своими мягкими туфлями.

Кейн и Томард помогали Неду перейти мост, когда лорд Ренли выбежал из крепости Мейегора.

— Лорд Эддард, — окликнул он Неда. — Подождите мгновение, будьте любезны.

Нед остановился.

— Как вам угодно.

Ренли подошел к нему.

— Отошлите ваших людей.

Они остановились на середине моста, над сухим рвом. Лунный свет серебрил острия пик, усаживающих его дно.

Нед махнул. Томард и Кейн склонили головы и почтительно отступили. Сир Ренли с опаской поглядел на сира Престона, замершего в дальнем конце моста, и на сира Барристана в дверях позади них.

— Это письмо. — Он наклонился поближе. — Речь шла о регентстве? Мой брат назначил вас протектором?

Ренли не дожидался ответа.

— Милорд, в моей собственной гвардии тридцать человек, есть друзья среди рыцарей и лордов. Предоставьте мне час, и я отдам в ваши руки сотню мечей.

— И что я сделаю с сотней мечей, милорд?

— Вы нанесете удар! Немедленно, пока замок спит. — Ренли поглядел на сира Бороса и вновь понизил свой голос до настоятельного шепота. — Надо отделить Джоффри от матери и взять его. Протектор или нет, но человек, который владеет юным королем, владеет властью. Надо захватить Мирцеллу и Томмена. Если дети будут у нас, Серсея не посмеет сопротивляться. Совет подтвердит вашу власть лорда-протектора и отдаст Джоффри в вашу опеку.

Нед холодно поглядел на него.

— Роберт еще не умер, и боги могут пощадить его. А если нет, я передам совету его последние слова, и мы обдумаем вопрос о наследовании престола, однако я не буду бесчестить его последние часы на земле, проливая кровь в его палатах, извлекая испуганных детей из постелей.

Лорд Ренли отступил назад, напряженный как тетива.

— С каждым мгновением промедления Серсея получает лишнее время на подготовку. И когда Роберт умрет, его может не хватить... нам.

— Тогда следует молиться, чтобы Роберт не умер.

— На это шансы невелики, — отвечал Ренли.

— Иногда боги бывают милосердны.

— Боги, но не Ланнистеры. — Лорд Ренли повернулся и направился назад через ров к башне, где лежал его умирающий брат.

Вернувшись к себе в палаты, Нед ощутил усталость и боль в сердце, но о том, чтобы уснуть, не было даже речи. Тот, кто играет в престолы, либо побеждает, либо погибает, сказала ему Серсея Ланнистер в богороще. Нед подумал, не ошибся ли он, отказав предложению лорда Ренли. Он не любил подобных интриг, к тому же бесчестно угрожать детям, и все же... если Серсея решила сопротивляться, а не бежать, ему не хватит даже тех мечей, которые предложил Ренли.

— Мне нужен Мизинец, — сказал он Кейну. — Если он сейчас не у себя, возьмите столько людей, сколько потребуется, и обыщите все винные погребки и бордели в Королевской Гавани, но найдите его и доставьте ко мне до рассвета.

Кейн поклонился и направился прочь.

Нед обратился к Томарду:

— «Владычица ветра» отправляется с вечерним приливом. Ты выбрал свиту?

— Десять человек, старшим — Портер.

— Двадцать, старшим поедешь ты, — сказал Нед. Портер человек отважный, но недалекий. Девочек он мог доверить лишь человеку более надежному и разумному.

— Как вам угодно, милорд, — поклонился Том. — Не могу сказать, что мне будет жаль расстаться с этим местом. Я соскучился по жене.

— Вы пройдете мимо Драконьего Камня, когда повернете на север. Я хочу, чтобы вы передали письмо.

Том удивился.

— На Драконий Камень, милорд? — Островная крепость дома Таргариенов пользовалась мрачной репутацией.

— Велите капитану Кроссу поднять мой стяг, как только он завидит остров: там могут опасаться незваных гостей. Если капитан проявит нерешительность, предложите ему все, что он захочет. Я дам тебе письмо, передашь его в собственные руки лорда Станниса Баратеона. И никому более: ни управляющему, ни капитану его гвардии, ни его леди-жене, только самому лорду Станнису.

— Как вам угодно, милорд.

Когда Том оставил его, лорд Эддард Старк сел, не отводя глаз от огонька свечи, горевшей перед ним на столе, на мгновение позволив себе расслабиться. Ему захотелось спуститься в богорощу, преклонить колено перед сердце-деревом и помолиться за жизнь Роберта Баратеона, который был ему более чем братом. Пусть люди шепчут потом, что Эддард Старк предал своего короля, что лишил наследства его сыновей; ему осталось только надеяться, что боги не допустят этого и что Роберт все равно узнает правду в стране, что начинается по ту сторону могилы.

Нед вынул последнее письмо короля, свиток хрустящего белого пергамента, запечатанный золотым воском... несколько коротких слов и пятно крови. Сколь же невелика разница между победой и поражением, между жизнью и смертью!

Он извлек свежий листок бумаги и обмакнул перо в чернильницу. «К его светлости Станнису из дома Баратеонов. Когда вы получите это письмо, ваш брат Роберт, король, правивший нами последние пятнадцать лет, будет мертв. Он был убит вепрем на охоте в Королевском лесу...» Буквы, казалось, змеились и дергались на бумаге, и рука Неда остановилась. Лорд Тайвин и сир Джейме не из тех, кто принимает несчастья с кротостью, эти не побегут, они будут сопротивляться. Лорд Станнис вел себя осторожно после смерти Джона Аррена, но дело требовало, чтобы он немедленно явился в Королевскую Гавань со всей своей силой, прежде чем Ланнистеры выступят.

Нед старательно выбирал слова. Закончив, он подписал письмо — «Лорд Эддард Старк, властитель Винтерфелла, десница короля и протектор государства». Промокнув бумагу, он дважды сложил ее и расплавил над свечой воск для печати.

Его регентство будет коротким, думал Нед, глядя на плавящийся воск. Новый король выберет собственного десницу. Он сможет вернуться домой. Мысль о Винтерфелле заставила его улыбнуться. Ему хотелось снова услышать смех Брана, отправиться на соколиную охоту вместе с Роббом, посмотреть на игры Рикона. Он хотел заснуть в своей собственной постели, обнимая леди Кейтилин.

Кейн вернулся, когда Нед оттиснул на воске лютоволка Старков. Вместе с Десмондом он привел Мизинца. Поблагодарив своих гвардейцев, Нед отослал их.

Лорд Петир был облачен в синюю тунику с пышными рукавами, серебристый плащ его был расшит пересмешниками.

— Предполагаю, я должен принести поздравления, — сказал он усаживаясь.

Нед нахмурился.

— Король лежит раненый, он близок к смерти.

— Я знаю, — отвечал Мизинец. — Но мне известно, что он назначил вас протектором государства.

Глаза Неда метнулись к письму короля, лежавшему на столе; печать была цела.

— А откуда вам это известно, милорд?

— Намекнул Варис, — сказал Мизинец, — да и вы только что подтвердили.

Рот Неда гневно дернулся.

— Проклятие Варису и его маленьким пташкам! — Кейтилин была права: человеку этому известно какое-то черное искусство. — Я не доверяю ему.

— Великолепно. Вы учитесь. — Мизинец наклонился вперед. — И все же бьюсь об заклад, что вы позвали меня ночью не для того, чтобы обсуждать порядочность евнуха.

— Нет, — согласился Нед. — Я знаю секрет, который погубил Джона Аррена. Роберт не оставит после себя истинного наследника. Джоффри и Томмен — бастарды Джейме Ланнистера, рожденные в инцесте с королевой.

Мизинец приподнял бровь.

— Потрясающая вещь, — проговорил он голосом абсолютно равнодушным. — И девочка тоже? Вне сомнения. Итак, когда король умрет...

— Трон должен по праву перейти к лорду Станнису, старшему из двух братьев Роберта.

Лорд Петир погладил свою остроконечную бородку, обдумывая вопрос.

— Похоже на то, если только...

— Что если только, милорд? Неопределенности быть не может. Станнис является настоящим наследником, и ничто не может отменить этого.

— Станнис не сумеет занять престол без вашей помощи. Ну а если вы наделены мудростью, то постараетесь, чтобы престол наследовал Джоффри.

Нед ответил ему каменным взглядом.

— Неужели у вас нет и лоскутка чести?

— О, лоскуток, конечно, найдется, — непринужденно улыбнулся Мизинец. — Выслушайте меня. Станнис не друг ни вам, ни мне. Даже братья едва способны переваривать его. Этот человек выкован из железа, жесткого и неподатливого. Он назначит нового десницу и новый совет, это уж вне сомнения. Уверен, что он только поблагодарит вас за то, что вы передали ему корону, но не станет испытывать к вам любви. К тому же его восшествие на престол означает войну. Станнис не сможет спокойно пребывать на троне, пока не погибнет Серсея со своими бастардами. Или вы думаете, лорд Тайвин будет невозмутимо смотреть, как насаживают на пику голову его собственной дочери? Бобровый утес поднимется, и не один. Роберт простил людей, служивших королю Эйерису, при условии, что они покорятся ему. Станнис не столь доверчив. Он не забыл осаду Штормового Предела! Все, кто воевал под знаменем дракона или поднялся с Беелоном Грейджоем, получат основания для страха. Усадите Станниса на Железный трон, и клянусь, страна немедленно обагрится кровью.

А теперь посмотрим на другую сторону монеты. Джоффри всего двенадцать, и Роберт передал регентство вам, милорд. Вы — десница короля и протектор государства. Власть принадлежит вам, лорд Старк. Вам нужно лишь протянуть руку и взять ее. Помиритесь с Ланнистерами, освободите Беса, обвенчайте Джоффри с вашей Сансой. Обвенчайте вашу младшую девочку с принцем Томменом, наследника — с Мирцеллой. Джоффри достигнет зрелости лишь через четыре года. К тому времени он будет видеть в вас второго отца, ну а если же нет... четыре года — это долгий срок, милорд. Достаточно долгий, чтобы управиться с лордом Станнисом, ну а потом, если Джоффри будет вызывать беспокойство, мы сможем открыть его маленький секрет и возвести на престол лорда Ренли.

— Мы? — спросил Нед.

Мизинец пожал плечами:

— Бремя власти лучше разделить с кем-нибудь еще. Уверяю вас, цена моя будет самой умеренной.

— Ваша цена велика, лорд Бейлиш, — ответил Нед ледяным голосом. — Вы предлагаете мне измену!

— Только если мы проиграем.

— Вы забыли кое о чем, — заметил Нед. — О Джоне Аррене... о Джори Касселе и об этом... — Он выложил кинжал на стол между ними. Драконья кость и валирийская сталь, грань между жизнью и смертью, между правдой и кривдой. — Они подослали человека, чтобы перерезать горло моему сыну, лорд Бейлиш.

Мизинец вздохнул:

— Увы, я забыл об этом. Прошу простить меня. На какое-то мгновение я забыл, что разговариваю со Старком. — Рот его дернулся. — Значит, будет Станнис и война?

— Выбора нет, наследник — Станнис.

— Не мне обсуждать решения лорда-протектора. Зачем я тогда потребовался вам? Безусловно, не ради мудрого совета.

— Я постараюсь по возможности забыть ваш... мудрый совет, — проговорил Нед с отвращением. — Я позвал вас, чтобы попросить о помощи, которую вы обещали Кейтилин. Настал опасный час для всех нас! Роберт назвал меня протектором, однако в глазах света Джоффри остается его сыном и наследником. У королевы есть дюжина рыцарей и сотня вооруженных людей, которые сделают то, что она прикажет... Их достаточно, чтобы справиться с остатками моей гвардии. Насколько я знаю, ее брат Джейме, возможно, уже скачет в Королевскую Гавань во главе войска Ланнистеров.

— А у вас нет армии. — Мизинец принялся играть с кинжалом на столе, медленно крутя его пальцем. — Лорд Ренли и Ланнистеры не испытывают особой любви друг к другу. Бронзовый Джон Ройс, сир Белон Свонн, сир Лорас, леди Танда, близнецы Редвины... у всех них есть свита рыцарей и наемные мечи при дворе.

— У Ренли тридцать человек в его личной гвардии, у остальных еще меньше. Этого недостаточно, даже если бы я мог быть уверен в их верности. Я должен рассчитывать на поддержку золотых плащей. Две тысячи мечей городской стражи способны защитить замок, город и королевский мир.

— Да, но что будет, если королева объявит одного короля, а десница другого, чей мир будет тогда защищать стража?

Лорд Петир резко крутнул кинжал пальцем. Оружие кружилось и кружилось, дергалось при каждом обороте. И когда наконец кинжал замер, острие его указывало на Мизинца.

— Ну что ж, вот и ответ, — сказал он улыбаясь. — Они пойдут за тем, кто заплатит больше. — Он откинулся назад и поглядел Неду прямо в лицо, в зеленых глазах светилась насмешка. — Старк, вы закованы в свою честь, словно в панцирь. Вы думаете, что она способна сохранить вам жизнь, но она только отягощает вас, мешает шевелиться. Поглядите на себя! Вы знаете, почему призвали меня сюда. Вы знастс, о чем хотите попросить меня. Вы знаете, что это нужно сделать... но это нечестно, и поэтому слова застревают в вашей гортани.

Шея Неда напряглась от напряжения. На миг он настолько разгневался, что заставил себя молчать.

Мизинец расхохотался.

— Мне бы следовало попросить вас произнести все вслух, однако это чрезмерно жестоко, поэтому нс опасайтссь, мой добрый лорд. Ради той любви, которую я испытываю к Кейтилин, я отправлюсь к Яносу Слинту прямо сейчас и удостоверюсь, что городская стража поддержит вас. Хватит шести тысяч золотых: треть командиру, треть офицерам, треть людям. Мы могли бы купить их и за половину этой суммы, однако я не хочу рисковать. — С улыбкой он взял со стола кинжал и подал его Неду рукоятью вперед.

ДЖОН

Джон завтракал яблочным пирогом и кровяной сосиской, когда Сэмвел Тарли плюхнулся возле него на скамью.

— Меня вызвали в септу, — проговорил Сэм взволнованным шепотом. — Меня снимают с обучения. Я стану братом вместе со всеми вами. Можешь ли ты в это поверить?

— Неужели?

— В самом деле. Я буду помогать мейстеру Эйемону в библиотеке и с птицами. Ему нужен человек, умеющий писать и читать.

— Ты превосходно справишься с этим делом, — улыбнулся Джон.

Сэм тревожно огляделся вокруг.

— Не пора ли идти? Я не хочу опоздать, а то вдруг передумают... — Он чуть ли не подпрыгивал, когда они пересекали заросший травой двор. День выдался теплый и солнечный. Ручейки воды стекали вниз по стене, лед сверкал и искрился.

Внутри септы огромный кристалл ловил утренний свет, струившийся в обращенное на юг окно, и радугой разливал его над алтарем. Заметив Сэма, Пип невольно открыл рот, и Жаба ткнул Гренна в ребра, но никто не посмел сказать даже слова. Септон Селладар, размахивая кадильницей, наполнял воздух благоуханием, напоминавшим Джону о крошечной септе леди Старк в Винтерфелле. На этот раз септон, похоже, был трезв.

Вместе вошли высшие офицеры: мейстер Эйемон, опирающийся на Клидаса, сир Аллисер, мрачно блеснувший холодным взором, лорд-командующий Мормонт во всем великолепии черного шерстяного дублета с посеребренными застежками из медвежьих когтей. За ними следовали старшины трех орденов: краснолицый Боуэн Марш, лорд-стюард, первый строитель Отелл Ярвик и сир Джареми Риккер, командовавший разведчиками в отсутствие Бенджена Старка.

Мормонт стал перед алтарем, радуга сверкала над его широким лысым лбом.

— Вы пришли к нам, не зная закона, — начал он. — Браконьерами, насильниками, должниками, убийцами и ворами. Вы пришли к нам детьми. Каждый из вас пришел к нам в одиночестве и цепях, не имея ни друга, ни чести. Вы пришли к нам бедными и богатыми. Некоторые из вас носят гордые имена, у других имена бастардов или нет имени вообще. Теперь это безразлично. Все ушло в прошлое. Здесь, на Стене, мы одна семья.

Вечером, когда солнце опустится и мы обратимся лицом к собирающейся ночи, вы примете свой обет. И тогда навсегда станете братьями, присягнувшими на верность Ночному Дозору. Преступления ваши будут смыты, долги прощены. Поэтому вы должны отречься от прежних привязанностей, забыть про былую вражду, прошлые обиды и симпатии. И все для вас начинается заново.

Ночной Дозор живет ради своей страны... не ради короля, не ради лорда, не ради чести своего дома, не ради золота, не ради славы, не ради женской любви. Он служит всей земле и людям ее. Дозорный не берет жены и не родит сыновей. Наша жена — долг, наша любовница — честь, а вы — единственные сыновья, которые будут у нас.

Вы заучили слова обета. Подумайте же прежде, чем произнести их. Потому что тот, кто принял черное, не может снять его. Наказание за дезертирство — смерть. — Старый Медведь помедлил мгновение и добавил: — Есть ли среди вас такие, которые хотят оставить наше общество? Если так, уходите немедленно, и никто не подумает о вас худо.

Никто не шевельнулся.

— Отлично! — проговорил Мормонт. — Вы можете принять ваши обеты вечером, перед септом Селладаром и главой вашего ордена. Есть ли среди вас поклонники старых богов?

Джон встал:

— Я, милорд.

— Я рассчитываю, что ты принесешь свой обет перед сердце-деревом, как сделал твой дядя.

— Да, милорд, — ответил Джон. Боги септы не имели к нему отношения. Кровь Первых Людей текла в жилах Старков.

Он услыхал позади себя шепот Гренна:

— Но здесь же нет богорощи, или не так? Я никогда не видел ее...

— Ты не заметишь даже стада зубров, пока их копыта не втопчут тебя в снег, — шепнул Пип.

— Да ну, что ты, — возразил Гренн. — Зубров-то я бы увидел издалека.

Мормонт сам рассеял сомнения Гренна:

— Черный замок не нуждается в богороще. За Стеной стоит Зачарованный лес, как стоял он в Рассветные Века, задолго до того, как андалы принесли Семерых из-за Узкого моря. Ты найдешь рощу чардрев в половине лиги от этого места, а в ней, быть может, и своих богов.

— Милорд. — Голос заставил Джона с удивлением оглянуться. Сэмвел Тарли поднялся на ноги. Толстяк вытирал свои потные ладони о тунику. — А можно... можно я тоже пойду? Чтобы произнести свои слова перед этим сердце-деревом.

— Разве дом Тарли хранит верность старым богам? — спросил Мормонт.

— Нет, милорд, — ответил Сэм тонким взволнованным голосом. Старшие офицеры пугали его — Джон знал об этом, — и Старый Медведь больше всех. — Я получил имя в совете Семерых в септе на Роговом Холме, как и мой отец, и как его отец, и как все Тарли за последнюю тысячу лет.

— Зачем же тогда ты хочешь отречься от богов своего отца и своего дома? — удивился сир Джареми Риккер.

— Теперь мой дом — Ночной Дозор, — сказал Сэм. — Семеро не ответили на мои молитвы. Быть может, это сделают старые боги.

— Как хочешь, мальчик, — ответил Мормонт. Сэм опустился на свое место, Джон тоже. — Мы назначили каждого из вас в орден, как того требует наша нужда и как позволяют ваши сила и умение.

Боуэн Марш шагнул вперед и вручил ему листок. Лорд-командующий развернул его и начал читать.

— Халдер, к строителям, — начал он. Халдер коротко и одобрительно кивнул. — Гренн в разведчики. Албетт к строителям. Пипар в разведчики. — Пип поглядел на Джона и шевельнул ухом. — Сэмвел в стюарды. — Сэм вздохнул с облегчением и промокнул лоб шелковым платком. — Маттхар, в разведчики. Дарион, в стюарды. Тоддар, в разведчики. Джон в стюарды.

— В стюарды? — Мгновение Джон не мог поверить тому, что услышал. Должно быть, Мормонт ошибся. Он уже начал подниматься и приоткрыл свой рот, чтобы сказать, что произошла ошибка... но тут он увидел Аллисера, изучавшего его лицо глазами, блестящими, как два кусочка обсидиана, и все понял.

Старый Медведь свернул бумагу.

— Главы орденов наставят вас в ваших обязанностях. Да сохранят вас боги, братья. — Лорд-командующий почтил их полупоклоном и откланялся. Сир Аллисер направился к ним с тонкой улыбкой на лице. Джон никогда не видел еще мастера над оружием столь счастливым.

— Разведчики, ко мне, — сказал сир Джареми Риккер, когда они ушли. Поглядев на Джона, Пип медленно поднялся. Уши его побагровели. Гренн широко ухмыльнулся, он как будто не понимал, что все сложилось не так. Мэтт и Жаба подошли к нему и последовали за сиром Джареми из септы.

— Строители, — объявил Отелл Ярвик, человек с квадратной челюстью. Халдер и Албетт последовали за ним.

Джон оглянулся с болезненным недоверием. Слепые глаза мейстера Эйемона были обращены к свету, которого он не мог видеть. Септон поправлял кристаллы на алтаре.

Лишь Сэм и Дарион оставались на скамье; толстяк, певец... и он сам.

Лорд-стюард Боуэн Марш потер свои пухлые руки.

— Сэмвел, ты будешь помогать мейстеру Эйемону с птицами и в библиотеке. Четт отправится на псарню заниматься собаками. Ты займешь его келью, чтобы не разлучаться с мейстером ни ночью, ни днем. Я рассчитываю, что ты как следует позаботишься о нем. Мейстер очень стар и весьма дорог нам.

Дарион, мне говорили, что ты много раз пел за столами высоких лордов и ел их мясо и мед. Мы посылаем тебя в Восточный Дозор. Там ты будешь помогать Коттеру Пайку, когда придут купеческие галеи. Дозор явно переплачивает за солонину и соленую рыбу, а качество оливкового масла, которое мы получаем оттуда, сделалось невозможным. Представься Боркасу, когда прибудешь. Он займет тебя между прибытием кораблей.

Марш обернулся с улыбкой к Джону:

— Лорд-командующий Мормонт потребовал, чтобы ты прислуживал ему лично, Джон. Ты будешь спать в келье под его палатами, в башне лорда-командующего.

— И какими же будут мои обязанности? — резко спросил Джон. — Буду ли я прислуживать лорду-командующему за трапезой, помогать ему застегивать одежду, приносить горячую воду для ванны?

— Безусловно. — Марш нахмурился, услышав тон Джона. — И ты будешь бегать с его приказами, поддерживать огонь в его палатах, ежедневно менять простыни и одеяла и делать все нужное, что потребует от тебя лорд-командующий.

— Вы принимаете меня за слугу?

— Нет, — возразил мейстер Эйемон, с помощью Клидоса поднявшийся на ноги за его спиной. — Мы принимаем тебя за Ночного Дозорного, но, быть может, ошибаемся в этом.

Джон сделал все возможное, чтобы сдержаться. Неужели он будет сбивать масло и чинить дублеты весь остаток своих дней, подобно какой-то служанке?

— Можно выйти? — спросил он напряженным голосом.

— Как угодно, — отвечал Боуэн Марш.

Дарион и Сэм вышли вместе с ним. Молча они спустились во двор. Снаружи Джон посмотрел на блестевшую Стену, на тающий лед, сползающий по ее поверхности сотнями тонких пальцев, и его разобрала такая ярость, что он готов был разнести эту Стену в одно мгновение и с нею весь мир.

— Джон, — проговорил взволнованный Сэмвел Тарли. — Погоди. Разве ты не понял их замысел?

Джон обернулся к нему в ярости:

— Я вижу в этом руку проклятого сира Аллисера. Вот что! Он решил опозорить меня и добился этого!

Дарион поглядел на него:

— Исполнять обязанности стюарда подобает лишь таким, как мы с тобой, Сэм, но только не лорду Сноу!

— Я же лучший фехтовальщик и наездник, — вспыхнул Джон. — Это несправедливо!

— Справедливо? — фыркнул Дарион. — Моя девица дожидалась меня голой, как мать родила. Она сама втянула меня в окно, и ты говоришь мне — несправедливо! — Он отправился прочь.

— В должности стюарда нет позора, — проговорил Сэм.

— И ты думаешь, что я хочу провести весь остаток моей жизни, стирая белье старика?

— Этот старик — лорд-командующий Ночного Дозора, — напомнил ему Сэм. — И ты будешь с ним день и ночь. Да, ты будешь наливать ему вино и приглядывать за тем, чтобы постель его была свежей, но ты будешь читать его грамоты, прислуживать ему на собраниях, помогать в бою. Ты будешь его тенью. И будешь знать все, во всем принимать участие... Лорд-стюард сказал, что Мормонт сам попросил тебя.

Когда я был маленьким, отец мой настаивал, чтобы я присутствовал в приемном зале, когда он собирал двор. Когда он уезжал в Вышесад, чтобы преклонить колено перед лордом Тиреллом, то брал меня с собой. А потом начал брать Дикона, а меня оставил. И когда в зале находился Дикон, отца более не волновало, присутствую я или нет. Он хотел, чтобы наследник его был рядом, или ты не понял этого? Чтобы наблюдать, слушать и учиться. Клянусь тебе, лорд Мормонт именно поэтому потребовал тебя, Джон, зачем же еще? Он хочет научить тебя править!

Джон недоумевал. Действительно, лорд Эддард часто заставлял Робба присутствовать на его советах в Винтерфелле. Неужели Сэм прав? Даже бастард способен высоко взлететь в Ночном Дозоре. Так все говорили.

— Но я никогда не просил этого, — возразил он упрямо.

— Мы здесь не для того, чтобы просить, — напомнил ему Сэм.

И Джон Сноу устыдился.

Трус или нет, но Сэмвел Тарли нашел в себе отвагу принять свою судьбу, как подобает мужчине. На Стене каждый получает то, чего он заслуживает, говорил ему Бенджен Старк, когда Джон в последний раз видел его живым.

— Ты еще не разведчик, Джон. Ты пока еще зеленый мальчишка... от которого пахнет летом.

Джон слыхал, что бастарды, мол, растут быстрее обычных детей, но на Стене человек или рос, или умирал.

Джон глубоко вздохнул:

— Ты прав. Я веду себя как мальчишка.

— Значит, ты останешься и произнесешь свои слова вместе со мной?

— Старые боги будут ожидать нас. — Джон заставил себя улыбнуться.

В тот вечер они выехали поздно. В Стене не было ворот как таковых. Не было их и в Черном замке на протяжении трехсот миль от гор и до моря. Дозорные вели своих коней по узкому тоннелю, прорезанному во льду, холодные темные стены смыкались, ход поворачивал и кружил. Три раза путь преграждали железные прутья, им приходилось останавливаться и ждать, пока Боуэн Марш находил нужный ключ и отпирал массивные цепи, скреплявшие их. Ожидая позади лорда-стюарда, Джон ощущал тяжесть, давящую на него. Стоячий воздух здесь был холоднее, чем в могиле. Джон почувствовал странное облегчение, когда они вновь выехали на вечерний свет по северную сторону Стены.

Сэм поморгал на солнце и задумчиво огляделся.

— А одичалые... они не могут... а они не посмеют приблизиться к Стене? А?

— Они никогда не подходили так близко. — Джон сел на коня. Когда Боуэн Марш и разведчики поднялись в седла, Джон вложил в рот два пальца и свистнул. Призрак прыжками вынесся из тоннеля.

Дорожный конек лорда-стюарда дернулся и попятился от лютоволка.

— Ты хочешь прихватить с собой зверя?

— Да, милорд, — коротко ответил Джон. Призрак поднял голову, он словно бы опробовал воздух на вкус. И в мгновение ока пересек широкую просеку и исчез за деревьями.

Едва въехав в лес, они оказались совершенно в другом мире. Джон часто охотился с отцом, Джори и братом Роббом и знал Волчий лес вокруг Винтерфелла, как положено знать мужчине. Зачарованный лес был похож на него, но при этом в нем было еще нечто необычное.

Быть может, вся разница и заключалась в том, что они были за краем света; этот факт менял все, здесь каждая тень казалась темнее, в каждом звуке слышалось что-то зловещее. Деревья теснились друг к другу, поглощая лучи заходящего солнца. Тонкая корочка льда хрустела под копытами коней, словно ломающиеся кости. Когда ветер зашелестел в листьях, по хребту Джона словно прошелся какой-то холодный палец. Стена осталась позади них, и одни только боги ведали, что лежит впереди.

Солнце уже опускалось за деревья, когда они достигли места — небольшой поляны в глубине леса, образованной кружком из девяти чардрев. Джон затаил дыхание. Он заметил, как напрягся Сэм Тарли. Даже в Волчьем лесу нельзя было увидеть рядом больше двух-трех белых деревьев, а о целой роще из девяти никто и не слыхивал. Опавшие кровавые листья покрывали черную гниль. Толстые стволы отливали слоновой костью, с них смотрели на поляну девять ликов. Сок, застывший в глазах, блестел твердым багрянцем рубина. Боуэн Марш велел всем оставить коней за пределами круга.

— Здесь священное место, и его нельзя осквернять!

Когда они вошли в рощу, Сэмвел Тарли медленно повернулся, оглядев по очереди все лики. Среди них не было и двух одинаковых.

— Они следят за нами, — шепнул он. — Это старые боги.

— Да. — Джон преклонил колено, и Сэмвел опустился на землю рядом с ним.

Они вместе произнесли слова присяги, когда последние лучи света поблекли на западе и серый вечер превратился в черную ночь.

— Слушайте мою клятву и будьте свидетелями моего обета, — говорили они, наполняя голосами молчаливую сумеречную рощу. — Ночь собирается, и начинается мой дозор. Он не окончится до самой моей смерти. Я не возьму себе ни жены, ни земель, не буду отцом детям. Я не надену корону и не буду добиваться славы. Я буду жить и умру на своем посту. Я — меч во тьме; я — Дозорный на Стене; я — огонь, который разгоняет холод; я — свет, который приносит рассвет; я — рог, который будит спящих; я — щит, который охраняет царство людей. Я отдаю свою жизнь и честь Ночному Дозору среди этой ночи и всех, которые грядут после нее.

Лес молчал.

— Вы преклонили колена мальчишками, — торжественно провозгласил Боуэн Марш. — Встаньте же теперь, мужи Ночного Дозора!

Джон протянул руку, чтобы помочь Сэму подняться на ноги. Разведчики собрались вокруг, улыбаясь и поздравляя, все, за исключением корявого старого лесовика Дайвина.

— Лучше бы нам повернуть назад, милорд, — сказал он Боуэну Маршу. — Наступает тьма, я чувствую в ночи весьма неприятный запах.

И вдруг возвратился Призрак, бесшумно скользнув между двумя чардревами. «Белый мех и красные глаза, — с тревогой отметил Джон. — Как деревья».

Волк держал в зубах нечто черное.

— Что там у него? — спросил Боуэн Марш хмурясь.

— Ко мне, Призрак. — Джон пригнулся. — Дай сюда.

Лютоволк направился к нему, и Джон услышал, как Сэм Тарли резко вздохнул.

— Боги милосердные, — пробормотал Дайвин. — Это рука.

ЭДДАРД

Серый рассвет уже сочился в его окно, когда грохот копыт пробудил Эддарда Старка от короткого тревожного сна. Он оторвал голову от стола, чтобы поглядеть во двор. Внизу люди в панцирях, коже и алых плащах приступили к утренним упражнениям. Звенели мечи, падали набитые соломой чучела воинов. Сандор Клиган, проскакав по избитой копытами земле, пробил железным острием голову чучела. Холст распоролся, солома вывалилась наружу... Гвардейцы Ланнистеров перешучивались и ругались.

«Неужели этот доблестный спектакль предназначен для меня? — подумал он. — Если так, то Серсея бóльшая дура, чем можно было подумать. Проклятая баба, почему она не бежала? Я ведь давал ей шанс за шансом!»

Утро выдалось мрачным и облачным. Нед позавтракал с дочерьми и септой Мордейн. Санса, все еще безутешная, мрачно глядела на пищу и отказывалась есть, однако Арья переправляла в живот все, что ставили перед ней.

— Сирио говорит, что у нас будет еще один последний урок, прежде чем мы сегодня вечером сядем на корабль, — сказала она. — Можно я пойду, папа? Все мои вещи собраны.

— Короткий урок: постарайся не забыть умыться и переодеться. Я хочу, чтобы вы отплыли днем, понятно?

— В середине дня, — повторила Арья.

Санса оторвалась от еды.

— Если ей можно заниматься танцами, почему мне нельзя проститься с принцем Джоффри?

— Я охотно пойду с ней, лорд Эддард, — предложила септа Мордейн. — Так она не опоздает на корабль.

— Будет неразумно, если ты посетишь Джоффри именно сейчас, Санса. Прости.

Глаза Сансы наполнились слезами.

— Но почему?

— Санса, твоему лорду-отцу причины известны куда лучше, чем тебе, — проговорила септа Мордейн. — Ты не должна оспаривать его решений.

— Но это несправедливо! — Санса выскочила из-за стола, уронила стул и в слезах выбежала из солярия.

Септа Мордейн поднялась, но Нед жестом велел ей оставаться на месте.

— Пусть идет, септа, я попытаюсь все объяснить ей, когда мы окажемся в безопасности в Винтерфелле. — Септа склонила голову и села, чтобы докончить свой завтрак.

Примерно через час великий мейстер Пицель посетил лорда Эддарда Старка в его солярии. Плечи старика согнулись, словно бы тяжесть великой мейстерской цепи вокруг шеи вдруг сделалась непосильной.

— Милорд, — проговорил он, — король Роберт скончался. Боги даровали ему покой.

— Нет, — отвечал лорд Эддард. — Король ненавидел покой, и боги послали ему любовь и смех, радость праведной битвы. — Странно, какая пустота вдруг обрушилась на него. Он ждал этого визита, но тем не менее с этими словами что-то скончалось внутри него. Нед отдал бы все свои титулы за возможность оплакать друга, но он оставался десницей Роберта, и час, которого он опасался, настал.

— Будьте добры, призовите членов совета в мой солярий, — сказал Нед Пицелю. Башню Десницы они с Томардом сделали по возможности безопасной, он не мог сказать того же самого о зале совета.

— Милорд? — заморгал Пицель. — Дела королевства, конечно же, подождут до завтрашнего утра, когда наше горе остынет.

Нед отвечал тихо, но твердо:

— Увы, мы должны собраться немедленно.

Пицель поклонился:

— Как приказывает десница, — и крикнув своим слугам, отослал их бегом, а потом с достоинством принял предложенное Недом кресло и чашу сладкого пива.

Первым на призыв откликнулся сир Барристан Селми, безупречный в белом плаще и эмалевом панцире.

— Милорды, — сказал он. — Мое место сейчас возле юного короля. Прошу вас, разрешите мне находиться возле него.

— Ваше место здесь, сир Барристан, — возразил ему Нед.

Следующим явился Мизинец, все еще облаченный в синий бархат и капюшон с серебряным пересмешником, которые были на нем предыдущей ночью, однако сапоги его запылились от верховой езды.

— Милорды, — сказал он, улыбнувшись всем и никому, а потом повернулся к Неду: — Ваше маленькое распоряжение исполнено, лорд Эддард.

Вошел Варис, окутанный запахом лаванды, зарозовевшийся после ванны, пухлое лицо его было вымыто и припудрено, мягкие шлепанцы ступали бесшумно.

— Мои пташки сегодня напели грустную песню, — сказал он усаживаясь. — Государство скорбит. Начнем?

— Когда прибудет лорд Ренли? — осведомился Нед.

Варис скорбно поглядел на него.

— Увы, лорд Ренли, похоже, оставил город.

— Оставил город? — Нед рассчитывал на поддержку Ренли.

— Он отбыл через задние ворота за час до рассвета в компании сира Лораса Тирелла и пятидесяти человек свиты, — доложил Варис. — Судя по всему, они направились галопом на юг, вне сомнения, в Штормовой Предел или в Вышесад.

Итак, нет ни Ренли, ни его сотни мечей. Неду это не понравилось, однако что-либо сделать было нельзя. Он извлек последнюю грамоту Роберта.

— Король вызвал меня к себе прошлой ночью и приказал записать его последние слова. Роберт запечатал грамоту в присутствии лорда Ренли и великого мейстера Пицеля, чтобы совет вскрыл завещание после смерти короля. Сир Барристан, не окажете ли любезность?

Лорд-командующий Королевской гвардии обследовал бумагу.

— Печать короля Роберта не взломана.

Развернув грамоту, он начал читать:

— Лорд Эддард Старк назначается протектором государства и будет править как регент до тех пор, пока наследник престола не войдет в возраст.

А если придется, и когда наследник достигнет возраста, подумал Нед, не став, однако, ничего говорить вслух. Он не доверял ни Пицелю, ни Варису, а сира Барристана честь обязывает защищать и охранять мальчишку, которого он считал своим новым королем.

Старый рыцарь не оставит Джоффри. Горько было оттого, что придется солгать, однако Нед знал, что здесь ему придется ступать осторожно, он должен прибегать к их совету и играть в их игры, пока его положение как регента не укрепится. Потом найдется время заняться вопросами наследования престола — когда Арья и Санса окажутся в безопасности в Винтерфелле, а лорд Станнис возвратится в Королевскую Гавань со всей своей свитой.

— Я хотел бы попросить совет утвердить меня в качестве лорда-протектора, в соответствии с желанием покойного короля Роберта, — проговорил Нед, разглядывая их лица и пытаясь понять, какие мысли могут прятаться за полуприкрытыми глазами Пицеля, за ленивой полуулыбкой Мизинца и нервным трепетанием пальцев Вариса.

Дверь открылась. В солярий вступил Толстый Том.

— Простите, милорды, но стюард короля настаивает...

Королевский управляющий вошел и поклонился.

— Достопочтенные лорды, король требует, чтобы Малый совет немедленно собрался в тронном зале.

Нед ожидал, что Серсея не станет медлить с ударом, и вызов не явился неожиданным.

— Король умер, — проговорил он, — но тем не менее мы пойдем. Том, соберите свиту, будьте любезны.

Мизинец предоставил Неду руку и помог ему спуститься по ступеням. Варис, Пицель и сир Барристан следовали за ними. Два ряда людей в кольчугах и стальных шлемах ожидали Неда снаружи, северян было восьмеро. Серые плащи трепетали на ветру, пока гвардейцы провожали их через двор. Алых плащей Ланнистеров не было видно, и Нед несколько приободрился, заметив золотые плащи на бастионах и у ворот.

Янос Слинт встретил их у дверей в тронный зал — вооруженный, в причудливом черно-золотом панцире, он держал под рукой шлем с высоким султаном.

Командующий городской стражей чопорно поклонился, и люди его распахнули перед пришедшими окованные бронзой широкие дубовые двери в двадцать футов высотой.

Королевский стюард ввел их внутрь.

— Приветствуйте его величество Джоффри из дома Баратеонов и Ланнистеров, первого носителя этого имени, короля андалов, ройнаров и Первых Людей, лорда Семи Королевств и протектора государства, — пропел он.

До того конца зала, где Джоффри ожидал их, сидя на Железном троне, еще надо было дойти. Опираясь на Мизинца, Нед Старк медленно хромал, приближаясь к мальчишке, который назвал себя королем. Остальные последовали за ним. В первый раз этот путь он проделал верхом, с мечом в руке, и драконы Таргариенов следили за ним со стен... тогда он заставил Джейме Ланнистера оставить трон. Нед не знал, удастся ли ему столь же легко справиться с Джоффри.

Пятеро рыцарей королевской гвардии — все, кроме сира Джейме и сира Барристана, — полумесяцем охватили подножие трона. Они были в полном вооружении, и эмалированная сталь прикрывала их от шлема до пяток, с плеч свисали длинные белые плащи, ослепительно белые щиты прикрывали левые руки. Серсея Ланнистер и двое ее младших детей стояли позади сира Бороса и сира Меррина. На королеве было шелковое платье цвета морской волны, отороченное миришскими кружевами, бледными, словно пена. Палец ее украшало золотое кольцо с изумрудом величиной с голубиное яйцо, голову покрывала подобающая тиара.

Над ними среди колючек и шипов восседал принц Джоффри, в золотом дублете и красном атласном плаще. Сандор Клиган стоял у подножия узких ступеней, ведущих к трону. На нем была кольчуга, пепельно-серый панцирь и шлем в виде огрызавшейся собачьей морды.

Позади трона замерли двенадцать гвардейцев Ланнистеров, длинные мечи на поясе, алые плащи на плечах, стальные львы рычат со шлемов. Но Мизинец сдержал обещание: вдоль стен перед гобеленами Роберта со сценами охот и битв стояли золотые плащи городской стражи, каждый сжимал древко восьмифутового копья с наконечником из черного железа. Их было больше, чем Ланнистеров: пятеро на одного.

Нога Неда уже пылала от боли, когда он остановился. Опираясь на плечо Мизинца, он переложил на него свой вес.

Джоффри встал. Его алый атласный плащ был расшит золотой нитью, с одной стороны пятьдесят львов, с другой стороны пятьдесят оленей.

— Повелеваю совету предпринять все необходимые меры для моей коронации, — объявил мальчик. — Я хочу быть коронованным через две недели. Сегодня я принимаю присягу на верность от моих лояльных советников.

Нед достал письмо Роберта.

— Лорд Варис, будьте любезны, покажите эту бумагу моей госпоже Ланнистер.

Евнух поднес письмо Серсее. Королева поглядела на слова.

— Протектор государства, — прочитала она. — И вы надеетесь защитить себя бумажкой, милорд? — Она разорвала грамоту пополам, потом еще раз и бросила обрывки на пол.

— Но такова была воля короля, — проговорил потрясенный сир Барристан.

— Сейчас у нас новый король, — сказала Серсея Ланнистер. — Помните, лорд Эддард, во время нашего последнего разговора вы дали мне один совет, позвольте же мне ответить любезностью на любезность. Преклоните колено, милорд, преклоните колено и поклянитесь в верности моему сыну, и мы позволим вам сегодня уйти отсюда десницей, а потом окончить свои дни в той серой пустыне, которую вы зовете домом.

— Если бы я только мог, — мрачно ответил Нед. Раз она решила поднять этот вопрос сейчас, выхода не остается. — У вашего сына нет прав на престол, на котором он сидит. Истинный наследник Роберта — лорд Станнис.

— Лжец! — завопил Джоффри, побагровев лицом.

— Мама, а что он хочет сказать? — жалобно спросила у королевы принцесса Мирцелла. — Разве Джофф теперь не король?

— Вы сами осудили себя собственным ртом, лорд Старк, — сказала Серсея Ланнистер. — Сир Барристан, схватите предателя.

Лорд-командующий королевской гвардии медлил. В мгновение ока он был окружен гвардейцами Старка, сталь блестела в их кольчужных перчатках.

— Так, значит, изменник перешел от слов к делу, — сказала Серсея.

— Неужели вы считаете, что сир Барристан останется в одиночестве, милорд? — Зловеще скрежетнув сталью о металл, Пес извлек свой длинный меч. Рыцари Королевской гвардии и двенадцать ланнистерских гвардейцев в алых плащах шагнули навстречу.

— Убейте его! — завизжал мальчишка-король с Железного трона. — Убейте их всех, я приказываю!

— Вы не оставляете мне выхода, — сказал Нед Серсее Ланнистер. Он окликнул Яноса Слинта. — Командующий, возьмите королеву и ее детей, не делайте им дурного, просто проводите в королевские апартаменты и держите их там под охраной.

— Стража! — завопил Слинт, нахлобучив шлем. Сотня золотых плащей опустила копья и сомкнулась.

— Я не хочу кровопролития, — сказал Нед королеве. — Пусть ваши люди сложат мечи, и никто не...

Удар, нанесенный одним из золотых плащей, пронзил спину Томарда. Клинок Толстого Тома вывалился из ослабевших пальцев, а влажное кровавое острие выставилось между ребер, пробив кожу и панцирь. Он умер еще до того, как меч его ударился о пол.

Предупреждающий крик Неда опоздал. Янос Слинт сам раскроил открытое горло Варли. Кейн повернулся, замелькала сталь, поток ударов заставил отступить ближайших копейщиков. На мгновение казалось, что он сумеет вырваться на свободу. Но Пес достиг его, и первым же ударом Сандор Клиган отсек запястье Кейна. Второй удар бросил северянина на колени, раскроив от плеча до груди.

Люди его умирали вокруг, а Мизинец извлек кинжал Неда из его ножен и ткнул под подбородок. На лице его появилась извиняющаяся улыбка.

— Я же предупреждал, чтобы вы не доверяли мне.

АРЬЯ

— Вверх, — выкрикнул Сирио Форель, целя в голову. Палочные мечи стукнули, и Арья отбила удар.

— Налево, — закричал он, свистнул его клинок. Ее меч метнулся навстречу. Стук заставил его прищелкнуть зубами.

— Вправо, — сказал он. А потом снова — вниз и налево, и снова налево, Сирио быстрее и быстрее продвигался вперед. Арья отступала, отбивая каждый удар.

— Выпад, — предупредил Сирио, и когда он шагнул вперед, она отступила в сторону, отвела от себя клинок и рубанула по плечу Фореля. То есть едва не прикоснулась к нему... Едва. Но близко было уже настолько, что Арья ухмыльнулась. Перед ее глазами прыгала влажная от пота прядь. Арья отбросила ее в сторону тыльной стороной ладони.

— Налево, — пропел Сирио. — Вниз. — Меч его метался, и в маленьком зале эхо отзывалось «стук, стук,

стук». — Влево. Влево. Вверх. Влево. Вправо. Влево. Вниз. Влево!

Деревянный клинок кольнул ее прямо в грудь, внезапный удар потряс ее тем более, что явился не с той стороны.

— Ох! — воскликнула она. Значит, появится свежий синяк, к тому времени, когда она заснет где-нибудь на корабле. «Синяк — это урок, — сказала себе Арья, — а каждый урок делает нас лучше».

Сирио отступил назад.

— Ты уже мертва.

Арья скорчила рожу.

— Ты сплутовал, — сказала она с жаром. — Ты сказал налево, а ударил справа.

— Так. Но ты теперь — мертвая девочка.

— Но ты же солгал!

— Это слова мои лгали. Но глаза и рука кричали тебе правду, а ты не заметила ее.

— Нет, — возразила Арья. — Я следила за тобой каждую секунду.

— Следить, девочка, это не значит видеть. Водяной плясун видит. Теперь клади меч, настало время слушать.

Она последовала за учителем к стене, он опустился на скамейку.

— Сирио Форель был первым мечом морского лорда Браавоса. И знаешь ли ты, как это случилось?

— Ты был самым сильным фехтовальщиком города?

— Именно так, но почему? Ведь другие были сильнее и моложе, но почему же Сирио Форель оказался лучшим? Теперь я скажу тебе. — Он прикоснулся кончиком своего мизинца к глазам. — Я обладаю зрением, истинным зрением, в нем самая суть.

Слушай меня, корабли Браавоса плавают повсюду, где дует ветер, к разным землям, удивительным странам, а когда они возвращаются, капитаны доставляют в зверинец морского лорда странных животных. Таких ты никогда не видала; полосатых лошадей, огромных пятнистых зверей с шеями длинными, как ходули, волосатых свиномышей, ростом с корову, жалящих мантикоров, тигров, которые вынашивают своих щенков в сумке, жутких двуногих ящеров с косами вместо когтей. Сирио Форель видел их.

В тот день, о котором я говорю, Браавос погиб первым, и морской владыка послал за мной. Многие являлись к нему, и всех он отсылал, но никто не мог понять почему. Когда я явился пред его очи, владыка сидел, а на коленях его лежал жирный желтый кот. Он сказал мне, что один из его капитанов привез ему этого зверя с островов, лежащих у солнечного восхода. «Видел ли ты когда-нибудь подобных ему?» — спросил он.

И я ответил: каждую ночь переулки Браавоса кишат тысячами подобных ему. Морской владыка расхохотался, и в тот же день я был назначен первым мечом.

Арья скривилась.

— Я не поняла.

Сирио прищелкнул зубами.

— Кошка была обыкновенной и не более того. Остальные же хотели увидеть сказочного зверя, поэтому-то и видели его. Они говорили, какой он крупный. А кот был не больше любого другого, просто разжирел от безделья, потому что морской владыка кормил его с собственного стола. Какие забавные маленькие уши, они говорили, а уши были откушены в драках. К тому же это был явный кот, хотя морской владыка назвал его кошкой. И именно кошку видели все остальные. Ты слушаешь меня?

Арья подумала.

— А ты увидел, какой он на самом деле!

— Именно так. Нужно только открыть глаза. Сердце может солгать, голова одурачит тебя, но глаза видят верно. Гляди своими глазами, слушай своими ушами. Пробуй своим ртом. Нюхай своим носом. Ощущай своей кожей. Потом придут мысли... потом. Только так можно узнать правду.

— Именно так, — сказала Арья ухмыляясь.

Сирио Форель позволил себе улыбку.

— Но я думаю, что, когда мы доберемся в этот ваш Винтерфелл, настанет время вложить Иглу в твою руку.

Позади них огромные деревянные двери Малого зала с грохотом распахнулись. Арья крутнулась на месте. Под аркой двери появился рыцарь из Королевской гвардии в компании пяти ланнистерских гвардейцев. Он был в полной броне, но забрало было поднято. Арья помнила эти сонные глаза и ржавые усы по Винтерфеллу, рыцарь этот приехал вместе с королем, звали его сир Меррин Трант. Красные плащи были в кольчугах на вареной коже и в стальных шлемах с львиными гербами.

— Арья Старк, — сказал рыцарь, — пойдем с нами, дитя.

Арья неуверенно закусила губу.

— Чего вы хотите?

— Твой отец хочет видеть тебя.

Арья шагнула вперед, но Сирио Форель удержал ее за руку.

— Хотелось бы знать, почему лорд Эддард послал вместо своих людей Ланнистеров?

— Знай свое место, учитель танцев, — сказал сир Меррин. — Не твое дело.

— Мой отец не посылал вас, — сказала Арья, хватая свой деревянный меч. Ланнистеры расхохотались.

— Положи палку, девочка, — сказал ей сир Меррин. — Я из Белых Мечей, брат Королевской гвардии.

— Каким был и Цареубийца, когда убивал старого короля, — сказала Арья. — Я не пойду с вами против желания.

У сира Меррина Транта кончилось терпение.

— Возьмите ее, — сказал он своим людям, надвигая забрало на шлем.

Трое из них шагнули вперед, кольчуги мягко позвякивали на каждом шагу. Арья вдруг испугалась. «Страх режет глубже меча», — сказала она себе, чтоб замедлить биение сердца. Но Сирио Форель шагнул между ними, легонько похлопывая деревянным мечом по сапогу.

— Остановитесь. Я вижу людей или псов, способных напасть на ребенка?

— С дороги, старик, — проговорил один из красных плащей.

Палка Сирио, просвистев, обрушилась на его шлем.

— Я — Сирио Форель, и впредь ты будешь разговаривать со мной с большим уважением.

— Лысый сукин сын. — Человек извлек свой длинный меч. Палка дернулась с невероятной быстротой. Послышался громкий хруст, и меч звякнул о каменный пол. — Ох, рука! — закричал гвардеец, хватаясь за перебитые пальцы.

— Ты слишком быстр для учителя танцев, — сказал сир Меррин.

— А ты для рыцаря слишком нетороплив, — отвечал Сирио.

— Убейте браавосийца и приведите ко мне девчонку, — приказал рыцарь в броне.

Четверо Ланнистеров обнажили мечи. Пятый, с перебитыми пальцами, сплюнув, вытащил кинжал левой рукой.

Сирио Форель цокнул зубами, занимая позу водяного плясуна, обратившись лишь одной стороной к врагу.

— Арья, детка, — окликнул он, не отрывая глаз от Ланнистеров, — на сегодня с танцами покончено. Тебе лучше идти. Беги к отцу.

Арья не хотела оставлять его, но он всегда учил ее выполнять его приказы.

— Быстрая, как олень, — прошептала она.

— Именно так, — ответил Сирио Форель, пока Ланнистеры окружали его.

Арья отступила, крепко сжимая в руках деревянный меч. Глядя на Сирио, она успела понять, что он только играл с нею во время поединков. Красные плащи наступали на него с трех сторон, со сталью в руках. Их руки и грудь прикрывали кольчуги, штаны — стальные пластины, одной только кожей были защищены лишь ноги. Все они были без перчаток, в шлемах со стрелками, но без забрала.

Сирио не стал ждать, пока они схватят его, и сразу ушел влево. Арья еще не видела, чтобы человек двигался так быстро. Один меч он остановил своей палкой и уклонился от второго. Лишившись равновесия, оба противника столкнулись друг с другом. Сирио пнул сапогом в спину второго, и красные плащи повалились вместе на браавосийца, налетел третий, метя мечом в голову. Сирио поднырнул под его клинок и ударил вверх. Человек Ланнистеров с воплем упал, кровь хлынула из кровавой дыры, оставшейся на месте левого глаза. Упавшие поднимались, Сирио ударил одного из них в лицо и прихватил стальной шлем с головы другого. Человек с кинжалом замахнулся. Сирио остановил руку шлемом и разбил палкой колено лежавшего. Последний из красных плащей с ругательством нанес удар, обеими руками взявшись за меч. Сирио откатился направо, и жестокий удар мясника угодил прямо между плечом и шлемом встававшего на колени гвардейца, того, что лишился шлема. Длинный меч рассек и панцирь, и кожу, и плоть. Прежде чем убийца успел высвободить свой кинжал, Сирио ударил его в адамово яблоко. С воем гвардеец отшатнулся назад, вцепившись пальцами в шею, лицо его почернело.

Когда Арья достигла задней двери, выходящей к кухне, пятеро латников уже лежали на полу — мертвые или умирающие. Она услышала проклятия сира Меррина Транта.

— Проклятые олухи, — ругнулся он, извлекая свой длинный меч из ножен.

Сирио Форель занял свою позу и прицокнул зубами.

— Иди отсюда, детка, — приказал он ей не глядя. — Уходи.

Смотри своими глазами, сказал он. И она видела: рыцаря, облаченного в белую броню, его ноги, голову, горло и руки, окованные металлом, глаза, упрятанные под высокий белый шлем, и в ладонях его жестокую сталь. А против него Сирио в кожаном жилете с деревянным мечом в руке.

— Сирио, беги, — закричала она.

— Первый меч Браавоса не из тех, кто бежит, — пропел он, когда сир Меррин ударил. Сирио уклонился от меча, палка его буквально растворилась в воздухе, в одно сердцебиение он нанес удары в висок, по локтю и горлу рыцаря, дерево звякнуло о металлический шлем, нагрудник и воротник.

Арья застыла на месте, сир Меррин приближался, Сирио отступал. Он отбил следующий удар, увернулся от второго, отразил третий.

Четвертый разрубил его палку пополам — и дерево, и свинцовую сердцевину.

Взрыдав, Арья побежала. Она бросилась через кухню и буфетные, в слепом ужасе находя извилистый путь между кухарками и кухонными мальчишками. Перед ней вдруг вырос помощник пекаря с деревянным подносом. Арья повалила его, разбросав благоуханные буханки свежевыпеченного хлеба по полу. Крики, поднявшиеся позади, она услыхала, уже обегая объемистого раздельщика, уставившегося на нее с ножом в руках. Руки его были по локоть в крови.

Все, чему учил ее Сирио Форель, вспыхнуло в голове девочки. Быстрая, как олень. Тихая, словно тень. Страх режет глубже меча. Гибкая, как змея. Тихая, как вода. Страх режет глубже меча. Сильная, как медведь. Свирепая, как росомаха. Страх режет глубже меча. Человек, который боится, уже погиб. Страх режет глубже меча. Страх режет глубже меча. Страх режет глубже меча. Рукоятка деревянного меча уже была влажной от пота, и Арья пыхтела, добравшись до лестницы в башню. На мгновение она замерла. Вверх или вниз? Путь вверх приведет ее к крытому мостику, нависшему над небольшим двориком, отделявшим ее от башни Десницы, куда она и должна была направиться по их распоряжению. Никогда не делай того, что от тебя ожидают, сказал ей однажды Сирио. Арья направилась вниз — вокруг центрального столба, перепрыгивая сразу через две-три узкие каменные ступеньки. Она оказалась в огромном сводчатом погребе, полном бочек с пивом, сложенных штабелями в двадцать футов высотой. Свет проникал сюда лишь сквозь узкие наклонные окна, пробитые высоко в стене.

Тупик. Из этого погреба она могла выйти лишь тем путем, которым пришла. Арья боялась подниматься по этим ступенькам, но она и не могла оставаться здесь. Она должна была отыскать отца и рассказать ему о случившемся. Отец защитит ее.

Арья заткнула деревянный меч за пояс и полезла. Перепрыгивая с бочонка на бочонок, она добралась до окна и, ухватившись за камень обеими руками, подтянулась. Стена была здесь трех футов толщиной, и окно косым лазом уходило вверх и наружу. Арья повернулась к дневному свету. Когда голова ее оказалась на уровне земли, она поглядела через двор на башню Десницы. Крепкая деревянная дверь была разбита топорами. На ступенях лицом вниз лежал мертвый. Кольчуга на спине его окрасилась алым. Охваченная ужасом, она заметила под убитым скомкавшийся серый плащ с белой атласной подкладкой. Только кто это, она не видела.

— Нет, — прошептала Арья. Что происходит? Где отец? Почему за ней пришли красные плащи? Она вспомнила, что сказал человек с желтой бородой в тот самый день, когда она побывала в подземелье чудовищ: раз может погибнуть один десница, то почему не может умереть и второй...

Арья ощутила слезы в глазах, задержав дыхание, она прислушалась. Звуки схватки, крики, стоны, звон стали о сталь доносились из башни Десницы.

Она не могла вернуться. Ее отец...

Арья закрыла глаза. На мгновение она слишком испугалась, чтобы шевелиться. Они убили Джори, Уилла, Хьюарда и того гвардейца, что сейчас лежал на ступеньках. Возможно, они убили уже и отца; убьют и ее, если захватят.

— Страх режет глубже меча, — сказала Арья громко. Однако зачем изображать из себя водяную плясунью? Это Сирио был водяным плясуном, но белый рыцарь наверняка уже убил его, а она всего лишь маленькая девочка с деревянной палкой в руках, одинокая и испуганная.

Арья вылезла во двор, настороженно оглянулась и поднялась на ноги. Замок казался опустевшим. В Красном замке всегда было людно. А теперь все, должно быть, попрятались внутри, заложив двери. Арья с тоской поглядела на свою опочивальню, а потом направилась прочь от башни Десницы, стараясь держаться возле стены, перебегая из тени в тень, как тогда, давно, когда она ловила кошек. Но сейчас она была кошкой и знала, что если ее поймают, то убьют.

Стараясь держаться между зданиями и стеной, прижимаясь к камню так, чтобы никто не мог застать ее врасплох, Арья почти без приключений добралась до конюшен. Мимо нее в кольчугах и панцирях пробежали золотые плащи, однако не зная, на чьей они стороне, Арья спряталась, чтобы ее не заметили.

Халлен, сколько помнила себя Арья, служивший в Винтерфеллс мастром над конями, лежал на земле возле двери в конюшню. Его буквально истыкали кинжалами, казалось, что тунику его расшили алыми цветами. Арья не сомневалась, что он мертв, но когда она подобралась ближе, глаза конюшего открылись.

— Арья, — шепнул он. — Ты должна... предупредить своего... своего лорда-отца... — Кровавая пена запузырилась на его губах, мастер над конями закрыл глаза и более не говорил ничего.

Внутри лежали тела: конюх, который часто играл с ней, и трое гвардейцев отца. Фургон, загруженный сундуками и ящиками, остался забытым возле двери конюшни. Убитые, должно быть, как раз готовились отправиться на пристань, когда на них напали. Арья подобралась ближе. Среди покойников был Десмонд, показывавший ей свой длинный меч и обещавший защитить ее отца. Он лежал на спине, слепо уставившись в потолок, а мухи ползали по его глазам. Возле него остался убитый в красном плаще и в львином шлеме Ланнистеров, всего только один, заметила она. А ведь каждый северянин стоит десяти этих южан, говорил ей Десмонд.

— Ах ты, лжец! — буркнула она, с внезапной яростью пнув его тело.

Животные волновались в своих стойлах, фыркали и ржали от запаха крови. Арье оставалось одно — заседлать лошадь и бежать подальше от города и замка. Нужно было только держаться Королевского тракта, он сам и приведет ее назад в Винтерфелл. Арья взяла со стены уздечку и упряжь.

Проходя мимо фургона, она заметила упавший сундук. Должно быть, его столкнули во время схватки или уронили, когда грузили фургон. Дерево раскололось, из-под крышки вывалилось содержимое. Арья узнала шелк, бархат и атлас, которых она не носила. На Королевском тракте ей понадобится теплая одежда... и к тому же...

Арья встала на колени на землю, посреди разбросанных платьев. Она нашла тяжелый шерстяной плащ, бархатную юбку, шелковую рубашку и несколько нижних, платье, которое мать вышила для нее, серебряный детский браслет, который можно было продать. Отбросив в сторону разбитую крышку, она запустила руку в сундук в поисках Иглы. Свой меч она все время прятала на дне, подо всеми вещами, но теперь они были разбросаны вокруг, и на миг Арья уже испугалась, что клинок нашли и украли. Но пальцы ее ощутили твердый металл под атласным плащом.

— Вот она, — прошипел сзади нее голос.

Арья в испуге обернулась. Позади нее стоял конюшенный мальчишка с выражением блаженства на лице; запачканная белая нижняя рубашка торчала из-под грязной куртки. Сапоги его были вымазаны конским пометом, в руках он держал вилы.

— Кто ты? — спросила она.

— Она не знает меня, — проговорил он. — Но я-то ее знаю! О да. Ты — волчья девочка.

— Помоги мне заседлать коня, — попросила Арья, потянувшись назад в сундук за Иглой. — Мой отец — десница короля, он наградит тебя!

— Твой отец умер, — сказал мальчишка и направился к ней. — Это королева наградит меня. Иди сюда, девочка.

— Держись подальше! — Пальцы ее сомкнулись на рукояти Иглы.

— А я говорю, иди сюда. — Он крепко ухватил ее за руку.

Все, чему учил ее Сирио Форель, исчезло в биении сердца. И в короткий момент внезапного ужаса Арья сумела вспомнить лишь тот самый первый урок, который преподал ей Джон Сноу.

Она ударила его острым концом, направив кинжал вверх, с дикой истерической силой.

Игла пронзила кожаную куртку и белую плоть на его животе и вынырнула между лопаток. Мальчишка выронил вилы и не то вздохнул, не то негромко ойкнул. Руки его сомкнулись на клинке.

— О боги, — простонал он, когда его нижняя рубаха начала багроветь. — Вынь его.

Когда она сделала это, он умер.

Кони визжали, Арья стояла над телом в тихом испуге перед лицом смерти. Кровь хлынула изо рта мальчишки, когда он рухнул, еще больше алой жидкости вытекло из раны в животе, скопившись лужицей под телом. Он порезал руки, которыми ухватился за клинок. Арья медленно попятилась. Игла багровела в руке. Надо уходить отсюда подальше, куда-нибудь в безопасное место, где не было видно его обвиняющих глаз.

Она вновь схватила седло и уздечку и подбежала к своей кобыле. Но, закинув седло на спину лошади, Арья вдруг с болезненным ужасом поняла, что ворота замка будут скорее всего охраняться. Возможно, стражники не узнают ее, если примут за мальчика, возможно, ее пропустят... впрочем, скорее всего они получили приказ не выпускать никого — знакомого и незнакомого.

Но из замка можно было выйти другим путем.

Седло выскочило из пальцев Арьи и упало на пыльную землю, подняв целое облако. Сумеет ли она вновь найти комнату с чудовищами? Она не была уверена в этом, но знала, что придется попытаться.

Арья взяла выбранную ею одежду, набросила плащ, спрятав под ним Иглу. Остальные вещи она завязала в узелок и, зажав его под рукой, направилась в глубь конюшни, отперла заднюю дверь и осторожно выглянула. Вдали раздавался звон мечей, отчаянным голосом вопил от боли мужчина. Ей придется спуститься по змейке ступенек, мимо небольшой кухни и свинарника, так она шла, выслеживая черного кота... но этот путь приведет ее к казарме золотых плащей. Арья не могла идти туда и попыталась отыскать другую дорогу. Если только ей удастся перейти на противоположную сторону замка, она сможет тогда пробраться вдоль речной стены и через крохотную богорощу, но для этого нужно пересечь двор на виду у стражников, стоявших на стене.

Арья никогда не видела на стенах такого количества людей. Золотые плащи в основном были вооружены копьями. Некоторые из них знают ее в лицо. Что они сделают, если заметят бегущую через двор девочку? Сверху она будет казаться такой маленькой... Сумеют ли они оттуда узнать ее? Заинтересуются ли они ею?

Надо немедленно уходить, велела она себе, но когда пришло выбранное ею мгновение, Арья ощутила слишком большой испуг, чтобы шевельнуться.

Спокойная, как вода, шепнул голос ей на ухо. Арья так испугалась, что едва не выронила сверток. Она оглянулась вокруг, но в конюшне, кроме нее, находились только лошади и убитые.

Тихая, словно тень, услыхала она продолжение. Сама ли она говорила или Сирио? Она не знала этого, однако страхи ее тем не менее улеглись.

Арья вышла из конюшни.

Этот поступок потребовал от нее большей отваги, чем все, что приходилось ей делать прежде. Ей хотелось побежать, спрятаться, но Арья заставила себя неторопливо перейти через двор, ступая так, словно бы ей принадлежало все время в мире и у нее нет причин кого-нибудь бояться. Ей казалось, что она ощущает на себе взгляды стражников — словно букашек, ползавших по ее коже.

Арья не поднимала глаз. Если она увидит, что за ней наблюдают, вся отвага немедленно оставит ее, и она бросит свой сверток с одеждой и побежит, заливаясь младенческими слезами, и тогда уж ее точно поймают. Так что Арья смотрела в землю. Добравшись до тени королевской септы на противоположной стороне двора, Арья взмокла, но никто не поднял тревоги и крика.

Открытая септа была пуста. Внутри ее в благоуханном молчании горело с полсотни молитвенных свечей. Арья решила, что боги не хватятся двух из них. Она запихнула свечи в рукав и оставила септу через заднее окно. Прокрасться к проулку, где она застигла одноухого кота, было нетрудно. Но потом она заблудилась. Арья влезала и вылезала из окон, вспрыгивала на стены, искала путь в темных погребах — спокойная, словно тень.

Однажды она услышала женский плач. Ей потребовалось около часа, чтобы найти то узкое окно, через которое можно было спуститься в подземелье, где обитали чудовища.

Арья бросила внутрь свой сверток и согнулась, чтобы зажечь свечу. Это было рискованно; костер, который она заметила, прогорел до угольев, и, раздувая их, она услышала голоса. Обхватив пальцами трепещущий огонек, она нырнула в окно, пока люди входили в дверь, даже не посмотрев, кто это был.

На этот раз чудовища не испугали ее. Они казались почти что старинными друзьями. Арья подняла свечу над головой. С каждым ее шагом тени двигались по стене, они словно бы поворачивались, наблюдая за нею.

— Драконы, — шепнула она, извлекая Иглу из-под плаща. Тонкий клинок казался таким крохотным, а драконы, наоборот, огромными, однако Арья почему-то почувствовала себя уверенной, ощутив прикосновение стали к рукам.

Длинный, лишенный окон зал за дверью остался таким же мрачным, каким она запомнила его. Иглу она держала в левой руке, как привыкла, а свечу в правом кулаке. Горячий воск капал на пальцы. Вход в колодец находился слева, поэтому Арья направилась вправо. Ей отчаянно хотелось бежать, однако она опасалась погасить свечу. Арья слышала тонкий писк и заметила пару крошечных горящих крысиных глаз, но крысы ее не пугали... ее волновало другое. В коридоре было легко притаиться, ведь она и сама пряталась здесь от колдуна и человека с раздвоенной бородой. Она почти видела конюшенного мальчишку, сжавшегося у стены; руки его были стиснуты, и кровь стекала из глубоких порезов, оставленных Иглой. Что, если он захочет схватить ее, когда она окажется рядом? Он заранее увидит свечу. Возможно, ей лучше идти без света...

Страх режет глубже меча, прошептал спокойный голос внутри нее. И вдруг Арья вспомнила крипты Винтерфелла. В них было куда страшнее, чем здесь, сказала она себе. Арья впервые спустилась туда еще совсем маленькой. Братец Робб отвел их вниз — ее, Сансу и маленького Брана, который был тогда не старше, чем теперь Рикон. У них была с собой только одна свеча, и глаза Брана превращались в блюдечки, когда он глядел на каменные лики Королей Зимы, на волков у их ног и железные мечи на коленях.

Робб провел младших до самого конца — мимо деда, Брандона и Лианны, чтобы показать им их собственные гробницы. А Санса все глядела тогда на огарок свечи, опасаясь того, что она погаснет. Старая Нэн утверждала, что внизу водятся огромные пауки и крысы ростом с собаку. Робб улыбнулся, когда она это сказала.

— Здесь водятся худшие создания, чем пауки и крысы, — прошептал он. — Здесь ходят мертвецы. — Тогда-то они и услышали внизу этот негромкий глубокий звук, от которого по коже побежали мурашки, и младенец Бран вцепился в руку Арьи.

Когда привидение восстало из открытой гробницы, белое и алчущее крови, Санса с визгом метнулась к лестнице, а Бран прижался к ногам Робба, рыдая. Арья же, оставшись на месте, дала духу пинка. Это оказался всего лишь Джон, осыпавший себя мукой.

— Дурак, — сказала она ему. — Ты испугал младенца. — Но Джон и Робб только хохотали и хохотали. Скоро и Бран с Арьей тоже развеселились.

Воспоминание заставило девочку улыбнуться, и тьма перестала пугать ее. Мальчишка был мертв, она убила его, и если бы он вновь набросился на нее, то убила бы его снова. Теперь надо попасть домой... все исправится, когда она окажется дома, в безопасности, за седыми гранитными стенами Винтерфелла.

Шаги ее распространяли негромкое эхо, Арья углубилась во тьму.

САНСА

За Сансой они пришли на третий день.

Она выбрала простое платье из темно-серой шерсти с богатой вышивкой на воротнике и рукавах. Пальцы ее, вдруг сделавшиеся толстыми и неловкими, пытались справиться с серебряными застежками без помощи служанок. Джейни Пуль оставалась вместе с ней, но на ее помощь рассчитывать было нечего. Лицо Джейни опухло от слез, она безутешно оплакивала отца.

— А я уверена, что с твоим отцом все в порядке, — сказала ей Санса, сумев наконец застегнуть платье. — Я попрошу королеву, чтобы она тебе разрешила встретиться с ним. — Санса думала, что добротой сумеет подбодрить Джейни, но та, подняв на нее красные опухшие глаза, лишь сильней залилась слезами. Какое она еще дитя!

Санса тоже поплакала в первый день. Трудно было не испугаться, когда началось побоище, даже здесь, в крепких стенах крепости Мейегора, за запертой и заложенной дверью. Звон стали во дворе давно сделался привычным для ее уха, едва ли один день жизни Сансы проходил без того, чтобы она не слыхала лязга мечей, однако на этот раз сражение было взаправдашним, что совершенно меняло дело. Она вслушивалась как никогда в своей жизни; постепенно к звону стали начали примешиваться другие звуки: стоны, гневные проклятия, призывы о помощи, стенания раненых и умирающих людей. В песнях рыцари никогда не кричали от боли и не молили о пощаде...

И она плакала, умоляя, чтобы те — за дверью — объяснили ей, что происходит, звала отца, септу Мордейн, короля и своего галантного принца. Если люди, охранявшие дверь, и слышали ее, они не отвечали. Только раз, поздно ночью, дверь отворилась, и внутрь втолкнули Джейни Пуль, побитую и трясущуюся.

— Они убивают всех, — взвизгнула дочь стюарда. Она говорила и говорила: Пес разбил ее дверь боевым молотом. На лестнице башни Десницы лежали тела, ступеньки стали скользкими от пролитой крови. Санса высушила собственные слезы и попыталась утешить подругу. Они заснули в одной постели, прижавшись друг к другу как сестры.

На второй день стало еще хуже. Комната, в которую заточили Сансу, находилась наверху самой высокой башни крепости Мейегора. Из окна она могла видеть, что тяжелая железная решетка надвратной башни опущена, а подъемный мост поднят над глубоким сухим рвом, отделявшим внутреннюю крепость от остального замка. Гвардейцы Ланнистеров расхаживали на стенах с копьями и арбалетами в руках. Сражение закончилось, могильное молчание легло на Красный замок, если не считать бесконечных рыданий и всхлипываний Джейни Пуль.

Их покормили — на завтрак дали жесткого сыра, свежевыпеченного хлеба и молока, в полдень жареных цыплят с зеленью, завершил все ужин из говядины и ячменного супа, но приносившие еду слуги не отвечали на вопросы Сансы. Вечером пришли женщины с одеждой из башни Десницы, прихватив и какие-то вещи Джейни, однако они казались почти столь же испуганными, как ее подруга, и когда Санса попыталась поговорить с ними, они бросились прочь, словно бы она была больна серой заразой. Гвардейцы, карауливщие дверь снаружи, отказывались выпустить их из комнаты.

— Пожалуйста, мне нужно еще раз поговорить с королевой, — сказала им Санса, как говорила она всем в этот день. — Она захочет переговорить со мной, я знаю это. Передайте королеве, что я хочу видеть ее. Если королева занята, тогда попросите принца Джоффри. Будьте добры, мы ведь должны пожениться, когда станем старше.

На закате второго дня зазвонил огромный колокол. Голос его был глубок и звучен, низкие тягучие удары наполнили Сансу ужасом. Звон не смолкал, и спустя некоторое время ему ответили другие колокола — с башен Великой септы Бейелора, с холма Висеньи. Колокольный звон громом прокатывался над городом, предвещая грядущую грозу.

— Что это? — спросила Джейни, зажимая уши. — Почему звонят в колокола?

— Король умер. — Санса не могла сказать, как она это узнала, но сомнений она не испытывала: низкий, бесконечный звон наполнял комнату, скорбный, как погребальный напев. Неужели какой-то враг взял штурмом замок и убил короля Роберта? Неужели им пришлось быть свидетелями этого сражения?

Она отправилась спать в недоумении: беспокойная и испуганная. Неужели ее прекрасный Джоффри стал теперь королем? Или враги убили и его? Она боялась за него и за своего отца. Если бы только ей сказали, что случилось...

В эту ночь Сансе приснился Джоффри на троне; она сидела возле него в сотканной из золота мантии. На голове ее была корона, и все, кого она знала, кланялись ей, преклоняли колена и говорили любезные слова.

На следующее утро — утро третьего дня — сир Борос Блаунт из Королевской гвардии явился, чтобы проводить ее к королеве.

Сир Борос — человек уродливый, широкогрудый, с короткими кривыми ногами, плосконосый, щеки мешочками, волосы серые и колючие — сегодня был выряжен в белый бархат, а его снежный плащ был застегнут львиной брошью. Фигурка отливала ярким золотом, вместо глаз у нее были вставлены крошечные рубины.

— Сегодня вы весьма симпатичны и великолепны, сир Борос, — сказала ему Санса. Истинная леди всегда вежлива, а она решила быть настоящей дамой вне зависимости от любых обстоятельств.

— Как и вы, миледи, — отвечал сир Борос ровным голосом. — Светлейшая государыня ждет. Пойдемте со мной.

Перед дверями Серсеи стояла стража: воины Ланнистеров в пурпурных плащах и шлемах с львиными гривами. Проходя мимо, Санса заставила себя улыбнуться и пожелать им доброго утра. Она впервые оставила свою каморку, после того как сир Арис Окхарт привел ее в башню два утра назад.

— Ради твоей же безопасности, моя милая, — сказала ей тогда королева Серсея. — Джоффри никогда не простит мне, если что-нибудь случится с его драгоценной Сансой.

Санса ожидала, что сир Борос проводит ее в королевские апартаменты, но вместо этого он повел ее из крепости Мейегора. Мост был снова опущен. Какие-то работники спускали внутрь сухого рва человека на веревках. Посмотрев вниз, Санса заметила тело, повисшее на одном из огромных железных шипов. Она торопливо отвернулась, боясь спрашивать, опасаясь приглядываться, чтобы не узнать знакомого.

Королеву Серсею они нашли в палатах совета — во главе длинного стола, заваленного бумагами, свечами и брусками печатного воска. Комната была прекрасна, Санса еще не видела таких. Она с восхищением поглядела на резную деревянную ширму и пару одинаковых сфинксов, восседавших возле двери.

— Светлейшая государыня, — проговорил сир Борос, когда их впустил внутрь королевский гвардеец, сир Мендон, обладатель на удивление мертвого лица. — Я привел девушку.

Санса надеялась увидеть Джоффри, однако ее принца не было здесь, в отличие от трех советников короля. Лорд Петир Бейлиш сидел по левую сторону королевы, великий мейстер Пицель — в конце стола, распространявший цветочный аромат лорд Варис возвышался над ними. Все они были в черном, подметила Санса с ужасом. Знак траура.

На королеве было черное шелковое платье с высоким воротником, от шеи до пояса расшитое темными рубинами. Камни были огранены как слезинки, словно бы королева плакала кровью. Серсея улыбнулась вошедшей, и Санса подумала, что более сладкой и печальной улыбки она еще не видела.

— Санса, мое милое дитя, — сказала королева, — я знаю, что ты хотела видеть меня. Прости, что я не могла послать за тобой раньше. Дела еще не устроились, у меня не было даже свободной минутки. Надеюсь, мои люди хорошо позаботились о тебе?

— Все было мило и прекрасно, светлейшая государыня, благодарю вас за беспокойство, — ответила Санса вежливо. — Только никто не захотел объяснить нам, что случилось...

— Нам? — удивилась Серсея.

— Мы поместили к ней дочь стюарда, — пояснил сир Борос. — Мы не знали, что делать с ней.

Королева нахмурилась.

— В следующий раз спрашивайте, — сказала она резким голосом. — Лишь одни боги знают, какими россказнями она успела наполнить головку Сансы!

— Джейни испугана, — продолжила Санса. — Она плачет без остановки. Я обещала попросить, чтобы ей разрешили повидаться с отцом.

Старый великий мейстер Пицель потупил глаза.

— С ее отцом все в порядке, разве не так? — тревожно спросила Санса. Она знала, что произошло сражение, но какое отношение мог иметь к нему стюард? Вейон Пуль даже не носил меча...

Королева Серсея оглядела по очереди всех своих советников.

— Не надо попусту волновать Сансу. Ну, что будем делать с этой ее подружкой, милорды?

Лорд Петир наклонился вперед.

— Я отыщу для нее место.

— Только не в городе, — сказала королева.

— Вы принимаете меня за дурака?

Королева игнорировала вопрос.

— Сир Борос, проводите эту девушку в апартаменты лорда Петира и прикажите его людям охранять ее, пока он сам не придет за ней. Скажите, что Мизинец придет, чтобы отвести ее к отцу, тогда она успокоится. Я хочу, чтобы ее забрали прежде, чем Санса вернется к себе.

— Как прикажете, светлейшая, — ответил сир Борос. Отвесив низкий поклон, он развернулся на пятках и отбыл, шевельнув воздух длинным белым плащом.

Санса была в смятении.

— Не понимаю. Где отец Джейни? Почему сир Борос не может прямо отвести ее, зачем поручать это лорду Петиру?

Она обещала себе, что будет вести себя, как истинная леди, будет благородной, как королева, и сильной, как ее мать, леди Кейтилин, но теперь Сансу вновь охватил испуг. Она даже испугалась, что вот-вот зарыдает.

— Куда вы посылаете Джейни? Она не сделала ничего плохого, она — хорошая девочка.

— Она расстроила тебя, — мягко проговорила королева, — а этого нельзя допускать. И более ни слова об этом. Лорд Бейлиш приглядит за Джейни, обещаю тебе. — Она похлопала по стулу возле себя. — Садись, Санса, я хочу поговорить с тобой.

Санса уселась возле королевы. Серсея опять улыбнулась, однако тревога девочки от этого не уменьшилась. Варис тер мягкие ладони друг о друга, великий мейстер Пицель сонными глазами рассматривал бумаги, лежавшие перед ним, она ощущала на себе пристальный взгляд Мизинца, в котором было нечто такое, от чего Сансе показалось, что на ней вовсе нет одежды. На коже ее выступили мурашки.

— Милая Санса, — проговорила королева Серсея, положив легкую ладонь на ее руку, — прекрасное дитя. Надеюсь, ты понимаешь, как мы с Джоффри любим тебя.

— В самом деле? — спросила Санса, затаив дыхание. Она сразу забыла про Мизинца. Принц ее любит, все прочее ничего не значит!

Королева улыбнулась.

— Я вижу в тебе едва ли не собственную дочь. И я знаю ту любовь, которую ты питаешь к Джоффри. — Она устало качнула головой. — Увы, у нас есть неприятные вести о твоем лорде-отце. Соберись с мужеством, дитя.

Спокойные слова эти вселили в Сансу трепет.

— Что случилось?

— Твой отец — изменник, моя дорогая, — проговорил лорд Варис.

Великий мейстер Пицель поднял древнюю голову.

— Своими собственными ушами я слышал, как лорд Эддард клялся нашему возлюбленному королю Роберту охранять молодых принцев, как своих собственных детей. Но не успел король умереть, как он созвал Малый совет, чтобы лишить принца Джоффри законного трона.

— Нет, — выпалила Санса. — Он не мог этого сделать, не мог!

Королева подала грамоту. Бумага была порвана, на ней засохла кровь, но сломанная печать принадлежала отцу — лютоволк, оттиснутый на бледном воске.

— Мы нашли письмо на капитане твоей домашней стражи, Санса. Твой отец написал лорду Станнису, брату моего покойного мужа, предлагая ему корону.

— Пожалуйста, светлейшая государыня, здесь какая-то ошибка. — От внезапного отчаяния голова ее закружилась. — Пожалуйста, пошлите за моим отцом, пусть все расскажет; он не мог написать такого письма, король был его другом!

— Роберт тоже так полагал, — сказала королева. — И эта измена разбила бы его сердце. Но боги смилостивились, и он не дожил до этого дня. — Она вздохнула. — Санса, милая, теперь ты видишь, в каком ужасном положении мы очутились. Ты ни в чем не виновата, мы все это знаем, и все же ты — дочь предателя. Как я могу позволить тебе выйти замуж за моего сына?

— Но я же люблю его, — простонала Санса в смятении и испуге. Что они хотят сделать с ней? Что они сделали с отцом? Такого просто не должно было случиться. Ей предстоит выйти замуж за Джоффри, они же обручены, и он, ее суженый, даже снился ей. Нечестно разлучать их, что бы ни натворил ее отец!

— Я прекрасно знаю это, дитя, — проговорила Серсея голосом сладким и ласковым. — Итак, зачем же ты пришла ко мне и рассказала, что отец хочет отослать вас, если не по любви?

— По любви, — заторопилась Санса. — Отец даже не разрешил мне попрощаться. — Девочка добрая и послушная, в то утро она чувствовала себя такой же вредной, как Арья, и ускользнула из-под опеки септы Мордейн, не послушавшись лорда-отца. Она никогда не позволяла себе подобных причуд и не позволила бы, если бы так не любила Джоффри.

— Он собирался отвезти нас в Винтерфелл и выдать меня за какого-нибудь засечного рыцаря, хотя я люблю Джоффри. Я сказала ему, но он не пожелал слушать.

Король был ее последней надеждой. Король мог приказать отцу оставить ее в Королевской Гавани и выдать за принца Джоффри. Санса знала это, но король всегда пугал ее. Громкоголосый, грубый, нередко пьяный, он, возможно, отослал бы ее к лорду Эддарду, даже если бы ее допустили к нему. Поэтому она направилась к королеве и излила свое сердце; Серсея выслушала и ласково поблагодарила ее... только потом сир Арис проводил ее в высокую палату крепости Мейегора и поставил охрану, а через несколько часов началась схватка.

— Прошу вас, — закончила она, — позвольте Джоффри жениться на мне. Я буду ему хорошей женой, вы увидите. А когда я стану королевой, то буду во всем подражать вам, обещаю.

Королева Серсея оглядела собравшихся.

— Милорды-советники, что вы ответите на эту просьбу?

— Бедное дитя, — пробормотал Варис. — Любящее, верное и невинное, светлейшая государыня, этого нельзя отрицать... и все же, что нам остается делать? Отец ее обречен. — Его мягкие ладони терли друг друга в беспомощной растерянности.

— Дитя, рожденное от семени предателя, непременно обнаружит в себе природную склонность к предательству, — заметил великий мейстер Пицель. — Сейчас она милая девочка, но кто может сказать, какой она сделается через десять лет?

— Нет, — забормотала Санса с ужасом. — Нет, я никогда... я не предам Джоффри, я люблю его... Клянусь, я не сделаю ничего подобного!

— Посмотрите, какая уверенность, — буркнул Варис. — Тем не менее истинно говорят, что кровь сильнее любых клятв...

— Она напоминает мне мать, а не отца, — проговорил негромко лорд Петир Бейлиш. — Поглядите на нее: волосы, глаза! Вылитая мать в этом возрасте.

Королева с беспокойством поглядела на нее, однако Сансе виделась доброта в чистых зеленых глазах.

— Дитя, — сказала она. — Если бы я действительно могла поверить, что ты не подобна отцу, ничто не обрадовало бы меня больше, чем твоя свадьба с моим Джоффри. Я знаю, что он любит тебя всем сердцем. — Она вздохнула. — И все же я опасаюсь, что лорд Варис и великий мейстер правы. Все решает кровь. Мне остается лишь вспомнить, как твоя сестра напустила волка на моего сына.

— Я не такая, как Арья, — выпалила Санса. — Это в ней кровь предателя, а не во мне! Я хорошая, спросите септу Мордейн, она вам скажет. Я только хочу быть верной и преданной женой вашему Джоффри!

Санса ощутила на себе тяжесть взгляда Серсеи, королева пристально вглядывалась в ее лицо.

— Я верю в твою искренность, дитя. — Она обернулась к остальным. — Милорды, мне кажется, что, если остальные ее родственники проявят верность в это ужасное время, мы сможем забыть наши страхи.

Великий мейстер Пицель погладил огромную мягкую бороду, широкое чело его наморщилось в задумчивости.

— У лорда Эддарда трое сыновей.

— Мальчишки, — пожал плечами лорд Петир. — Меня более волнуют леди Кейтилин и Талли.

Королева взяла руки Сансы в свои.

— Дитя, ты знаешь грамоту?

Санса нервно кивнула. Она умела читать и писать лучше, чем ее братья, хотя безнадежно отставала от них в сложении.

— Рада слышать это. Быть может, вы с Джоффри еще можете надеяться.

— Что я должна сделать?

— Просто напиши своей леди-матери и своему брату, старшему... как его зовут?

— Робб, — ответила Санса.

— Известие о предательстве твоего лорда-отца, вне сомнения, скоро достигнет их. Лучше, если оно будет исходить из твоих уст. Поведай им, как лорд Эддард предал своего короля.

Санса отчаянно хотела добиться Джоффри, однако она не думала, что у нее хватит отваги исполнить просьбу королевы.

— Но он никогда... я не могу... светлейшая государыня, я не знаю, что написать...

Королева похлопала ее по руке.

— Мы подскажем тебе все необходимое. Важно, чтобы ты попросила леди Кейтилин и своего брата сохранять королевский мир.

— В противном случае им придется трудно, — добавил великий мейстер Пицель. — Ради той любви, которую ты испытываешь к ним, попроси своих родных ступить на тропу мудрости.

— Твоя леди-мать, вне сомнения, ужасно боится за тебя, — проговорила королева. — Напиши ей, что тебе хорошо с нами, что мы обращаемся с тобой мягко и выполняем каждое твое желание. Попроси их явиться в Королевскую Гавань и принести присягу Джоффри, когда он займет престол. Если они сделают это... тогда мы будем знать, что в твоей крови нет предательства. А когда ты войдешь в цвет женственности, то обвенчаешься с королем в Великой септе Бейелора, перед глазами богов и людей.

...обвенчаешься с королем... — слова эти заставили участиться ее дыхание, и все же Санса медлила.

— Быть может... если бы я могла повидаться с отцом, переговорить с ним о...

— Предательстве? — подсказал лорд Варис.

— Ты разочаровываешь меня, Санса, — проговорила королева, глаза ее сделались жесткими, словно камни. — Мы уже рассказали тебе о преступлениях твоего отца. Если ты действительно нам верна, как утверждаешь, почему же ты хочешь повидаться с ним?

— Я... я только хотела... — Санса ощутила, как глаза ее наполняются слезами. — Он не... он не был... ранен или... или...

— Лорд Эддард невредим, — ответила королева.

— Но что... что будет с ним?

— Это решит король, — многозначительно пояснил великий мейстер Пицель.

Король! Санса проглотила слезы. Теперь Джоффри сделался королем, подумала она. Ее галантный принц никогда не причинит вреда ее отцу, что бы тот ни сделал. И если она придет к нему и попросит милосердия, Джоффри прислушается... непременно прислушается, потому что он любит ее, ведь королева сказала так. Джофф захочет наказать отца, ведь лорды будут ожидать этого; быть может, он просто отошлет отца в Винтерфелл или сошлет в один из Вольных Городов за Узким морем. Ссылка продлится лишь несколько лет, к этому времени они с Джоффри поженятся, а став королевой, она убедит Джоффри вернуть отца назад и даровать ему прощение.

Но только... если мать и Робб не усугубят измену, не созовут знамена и не откажутся присягнуть Джоффри на верность, иначе все пойдет прахом. Ее Джоффри добр и ласков, она сердцем знала это, однако король обязан проявлять жестокость к мятежникам. Она должна убедить их. Ей придется это сделать!

— Я... я напишу, — сказала им Санса.

С улыбкой теплой, словно рассвет, Серсея Ланнистер наклонилась поближе и ласково поцеловала ее в щеку.

— Я знала это. Джоффри будет горд, когда я расскажу ему о той отваге и здравом смысле, которые ты продемонстрировала сейчас.

В конце концов Санса написала четыре письма. Своей матери, леди Кейтилин Старк, и братьям в Винтерфелл, потом тетке и деду: леди Лизе Аррен в Орлиное Гнездо и лорду Хостеру Талли в Риверран. Когда Санса завершила дело, пальцы ее онемели и перепачкались чернилами. Лорд Варис держал печать отца. Она согрела белый пчелиный воск над свечой, капнула четыре раза на бумагу и посмотрела, как евнух запечатал каждое письмо лютоволком дома Старков.

Джейни Пуль и все ее вещи исчезли, когда сир Мендон Мур проводил Сансу назад в башню крепости Мейегора. Теперь никаких слез, подумала она с благодарностью. И все же после исчезновения Джейни в палате стало как-то холоднее, хотя Санса и развела огонь. Она пододвинула кресло к очагу, взяла одну из своих любимых книг и погрузилась в повествование о Флориане и Джонквиль, леди Шилле и Радужном рыцаре, о доблестном принце Эйемоне и его несчастной любви к королеве, жене его брата.

Лишь глубокой ночью, отходя ко сну, Санса поняла, что забыла спросить о сестре.

ДЖОН

— Отор, — объявил сир Джареми Риккер, — вне сомнения. А этот был Яфером Флауэрсом. — Он повернул труп ногой, мертвое бледное лицо уставилось в сумеречное небо синими-синими глазами. Оба убитых были людьми Бена Старка.

«Спутники моего дяди, — молча подумал Джон. Он вспомнил, как просил, чтобы дядя взял его. — Боги, каким я был зеленым мальчишкой! Если бы он взял меня, я мог бы лежать здесь...»

Правое запястье Яфера заканчивалось изорванной плотью и раздробленной костью — остальное было отнято челюстями Призрака. Сама же правая кисть плавала сейчас в кувшине с уксусом в башне мейстера Эйемона. Левая рука, находившаяся там, где положено, чернотой не уступала плащу.

— Милосердные боги, — пробормотал Старый Медведь и, соскочив со своего дорожного конька, передал поводья Джону. Утро выдалось непривычно теплым, капельки пота выступили на широком лбу лорда-командующего, словно роса на дыне. Лошадь его волновалась и, закатывая глаза, пятилась от мертвецов, насколько позволяли поводья. Джон отвел кобылу на несколько шагов, стараясь удержать ее на месте.

Лошадям это место не нравилось. «И мне тоже», — решил Джон.

Но менее всех были довольны собаки. Отряд привел сюда Призрак, и вся свора собак оказалась бесполезной. Когда Басспарь попытался заставить их взять след по отгрызенной руке, они словно взбесились: завыли и залаяли, пытаясь сорваться. Даже теперь они то скалили зубы, то скулили, натягивая поводки, и Четт вовсю костерил их.

Это всего лишь лес, сказал себе Джон, а это только мертвецы. Ему уже приводилось видеть убитых...

Прошлой ночью ему вновь приснился Винтерфелл. Джон бродил по пустому замку, искал отца, спускался в крипту. На этот раз он зашел еще глубже и во тьме услышал скрежет камня о камень; повернувшись, он увидел, как один за другим открываются гробы. Мертвые короли вставали из своих холодных черных могил. Джон проснулся в угольной тьме, сердце его колотилось. Даже когда Призрак вскочил на постель, чтобы облизать его лицо, он не сумел прогнать ощущение глубокого ужаса. Джон просто не смел вновь уснуть. А потому поднялся на Стену и ходил наверху, не зная покоя, пока наконец не увидел свет зари на востоке. Это всего только сон.

— Я — брат Ночного Дозора, а не испуганный мальчишка!

Сэм Тарли крючился под деревьями, стараясь держаться за лошадьми. Его округлая физиономия приобрела цвет простокваши. Пока еще он не бегал в сторону, чтобы поблевать, но тем не менее лишь мельком глянул на мертвецов.

— Я не могу этого сделать, — прошептал он жалким голосом.

— Придется, — заверил Джон самым тихим шепотом, так, чтобы не слышали остальные. — Мейстер Эйемон послал тебя, чтобы ты был его глазами. Разве не так? А что могут увидеть закрытые глаза?

— Да, но... я ведь такой трус, Джон.

Джон положил ладонь на плечо Сэма.

— С нами дюжина разведчиков и псы, а еще Призрак. Никто не причинит тебе вреда, Сэм. Подойди и погляди. Сделать это в первый раз сложнее всего.

Сэм нервно качнул головой, с заметным усилием стараясь собрать всю свою храбрость, и медленно повернул голову... глаза его округлились. Джон держал Сэма за руку, так, чтобы он не мог отвернуться.

— Сир Джареми, — проворчал Старый Медведь, — Бен Старк взял с собой шестерых. Где остальные?

Сир Джареми покачал головой:

— Если бы я знал!

Мормонт явно не был удовлетворен ответом.

— Двое наших братьев погибли почти возле Стены, и разведчики ничего не слышали и не видели. Во что же превратился Ночной Дозор? Мы еще прочесываем эти леса?

— Да, милорд, но...

— Мы еще выставляем дозорных?

— Да, но...

— У этого человека охотничий рог, — указал Мормонт на Отора. — Должен ли я полагать, что он умер, так и не протрубив? Или же все ваши разведчики оглохли и ослепли?

Сир Джареми ощетинился, и лицо его напряглось от гнева.

— Рог этот здесь не трубил, милорд, иначе мои разведчики услыхали бы его. Мне не хватает людей, чтобы выставлять столько патрулей, сколько хотелось бы... тем более что после исчезновения Бенджена мы держались ближе к Стене, чем прежде, — по вашему собственному распоряжению.

Старый Меведь буркнул:

— Да. Ладно. Вполне возможно. — Он нетерпеливо махнул. — А теперь скажите мне, как они умерли.

Сев на корточки возле убитого, которого он назвал Яфером Флауэрсом, сир Джареми взял его голову за волосы, вдруг обломившиеся соломинками под его пальцами.

Рыцарь выругался и повернул лицо тыльной стороной руки. В шее трупа открылся огромный разрез, покрытый засохшей кровью. Лишь несколько ниток бледных сухожилий все еще привязывали шею к голове.

— Это было сделано топором.

— Ага, — согласился Дайвин, старый лесовик. — Причем именно тем, который был при Оторе...

Джон чувствовал, как завтрак шевелится в его животе, но тем не менее стиснул губы и заставил себя поглядеть на второго покойника. Отор был человек рослый и уродливый, так что из него получился только рослый уродливый труп. Никакого топора рядом не было. Джон вспомнил Отора. Уезжая из Черного замка, он горланил непристойную песню. Теперь отпелся. Плоть Отора побелела, как молока, повсюду, кроме ладоней, сделавшихся черными, как у Яфера. Лепестки твердой засохшей крови покрывали смертельные раны, осыпавшие грудь, ноги, живот, горло. И все же глаза его оставались открыты, они глядели в небо синими сапфирами.

Сир Джареми распрямился.

— У одичалых есть и топоры.

Мормонт повернулся к нему:

— Итак, ты полагаешь, что это работа Манса-налетчика? Так близко к Стене?

— Чья же еще?

Джон мог бы сказать чья. Это знал и он сам, и все они, но никто не сумел произнести эти слова. Иные — это ведь только сказка, придуманная, чтобы пугать детей. Если они и существовали, то исчезли восемь тысячелетий назад. Одна мысль эта заставила ощутить его свою глупость; он теперь стал взрослым, Черным Братом Ночного Дозора... он более не мальчишка, который сидел некогда у ног старой Нэн рядом с Браном, Роббом и Арьей.

И все же лорд Мормонт фыркнул:

— Если бы Бенджен Старк попал в засаду одичалых в полудне езды от Черного замка, то прислал бы гонца за помощью, потом нашел бы убийц даже в седьмом пекле и доставил мне их головы.

— Если только его не убили вместе со всеми остальными, — настаивал сир Джареми.

Слова эти ранили Джона даже теперь. Это произошло настолько давно, глупо даже надеяться на то, что Бен Старк еще жив, однако Джон Сноу был упрям.

— Прошло уже почти полгода с тех пор, как Бенджен оставил нас, милорд, — продолжил сир Джареми. — Лес огромен. Одичалые могли напасть на него где угодно. Бьюсь об заклад: перед нами двое уцелевших из его отряда, они возвращались... Но враг перехватил их прежде, чем они сумели достичь безопасности за Стеной. Трупы до сих пор свежие; эти люди убиты не более дня назад...

— Нет, — пискнул Сэмвел Тарли.

Джон удивился. Нервный высокий голос Сэма он рассчитывал услышать здесь в последнюю очередь. Толстяк до сих пор боялся офицеров, а сир Джареми не был известен своим терпением.

— Я не спрашиваю, что ты думаешь, парень, — холодно сказал Риккер.

— Пусть говорит, сир, — предложил Джон.

Глаза Мормонта заметались от Сэма к Джону и обратно.

— Если у парня есть что сказать, я выслушаю его. Подойди сюда, мальчик. Ты совсем спрятался за лошадьми.

Взмокший от волнения Сэм бочком скользнул между Джоном и конями.

— Милорд, это... не день или... поглядите... кровь...

— Да? — буркнул нетерпеливо Мормонт. — Кровь, и что же?

— Он того гляди испачкает штанишки при виде крови, — крикнул Четт, и разведчики расхохотались.

Сэм промокнул пот на лбу.

— Вы... вы видите там, где Призрак... лютоволк Джона... вы видите там, где он оторвал руку этого человека... обрубок не кровоточил, посмотрите. — Сэм махнул рукой. — Мой отец... лорд Рендилл заставлял меня смотреть, как он разделывает животных, когда он... ну словом, после... — Тряхнув подбородком, Сэм закачал головой из стороны в сторону. Сейчас он не отворачивался от трупов. — Сразу после смерти кровь еще течет, милорды. Потом... она свертывается, подобно... густому желе... и... — На мгновение показалось, что Сэма вот-вот стошнит. — Поглядите на руку этого человека, она... сухая... как...

Джон сразу понял, что имеет в виду Сэм. Разорванные вены железными червями извивались в бледной плоти запястья мертвеца. Кровь превратилась в черную пыль. И все же Джареми Риккер не был убежден.

— Если они пролежали мертвыми больше дня, то сейчас уже созрели бы, парень, но они даже не воняют.

Коренастый лесовик Дайвин, любивший прихвастнуть, что он может заранее по запаху предсказать снегопад, приблизился к трупам и нюхнул.

— Ну конечно, это не маргаритки, но... милорд говорит правду. Мертвечиной не пахнет.

— Они... они не гниют, — указал Сэм, и жирный его палец чуть дернулся. — Поглядите в телах... здесь нет червей или... другой гадости, ничего... они лежали в лесу, но их... не объели животные... лишь Призрак... но во всем остальном они... они...

— Остались как были, — сказал Джон негромко. — Призрак — дело другое... Псы и лошади не хотят подходить к ним.

Разведчики обменялись взглядами. Все они видели это. Мормонт перевел хмурый взгляд с трупов на собак.

— Четт, подведи своих псов поближе.

Четт, ругнувшись, потянул за поводки, пнул одно животное сапогом. Собаки визжали, упирались. Он попытался подтащить поближе одну из сук. Та сопротивлялась, ворчала и пыталась вырваться из ошейника, но, не сумев, бросилась на Четта. От неожиданности он выронил поводок и повалился назад. Собака перепрыгнула через него и исчезла за деревьями.

— Это... все это... скверно, — открыто сказал Сэм Тарли. — Кровь... пятна видны на их одежде, но... их плоть сухая и жесткая, и крови нет на земле или... где-нибудь рядом. А из таких... таких... таких... — Сэм заставил себя проглотить и глубоко вздохнул. — Таких ран... жутких ран... должно было вытечь много крови. Разве не так?

Дайвин присвистнул.

— Может, они умерли и не здесь. Может, кто-то доставил их сюда и подложил нам. В качестве предостережения. — Старый лесовик подозрительно поглядел вниз. — Не считайте меня дураком, только я не припомню, чтобы у Отора были голубые глаза.

Сир Джареми удивился.

— И у Флауэрса тоже, — выпалил он, нагибаясь к убитому.

Молчание легло на лес. Какое-то мгновение было слышно лишь тяжелое дыхание Сэма да влажное причмокивание Дайвина. Джон уселся на корточки возле Призрака.

— Сожгите их, — прошептал один из разведчиков. Джон не видел, кто именно.

— Да, сожгите их, — посоветовал и второй голос.

Старый Медведь упрямо качнул головой:

— Рано. Я хочу, чтобы их посмотрел мейстер Эйемон. Повезем их на Стену.

Иное распоряжение легче отдать, чем выполнить. Мертвецов завернули в плащи, но когда Хаке и Дайвин попытались привязать одного из них к лошади, животное словно взбесилось. Конь с визгом вставал на дыбы и бил копытами, он даже укусил Кеттера, подбежавшего, чтобы помочь. Не более повезло разведчикам и с другими лошадьми: даже самые спокойные не хотели иметь ничего общего с этой ношей. В конце концов пришлось нарубить ветвей и соорудить грубые носилки, чтобы самим отнести трупы.

Когда они повернули назад, время уже далеко перевалило за полдень.

— Я приказываю обыскать эти леса, — распорядился Мормонт, обращаясь к сиру Джареми, когда они выступили. — Каждое дерево, каждую скалу, каждый куст, каждый фут грязной земли на расстоянии десяти лиг от этого места. Возьмите своих людей, и если их не хватит, пусть помогут охотники и лесники из стюардов. Если Бен и все остальные находятся рядом живыми или мертвыми, я хочу, чтобы их нашли. Если в этом лесу кто-то прячется, я буду знать об этом. Вы должны выследить их и взять живыми, если возможно. Понятно?

— Понятно, милорд, — проговорил сир Джареми. — Будет сделано.

После этого сир Мормонт углубился в задумчивое молчание. Джон следовал за ним как стюард лорда-командующего, теперь это было его место. День выдался влажный и сумеречный, в такую погоду сердце просит дождя. Ветер не шевелил ветвей, влажный тяжелый воздух словно окаменел, и одежда Джона липла к телу. Было тепло, слишком тепло. Стена покрылась слезами, она рыдала уже не один день, и Джону иногда даже казалось, что она уменьшается.

Старики звали такую погоду духовым летом и говорили, что это знак того, что лето наконец приказывает долго жить. После духова лета приходит холод, предупреждали они, а длинное лето всегда предвещает долгую зиму. Нынешнее лето продлилось десять лет. Джон был еще дитя, когда оно началось.

Призрак сперва бежал возле них, а потом исчез среди деревьев. Без лютоволка Джон казался себе почти нагим. С неловкостью он заметил, что вглядывается в каждую тень. Непрошеными вернулись воспоминания о сказках, услышанных в детстве от старой Нэн в Винтерфелле. Он буквально слышал ее голос и стук — цок, цок, цок — спиц. «И в этой тьме явились на конях Иные, — говорила она, приглушая голос тише и тише. — Холодными и мертвыми были они, им были ненавистны железо, огонь, прикосновение солнца и все живые создания с горячей кровью в жилах. Крепости, города и королевства людей не могли устоять пред ними, и во главе воинства мертвецов они скакали на юг на бледных мертвых лошадях. Иные кормили своих мертвых слуг плотью детей человеческих...»

Вновь заметив Стену над вершиной древнего корявого дуба, Джон ощутил огромное облегчение. Мормонт внезапно осадил коня и повернулся в седле.

— Тарли, — рявкнул он, — сюда.

Джон увидел, как проступил испуг на лице Сэма, направившегося вперед на своей кобыле; вне сомнения, толстяк решил, что его ждут неприятности.

— Жир не мешает тебе соображать, парень, — сказал Старый Медведь ворчливо. — Ты хорошо справился с делом. И ты, Сноу.

Сэм зарделся румянцем и, осекаясь, попытался ответить любезностью. Джону пришлось улыбнуться.

Когда они выехали из-под деревьев, Мормонт послал своего крепкого конька рысцой. Навстречу кавалькаде из леса вылетел Призрак, облизывавший морду, побагровевшую от крови. Там, над головой, люди на Стене заметили приближающуюся колонну. Джон услышал глубокий гортанный зов огромного рога в руках дозорного; разносившийся на мили и мили долгий звук — ууу! — парил над деревьями, отражаясь ото льда и медленно затихая.

Один зов означал, что разведчики возвращаются, и Джон подумал, что сегодня по крайней мере провел день разведчиком. Что бы ни случилось потом, память эта останется навсегда.

Боуэн Марш ожидал их у первых ворот, когда они ввели своих лошадей в ледяной тоннель. Лорд-стюард побагровел и казался взволнованным.

— Милорд, — выпалил он, обращаясь к Мормонту, распахивая железную решетку. — Прилетела птица, и вы нужны немедленно.

— Что случилось? — спросил Мормонт недовольным голосом.

Как ни странно, Марш с любопытством поглядел на Джона и только потом ответил:

— Мейстер Эйемон получил письмо. Он ожидает вас в солярии.

— Очень хорошо. Джон, позаботься о моем коне и скажи, чтобы сир Джареми оставил мертвых в леднике, пока мейстер соберется посетить их. — Пробурчав еще что-то, Мормонт отъехал прочь.

Когда они повели лошадей в конюшню, Джон с неуютным чувством ощутил, что люди глядят на него. Сир Аллисер Торне занимался с мальчишками во дворе, однако, прервав занятие, поглядел на Джона с едва заметной улыбкой на губах. Однорукий Донал Нойе стоял в дверях арсенала.

— Да помогут тебе боги, Сноу, — выкрикнул он.

Случилось что-то плохое, понял Джон. Что-то очень плохое.

Мертвецов перенесли в хранилище у подножия Стены, в холодную темную каморку, устроенную во льду, где держали мясо, зерно, а иногда даже пиво. Джон приглядел, чтобы коня Мормонта напоили, накормили и расчесали, потом позаботился о своем собственном и отправился разыскивать друзей. Гренн и Жаба были на дежурстве, но он нашел Пипа в общем зале.

— Что случилось? — спросил он.

Пип понизил голос:

— Король умер.

Джон был ошеломлен. Роберт Баратеон показался ему в Винтерфелле жирным и старым, но тем не менее бодрым и крепким, на взгляд не обнаруживающим никаких признаков болезни.

— Откуда ты знаешь?

— Один из стражников слышал, как Клидас читал письмо мейстеру Эйемону. — Пип наклонился поближе. — Джон, мне очень жаль. Он был другом твоего отца, разве не так?

— Они были близки как братья. — Джон подумал, оставит ли Джофф его отца десницей. Едва ли. Это означало, что лорд Эддард вернется в Винтерфелл, а вместе с ним и сестры. Ему даже могут позволить посетить их с разрешения лорда Мормонта. Как хорошо будет вновь увидеть улыбку Арьи, поговорить с отцом. «Я спрошу его о матери, — решил Джон. — Теперь я мужчина, и ему давно следовало сказать мне все, даже если она была шлюхой. Мне все равно, я должен знать!»

— Я слыхал, как Хаке говорил, что мертвецы были из тех, кто ушел с твоим дядей, — сказал Пип.

— Да, — подтвердил Джон. — Двое из тех шестерых, которых он взял с собой. Они были убиты давно... только тела странные.

— Странные? — Пип превратился в само любопытство. — Чем же?

— Сэм расскажет тебе. — Джону не хотелось говорить об этом. — Пойду посмотрю, не нужен ли я Старому Медведю.

Он повернул к башне лорда-командующего, ощущая какую-то непонятную неловкость. Братья-стражники встретили его скорбными взглядами.

— Старый Медведь в солярии, — объявил один из них. — Он спрашивал тебя.

Джон кивнул. Надо было направиться сюда прямо из конюшни. Он торопливо зашагал по ступеням башни. Мормонт потребует вина или велит растопить очаг, вот и все, сказал он себе.

Едва Джон вошел в солярий, ворон Мормонта повернулся к нему и закричал:

— Зерна! Зерна! Зерна!

— Не верь, я только что покормил его, — проворчал Старый Медведь. Он сидел у окна и читал письмо. — Принеси мне чашу вина и налей себе.

— Мне, милорд?

Мормонт оторвал взгляд от письма и поглядел на Джона. В глазах его была жалость. Джон видел это.

— Ты слыхал меня.

Джон разливал вино подчеркнуто осторожно, едва осознавая себя. Ведь когда чаши наполнятся, ему придется встретить злую весть лицом к лицу. И все же — чересчур скоро — они наполнились.

— Садись, мальчик, — приказал ему Мормонт. — Выпей.

Джон остался стоять.

— Что-то случилось с отцом, так?

Старый Медведь постучал по письму пальцем.

— И с твоим отцом и с королем, — прогрохотал он. — Не буду лгать, новости скорбные. В моем-то возрасте я не надеялся дожить до нового короля, а Роберт был вполовину моложе меня и крепок как бык. — Мормонт глотнул вина. — Мне говорили, что король обожал охоту. Нас губит как раз то, что мы любим. Запомни это. Мой сын тоже любил свою молодую жену. Тщеславная женщина! Если бы не она, ему бы даже не пришло в голову продавать этих браконьеров.

Джон едва слышал, что говорит Мормонт.

— Милорд, я не понимаю вас. Что случилось с моим отцом?

— Я велел тебе сесть, — буркнул Мормонт.

— Сесть! — завопил ворон.

— Сесть и пить. Черт побери, это приказ, Джон Сноу.

Джон сел и отпил вина.

— Лорд Эддард заключен в темницу по обвинению в измене. Утверждают, что он вступил в сговор с братьями Роберта, чтобы помешать восшествию на престол принца Джоффри.

— Нет, — немедленно выпалил Джон. — Невозможно. Отец мой просто не мог предать короля!

— Пусть будет так, — отвечал Мормонт. — Не мне судить, и не тебе тоже.

— Но это ложь, — настаивал Джон. Как могли в Королевской Гавани подумать, что отец его изменник, неужели они все свихнулись? Лорд Эддард Старк никогда бы не обесчестил себя... или же?

Он родил бастарда, шепнул ему негромкий внутренний голос. А значит, способен был забыть и о чести. И твоя мать, что с ней? Он даже не назвал тебе ее имени...

— Милорд, что будет с ним? Его убьют?

— На это я ничего не могу сказать тебе, парень. Я пошлю письмо: в дни молодости мне приходилось знать некоторых из советников короля. Старого Пицеля, лорда Станниса, сира Барристана... что бы ни натворил твой отец, он останется великим лордом. Ему должны позволить уйти в чернецы и присоединиться к нам. Богам известно, насколько нам нужны люди, обладающие способностями лорда Эддарда!

Джон знал, что раньше обвиняемым в измене предоставляли возможность искупить свою вину на Стене. Зачем же лишать этого права лорда Эддарда?

Отец приедет сюда. Какая странная мысль, какая неуютная. Немыслимо и несправедливо лишать его Винтерфелла, заставить облачиться в черное, однако если иначе нельзя будет сохранить его жизнь...

И позволит ли это Джоффри? Джон вспомнил принца в Винтерфелле — как тот издевался над Роббом и сиром Родриком во дворе. Джона он едва замечал; бастарды находились ниже его достоинства.

— Милорд, послушает ли вас король?

Старый Медведь пожал плечами:

— Король — мальчишка... скорее всего он послушает свою мать. Жаль, что с ними нет карлика. Он — дядя парня и видел нашу нужду, когда гостил здесь.

— Леди Старк не моя мать, — резко напомнил ему Джон. Тирион Ланнистер был другом ему. И если лорд Эддард погибнет, вина ляжет на нее — как и на королеву. — Милорд, а что слышно о моих сестрах? Арья и Санса были с отцом, не знаете ли вы...

— Пицель о них не упомянул, но, вне сомнения, с ними обходятся мягко. Я спрошу его в своем письме. — Мормонт покачал головой. — Подобные события не могли случиться в более неподходящее время. Страна как никогда нуждается в сильном короле... Впереди темные дни и холодные ночи, я чувствую это костями. — Он оделил Джона долгим проницательным взглядом. — Надеюсь, что ты не выкинешь никаких глупостей, мальчик?

Он мой отец, хотел ответить Джон, однако он знал, что Мормонту незачем говорить такие слова. Горло его пересохло. Джон заставил себя выпить вина.

— Долг велит тебе оставаться здесь, — напомнил ему лорд-командующий. — Твоя прошлая жизнь закончилась, когда ты надел черный кафтан.

Птица зловещим голосом подтвердила:

— Черный!

Мормонт не обратил на нее внимания.

— Что бы они там ни делали в Королевской Гавани, это не наше дело.

Джон не ответил; старик допил вино и сказал:

— Можешь идти. Я более не нуждаюсь в тебе сегодня. Завтра ты поможешь мне написать ответ.

Джон не помнил, как встал и вышел из солярия. Он очнулся только на ступенях лестницы с мыслью: это мой отец и мои сестры, как это может быть не мое дело?!

Снаружи один из стражников поглядел на него и сказал:

— Мужайся, парень. Боги жестоки.

Они все знают, понял Джон и ответил:

— Только мой отец не изменник.

Слова застряли в его горле, словно пытаясь удушить его. Ветер крепчал, во дворе, похоже, сделалось холоднее за то время, которое он провел в башне. Духовое лето приближалось к концу.

Остаток дня прошел словно во сне. Джон не знал, где ходит, что делает и с кем говорит. Призрак все время был рядом, это он помнил. Молчаливое присутствие лютоволка утешало Джона. «У девочек нет даже этого утешения», — подумал он. Волки могли бы охранять их, но Леди мертва, а Нимерия потерялась. Они одни.

На закате задул северный ветер. Под его вой над Стеной, над ледяным бастионом Джон отправился в общий зал ужинать. Хоб сварил похлебку из оленины — с ячменем, луком и морковкой. Повар налил Джону больше, чем было положено, и оставил возле его миски хрустящую горбушку. Итак, знает и он. Джон оглядел зал, лица отворачивались, пряча глаза. Все они знают!

К нему подошли друзья.

— Мы попросили септона поставить свечу за твоего отца, — сказал ему Матхар.

— Это ложь, все мы знаем, что это ложь, даже Гренн, — вставил Пип. Гренн кивнул, а Сэм пожал Джону руку.

— Раз ты мой брат, теперь он и мой отец, — сказал толстяк. — Если хочешь, давай съездим к чардревам помолиться старым богам, я буду с тобой!

Чардрева остались за Стеной, однако Джон знал, что Сэм сделает все. Они — мои братья, подумал он. Как Робб, Бран и Рикон.

И тут он услышал смех, острый и жестокий как кнут, голос сира Аллисера Торне.

— А он у нас не только бастард, но и бастард изменника, — бросил он тем, кто был возле него.

В мгновение ока Джон вскочил на стол с кинжалом в руке. Пип попытался остановить его, но, вырвав ногу, он метнулся вперед по столу и выбил чашу из рук сира Аллисера, забрызгав братьев похлебкой. Торне отскочил. Люди вокруг кричали, но Джон словно не слышал их. Он ударил кинжалом, метя в холодные ониксовые глаза сира Аллисера, но Сэм бросился между ними, и прежде, чем Джон успел обежать толстяка, к его спине, словно обезьяна, прилип Пип, Гренн остановил его руку, Жаба принялся выкручивать нож из пальцев.

Потом, уже потом, когда Джона отправили в келью, где он ночевал, Мормонт явился проведать его с вороном на плече.

— Я же просил тебя не делать никаких глупостей, мальчик, — сказал Старый Медведь. «Мальчик», — отозвалась птица. Мормонт недовольно качнул головой. — Только подумать, какие надежды я испытывал в твоем отношении.

У Джона отобрали нож и меч и приказали, чтобы он оставался в своей каморке до тех пор, пока высшие офицеры не посоветуются и не решат, что с ним делать. Ну а пока, не рассчитывая на повиновение, за его дверью выставили охрану. Друзей к нему не пускали, однако Старый Медведь сжалился и разрешил ему взять к себе Призрака, так что Джон не был полностью в одиночестве.

— Мой отец не изменник, — сказал он лютоволку, когда все ушли. Призрак молча глядел на него. Джон привалился к стене, обхватил руками колени и принялся глядеть на свечу, оставшуюся на столике возле его узкой постели. Огонек мерцал и качался, тени метались вокруг, в комнате становилось темнее и холоднее. — Сегодня я не буду спать, — решил Джон.

И все же он, должно быть, уснул. А когда проснулся, ноги его онемели, по ним бегали мурашки. Свеча давно догорела. Призрак стоял на задних ногах и скребся в дверь. Джон удивился тому, каким высоким стал лютоволк.

— Призрак, что случилось? — спросил он негромко. Лютоволк повернул голову и поглядел на него, обнажая клыки в безмолвной угрозе. «Неужели он сошел с ума?» — удивился Джон. — Призрак, это же я, — пробормотал он, пытаясь не проявлять удивления. Джон понял, что трясется... когда же это стало так холодно?

Призрак отпрыгнул от двери, оставив глубокие царапины на дереве.

Джон следил за ним с возрастающим беспокойством.

— Там кто-то есть, — прошептал он. Пригнувшись, лютоволк отступал, белый мех поднимался дыбом на его затылке.

«Стражник, — подумал Джон, — они оставили за моей дверью стражника. Призрак чует его сквозь дверь».

Джон медленно поднялся на ноги. Он не мог одолеть дрожь и жалел о том, что у него нет меча. Три быстрых шага привели его к двери. Джон схватил ручку, потянул ее внутрь. Скрип петель заставил его подпрыгнуть. Охранявший его человек простерся на узких ступенях лицом вверх, хотя тело его лежало на животе. Голову его перекрутили спереди назад.

«Этого не может быть, — сказал себе Джон. — Я в башне лорда-командующего, которая охраняется днем и ночью, такого просто не может случиться. Это сон. Мне снится кошмар!»

Призрак скользнул мимо него из двери и бросился вверх по ступеням, остановился на мгновение, посмотрел на Джона. Тут и он услышал мягкую поступь по камню, шум поворачивающейся рукоятки. Звуки доносились сверху — из покоев лорда-командующего.

Пусть это и кошмар, но не сон. Меч стражника так и остался в ножнах. Джон пригнулся и вынул оружие. Прикосновение стали к руке приободрило его. Джон направился вверх, Призрак бесшумно топал перед ним. Тени прятались в каждом углу лестницы, Джон осторожно крался вверх, проверяя острием меча каждый подозрительный уголок.

Тут он услышал крик ворона.

— Зерна, — завопила птица Мормонта. — Зерна, зерна, зерна, зерна, зерна, зерна.

Призрак метнулся вперед, Джон помчался следом. Дверь в солярий лорда Мормонта была распахнута. Лютоволк метнулся внутрь. Джон остановился в дверях с клинком в руке, давая своим глазам приспособиться. Тяжелые занавеси прикрыли окна, и в палате было темно, как в чернильнице.

— Кто здесь? — окликнул он.

И тут он заметил врага, тенью, прячущейся в тенях, скользнувшего к внутренней двери, ведущей к опочивальне Мормонта, черный силуэт человека в плаще и капюшоне. Но под капюшоном ледяной синевой горели глаза...

Призрак прыгнул вперед. Человек и волк столкнулись без звука и рычания, покатились, врезались в кресло, повалили заваленный бумагами стол. Ворон Мормонта летал с криком над его головой: «Зерна, зерна, зерна, зерна, зерна!» Джон казался себе столь же слепым, как мейстер Эйемон. Держась к стене спиной, он скользнул к окну и рассек занавеси. Лунный свет хлынул в солярий, осветив черные руки, погрузившиеся в белый мех. Раздувшиеся черные пальцы впивались в горло его любимого волка; зверь дергался и огрызался, бил ногами по воздуху, но не мог вырваться на свободу.

У Джона не было времени на испуг. Он бросился вперед и с криком обрушил на врага длинный меч, вложив в удар весь свой вес. Сталь рассекла рукав, кожу и кость, но тем не менее звук показался юноше каким-то не таким. Его немедленно окутала вонь, столь странная и холодная, что Джона едва не вырвало. Отсеченная рука упала на пол, черные пальцы извивались в лужице лунного света. Призрак высвободился из другой руки и отпрыгнул в сторону, вывалив красный язык изо рта.

Облаченный в капюшон человек повернул освещенное бледной луной лицо, и Джон без колебаний нанес новый удар. Срезав половину носа, открывая глубокий порез от щеки до щеки под этими глазами, глазами, горевшими как синие звезды. Джон помнил это лицо. Отор, подумал он, отступая назад. «Боги, он же мертв, он мертв! Я же видел его мертвое тело...»

Джон ощутил, как что-то цепляется за его лодыжку. Черные пальцы обхватили ногу. Рука поползла по его ноге, цепляясь за кожу, за ткань и плоть. Вскрикнув от отвращения, Джон оторвал пальцы от своей ноги и острием меча отбросил мерзкую штуковину прочь. Ладонь осталась лежать, извиваясь и дергаясь, стискивая и открывая пальцы.

Труп шагнул вперед, крови не было. Однорукий, с рассеченным лицом, он словно бы ничего не ощущал. Джон выставил перед собой длинный меч.

— Убирайся! — завопил он пронзительным голосом.

— Зерна, — вскрикнул ворон, — зерна, зерна, зерна!

Отрубленная рука выползала из порванного рукава, белая змея с пятипалой черной головой. Призрак метнулся и схватил ее зубами, хрустнула кость. Джон рубанул по шее трупа, и ощутил, как сталь впилась глубоко и твердо.

Мертвый Отор повалился на него, сбив с ног.

Дыхание оставило Джона, когда он угодил спиной на упавший стул.

Меч, где меч? Он потерял проклятый меч. Джон открыл рот, чтобы закричать, но труп тянулся своими черными мертвячьими пальцами к его рту; Джон с отвращением попытался отбросить руку, но мертвец был слишком тяжел. Пальцы лезли к горлу Джона, душа его ледяным холодом. Лицо мертвеца приближалось, закрывая мир, мороз покрыл глаза покойника искристой голубизной. Джон впился в холодную плоть ногтями, ударил ногами. Он пытался кусать, бить, дышать...

И вдруг вес трупа исчез, пальцы оторвались от его горла.

Обессилевший Джон едва сумел перевалиться на живот, сотрясаясь и икая. Призрак вновь взялся за дело.

Лютоволк впился зубами в нутро мертвяка и начал рвать и терзать его. Джон лежал, почти не осознавая, что происходит, и не сразу сообразил, что пора поискать меч... Тут он увидел лорда Мормонта, голого и не до конца проснувшегося, появившегося в дверях с масляной лампой в руке. Изжеванная, лишенная пальцев рука билась о порог, пытаясь перебраться к нему.

Джон попытался вскрикнуть, но голос оставил его. Поднявшись на ноги, он отбросил отсеченную кисть и выхватил лампу из пальцев Старого Медведя.

Пламя, затрепетав, едва не скончалось.

— Жги, — каркнул ворон. — Жги. Жги, жги!

Повернувшись, Джон заметил шторы, которые сорвал с окна. Он бросил лампу на кучу обеими руками. Хрустнул металл, стекло разбилось, потекло масло, и шторы разом занялись пламенем. Прикосновение тепла к лицу было слаще любого поцелуя, который приводилось знать Джону.

— Призрак! — вскрикнул он.

Лютоволк отпрыгнул и приблизился к хозяину, мертвяк поднимался, темные змеи вываливались из огромной раны в его чреве. Джон запустил руки в огонь, схватил горящие занавески и бросил их в мертвеца.

— Боги, прошу вас, пусть он сгорит!

БРАН

Холодным ветреным утром прибыли Карстарки во главе трех сотен всадников и почти двух сотен пеших из своего замка в Карлхолле. Колонна приближалась, поблескивая стальными остриями пик. Перед ней шел человек, выбивая гулкий неторопливый походный ритм на барабане, который был больше его самого. Бум, бум, бум.

Бран следил за их приближением со сторожевой башенки на внешней стене с помощью бронзовой подзорной трубы мейстера Лювина, сидя на плечах Ходора. Прибывших возглавлял сам лорд Рикард, сыновья его Харрион, Эддард и Торрхен ехали возле отца под черными как ночь знаменами с вышитой колючей звездой. Старуха Нэн утверждала, что в жилах рода текла кровь Старков, от которых ветвь эта отделилась несколько веков назад. Однако, на взгляд Брана, прибывшие не напоминали Старков: высокие могучие люди, густобородые, волосы до плеч. Плечи их покрывали медвежьи, тюленьи и волчьи шкуры.

Пришли последние, он знал это. Остальные лорды уже собрались в Винтерфелле со своими дружинами. Брану хотелось посмотреть, как наполняются зимние дома, на оживленную толпу, каждый день собиравшуюся по утрам на рыночной площади, увидеть улицы, изрытые колесами и копытами. Но Робб запретил ему оставлять замок.

— Мы не можем выделить людей, которые будут тебя охранять, — объяснил он брату.

— Я возьму Лето, — возразил Бран.

— Не принимай меня за ребенка, — сказал Робб. — Ты знаешь, в чем дело. Только два дня назад человек лорда Болтона зарезал человека лорда Сервина в «Курящемся бревне». Наша леди-мать сдерет с меня шкуру, если я позволю себе рисковать твоей жизнью, — окончил он голосом лорда Робба, и Бран понял, что возражений не может быть.

Так было из-за того, что произошло в Волчьем лесу, Бран знал это. Ему до сих пор снился тот день. Он оказался беспомощен как младенец, способный защитить себя не более, чем, скажем, Рикон. Даже менее... Рикон хотя бы стал отбиваться. Бран ощутил стыд. Он ведь всего лишь на несколько лет младше Робба, но если брат уже почти стал взрослым, значит, и он тоже. Он должен научиться защищать себя!

Год назад он бы убежал в Зимний городок, даже если бы для этого пришлось лезть вниз по стене. Тогда он мог бегать по лестнице, сам поднимался и спускался со своего пони и научился владеть деревянным мечом достаточно хорошо, чтобы сбить принца Томмена с ног. А теперь ему оставалось лишь наблюдать за происходящим через трубку с линзами. Мейстер Лювин показал ему все знамена: кольчужный кулак Гловеров, серебряный на алом фоне; черного медведя леди Мормонт; жуткого, лишенного кожи человека Болтонов из Дредфорта; лося Хорнвудов, боевой топор Сервинов, три страж-дерева Толхартов и устрашающий герб дома Амберов — ревущего гиганта в разорванных цепях.

Вскоре он узнал и лица гостей, когда лорды с сыновьями и рыцарями начали съезжаться в Винтерфелл на пиры. Даже великий чертог не вмещал сразу всех, поэтому Робб принимал своих основных знаменосцев по очереди. Брану всегда предоставлялось почетное место по правую руку от брата. Некоторые из знаменосцев посматривали на него с жестким недоумением, словно бы удивляясь тому, что над ними восседает зеленый мальчишка и — более того — калека.

— Сколько же их собралось? — спросил Бран у мейстера Лювина, когда лорд Карстарк и его сыновья въехали в ворота.

— Двенадцать тысяч людей или около того.

— А сколько среди них рыцарей?

— Не слишком много, — ответил мейстер с легким нетерпением. — Чтобы стать рыцарем, нужно выстоять стражу в септе и принять помазание семью елеями, освящающее обет. На севере мало почитателей Семерых. Наши люди чтут старых богов и не вступают в рыцари... но эти лорды, их сыновья и дружинники обладают не меньшей доблестью, отвагой и честью. Человек не становится достойнее, когда к его имени приставляют словечко «сир». Я говорил это тебе уже сотню раз.

— И все же, — спросил Бран, — сколько среди них рыцарей?

Мейстер Лювин вздохнул:

— Три сотни, быть может, четыре... кроме того, у нас есть три тысячи тяжеловооруженных всадников, не являющихся рыцарями.

— Лорд Карстарк последний, — задумчиво заметил Бран. — Робб будет пировать с ним сегодня вечером.

— Вне сомнения.

— А сколько осталось... дней до начала похода?

— Робб должен выступить вскоре или же не выступать вовсе, — ответил мейстер Лювин. — Зимний городок набит до отказа, и это войско объест всю страну, если простоит здесь достаточно долго. Остальные — рыцари курганов, озерный люд, лорды Мандерли и Флинт — присоединятся к нему на Королевском тракте. В Приречье началась война, и брату твоему придется пройти много лиг.

— Я знаю. — В голосе Брана прозвучало горе. Передавая бронзовую трубу мейстеру, он заметил, насколько редкими сделались волосы Лювина на макушке. Бран видел сквозь них розовую кожу; странно смотреть на мейстера сверху, когда всю свою жизнь ты глядел на него снизу вверх. Но тот, кто сидит на спине Ходора, глядит на всякого сверху вниз. — Я не хочу больше смотреть. Ходор, отнеси меня назад в замок.

— Ходор, — пробормотал Ходор.

Мейстер Лювин убрал трубку в рукав.

— Бран, твой лорд-брат сегодня не сможет зайти к тебе. Он должен поприветствовать лорда Карстарка и его сыновей и выказать им свое расположение.

— Я не обеспокою Робба. Я хочу посетить богорощу. — Бран опустил свою руку на плечо Ходора.

— Ходор...

Высеченные в граните опоры для рук складывались в лестницу, расположенную во внутренней стене башни. Напевая что-то непонятное, Ходор спускался, перемещая руку за рукой. Бран раскачивался на его спине в плетеной корзине, которую соорудил для него мейстер Лювин, позаимствовав идею от женщин, которые в корзинах на спине переносили хворост; прорезать отверстия для ног и приспособить ремни, способные выдержать вес Брана, было не так уж трудно. В корзине он ощущал себя, как на спине Плясуньи, однако кобыла пройдет не всюду, и Бран не ощущал стыда, как бывало, когда Ходор переносил его на руках, подобно ребенку. Ходору, похоже, тоже было удобнее, однако трудно сказать, что ему нравится.

Сложности возникали только в дверях. Иногда Ходор забывал, что Бран сидит на его спине, и тогда проникновение в дверь оказывалось болезненным.

Почти две недели в замке было столько гостей, что Робб приказал держать открытыми обе решетки и не поднимать мост между ними даже глухой ночью. Когда Бран появился из башни, длинная колонна латников пересекала ров между стенами; это люди Карстарка следовали за своими лордами в замок. На них были черные железные шишаки и черные шерстяные плащи, украшенные белой звездой. Ходор шел возле них, улыбаясь чему-то своему, сапоги его стучали по доскам подъемного моста. Стражники странно поглядывали на них, и Бран даже услышал чей-то хохоток, но отказал себе в праве смутиться.

— Люди будут смотреть на тебя, — предупредил его мейстер Лювин, как только они впервые пристроили плетеную корзину к плечам Ходора. — Они будут смотреть, они будут говорить, и некоторые даже будут смеяться.

Пусть смеются, решил Бран. В спальне над ним смеяться некому, но нельзя же всю жизнь провести в постели!

Когда они прошли под решетками башни, Бран вложил два пальца в рот и свистнул, Лето выскочил откуда-то с другой стороны двора. Внезапно копьеносцы Карстарка взялись за уздечки; кони заметались и заржали. Один жеребец с криком встал на дыбы, наездник, ругаясь, осаживал коня. Запах лютоволка всегда повергал лошадей в бешеный страх, если только они не были привычны к нему, но как только Лето исчезал, животные быстро успокаивались.

— В богорощу, — напомнил Бран Ходору.

Даже сам Винтерфелл был полон народу. Во дворе звенели мечи и топоры, грохотали фургоны, лаяли псы. Ворота арсенала были открыты, и Бран увидел Миккена у наковальни; молот звенел, и пот катился по голой груди. Стольких незнакомцев здесь не собиралось, даже когда к отцу приезжал король Роберт.

Он попытался не дернуться, когда Ходор нырнул в низкую дверь. Потом они шли длинным сумрачным коридором, Лето непринужденно топал возле них. Волк время от времени поднимал голову, и в глазах его светилось жидкое золото. Брану хотелось прикоснуться к нему, но он ехал слишком высоко и не мог дотянуться до зверя.

Богороща являла собой островок мира посреди моря хаоса, в который превратился Винтерфелл.

Ходор прошел через чистые заросли дуба, железоствола и стража, к спокойному пруду возле сердце-дерева, и остановился под корявыми ветвями чардрева, бормоча что-то себе под нос. Бран поднял руки над головой и выбрался из седла, выволакивая бессильные ноги сквозь дыры в плетеной корзине. Он повисел мгновение, темно-красные листья прикасались к его лицу, наконец Ходор опустил его на гладкий камень возле воды.

— Я хочу побыть один, — сказал Бран. — А ты можешь помокнуть, ступай к прудам.

— Ходор, — откликнулся Ходор и исчез в кустарнике. За богорощей, под окнами гостевого дома, подземный горячий источник питал три небольших пруда.

Пар клубами валил от воды день и ночь, и стена, поднимавшаяся над прудами, густо поросла мхом. Ходор ненавидел холодную воду и всякий раз сопротивлялся как дикий кот, когда ему принимались угрожать мылом. Но он с радостью погружался в самый горячий пруд из трех и сидел там часами, громко булькая всякий раз, когда на поверхности лопались пузыри, поднявшиеся из зеленых мутных глубин.

Лето лакнул воды и уселся возле Брана. Мальчик почесал волку шею, и на мгновение оба они ощутили покой. Бран всегда любил богорощу — даже до того, — но в последнее время он обнаружил, что его все больше и больше влечет сюда. Даже сердце-дерево более не пугало его, как прежде. Глубокие красные очи, врезанные в белый ствол, все еще следили за ним, но их взгляд теперь почему-то приносил утешение. Боги глядят на него, сказал он себе, старые боги, боги Старков, Первых Людей и Детей Леса, боги его отца. Под их взглядом он ощущал себя в безопасности, а глубокое молчание деревьев помогало ему думать. Бран много размышлял после своего падения. Он думал и мечтал, разговаривал с богами.

— Пожалуйста, сделайте так, чтобы Робб не уехал, — негромко помолился он. И шлепнул рукой по холодной воде, от руки его разбежались круги. — Пусть он останется. А если ему придется уехать, пусть вернется домой невредимым вместе с матерью, отцом и девочками. И пусть все будет так... будет так, чтобы Рикон понял!

Узнав, что Робб уезжает на войну, самый младший из братьев взбесился как зимняя пурга. Рикон то плакал, то надувался. Он отказывался есть, ревел и кричал по ночам, даже поколотил старую Нэн, когда старуха попыталась колыбельными песнями успокоить его. На следующий день Рикон исчез. Робб самолично обегал ползамка, разыскивая брата; наконец его отыскали — в самой глубине крипт. Рикон замахнулся на людей ржавым мечом, который он забрал из рук одного из мертвых королей, и Лохматый Песик вылетел из тьмы зеленоглазым бесом. Волк взбесился почти как Рикон. Он укусил Гейджа в руку и вырвал кусок мяса из бедра Миккена. Только сам Робб и Серый Ветер сумели угомонить их обоих. Фарлен посадил черного волка на цепь в конуре, и Рикон залился еще горшими слезами, расставшись с другом.

Мейстер Лювин советовал Роббу оставаться в Винтерфелле, и Бран тоже — ради себя самого и ради Рикона, — но брат только упрямо качал головой и говорил:

— Поймите, я не хочу ехать, я должен!

Ложью это было только отчасти. Кому-то следовало занять Перешеек и помочь Талли против Ланнистеров, Бран понимал это. Но зачем это делать Роббу? Брат его мог отдать приказ Халу Моллену, Грейджою или одному из своих знаменосцев. Мейстер Лювин предлагал ему поступить именно так, но Робб не желал даже слышать об этом.

— Мой лорд-отец никогда бы не послал людей навстречу опасности, трусливо спрятавшись за стенами Винтерфелла, — говорил он им.

Старший брат теперь казался Брану каким-то незнакомым, Робб преобразился в истинного лорда, еще не встретив шестнадцатых именин. Даже знаменосцы отца как будто бы поняли это. Многие пытались испытать его, каждый на собственный манер. Русе Болтон и Роберт Гловер требовали назначить их полководцами, первый ворчливо, второй с улыбкой и шуткой.

Крепкая седоволосая Мейдж Мормонт, облаченная в кольчугу подобно мужчине, открыто заявила Роббу, что он годится ей во внуки и она не позволит командовать собой... однако закончила разговор тем, что у нее есть дочь, которую она рада будет отдать за него. Мягкоречивый лорд Сервин даже прихватил с собой свою дочь, пухленькую домашнюю девочку тринадцати лет, сидевшую у левой руки отца, не отрывая глаз от тарелки. Веселый лорд Хорнвуд дочерей не имел, но являлся с подарками, сегодня с конем, завтра с олениной, послезавтра с серебряным охотничьим рогом и ничего не просил... ничего, кроме некоего острога, отобранного у его деда, восстановления охотничьих прав Хорнвудов к северу от такого-то хребта... и чтоб ему разрешили перегородить плотиной Белый Нож, если это будет угодно его светлости.

Робб отвечал каждому холодной любезностью, как всегда поступал отец, и каким-то образом сумел подчинить всех себе.

Когда лорд Амбер, которого люди прозвали Большим Джоном, ибо он был ростом с Ходора и, наверное, раза в два шире в плечах, пригрозил увести свое войско домой, если Амберов поместят ниже Хорнвудов или Сервинов в походном порядке, Робб сказал, что будет рад этому.

— А когда мы покончим с Ланнистерами, — посулил он Большому Джону, почесывая за ухом своего лютоволка, — то направимся на север и, взяв ваш замок, милорд, повесим вас как клятвопреступника. — Тут Большой Джон с проклятиями бросил в огонь бутыль эля и объявил, что Робб еще настолько мал, что должен писать молоком.

Когда Халлис Моллен шагнул вперед, чтобы осадить его, великан одним ударом поверг его на пол, перевернул стол и извлек самый громадный и уродливый из всех великих мечей, которые Брану случалось видеть.

Сыновья его, братья и дружинники повскакали с мест, хватаясь за сталь.

Но Робб спокойно произнес одно лишь слово, раздался негромкий рык, и в мановение ока лорд Амбер оказался на спине; меч его отлетел фута на три, из руки его, там, где Серый Ветер откусил два пальца, хлынула кровь.

— Мой лорд-отец всегда говаривал, что поднявшего меч на сюзерена ждет смерть, — сказал Робб, — но вы, вне сомнения, просто захотели нарезать мне мясо. — Внутренности Брана поднялись к горлу, когда Большой Джон встал на ноги, обсасывая оставшиеся от пальцев огрызки... но тут, к его удивлению, гигант расхохотался.

— Твое мясо, — взревел он, — малость жестковато.

И каким-то образом после этого Большой Джон сделался правой рукой Робба, его надежнейшим помощником, громко уверявшим всех и вся, что юный милорд — самый настоящий Старк и тем, кто не хочет, чтобы им откусили ногу, лучше преклонить колена.

Потом, ночью, брат явился в опочивальню Брана бледный и потрясенный — уже после того, как в Великом зале потушили огни.

— Я думал, что он убьет меня, — признался Робб. — Ты видел, как он бросил Хала? Прямо как Рикона! Боги, я так испугался. Но Большой Джон вовсе не самый худший из них, он только самый громкий. Лорд Русе никогда не говорит ни слова, он только глядит на меня, а мне все представляется та комната, где у себя в Дредфорте Болтоны вешают шкуры своих врагов.

— Но это же одна из сказок старухи Нэн, — сказал Бран. Нотка сомнения вкралась в его голос. — Разве не так?

— Не знаю. — Робб устало качнул головой. — Лорд Сервин хочет взять свою дочь на юг вместе с нами. Якобы чтобы она готовила ему. Но Теон уверяет, что я однажды обнаружу эту девушку в своей постели. Как мне хотелось бы... как мне хотелось бы, чтобы отец был с нами!

Тут уж согласие было полным: все — Бран, Рикон и Робб-лорд, все хотели, чтобы отец оказался здесь. Но лорд Эддард находился в тысяче миль отсюда и был узником далекой темницы, преследуемым беглецом, спасающим свою жизнь, а может быть, даже мертвецом. Никто не знал его участи наверняка, каждый путешественник рассказывал иную повесть, еще более ужасную, чем предыдущая. Головы дружинников отца гнили на стенах Красного замка, насаженные на пики. Король Роберт скончался от рук отца. Баратеоны осадили Королевскую Гавань. Лорд Эддард бежал на юг с братом короля злодеем Ренли. Пес убил Арью и Сансу. Мать убила Тириона-Беса. Лорд Тайвин Ланнистер выступил против Орлиного Гнезда, все сжигая и убивая всех на своем пути. Один пропитавшийся вином болтун даже объявил, что Рейегар Таргариен восстал из мертвых и шествует во главе огромного войска древних героев с Драконьего Камня, чтобы заявить свои права на престол отца.

А потом прилетел ворон с письмом, запечатанным собственной печатью отца и написанным рукой Сансы, и жестокая правда оказалась не менее невероятной. Бран так никогда и не смог забыть выражения на лице Робба, читавшего слова сестры.

— Она утверждает, что отец вошел в заговор с братьями короля, — прочитал он. — Король Роберт умер, а нас с матерью призывают в Красный замок, чтобы присягнуть на верность Джоффри. Санса просит, чтобы мы изъявили верность, а когда она выйдет за Джоффри, то попросит его пощадить жизнь лорда-отца. — Пальцы Робба сжались в кулак, скомкав письмо Сансы. — А об Арье ничего, даже единого слова. Проклятие! Что случилось с девчонкой!

Бран покрылся холодным потом.

— Санса потеряла своего волка, — сказал он слабым голосом, вспоминая тот день, когда четверо гвардейцев отца доставили с юга останки Леди. Лето, Серый Ветер и Лохматый Песик завыли прежде, чем посланцы пересекли подъемный мост, и в голосах их слышались скорбь и отчаяние.

В тени Первой Твердыни прятался древний заросший могильный дворик, камни его поросли бледным лишайником; там старые Короли Зимы клали на вечный покой своих слуг. Там и погребли останки Леди, тем временем братья ее сновали между могил беспокойными тенями. Она отправилась на юг, и только кости ее вернулись домой.

Так было и с их дедом, старым лордом Рикардом, и с его сыном Брандоном, братом отца, и с двумя сотнями его лучших людей. Никто из них не вернулся. А теперь еще и отец уехал на юг вместе с Арьей и Сансой, Джори, Халденом, Толстым Томом и всеми остальными. А потом за ними последовали мать и сир Родрик, и они тоже не вернулись. А теперь еще Робб собрался туда же. Не в Королевскую Гавань, чтобы присягнуть новому королю, но в Риверран с мечом в руке. И если их лорд-отец действительно находится в заточении, поход этот, безусловно, грозил ему смертью. Это пугало Брана больше, чем он мог сказать.

— Если Робб должен будет уехать, идите за ним, — обратился Бран к старым богам, смотревшим на него с сердце-дерева красными глазами. — Приглядите за его людьми, Халом, Квентом и остальными, за лордом Амбером, леди Мормонт и прочими лордами. И за Теоном, конечно! Идите за ними, берегите их, если это угодно вам. Помогите им победить Ланнистеров, спасти отца и вернуться домой!

Слабое дыхание ветра пробежало по богороще, красные листья шевельнулись и зашептали. Лето обнажил зубы.

— Ты слышишь их, парень? — проговорил голос.

Бран поднял голову. На противоположной стороне пруда под древним дубом стояла Оша, листья скрывали ее лицо. Даже в кандалах она двигалась с удивительной легкостью. Лето обежал пруд, принюхался, высокая женщина дернулась.

— Лето, ко мне, — позвал Бран. Волк шохнул напоследок, повернулся и направился обратно. Бран обнял его. — Что ты делаешь здесь? — Он не видел Ошу с тех пор, как она попала в плен в Волчьем лесу, но знал, что ее определили работать на кухню.

— Это и мои боги, — сказала Оша. — Там, за Стеной, других не знают. — Волосы ее отрастали, каштановые и лохматые. Она сделалась более женственной в простом платье из грубого домотканого материала, которое ей дали, сняв с нее кольчугу. — Гейдж время от времени отпускает меня помолиться, когда мне это очень нужно. А я позволяю ему делать все, что он хочет, под моей юбкой. Мне все равно. Мне даже нравится запах муки на его руках, и он ласковей Стива. — Она неловко поклонилась. — Ну, оставлю тебя. Мне нужно отмыть горшки.

— Нет, останься, — приказал ей Бран. — Ответь мне, почему ты сказала, что я слышу богов?

Оша поглядела на него.

— Ты просил, и они ответили. Открой уши, прислушайся, сам услышишь.

Бран прислушался.

— Но это же только ветер, — возразил он неуверенным голосом. — Шелестят листья...

— А кто, по-твоему, посылает ветер, если не боги? — Оша с негромким звоном уселась на другой стороне пруда. Миккен заковал ее ноги в железо, их соединяла тяжелая цепь, она могла ходить, нешироко расставляя ноги, но бежать или сесть в седло была не способна.

— Они видят тебя, парень, они слышат твою речь. А отвечают тебе этим шелестом.

— А что они говорят?

— Им грустно. Твой лорд-брат не получит от них помощи там, куда он направляется. Старые боги не имеют силы на юге. Богорощи там вырубили еще тысячу лет назад. Как они смогут проследить за твоим братом в краю, где у них нет глаз?

Бран даже не думал об этом. И сразу испугался. Если даже боги не в силах помочь его брату, откуда же взять надежду? Быть может, Оша не расслышала их? Он пригнул голову и попытался прислушаться снова. Ему показалось, что теперь улавливает печаль, но не более.

Шелест становился громче. Бран услышал глухие шаги, негромкое бормотание, из-за деревьев появился Ходор, голый и улыбающийся.

— Ходор...

— Должно быть, он услышал наши голоса, — сказал Бран. — Ходор, ты забыл одеться.

— Ходор, — согласился Ходор. Тело его ниже шеи было мокрым, в холодном воздухе от него валил пар. Он весь зарос коричневым волосом, густым как шкура. Между ногами раскачивались длинные и тяжелые признаки мужества.

Оша поглядела на него с кислой улыбкой.

— Вот это мужчина, — сказала она. — Он от крови гигантов или я королева!

— Мейстер Лювин говорит, что гигантов больше нет, все они умерли, как Дети Леса. От них остались лишь огромные кости в земле, которые люди время от времени выворачивают плугами.

— Пусть твой мейстер Лювин проедет вдоль Стены, — сказала Оша. — Тогда он найдет гигантов или скорее они сами отыщут его. Мой брат убил одну из них. В ней было десять футов роста, а еще не взрослая... Бывает, что они достигают двенадцати и тринадцати футов. Они свирепые, одни зубы да волосы, а у жен их бороды, как у мужей, и различить их трудно. Их женщины берут к себе в любовники наших мужчин и потом рожают полукровок. Но если гиганты поймают женщину, той приходится хуже. Их мужчины так велики, что могут разорвать девушку, прежде чем наградят ее ребенком. — Она ухмыльнулась. — Но ты же ведь не понимаешь, о чем я говорю, а, мальчик?

— Понимаю, — возразил Бран. Ему было известно, что такое случка: он видел и как жеребец поднимается на кобылу, и собачьи свадьбы во дворе. Но разговаривать об этом было неприятно. Он поглядел на Ходора. — Ступай назад за одеждой, Ходор, — сказал он. — Поди оденься.

— Ходор, — пробурчал тот и отправился назад тем же путем, которым пришел, поднырнув под невысокую ветвь.

А у него действительно там очень много, подумал Бран, провожая Ходора взглядом.

— Значит, за Стеной действительно обитают гиганты? — спросил он у Оши неуверенным тоном.

— Не только гиганты, но и более страшные создания, маленький лорд. Я попыталась объяснить это твоему брату, когда он начинал задавать вопросы... ему, вашему мейстеру и этому мальчишке Грейджою. Подымаются холодные ветры, люди оставляют свои очаги и не возвращаются... а если и приходят назад, то уже не как люди, а мертвяками — с синими глазами и холодными черными руками. Почему, ты думаешь, я побежала на юг вместе со Стивом, Хали и прочими дурнями? Манс считает, что он смог бы с ними сразиться, отважный, милый, упрямый мужик... Он думает, что Белые Ходоки — это все равно что разведчики Ночного Дозора. Как бы не так! Пусть он зовет себя Королем за Стеной, но, по правде говоря, он просто ворона, слетевшая с Сумеречной башни. Манс не видел зимы. А я родилась там, как моя мать... и бабка и прабабка. Я дочь свободного народа! Мы помним... — Оша встала, цепи ее загремели. — Я пыталась объяснить все это твоему лорду-брату. Только вчера, увидев его во дворе, я позвала его — «милорд Старк», с уважением, как подобает, но он поглядел мимо меня, а этот потный олух, Большой Джон Амбер оттолкнул меня прочь. Пусть будет так! Я буду носить железо и придерживать язык. Что может услышать человек, который не хочет слушать?

— Расскажи все мне. Робб ко мне прислушается, я знаю.

— Прислушается ли теперь? Посмотрим. Скажи ему так, милорд. Скажи своему брату, что он идет не в ту сторону. Ему следовало бы повернуть свои мечи на север. На север, а не на юг. Ты слышишь меня?

Бран кивнул:

— Я скажу ему.

Но в ту ночь, когда они пировали в Великом зале, Робба не было с ними. Он ужинал в своем солярии вместе с лордом Рикардом, Большим Джоном и прочими лордами-знаменосцами, уточняя планы предстоящего долгого похода. Брану пришлось занять место брата во главе стола и исполнять роль хозяина перед сыновьями и высокочтимыми друзьями лорда Карстарка. Все уже расселись по местам, когда Ходор на спине внес Брана в зал, и преклонили колена перед высоким престолом. Двое слуг помогли ему выбраться из корзины. Бран ощущал на себе взгляд каждого незнакомца в зале, все притихли.

— Милорды, — объявил Халлис Моллен. — Брандон Старк из Винтерфелла.

— Приветствую вас у нашего очага, — сказал напряженным голосом Бран. — И предлагаю вам мясо и мед в честь нашей дружбы.

Харрион Карстарк, старший из сыновей лорда Рикарда, поклонился, следом за ним братья, и все же, когда они заняли места, Бран услыхал молодые негромкие голоса за стуком винных чаш.

— ...я бы скорее умер, чем жил таким, — пробормотал один из них, тезка отца Эддард, а брат его Торрхен ответил, что мальчишка, наверное, сломлен внутри, как и снаружи, и слишком труслив, чтобы избавиться от жизни.

Сломлен, подумал Бран, сжимая нож. Так вот кем он стал теперь: Браном Сломанным.

— Я не хочу быть сломанным! — в ярости прошептал он мейстеру Лювину, который сидел справа от него. — Я хочу быть рыцарем...

— Есть люди, которые называют братьев моего ордена рыцарями ума, — проговорил Лювин. — Ты, Бран, обнаруживаешь невероятные способности, когда берешься за учебу. Тебе еще не приходило в голову подумать о цепи мейстера? Нет пределов тому, что ты сможешь узнать.

— Я хочу научиться магии, — сказал ему Бран. — Ворона обещала, что я сумею летать.

Мейстер Лювин вздохнул.

— Я могу обучить тебя истории, знахарскому делу, травам. Еще — речи воронов и тому, как построить замок и как в море вести по звездам корабль. Я могу научить тебя измерять ночи и дни, научить определять времена года. А в Цитадели Староорода тебя обучат в десять раз большему. Но, Бран, ни один человек не способен научить тебя магии.

— Дети могут, — сказал Бран. — Дети Леса. — Имя ушедшего народа напомнило ему об обещании, данном Оше в богороще, и он передал Лювину ее слова.

Мейстер выслушал вежливо.

— Твоя одичалая способна поучить басням старуху Нэн, — сказал он, когда Бран окончил. — Я могу поговорить с ней, если ты хочешь, но лучше, чтобы ты не смущал своего брата этими глупостями. У него хватает дел без всяких гигантов и мертвяков в лесу. Подумай, Бран, ведь это Ланнистеры захватили твоего лорда-отца, а не Дети Леса. — Он ласково положил руку на плечо мальчика. — А о моих словах подумай, дитя.

И через два дня, едва кровавый рассвет выполз на продутое ветром небо, Бран сидел на спине Плясуньи во дворе под надвратной башней и прощался со своим братом.

— Теперь ты — лорд Винтерфелла, — сказал ему Робб. Брат сидел на лохматом сером скакуне, на седле щит: дерево, окованное железом, чередующиеся белые и серые полосы, а на них — оскаленная пасть лютоволка. Робб был облачен в серую кольчугу поверх выбеленной кожи; меч и кинжал на поясе, подбитый мехом плащ на плечах. — Ты займешь мое место, как я занял место отца, пока мы не вернемся домой.

— Знаю, — ответил Бран несчастным голосом. Он никогда еще не чувствовал себя таким маленьким, одиноким, испуганным. Он не знал, как это — быть лордом.

— Слушайся советов мейстера Лювина и заботься о Риконе. Скажи ему, что я скоро вернусь — как только закончатся сражения.

Рикон отказался спуститься. Возмущенный, заплаканный, он засел в своей палате.

— Нет! — завопил он, когда Бран спросил, не хочет ли он попрощаться с Роббом. — Никакого прощания не будет!

— Я сказал ему, — объяснил Бран. — А он ответил, что никто никогда не возвращается.

— Рикон не может навсегда остаться младенцем. Он — Старк, и ему уже скоро четыре года. — Робб вздохнул. — Ладно, мать скоро вернется. А я возвращусь с отцом, обещаю тебе!

Брат развернул своего коня и пустил его рысью. Серый Ветер бежал возле коня, высокий и быстрый. Халлес Моллен выехал перед ними обоими из ворот с трепещущим белым знаменем дома Старков на высоком древке из серого клена. Теон Грейджой и Большой Джон заняли места по обе стороны Робба. Рыцари последовали за ними двойной цепочкой, увенчанные сталью копья поблескивали на солнце.

Несчастный Бран вспомнил слова Оши. «Робб направляется не в ту сторону...» Какое-то мгновение он хотел поскакать следом за братом и выкрикнуть вслед предупреждение, но Робб уже исчез под решеткой, и возможность исчезла.

За стенами замка множеством глоток взревела пехота, вместе с горожанами приветствовавшая выехавшего Робба. Бран знал это. Они встречали лорда Старка Винтерфеллского; брат скакал на великом коне, и плащ его трепетал на ветру, а Серый Ветер несся рядом. «Меня никогда не будут так приветствовать», — понял Бран с тупой болью. Быть может, ему и суждено быть владыкой Винтерфелла в отсутствие отца и брата, но он навсегда останется Браном Сломанным. Он даже не в силах самостоятельно спуститься с коня.

Когда далекие крики постепенно стихли и двор наконец опустел, Винтерфелл показался Брану заброшенным и мертвым. Он поглядел на оставшихся с ним: женщин, детей, стариков... и Ходора. Огромный конюх озирался потерянно и испуганно.

— Ходор? — повторял он печально.

— Ходор, — согласился Бран, гадая, что это значит.

ДЕЙЕНЕРИС

Получив свое удовольствие, кхал Дрого поднялся с подстилки и башней встал над Дени. Кожа его светилась темной бронзой в неровном свете жаровни. Тонкие линии старых шрамов проступали на широкой груди. Расплетенные черные волосы рассыпались по плечам, спустившись по спине ниже поясницы. Влагой поблескивал признак его мужества. Рот кхала изогнулся под длинными вислыми усами:

— Жеребец, который покрост мир, не нуждается в железном кресле!

Дени оперлась на локоть и взглянула на него, такого высокого и великолепного. В особенности она любила его волосы. Дрого никогда не подстригал их: ведь он не знал поражений.

— Предсказано, что жеребец этот доскачет до самого края земли, — сказала она.

— Земля кончается у черного соленого моря, — немедленно ответил Дрого. Смочив лоскут ткани в тазу с теплой водой, он принялся стирать с кожи масло и пот. — Ни одна лошадь не сможет переплыть ядовитую воду.

— В Вольных Городах найдутся тысячи кораблей, — сказала ему Дени, как говорила прежде. — Эти деревянные кони с сотней ног перелетят через море под крыльями, полными ветра.

Кхал Дрого ничего не желал слушать.

— Мы больше не будем разговаривать о деревянных лошадях и железных креслах. — Он отбросил ткань и начал одеваться. — Сегодня я отправлюсь на траву охотиться, женщина и жена, — объявил он, надевая разрисованный жилет и застегивая пояс из тяжелых золотых, серебряных и бронзовых медальонов.

— Да, мое солнце и звезды, — поклонилась Дени. Дрого поедет вместе со своими кровными искать храккара, великого белого льва равнин. Если они вернутся с победой, то довольный муж, возможно, и захочет выслушать ее.

Дрого не боялся диких зверей, не страшился он и всякого человека, когда-либо ступавшего по земле, но с морем дело обстояло иначе. Для дотракийцев вода, которую не могли пить кони, была чем-то мерзким; зыбкий серо-зеленый простор океана наполнял их суеверным страхом. Дрого был храбрее, чем все остальные владыки табунщиков, она знала об этом, но тут... Если бы только ей удалось посадить его на корабль!

После того как кхал и его кровные, прихватив лук и копья, уехали, Дени призвала служанок. Тело ее сделалось рыхлым и неприятным, и теперь она радовалась помощи их крепких рук и ловких ладоней, хотя прежде ей бывало неудобно, когда они хлопотали и порхали вокруг. Они вымыли Дени и облачили в песчаный шелк, свободный и текучий. Когда Дореа расчесала ее волосы, Дени послала Чхику разыскать сира Джораха Мормонта.

Рыцарь явился немедленно — в штанах из конского волоса и расписном жилете, как подобает наезднику. Его крепкая грудь и мускулистые руки заросли грубым черным волосом.

— Моя принцесса, чем я могу услужить вам?

— Вы должны поговорить с моим благородным мужем, — сказала Дени. — Дрого утверждает, что жеребец, который покроет весь мир, все равно будет править всеми землями и ему незачем пересекать отравленную воду. После рождения Рейего он хочет повести свой кхаласар разорять земли, лежащие вокруг Яшмового моря.

Рыцарь посмотрел на нее задумчивым взглядом и ответил:

— Кхал никогда не видел Семи Королевств. И название страны ничего не говорит ему. Должно быть, он считает, что это острова, маленькие городки, прижавшиеся к скале, вроде Лората или Лисса. Богатства востока более привлекают его.

— Но он должен повернуть на запад, — проговорила Дени с отчаянием. — Пожалуйста, помоги мне убедить его! — Как и Дрого, она тоже никогда не видела Семи Королевств, однако Дени казалось, что со слов брата она знает о них все. Визерис обещал ей тысячу раз, что однажды они вернутся домой, но теперь он умер, а с ним и его обещания.

— Дотракийцы совершают поступки, когда приходит время, руководствуясь собственными причинами, — ответил рыцарь. — Доверьтесь терпению, принцесса, не повторяйте ошибку вашего брата. Мы вернемся домой, я обещаю вам!

Домой? Слово это опечалило ее. У сира Джораха был его Медвежий остров, но где же ей отыскать свой дом? Несколько повествований, имена, звучащие с торжественностью молитвы, тускнеющие воспоминания о красной двери...

Неужели Вейес Дотрак станет ее собственным домом? И в старухах из дош кхалина она видела собственное будущее?

Сир Джорах, должно быть, заметил печаль на ее лице.

— Сегодня ночью прибыл великий караван, кхалиси. Четыре сотни лошадей из Пентоса через Норвос и Квохор под началом капитана купцов, Баяна Вотириса. Иллирио мог прислать с ним письмо. Не хотели бы вы посетить западный рынок?

Дени пошевелилась.

— Да, — подумав, ответила она. — Это неплохо.

Базары оживали, когда приходил караван. Никогда нельзя было заранее сказать, какие сокровища привезут купцы; потом было бы неплохо вновь услышать валирийскую речь, звучавшую в Вольных Городах.

— Ирри, пусть мне приготовят носилки.

— Я скажу вашему кхасу, — промолвил, отступая, сир Джорах.

Если бы кхал Дрого был с ней, Дени поехала бы на Серебрянке. Женщины дотракийцев не покидали коня до самых родов, и Дени не хотела обнаружить своей слабости перед мужем. Но кхал отправился на охоту, и ей было приятно, лежа на мягких подушках, ехать через Вейес Дотрак за красными шелковыми занавесками, укрывавшими от солнца. Сир Джорах заседлал коня и выехал с Дени, вместе с четырьмя молодыми людьми из ее кхаса и служанками.

День был безоблачный и теплый, небо сияло глубокой синевой. Когда задувал ветер, Дени ощущала пряный аромат травы и земли. Носилки двигались мимо украденных монументов, солнечный свет сменялся тенью. Разглядывая лица мертвых героев и забытых королей, она размышляла, способны ли боги сожженных городов ответить на молитву...

«Если бы я не была от крови дракона, — подумала Дени печально, — это место могло бы стать моим домом». Она здесь кхалиси, у нее есть крепкий мужчина и быстрый конь; служанки, чтобы служить, воины, чтобы охранять. Ее ждет почетное место среди дош кхалина, когда она состарится... Кроме того, в чреве ее вырастал сын, который однажды покроет мир. Этого довольно для всякой женщины, но только не для дракона! Теперь, после смерти Визериса, Дейенерис осталась последней, единственной. Она рождена от семени королей и завоевателей, как и дитя внутри нее. Об этом нельзя забывать.

Западный рынок представлял собой огромный квадрат утоптанной почвы, окруженной хижинами из сырцового кирпича, загонами для животных, белеными помещениями для употребления горячительного питья. Из земли, подобно спинам огромных зверей, вырастали горбы, в них зияли черные пасти, ведущие к прохладе и объемистым хранилищам внизу. Сама площадь представляла собой лабиринт навесов и прилавков, затененных плетеными травами.

Когда они прибыли, сотни полторы купцов и торговцев разгружали свои товары и расставляли их на прилавки. Но невзирая на это, огромный базар казался тихим и пустым по сравнению с кипящими торжищами, которые Дени помнила по Пентосу и другим Вольным Городам. Караваны приводили в Вейес Дотрак с востока и запада не для того, чтобы торговать с одними дотракийцами, главным их делом был торг между собой, объяснил ей сир Джорах. Табунщики пропускали их, не чиня препятствий, если гости соблюдали мир священного города, не оскверняли Матерь гор или Чрево мира и почитали старух дош кхалина традиционными дарами — солью, серебром и зерном. Дотракийцы не очень-то разбирались в вопросах купли и продажи.

Дени нравился и странный восточный базар со всеми его загадочными зрелищами, звуками и запахами. Она нередко проводила там целое утро, лакомясь древесными яйцами, пирогами с саранчой, зеленой вермишелью, прислушиваясь к высоким улюлюкающим голосам купцов, открывая рот перед мантикором в серебряной клетке, колоссальным серым слоном или полосатыми черно-белыми лошадьми из Джогос Нхай. Она любила разглядывать и людей: торжественных смуглокожих асшайцев, высоких бледных квартинов, ясноглазых мужчин из Йи Ти в шляпах с обезьяньими хвостами, воинственных дев из Байасабхада, Шамирианы и Кайкайнаи с железными кольцами в сосках и рубинами в щеках; даже жутких Призрачных Людей, покрывающих руки, ноги и грудь татуировкой и прятавших лица за масками. Восточный базар удивлял Дени, очаровывал ее.

Но западный напоминал о доме.

Когда Ирри и Чхику помогли Дени спуститься из носилок, она принюхалась, узнавая острые запахи чеснока и перца, сразу напомнившие о полузабытых днях, проведенных в переулках Тироша и Мира, и вернувшие улыбку на ее лицо. За кухонными ароматами угадывались сладкие благовония Лисса. Она увидела рабов с кипами вычурных мирийских кружев и тонкой шерстяной ткани дюжины ярких расцветок. Между прилавков ходили стражники, охранявшие пришедший караван, — в медных шлемах, длинных — до колена — туниках из желтой шерсти, пустые ножны болтались на поясах, сплетенных из кожаных полос. За одним прилавком расположился оружейник, выставивший стальные нагрудники, причудливо украшенные золотом и серебром, и шлемы, выкованные в виде сказочных зверей. Возле него устроилась молодая красавица с изделиями златокузнецов Ланниспорта: кольцами, брошами, гривнами, изысканными медальонами для поясов. Прилавок ее охранял рослый евнух; огромный и безволосый, одетый в пропотевший бархат, он сурово смотрел на всякого, кто подходил близко. На противоположном прилавке жирный торговец тканью из Йи Ти продавал пентошийцу какую-то зеленую краску, обезьяний хвост на его шляпе раскачивался взад и вперед, когда он тряс головой.

— В детстве я любила играть на базарах, — сказала Дени сиру Джораху, пока они шли по тенистому проходу между прилавками. — Там весело: все вокруг кричат или смеются; а сколько удивительных вещей, всегда найдется на что посмотреть! Только у нас редко хватало денег, чтобы что-нибудь купить, кроме сосиски или медовых пальчиков... А в Семи Королевствах пекут такие же медовые пальчики, как в Тироше?

— Это такие пирожки? Не могу вам сказать, принцесса. — Рыцарь поклонился. — Если вы отпустите меня ненадолго, я разыщу капитана и спрошу, есть ли у него для нас письма.

— Очень хорошо. Я сама помогу вам отыскать его.

— Вам нет нужды утруждать себя. — Сир Джорах с нетерпением отвернулся. — Наслаждайтесь товарами. А я присоединюсь к вам, закончив свои дела.

Любопытно, подумала Дени, глядя в спину рыцаря, широкими шагами удаляющегося в толпу. Она не поняла, почему он не захотел, чтобы она сопутствовала ему. Впрочем, возможно, сир Джорах собрался отыскать себе женщину, повстречавшись с капитаном каравана. Шлюхи часто сопутствовали торговцам, она знала это. А некоторые мужчины проявляли странную застенчивость в вопросах совокупления. Она пожала плечами и сказала всем остальным:

— Пойдемте!

— Ой, погляди, — чуть позже сказала она Дореа. — Это те самые сосиски! — Дени показала на прилавок, за которым морщинистая старуха жарила мясо и лук на горячем огненном камне. — Их делают с чесноком и жгучим перцем... — Восхищенная своим открытием, Дени настояла, чтобы и остальные съели с ней по сосиске. Служанки проглотили свои, хихикая и ухмыляясь, мужчины ее кхала подозрительно обнюхивали поджаренное мясо. — А вкус другой, я не помню такого! — сказала Дени после первых кусочков.

— В Пентосе я делаю их из свинины, — начала объяснять старуха. — Но все мои свиньи умерли на просторах дотракийского моря. Так что эти я приготовила из конины, кхалиси, но сдобрила теми же специями.

— Ох. — Дени почувствовала разочарование, но Куаро сосиска понравилась, и он решил съесть еще одну, а Ракхаро решил превзойти его и съел три, громко рыгнув. Дени хихикнула.

— Ты не смеялась с того дня, как Дрого даровал корону твоему брату, кхал рхагату, — заметила Ирри. — Это хорошо, кхалиси.

Дени застенчиво улыбнулась. Смеяться ведь так приятно. Она вновь почувствовала себя почти девчонкой.

Они бродили по базару половину дня. Дени увидела прекрасный, расшитый перьями плащ с Летних островов и взяла его в качестве дара. А взамен подарила купцу серебряный медальон с пояса — так принято среди дотракийцев. Торговец птицами научил зелено-красного попугая произносить ее имя, и Дени вновь рассмеялась, но не стала покупать птицу... что ей делать с разноцветным попугаем в кхаласаре? Еще она взяла дюжину бутылочек ароматного масла, запах которого помнила с детства: нужно было только закрыть глаза и понюхать, и перед ней сразу появлялся большой дом с красной дверью. Когда Дореа с вожделением посмотрела на дающий чадородие амулет, выставленный в киоске волшебника, Дени взяла его и подарила служанке, решив обязательно отыскать что-нибудь и для Ирри с Чхику.

Обойдя угол, они наткнулись на торговца вином, предлагавшего прохожим попробовать свой товар крохотными наперстками.

— Сладкое красное, — кричал он на беглом дотракийском. — У меня есть сладкое красное из Лисса, Валантиса и Бора, белое из Лисса, тирошийское грушевое бренди, огненное вино, перечное вино, бледно-зеленые нектары из Мира. Дымно-ягодное бурое и андалское кислое, у меня есть все — и это и то! — Невысокий, тонкий и симпатичный, льняные волосы завиты и надушены на лиссенийский манер. Когда Дени остановилась возле его киоска, торговец поклонился.

— Не хочет ли кхалиси отведать, у меня есть красное сладкое из Дорна. Оно пахнет сливами, вишней и дубом. Бочонок, чашу, глоток? Только разок попробуйте, и вы назовете своего ребенка в мою честь.

Дени улыбнулась.

— У моего сына уже есть имя. Но я попробую твое летнее вино, — ответила она на валирийском, поскольку на этом языке разговаривали в Вольных Городах. После столь длительного перерыва слова эти показались странными даже для ее собственного слуха. — Попробую, если ты не против.

Купец, видимо, принял ее за дотракийку — в этой одежде, при намасленных волосах и загорелой коже. Когда Дени заговорила, он открыл рот от удивления.

— Госпожа моя, вы... тирошийка? Как это могло случиться?

— Говорю я по-тирошийски, одета по-дотракийски, но происхожу из Вестероса, из Закатных королевств, — сказала ему Дени.

Дореа шагнула вперед:

— Ты имеешь честь разговаривать с Дейенерис из дома Таргариенов, перед тобой Дейенерис Бурерожденная, кхалиси наездников и принцесса Семи Королевств!

Виноторговец упал на колени.

— Принцесса, — сказал он, наклоняя голову.

— Поднимись, я хочу попробовать то летнее вино, о котором ты говорил.

Торговец вскочил на ноги.

— Это? Дорнийские помои не стоят принцесс. У меня есть сухое красное из Бора, бодрящее и восхитительное. Прошу, позвольте мне подарить вам бочонок.

Кхал Дрого посещал Вольные Города, привык к хорошему вину, и Дени знала, что благородный напиток порадует его.

— Вы оказываете мне честь, — ответила она ласково.

— Это честь для меня. — Купец покопался в задней части своего киоска и извлек небольшой деревянный бочонок с выжженной виноградной гроздью. — Знак Редвинов, — сказал он. — Для Бора. Нет напитка лучше!

— Мы с кхалом Дрого выпьем вместе. Агго, отнеси вино в мои носилки, прошу тебя. — Виноторговец просиял, когда дотракиец поднял бочонок.

Она заметила, что сир Джорах вернулся, лишь когда услышала непривычно резкий голос рыцаря:

— Нет. Агго, поставь бочонок.

Агго поглядел на Дени. Она неуверенно кивнула:

— Сир Джорах, что в этом плохого?

— У меня жажда. Открой его, виноторговец.

Купец нахмурился:

— Вино предназначено для кхалиси, а не для таких, как вы, сир!

Сир Джорах шагнул поближе к киоску.

— Если ты не вскроешь бочонок, я разобью его о твою голову. — Здесь, в священном городе, при нем не было иного оружия, кроме рук. Но и его ладоней было довольно — громадных, жестких, опасных... костяшки пальцев заросли грубыми темными волосами.

Виноторговец помедлил мгновение, а затем взял молоток и выбил затычку.

— Наливай, — приказал сир Джорах. Четверо молодых воинов кхалиса Дени застыли позади него, они наблюдали за происходящим темными миндалевидными глазами.

— Преступно выпить такое богатое вино, не позволив ему подышать. — Виноторговец еще не опустил молоток. Чхого потянулся к кнуту, свернутому у пояса, но Дени остановила его легким прикосновением.

— Делай, как говорит сир Джорах, — приказала она.

Люди остановились рядом, чтобы посмотреть на происходящее.

— Как прикажет принцесса. — Торговец оставил свой молот и, коротко и мрачно поглядев на нее, поднял бочонок. Две небольшие чаши на пробу он наполнил так ловко, что не пролил ни капли.

Сир Джорах взял чашу и принюхался.

— Сладкое? Правда? — проговорил виноторговец улыбаясь. — Вы чувствуете аромат плодов, сир? Пахнет Бором. Попробуйте, милорд, и вы сами скажете мне, что столь тонкое вино еще не касалось вашего языка.

Сир Джорах подал ему чашу.

— Первым попробуешь вино ты!

— Я? — расхохотался купец. — Я не стою такого товара, милорд. К тому же виноторговец, пьющий свой товар, разорится. — Улыбка купца оставалась дружелюбной, однако Дени заметила внезапно выступивший пот на его лбу.

— Ты выпьешь, — сказала Дени ледяным голосом. — Опустоши эту чашу, или я велю своим людям подержать тебя, пока сир Джорах вольет весь бочонок в твою глотку.

Виноторговец пожал плечами и потянулся к чаше, но вместо этого схватился за бочонок, метнув его обеими руками. Сир Джорах шагнул вперед, отталкивая Дени. Бочонок ударился о его плечо и разбился о землю. Дени споткнулась и пошатнулась.

— Нет, — вскричала она, выставляя руки, чтобы смягчить падение... но Дореа поймала ее за руку и потянула назад, так что упала Дени на ноги, а не на живот.

Торговец перепрыгнул через прилавок, бросившись между Агго и Ракхаро. Когда светловолосый купец оттолкнул Куаро в сторону, тот потянулся к аракху, которого, естественно, на месте не оказалось. Дени услыхала треск кнута Чхого, кожаная полоска метнулась вперед и охватила ногу виноторговца, повалившегося лицом в грязь.

К ним бегом приближалась дюжина стражников каравана, а с ними и сам мастер, капитан купцов Баян Вотирис. Это был миниатюрный норвошиец, выдубленное непогодой лицо его украшали щетинистые усищи, загибавшиеся к ушам. Он, похоже, понял все без единого слова.

— Уведите его, пусть ждет теперь, чем решит порадовать себя кхал, — приказал он, махнув в сторону лежавшего человека. Стражи подняли виноторговца на ноги. — Все его товары я дарю вам, принцесса, — проговорил капитан купцов. — В качестве скромного извинения за то, что один из моих людей осмелился на такую вещь...

Дореа и Чхику помогли Дени подняться на ноги. Отравленное вино вытекало из разбитого бочонка в грязь.

— Как вы узнали? — содрогнувшись, спросила она сира Джораха. — Как?

— Не знаю, кхалиси. Я не был уверен до тех пор, пока он не отказался выпить. Просто я испугался, прочитав письмо магистра Иллирио. — Темные глаза Мормонта обежали лица незнакомцев. — Пойдемте отсюда, не стоит здесь говорить об этом.

Когда они возвращались, Дени чувствовала, что вот-вот разрыдается. Рот ее ощущал столь знакомый привкус страха. Многие годы она жила в ужасе перед Визерисом, опасаясь разбудить в нем дракона. Теперь было даже хуже. Она боялась уже не за себя — за ребенка. Дитя, должно быть, ощутило испуг матери и беспокойно задвигалось в ее животе. Дени погладила вздутое чрево, желая дотронуться до малыша, прикоснуться к нему, утешить.

— Ты от крови дракона, маленький. — Носилки, покачиваясь, двигались вперед. Задернув занавески, она шептала: — Ты от крови дракона, а дракон ничего не боится!

В низкой землянке, служившей ей домом в Вейес Дотрак, Дени приказала всем оставить ее... всем, кроме сира Джораха.

— Скажите мне, — спросила она, опускаясь на подушку, — это сделал узурпатор?

— Да. — Рыцарь извлек сложенный пергамент. — Вот письмо Визерису от магистра Иллирио. Роберт Баратеон предложил владения и титул лорда тому, кто убьет вас и вашего брата.

— Моего брата? — Рыдание ее превратилось в смех. — Узурпатор еще не знает о случившемся, правда? Придется ему возвести Дрого в лорды! — На этот раз смех Дени мешался со слезами. Словно защищаясь, она обняла себя. — И меня, вы сказали, меня?

— И вас, и ребенка, — ответил мрачно сир Джорах.

— Нет, он не получит моего сына! — Дейенерис решила, что не будет плакать и дрожать от страха. Узурпатор теперь разбудил дракона, сказала она себе... и глаза ее обратились к драконьим яйцам, покоившимся в гнезде из черного бархата. Трепещущий свет ламп плясал на каменистых чешуях, алые, золотые и яшмовые пылинки плавали в воздухе вокруг яиц, словно придворные вокруг короля.

Неужели ее охватило рожденное страхом безумие? Или же мудрость, присущая самой ее крови? Так и не сумев понять этого, Дени услыхала собственный голос:

— Сир Джорах, разожгите жаровню.

— Кхалиси? — Рыцарь поглядел на нее удивленно. — Здесь и так жарко, вы уверены?

— Да. Я... я простудилась. Разожгите жаровню.

Он поклонился:

— Ну, как прикажете.

Когда угли воспламенились, Дени отослала сира Джораха, ей нужно было сделать все в одиночестве.

— Это безумие, — сказала она себе, снимая черно-алое яйцо с бархата. — Вся эта краска только треснет и обгорит. Сир Джорах обзовет меня дурой, если я погублю яйцо, и все же, все же...

Осторожно взяв яйцо обеими руками, она поднесла его к огню и положила на горячие угли. Черные чешуйки как будто бы засветились, впивая тепло. Пламя лизало камень злыми красными язычками. Потом Дени положила на огонь остальные два яйца. И отступила от жаровни, задыхаясь.

Она смотрела, пока угли не превратились в пепел. Искры взмывали вверх и исчезали в дымовой дыре. Жара плясала волнами вокруг драконьих яиц. Это все...

«Ваш брат Рейегар был последним драконом», — сказал ей сир Джорах. Дени скорбно поглядела на яйца. Чего она ожидала? Тысячу тысяч лет назад они были живыми, но теперь превратились в красивые камни. Из них никогда не вылупятся драконы. Ведь дракон — это воздух и пламя... живая плоть, а не мертвый камень.

Когда кхал Дрого вернулся, жаровня уже остыла. Кохолло вел за собой вьючного коня, туша огромного белого льва была переброшена через животного. На небе высыпали звезды. Спрыгнув с жеребца, кхал расхохотался и показал ей свежие царапины на ноге, где храккар разодрал его штаны.

— Я сделаю тебе плащ из его шкуры, луна моей жизни, — пообещал Дрого.

Дени рассказала ему о том, что случилось на рынке, и смех сразу умолк, кхал слушал ее весьма внимательно.

— Сегодняшний отравитель был первым, — предостерег его сир Джорах Мормонт, — ждите новых. Люди многим рискнут ради титула лорда!

Дрого примолк на мгновение. И наконец сказал:

— Этот продавец отравы бежал от луны моей жизни. Пусть теперь бегает за ней! Да будет так. Чхого и Джорах-андал, обоим вам я говорю: выберете себе по коню из моих табунов и косяков, и он станет вашим. Любого коня, кроме моего рыжего и Серебрянки, которая была свадебным подарком луне моей жизни. Я не останусь перед вами в долгу за то, что вы сделали для меня.

И Рейего, сына Дрого, жеребца, который покроет весь мир, я также оделю подарком. Ему я отдам Железный трон, на котором сидел отец его матери. Я подарю ему Семь Королевств. Я, Дрого-кхал, обещаю сделать это! — Голос его возвысился, и он поднял кулак к небу. — Я отведу свой кхаласар на запад, туда, где кончается мир, и переправлюсь на деревянных конях через черную соленую воду, чего не делал еще ни один кхал. Я перебью мужей, что носят железные одежды, и низвергну их каменные дома. А потом силой возьму их женщин, детей отдам в рабы, разбитых богов привезу в Вейес Дотрак, чтобы они склонились перед Матерью гор. Такой обет приношу я, Дрого, сын Бхарбо. Я клянусь в этом перед ликом Матери гор, и пусть звезды будут мне свидетелями!

Кхаласар оставил Вейес Дотрак через два дня, направившись по равнине на юго-запад. Кхал Дрого на огромном рыжем жеребце вел своих людей, Дейенерис сопутствовала ему на Серебрянке. Виноторговец торопился позади них — нагой и пеший, с оковами на руках и горле. Цепи его были прикреплены к упряжи лошади Дени. Она ехала, а он бежал, босой и спотыкающийся.

С ним не могло случиться ничего плохого... пока хватало сил угнаться за конем.

КЕЙТИЛИН

Было слишком далеко, чтобы разглядеть знамена, но даже в плывущем тумане она различала на белых стягах темное пятно — конечно же, лютоволк Старков, несущийся по ледяному полю. Увидев это своими глазами, Кейтилин остановила коня и с благодарностью склонила голову. Боги были милосердны к ней. Она не опоздала.

— Они ожидают нашего прихода, миледи, — проговорил сир Вилис Мандерли, — как клятвенно утверждал мой лорд-отец.

— Да не задержим мы их еще дольше, сир! — Бринден Талли ударил шпорами коня и быстрой рысью направился к знаменам. Кейтилин ехала возле него.

Сир Вилис и его брат сир Вендел последовали за ними во главе своего войска: почти пятнадцать сотен людей, двадцать с чем-то рыцарей, столько же сквайров, две сотни конных латников, меченосцы, вольные всадники... Остальные — пешие, вооруженные копьями, пиками и трезубцами. Лорд Виман остался позади, чтобы приглядеть за обороной Белой гавани. В свои шестьдесят лет он набрал вес, не позволявший ему сидеть на коне.

— Если бы я мог предположить, что вновь увижу войну, то ограничил бы себя в количестве съеденных угрей, — сказал он Кейтилин, встречая ее корабль, хлопая по массивному брюху обеими руками... Пальцы его были толсты, как сосиски. — Мои парни доставят вас к вашему сыну невредимой, не сомневайтесь.

Оба «парня» были старше Кейтилин, и ей пришлось только пожалеть, что они пошли в своего отца. Сиру Вилису, пожалуй, оставалось съесть буквально нескольких угрей, чтобы никакая лошадь не сумела поднять его. Кейтилин и так было жаль бедное животное... Вилис держался спокойно и официально, хвастливо и многоречиво. Сир Вендел — тот, что помоложе, — оказался бы самым объемистым толстяком из всех, которых ей приводилось встречать, если забыть про его отца и брата. Лица братьев под младенчески нагими маковками украшали моржовые усы; у обоих, пожалуй, не нашлось бы кафтана без оставленных пищей пятен. И все же они понравились Кейтилин хотя бы тем, что доставили ее к Роббу, как поклялся их отец. А все остальное уже пустяки...

Она с радостью заметила, что сын разослал дозорных во все стороны, даже на восток, хотя Ланнистеры должны были прийти с юга. Это хорошо, что Робб держится осторожно. «Мой сын ведет войско на войну», — подумала она, не веря самой себе. Кейтилин отчаянно боялась за него и за Винтерфелл и тем не менее не могла не ощутить некоторой гордости. Год назад Робб был еще мальчишкой. Насколько возмужал он теперь?

Дозорные заметили знамена Мандерли — белый водяной с трезубцем в руке, подымающийся из сине-зеленого моря, — и тепло приветствовали их. Мандерли провели к довольно высокому холму посреди стана. Сир Вилис приказал остановиться и остался среди своих людей приглядеть, чтобы огни были разожжены и кони накормлены, а брат его Вендел отправился дальше вместе с Кейтилин и ее дядей, чтобы передать отцовское приветствие.

Копыта коней проминали мягкую и влажную почву. Местность медленно поднималась, они ехали сквозь дым костров, мимо рядов лошадей и фургонов, груженных хлебом и солониной.

На каменистом выступе над равниной высился павильон лорда со стенками из тяжелой парусины. Кейтилин узнала знамя с изображением лося Хорнвудов, бурым на оранжевом поле.

Как раз позади него, за туманами, она заметила стены и башни укрепления рва Кейлин, точнее то, что осталось от них. Невероятные блоки черного базальта, величиной с сельский домик, подобно детским кубикам, россыпью уходили в мягкую болотистую почву. Ничто более не напоминало о стене, некогда достигавшей высоты стен Винтерфелла. Деревянные дома исчезли полностью, они сгнили тысячу лет назад, даже щепки не было там, где они стояли. Вот и все, что осталось от великой твердыни Первых Людей... три башни — из двадцати, если верить сказителям.

Воротная башня оказалась достаточно прочной и могла даже похвастать несколькими футами стены по обе стороны от нее. Пьяная башня — там, где некогда сходились западная и южная стены, — клонилась, как пропойца, решивший поблевать в канаву. Высокая Детская башня, где, по словам легенды, Дети Леса некогда упросили своих безымянных богов обрушить молот на воды, потеряла половину своей верхушки... словно какой-то огромный зверь откусил часть зубцов и выплюнул щебень в болото. Все три башни обросли зеленым мхом. Между камнями на Воротной башне с северной стороны росло дерево, с его корявых корней свисали белые волокнистые полотнища «шкуры призрака».

— Боги милосердные, — воскликнул сир Бринден, когда они увидели развалины. — Значит, это и есть ров Кейлин? Но это же не более чем...

— Смертельно опасная ловушка, — закончила Кейтилин. — Я знаю, на что похожи укрепления; я сама подумала то же самое, когда впервые увидела их. Однако Нед заверил меня, что эти древние руины более надежны, чем может показаться. Три эти башни возвышаются над дорогой, и любому врагу придется пройти между ними. Болото непроходимо, оно полно трясин и кишит змеями. Чтобы взять любую из башен, войско должно брести по грудь в черной грязи, перебраться через ров, кишащий львоящерами, а потом подняться на стены, скользкие от мха, под огнем лучников с соседних башен. — Она мрачно улыбнулась дяде. — А когда спускается ночь, здесь, если верить легендам, бродят призраки, холодные, мстительные духи северян, алчущих южной крови.

Бринден усмехнулся:

— Напомни, чтобы я не задерживался здесь. Что-то, помнится, есть во мне от южанина.

Над всеми тремя башнями трепетали штандарты; звезда Карстарков под лютоволком свисала с Пьяной башни, на Детской башне высился гигант Большой Джон в разорванных цепях, на Воротной башне знамя Старков осталось в единственном числе. Там расположился Робб, и Кейтилин направилась к нему с сиром Бринденом и сиром Венделом, все еще следовавшим за ней. Кони их медленно ступали по бревнам и доскам, проложенным над темно-зеленой трясиной.

Она обнаружила своего сына со знаменосцами в полном сквозняка зале; торфяной костер чадил в черном очаге. Робб сидел за массивным каменным столом, на котором была навалена груда карт и бумаг, и о чем-то оживленно разговаривал с Русе Болтоном и Большим Джоном. Сын не сразу заметил ее... это сделал волк. Огромный серый зверь, лежавший возле огня, поднял голову и, увидев вошедшую Кейтилин, встретил ее взгляд своими золотыми глазами. Лорды умолкали по одному, и в наступившей внезапно тишине Робб обернулся к ней.

— Мать? — проговорил он голосом, полным радости.

Кейтилин хотелось подбежать к нему, поцеловать в милый лоб, обнять покрепче, защищая от всего, что могло бы повредить ему... но здесь, перед лордами, она не смела этого сделать. Робб теперь исполнял обязанности ее мужа и своего отца, и незачем было мешать ему. Поэтому Кейтилин сдержала себя и остановилась у дальнего конца базальтового блока, который здесь использовали в качестве стола. Лютоволк встал и направился через комнату к тому месту, где она остановилась. Зверь уже перерос обычного волка.

— Вижу, ты отращиваешь бороду, — сказала она Роббу. Серый Ветер незаметно ткнулся в ее руку. С внезапной неловкостью Робб почесал свою заросшую челюсть.

— Да. — Волосы на его бородке были рыжее, чем на голове.

— Мне нравится. — Кейтилин мягко погладила голову волка. — Ты похож на моего брата Эдмара. — Серый Ветер игриво лизнул ее пальцы и трусцой направился к своему месту возле огня.

Сир Хелман Толхарт первым последовал за лютоволком через комнату и, выказывая свое уважение, преклонил перед Кейтилин колено, припав к ее руке.

— Леди Кейтилин, — учтиво заметил он, — вы прекрасны как всегда, приятно видеть вас в наши тяжелые времена.

За ним последовали Гловеры, Галбарт и Роберт, Большой Джон Амбер и все остальные — один за другим. Теон Грейджой оказался последним.

— Я не ожидал увидеть вас здесь, миледи, — сказал он, преклоняя колено.

— И я не рассчитывала оказаться здесь, — ответила Кейтилин. — Но когда я высадилась в Белой гавани, лорд Виман доложил мне, что Робб созвал знамена. Вы знаете его сына, сира Вендела. — Вендел Мандерли шагнул вперед и поклонился — насколько позволяло ему чрево. — А вот и мой дядя, сир Бринден Талли, прибывший ко мне от сестры.

— Черная Рыба, — проговорил Робб. — Сир, благодарю вас за то, что вы присоединились к нам. Нам нужны люди с вашей отвагой. Сир Вендел, я рад видеть вас. А сир Родрик вместе с тобой, мать? Мне не хватало его.

— Сир Родрик повернул на север прямо от Белой гавани. Я назначила его кастеляном и приказала охранять Винтерфелл до нашего возвращения. Мейстер Лювин — советник мудрый, но не искусный в делах войны.

— Не беспокойтесь об этом, леди Старк, — прогрохотал Большой Джон. — Винтерфелл в безопасности. А мы сперва ковырнем мечом дырку в заду лорда Тайвина, прошу вашего прощения. И сразу в Красный замок — освобождать Неда.

— Миледи, могу я задать вам вопрос? — Русе Болтон, лорд Дредфорта, говорил негромко, но когда он открывал уста, притихали и более рослые мужи. Взгляд на удивление бледных, почти бесцветных его глаз откровенно пугал. — Говорят, что вы задержали карлика, сына лорда Тайвина. А вы привезли его сюда? Клянусь, мы могли бы самым лучшим образом использовать этого заложника.

— Тирион Ланнистер находился в моей власти, но теперь это не так, — вынуждена была признаться Кейтилин. Отозвавшийся суровый хор отнюдь не обрадовался этой вести. — Я столь же опечалена, как и вы, милорды. Боги решили освободить его, прибегнув к помощи моей дуры-сестрицы.

Кейтилин знала, что не следует так открыто проявлять презрение, однако расставание с Орлиным Гнездом сложилось самым неприятным образом. Она предложила Лизе взять на несколько лет к себе в Винтерфелл лорда Роберта, утверждая, что общество мальчиков будет ему полезно. Ярость Лизы трудно было даже представить.

— Сестра ты мне или нет?! — закричала она. — Если ты попробуешь украсть моего сына, то вылетишь отсюда через Лунную дверь! — После этого говорить было не о чем.

Лордам хотелось узнать подробности, но Кейтилин подняла руку.

— Вне сомнения, позже мы найдем для этого время, но путешествие утомило меня, и я желала бы поговорить с моим сыном с глазу на глаз. Конечно же, милорды, вы простите меня. — Она не оставила им выбора. Возглавляемые всегда почтительным лордом Хорнвудом, знаменосцы поклонились и вышли. — И ты тоже, Теон, — сказала она, увидев, что Грейджой остался. Он улыбнулся и оставил их.

На столе стоял эль и сыр. Кейтилин наполнила рог, села, отхлебнула и посмотрела на сына. Теперь он казался выше, чем был, когда они расстались: первая бородка сделала его старше.

— Эдмару исполнилось шестнадцать, когда он отрастил усы.

— До шестнадцати осталось немного, — сказал Робб.

— А сейчас тебе пятнадцать. Пятнадцать! И ты ведешь войско на битву. Понимаешь ли ты, почему я боюсь, Робб?

Взгляд его сделался упрямым.

— У меня не было выбора.

— Не было? — спросила она. — Боже, а кого же я видела буквально мгновение назад? Русе Болтона, Рикарда Карстарка, Галбарта и Роберта Гловера, Большого Джона, Хелмана Толхарта... ты мог бы назначить командующим любого из них. Милосердные боги, ты мог даже доверить войско Теону, хотя я сама так бы не поступила.

— Они не Старки, — ответил сын.

— Робб, они — мужи, закаленные в битвах. А ты еще год назад фехтовал деревянным мечом.

Кейтилин заметила гнев в глазах сына — вспыхнувший и сразу погасший, — и Робб вдруг превратился в мальчишку.

— Понятно, — ответил он, смутившись. — Ты... ты отсылаешь меня в Винтерфелл?

Кейтилин вздохнула:

— Мне следовало бы это сделать. Тебе не надо было выступать. А теперь я уже не смею, по крайней мере в ближайшее время. Ты зашел чересчур далеко. Однажды эти лорды увидят в тебе своего сюзерена. И если я отправлю тебя сейчас домой — словно ребенка в постель без ужина, — они запомнят это и только посмеются за своими кубками. А потом придет день, когда тебе потребуется, чтобы они уважали или даже боялись тебя. Но смех убивает страх. И я не сделаю этого, как бы ни хотела огородить тебя от опасности.

— Благодарю тебя, мать, — проговорил он, в официальном тоне слышалось явное облегчение.

Кейтилин нагнулась над столом и прикоснулась к его волосам.

— Робб, ты — мой первенец. Мне хватает одного взгляда, чтобы вспомнить тебя, красного и кричащего, едва появившегося на свет...

Сын поднялся, явно недовольный ее лаской, и направился к очагу. Серый Ветер потерся головой о его ногу.

— Ты слыхала... об отце?

— Да. — Весть о внезапной смерти Роберта и падении Неда безумно испугала Кейтилин — более, чем она смела признаться себе, — однако нельзя, чтобы сын видел ее испуг. — Лорд Мандерли сообщил мне об этом, когда я высадилась в Белой гавани. А тебе известно что-нибудь о сестрах?

— Пришли письма, — проговорил Робб, поглаживая лютоволка по загривку. — Одно было предназначено тебе, но его прислали вместе с моим в Винтерфелл. — Он направился к столу и, покопавшись среди карт и бумаг, возвратился с мятым пергаментом. — Прости, я не подумал прихватить твое. Вот что она написала мне.

Нечто в тоне Робба обеспокоило Кейтилин, и она принялась читать, разгладив листок. Озабоченность уступила место сперва недоверию, потом гневу, наконец страху.

— Это письмо написала Серсея, а не твоя сестра, — проговорила Кейтилин, дочитав до конца. — Главное здесь то, чего Санса не говорит. Все эти коварные любезности и ласки Ланнистеров... угрожают, как змеиное жало. Они взяли Сансу в заложницы и хотят удержать ее.

— Но здесь нет ни слова об Арье, — указал расстроенный Робб.

— Нет. — Кейтилин не хотела даже думать о том, что это могло означать, по крайней мере здесь и сейчас.

— Я надеялся... обменять Беса на них. — Робб взял письмо Сансы и смял его в кулаке; судя по всему, движение это он делал уже не впервые. — Что говорят в Гнезде? Я написал тете Лизе, попросил помощи. Созвала ли она знамена лорда Аррена? Ты не знаешь об этом? Выедут ли рыцари из Долины, чтобы присоединиться к нам?

— Только один — лучший из них, мой дядя... но Бринден Черная Рыба всегда оставался Талли. Сестра моя не собирается выходить за пределы Кровавых ворот.

Роберт явно расстроился.

— Мать, что нам делать? Я привел сюда целую армию, восемнадцать тысяч человек, но не знаю... то есть я не совсем уверен... — Он обратил к ней горячий ожидающий взгляд. Гордый молодой лорд в одно мгновение превратился в ребенка — в пятнадцатилетнего мальчишку, ожидающего советов матери.

Так не годится.

— Чего же ты испугался, Робб? — спросила она мягко.

— Я... — Робб отвернулся, чтобы спрятать первую слезу. — Если мы выступим... даже если мы победим... Ланнистеры захватили Сансу и отца. Они убьют их, правда?

— Они хотят, чтобы мы этого боялись.

— Ты думаешь, что они рассчитывают обмануть нас?

— Не знаю, Робб. Скажу одно: у тебя нет иного выхода. Если ты приедешь в Королевскую Гавань и принесешь присягу, тебе не позволят оставить город. Если ты подожмешь хвост и возвратишься в Винтерфелл, лорды потеряют все уважение к тебе. Некоторые даже переметнутся к Ланнистерам. Ну а королева, когда ей нечего будет бояться, сможет поступить со своими пленниками, как ей заблагорассудится. Наша единственная надежда заключается в том, что ты сумеешь победить врага на поле брани. Если тебе удастся взять в плен лорда Тайвина или Цареубийцу, обмен может и состояться, но главное не в этом. Пока у тебя есть достаточно сил и власти, чтобы Ланнистеры боялись тебя, отец и твоя сестра останутся в безопасности. Серсея достаточно мудра; она понимает, что пленники могут пригодиться ей, чтобы заключить мир, если война сложится неудачно.

— Ну а если война сложится в ее пользу? — спросил Робб. — Что, если мы потерпим неудачу?

Кейтилин взяла его руку.

— Робб, не стану смягчать для тебя правду. Если ты потерпишь поражение, надежды для нас всех уже не останется. Недаром говорят, что сердце Бобрового утеса — это камень. Помни участь детей Рейегара!

Кейтилин заметила страх, промелькнувший в его глазах, но в них была и сила.

— Значит, я не проиграю, — пообещал он.

— Расскажи мне все, что тебе известно о военных действиях в Приречье, — велела она. Надо было узнать правду, готов ли сын по-настоящему к бою.

— Менее двух недель назад произошло сражение в горах под Золотым Зубом, — проговорил Робб. — Дядя Эдмар выслал лорда Венса и лорда Пайпера, чтобы удержать перевал, но Цареубийца напал на них и заставил вступить с ними в бой. Лорд Венс был убит. С тех пор нам стало известно, что лорд Пайпер отступает, чтобы присоединиться к твоему брату и его знаменосцам у Риверрана, а Джейме Ланнистер преследует его по пятам. Но это не самое худшее. Пока они сражались, лорд Тайвин привел с юга второе войско Ланнистеров. Говорят, что оно даже больше, чем армия Джейме.

Отец, должно быть, знал об этом, потому что он выслал против них небольшой отряд под знаменем короля. Отец назначил командующим какого-то южного лорда... Эрика или Дерика — что-то в этом роде, но с ними был сир Реймен Дарри. В письме говорилось, что послали и других рыцарей вместе с гвардейцами короля. Но это была ловушка! Как только лорд Дерис переправился через Красный Зубец, Ланнистеры встретили их оружием, несмотря на знамя короля, а

Григор Клиган напал на них с тыла, когда они попытались перебраться у Кукольникова брода. Этот лорд Дерик и еще несколько человек, похоже, бежали — точно этого никто не знает, — но сир Реймен погиб, как и почти все, кто был там из Винтерфелла. Лорд Тайвин, говорят, перерезал Королевский тракт и теперь идет на Харренхолл, сжигая все по пути.

Дела все хуже и хуже, подумала Кейтилин. Положение складывалось куда более скверное, чем она надеялась.

— Ты рассчитываешь встретить его здесь? — спросила она.

— Если он зайдет так далеко, но никто не рассчитывает на это, — сказал Робб. — Я послал слово в Сероводье Хоуленду Риду, старинному другу отца. Если Ланнистеры придут к Перешейку, озерный народ пустит им кровь. Однако Галбарт Гловер утверждает, что у лорда Тайвина хватит ума, чтобы не делать этого. Русе Болтон согласен с этим. Они считают, что он останется возле Трезубца, по одному занимая замки речных лордов, пока Риверран не останется в одиночестве. Нам нужно идти на юг, чтобы встретить лорда Тайвина.

Сама мысль об этом до костей проморозила Кейтилин. Какие шансы имеет пятнадцатилетний мальчишка против таких опытных полководцев, как Джейме и Тайвин Ланнистеры?

— Разве это разумно? Здесь ты занимаешь сильную позицию. Говорят, что прежде Короли Севера, встав у рва Кейлин, могли отбросить от своих стен войско, в десять раз превосходящее их собственное.

— Да, но припасы у нас оканчиваются, а здесь трудно найти пропитание. Мы ждали лорда Мандерли, но теперь, когда сыновья его присоединились к нам, пора выступать.

Так вот что советовали лорды-знаменосцы ее сыну, поняла Кейтилин. Все эти годы она столько раз принимала их у себя в Винтерфелле, гостила вместе с Недом у их собственных очагов. Она знала каждого. Интересно, догадывается ли Робб, каковы они на самом деле?

И все же они давали разумный совет. Войско, которое привел сюда ее сын, не было регулярным, как в Вольных Городах, и состояло не только из наемников, которым платят монетой. В Винтерфелле собралось ополчение из арендаторов, работников, рыбаков, пастухов, сыновей владельцев постоялых дворов, торговцев, красильщиков, ну и, конечно, наемников и свободных всадников, алчных до добычи. Они откликнулись на зов своих лордов, но пришли не навечно.

— Отсюда надо уходить, это правильно, — сказала она сыну. — Но куда идти и с какой целью? Что ты намереваешься делать дальше?

Робб помедлил.

— Большой Джон считает, что мы должны захватить врасплох лорда Тайвина и навязать ему сражение, — ответил он. — Но Гловеры и Карстарки считают, что разумнее обойти его войско и вместе с дядей Эдмаром выступить против Цареубийцы. — Он с несчастным видом провел пальцами по своей лохматой гриве. — Хотя к тому времени, когда мы достигнем Риверрана... словом, не знаю...

— Будь уверен в себе, — сказала Кейтилин своему сыну. — Или возвращайся домой и бери в руки деревянный меч. Ты не можешь позволить себе нерешительности перед лицом людей, подобных Русе Болтону и Рикарду Карстарку. Не ошибись, Робб, — они твои знаменосцы, но не друзья. Ты сам назначил себя полководцем. Командуй!

Сын поглядел на нее с удивлением, словно не понимая.

— Спрашиваю тебя еще раз: что ты намереваешься делать?

Робб разложил на столе карту, истрепанный лист тонкой кожи, покрытый поблекшими от старости линиями. Один конец ее завернулся, он придавил край кинжалом.

— У обоих планов есть свои достоинства, но... Погляди, если мы попытаемся обойти войско лорда Тайвина, то рискуем попасть между ним и Цареубийцей, ну а если мы нападем на него... по всем сообщениям у него больше людей, чем у меня, и, самое главное, больше латной конницы. Большой Джон утверждает, что это ничего не значит, если мы поймаем его со спущенными штанами, но мне кажется, что лорда Тайвина, человека, участвовавшего в столь многих битвах, не так-то легко застать врасплох.

— Хорошо, — сказала Кейтилин. Она услышала интонации Неда в голосе сына, согнувшегося перед ней над картой. — Говори дальше.

— Я оставлю небольшой отряд охранять ров Кейлин, в основном стрелков, а со всеми остальными направлюсь на гати, — сказал он. — Как только мы пройдем Перешеек, я разделю войско надвое. Пешие пойдут по Королевскому тракту, конница же переправится через Зеленый Зубец у Близнецов. — Он показал. — Узнав, что мы едем на юг, лорд Тайвин повернет на север, чтобы встретить наше главное войско, пропустив конницу по западному берегу к Риверрану. — Довольный собой, Робб откинулся назад, не смея еще улыбнуться.

Кейтилин нахмурилась, глядя на карту.

— Ты разделил рекой две части своей армии.

— Как и Джейме с лордом Тайвином, — сказал Робб горячо. На лице его наконец появилась улыбка. — Через Зеленый Зубец нет переправы выше Рубинового брода, где Роберт завоевал корону, — до самых Близнецов, а там мост держит лорд Фрей. А ведь он — знаменосец твоего отца, правда?

— Так, — согласилась она. — Но мой отец никогда не доверял ему. Тебе тоже не следует делать этого.

— Я не собираюсь, — обещал Робб. — Ну что ты думаешь?

Невзирая на все, она была довольна. Пусть Робб похож на Талли, подумала она, но он — сын своего отца, Нед хорошо учил его.

— Каким отрядом ты будешь командовать?

— Конницей, — ответил он немедленно. И опять как отец: Нед всегда брал на себя самое опасное дело.

— А кто возглавит другой?

— Большой Джон всегда утверждает, что мы легко разобьем лорда Тайвина. Я думал предоставить ему эту честь.

Вот и первая ошибка, но как показать это Роббу, не ранив его еще робкой уверенности в себе?

— Отец твой всегда говорил мне, что не встречал человека бесстрашнее Большого Джона.

Робб ухмыльнулся:

— Серый Ветер откусил ему два пальца, а он только расхохотался. Значит, ты согласна?

— Твой отец не бесстрашен, — указала Кейтилин. — Он отважен, а это две разные вещи.

Сын задумался на мгновение.

— Лишь восточное войско будет отделять лорда Тайвина от Винтерфелла, — сказал он задумчиво. — И те немногие лучники, которых я оставлю около рва. Итак, мне нужен здесь не бесстрашный человек, правда?

— Да, тебе нужна здесь холодная хитрость, а не отвага.

— Тогда это Русе Болтон, — сказал Робб торопливо. — Этот человек ошеломляет меня.

— Будем надеяться, что он ошеломит и Тайвина Ланнистера.

Робб кивнул и свернул карту.

— Я отдам команды и соберу свиту, чтобы тебя проводили до Винтерфелла.

Кейтилин постаралась собрать свои силы — ради Неда и ради их упрямого и отважного сына. Справившись с отчаянием и страхом, она отложила их в сторону — словно платье, которое решила было не надевать... но вдруг заметила, что все-таки натянула его.

— Я еду не в Винтерфелл, — услышала она собственный голос, удивляясь неожиданно прихлынувшим слезам, затуманившим ее взгляд. — Возможно, отец сейчас умирает за стенами Риверрана. Брат мой окружен врагами. Я должна ехать к ним.

ТИРИОН

Чилла, дочь Чейка от Черноухих, направилась вперед на разведку и вернулась с вестью о войске, собравшемся на перекрестке дорог.

— Судя по кострам, думаю, что их там тысяч двадцать, — сказала она. — Красные знамена с золотым львом.

— Твой отец? — спросил Бронн.

— Или мой брат Джейме, — ответил Тирион. — Скоро мы узнаем это.

Он обозрел своих оборванцев: почти три сотни Каменных Ворон, Лунных Братьев, Черноухих и Обгорелых. Всего лишь семя того войска, которое он надеялся вырастить. Гунтер, сын Гурна, поднимал теперь остальные кланы. Тирион подумал о том, как воспользуется лорд-отец этими облаченными в шкуры людьми, с их краденой сталью. Откровенно говоря, он и сам не знал, что делать с ними. Кто же он здесь — предводитель или пленник? Скорее всего и то и другое.

— Быть может, лучше будет, если я один спущусь вниз? — предложил он.

— Лучше для Тириона, сына Тайвина, — заметил Улф, говоривший от Лунных Братьев.

Шагга бросил яростный взгляд, это было жуткое зрелище.

— Шагге, сыну Дольфа, это не нравится. Шагга пойдет со взрослым мальчишкой, и если взрослый мальчишка лжет, Шагга отрубит ему мужской признак...

— И скормит его козлу, — устало сказал Тирион. — Шагга, даю тебе слово Ланнистера, я вернусь.

— Почему я должен верить твоему слову? — Чиллу, невысокую и суровую, плоскую как мальчишка, нельзя было обмануть. — Лорды Нижних земель всегда обманывали горные кланы.

— Ты ранишь меня, Чилла, — ответил Тирион. — Я считал, что мы уже стали друзьями. Но как хотите. Ты поедешь со мной, и Шагга и Конн от Каменных Ворон, и Улф от Лунных Братьев, и Тиметт, сын Тиметта, от Обгорелых. — Горцы, когда он назвал их, обменялись настороженными взглядами. — Остальные будут ожидать здесь, пока я не пошлю за ними. Постарайтесь хотя бы не перерезать друг друга, пока меня нет.

Ударив пятками в бока коня, он отъехал, не оставив своим спутникам иного выхода, кроме как последовать за ним или же остаться на месте. Он был бы доволен и тем и другим — только бы горцы не задержали его, не уселись на землю и не занялись бесконечной — на целый день и ночь — говорильней. В этом и крылась главная трудность общения с кланами: они исповедовали абсурдное убеждение в том, что на совете следует выслушать мнение каждого мужчины. Позволялось высказываться даже женщинам. Нечего удивляться тому, что прошли века с тех пор, когда они серьезно угрожали Долине, если не считать случайных набегов. Тирион намеревался исправить положение.

Бронн ехал возле него. А позади пристроились после недолгого недовольства все пятеро горцев на невысоких мохнатых коньках, более похожих на пони и прыгающих по скалам, как козы.

Каменные Вороны ехали вместе, Чилла и Улф держались неподалеку друг от друга — Лунных Братьев и Черноухих связывают крепкие узы. Тиметт, сын Тиметта, ехал один. Все кланы, населявшие Лунные Горы, опасались Обгорелых, умерщвлявших плоть огнем, чтобы доказать свою храбрость, и — как утверждали другие — жаривших младенцев на своих пиршествах. Но даже сами Обгорелые боялись Тиметта, который, достигнув зрелости, лишил себя левого глаза добела раскаленным ножом. Тирион слыхал, что обычно мальчишка отжигал себе сосок, палец или же — будучи истинным храбрецом или безумцем — ухо. Поступок Тиметта произвел столь глубокое впечатление на Обгорелых, что они безотлагательно провозгласили его Красной Рукой — чем-то вроде походного вождя.

— Хотелось бы знать, что отжег себе их главарь, — обратился Тирион к Бронну, впервые услышав эту историю. Наемник, ухмыляясь, потянулся к собственному паху... однако даже Бронн уважительно держался с Тиметтом. Если у человека хватает безумия, чтобы лишить себя глаза, с врагом он церемониться не будет.

Далекие дозорные наблюдали со сложенных из битого камня башен за всадниками, спускавшимися из предгорий. Тирион успел заметить, как взлетел ворон. Там, где горная дорога изгибалась между двумя скалистыми выступами, располагалось первое укрепление. Дорогу перекрывал невысокий земляной вал высотой фута четыре, и дюжина арбалетчиков расположилась на высотке. Остановив своих спутников вдалеке, Тирион один подъехал к валу.

— Кто здесь главный? — крикнул он.

Капитан явился мгновенно и еще быстрее предоставил им свиту, узнав сына своего господина. Они отправились дальше — мимо сожженных полей и обгоревших острогов, к речным землям у Зеленого Зубца. Тирион еще не заметил трупов, однако в воздухе полно было воронов-падальщиков. Сражение состоялось здесь недавно.

В половине лиги от перекрестка поставили частокол из заостренных столбов, возле него караулили копейщики и лучники. Позади стены начинался лагерь. Дым тянул вверх тонкие пальцы от сотен костров, воины в кольчугах сидели под деревьями и точили клинки, знакомые Тириону знамена трепетали на древках, воткнутых в глинистую почву.

Заметив пришельцев, навстречу выехал конный отряд. Впереди скакал рыцарь в украшенном аметистами серебряном панцире и полосатом пурпурно-серебряном плаще. На щите его был изображен единорог, двухфутовый витой рог высился на его шлеме. Тирион повернул навстречу.

— Сир Флемент!

Сир Флемент Бракс поднял забрало.

— Тирион, — проговорил он с удивлением. — Милорд, все мы боялись, что вы погибли, или... — Он неуверенно поглядел на горцев. — Они... сопровождают вас?..

— Мои сердечные друзья и верные последователи, — отрекомендовал спутников Тирион. — Где я могу отыскать своего лорда-отца?

— Он занял гостиницу на перекрестке дорог.

Тирион расхохотался.

— Гостиница на перекрестке дорог? Наверное, боги в конце концов справедливы. Я немедленно отправлюсь к отцу.

— Как вам угодно, милорд. — Сир Флемент развернул коня и выкрикнул приказ. Три ряда жердей извлекли из земли, проделав дыру в частоколе. Тирион провел свой отряд внутрь.

Лагерь лорда Тайвина раскинулся на несколько лиг. Чилла сказала, что лорд Тайвин привел двадцать тысяч человек, и не слишком ошиблась. Простонародье устроилось под открытым небом, но рыцари разбили палатки, а некоторые из знатных лордов возвели шатры величиной с целый дом. Тирион заметил красного быка Престеров, взнузданного вепря лорда Кракехолла, горящее дерево Марбранда, барсука Лидденов. Рыцари приветствовали Тириона, когда он проезжал мимо. Латники глядели на горцев с удивлением.

Шагга озирался с открытым ртом; ему, конечно же, не приходилось за всю свою жизнь видеть столько людей, коней и оружия. Остальные горные разбойники лучше следили за собой, однако Тирион не сомневался в произведенном впечатлении. К лучшему: чем более глубокое впечатление произведет на них мощь Ланнистеров, тем охотнее они будут повиноваться.

Гостиница и конюшня с виду не переменились. Однако на месте деревеньки остались лишь груды обожженных камней. Во дворе устроили виселицу, и тело, покачивавшееся в петле, облепили вороны. Испугавшись Тириона, они взлетели, каркая и шумно хлопая черными крыльями. Спешившись, он поглядел на останки. Птицы уже выклевали губы, глаза и щеки; запятнанные краской зубы щерились в жутком оскале.

— Вот, а я просил только крова, еды и бутылку вина, — напомнил он с укоризненным вздохом.

Мальчишки-конюхи нерешительно вышли навстречу, чтобы позаботиться об их лошадях. Шагга не хотел расставаться с конем.

— Парень не украдет твою кобылу, — заверил его Тирион. — Он только накормит ее овсом, напоит и расчешет шкуру. — Шкура самого Шагги также нуждалась в хорошей щетке, но упоминать об этом было бы нетактично. — Даю тебе слово, коню не причинят вреда.

Опалив его яростным взором, Шагга выпустил поводья.

— Это конь Шагги, сына Дольфа, — рыкнул он на мальчишку.

— Если он не вернет кобылу, отруби ему мужской признак и скорми козлу, — предложил Тирион. — Если только найдешь его здесь.

Двое стражников в пурпурных плащах и увенчанных львами шлемах стояли под вывеской гостиницы по обе стороны двери. Тирион признал капитана гвардейцев.

— Мой отец?

— В гостиной, милорд.

— Мои люди хотят мяса и меда, — сказал ему Тирион. — Пригладите, чтобы они получили еду и питье. — Тирион вошел в гостиницу. Отец был там.

Тайвин Ланнистер, лорд Бобрового утеса и Хранитель Запада, давно разменял шестой десяток, не утратив тем не не менее юношеской крепости. Даже сидя он казался высоким — длинные ноги, широкие плечи, плоский живот. Его тонкие руки оплетали крепкие мышцы. Когда прежде густые волосы начали отступать ото лба, лорд Тайвин приказал своему цирюльнику брить ему голову наголо: глава дома Ланнистеров не верил в полумеры. Еще он выбривал верхнюю губу и подбородок, но бакенбарды, две огромные чащобы, заросшие жестким золотым волосом, покрывали его щеки от уха до уха. В бледно-зеленых глазах его играли золотые искры. Один из шутов, более глупый, чем все остальные, сказанул однажды, что даже дерьмо лорда Тайвина усеяно золотом. Некоторые утверждали, что он еще жив — где-то в подземельях Бобрового утеса.

Сир Киван Ланнистер, единственный выживший брат отца, делил бутыль эля с лордом Тайвином. Дядя, человек объемистый и лысеющий, с коротко подстриженной желтой бородой, прилипшей к массивным челюстям, первым увидел его.

— Тирион, — проговорил сир Киван с удивлением.

— Дядя. — Тирион поклонился. — Милорд-отец. Как я рад видеть вас здесь!

Лорд Тайвин даже не пошевельнулся в кресле, но поглядел на своего карлика-сына долгим оценивающим взглядом.

— Вижу, что слухи о твоем заточении были необоснованны.

— Мне жаль разочаровывать вас, отец, — сказал Тирион. — Только не надо вставать и обнимать меня! Я не хочу вас утруждать...

Тирион направился через всю комнату к их столу, четко осознавая, что кривые короткие ноги заставляют его раскачиваться на каждом шагу. Когда глаза отца обращались к нему, Тирион сразу же самым острым образом ощущал все свои недостатки и уродства.

— Очень любезно с вашей стороны начать войну ради меня, — проговорил он, залезая в кресло и наливая себе чашу отцовского эля.

— На мой взгляд, это ты начал ее, — ответил лорд Тайвин. — Твой брат Джейме никогда не позволил бы себе попасть в руки женщины.

— Мы с Джейме кое в чем отличаемся... Он много выше меня ростом, как вы могли заметить.

Отец игнорировал выпад.

— Речь идет о чести нашего дома. Мне просто пришлось выехать. Никто не может пролить кровь Ланнистеров безнаказанно!

— Услыши мой рев, — произнес Тирион, ухмыльнувшись девизу Ланнистеров. — Откровенно говоря, крови я не проливал, хотя это могло случиться раз или два. Моррек и Джик убиты.

— Значит, тебе нужны новые слуги.

— Не беспокойся, отец. Я обзавелся своими. — Тирион отпил глоток эля, бурого и пенистого, и такого густого, что его почти можно было жевать. Действительно, отличный напиток. Жаль, что отец повесил содержательницу постоялого двора. — И как идут боевые действия?

Ответил его дядя:

— Пока достаточно хорошо. Сир Эдмар раздробил свое войско на малые отряды, чтобы остановить наши набеги, и мы с твоим лордом-отцом получили возможность нанести им тяжелый урон, прежде чем они сумели соединиться.

— Твой брат увенчал себя славой, — сказал отец. — Он разгромил лордов Венса и Пайпера у Золотого Зуба и встретился с основными силами Талли у стен Риверрана. Лорды Трезубца были вынуждены отступить. Сир Эдмар Талли взят в плен со многими своими рыцарями и знаменосцами. Лорд Блэквуд увел немногих уцелевших в Риверран, и Джейме осадил замок. Остальные разбежались по собственным крепостям.

— И мы с твоим отцом по очереди выступали против них. Без лорда Блэквуда Древорон сдался сразу, а леди Уэнт сдала Харренхолл из-за недостатка людей. Сир Григор сжег владения Пайперов и Бреккенов...

— Оставив вас без противника? — спросил Тирион.

— Не совсем, — ответил сир Киван. — Маллистеры до сих пор удерживают Сигард, а Уолдер Фрей собирает свои войска у Близнецов.

— Не серьезно, — заметил Тайвин. — Фрей выходит на поле брани, только почуяв запах победы, а сейчас пока пахнет смертью. А у Ясона Маллистера не хватит сил сопротивляться в одиночку. Как только Джейме возьмет Риверран, они оба быстро преклонят колена. Войну можно считать выигранной, если только Старки и Аррены не выйдут против нас.

— На вашем месте я бы не стал тревожиться из-за Арренов. — сказал Тирион. — Старки — дело другое. Лорд Эддард...

— У нас в заложниках, — прервал его отец. — Он не может командовать войском из подземелья Красного замка.

— Не может, — согласился сир Киван, — но сын его созвал знамена и стал у рва Кейлин с сильным войском.

— Ни один меч нельзя назвать сильным, пока он не закален, — объявил лорд Тайвин. — Этот Старк еще мальчишка. Конечно, ему нравятся звуки походных труб и собственное знамя, трепещущее на ветру. Но всякий поход оканчивается бойней. Боюсь, что у него не хватит отваги на сражение.

События приняли интересный поворот за время его отсутствия, решил Тирион.

— Ну а что делает наш бесстрашный монарх, как смотрит он на эту бойню? — спросил он. — Неужели моя очаровательная и красноречивая сестра сумела уговорить Роберта примириться с заточением своего милого друга Неда?

— Роберт Баратеон погиб, — ответил ему отец. — В Королевской Гавани правит твой племянник. — Слова эти заставили Тириона растеряться. — Точнее говоря, моя сестра. — Лорд Тайвин отпил эля. — Королевство станет совсем иным, если Серсея будет править вместо своего мужа. И если ты хочешь принести какую-то пользу, я дам тебе приказ, — продолжил отец. — Марк Пайпер и Карил Венс болтаются в нашем тылу и совершают набеги на нашу землю из-за Красного Зубца.

Тирион прицокнул зубом.

— Прогнать их! Прежде я был бы рад наказать подобную невоспитанность, отец, но сейчас, поверьте, у меня есть настоятельные дела в другом месте.

— В самом деле? — Лорд Тайвин не был особенно удивлен. — Еще нам досаждает последняя идея Неда Старка, моим фуражирам мешает некий Берик Дондаррион, какой-то молодой лорденыш, наделенный ложным представлением о доблести. И с ним эта жирная пародия на священника — тот тип, который любит зажигать свой меч. Ну как, сумеешь расправиться с ними? Без особого шума?

Тирион вытер рот тыльной стороной ладони и улыбнулся.

— Отец, мое сердце греет мысль о том, что вы готовы доверить мне... двадцать человек? Или дадите мне даже пятьдесят? Неужели вы сумеете выделить мне такое огромное войско? Прекрасно! Если я натолкнусь на Тороса или лорда Берика, то сумею выпороть их обоих. — Он спустился с кресла и проковылял к буфету, на котором в окружении фруктов возлежал круг белого сыра с прожилками. — Сперва мне нужно уладить кое-какие дела, — сказал он, отхватив себе клин. — Мне необходимо три тысячи шлемов, столько же калберков и плюс мечи, пики, стальные наконечники копий, боевые булавы и топоры, стальные перчатки, воротники, поножи, нагрудники и фургоны, чтобы перевезти все это...

Дверь позади Тириона вдруг распахнулась с таким грохотом, что он едва не выронил сыр. Сир Киван вскочил, ругаясь, когда капитан гвардии пролетел через комнату и рухнул в очаг. Шлем его угодил прямо в холодный пепел, а Шагга, переломив меч гвардейца толщиной в древесный ствол о колено, отбросил обломки и вступил в гостиную, распространяя собственный запах, более крепкий, чем запах сыра.

— Маленькая красная шапочка, — рявкнул он. — Если ты еще раз посмеешь угрожать сталью Шагге, сыну Дольфа, я отрежу твое мужское естество и поджарю его на огне.

— Что? А как же козел? — спросил Тирион, откусывая сыр.

За Шаггой в комнату вошли другие горцы. Бронн сопутствовал им. Наемник, извиняясь, пожал плечами, глянув на Тириона.

— И кто же это у нас такой гордый? — спросил лорд Тайвин голосом холодным как снег.

— Эти люди проводили меня домой, отец, — пояснил Тирион. — Могу ли я сохранить их при себе? Много они не съедят...

Никто не улыбнулся.

— По какому праву вы, дикари, врываетесь в зал нашего совета? — потребовал ответа сир Киван.

— Дикари, говоришь? — Конн мог бы показаться симпатичным, если бы его отмыли. — Мы — люди свободные, а свободные люди имеют право сидеть на любом военном совете!

— Кто из вас львиный лорд? — спросила Чилла.

— Это же старики, — объявил Тиметт, сын Тиметта, которому еще предстояло встретить свой двадцатый год.

Рука сира Кивана опустилась на рукоять меча, но брат прикосновением пальцев остановил его. Лорд Тайвин казался спокойным.

— Тирион, ты забыл о вежливости? Будь добр, познакомь нас с... почетными гостями.

Тирион облизнул пальцы.

— С удовольствием, — объявил он. — Эта прекрасная дева — Чилла, дочь Чейка, от Черноухих.

— Я не дева, — возразила Чилла. — Мои сыновья уже срезали пятьдесят ушей.

— Да срежут они еще пятьдесят. — Тирион отошел от нее. — Это Конн, сын Коратта. А вот Шагга, сын Дольфа, тот, что похож на Бобровый утес, обросший волосами. Они — Каменные Вороны. Это Улф, сын Умара, из Лунных Братьев, вот Тиметт, сын Тиметта, из Обгорелых. А это наемник Бронн. Он сам по себе, не из чьих-то людей. За время нашего знакомства он успел дважды переменить стороны, и он должен получить награду, отец. — Обратившись к Бронну и горцам, он произнес: — Позвольте мне представить моего лорда-отца, Тайвина, сына Титоса, из дома Ланнистеров, лорда Бобрового утеса, Хранителя Запада, Щит Ланниспорта, бывшего и будущего десницу короля.

Лорд Тайвин поднялся, являя достоинство и корректность.

— Даже на западе слыхали про доблесть воинственных обитателей гор Луны. Что доставило вас вниз из ваших твердынь, милорды?

— Кони, — ответил Шагга.

— Обещанные сталь и шелка, — добавил Тиметт, сын Тиметта.

Тирион уже собрался рассказать своему лорду-отцу о том, что обещал кланам превратить Долину Арренов в дымящуюся пустошь, но возможности не представилось. Дверь снова хлопнула и распахнулась. Вестник коротко и удивленно глянул на горцев Тириона, опускаясь на одно колено перед лордом Тайвином.

— Милорд, — проговорил он, — сир Аддам велел передать вам, что войско Старков движется по гати.

Лорд Тайвин не улыбнулся. Отец никогда не улыбался, но Тирион тем не менее умел читать на его лице.

— Итак, волчонок решился оставить свое логово, чтобы поиграть со львами, — проговорил он голосом, полным спокойного удовлетворения. — Великолепно. Возвратитесь к сиру Аддаму и велите ему отступать. Он не должен вступать в сражение с северянами до нашего прибытия, но я хочу, чтобы он нападал на них с флангов и заманивал дальше на юг.

— Исполню все, как вы приказываете. — Всадник откланялся.

— Мы хорошо устроились здесь, — напомнил сир Киван. — Близко к переправе, вокруг ямы и частоколы. Пусть приходят, мы их остановим.

— Мальчишка может отступить или струсить, увидев такое войско, — заметил лорд Тайвин. — Чем быстрее мы сломаем Старков, тем скорее я освобожусь, чтобы расправиться со Станнисом Баратеоном. Вели барабанщикам бить сбор и пошли слово Джейме, что я выхожу против Робба Старка.

— Как хочешь, — проговорил сир Киван.

Тирион с мрачным восхищением поглядел на отца, повернувшегося к полудиким горцам.

— Говорят, что люди горных кланов не знают страха.

— Воистину так, — ответил Конн от Каменных Ворон.

— И женщины тоже, — добавила Чилла.

— Выступайте со мной против моего врага, и вы получите все, что обещал мой сын, и даже более того, — сказал лорд Тайвин.

— Но заплатишь ли ты нам нашей собственной монетой? — спросил Улф, сын Умара. — И нужны ли нам обещания отца, когда нам обещал сын?

— Я не сказал, что они нужны, — возразил лорд Тайвин. — В словах моих звучала чистая любезность и ничего более. Вы не обязаны присоединяться к нам. Люди Зимних земель выкованы из льда и железа; даже отважнейшие среди моих рыцарей страшатся встретиться с ними лицом.

Изящный ход, отметил Тирион, криво улыбнувшись.

— Обгорелые люди ничего не страшатся. Тиметт, сын Тиметта, поедет со львами.

— Если Обгорелые куда приедут, там уже сидят Каменные Вороны, — с пылом объявил Конн. — Мы едем тоже.

— Шагга, сын Дольфа, отрубит им мужское естество и скормит его воронам.

— Мы поедем с тобой, львиный лорд, — согласилась Чилла, дочь Чейка, — но только если коротышка будет с нами. Он выкупил свое дыхание обещанием. Жизнь его принадлежит нам, пока мы не получим ту сталь, которую он обещал нам.

Лорд Тайвин обратил искрящиеся золотом глаза к своему сыну.

— Веселый разговор, — заметил Тирион с отрешенной улыбкой.

САНСА

Снятые с обнажившихся стен тронного зала гобелены со сценами охоты, которые так нравились королю Роберту, лежали в углу неопрятной грудой.

Сир Мендон Мур отправился на свое место у подножия трона, возле двух других братьев из Королевской гвардии.

Санса осталась у дверей — наконец без охраны. В качестве награды за хорошее поведение королева позволила ей передвигаться по замку, но при этом ее все равно повсюду сопровождали.

— Почетный караул для моей будущей дочери, — объяснила королева, но Санса не почувствовала радости.

Разрешение означало, что Санса могла ходить по Красному замку куда угодно — только не за ворота. Обещание это Санса дала более чем охотно: она все равно не могла выйти за стены. За воротами день и ночь следили золотые плащи Яноса Слинта, и гвардия Ланнистеров всегда была неподалеку. К тому же куда ей идти, если она покинет замок? Так что она была рада, что может гулять во дворе, собирать цветы в садике Мирцеллы и посещать септу, чтобы молиться за своего отца. Иногда Санса молилась в богороще; ведь Старки хранят верность старым богам.

Джоффри впервые созвал свой двор, и Санса нервно огляделась. Цепочка гвардейцев Ланнистеров стояла под западными окнами, городские стражники в золотых плащах выстроились в линию под восточными. Людей простых и незнатных заметно не было, но под галереей беспокойно переминалось скопление лордов — великих и малых... не более двадцати человек. В былые времена целая сотня собиралась, ожидая выхода короля Роберта.

Санса скользнула между ними и, бормоча приветствия, принялась продвигаться вперед. Она узнала чернокожего Джалабхара Ксо, мрачного сира Арона Сантагара, близнецов Редвинов, Страшилу и Беббера... однако никто из них ее как бы не узнавал... ну а если и замечали, то отодвигались, как от больной серой хворью. Вечно простуженный лорд Джайли, увидев ее, прикрыл лицо платком и зашелся в притворном припадке кашля, а когда забавный пьяница сир Донтас уже собрался ответить ей, сир Белон Свонн что-то шепнул ему на ухо, и тот отвернулся.

Не хватало очень многих. Куда же подевались все они? — подумала Санса. Она тщетно искала приязни на лицах, но никто даже не хотел поглядеть ей в глаза. Словно бы перед ними предстал живой призрак.

Великий мейстер Пицель в одиночестве сидел за столом совета; он как будто бы дремал, сложив руки поверх бороды. Санса заметила торопящегося лорда Вариса, поспешно вступившего в зал, не производя ни звука. Мгновение спустя в высокой задней двери появился улыбающийся лорд Бейлиш. Обменявшись дружескими репликами с сирами Белоном и Донтасом, он направился вперед. Желудок Сансы сжался в комок.

«Не надо бояться, — сказала она себе. — Мне нечего бояться. Все будет хорошо, Джофф любит меня, королева тоже, она сама так говорила...»

Голос геральда провозгласил:

— Да здравствует его величество Джоффри из домов Баратеонов и Ланнистеров, первый носитель этого имени, король андалов, ройнаров и Первых Людей, владыка Семи Королевств! Да здравствует его леди-мать, Серсея из дома Ланнистеров, регентствующая королева, Свет Запада, Хранительница Областей!

Сир Барристан Селми, блистая великолепием белого панциря, вошел первым. Сир Арис Сукхар следовал за королевой, сир Борос Блаунт был возле Джоффри, и в тронном зале оказалось шестеро королевских гвардейцев, все Белые Мечи. Кроме одного лишь Джейме Ланнистера. Ее принц — нет, теперь ее король! — взбежал по ступеням Железного трона, перепрыгивая через две ступени. Королева-мать уселась в центре совета. На Джоффе был черный бархат с алыми прорезями, сверкающий парчовый плащ с высоким воротником, голову его венчала золотая корона, усыпанная рубинами и черными алмазами. Оглядев зал, Джоффри заметил Сансу. Он улыбнулся, уселся и проговорил:

— Король обязан наказать неверных и вознаградить тех, кто проявил преданность. Великий мейстер Пицель, я приказываю вам прочитать мои указы!

Пицель, облаченный в великолепное одеяние из темно-красного бархата, с горностаевым воротником и блестящими золотыми застежками, поднялся на ноги и извлек свиток из широкого рукава, украшенного тяжелым золотым шитьем. Развернув его, он приступил к чтению длинного списка лордов, которые должны были представиться королю и совету и присягнуть на верность Джоффри. В противном случае они объявлялись изменниками, и земли и титулы их должны были отойти к престолу.

Имена, которые он произносил, заставили затаить дыхание. Лорд Станнис Баратеон, его леди-жена и дочь. Лорд Ренли Баратеон, оба лорда Ройса и их сыновья. Сир Лорас Тирелл, лорд Мейс Тирелл, его братья, дяди и сыновья.

Красный жрец Торос из Мира. Лорд Берик Дондаррион, леди Лиза Аррен и ее сын, маленький лорд Роберт. Лорд Хостер Талли, брат его сир Бринден, сын его Эдмар. Лорд Ясон Маллистер, лорд Брайс Карон из Мирни. Лорд Титос Блэквуд. Лорд Уолдер Фрей и наследник его сир Стеврон. Лорд Карил Венс. Лорд Джонос Бракен. Леди Шелла Уэнт. Доран Мартелл, принц Дорнский и все его сыновья. Их так много, думала она, слушая голос Пицеля. Сколько же нужно птиц, чтобы разослать эти приказы!

В конце, едва ли не самыми последними, прозвучали имена, которые так боялась услышать Санса. Леди Кейтилин Старк. Робб Старк. Брандон Старк, Рикон Старк, Арья Старк. Санса подавила восклицание. Арья. Значит, они требуют, чтобы Арья явилась и принесла присягу... Это могло означать, что сестра ее бежала на галее и что теперь она пребывает в полной безопасности в Винтерфелле...

Великий мейстер Пицель свернул свой лист, засунул его в левый рукав и извлек из правого новый пергамент. Откашлявшись, он приступил к чтению:

— Вместо изменника Эддарда Старка велением светлейшего государя назначено, чтобы Тайвин Ланнистер, лорд Бобрового утеса, Хранитель Запада, принял сан десницы короля, имеющего право говорить голосом государя, вести его армию против врагов и выполнять его королевскую волю. Так повелел король.

Малый совет одобрил.

— Вместо изменника Станниса Баратеона велением светлейшего государя назначено, чтобы его государыня-мать, регентствующая королева Серсея Ланнистер, бывшая его самой надежной опорой, сидела в его Малом совете, дабы он мог править мудро и справедливо. Так повелел король.

Малый совет одобрил.

Санса услышала негромкий ропот среди окружающих ее лордов, но голоса сразу смолкли. Пицель продолжил:

— Волею светлейшего государя его верный слуга Янос Слинт, командующий городской стражей в Королевской Гавани, будет немедленно возведен в сан лорда. Еще он получит древний удел в Харренхолле со всеми окружающими замок землями и доходами, сыновья же и внуки его унаследуют эту честь после него до конца времен. Далее король приказывает, чтобы указанный лорд Слинт немедленно сел среди его Малого совета, дабы помогать ему в правлении государством. Так повелел король.

Малый совет одобрил.

Уголком глаза Санса заметила движение, когда вошел Янос Слинт. На этот раз ропот был громче и грознее. Гордые лорды, корни которых уходили в прошлое на тысячелетия, не имели желания расступаться перед лысеющим и пучеглазым, словно лягушка, простолюдином. Золотые чешуйки, нашитые на черный бархат дублета, негромко звенели при каждом шаге Слинта под плащом черно-золотого атласа. Двое уродливых мальчишек, сыновья новоявленного лорда, шли впереди, с трудом удерживая перед собой тяжелый металлический щит высотой в их собственный рост. В качестве герба Слинт выбрал окровавленное копье, золотое на черном фоне. Вид этого щита вселял трепет в душу Сансы, руки ее покрылись гусиной кожей.

Когда лорд Слинт занял свое место, великий мейстер Пицель приступил к делу:

— Наконец, во времена предательства и смуты, после столь недавней смерти нашего возлюбленного короля Роберта, по мнению совета, следует позаботиться о жизни и безопасности короля Джоффри... — Он поглядел на королеву.

Серсея встала:

— Сир Барристан Селми, выйдите вперед.

Сир Барристан, невозмутимым изваянием застывший у подножия Железного трона, преклонил колено и склонил голову:

— Ваше величество, приказывайте, повинуюсь.

— Восстаньте, сир Барристан, — сказала Серсея Ланнистер. — Вы можете снять свой шлем.

— Миледи? — Старый рыцарь, вставая, снял с головы высокий белый шлем, явно не понимая, зачем он это делает.

— Вы служили стране долго и верно, добрый сир, и каждый обитатель Семи Королевств благодарен вам. Но ваша служба, увы, закончена. По воле короля и совета вы можете сложить свой тяжелый груз.

— Мой... груз? Боюсь, я... но я не...

Новоиспеченный лорд Янос Слинт проговорил голосом тяжелым и тупым:

— Ее величество хочет сказать вам, что вы освобождены от обязанностей лорда-командующего Королевской гвардией.

Высокий седовласый рыцарь словно бы сразу сделался ниже.

— Ваше величество, — едва выдохнул он наконец, — Королевская гвардия — это братство. Мы даем пожизненный обет. Только смерть может освободить лорда-командующего от его священного долга.

— Чья смерть, сир Барристан? — проговорила королева голосом мягким как шелк, но слова ее были слышны всему залу. — Ваша или вашего короля?

— Вы позволили моему отцу умереть, — проговорил Джоффри обвиняющим тоном с вершины Железного трона. — Вы слишком стары, чтобы кого-нибудь защищать!

Санса заметила, как старый рыцарь посмотрел на своего нового короля. Она никогда не видела, чтобы сир Барристан казался старым, но теперь он выглядел на весь свой возраст.

— Светлейшая государыня, — сказал он. — Меня избрали в Белые Мечи на двадцать третьем году жизни. Это было все, о чем я мечтал с тех пор, как впервые взял меч в руки. Я отказался от всех претензий на наследственный удел. Девушка, с которой я был помолвлен, вышла замуж за моего двоюродного брата; у меня нет ни земли, ни сыновей — я не нуждался в них, потому что жизнь моя была отдана королю. Сир Герольд Хайтауэр сам принял мой обет... ограждать короля всей моей силой... отдать за него всю мою кровь... Я сражался рядом с Белым Быком и принцем Ливином Дорнским, рядом с сиром Эртуром Деном, Мечом Зари. Прежде чем перейти на службу к вашему отцу, я был щитом короля Эйериса, а до того я служил его отцу Джейехерису... трем королям...

— И все они погибли, — сказал Мизинец.

— Ваше время закончилось, — объявила Серсея Ланнистер. — Джоффри должен быть окружен молодыми и крепкими людьми. Совет определил, чтобы сир Джейме Ланнистер занял ваше место в качестве лорда-командующего Братства Белых Мечей.

— Цареубийца, — жестко проговорил сир Барристан голосом, полным презрения. — Лживый рыцарь, осквернивший свой клинок кровью короля, которого поклялся защищать!

— Выбирайте слова, сир, — предостерегла старого рыцаря королева. — Вы говорите о нашем возлюбленном брате, кровном родственнике нашего короля.

Тут заговорил лорд Варис — голосом более мягким:

— Мы не забыли о вашей службе, сир. Лорд Тайвин Ланнистер по своему благородству согласился выделить вам добрый участок земли возле моря к северу от Ланниспорта, дать золото и людей, чтобы вы могли воздвигнуть замок, и слуг, которые приглядят за каждой вашей нуждой.

Сир Барристан резко поглядел на него.

— Дом, где я умру, и людей, которые похоронят меня. Благодарю вас, милорды... но я плевать хотел на ваше сочувствие! — Подняв руки, он расстегнул застежки, удерживающие на месте его плащ. Тяжелое белое одеяние скользнуло с его плеч, ударилось о пол. Со звоном отлетел шлем. — Я рыцарь, — объявил он всем присутствующим и, расстегнув серебряные застежки нагрудника, дал ему упасть. — И умру рыцарем.

— Нагим рыцарем, — вставил Мизинец.

Все расхохотались; Джоффри на троне и лорды, стоящие перед королем, Янос Слинт и королева Серсея, Сандор Клиган, даже королевские гвардейцы, которые только что были его братьями. Наверное, именно это предательство ранило его глубже всего, подумала Санса. Сердце ее тянулось к доблестному старику, опозоренному, побагровевшему, чересчур разъяренному для речей. Наконец сир Барристан обнажил меч.

Санса услышала, как кто-то охнул. Сиры Борос и Меррин шагнули вперед, чтобы преградить ему путь, но сир Барристан буквально приморозил их к месту взглядом, полным презрения.

— Не опасайтесь, сиры, король ваш в безопасности... но не благодаря вам. Даже сейчас я сумею одолеть вас пятерых — так, как кинжал режет сыр. Если вы признаете главенство Цареубийцы, ни один из вас не достоин белых одежд. — Он бросил свой меч к подножию Железного трона. — Бери, парень, пусть переплавят и прилепят к твоему трону. Все равно будет больше пользы, чем от всех мечей в руках этой пятерки. Или пригодится лорду Станнису, когда он отберет у тебя престол!

Сир Барристан гулко ступал по полу, звонкое эхо отражалось от голых стен. Лорды и леди расступились перед ним. Лишь когда пажи закрыли за ним огромные, окованные бронзой дубовые двери, Санса вновь услышала смущенные голоса... неловкое шевеление, шорох бумаг на столе совета.

— Он назвал меня мальчишкой, — капризно проговорил Джоффри тоном, явно не подобающим его возрасту. — И мерзко говорил о моем дяде Станнисе!

— Праздные речи, — заметил Варис-евнух, — праздные и бессмысленные...

— Возможно, он вступил в заговор с моими дядьями. Я хочу, чтобы его схватили и допросили. — Никто не шевельнулся. Джоффри возвысил голос: — Я же сказал, что хочу, чтобы его схватили.

Янос Слинт поднялся из-за стола совета:

— Мои золотые плащи сделают это, светлейший государь!

— Хорошо, — сказал король Джоффри. Лорд Янос направился к выходу из зала, уродливые сыновья его потянулись следом, увлекая тяжелый металлический щит с гербом дома Слинтов.

— Светлейший государь, — напомнил королю Мизинец, — кажется, мы можем продолжить, от семерых теперь осталось шестеро. Королевская гвардия нуждается в новом мече.

Джоффри улыбнулся:

— Скажи им, мать.

— Король и совет определили, что в Семи Королевствах нет человека, более достойного охранять и защищать светлейшего государя, чем присягнувший ему Сандор Клиган.

— Ну, доволен, Пес? — спросил король Джоффри.

Выражение на лице Пса трудно было понять. Он ненадолго задумался.

— Почему бы и нет? У меня нет ни земель, ни жены, не от кого отказываться, это всем безразлично. — Обгорелая сторона его рта дернулась. — Но я предупреждаю, что не принесу никаких рыцарских обетов!

— Братья Королевской гвардии всегда были рыцарями, — твердо сказал сир Борос.

— До нынешних времен, — проскрежетал Пес, и сир Борос умолк.

Когда герольд короля шагнул вперед, Санса поняла, что момент близок, и нервно разгладила юбку. На ней был траур — в знак уважения к покойному королю. Тем не менее она постаралась выглядеть как надо. Она выбрала то самое платье из шелка слоновой кости, которое подарила ей королева... то самое, которое погубила Арья. Санса велела выкрасить его в черный цвет, и пятен теперь не было заметно. Она несколько часов обдумывала, какие драгоценности ей следует надеть, и наконец решила остановиться на элегантной и простой серебряной цепочке.

Голос герольда загрохотал:

— Если в этом зале кто-нибудь имеет вопросы к его величеству, пусть выступит вперед и встанет в молчании.

Санса дрогнула. «Сейчас, — сказала она себе. — Я должна это сделать сейчас. Боги, наделите меня отвагой». Она шагнула вперед, сделала второй шаг. Лорды и рыцари отступали в сторону, молчаливо пропуская ее, и спиной она ощутила на себе тяжесть их взглядов. «Я должна быть столь же сильной, как моя леди-мать!»

— Светлейший государь, — проговорила она негромким, чуть дрогнувшим голосом.

С высоты Железного трона Джоффри было видно лучше, чем кому-либо в зале, и он первым заметил ее.

— Выходите вперед, миледи, — сказал он с улыбкой.

Улыбка его приободрила Сансу и заставила вновь почувствовать себя прекрасной и сильной. «Он любит меня, да!» Санса подняла голову и направилась к королю — не слишком медленно и не слишком быстро. Она не должна позволить им заметить, как волнуется.

— Леди Санса из дома Старков, — провозгласил герольд.

Санса остановилась возле престола, перед белым плащом и шлемом сира Барристана.

— Есть ли у вас какой-нибудь вопрос к королю и совету, Санса? — спросила королева из-за стола совета.

— Да. — Она преклонила колено осторожно, чтобы не испачкать платье, и посмотрела на своего принца, сидевшего на жутком Железном троне. — Если это будет угодно светлейшему государю, я прошу прощения для моего отца, лорда Эддарда Старка, десницы покойного короля. — Она заучила эти слова наизусть, повторила их сотню раз.

Королева вздохнула:

— Санса, вы разочаровываете меня. Что я говорила о крови предателя?

— Отец ваш совершил серьезное преступление, миледи, — провозгласил великий мейстер Пицель.

— Бедная печальная девочка, — вздохнул Варис. — Она только ребенок, милорды, и не понимает, о чем просит!

Санса глядела только на Джоффри. Он должен послушать меня, должен, подумала она. Король пошевелился.

— Пусть говорит, — приказал он. — Я хочу слышать, что она скажет.

— Благодарю вас, светлейший государь. — Санса улыбнулась застенчивой тайной улыбкой, предназначенной только для него одного. Он выслушает ее. Она знала, что так и будет.

— Злые плевелы предательства, — объявил торжественно Пицель, — должны быть вырваны с корнем, стеблем и семенем, чтобы новые предатели не поднялись по обе стороны дороги.

— Вы отрицаете преступление своего отца? — спросил лорд Бейлиш.

— Нет, милорды. — Санса понимала, что этого делать не стоит. — Я знаю, что он виноват и должен принять наказание. Я прошу только милосердия. Я знаю, мой лорд-отец будет сожалеть о содеянном. Он был другом короля Роберта и любил его, все вы знаете об этом. Он никогда не хотел быть его десницей, пока король не попросил его. Должно быть, его обманули. Лорд Ренли, или лорд Станнис, или... кто-нибудь еще. Его наверняка обманули, иначе...

Король Джоффри нагнулся вперед, руки его впились в подлокотники трона. Острия сломанных мечей торчали вперед между его пальцев.

— Он сказал, что я не король. Почему он это сделал?

— У него перебита нога, — с готовностью ответила Санса. — Она очень болит. Мейстер Пицель давал ему маковое молоко, а говорят, что маковое молоко туманит голову. Иначе он никогда бы не сказал такого!

— Детская вера... какая милая невинность... и все же мудрость нередко говорит устами младенцев, — сказал Варис.

— Предательство есть предательство, — немедленно возразил Пицель.

Джоффри беспокойно качнулся на троне.

— Мать?

Серсея Ланнистер задумчиво посмотрела на Сансу.

— Если лорд Эддард также признает свое преступление, — сказала она наконец, — мы поймем, что он раскаивается в своем безрассудстве.

Джоффри поднялся на ноги. «Пожалуйста, — подумала Санса, — пожалуйста, будь истинным королем, — я знаю, что ты такой, — добрым и благородным! Ну, пожалуйста!»

— Хотите ли вы еще что-нибудь сказать? — спросил он.

— Только... если вы любите меня, будьте ко мне добры, мой принц, — сказала Санса.

Король Джоффри оглядел ее сверху вниз.

— Ваши ласковые слова тронули меня, — проговорил он, галантно кивая, словно бы желая показать, что все будет хорошо. — Я выполню вашу просьбу. Но ваш отец должен признать свою вину. Он должен признать и объявить, что я — король, иначе ему не будет пощады!

— Он признается, — сказала Санса с восторгом. — Я знаю — он сделает это!

ЭДДАРД

Солома на полу воняла мочой. Окна не было, постели тоже, даже ведра. Он запомнил стены из бледного камня, стены, разукрашенные пятнами селитры, четырехфутовую щербатую серую дверь, окованную железом, он успел разглядеть это, когда его бросили в камеру. А потом дверь захлопнулась и Нед более ничего не видел. Темнота здесь была абсолютной. Он словно ослеп. Или умер, похороненный вместе с его королем.

— Ах, Роберт, — пробормотал Нед, ощупывая рукой холодный камень. Нога его пульсировала от каждого движения. Он вспомнил шутку, над которой они с королем посмеялись в подземелье Винтерфелла под холодным каменным взглядом Королей Зимы. «Король ест, — проговорил Роберт, — а десница подтирает задницу». Как он хохотал! Но все это звучит по-другому: когда король умирает, подумал Нед Старк, хоронят и десницу.

Темница под Красным замком, в таких глубинах, которых он просто не мог представить. Нед вспомнил старую повесть о Мейегоре Жестоком, казнившем всех каменщиков, трудившихся в замке, чтобы они никогда не открыли его секретов.

Он проклял их всех: Мизинца, Яноса Слинта вместе с его золотыми плащами, королеву, Цареубийцу, Пицеля, Вариса, сира Барристана, даже лорда Ренли, родного брата Роберта, убежавшего именно тогда, когда он более всего был ему нужен. И все же — в конце концов — он обратился к себе.

— Дурак, — кричал Нед во тьму, — и трижды дурак, проклятый слепец!

Лицо Серсеи Ланнистер словно парило перед ним во тьме. Волосы ее лучились солнечным светом, но улыбка была насмешливой.

— Тот, кто берется играть в престолы, или погибает, или побеждает, — прошептала она.

Нед вступил в игру и проиграл, а люди его заплатили за проявленное им безрассудство своей жизнью. Думая о дочерях, он охотно зарыдал бы, но слезы не шли. Он все равно оставался Старком из Винтерфелла, горе и ярость заледенели в глубине его души.

Когда он не шевелился, нога не так уж болела, поэтому Нед старался лежать неподвижно. Сколько минуло времени, сказать он не мог. Ни луна, ни солнце не заглядывали сюда, чтобы он мог отметить на стене дни. Открывал Нед глаза или нет, разницы не было. Он спал, просыпался и засыпал снова. Трудно сказать, что было мучительнее — спать или бодрствовать. Когда он засыпал, приходили сны — мрачные и тревожные, полные крови и вероломства. Ну а когда бодрствовал, то, не имея другого дела, покорялся думам, которые были еще хуже кошмаров. Воспоминания о Кет наполняли солому терновыми иглами. Интересно бы узнать, где она и что делает. Нед не надеялся, что еще раз увидит ее.

Часы превращались в дни, так по крайней мере ему казалось. Нед чувствовал тупую боль в раздробленной ноге, чесотку под гипсом. Прикасавшиеся к бедру пальцы ощущали горячую воспаленную плоть. Слыша лишь собственное дыхание, через некоторое время он начал говорить вслух, чтобы просто слышать хоть что-то еще. Надо было попытаться сохранить здравый рассудок, и Нед размышлял и мечтал. Конечно же, братья Роберта остались на свободе, они собрали войско на Драконьем Камне и Штормовом Пределе. Элин и Харвин возвратятся в Королевскую Гавань с остальными его гвардейцами, сразу, как только разделаются с сиром Григором. Узнав о случившемся с ним, Кейтилин поднимет Север, а лорды Реки и Долины присоединятся к ней. Нед понял, что все чаще и чаще вспоминает о Роберте. Покойный король вдруг предстал перед ним в цвете юности: высоким, красивым. В огромном рогатом шлеме на голове и с боевым молотом в руке, он на коне казался богом. Во тьме подземелья Нед услыхал его смех, увидел глаза — синие и чистые, как горные озера.

«Видишь, Нед, — сказал Роберт. — До чего мы дошли: ты попал в темницу, а я убит свиньей. А ведь мы вместе завоевали престол!»

«Я подвел тебя, Роберт», — подумал Нед. Он не мог произнести эти слова: «Я солгал тебе, скрыл от тебя правду, я позволил им убить тебя».

Король услыхал его.

«Жестоковыйный дурак, — пробормотал он. — Гордость мешает ему слушать. Насытит ли теперь тебя твоя гордость, Старк! А твоя драгоценная честь способна защитить твоих детей?»

Раскрываясь, трещины побежали по его лицу, разрывая плоть. Король протянул руку и сорвал маску. Перед Недом оказался вовсе не Роберт, а Мизинец — с насмешливой ухмылкой на лице. Он открыл рот, чтобы заговорить, и лживые слова его превратились в бледно-серых мотыльков.

Нед придремывал, когда послышались шаги в коридоре, и сперва он решил, что они снятся ему. Слишком уж давно он не слышал что-нибудь, кроме звука собственного голоса. Неда лихорадило, нога тупо ныла, губы высохли и растрескались. Тяжелая, окованная металлом дверь, скрипя, отворилась, и внезапный свет больно ударил в его глаза.

Тюремщик подал кувшин. Запотевшая глина приятно холодила руку. Нед взял сосуд руками и припал к нему. Струйки стекали по бороде, Нед остановился, только когда понял, что больше вместить не может или его вывернет наизнанку.

— Сколько прошло дней? — спросил он, оторвавшись от сосуда.

Тюремщик, ходячее пугало с крысиным лицом и редкой бороденкой, был облачен в кольчужную рубаху и короткий кожаный плащ с капюшоном.

— Никаких разговоров, — сказал он, отбирая кувшин.

— Пожалуйста, — проговорил Нед. — Мои дочери...

Дверь со стуком закрылась. Когда свет исчез, он заморгал, опустил голову на грудь и свернулся на соломе. Она более не пахла мочой и дерьмом. Теперь она не пахла совсем.

Нед не мог понять, спит он или бодрствует. Из тьмы выползали воспоминания — яркие, словно сон. Это было в год ложной весны; снова восемнадцатилетний, он приехал из Орлиного Гнезда на турнир в Харренхолле. Ему представилась сочная зелень травы, он вновь ощутил запах пыльцы, принесенной ветром. Теплые дни, прохладные ночи, сладкое вино. Нед вспомнил смех Брандона, отчаянную храбрость Роберта в общей схватке, хохот будущего короля, когда по обе стороны от него из седел вылетали люди. Вспомнился и Джейме Ланнистер, золотой юноша в чешуйчатой белой броне. Преклонив колено перед павильоном короля Эйериса, он приносил обет защищать и оборонять своего властелина. Потом сир Освел Уэнт помог Джейме подняться на ноги, и сам Белый Бык, лорд-командующий сир Герольд Хайтауэр, застегнул на его плечах снежно-белый плащ Королевской гвардии. Все шесть Белых Мечей собрались, чтобы приветствовать нового брата.

А потом начались поединки, и день принадлежал Рейегару Таргариену. На кронпринце был панцирь, в котором он встретит смерть: блестящая, черная пластинчатая броня с трехголовым драконом его дома, выложенным рубинами на груди. Плюмаж из алого шелка развевался над его головой, и ни одно копье не могло прикоснуться к нему. Ему уступили и Брандон, и Бронзовый Джон Ройс, и даже великолепный сир Эртур Дейн, Меч Зари.

Роберт обменивался шутками с Джоном и старым лордом Хантером, когда принц объезжал поле, выбив из седла сира Барристана в последней схватке за венец победителя. Нед запомнил мгновения, погасившие все улыбки, когда принц Рейегар Таргариен проехал мимо собственной жены,

Дорнийской принцессы Элии Мартелл, чтобы возложить венок королевы красоты на колени Лианны. Нед буквально видел этот венец из зимних роз, синих, словно иней.

Он протянул руку, чтобы прикоснуться к цветам, но под бледно-синими лепестками укрывались шипы. Острые и жестокие, они впились в его кожу, струйки крови неторопливо побежали между пальцев.

«Обещай мне, Нед», — прошептала сестра со своего кровавого ложа. Она любила запах зимних роз.

— Боги, спасите меня! — Нед заплакал. — Я схожу с ума.

Боги не удостоили его ответом!

Каждый раз, когда тюремщик приносил ему воду, Нед говорил себе, что прошел еще один день. Сперва он просил рассказать ему что-нибудь о его дочерях, о том, что происходит снаружи. Но пинки и ворчание были ему единственным ответом. Потом, когда заболел желудок, он стал просить еды. Но напрасно: его не кормили. Быть может, Ланнистеры решили заморить его голодом?

— Нет, — сказал он себе. Если бы Серсея хотела его смерти, его могли бы убить в тронном зале. Королеве нужно было, чтобы он жил: в слабости и отчаянии, но жил. Кейтилин захватила брата Серсеи, и королева не смела убить его, не поставив жизнь Беса под угрозу.

Снаружи камеры раздалось громыхание железных цепей. Дверь, заскрипев, отворилась, и, опершись рукой на влажную стену, Нед заставил себя повернуться лицом к свету. Свет факела заставил его сощуриться.

— Еды, — проскрежетал он.

— Вина, — ответил голос. Это был не крысеныш; новый тюремщик казался крепче и ниже, хотя на нем был тот же короткий кожаный плащ и шипастый стальной шлем. — Пейте, лорд Эддард. — Он сунул бурдюк в руки Неда.

Голос показался странно знакомым, однако Нед Старк не сразу узнал его.

— Варис, — сказал он и словно в тумане прикоснулся к лицу пришедшего. — А вы... не снитесь мне? Вы и в самом деле здесь? — Пухлые щеки евнуха покрывала короткая темная щетина, уколовшая пальцы Неда. Варис преобразился в грязного тюремщика, от него пахло пóтом и кислым вином. — Как вы сумели... ну какой же вы волшебник!

— Утоляющий жажду, — сказал Варис. — Пейте, милорд.

Руки Неда приняли мех.

— С тем самым ядом, который дали Роберту?

— Вы несправедливы ко мне, — печально сказал Варис. — Воистину никто не любит евнухов. Дайте бурдюк.

Он отпил, красная струйка побежала от уголка пухлого рта.

— Не столь хорошее, как то вино, которым вы угощали меня в ночь турнира, но без всякой отравы. Пейте, — заключил он, вытирая губы.

Нед попытался глотнуть.

— Помои. — Ему показалось, что желудок его вот-вот извергнет вино.

— Всем людям положено заедать сладкое кислым. И занятым лордам, и евнухам. Ваш час пришел, милорд.

— Мои дочери...

— Младшая девочка бежала от сира Меррина и скрылась, — сказал Варис. — Я не сумел отыскать ее. Ланнистеры тоже. Это хорошо. Наш новый король ее не любит. Ваша старшая дочь все еще обручена с Джоффри, Серсея держит ее при себе. Несколько дней назад она явилась ко двору и попросила о том, чтобы вас пощадили. Жаль, что вас там не было, вы были бы растроганы. — Варис наклонился вперед. — Надеюсь, вы понимаете, что можете считать себя покойником, лорд Эддард?

— Королева не станет убивать меня, — сказал Нед. Голова его поплыла. Вино оказалось крепким, а он слишком давно не ел... — Кет... Кет захватила ее брата...

— Увы, не того брата, — вздохнул Варис. — Потом, она не сумела им воспользоваться. Она позволила Бесу выскользнуть из ее рук. Думаю, что он уже погиб где-то в Лунных горах.

— Если это правда, режьте мне глотку, и довольно. — Голова Неда кружилась от вина, он ощущал усталость и тоску.

— Ваша кровь мне нужна в самую последнюю очередь.

Нед нахмурился:

— Когда гибли мои гвардейцы, вы стояли возле королевы и наблюдали за происходящим, не проговорив ни слова.

— И не скажу впредь. Как мне кажется, тогда я был без оружия и панциря — в окружении отряда Ланнистеров. — Евнух с любопытством нагнул голову. — Когда я был мальчишкой — до того, как меня обрезали, — мне довелось поездить с труппой кукольников из Вольных Городов. Актеры научили меня тому, что у каждого человека есть своя роль — в жизни, в спектакле... и при дворе. Королевский палач должен быть страшным, мастер над монетой — скупым, лорд-командующий гвардией — доблестным... а мастер над шептунами — лукавым, подобострастным и бессовестным. Доблестный доносчик столь же бесполезен, как трусливый рыцарь. — Взяв у Неда бурдюк, Варис отпил вина.

Нед поглядел на лицо евнуха, пытаясь угадать истину под шрамами кукольника и фальшивой щетиной. И решил еще выпить вина, на этот раз оно прошло легче.

— Можете ли вы освободить меня из этой ямы?

— Я мог бы... но зачем? Нет, начнут задавать вопросы, а ответы приведут ко мне.

Нед не ожидал другого.

— Вы откровенны.

— У евнуха нет чести, щепетильность — роскошь, недоступная пауку, милорд.

— Согласитесь ли вы хотя бы вынести записку?

— Это будет зависеть от ее содержания. Если вы хотите, я охотно предоставлю вам перо и бумагу, но когда вы напишете свое послание, я прочту его — а уж доставлю или нет, будет зависеть от его соответствия моим собственным целям.

— Вашим собственным целям... и каковы же они, лорд Варис?

— Мир, — ответил Варис без малейших колебаний. — Если в Королевской Гавани была хоть одна душа, которая отчаянно стремилась сохранить жизнь Роберту Баратеону, так это я. — Он вздохнул. — Пятнадцать лет я защищал короля от врагов, но не сумел защитить от друзей. Кстати, какой странный припадок безумия заставил вас сообщить королеве, что вы узнали правду о происхождении Джоффри?

— Безумство милосердия, — признал Нед.

— Так, — проговорил Варис. — Можно было не сомневаться. Вы честный и почтенный человек, лорд Эддард. Иногда я забываю об этом. Слишком уж редко мне встречались люди, подобные вам. — Он оглядел камеру. — И когда я вижу, что принесли вам доблесть и честь, то понимаю причину.

Нед Старк припал головой к влажному камню и закрыл глаза. Левая нога его пульсировала.

— Насчет королевского вина... Вы допросили Ланселя?

— Конечно. Серсея сама дала ему бурдюки и сказала, что это любимое вино Роберта. — Евнух пожал плечами. — Охотнику грозит много опасностей. Если бы кабан не расправился с Робертом, король упал бы с коня, или его укусила бы лесная гадюка, или поразила случайная стрела... лес — это бойня богов. Короля убило не вино... а ваше милосердие.

Нед опасался именно этого.

— Боги простят меня!

— Если боги существуют, — проговорил Варис, — а я в этом не сомневаюсь. Королева в любом случае не стала бы долго ждать. Роберт начал выходить из-под ее контроля, и ей нужно было избавиться от него, чтобы освободить себе руки и разделаться с братьями короля. Вот эта парочка — Станнис и Ренли. Кольчужная и шелковая перчатки. — Он утер рот тыльной стороной ладони. — Вы проявили глупость, милорд. Вам нужно было послушаться Мизинца, когда он просил вас поддержать претензии Джоффри на престол.

— Но как... как вы могли узнать об этом?

Варис улыбнулся:

— Я знаю это, — а откуда, вам знать не надо. Кроме того, я знаю, что сегодня утром королева нанесет вам визит.

Нед медленно поднял глаза:

— Почему?

— Серсея боится вас, милорд... однако у нее есть и другие враги, которых она боится еще больше. Ее возлюбленный Джейме сейчас сражается с речными лордами. Лиза Аррен засела в Орлином Гнезде, окруженная камнем и сталью... и симпатии к королеве она не испытывает. В Дорне Мартеллы не простили Ланнистерам убийство принцессы Элии с ее детьми. А теперь еще ваш сын идет от Перешейка во главе северной рати.

— Но Робб почти мальчишка, — удивился Нед.

— Мальчишка, но во главе войска, — сказал Варис. — Бесспорно, он еще мальчишка, как вы сами сказали. А поэтому Серсея не спит по ночам из-за братьев короля... в особенности из-за лорда Станниса. Его-то притязания подлинны. Станнис — знаменитый и доблестный полководец; к тому же он полностью лишен милосердия. Нет на земле существа более жуткого, чем истинно справедливый человек. Никто не знает, чем занимался лорд Станнис на Драконьем Камне, однако клянусь, он уже собрал больше мечей, чем ракушек на берегу. Вот что мучит Серсею: пока брат ее и отец расходуют свои силы на сражение со Старком и Талли, лорд Станнис высаживается, объявляет себя королем и сворачивает кудрявую головенку ее сыну, а заодно и ей самой. Хотя я действительно верю, что голова сына ей дороже.

— Станнис Баратеон — подлинный наследник Роберта, — сказал Нед. — По праву престол принадлежит именно ему, и я готов приветствовать его восхождение.

Варис цыкнул зубом.

— Серсея не станет вас слушать, уверяю вас. Станнис, возможно, завоюет престол, однако приветствовать его будет лишь ваша отрубленная голова, если вы не сумеете обуздать свой язык. Санса была так трогательна; стыдитесь зачеркнуть ее труды. Вам даруют жизнь — если вы хотите принять ее. Серсея не дура. Она знает, что ручной волк полезнее мертвого.

— Вы хотите, чтобы я стал служить женщине, которая убила моего короля, погубила моих друзей, искалечила моего сына? — В голосе Неда слышалось явное недоверие.

— Я хочу, чтобы вы служили стране, — ответил Варис. — Скажите королеве, что вы признаете свою вину, прикажите сыну сложить оружие и признайте Джоффри истинным наследником. Предложите ей объявить Станниса и Ренли бесчестными узурпаторами. Наша зеленоглазая львица знает, что вы — человек чести. И если вы предоставите ей мир, в котором она нуждается, дадите время расправиться со Станнисом и пообещаете унести тайну в могилу, полагаю, королева позволит вам уйти в Черные Братья и провести остаток своих дней на Стене — рядом с братом и вашим незаконнорожденным сыном.

Мысль о Джоне наполнила Неда стыдом и печалью, слишком глубокой для слов. Если бы только увидеть мальчика снова, сесть рядом, поговорить. Боль пронзила сломанную ногу под грязно-серым гипсом лубков. Нед вздрогнул, бессильно разжав и снова сжав пальцы.

— Это ваш собственный план, — выдохнул он, — или вы в союзе с Мизинцем?

Евнух явно удивился.

— Скорее я подружусь с Черным Козлом Квохора. Мизинца можно назвать вторым по изобретательности среди всего народа Семи Королевств. О да, я скармливал ему избранные слухи — в достаточном количестве для того, чтобы он мог поверить, что я в его руках... Аналогичным образом я позволяю Серсее считать, что я поддерживаю ее.

— Так же, как позволяете мне верить в ваше сочувствие. Скажите же, лорд Варис, кому вы действительно служите?

Варис отвечал тонкой улыбкой:

— Конечно же, стране, мой добрый лорд, как вы могли в этом усомниться? Клянусь в этом своим потерянным мужским естеством. Я служу государству, а королевство нуждается в мире. — Прикончив вино, он отбросил пустой мех в сторону. — Итак, жду ответа? Дайте мне слово, что скажете королеве именно то, что она хочет услышать, придя сюда!

— Если я сделаю это, слово мое сделается столь же пустым, как снятый с плеч доспех. Жизнь не настолько уж дорога мне.

— Жаль. — Евнух встал. — А как насчет жизни вашей дочери, милорд? Цените ли вы ее?

Мороз пронзил сердце Неда.

— Моей дочери...

— Конечно же, вы не думали, что я могу забыть о вашей милой невинной девочке, милорд. Королева, безусловно, не забыла о ней.

— Нет, — попросил Нед надтреснутым голосом. — Варис, боги да будут к вам милосердны, делайте со мной что угодно, только не вовлекайте мою дочь в свои планы. Санса еще только ребенок!

— Рейенис тоже была ребенком. Дочь принца Рейегара. Милая малышка, она была тогда младше ваших девочек. Помнится, у нее был черный котенок, которого она звала Балерионом. Вы не видели его? Меня всегда интересовала его судьба. Рейенис любила играть с ним. Представляла, что он и есть истинный Балерион, Черный Ужас старинных времен, однако Ланнистеры быстро растолковали девочке разницу между котенком и драконом, вломившись в ее опочивальню.

Варис протяжно вздохнул с усталостью человека, принявшего весь груз скорбей мира на свои плечи.

— Верховный септон некогда говорил мне, что тот, кто грешит, должен и страдать. Если он прав... лорд Эддард, скажите мне тогда, почему, когда вы, знатные лорды, играете в престолы, больше всех страдают невинные? Ожидая королеву, поразмышляйте-ка над этой мыслью, если хотите. И подумайте еще кое над чем: следующий гость может принести вам хлеб, сыр и маковое молоко, чтобы ослабить боль... или положить перед вами голову Сансы. Выбор, мой дорогой лорд-десница, полностью в ваших руках.

КЕЙТИЛИН

Войско тянулось по гатям через черные болотины Перешейка, вытекало из них на широкие равнины Приречья, но Кейтилин одолевали предчувствия. Страхи свои она скрывала за внешним спокойствием и строгостью, однако они не оставляли ее и лишь возрастали с каждой новой пройденной лигой. Дни ее проходили в тревогах, ночь не приносила покоя, и каждый появившийся в небе ворон заставлял ее вздрагивать.

Кейтилин боялась за своего лорда-отца и удивлялась его зловещему молчанию. Она боялась за брата, боялась и молилась, чтобы боги помогли ему, если Эдмару придется на поле брани встретиться лицом к лицу с Цареубийцей. Она боялась за Неда и за девочек, за милых сыновей, которых оставила в Винтерфелле. Однако она ничем не могла помочь им, а поэтому заставляла себя гнать прочь все мысли о них. «Ты должна отдать все свои силы одному Роббу, — сказала она себе. — Только ему ты можешь помочь. Кейтилин Талли, ты должна быть жестокой и суровой, как север. Ты должна стать истинным Старком, как и твой сын!»

Робб ехал во главе колонны под плещущим белым знаменем Винтерфелла; каждый день он просил одного из своих лордов разделить его общество, чтобы переговорить с ним на марше; по очереди он выказывал внимание каждому, не заводя любимцев, подобно его лорду-отцу, выслушивая и взвешивая слова каждого. «Ты многому научился у Неда, — думала Кейтилин, глядя на сына. — Но хватит ли тебе этих знаний?»

Черная Рыба отобрал сотню людей и самых быстрых коней и ехал впереди, открывая движение и разведывая дорогу. Вести, доставляемые всадниками сира Бриндена, не многим могли ободрить Кейтилин. Войско лорда Тайвина еще находилось на юге — во многих днях пути, однако Уолдер Фрей, лорд Переправы, собрал почти четыре тысячи людей в своих замках на Зеленом Зубце.

— Опять опоздал, — пробормотала Кейтилин, услыхав об этом. Снова, как у Трезубца. Проклятый старик! Брат ее Эдмар созвал знамена, и лорд Фрей обязан был присоединиться к войску Талли при Риверране, но он остался дома.

— Четыре тысячи людей, — повторил Робб, скорее озадаченный, чем разгневанный. — У лорда Фрея не хватит сил, чтобы в одиночку противостоять Ланнистерам. Конечно, он намеревается соединиться с нами.

— В самом деле? — Кейтилин выехала вперед, пристроившись к Роббу и Роберту Гловеру, его сегодняшнему спутнику. Авангард растянулся позади них, неторопливый лес пик, знамен и копий. — Хотелось бы знать. Лучше не ожидать от Уолдера Фрея ничего, тогда не будет оснований для удивления.

— Он — знаменосец твоего отца.

— Люди по-разному относятся к своим клятвам, Робб, а лорд Уолдер всегда обнаруживал больше приязни к Бобровому утесу, чем нравилось моему отцу. Один из его сыновей женат на сестре Тайвина Ланнистера. Правда, сам по себе этот факт недорого стоит; при том множестве детей, которых он породил за свою долгую жизнь, всякий из них должен иметь супруга. И все же...

— Значит, вы, миледи, считаете, что он изменит нам, встав на сторону Ланнистеров? — серьезно спросил Роберт Гловер.

Кейтилин вздохнула:

— Откровенно говоря, я сомневаюсь в том, что самому лорду Фрею сейчас известно, что именно собирается предпринять лорд Фрей. Осторожность старца в его натуре сосуществует с честолюбием молодого человека, да и хитрости ему не занимать.

— Как нужны Близнецы, мать, — с жаром сказал Робб. — Другого пути через реку нет. Ты знаешь это.

— Да. А еще это знает Уолдер Фрей, можешь не сомневаться.

В ту ночь они остановились лагерем на южном краю болот, на половине пути между Королевским трактом и рекой. Здесь Теон Грейджой доставил им новую весть от ее дяди.

— Сир Бринден велел передать вам, что его всадники скрестили мечи с отрядом Ланнистеров. Их была дюжина, и ни один не предстанет с вестью перед лордом Тайвином — ни сейчас, ни потом. — Он ухмыльнулся. — Их разведчиками командует сир Аддам Марбранд, и он отступает назад, сжигая все на пути. Он примерно представляет, где мы находимся, но Черная Рыба клянется, что он не узнает, когда мы разделимся.

— Если только лорд Фрей не расскажет ему, — резко бросила Кейтилин. — Теон, когда ты вернешься к моему дяде, передай ему, что он должен расставить лучших лучников вокруг Близнецов, чтобы они днем и ночью сбивали любого ворона, который взлетит со стен. Я не хочу, чтобы птицы принесли лорду Тайвину весть о движении войска моего сына.

— Сир Бринден уже позаботился об этом, миледи, — ответил Теон с задиристой улыбкой. — Вот собьем еще нескольких черных птах, и можно будет испечь хороший пирог. А перья их я соберу вам для шляпки.

Следовало бы помнить, что Бринден Черная Рыба видит не хуже ее.

— А что делают Фреи, пока Ланнистеры сжигают их поля и грабят остроги?

— Произошло несколько стычек между людьми сира Аддама и лорда Уолдера, — доложил Теон. — Почти в дне езды отсюда мы обнаружили двух ланнистерских лазутчиков, повешенных Фреем. Основные силы лорда Уолдера стоят у Близнецов.

Поступок этот, вне сомнения, нес на себе печать лорда Фрея, с горечью подумала Кейтилин; засесть, дождаться, понаблюдать и не рисковать, пока не заставят.

— Если он оказал сопротивление Ланнистерам, то, быть может, захочет выполнить свой обет.

Кейтилин не ощущала особой надежды.

— Защищать свою землю — дело одно, открыто выступить против лорда Тайвина — совсем другое.

Робб повернулся к Теону Грейджою:

— А Черная Рыба не сумел отыскать другую переправу через Зеленый Зубец?

Теон качнул головой:

— Река глубока и быстра. Сир Бринден утверждает, что здесь, на севере, бродов через нее нет.

Робб повернулся назад к Теону и гневно выкрикнул:

— Я должен переправиться! Наши кони переплывут реку, но только без латников. Можно было бы соорудить плоты, чтобы переправить на них все железо — шлемы, кольчуги и пики, но для этого у нас нет деревьев. И времени. Лорд Тайвин идет маршем на север... — Он сжал руку в кулак.

— Лорд Фрей проявит глупость, если решит преградить нам путь, — проговорил Теон Грейджой с обычной уверенностью. — Наше войско в пять раз больше. Мы можем взять Близнецы, если понадобится, Робб.

— Дело нелегкое, — предупредила их Кейтилин. — И несвоевременное. Пока вы будете брать замок, Тайвин Ланнистер приведет свое войско и раздавит вас с тыла.

Робб поглядел на Грейджоя в поисках ответа, но не нашел его. На мгновение он показался Кейтилин даже моложе своих пятнадцати лет, невзирая на кольчугу и заросшие щеки.

— А как поступил бы в подобном случае мой лорд-отец? — спросил он.

— Нед нашел бы способ перебраться, — ответила Кейтилин. — Во что бы то ни стало!

На следующий день к ним приехал сам сир Бринден Талли. Тяжелый панцирь и шлем, положенные Рыцарю Ворот, он сменил на легкую кожаную куртку и кольчугу разведчика, однако плащ по-прежнему был перехвачен обсидиановой рыбой.

Спрыгнув с коня, дядя посмотрел на Кейтилин серьезным взглядом.

— Под стенами Риверрана состоялась битва, — сказал сир Бринден сурово. — Мы узнали об этом от взятых нами лазутчиков. Цареубийца разгромил войско Эдмара, лорды Трезубца с боем отступили.

Холодная рука стиснула сердце Кейтилин.

— А брат мой?

— Раненым взят в плен, — сказал сир Бринден. — Лорд Блэквуд и все, кто уцелел, осаждены в Риверране войском Джейме.

Робб явно был недоволен.

— Мы обязаны перебраться через эту проклятую реку, если надеемся успеть в Риверран вовремя.

— Сделать это будет нелегко, — проговорил сир Бринден. — Лорд Фрей отвел все свое войско за стены, ворота его закрыты и заперты.

— Проклятый! — выругался Робб. — Если старый дурак не передумает и будет препятствовать нашей переправе, придется идти на приступ. И тогда уж я прикажу похоронить его под руинами. Посмотрим, как ему это понравится.

— Ты говоришь голосом обиженного мальчишки, Робб, — резко бросила Кейтилин. — Когда ребенок видит препятствие, первым делом он стремится обежать вокруг или сломать его. Лорд должен знать, что иногда слова способны достичь того, что не под силу мечам.

Робб покраснел, смутившись.

— Объясни мне, что ты имеешь в виду, мать, — проговорил он кротко.

— Фреи удерживают Переправу шесть сотен лет и ни разу не ошиблись в достижении собственной цели.

— Какой цели? Чего он хочет?

Она улыбнулась:

— А это мы еще должны выяснить.

— Ну а если я не сочту возможным заплатить его цену?

— Тогда тебе лучше возвратиться назад ко рву Кейлин и ожидать там лорда Тайвина... иначе придется отрастить крылья. Других способов я не вижу. — Кейтилин ударила пятками коня и отъехала, оставив сына обдумывать ее слова. Так ему не покажется, что мать пытается занять его место. «Научил ли ты его мудрости, Нед... или одной только доблести? — подумала она. — Научил ли ты его кланяться? Кладбища Семи Королевств полны отважных людей, так и не сумевших одолеть этот урок».

Авангард заметил башни Близнецов, где издавна сидели лорды Переправы, уже около полудня.

Течение Зеленого Зубца было здесь и быстрым и глубоким, но Фреи много веков назад перекинули мост через реку, разбогатев на монете, которую им платили за переправу. Массивный пролет из гладкого серого камня был достаточно широк, чтобы по нему могли проехать в ряд два фургона. В середине моста поднималась Водяная башня, преграждая реку и дорогу своими бойницами и решетками. Мост строили три поколения Фреев. И закончив, воздвигли прочные деревянные укрепления на каждом берегу так, чтобы никто не мог пересечь реку без их разрешения.

Дерево давно уступило место камню. Близнецы — два приземистых, уродливых, но крепких замка, схожих буквально во всем, не один век охраняли въезд на изгибающийся между ними мост. Высокие стены, глубокие рвы, решетки; прочные створки из железа и дуба защищали ворота под висячими башнями. Водяная башня перекрывала саму переправу.

Одного взгляда было достаточно, чтобы Кейтилин поняла: замок этот штурмом не взять. Стены щетинились копьями и мечами наверху, гнули скорпионьи хвосты катапульт, лучники стояли у всех амбразур и зубцов, подъемный мост поднят, решетки опущены, ворота и закрыты и заперты.

Большой Джон начал ругаться и проклинать все на свете, едва увидев это зрелище. Рикард Карстарк угрюмо молчал.

— Замок неприступен, милорды, — объявил Русе Болтон.

— По крайней мере мы не сумеем взять его штурмом и переправить войско на другой берег, чтобы осадить второй замок, — буркнул Хелман Толхарт. Двойник замка, высившийся за глубокими зелеными водами, казался отражением своего восточного брата. — Даже если бы у нас было время — а его у нас нет.

Пока северяне изучали замок, в воротах открылась калитка, дощатый мост лег на ров и дюжина рыцарей выехала навстречу; возглавляли отряд четверо из многочисленных сыновей лорда Уолдера. Их серебристое знамя украшали двойные темно-синие башни. Слово от Фреев, сказал сир Стеврон, наследник лорда Уолдера. Все Фреи напоминали хорьков, и сир Стеврон, при своих шестидесяти годах успевший обзавестись внуками, казался особенно старым и усталым хорьком, однако же держался с достаточной вежливостью.

— Мой лорд-отец отправил меня приветствовать вас и осведомиться о том, кто ведет это могучее войско.

— Я. — Робб послал коня вперед. Он был в панцире, но украшенный лютоволком щит Винтерфелла оставался привязан к седлу. Серый Ветер последовал за своим хозяином.

Старый рыцарь поглядел на сына Кейтилин с легким удивлением в водянистых серых глазах, хотя мерин его попятился от лютоволка.

— Мой лорд-отец будет польщен, если вы разделите с ним мед и мясо в нашем замке, а заодно объясните цель вашего появления у его стен.

Слова эти рухнули на лордов-знаменосцев как огромный камень, пущенный с катапульты. Согласных не было. Они ругались, спорили и кричали друг на друга.

— Вы не должны делать этого, милорд, — обратился Галбарт Гловер к Роббу. — Лорду Уолдеру нельзя доверять.

Русе Болтон кивнул:

— Только войди к нему в одиночку — и конец! Он продаст вас Ланнистерам, бросит в тюрьму, перережет глотку — если захочет.

— Если он хочет разговаривать с нами, пусть откроет ворота, и мы все охотно разделим с ним его мясо и мед, — объявил сир Уэндел Мандерли.

— Или же пусть выедет сюда и переговорит с Роббом, так чтобы видели и мы, и его люди, — предложил его брат, сир Уилис.

Кейтилин Старк полностью разделяла все их сомнения, но, судя по лицу сира Стеврона, ход разговора абсолютно не удовлетворял его. Еще несколько слов, и мгновение будет безвозвратно утеряно. Надо действовать — быстро и решительно.

— Я поеду, — громко проговорила она.

— Вы, миледи? — Большой Джон нахмурил чело.

— Мать, ты уверена? — Робб явно сомневался.

— Конечно же, — непринужденно солгала Кейтилин. — Лорд Уолдер — знаменосец моего отца; я знаю его с детства. Он никогда не причинит мне вреда. — Если не увидит, что это ему выгодно, добавила она про себя. Впрочем, правду не всегда нужно произносить, а ложь нередко бывает необходимой.

— Я уверен, что мой лорд-отец будет рад беседе с леди Кейтилин, — проговорил сир Стеврон. — В доказательство наших добрых намерений мой брат, сир Первин, останется здесь, пока она благополучно не возвратится к вам.

— Он будет нашим почетным гостем, — заверил Робб.

Сир Первин, самый младший из четверых Фреев, спешился и передал брату поводья своего коня.

— Ставлю условие, чтобы моя леди-мать возвратилась к вечеру, — продолжил Робб. — Я не намереваюсь долго задерживаться здесь.

Сир Стеврон вежливо кивнул:

— Как вам угодно, милорд.

Кейтилин, не оглядываясь, послала коня вперед и не стала прощаться. Сыновья лорда Уолдера и свита последовали за ней.

Отец ее некогда говаривал, что во всех Семи Королевствах лишь один Уолдер Фрей способен отрядить на войну войско из своих собственных отпрысков. Лорд Переправы приветствовал Кейтилин в огромном зале Восточного замка в окружении двадцати сыновей (сир Первин был двадцать первым по счету), тридцати шести внуков, девятнадцати правнуков и несчетного количества дочерей, внучек, бастардов и прабастардов, и только тут она по-настоящему поняла слова отца.

Девяностолетний лорд Уолдер напоминал морщинистую розовую куницу с покрывшейся пятнами лысиной; подагра мешала ему стоять. Самая последняя жена его, хрупкая бледная девушка лет семнадцати, стояла возле его носилок, среди жен она была восьмой по счету.

— Весьма рада видеть вас после столь долгих лет, милорд, — проговорила Кейтилин.

Старик подозрительно прищурился.

— В самом деле? Сомневаюсь. Избавьте меня от любезностей, леди Кейтилин, я слишком стар для них. Для чего вы здесь? Или ваш мальчишка слишком горд, чтобы прийти ко мне? Что я должен делать с вами?

Кейтилин в последний раз была в Близнецах еще девочкой, но уже тогда лорд Уолдер, раздражительный и острый на язык, показался ей человеком, не признающим вежливости. С возрастом он, похоже, сделался только хуже. Итак, придется тщательно выбирать слова и не обижаться на его колкости.

— Отец, — сказал сир Стеврон с укоризной, — ты забываешь, что леди Старк прибыла сюда по твоему приглашению.

— Разве я спрашивал тебя? Ты станешь лордом Фреем лишь после моей смерти. А я как будто бы не похож на покойника. Твои наставления мне не нужны!

— Не надо так говорить перед нашей благородной гостьей, отец, — заметил один из его младших сыновей.

— Ну теперь и мои бастарды начнут учить меня вежливости, — пожаловался лорд Уолдер. — Я буду говорить так, как хочу, проклятые! Я принимал троих королей и столько же королев, и ты, Ригер, считаешь, что я нуждаюсь в твоих наставлениях? Твоя мать доила коз, когда я наделил ее своим семенем. — Он отмахнулся от побагровевшего юнца движением пальцев и махнул двум другим сыновьям. — Денвел, Велеп, помогите мне перейти в кресло.

Они перенесли лорда Уолдера из носилок к высокому престолу Фреев; высокая спинка, вырезанная из черного дерева, изображала две башни, связанные мостом. Его молодая жена застенчиво поднялась наверх и прикрыла ноги старика пледом. Усевшись, лорд Фрей поманил Кейтилин к себе и прикоснулся бумажными губами к ее руке.

— Вот, — объявил он. — Теперь я соблюл все любезности, миледи, и мои сыновья, возможно, окажут мне честь, закрыв свои рты. Зачем вы здесь?

— Чтобы попросить вас открыть ворота, милорд, — вежливо ответила Кейтилин. — Мой сын и его лорды-знаменосцы стремятся пересечь реку и продолжить свой путь.

— К Риверрану? — Фрей фыркнул. — Только не надо обманывать меня — не надо. Я еще не ослеп. Этот старик еще способен читать карту!

— К Риверрану, — подтвердила Кейтилин. Бессмысленно отрицать это. — Возле которого я рассчитывала увидеть вас, милорд. Вы как будто все еще считаетесь знаменосцем моего отца, правда?

— Хо, — начал лорд Уолдер, не то усмехнувшись, не то кашлянув. — Я созвал свои мечи, правильно; все мои люди здесь, и вы видели их на стенах. Я намеревался выступить сразу, как только соберу все свои силы. Ну конечно, послать сыновей. Я уже не способен к походам, леди Кейтилин. — Подыскивая доказательство, он огляделся вокруг и указал на высокого согбенного человека лет пятидесяти. — Скажи ей, Джяред. Скажи, что я действительно намеревался так поступить.

— Да, миледи, — подтвердил сир Джяред Фрей, один из сыновей второй жены старика. — Честью своей свидетельствую.

— И в чем я виноват, если ваш глупый брат проиграл битву раньше, чем мы успели выступить? — Хмурясь, лорд Фрей откинулся на подушки, словно бы Кейтилин оспаривала его версию. — Мне сказали, что Цареубийца разрубил его войско, как спелый сыр топором. Зачем теперь отправлять моих мальчиков на юг — на верную смерть? Все, кто пошел к Риверрану, теперь бегут на север.

Кейтилин охотно насадила бы говорливого старца на вертел и поджарила его над огнем, однако нужно было еще до вечера уговорить его открыть мост. А посему она спокойно ответила:

— Тем больше у нас причин поскорее добраться до Риверрана. Где мы можем переговорить, милорд?

— Но мы уже разговариваем, — удивился лорд Фрей. Пятнистая розовая голова огляделась вокруг. — Что вы тут увидели? — закричал он на свою родню. — Все убирайтесь. Леди Старк хочет переговорить со мной с глазу на глаз. Возможно, она рассчитывает покуситься на мою добродетель, ха. Ступайте, займитесь полезным делом. Да, и ты, женщина. Все, все, все — вон!

Когда его сыновья, внуки, дочери, бастарды, племянники и племянницы потекли из зала, лорд Фрей пригнулся поближе к Кейтилин и пожаловался:

— Все они ждут только моей смерти. Стеврон ждет дольше всех, но я уже сорок лет разочаровываю его. А зачем мне умирать только для того, чтобы он стал лордом? Я спрашиваю вас! Я не хочу этого делать...

— Я надеюсь, что вы встретите столетний юбилей.

— Ну, тогда они будут кипеть, не сомневайтесь. Итак, что вы хотите сказать?

— Мы хотим пересечь реку, — проговорила Кейтилин.

— В самом деле? Откровенное признание. А почему я должен вас пропустить?

На мгновение она поддалась гневу:

— Если бы у вас, лорд Фрей, хватило сил, чтобы подняться на собственные стены, вы бы увидели, что мой сын стоит у ваших ворот во главе двадцатитысячной рати.

— К приходу лорда Тайвина от нее останутся двадцать тысяч трупов, — ответил выпадом старик. — Не пытайтесь испугать меня, миледи. Ваш муж брошен в гнилое подземелье под Красным замком, отец ваш болен, быть может, умирает. Джейме Ланнистер надел цепи на вашего брата. Кого мне бояться? Вашего сына? Ставлю против ваших детей сына на сына, и у меня останется восемнадцать, когда все ваши погибнут.

— Вы дали присягу моему отцу, — напомнила ему Кейтилин.

Фрей с улыбкой покачал головой из стороны в сторону:

— О да, я говорил какие-то слова, но я присягал и короне, как мне кажется. Теперь правит Джоффри, а посему и вы, и ваш мальчишка, и все дураки, явившиеся ко мне, являются обычными мятежниками. Даже если бы я обладал только рассудком, которым боги наделили рыбу, мне следовало бы помочь Ланнистерам свалить вас всех.

— Почему вы этого не делаете? — спросила она.

Лорд Уолдер фыркнул с пренебрежением:

— Лорд Тайвин, великолепный и пышный, Хранитель Запада, десница короля и все такое... Великий муж, золото здесь и золото там, и львы повсюду! Но, уверяю вас, когда он переест бобов, то пускает ветер, как и я сам, однако ни за что не признается в этом. О нет! Потом, почему он так надувается? У него всего два сына, и один из них уродливый карлик. Я выставлю против него сына за сына, и у меня останется девятнадцать с половиной, когда все они погибнут! — Он кашлянул. — Если бы лорд Тайвин хотел моей помощи, то вполне мог бы и попросить ее...

Именно на это рассчитывала Кейтилин.

— Тогда я прошу вашей помощи, милорд, — проговорила она смиренно. — И мой отец, и мой брат, и мой лорд-муж, и мои сыновья просят моим голосом!

Лорд Уолдер ткнул в ее сторону костлявыми пальцами.

— Приберегите ваши ласковые речи, миледи. Их мне говорит жена. Видели ее? Ей шестнадцать, маленький цветочек, и мед ее предназначен лишь для меня. Клянусь, на будущий год, примерно в эту пору, она подарит мне сына. Возможно, я назову наследником именно его, чтобы позлить всех остальных.

— Не сомневаюсь в том, что ваша жена подарит вам еще множество сыновей.

Голова старика закивала вверх и вниз.

— А ваш лорд-отец не явился на мою свадьбу. На мой взгляд, это оскорбление. Даже если он умирает. Не был он и на моей предыдущей свадьбе. А вы знаете, что лорд Хостер зовет меня покойным лордом Фреем? Или он уже считает меня покойником? А я еще переживу и его, как пережил его собственного отца. Ваша семья всегда хотела ссать на меня... не надо отрицать, не лгите, вы знаете, что это так! Много лет назад я послал к вашему отцу и предложил заключить брак между его сыном и моей дочерью. Почему бы и нет? Я наметил одну дочь, милая девочка, лишь на несколько лет старше Эдмара, но если бы у вашего брата не лежало к ней сердце, у меня нашлись бы другие, молодые, старые, девственницы, вдовы — словом, все что угодно! Так нет, лорд Хостер даже не захотел слышать об этом. О, он ответил мне ласковыми словами, принес извинения, но я-то хотел сбыть с рук девицу!

А ваша сестра, та еще хуже. Это произошло год назад, не более. Джон Аррен тогда был еще королевской десницей. Я отправился в город, чтобы посмотреть, как мои сыновья выступят на турнире. Стеврон и Джяред слишком стары для этого, но Денвел и Хостин выехали, Первин тоже; двое моих бастардов записались в общую схватку. Если бы я только знал, как они опозорят меня, то не стал бы предпринимать такое далекое путешествие. Зачем мне таскаться за тридевять земель, чтобы увидеть, как этот щенок Тирелл выбил из седла моего Хостина! Мальчишка-то вполовину младше его. Его там кличут сир Маргаритка... что-то в этом роде. А Денвела выставил засечный рыцарь! На несколько дней я даже усомнился в том, что они действительно мои дети. Третья моя жена была родом из Кракехолла, а все их женщины — шлюхи. Впрочем, вас это не должно интересовать, она умерла еще до вашего рождения.

Ах да, я говорил о вашей сестре. Я предложил лорду и леди Аррен взять ко дворцу моих внуков и воспитать здесь, в Близнецах, их сына. Неужели мои внуки не достойны появиться при дворе короля? Милые мальчики, спокойные и воспитанные. Уолдера, сына Меретта, его назвали в мою честь, а другой... эх, забыл... он тоже мог быть Уолдером, они всегда называют их Уолдерами, чтобы я любил их, но его отец... кто же был его отцом, а? — Лицо его наморщилось. — Ладно, кто бы он ни был, лорд Аррен мог взять его — или другого, — и в этом я обвиняю вашу леди-сестру! Она держалась так, словно бы я предложил ей отдать мальчишку в труппу марионеточника или сделать его евнухом; а когда лорд Аррен ответил, что дитя поедет на Драконий Камень, к Станнису Баратеону, она вылетела из палаты, не сказав даже слова сожаления; деснице пришлось принести мне извинения! А что из них можно сделать, скажите мне?

Кейтилин беспокойно нахмурилась:

— Насколько я понимаю, мальчика Лизы хотели отдать на воспитание лорду Тайвину.

— Речь шла о лорде Станнисе, — раздраженным тоном ответил Уолдер Фрей. — Неужели вы считаете, что я уже не способен отличить лорда Станниса от лорда Тайвина! Обе эти жопы считают себя слишком благородными, чтобы срать, но разница между ними все-таки есть. Или вы думаете, что от старости я лишился памяти? Мне уже девяносто, но я все очень хорошо помню. Помню и то, что надо делать с женщиной. Клянусь, эта жена родит мне сына в следующем году или же дочь, этого не избежишь. Мальчика или девочку — красного, морщинистого и верещащего младенца, и скорее всего она захочет назвать его Уолдером или Улдой.

Кейтилин не было дела до того, как леди Фрей назовет своего ребенка.

— Джон Аррен намеревался воспитывать своего сына у лорда Станниса? Вы уверены в этом?

— Да, да и да, — отвечал старик. — Но он умер, так что какая разница? Итак, вы говорите, что хотите пересечь реку?

— Хотим.

— Вы не можете этого сделать, — отрывисто объявил лорд Уолдер, — без моего разрешения, а зачем мне эти хлопоты? Талли и Старки никогда не были моими друзьями. — Старик откинулся в своем кресле и скрестил руки, ожидая ответа.

Ну а потом начался торг.

Распухшее красное солнце уже опустилось к краю холодных холмов, когда ворота замка открылись, подъемный мост заскрипел, решетка поднялась, и леди Кейтилин выехала, чтобы присоединиться к сыну и его знаменосцам. За нею следовали сир Джяред Фрей, Хостен Фрей, Денвел Фрей и бастард лорда Уолдера, Ронил Риверс, во главе длинной двойной цепочки копейщиков в синих стальных кольчугах и серебристо-серых плащах.

Робб галопом направился навстречу, и Серый Ветер несся возле его коня.

— Сделано, — сказала ему Кейтилин. — Лорд Уолдер разрешает нам переправиться и предоставляет тебе все свои силы, за исключением четырех сотен мечей, которые необходимы ему для обороны Близнецов. Я предложила, чтобы ты оставил ему четыре сотни своих мечников и лучников. Он едва ли станет возражать против укрепления гарнизона... только убедись, чтобы твоими людьми командовал достойный доверия человек. Не исключено, что лорду Уолдеру придется помочь выполнить его долг.

— Как тебе угодно, мать, — ответил Робб, оглядывая ряды копейщиков. — Быть может... подойдет сир Хелман Толхарт. Как ты думаешь?

— Отличный выбор.

— А что... что он хочет от нас?

— Если можешь, выдели нескольких мечников проводить двух внуков лорда Фрея на север, в Винтерфелл, — сказала она. — Я согласилась взять их в воспитанники. Это мальчишки восьми и семи лет. Похоже, их обоих зовут Уолдерами. Как мне кажется, Бран будет рад обществу ребят своего возраста.

— И это все? Двое воспитанников? Достаточно малая цена за...

— С нами отправится сын лорда Фрея Оливер, — продолжила Кейтилин. — Он будет твоим сквайром. Отец хочет, чтобы его в должное время возвели в рыцари.

— Сквайр? — Робб пожал плечами. — Отлично, это отлично, если он...

— А также — если сестра твоя Арья возвратится к нам — мы решили, что она выйдет замуж за младшего сына лорда Уолдера Элмара, когда оба они повзрослеют.

Робб казался недовольным.

— Арье это не понравится.

— А ты обвенчаешься с одной из его дочерей, когда война закончится, — договорила она. — Его светлость любезно согласился предоставить тебе право выбора. У него много девиц, которые подходят тебе по возрасту.

К чести сына, Робб не дрогнул.

— Понимаю.

— Ты возражаешь?

— Разве я могу отказаться?

— Нет, если хочешь переправиться через реку.

— Я согласен, — проговорил Робб торжественно. Он еще никогда не казался ей более взрослым, чем в это мгновение. Мальчишки могут играть с мечами, но брак заключает лорд, понимая, что это значит.

Через реку они переправились уже вечером, когда рогатый месяц поплыл над водой. Двойная колонна втекала в ворота восточного Близнеца огромной стальной змеей и, скользнув по двору крепости, а потом по мосту, извергалась из ворот замка на западном берегу.

Кейтилин ехала во главе змеи вместе с сыном, сиром Бринденом и сиром Стевроном. За ними последовали девять из каждых десяти всадников: рыцари, копейщики, наемники, конные лучники. Переправлялись они несколько часов. Потом Кейтилин долго вспоминала стук бессчетных копыт по подъемному мосту, лорда Уолдера Фрея, наблюдавшего из носилок за переправой, блестящие глаза за щелями бойниц в потолке Водяной башни.

Основные силы северного войска — копейщики, лучники и пехота остались на восточном берегу под командованием Русе Болтона. Робб приказал им следовать на юг и встретить огромную армию Ланнистеров, идущую на север под командованием лорда Тайвина.

К счастью или нет, но сын ее бросил кости.

ДЖОН

— С тобой все в порядке, Сноу? — спросил лорд Мормонт хмурясь.

— В порядке, — каркнул ворон. — В порядке.

— Да, милорд, — солгал Джон громким голосом, словно это могло придать его словами правдивость. — А как вы?

Мормонт нахмурился:

— Мертвяк попытался убить меня. Как я могу себя хорошо чувствовать? — Он поскреб под подбородком. Кустистая седая борода обгорела в огне, и он срезал ее. Бледная щетина усов превратила его в сердитого неопрятного старца. — Ты не похож на себя. Как твоя рука?

— Заживает. — Джон изогнул перевязанные пальцы, показывая ему. Не замечая того, он сильно обжегся, бросая горящие занавеси, и правая рука его почти по локоть была обвязана шелком. Тогда он почти ничего не почувствовал, мука началась после. Из трещин побагровевшей кожи текла жидкость, между пальцами надулись жуткие кровавые пузыри, огромные, как тараканы. — Мейстер говорит, что у меня останутся шрамы, но рука будет такой же, как и прежде.

— Шрамы — это не страшно. На Стене чаще приходится носить перчатки.

— Безусловно, милорд. — Но не шрамы смущали Джона, а все остальное. Мейстер Эйемон давал ему маковое молоко, но, невзирая на это, боль оставалась ужасной. Поначалу ему казалось, что руку его днем и ночью опалял огонь. Лишь погружая ее в снег или лед, он ощущал какое-то облегчение. Джон благодарил богов, что никто, кроме Призрака, не видит, как он крутится на своей постели, скуля от боли. Когда он наконец засыпал, приходили сны, а это было еще хуже. У снившегося ему мертвяка было лицо отца; синеглазый, он тянул к нему черные руки, однако Джон не посмел рассказать об этом Мормонту.

— Дайвин и Хаке возвратились вчера вечером, — сказал Старый Медведь. — Они не обнаружили никаких следов твоего дяди, как и все остальные.

— Я знаю это. — Джон заставил себя добраться до общего зала, чтобы пообедать с друзьями, и все вокруг говорили только о неудачном поиске.

— Ты знаешь, — буркнул Мормонт. — Как это получается, что все вокруг всё знают? — Он, похоже, не рассчитывал на ответ. — Кажется, что их было только двое... этих созданий. Кем бы они ни были, я не назову их людьми. Было бы больше... об этом лучше не думать. Благодари за это богов! Но они еще придут. Я ощущаю это своими старыми костями. Мейстер Эйемон согласен со мной. Задувают холодные ветры, лето кончается; грядет зима, какой еще не видал мир!

«Зима близко». Девиз Старков еще никогда не казался Джону настолько мрачным и зловещим.

— Милорд, — неуверенно сказал он, — говорят, прошлой ночью прилетела птица.

— Да. Ну и что?

— Я надеялся получить хоть какое-то известие об отце.

— Отец, — передразнил его старый ворон и, склонив голову, переступил по плечам Мормонта. — Отец.

Лорд-командующий протянул руку, чтобы прищемить ему клюв, но ворон дернул головой, взмахнул крыльями и, перелетев через палату, сел над окном.

— Горе и шум, — проворчал Мормонт. — Ничего другого от этих воронов не услышишь. И зачем я связался с этой зловещей птицей... неужели ты думаешь, что я не послал бы за тобой, получив вести о лорде Эддарде? Пусть ты бастард, но все равно от крови его. В письме шла речь о сире Барристане Селми. Его, выходит, выгнали из Королевской гвардии, а на его место взяли этого черного пса Клигана, и теперь Селми разыскивают за измену. Эти дураки послали за ним стражников, но он убил двоих и бежал. — Мормонт фыркнул, не скрывая своего мнения о людях, выславших золотые плащи против столь прославленного рыцаря, как Барристан Отважный. — По лесу бродят Белые Ходоки, мертвяки врываются в наши покои, а тут еще мальчишка уселся на Железный трон, — недовольно проговорил он.

Ворон пронзительно расхохотался:

— Мальчишка, мальчишка, мальчишка, мальчишка!

Старый Медведь всегда надеялся на помощь сира Барристана, вспомнил Джон. И если он пал, кто теперь прислушается к письму Мормонта? Джон стиснул руку в кулак. Боль пронзила обожженные пальцы.

— А что слышно о моих сестрах?

— Мне ничего не написали ни о лорде Эддарде, ни о его дочерях. — Мормонт раздраженно пожал плечами. — Быть может, они не получили мое письмо. Эйемон послал две копии с лучшими птицами, но разве можно быть в чем-то уверенным? Скорее всего Пицель не хочет отвечать. Не в первый раз и не в последний. Боюсь, что нам не на кого рассчитывать в Королевской Гавани; нам говорят лишь то, что считают нужным, а этого, увы, мало.

Ты и сам говоришь мне лишь то, что считаешь нужным, а это, увы, еще меньше, недовольно подумал Джон. Брат его Робб созвал знамена и отправился на юг воевать, и обо всем этом ни слова... правда, Сэмвел Тарли, который читал письмо, полученное мейстером Эйемоном, по секрету рассказал ему все, то и дело повторяя, что не должен этого делать. Вне сомнения, они считали, что поход брата его не касается, однако война волновала Джона сильнее, чем он смел сказать. Лорд Робб шел в бой, а он не был с ним. Сколь часто ни твердил себе Джон, что теперь его место здесь, на Стене, рядом с новыми братьями, он все равно ощущал себя трусом.

— Зерна, — каркнул ворон, — зерна, зерна!

— Да замолчи же, — сказал птице Старый Медведь. — И скоро, по мнению мейстера Эйемона, ты сумеешь пользоваться этой рукой?

— Скоро, — ответил Джон.

— Хорошо. — Лорд Мормонт положил на стол между ними большой меч в черных металлических ножнах, окованных серебром. — Вот. Значит, сумеешь поднять его.

Ворон слетел вниз, опустился на стол и направился к мечу, с любопытством наклонив набок голову. Джон медлил, не понимая, что это значит.

— Милорд?

— Огонь расплавил серебряное яблоко, сжег поперечину и рукоять... что ж, сухая кожа, старое дерево, чего еще ожидать. Клинок... лишь огонь в сотню раз более жаркий смог бы причинить вред этой стали. — Мормонт подвинул ножны по грубым дубовым доскам. — Остальное я приказал сделать заново. Бери его.

— Бери его, — отозвался ворон. — Бери его. Бери!

Неловким движением Джон взял оружие левой рукой — перевязанная правая была еще слишком неловкой. Он осторожно извлек меч из ножен и поднес к глазам. Яблоко вырезали из бледного камня, залитого свинцом, чтобы уравновесить длинный клинок, изобразив подобие оскалившейся волчьей головы. Вместо глаз в нее были вставлены зернышки граната, рукоять обтянули новой кожей, ни пот, ни кровь еще не оставили пятен на ее мягкой черной поверхности. Сам клинок оказался на добрых полфута длиннее, чем тот, к которому привык Джон. Меч суживался к концу, чтобы можно было и колоть, и рубить, три глубоких желобка тянулись по всей длине. Если Лед был настоящим двуручным мечом, этот был полуторным, — иногда такие называли бастардскими. Тем не менее Волчий меч показался Джону легче клинков, которыми ему приходилось фехтовать. Повернув клинок, Джон заметил узоры на темной стали, оставшиеся после ковки.

— Это же валирийская сталь, милорд, — сказал он с восторгом. Отец часто позволял ему рассматривать Лед, так что Джон знал и облик, и ощущение.

— Так, — согласился Старый Медведь. — Оружие это принадлежало моему отцу, а прежде деду. Мормонты владели им пять столетий. Было время, я сам извлекал его из ножен, а потом передал сыну, когда ушел в Черные Братья.

«Он дарит мне меч сына!» Джон едва мог поверить в это. Клинок был самым точным образом уравновешен. Под поцелуем света лезвие поблескивало.

— Ваш сын...

— Мой сын навлек позор на дом Мормонтов, но по крайней мере честь помешала ему прихватить с собой в изгнание этот меч. Моя сестра возвратила оружие мне, но уже один вид меча напоминал мне о бесчестье Джораха, поэтому я спрятал его и забыл — пока его не нашли в пепле, оставшемся от моей опочивальни. Прежняя рукоять изображала медвежью голову из серебра, но серебро настолько истерлось за века, что его уже трудно было заметить. Я решил, что тебе больше подходит белый волк. Один из наших строителей прекрасно режет по камню.

Когда-то — в возрасте Брана — Джон мечтал о великих подвигах, как и всякий здоровый мальчишка. Подробности подвигов менялись от грезы к грезе, однако чаще всего ему представлялось, как он спасает жизнь своего собственного отца. И лорд Эддард называет его истинным Старком и отдает свой меч. Даже воспоминание пристыдило его. Какой человек может покуситься на первородство собственного брата? У меня нет права владеть и этим мечом, и Льдом, подумал он. Джон шевельнул обгорелыми пальцами, ощутив под кожей острый укол.

— Милорд, вы оказываете мне честь, но...

— Избавь меня от всяких «но», мальчик, — перебил его лорд Мормонт. — Я бы не сидел здесь, если бы не ты со своим зверем. Ты дрался отчаянно, более того — быстро соображал! Огонь! Проклятие, нам следовало бы знать. Нам следовало бы вовремя вспомнить о нем. Длинная Ночь уже приходила. Конечно, восемь тысяч лет — долгий срок, но... но если не помнит Ночной Дозор, кто же вспомнит!

— Вспомнит, — подтвердил разговорчивый ворон. — Вспомнит...

В ту ночь боги воистину услышали молитву Джона. Огонь охватил одежду мертвяка и поглотил его самого, словно убитая плоть была свечным воском, а кости — сухой древесиной. Джону нужно было только закрыть глаза, чтобы увидеть, как тварь мечется по солярию, натыкается на мебель и пытается сбить пламя. Но как истинное наваждение, преследовало Джона его лицо, окруженное облаком огня... волосы, пылающие как солома; расплавившаяся мертвая плоть стекает с черепа, открывая голую кость. Та демоническая сила, которая овладела Отором, бежала от огня, и среди пепла они обнаружили изуродованный труп — жареное мясо и обгорелые кости. Но в кошмарах мертвяк являлся Джону снова и снова... и всякий раз черный труп был как две капли воды похож на лорда Эддарда. Это кожа его отца лопалась и чернела, это отцовские глаза слезами вытекали на щеки. Джон не понимал, что это значит, но видение пугало его сильнее, чем он мог предположить.

— Меч — скромная плата за жизнь, — заключил Мормонт. — Так что бери его; я не хочу ничего больше слышать об этом, понятно?

— Да, милорд. — Мягкая кожа подалась под пальцами Джона, словно бы меч приспосабливался к его руке. Он знал, что ему оказали честь, он понимал это, и все же...

«Он не мой отец, — непрошеная мысль толкнулась в голову Джона. — Мой отец — лорд Эддард Старк, и я не забуду этого, пусть меня задарят мечами». Нельзя же признаться лорду Мормонту, что он-то всегда мечтал о другом клинке.

— Я не хочу никаких любезностей, Сноу, — продолжил лорд Мормонт. — Поэтому не благодари меня. Чти сталь подвигом, а не словами.

Джон кивнул:

— Есть ли у него имя, милорд?

— Прежде он звался Длинным Когтем.

— Когтем, — отозвался ворон. — Когтем.

— Длинный Коготь — подходящее имя. — Джон для пробы взмахнул левой рукой. Движение вышло неловким, но меч взлетел к потолку, словно по собственной воле. — Когти есть и у волков, и у медведей.

Старый Медведь был доволен:

— Конечно же. Тебе придется носить его через плечо; меч для тебя еще слишком длинен, чтобы носить на поясе... Ничего, подрастешь еще на несколько дюймов. Нужно только разучить удары двумя руками. Когда твои ожоги заживут, сир Эндрю покажет тебе некоторые приемы.

— Сир Эндрю? — Джон не знал этого имени.

— Сир Эндрю Тарт, добрый человек. Он направляется сюда из Сумеречной башни, чтобы принять обязанности мастера над оружием. Сир Аллисер Торне вчера вечером отбыл в Восточный Дозор у моря.

Джон опустил меч и с дурацким недоумением спросил:

— Почему?

Мормонт фыркнул:

— Потому, что я отослал его, понятно? Он взял кисть, которую твой Призрак оторвал от запястья Яфера Флауэрса. Я приказал сиру Аллисеру плыть на корабле в Королевскую Гавань и положить эту штуковину перед мальчишкой-королем. Уж это привлечет внимание юного Джоффри, я думаю... К тому же сир Аллисер — человек знатный, помазанный рыцарь. У него есть старые друзья при дворе, его-то уж при дворе заметят в отличие от простого ворона.

— Ворона. — Джону послышалось некоторое неодобрение в голосе птицы.

— Потом, — продолжил лорд-командующий, игнорируя выходку птицы, — он окажется в тысяче миль от тебя, и мы избавимся от всяких ссор. — Лорд Мормонт ткнул пальцем в сторону Джона. — Не думай, что я одобряю ту бессмыслицу, которая произошла в общем зале. Доблесть способна скомпенсировать проявленную глупость, но ты теперь не мальчишка, при всех твоих немногих годах. Меч этот подобает мужчине, и владеть им должен человек зрелый. Рассчитываю, что с этой поры ты будешь вести себя как положено.

— Да, милорд. — Джон задвинул меч в окованные серебром ножны; сам он выбрал бы не этот клинок, но это был дар благородный, а освобождение от злых козней сира Аллисера Торне сулило облегчение.

Старый Медведь поскреб подбородок.

— Я уже и забыл, как сильно чешется новая борода, — сказал он. — Но этому не поможешь. А твоя рука позволяет тебе приступить к делам?

— Да, милорд.

— Хорошо. Сегодня ночью будет холодно, я хочу горячего вина со специями. Найди мне бутыль красного, не слишком кислого, и не жалей специй. Потом скажи Хобу, что, если он еще раз приготовит мне отварную баранину, я прикажу отварить его самого. Та ножка, которую он прислал в последний раз, уже позеленела от старости. Даже моя птица не захотела прикоснуться к ней. — И он погладил пальцем ворона по голове, птица отвечала удовлетворенным звуком. — Ну, иди. Мне надо поработать.

Стражи, устроившиеся в нишах, встретили улыбками спустившегося по лестнице Джона, держащего меч в здоровой руке.

— Отличная сталь, — сказал один из них.

— Ты заслужил ее, Сноу, — добавил другой. Джон заставил себя отвечать улыбаясь, но сердце его было не здесь. Он знал, что должен быть доволен, однако не ощущал радости. Рука болела, вкус гнева еще не оставил рот, хотя Джон и не знал, на кого сердится и почему. С полдюжины его друзей собрались неподалеку от Королевской башни, где теперь расположился лорд-командующий Мормонт. Они повесили мишень на двери житницы так, будто тренировали свою меткость, однако он немедленно все понял.

Едва Джон отошел от башни, Пип окликнул его:

— Ну-ка, иди сюда, дай посмотреть.

— На что посмотреть? — спросил Джон.

Жаба подвинулся ближе:

— На твои розовые задние щечки, на что же еще?

— Меч, — заявил Гренн. — Хотим видеть меч.

Джон обвел их обвиняющим взглядом.

— Значит, вы знали.

Пип ухмыльнулся:

— Не все такие тупые, как Гренн.

— Сам такой, — отозвался Гренн. — И даже тупее!

Строитель Халдер, смущаясь, пожал плечами:

— Я помогал Пейту резать камень для рукояти, а твой друг Сэм разыскал гранаты в Кротовом городке.

— А мы знали даже еще раньше, — сказал Гренн. — Рудис помогал Доналу Нойе в кузнице, он был там, когда Старый Медведь принес обгорелый клинок.

— Меч! — настаивал Матт. Другие хором присоединились к нему:

— Меч, меч, меч!

Джон извлек Длинный Коготь из ножен и показал его, поворачивая так и эдак, чтобы все могли восхититься. Клинок бастарда поблескивал в бледном солнечном свете, темный и смертоносный.

— Валирийская сталь, — провозгласил Джон торжественно, пытаясь показать подобающие случаю довольство и гордость.

— А знаешь, что было с тем человеком, который сделал бритву из валирийской стали? — спросил Жаба. — Слушай — он отрезал себе голову, пытаясь побриться!

Пип ухмыльнулся:

— Ночному Дозору тысячи лет. Однако не сомневаюсь, что наш лорд Сноу первым среди братьев отмечен за то, что сжег башню лорда-командующего.

Все захохотали. Даже Джону пришлось улыбнуться. Учиненный им пожар, конечно, не мог уничтожить внушительную каменную твердыню, однако огонь повредил палаты на двух верхних этажах, которые занимал Старый Медведь. Случившаяся беда никого особо не волновала, поскольку в огне погиб полный убийственных намерений труп Отора.

Другой мертвяк — однорукий, тот, что был прежде Яфером Флауэрсом, — был изрублен в куски дюжиной мечей... но лишь после того, как он убил сира Джареми Риккера и еще четверых. Сир Джареми уже заканчивал дело, сняв с покойника голову, но тем не менее погиб, когда уже обезглавленный труп, вытащив из ножен собственный кинжал Риккера, вонзил его в нутро дозорного. Сила и отвага не помогали против врага, который не падал потому, что был уже мертв; даже оружие и броня не предоставляли надежной защиты.

Эта мрачная мысль еще больше испортила настроение Джона.

— Мне надо еще переговорить с Хобом относительно обеда Старого Медведя, — объявил он отрывисто, опуская Длинный Коготь в ножны. Друзья хотели ему добра, но ничего не понимали. Это не их вина. Им не пришлось стоять перед Отором, они не видели бледный свет синих мертвых глаз, не ощущали своей кожей холодное прикосновение черных мертвых пальцев. Не знали они и о войне, начинавшейся в Приречье. Разве могут они понять? Джон резко отвернулся и мрачно зашагал прочь. Пип окликнул его, но Джон не обратил на него внимания.

После пожара он переселился обратно в свою старую каморку в обрушившейся башне Хардина. Призрак дремал, свернувшись клубком возле двери, но, заслышав шаги Джона, поднял голову. Красные глаза лютоволка казались темнее гранатов, в них ощущалась свойственная человеку мудрость. Джон пригнулся, почесал волка за ухом и показал на рукоять меча:

— Смотри — это ты.

Призрак обнюхал свое резное подобие, попытался лизнуть камень. Джон улыбнулся.

— Эта честь принадлежит тебе, — сказал он волку... и вдруг вспомнил, как нашел его в тот день в поздних летних снегах. Они уже направились прочь с остальными щенками, но Джон услышал писк и вернулся назад. Тут-то он и нашелся, белый мех скрывал щенка среди сугробов. Он был совсем один, подумал Джон. Один, в стороне от всех остальных. Он был не похож на других, поэтому его и прогнали.

— Джон? — Он поглядел вверх. Сэм Тарли нервно покачивался на пятках. Щеки его покраснели, тяжелый меховой плащ явно годился для предстоящей зимы.

— Сэм, — Джон встал, — что случилось? Или ты тоже хочешь увидеть меч? — Если знали все остальные, значит, о Когте известно и Сэму.

Толстяк качнул головой.

— Я был наследником клинка своего отца, — сказал он скорбно. — Его имя — Губитель Сердец, лорд Рендил несколько раз давал мне его подержать, только я всегда пугался. Он тоже был из валирийской стали, прекрасной, но настолько острой, что я опасался ранить кого-нибудь из сестер. Теперь им владеет Дикон. — Он вытер потные руки о плащ. — Я... я... мейстер Эйемон хочет видеть тебя.

Менять повязку было еще рано. Джон подозрительно нахмурился.

— Почему? — спросил он. Сэм казался несчастным. Этого было достаточно.

— Ты сказал ему? — сердито спросил Джон. — Ты признался ему в том, что все рассказал мне?

— Я... он... Джон, я не хотел этого... но он спросил... я хочу сказать... я думаю, он знал; он видит вещи, как никто другой...

— Но мейстер Эйемон слеп, — с недовольством подчеркнул Джон. — Я сам найду путь.

Затрясшийся Сэм, открыв рот, остался на месте.

Мейстер Эйемон находился в птичнике и кормил ворон. С ним был Клидос с ведерком нарезанного мяса, они неторопливо переходили от клетки к клетке.

— Сэм сказал, что вы хотели видеть меня?

Мейстер кивнул:

— Действительно. Клидос, передай Джону ведерко, быть может, он будет настолько добр, что поможет мне.

Горбатый брат с розовыми глазами передал Джону ведерко и заторопился вниз по лестнице.

— Бросай мясо в клетки, — велел Эйемон. — Птицы сделают все остальное.

Джон переложил ведерко в правую руку, запустив левую в окровавленное содержимое. Вороны, шумно перекрикиваясь, жались к решетке, ударяя по металлу черными как ночь крыльями и клювами. Мясо порезали на куски толщиной в палец. Наполнив кулак, он бросил красную плоть в клетки, и ссоры сделались жарче. Полетели перья, когда две крупные птицы схватились из-за куска. Джон торопливо набрал вторую горсть и швырнул мясо в клетку.

— А ворон лорда Мормонта любит фрукты и зерно.

— Редкая птица, — сказал ему мейстер. — Вообще-то вороны едят зерно, но предпочитают мясо. Оно придает им силу, к тому же птицам приятен вкус крови. В этом они похожи на людей... Ты, наверное, не знаешь, что, подобно людям, вороны не похожи друг на друга...

Джону нечего было ответить. Он разбрасывал мясо, гадая, зачем его вызвали. Старик скажет все сам, когда сочтет нужным. Мейстер Эйемон не из тех, кого можно торопить.

— Голубей и горлиц тоже можно было бы приучить носить письма, — продолжил мейстер. — Но ворон сильнее. Крупная, отважная и умная птица способна отбиться от ястребов... Но вороны черны пером и едят мертвечину, а посему некоторые люди испытывают к ним отвращение. Бейелор Благочестивый попытался заменить воронов голубями, ты слыхал об этом? — Мейстер обратил свои бельма к Джону и улыбнулся: — Ночной Дозор предпочитает воронов.

Пальцы Джона опустились в ведерко, вся ладонь до запястья была в крови.

— Дайвин утверждает, что одичалые зовут нас воро́нами, — сказал он неуверенным голосом.

— Воро́на — бедная родственница во́рона. Птицы эти — как нищие в черном, ненавистные и непонятные.

Джону самому хотелось бы понять, о чем говорит Эйемон и почему. Какое ему дело до воронов и голубей? Если старик хочет что-то сказать ему, почему нельзя это сделать просто и прямо?

— Джон, ты никогда не думал, почему братья Ночного Дозора не вправе заводить жен и детей? — спросил мейстер Эйемон.

Джон пожал плечами.

— Нет, — ответил он, разбрасывая мясо. Пальцы его левой руки стали липкими от крови, правую пронизывала пульсирующая боль от тяжести ведра.

— Это для того, чтобы они не могли любить, — ответил старик. — Потому что любовь способна погубить честь, убить чувство долга.

На взгляд Джона, в этих словах не было правды, однако он промолчал. Мейстеру перевалило за сотню лет, он — один из старших офицеров в Ночном Дозоре, и не его дело противоречить старику.

Тот как будто бы ощутил сомнения юноши.

— Скажи мне, Джон, если случится такое, что твоему лорду-отцу придется выбирать между честью и теми, кого он любит, что предпочтет лорд Эддард?

Джон медлил. Он хотел было сказать, что лорд Эддард никогда не обесчестит себя даже ради любви, но тихий лукавый голос шептал: «Он родил бастарда, какая же в этом честь? Потом, твоя мать, как насчет его долга перед ней, почему он так никогда и не назвал тебе ее имя?»

— Он сделает то, что сочтет справедливым, — сказал Джон... звонко, чтобы скрыть колебания. — Не считаясь ни с чем.

— Тогда второго такого, как лорд Эддард, не найдешь и среди десяти тысяч. В основном люди не столь сильны. Разве честь можно сравнить с женской любовью? И как чувство долга может превысить ту радость, с которой ты берешь на руки новорожденного сына... Ветер и слова. Ветер и слова. Мы всего только люди, и боги создали нас для любви. В ней и наше величие, и наша трагедия.

Люди, создавшие Ночной Дозор, знали, что бывают минуты, когда лишь их отвага сможет защитить страну от наползающей с севера тьмы. Они понимали, что не должны заводить связей, способных ослабить их решимость. Поэтому они поклялись не иметь ни жен, ни детей.

Но у них были братья и сестры. И матери, которые родили их, и отцы, которые дали им имена. Эти мужи приходили сюда из сотни задиристых королевств; они знали, что времена могут перемениться, но люди останутся прежними. Поэтому они поклялись, что Ночной Дозор никогда не примет участия в битвах тех земель, которые они охраняют.

Они выполнили свое обещание. Когда Эйегон убил Черного Харрена и объявил себя королем, брат Харрена был лордом-командующим на Стене и имел под рукой десять тысяч мечей, но он не выступил. В те времена, когда Семь Королевств воистину были семью королевствами, не проходило и поколения, чтобы три или четыре из них не схватились в войне. Черные Братья не принимали в них участия. Когда андалы переплыли Узкое море и смели королевства Первых Людей, верные своим обетам сыновья павших королей остались на своем посту. Так было все эти несчетные годы. Такова цена чести!

Трус может обнаружить истинную отвагу, когда ему нечего опасаться. Все мы выполняем свой долг, когда это ничего нам не стоит. Как легко кажется тогда следовать тропою чести! Однако рано или поздно в жизни каждого человека наступает день, когда не знаешь, как поступить, когда приходится выбирать.

Некоторые из воронов все еще клевали, вырывая у своих собратьев мясо из клюва. Остальные наблюдали за ними. Джон ощущал на себе тяжесть этих крошечных чрных глаз.

— Значит, пришел мой день... вы это хотите сказать?

Мейстер повернул голову и поглядел на него мертвыми белыми глазами. Он словно бы видел его насквозь, заглядывал в самое его сердце. Джон казался себе нагим и беспомощным. Он взял ведерко обеими руками и перебросил через решетку оставшееся мясо. Куски разлетелись, забрызгав кровью птиц. Закричав, они взлетели, самые ловкие хватали мясо на лету и глотали его. Пустое ведерко звякнуло о пол.

Старик положил сморщенную пятнистую руку на его плечо.

— Тебе больно, мальчик, — сказал он. — Конечно. Выбирать... выбирать всегда больно. И всегда будет больно. Я знаю.

— Нет, не знаете, — с горечью сказал Джон. — И никто не знает. Пусть я только бастард, но он все-таки мой отец!

Мейстер Эйемон вздохнул:

— Неужели ты не услышал моих слов? Почему это ты считаешь себя первым? — Он качнул древней головой с невыразимой усталостью. — Три раза боги испытывали мой обет. Однажды, когда я был мальчишкой, однажды во всей полноте мужественности, и еще раз, когда я состарился. К тому времени сила оставила меня, глаза потускнели, но последний выбор был столь же жесток, как и первый. Вороны приносили мне с юга слова еще более черные, чем их крылья: вести о гибели моего дома, о смерти моих родичей, о позоре и истреблении. Но что я мог сделать, старый, слепой и бессильный? Я был беспомощен как младенец, но сколь горько мне было сидеть здесь, в забвении, когда зарубили бедного внука моего брата, его сына и даже его малых детей...

Потрясенный Джон увидел слезы, блеснувшие на глазах старика.

— Кто вы? — спросил он, едва ли не в тихом ужасе.

Беззубая улыбка дрогнула на древних губах.

— Я только мейстер цитадели, обязанный служить Черному замку и Ночному Дозору. В нашем ордене принято забывать свой род, давая обет и надевая оплечье.

Старик прикоснулся к цепи мейстера, свободно свисавшей с его тонкой бесплотной шеи.

— Отцом моим был Мейекар, он первый носил это имя, и брат мой Эйегон наследовал ему вместо меня. Дед мой назвал меня в честь принца Эйемона, Рыцаря-дракона, бывшего ему дядей — или отцом, в зависимости от того, кому верить. Меня он назвал Эйемоном...

— Эйемон... вы Таргариен? — Джон не мог поверить своим ушам.

— Некогда был им, — отвечал старик. — Некогда. Словом, теперь ты понял, Джон, что я знаю, о чем говорю... но зная, не скажу тебе, как следует поступить. Ты должен совершить свой выбор самостоятельно и весь остаток своей жизни прожить, зная это. Как пришлось сделать мне. — Голос его превратился в шепот. — Как пришлось сделать мне...

ДЕЙЕНЕРИС

Когда битва закончилась, Дени пустила Серебрянку на покрытое мертвыми телами поле. Служанки и мужи кхаса следовали за ней, улыбаясь и перешучиваясь.

Копыта дотракийских коней взрыли землю и втоптали в нее рис и чечевицу, а аракхи и стрелы пожали свой страшный урожай, напоив ее кровью. Умирающие кони поднимали головы и ржали. Раненые стонали и молились. Джакка рхан — мужи милосердия — переходили от одного к другому, тяжелыми топорами лишая головы мертвых и умирающих. За ними следовали стайки маленьких девочек; выдергивая стрелы из трупов, они складывали их в свои корзины. За ними торопились псы, тощие и голодные; свирепая стая никогда не отставала от кхаласара.

Первыми погибли овцы. Похоже, их были тысячи, тушки уже почернели под покровом мух, каждая щетинилась стрелами. Это сделал наездник кхала Ого, Дени это знала. Ни один всадник из кхаласара Дрого не обнаружил бы глупости, расходуя стрелы на овец, когда нужно было еще убить пастухов.

Город горел, черные клубы дыма поднимались в жесткую синеву неба. Под разрушенными стенами из сушеной земли взад и вперед разъезжали наездники; размахивая длинными кнутами, они выгоняли уцелевших из дымящихся руин. Женщины и дети из кхаласара Ого шествовали с угрюмой гордостью, которой их не могли лишить даже поражение и неволя. Теперь они сделались рабами, но как будто бы не боялись этого. Иначе вели себя горожане. Дени жалела их, вспоминая свой прежний ужас. Матери с бледными помертвевшими лицами увлекали за собой за руки рыдающих детей. Мужчин было немного: деды, калеки, трусы.

Сир Джорах говорил, что люди этой страны называли себя лхазарянами, но дотракийцы звали их хасш ракхи, народом ягнят. Прежде Дени могла бы принять их за дотракийцев: та же медная кожа, такой же миндалевидный разрез глаз. Теперь они казались ей чужаками — коренастые, плосколицые, с чересчур уж коротко подстриженными черными волосами. Они пасли овец и выращивали овощи; кхал Дрого говорил, что их место к югу от речной излучины. Трава дотракийского моря не предназначена для овец.

Дени видел, как один из мальчишек вырвался и бросился к реке. Всадник отрезал ему дорогу и заставил вернуться, за ним бросились другие. Ударяя кнутами, они гнали беглеца то туда, то сюда, за спиной мальчишки ехал дотракиец, хлеставший кнутом по ягодицам, пока бедра ребенка не побагровели от крови. Новый всадник бросил его на землю, обвив лодыжку кнутом. Наконец, когда мальчишка мог только ползти, они оставили свое развлечение, наградив жертву стрелой, посланной в спину.

Сир Джорах Мормонт встретил ее возле разбитых городских ворот. Темно-зеленый плащ прикрывал его панцирь. Перчатки, поножи и великий шлем отливали темно-серой сталью. Дотракийцы стали дразнить его трусом, когда он надевал доспехи, рыцарь отвечал оскорблениями; вспыхнула ссора, длинный меч столкнулся с аракхом, и самый недовольный из всадников пал на землю, истекая кровью.

Подъехав к ней, сир Джорах поднял забрало плосковерхового шлема.

— Ваш благородный муж ожидает вас в городе.

— С Дрого все в порядке?

— Несколько порезов, — ответил сир Джорах. — Ничего существенного. Он убил двух кхалов. Сперва кхала Ого, а потом его сына Фого, сделавшегося кхалом после гибели отца. Кровные срезали колокольчики с их кос, и теперь каждый шаг кхала Дрого сделался еще более громким.

Кхал Ого и его сын делили высокое седалище с ее благородным мужем на том именинном пиршестве, где Визерис добился короны, но это было в Вейес Дотрак, у подножия Матери гор, где все всадники были братьями и все ссоры были забыты. Здесь, в степи, отношения складывались иначе. Кхаласар Ого штурмовал город, когда кхал Дрого застал дотракийцев врасплох. Интересно, о чем подумали ягнячьи люди, заметив со своих потрескавшихся сырцовых стен пыль, поднятую копытами их коней? Быть может, несколько молодых глупцов и поверили, что боги, услышав молитвы отчаявшихся людей, послали им помощь.

По ту сторону дороги девушка, не старше Дени, закричала тоненьким голосом, когда всадник, бросив ее вниз лицом на гору поверженных трупов, вошел в ее тело. Другие всадники спускались с коней, занимали очередь. Такое вот избавление принес кхал Дрого народу ягнят.

«Я от крови дракона», — напомнила себе Дейенерис Таргариен отворачиваясь. Сжав губы и ожесточив свое сердце, она въехала в ворота.

— Бóльшая часть кхаласара Ого бежала, — сказал ей сир Джорах. — Однако пленников взяли тысяч десять.

Рабов, подумала Дени. Кхал Дрого погонит их теперь вдоль реки к одному из городов на берегу залива Работорговцев. Ей хотелось заплакать, однако она напомнила себе, что должна быть сильной. Это война. Такой будет цена Железного трона.

— Я сказал кхалу, что ему нужно повернуть к Мишырину, — сказал сир Джорах. — Там заплатят больше, чем он получит от странствующих работорговцев. Иллирио пишет, что в прошлом году Мишырин посетил мор, и бордели платят двойную цену за здоровых молодых девиц, и тройную за мальчишек не старше десяти лет. Если дети выдержат дорогу, полученного за них золота может хватить, чтобы нанять нужные нам корабли и оплатить услуги матросов.

Ту девушку все еще насиловали, долгий рыдающий стон продолжался и продолжался. Дени, стиснув поводья в кулаке, повернула голову к Серебрянке.

— Пусть они остановятся, — приказала она сиру Джораху.

— Кхалиси? — В голосе рыцаря послышалось смущение.

— Вы слышали мои слова, — сказала она. — Остановите их. — Она обратилась к своему кхасу на отрывистом дотракийском. — Чхого, Куаро, помогите сиру Джораху. Я не хочу насилия.

Воины обменялись озадаченными взглядами.

Сир Джорах направил своего коня ближе к ней.

— Принцесса, — проговорил он, — у вас мягкое сердце, но вы не понимаете. Так было всегда. Эти мужи проливали кровь за кхала. Теперь они получают свою награду.

Девушка на этой стороне дороги все еще рыдала, высокий звонкий говор казался странным для ушей Дени. Первый дотракиец закончил с делом, и место его занял второй.

— Это ягнячья девица, — сказал Куаро на дотракийском. — Она ничто, кхалиси. Всадники делают ей честь. Все знают, что ягнячьи мужчины любят и овец.

— Все это знают, — подтвердила ее служанка Ирри.

— Все это знают, — подтвердил и Чхого со спины высокого серого жеребца, которого подарил ему Дрого. — Но если ее стоны терзают твои уши, кхалиси, Чхого положит перед тобой ее язык.

— Я не хочу, чтобы ей причинили вред, — сказала Дени. — Она будет моей. Делай, как я приказываю, или кхал Дрого захочет узнать, почему ты отказался исполнять.

— Ай, кхалиси, — ответил Чхого, ударив пятками в бока коня. Куаро и остальные последовали за ним под пение колокольчиков в их волосах.

— Ступайте с ними, — приказала она сиру Джораху.

— Как вам угодно. — Рыцарь с любопытством поглядел на Дени. — А знаете, вы действительно сестра своего брата.

— Визериса? — Она не поняла его.

— Нет, — ответил рыцарь. — Рейегара. — И галопом направился прочь.

Дени услышала крик Чхого. Насильники расхохотались. Один ответил оскорблением. Мелькнул аракх Чхого, и голова обидчика слетела с плеч. Смех превратился в проклятия, всадники потянулись к оружию, к этому времени и

Куаро, и Агго, и Ракхаро уже были рядом. Она видела, как Агго показал через дорогу на нее, сидевшую на своей Серебрянке. Всадники поглядели на нее с холодом в черных глазах. Один сплюнул. Другие, недовольно бормоча, полезли на коней.

Все это время мужчина, оседлавший ягнячью девицу, продолжал свое дело: удовольствие явно не позволяло ему обратить внимание на происходящее вокруг. Сир Джорах спустился с коня и оторвал его от жертвы рукой в кольчужной перчатке. Дотракиец упал в пыль, вскочив с ножом в руке, и умер, получив в горло стрелу Агго. Мормонт поднял девицу с груды трупов, набросив на нее свой окровавленный плащ, и повел через дорогу к Дени.

Девица дрожала, широкие глаза недоуменно озирались, волосы ее были перепачканы кровью.

— Дореа, посмотри, не ранена ли она. Ты не похожа на наездницу, быть может, тебя она не испугается. Остальные — за мной. — Она послала Серебрянку в проломленные деревянные ворота.

Там, в городе, было еще хуже. Многие дома горели, и джаккархан занимались своим мрачным делом, наполняя узкие извилистые улицы безголовыми трупами. Они проезжали мимо других сцен насилия. И каждый раз Дени останавливала коня, посылала кхас, чтобы люди ее прекратили это занятие, и забирала себе рабыню.

Одна из них, толстая плосконосая женщина лет сорока, неуверенно поблагодарила Дени на общем языке, однако остальные отвечали угрюмыми взглядами. Они боялись ее, со скорбью осознала Дени, боялись, что она приберегает их для другой участи.

— Ты не можешь взять всех себе, дитя, — сказал сир Джорах, когда они остановились в четвертый раз, чтобы воины ее кхаса могли присоединить новую рабыню.

— Я — кхалиси, наследница Семи Королевств, от крови дракона, — напомнила ему Дени. — И не тебе напоминать мне, что я могу делать.

На другой стороне города рухнул дом, вспыхнул огонь, поднялся столб дыма. Дени услышала далекие крики и вопли испуганных детей.

Кхала Дрого они обнаружили на площади перед квадратным храмом; над толстыми, лишенными окон стенами из сырцового кирпича набухала одутловатая маковка, похожая на огромную луковицу. Перед ней высилась груда отрубленных голов, уже поднявшаяся выше роста кхала. Одна из коротких стрел ягнячьих людей пронзила мякоть его плеча, кровь пятном краски покрывала левую сторону его груди. Трое кровных всадников были возле него.

Чхику помогла Дени спуститься; живот сделал ее неловкой. Она преклонила колено перед кхалом.

— Мое солнце и звезды ранен. — Аракх ударил широко, но не глубоко; левый сосок был срублен, и полоска окровавленной плоти свисала с груди кхала мокрой тряпкой.

— Эту царапину, луна моей жизни, нанес мне один из кровных наездников кхала Ого, — ответил кхал Дрого на общем языке. — Я убил его за это и Ого тоже. — Он повернул голову, колокольчики в косе мягко звякнули. — Ты слышишь: Ого и Фого, его кхалакку, который стал кхалом, перед тем как я убил его.

— Ни один муж не в силах устоять перед солнцем моей жизни, — проговорила Дени, — отцом жеребца, который покроет весь мир.

Подъехавший всадник выпрыгнул из седла. Он обратился к Хагго, поток гневных дотракийских слов тек слишком быстро, чтобы Дени могла понять. Громадный кровный всадник мрачно поглядел на нее, прежде чем повернулся к кхалу.

— Перед тобой Маго, который едет в кхасе ко Чхаго. Он говорит, что кхалиси забрала его добычу, ягнячью девицу, которую он мог по праву покрыть.

Лицо кхала Дрого оставалось спокойным и жестким, но черные глаза с любопытством обратились к Дени.

— Говори мне правду, луна моей жизни, — приказал он на дотракийском.

Дени рассказала мужу о своем поступке на его собственном языке так, чтобы кхал понял ее лучше, простыми и прямыми словами.

Выслушав, Дрого нахмурился:

— Так положено на войне. Эти женщины стали нашими рабынями, и они обязаны угождать нам.

— Мне было бы приятно, если бы они остались целы, — проговорила Дени, не зная, не дерзает ли она на слишком многое.

— Если твои воины поднимутся на этих женщин, пусть берут их себе в жены. Дай им место в кхаласаре, чтобы они рожали сыновей.

Квото всегда был самым жестоким среди кровных. Он и расхохотался:

— От овцы разве может родиться конь?

Что-то в его голосе напомнило ей о Визерисе. Дени повернулась к нему с гневом:

— Дракон ест и коней и овец.

Кхал Дрого улыбнулся.

— Видите, какой свирепой она становится! — сказал он. — Это мой сын, жеребец, который покроет весь мир, наполняет ее своим огнем. Скачи помедленней, Квото... если мать не испепелит тебя на этом самом месте, значит, сын ее втопчет тебя в грязь. А ты, Маго, придержи свой язык и найди себе другую овцу. Эти принадлежат моей кхалиси.

Он протянул руку к Дейенерис, но вздрогнул от боли и отвернул голову.

Дени чувствовала, как он страдает. Раны оказались куда серьезнее, чем говорил ей сир Джорах.

— А где целители? — спросила она. В кхаласаре они были двух разновидностей: бесплодные женщины и рабы-евнухи. Знахарки применяли мази и заклинания, евнухи действовали огнем, ножом и иглой. — Почему они не приглядели за кхалом?

— Кхал отослал безволосых прочь, кхалиси, — ответил ей старый Кохолло. Дени заметила, что кровный сам получил рану: глубокий порез зиял в его левом плече.

— Среди всадников много раненых, — проговорил кхал Дрого. — Пусть они первыми получат лечение. Эта стрела всего лишь комариный укус, а маленький порез превратится в новый шрам, которым я буду хвастать перед своим сыном.

Срезанная кожа открывала мышцы груди. Струйка крови стекала из раны, оставленной стрелой, пронзившей руку.

— Кхалу Дрого не положено ждать, — объявила Дени. — Чхого, разыщи евнухов и немедленно доставь сюда.

— Серебряная госпожа, — раздался из-за ее спины женский голос. — Я могу залечить раны Великого Наездника.

Дени повернула голову. Говорила одна из рабынь, которых она забрала себе: тяжелая плосконосая женщина, поблагодарившая ее.

— Кхал не нуждается в помощи жен, чьи мужья спят с овцами, — рявкнул Квото. — Агго, отрежь ей язык.

Агго ухватил ее за волосы и приложил нож к горлу.

Дени подняла руку:

— Нет, она моя. Пусть говорит.

Агго посмотрел на Квото и опустил нож.

— Я не хочу вам зла, свирепые наездники. — Женщина хорошо говорила по-дотракийски. Легкое одея ние ее некогда сшили из тончайшей шерсти, украсив богатой вышивкой, но теперь, разодранное, оно было покрыто грязью и кровью. Женщина прижимала оторванный верх к своим тяжелым грудям. — Я умею исцелять.

— Кто ты? — спросила ее Дени.

— Меня зовут Мирри Маз Дуур. Я божья жена из этого храма.

— Мейега, — пробормотал Хагго, крутя в пальцах аракх. Он мрачно озирался. Дени вспомнила это слово из жуткой истории, которую ей однажды ночью возле костра рассказала Чхику. Мейегами звали женщин, развлекавшихся с демонами и предававшихся самому черному волшебству; злых, преступных и бездушных тварей, в темноте ночи нападавших на людей, высасывая жизнь и силу из их тел.

— Нет, я целительница, — проговорила Мирри Маз Дуур.

— Целительница овец, — фыркнул Квото. — Кровь от моей крови, прошу тебя, убей эту мейегу и подожди безволосых.

Дени не обратила внимания на выпад кровного. Старая и такая домашняя с виду, толстуха не казалась ей мейегой.

— Где ты научилась целительному искусству, Мирри Маз Дуур?

— Моя мать была здесь божьей женой; она научила мсня всем песням и заклинаниям, угодным Великому Пастырю, научила делать священные курения и мази из листа, корня и ягоды. А когда я была еще молодой и красивой, то сходила с караваном в Асшай, чтобы поучиться у их магов. В этом краю собираются корабли из многих земель, и я жила там, осваивая способы исцеления, знакомые дальним народам. Лунная певица из Джогос Нхая обучала меня родовспомогательным песням, женщина из вашего конного народа научила меня волшебству травы, зерна и коня, мейстер из Закатных земель вскрыл передо мной тело и объяснил мне все тайны, скрывающиеся под кожей.

Сир Джорах Мормонт переспросил:

— Мейстер?

— Он назвал себя Марвином, — ответила женщина на общем языке. — А прибыл из-за моря. Из Семи земель, сказал он, Закатных земель. Там, где люди выкованы из железа, а правят ими драконы. Он научил меня их речи.

— Мейстер в Асшае? — удивился сир Джорах. — Скажи мне, божья жена, что носил этот Марвин на шее?

— Цепь столь тугую, что она могла вот-вот задушить его, железный господин. Звенья ее были выкованы из многих металлов.

Рыцарь поглядел на Дени.

— Только человек, обученный в Цитадели Старгорода, имеет право носить подобную цепь, — сказал он, — такие люди многое знают об искусстве исцеления.

— Почему ты хочешь помочь моему кхалу?

— Нас учат тому, что все люди — единое стадо, — ответила Мирри Маз Дуур. — Великий Пастырь послал меня на землю лечить его ягнят, где бы они ни жили.

Квото больно ударил ее.

— Мы не овцы, мейега.

— Прекрати, — гневно сказала Дени. — Она моя. Я не хочу ей вреда.

Кхал Дрого буркнул:

— Эта стрела должна выйти из моего тела, Квото.

— Да, Великий Наездник, — наклонила голову Мирри Маз Дуур, ощупывая синяк на лице. — А твою грудь следует омыть и зашить, чтобы рана не воспалилась.

— Делай тогда, — приказал кхал Дрого.

— Великий Наездник, — сказала женщина, — инструменты мои и мази находятся внутри дома бога — там целительная сила сильнее.

— Я отнесу тебя, кровь от моей крови, — предложил Кхаго.

Кхал Дрого отмахнулся.

— Я не нуждаюсь в помощи мужчины, — сказал он голосом гордым и жестким, поднимаясь без всякой помощи. Свежая кровь хлынула из раны, оставленной на груди ударом аракха. Дени торопливо придвинулась к Дрого.

— Я не мужчина, — прошептала она, — поэтому ты можешь опереться на меня.

Дрого опустил тяжелую ладонь на ее плечо. Приняв на себя часть его веса, она направилась к огромному храму, построенному из сырцового кирпича. За ними следовали трое кровных всадников. Дени приказала сиру Джораху и воинам своего кхаса охранять вход и приглядеть, чтобы здание не подожгли, пока они находятся в нем.

Миновав несколько прихожих, они вступили в высокий центральный зал под куполом. Неяркий свет сочился из укрытых над головой окон. Несколько факелов дымили на стенах. Земляной пол прикрывали разбросанные овечьи шкуры.

— Сюда, — указала Мирри Маз Дуур на массивный алтарь. Каменные с синими прожилками бока его покрывали резные изображения пастухов со стадами. Кхал Дрого лег. Женщина бросила горстку сушеных листьев на жаровню, и палата наполнилась благоуханным дымом. — Лучше, если вы будете ждать снаружи, — сказала она.

— Мы кровь от его крови, — проговорил Кохолло. — И мы ждем здесь.

Квото шагнул к Мирри Маз Дуур.

— Знахарка, жена овечьего бога. Знай — повредишь кхалу, встретишь ту же участь. — Он извлек свой нож и показал ей клинок.

— Она не сделает ничего плохого. — Дени чувствовала, что может довериться этой простой плосконосой старухе, которую она — в конце концов — вырвала из жестких рук насильников.

— Если вы должны остаться, тогда помогите мне, — сказала знахарка кровным. — Великий Наездник слишком силен для меня. Держите его, пока я буду извлекать стрелу из его плоти.

Мирри Маз Дуур опустила руку, позволив платью открыть ее грудь, и принялась копаться в резном сундуке, извлекая из него флаконы, шкатулки, ножи и иголки. Подготовившись, она отломила зазубренный наконечник и вытащила древко, распевая что-то на певучем языке Лхазарина. А потом вскипятила на жаровне вино и облила им рану. Кхал Дрого ругался, но не пошевелился. Покрыв рану, оставленную стрелой, пластырем из влажных листьев, она занялась разрезом на груди, намазав его бледно-зеленой пастой, прежде чем вернуть полоску кожи на место. Лишь сомкнув зубы, кхал сумел подавить крик. Достав серебряную иголку и катушку шелковых ниток, божья жена начала сшивать плоть. Покончив с этим делом, она провела по шву красной мазью и, покрыв его листьями, обвязала грудь кхала куском овечьей шкуры.

— А теперь ты будешь произносить молитвы, которым я научу тебя, а овечья шкура пусть остается на месте. Тебя будет лихорадить, кожа будет чесаться, а когда исцеление совершится, останется огромный шрам.

Кхал Дрого сел, зазвенев колокольчиками.

— Я пою о моих шрамах, ягнячья женщина. — Кхал согнул руку и нахмурился.

— Не пей ни вина, ни макового молока, — предостерегла она. — Тебе будет больно, но тело твое должно быть сильным, чтобы одолеть ядовитых духов.

— Я кхал, — сказал Дрого. — Я плюю на боль и пью что хочу. Кохолло, принеси мой жилет. — Старик одел Кхала.

— Я слыхала, что ты знаешь повивальные песни, — обратилась Дени к уродливой лхазарянке.

— Я знаю все секреты кровавого ложа, серебряная госпожа, и ни разу не потеряла жизнь ребенка, — поклонилась Мирри Маз Дуур.

— Мое время близко, — сказала Дени. — Я бы хотела, чтобы ты приглядела за мной, когда начнутся роды, — если ты не против.

Кхал Дрого расхохотался:

— Луна моей жизни, рабыню не просят, ей приказывают. Она выполнит твой приказ. — Он соскочил с алтаря. — Пойдем, кровь моя. Жеребцы зовут, а здесь пепел. Пора ехать!

Хагго последовал за кхалом из храма, но Квото задержался, чтобы почтить Мирри Маз Дуур яростным взглядом.

— Запомни, мейега, от здоровья кхала зависит твое собственное здоровье.

— Как тебе угодно, наездник, — ответила ему женщина, собирая горшочки и флаконы. — Великий Пастырь охраняет свое стадо.

ТИРИОН

На холме, выходящем на Королевский тракт, под ильмом поставили на козлах длинный стол из грубых сосновых досок и застелили золотой тканью, чтобы лорд Тайвин мог отужинать возле своего шатра со своими ближними рыцарями и лордами-знаменосцами. Огромные штандарты — алый и золотой — развевались над ними на высоком древке.

Тирион опоздал; недовольный собой, сбив ноги о седло, он ковылял по склону, слишком отчетливо представляя, какое впечатление производит на отца. Дневной переход выдался длинным и утомительным, и он рассчитывал сегодня крепко выпить. Сгущались сумерки, и в воздухе кружили мерцающие светляки.

Повара подавали мясное блюдо: пятерых молочных поросят, зажаренных до хруста, с разными плодами в зубах. Запах наполнил его рот слюной.

— Приношу свои извинения, — начал он, занимая на скамье место возле своего дяди.

— Наверное, мне придется поручить тебе хоронить убитых, Тирион, — проговорил лорд Тайвин. — Если ты выедешь на поле боя с таким же опозданием, как к столу, сражение закончится до твоего появления.

— О, конечно, ты оставишь для меня мужика с вилами, а то и двух, отец, — отвечал Тирион. — Но не слишком много, я не хочу быть жадным.

Наполнив вином чашу, он посмотрел на слугу, нарезавшего свинину. Корочка хрустела под его ножом, из мяса выступал горячий сок. Более приятного зрелища Тирион не видел целый век.

— Разведчики сира Аддама утверждают, что войско Старков двинулось на юг от Близнецов, — сообщил отец, когда блюдо его было наполнено ломтями свинины. — К ним присоединились подданные лорда Фрея. Они находятся менее чем в одном дневном переходе к северу от нас.

— Пожалуйста, отец, — попросил Тирион. — Я хочу поесть.

— Неужели мысль о том, что нам предстоит встреча с мальчишкой Старка, лишает тебя мужества, Тирион? Твой брат Джейме был бы рад схватиться с ним.

— Я предпочту схватиться с этой свиньей. Робб Старк не настолько мягок, и от него никогда не пахло так сладко.

Лорд Леффорд, кислый тип, следивший за съестным и прочим припасом, повернулся к Тириону:

— Я надеюсь, что ваши дикари не разделяют подобной застенчивости, иначе мы понапрасну израсходовали на них добрую сталь.

— Мои дикари самым лучшим образом воспользуются вашей сталью, милорд, — ответил Тирион. Когда он рассказал Леффорду, что ему нужны оружие и доспехи на сотню мужчин, которых он привел из предгорий, тот скривился так, что можно было подумать, что его просили отдать им для увеселения собственных девственных дочерей.

Леффорд нахмурился:

— Я сегодня видел огромного и волосатого — того, который утверждал, что ему нужно два боевых топора из тяжелой черной стали с лезвиями в форме двух полумесяцев.

— Шагга любит убивать обеими руками, — проговорил Тирион, когда перед ним поставили блюдо с дымящейся свининой.

— Он так и не снял со спины свой топор дровосека.

— Шагга полагает, что три топора полезнее, чем два. — Тирион взял щепоть соли из блюда и густо посыпал мясо.

Сир Киван наклонился вперед:

— Мы решили поставить тебя с дикарями в авангард, когда дело дойдет до битвы.

Мысли редко приходили в голову сира Кивана, не побывав предварительно в голове лорда Тайвина. Тирион насадил было ломоть мяса на острие кинжала и поднес ко рту. Но теперь сразу опустил кусок свинины.

— В авангард? — переспросил он с сомнением в голосе. Либо лорд-отец воспылал новым уважением к способностям Тириона, либо же решил сразу отделаться от его сомнительного приобретения. Мрачная рассудительность подсказала Тириону правильный ответ.

— Они показались мне достаточно свирепыми.

— Свирепыми? — Тирион понял, что повторяет слова дяди, словно ученая птица. А отец наблюдает за ними, взвешивая и оценивая каждое слово. — Позвольте мне рассказать, насколько они свирепы. Вчера ночью один из Лунных Братьев заколол Каменную Ворону из-за сосиски. Сегодня, когда мы остановились лагерем, трое Каменных Ворон схватили его и перерезали глотку. Зачем — не знаю; наверное, они надеялись получить сосиску назад. Бронн не позволил Шагге отрезать хрен мертвеца, и слава за то богам, однако сейчас Улф требует денег за кровь, а Конн и Шагга отказываются платить.

— Когда солдаты не умеют соблюдать дисциплину, виноват их лорд-командир, — заметил отец.

Брат его Джейме всегда умел заставить людей последовать за ним — и умереть, если придется. Тирион был лишен этого дара. Верность он приобрел золотом, а повиновения добился своим именем.

— Более рослый человек, должно быть, сумел бы вселить в них страх, если вы имеете в виду это, милорд.

Лорд Тайвин повернулся к своему брату:

— Если отряд моего сына не повинуется ему, быть может, авангард — не их место. Вне сомнения, ему будет удобнее в тылу — охранять наш обоз.

— Пожалуйста, не заботьтесь обо мне, отец, — проговорил Тирион сердитым голосом. — Если вы не предложите мне ничего другого, я поведу ваш авангард.

Лорд Тайвин поглядел на своего сына.

— Я ничего не говорил о командовании авангардом. Ты будешь подчиняться сиру Григору.

Откусив кусок свинины, Тирион пожевал и с негодованием выплюнул его.

— Похоже, мне расхотелось есть, — сказал он, неловко перелезая через скамейку. — Прошу извинить меня, милорды.

Лорд Тайвин наклонил голову, отпуская его. Тирион повернулся и направился прочь. Ковыляя вниз по склону, он ощущал спиной общее внимание. Позади поднялся громкий хохот, однако Тирион не обернулся и только пожелал про себя, чтобы все они подавились этими молочными поросятами.

Спустился сумрак, превратив все знамена в траурные. Лагерь Ланнистеров занял несколько миль между рекой и Королевским трактом. Среди людей и деревьев было нетрудно потеряться, и Тирион заблудился.

Он прошел мимо дюжины огромных шатров и сотни костров. Светляки блуждающими звездами реяли между палаток. Запахло чесночными сосисками, острый аромат заставил взвыть пустой желудок. Вдалеке нестройный хор завел непристойную песню. Мимо него метнулась, хихикая, женщина; наготу ее прикрывал только темный плащ, пьяный преследователь спотыкался о корни. Еще дальше двое копейщиков, став друг напротив друга над узеньким ручейком, нападали и защищались попеременно, успев уже взмокнуть.

Никто не глядел на Тириона. Никто не говорил с ним. Никто не обращал на него никакого внимания. Он был окружен людьми, присягнувшими дому Ланнистеров, целым войском в двадцать тысяч человек, и все же он был один.

Он нашел стан Каменных Ворон, укрывшихся в уголке ночи, лишь по грохочущему хохоту Шагги. Конн, сын Коратта, махнул ему кружкой эля.

— Эй, Тирион-полумуж! Иди, садись возле нашего огня, раздели мясо с Каменными Воронами, мы добыли быка.

— Я вижу это, Конн, сын Коратта.

Над ревущим огнем висела огромная кровавая туша на вертеле размером с небольшое дерево. Собственно говоря, это и было небольшое дерево. Кровь и жир капали в пламя, а двое Каменных Ворон поворачивали быка.

— Благодарю, позовите, когда мясо испечется. — Судя по всему, это могло случиться лишь перед самой битвой.

Тирион пошел дальше.

Каждый клан собрался вокруг собственного очага. Черноухие не ели с Каменными Воронами, те не садились рядом с Лунными Братьями, и уж вовсе никто не делил трапезу с Обгорелыми. Скромная палатка, которую он лестью добыл из припасов лорда Леффорда, была расставлена посреди четырех костров. Тирион увидел Бронна, делившегося вином из меха с новыми слугами. Лорд Тайвин прислал сыну слугу и конюха и даже настоял, чтобы он взял сквайра. Они собрались вокруг угольков небольшого костра. С ними была девушка — тонкая, темноволосая, не старше восемнадцати лет, если судить по виду. Тирион поглядел на нее какое-то мгновение, а потом заметил в пепле рыбные кости.

— Что вы ели?

— Форель, милорд, — ответил конюх. — Бронн наловил рыбы.

Форель, подумал Тирион, скорбно разглядывая кости. Молочный поросенок. Проклятый отец. В желудке его урчало.

Юный Подрик, его сквайр, носивший зловещую фамилию Пейн, проглотил те слова, которые уже собрался сказать. Парнишка был дальним родственником сира Илина Пейна, королевского палача... и вел себя почти столь же молчаливо, хотя не из-за отсутствия языка. Тирион даже заставил его однажды открыть рот, чтобы проверить...

— Ну, видишь, язык есть, — проговорил он. — Когда-нибудь ты научишься им пользоваться.

В настоящий момент Тирион не имел настроения извлекать эту мысль из парня, которого — как он подозревал — навязали ему в порядке грубой насмешки, а посему обратил внимание на девушку.

— Это она? — спросил он у Бронна. Девица поднялась изящным движением и поглядела на него сверху вниз — с высоты своих скромных пяти с чем-то там футов.

— Да, милорд, и я могу говорить сама, если это угодно вам.

Он наклонил голову набок.

— А я Тирион из дома Ланнистеров. Люди зовут меня Бесом.

— Мать назвала меня Шаей. А мужчины зовут... нередко.

Бронн расхохотался, и Тирион тоже улыбнулся.

— Пройдем в палатку, Шая, если ты не против. — Подняв полог, он пригласил ее войти. Внутри шатра он пригнулся, чтобы зажечь свечу.

Жизнь солдата имела определенные преимущества. Во всяком военном лагере находились те, кто непременно увязывался за воинами. В конце дневного перехода Тирион отослал Бронна назад, чтобы тот отыскал ему шлюху поприятнее.

— Лучше, чтоб была помоложе и посимпатичнее, но — какую найдешь. Я ужс буду рад, если опа хоть раз умывалась в этом году. Если нет, пусть умоется. Но скажи ей, кто я, и предупреди, каков из себя.

Джик не всегда утруждал себя этим, и в глазах девиц при виде лорденыша, которого они собирались потешить, появлялось нечто совсем иное... чего Тирион Ланнистер не желал бы видеть.

Подняв свечу, он оглядел ее. Бронн постарался: тоненькая, с глазами голубки, твердые и маленькие грудки... и улыбка, то застенчивая, то наглая и ехидная. Ему это понравилось.

— Снять ли мне и рубашку, милорд? — спросила она.

— В свое время. Ты, случайно, не девственна, Шая?

— Если это вам угодно, милорд, — сказала она.

— Мне угодно слышать правду, девица.

— Да, но это обойдется вам в два раза дороже!

Тирион решил, что они сумеют поладить.

— Я — Ланнистер. Золота у меня много, не сомневайся в моей щедрости. Но я потребую от тебя большего, чем то, что есть у тебя между ногами, хотя мне нужно и это. Ты будешь делить со мной шатер, подавать мне вино, смеяться над моими шутками, растирать мои ноги после дневных переходов... и продержу ли я тебя день или год, но пока мы вместе, ты не примешь в свою постель никого другого.

— Мне и вас вполне достаточно. — Она потянулась к подолу своей грубой домотканой рубахи и, одним движением стянув ее через голову, отбросила в сторону. Под рубахой не было ничего, кроме Шаи. — Если вы не опустите эту свечу, милорд, она обожжет ваши пальцы.

Тирион опустил свечу, взял ее за руку и притянул к себе. Шая пригнулась, чтобы поцеловать его. Рот ее пах медом и гвоздикой, ловкие и умелые пальцы отыскали застежки его одежды.

Когда он вошел в нее, она подбодрила его ласковыми словами и тихим удовлетворенным вздохом. Тирион подозревал, что восторг свой она изобразила, однако Шая сделала это хорошо и ему было все равно. Зачем знать обо всем правду?

В том, насколько Шая была нужна ему, Тирион убедился, когда она — после — притихла в его руках. Она или любая другая женщина. Прошел почти уже год с тех пор, когда он в последний раз делил ложе с женщиной; было это, когда он направлялся в Винтерфелл в обществе своего брата и короля Роберта. Вполне возможно, что смерть встретит его завтра или послезавтра, так что лучше отправиться на тот свет, вспоминая Шаю, а не лорда-отца или леди Кейтилин Старк.

Он ощущал плечом ее мягкие груди. Приятное чувство. Песня наполняла его голову, и Тирион негромко засвистел.

— Что это, милорд? — прошептала Шая, прижимаясь к нему.

— Ничего, — отвечал он. — Песня, которую я запомнил мальчишкой, и ничего более, моя милая.

Когда глаза ее закрылись, а дыхание сделалось ровным и медленным, Тирион выскользнул из-под нее — осторожно, чтобы не потревожить ее сон. Голым он выбрался наружу, переступил через сквайра и отправился за шатер, чтобы побрызгать.

Бронн сидел под каштаном, скрестив ноги, возле привязанных лошадей. Даже не думая спать, он точил острие меча. Он, похоже, не так нуждался во сне, как обычный человек.

— Где ты отыскал ее? — спросил его Тирион, мочась.

— Отобрал у рыцаря. Он не хотел расставаться с ней, но ваше имя несколько переменило его настроение... ну и мой кинжал у горла.

— Великолепно, — сухо сказал Тирион, отрясая последние капли. — Кажется, я просил найти мне шлюху, а не врага.

— Хорошенькие все при деле, — сказал Бронн. — Охотно отведу эту обратно, если ты предпочтешь беззубую каргу.

Тирион прохромал к месту, где сидел наемник.

— Мой лорд-отец назвал бы эти слова наглостью и сослал бы тебя в рудники в качестве наказания.

— Стало быть, мне повезло, что ты не твой отец, — ухмыльнулся Бронн. — Я тут видел одну — вся рожа в прыщах, может, хочешь?

— Ну что ты... разбивать твое сердце? — ответил Тирион. — Я оставлю себе Шаю. Послушай, а ты не запомнил имя рыцаря, у которого отобрал ее? Я бы не хотел, чтобы он оказался возле меня в битве.

Бронн поднялся с кошачьей легкостью и быстротой, повернул меч в руке.

— В битве я буду рядом с тобой, карлик.

Тирион кивнул. Теплый ночной воздух проникал к его нагой коже.

— Позаботься, чтобы я уцелел в этой битве, и можешь требовать, что захочешь.

Бронн перебросил меч из правой руки в левую, замахнулся.

— Ну кто захочет убивать такого, как ты?

— Например, мой лорд-отец. Он поставил меня в авангард.

— Я сделал бы то же самое. Маленький воин за большим щитом. Стрелки помрут от расстройства.

— Твои слова вселяют в меня непонятную бодрость, — улыбнулся Тирион. — Должно быть, я свихнулся.

Бронн вернул меч в ножны.

— Вне сомнения.

Когда Тирион вернулся в шатер, Шая перекатилась на локоть и сонным голосом пробормотала:

— Я проснулась, а милорд исчез...

— Милорд вернулся. — Он скользнул рядом с ней. Ладонь Шаи направилась к развилке между его коротких ног и обнаружила там нечто твердое.

— Вернулся, — согласилась она, оглаживая его.

Тирион спросил, у кого отобрал ее Бронн, Шая назвала мелкого вассала кого-то из незначительных лордов.

— Его можно не опасаться, милорд, — сказала девушка, занимаясь его предметом. — Он не из больших людей.

— А как насчет меня? — спросил Тирион. — Или я гигант?

— О да, — промурлыкала она. — Мой гигант среди Ланнистеров. — А потом уселась на него и на какое-то время почти заставила Тириона поверить в это. Он заснул улыбаясь...

...И проснулся во тьме от рева труб. Шая трясла его за плечо.

— Милорд, — прошептала она. — Просыпайтесь, милорд, мне страшно.

Сонный он поднялся, отбросил назад одеяло. Трубы трубили в ночи, дикий и настоятельный голос их говорил: «Торопись, торопись, торопись». Раздавались крики, стук копий, ржание коней, но ничто не говорило о схватке.

— Трубы моего отца, — сказал он. — Боевой сбор; я слыхал, что Старк находится в дневном переходе отсюда.

Шая растерянно затрясла головой. Глаза ее расширились и побелели.

Тирион со стоном поднялся на ноги и, выбравшись в ночь, крикнул сквайра. Клочья белого тумана тянулись к нему от реки длинными пальцами. Люди и кони двигались в предутреннем холодке: вокруг седлали коней, грузили фургоны, гасили костры. Трубы запели снова: торопись, торопись, торопись! Рыцари поднимались на всхрапывающих коней, латники застегивали на бегу пояса с мечами. Когда он нашел Пода, оказалось, что мальчишка негромко храпит.

Тирион резко ткнул его пальцем в ребра.

— Панцирь, — сказал он, — и быстро.

Бронн выехал рысцой из тумана на коне, в панцире и в видавшем виды шишаке.

— Ты знаешь, что происходит? — спросил его Тирион.

— Мальчишка Старк надул нас на целый переход, — сказал Бронн. — Всю ночь он полз по Королевскому тракту, и теперь его войско менее чем в миле к северу отсюда разворачивается в боевой порядок.

Торопись, звали трубы, торопись, торопись!

— Проверь, готовы ли горцы? — Тирион нырнул в шатер. — Где моя одежда? — рявкнул он Шае. — Сюда. Нет, кожу, проклятие. Да принеси мне сапоги!

Пока он одевался, сквайр приготовил его доспехи. Вообще-то Тириону принадлежал прекрасный тяжелый панцирь, великолепно подогнанный под его уродливое тело. Увы, в отличие от Тириона он пребывал в полной безопасности на Бобровом утесе. Так что карлику пришлось воспользоваться разнородными предметами, полученными от лорда Леффорда: кольчужными калберком и шапкой, воротником убитого рыцаря, поножами, перчатками и остроносыми стальными сапогами. Кое-что было украшено, кое-что нет. Не все предметы подходили друг к другу и сидели на нем так, как следовало бы. Нагрудная пластина предназначалась для более рослого человека, для его большой головы едва отыскали огромный шлем ведерком, увенчанный треугольной пикой.

Шая помогала Поду с застежками и пряжками.

— Если я погибну, поплачь, — сказал Тирион шлюхе.

— А как ты узнаешь? Мертвый-то?

— Узнаю.

— И я так думаю. — Шая опустила огромный шлем на его голову, и Под привязал его к воротнику. Тирион застегнул пояс, отягощенный коротким мечом и кинжалом. К тому времени конюх подвел ему коня, рослого, в столь же тяжелой броне. Тириону нужна была помощь, чтобы подняться в седло; ему казалось, что он весит добрую тысячу стоунов. Под вручил ему щит — толстую доску из тяжелого железоствола, охваченную сталью. Наконец ему подали боевой топор. Шая, отступив назад, оглядела его.

— Милорд восхищает меня.

— Милорд похож на карлика в неподогнанной броне, — ответил кислым голосом Тирион, — однако все равно спасибо за доброту. Подрик, если битва сложится против нас, проводи даму домой. — Отсалютовав топором, Тирион развернул коня и направился прочь. Желудок его свернулся в тугой и болезненный клубок. Позади него слуги поспешно собирали шатер. Солнце уже тянуло вверх свои бледно-пурпурные пальцы из-за восточного горизонта. Густая синева на западе была еще усеяна звездами. Тирион подумал, что в последний раз встречает рассвет, и попытался уразуметь, не свидетельствует ли такая мысль о его трусости. Думает ли о смерти его брат Джейме перед битвой?

Вдали прозвучал боевой рог, глубокая скорбная нота холодила душу. Горцы садились на своих мохнатых коньков, обмениваясь ругательствами и грубыми шутками. Несколько человек показались ему пьяными. Встающее солнце начало сжигать ползучие щупальца тумана, когда Тирион повел свой отряд. Оставленная лошадьми трава отяжелела от росы, словно какой-то бог мимоходом высыпал на землю мешок алмазов. Горцы ехали следом за Тирионом, каждый клан после своего предводителя.

Армия лорда Тириона Ланнистера раскрывалась под лучами зари — словно железная роза, ощетинившаяся шипами.

Дядя его возглавит центр: сир Киван поднял свои штандарты на Королевском тракте. С колчанами у поясов пешие стрелки выстроились тремя длинными шеренгами к востоку и западу от дороги и уже невозмутимо надевали тетивы. Между ними квадратом стояли копейщики, позади них выстроились латники с мечами, копьями и топорами. Три сотни тяжелой конницы окружали сира Кивана и лордов-знаменосцев Лефforda, Лиддена, Серрета и всех, присягнувших им.

На правом крыле была только конница — почти четыре тысячи, — отягощенная весом брони. Более чем три четверти рыцарей находились там, образуя огромный стальной кулак. Командовал им сир Аддам Марбранд. Тирион увидел, как развернулась его хоругвь, когда знаменосец тряхнул ею. Горящее дерево, дым на оранжевом фоне. Позади него затрепетали стяги — сира Флемента с пурпурным единорогом, пятнистый вепрь Кракехолла, бентамский петушок Свифтов и так далее...

Его лорд-отец оставался на холме, где провел ночь. Вокруг него собрался резерв — огромная сила, наполовину конница, наполовину пешие, целых пять тысяч. Лорд Тайвин почти всегда предпочитал командовать резервом. Занимая высокое место, он наблюдал за ходом сражения, вводя свои силы именно там и тогда, когда это было нужно больше всего. Даже издалека его лорд-отец казался великолепным. Боевое облачение Тайвина Ланнистера, бесспорно, посрамило Джейме с его позолоченным панцирем. Огромный плащ, сшитый из бесчисленных слоев золотой ткани, был настолько тяжел, что едва шевелился, когда лорд Тайвин трогался с места, и настолько велик, что закрывал почти все задние ноги коня. Ни одна обычная застежка не выдержала бы подобной тяжести, поэтому великий плащ удерживался на месте парой миниатюрных львиц, изгибавшихся на его плечах, словно готовясь к прыжку. Их супруг, лев с великолепной гривой, полулежал на великом шлеме лорда Тайвина, разрывая воздух лапой и рыком. Все три фигуры были отлиты из золота, а рубины заменяли им глаза. Пластинчатый панцирь лорда Тайвина покрывала темно-пурпурная эмаль, поножи и перчатки были выложены причудливыми золотыми узорами. Налокотники напоминали золотые звезды, все застежки были вызолочены, а красная сталь просто сияла огнем в лучах восходящего солнца.

Тирион уже слышал рокот барабанов противника. Ему вспомнился чертов Винтерфелл и Робб Старк в момент последней их встречи — на высоком престоле отца, с обнаженным мечом в руках. Потом он вспомнил, как на него набросились лютоволки, и вдруг увидел зверей снова — скалящихся, обнажающих зубы перед его лицом. Взял ли мальчишка своих волков на войну? Мысль эта заставила Тириона поежиться.

Северяне, наверное, утомлены долгим ночным переходом. Тирион попробовал представить себе, на что рассчитывал парень. Неужели он действительно надеялся застать их врасплох во время сна? На это было немного шансов; что бы ни говорили, Тайвина Ланнистера одурачить было невозможно.

Авангард собирался слева. Тирион увидел первый штандарт: три черных пса на желтом фоне. Под ним восседал Григор — на самом большом коне из всех, которых доводилось когда-либо видеть Тириону.

Поглядев на него, Бронн ухмыльнулся:

— В бою всегда следуй за рослым.

Тирион подозрительно поглядел на него.

— А почему так?

— Из них получается великолепная цель. А уж этот притянет к себе внимание каждого лучника.

Рассмеявшись, Тирион поглядел на Гору свежим взглядом.

— Признаюсь, я никогда не воспринимал его в таком свете.

Клиган не был окружен великолепием, тускло-черная сталь пластинчатого панциря была покрыта щербинами, оставленными долгим употреблением, и не была украшена ничем — даже гербом. Сир Григор указывал своим людям их места великим двуручным мечом, держа его в одной руке, словно какой-то кинжал.

— Того, кто побежит, я зарублю сам, — проревел он, заметив Тириона. — Бес! Налево, держи реку, если сумеешь.

На левый фланг левого фланга. Чтобы обойти их, Старкам потребуются кони, способные бежать по воде. Тирион повел своих людей к берегу.

— Видите?! — прокричал он, указывая топором. — Река. — Полотнище белого тумана до сих пор висело над поверхностью воды, над мутно-зеленым и глубоким, бурлящим руслом. Илистое мелководье заросло тростником. — Эта река — наша. Что бы ни случилось, держитесь возле воды. И никогда не теряйте ее из вида. Пусть враг не отрежет нас от нее, а если они посмеют осквернить наши воды, секите их и бросайте рыбам.

Шагга, державший по топору в каждой руке, звонко стукнул ими друг о друга.

— За полумужа! — закричал он. Остальные Каменные Вороны присоединились к его боевому кличу. Черноухие и Лунные Братья тоже. Обгорелые не кричали, но и они постучали мечами о копья.

— За полумужа! За полумужа! За полумужа!

Тирион направил коня полукругом, чтобы оглядеть поле. Покатый и неровный склон, мягкий и глинистый у реки, неторопливо поднимался к Королевскому тракту, за которым на востоке начиналась обычная здесь каменистая и неровная местность. На склонах можно было видеть несколько деревьев, но в основном земля была расчищена и обработана. Сердце колотилось и грохотало в груди Тириона, повторяя ритм барабанов, и под сталью чело его увлажнилось поутом.

Он проводил взглядом сира Григора, когда Гора два раза проехал вдоль линии, жестикулируя и что-то выкрикивая. Это крыло было тоже составлено из конницы, но если справа располагался бронированный кулак из рыцарей и тяжеловооруженной кавалерии, то авангард войска западного края составили из отбросов: лучников в кожаных куртках, нестройной массы неприученных к боевому порядку вольных всадников и наемников, сельских работников на пахотных лошадях с косами и ржавыми мечами, полученными от отцов, недоученных ребят из борделей Ланниспорта, ну и Тириона с его горцами.

— Вороний харч, — пробормотал рядом Бронн слова, которые Тирион оставил при себе. Ему пришлось только кивнуть. Неужели его лорд-отец лишился рассудка? Нет копейщиков, горстка лучников, несколько рыцарей, плохо вооруженное ополчение, и командует безмозглое чудовище, склонное к припадкам слепой ярости... Как может ожидать лорд Тайвин, что эта пародия на боевые ряды удержит его левый фланг?

Впрочем, на размышления у него не было времени. Барабаны били так близко, что мороз заползал под его кожу, заставляя холодеть руки. Бронн извлек меч, и тут враг разом появился перед ними; кипящая масса размеренным шагом потекла через гребень холма, приближаясь за стеной из щитов и пик.

Проклятие богам, какая силища, подумал Тирион, даже зная, что отец вывел на поле больше людей. Войско вели капитаны на закованных в железо конях, ехавшие под собственными знаменами. Он заметил лося Хорнвудов, колючую звезду Карстарков, боевой топор лорда Сервина, кольчужный кулак Гловеров... и двойные башни Фреев, голубые на сером. Вот и плата за уверенность его отца в том, что лорд Уолдер не станет утруждать себя. Белый флаг дома Старков был виден повсюду, серые лютоволки бежали и прыгали на знаменах, рвались с высоких древков. А где же мальчишка? Хорошо было бы догадаться, подумал Тирион.

Пропел боевой горн. «Харууууууууууууууу», — говорил он голосом, низким и холодным, как ветер, дувший с севера. Ответили трубы Ланнистеров: да-да, да-да-да-ДААААААААА! Медный и возмущенный голос их показался Тириону менее громким и слегка неуверенным. Он ощутил шевеление в своем чреве, неприятное чувство; оставалось только надеяться, что умрет он не от поноса.

Трубы умолкли, и воздух над полем зашипел. Лучники, стоявшие у дороги, засыпали войско Старков стрелами. Северяне с боевым кличем перешли на бег, но стрелы Ланнистеров сыпались на них градом — сотнями, тысячами, клич рассыпался в вопли, люди спотыкались и падали. Но второй залп был уже в воздухе, и лучники накладывали третью стрелу на тетиву.

Тут трубы пропели снова. Да-ДААА, да-ДААА, да-ДА, да-Да да-ДАААААА. Сир Григор махнул огромным мечом и рыкнул команду, тысячи голосов присоединились к нему. Тирион пришпорил коня, добавляя еще один голос к какофонии, авангард рванулся вперед.

— У реки, — крикнул он горцам, когда они тронулись с места. — Помните, держитесь реки!

Он еще был впереди, когда они прибавили ходу,

наконец Чилла, испустив вопль, от которого кровь застывала в жилах, галопом опередила его. Шагга взвыл и последовал за ней. Горцы бросились вперед, оставив Тириона в пыли.

Встречая их, копейщики врага выстроились полукругом, двойная изгородь копий торчала стальной щетиной из-за высоких деревянных щитов с золотой звездой Карстарков. Григор Клиган первым достиг их во главе клина опытных латников. Половина коней попятилась в последнюю секунду, остановив бег перед рядом копий. Остальные погибли, когда стальные острия разорвали их тело, на землю упала, наверное, дюжина нападавших. Конь Горы взвился на дыбы, молотя по воздуху окованными железом копытами, когда зубастый наконечник копья распорол ему шею. Обезумевший зверь рванулся вперед. Копья пронзали его с обеих сторон, но стена щитов развалилась под его весом. Северяне отшатнулись, опасаясь предсмертных движений животного. Конь упал, обливаясь кровью, но Гора поднялся целым и невредимым, размахивая вокруг великим двуручным мечом.

Шагга пролетел в брешь прежде, чем щиты успели сомкнуться, остальные Каменные Вороны последовали за ним.

Тирион закричал:

— Обгорелые! Лунные Братья! За мной! — Впрочем, почти все они были впереди него. Тиметт уже соскакивал с коня, убитого на полном скаку, кто-то из Лунных Братьев повис, пронзенный копьем Карстарка, конь Конна, лягнув, сломал ребро воину врагов. Посыпались стрелы — неизвестно кем пущенные, — падали они и на Старков, и на Ланнистеров, отскакивая от брони или находя плоть. Прикрываясь, Тирион поднял щит.

Изгородь рушилась, северяне отступали под натиском конных. Тирион видел, как Шагга сразил копейщика ударом в грудь, когда дурень попытался шагнуть вперед; топор разрубил и панцирь, и кожу, и мышцы, вскрыв легкое. Северянин умер мгновенно, но топор завяз в его груди, а Шагга отправился дальше, успев расколоть надвое чей-то щит ударом топора в левой руке; правая же удерживала на весу труп.

Наконец мертвец сполз с древка. Шагга ударил топором о топор и заревел.

Но тут враг приблизился к Тириону, от всей битвы осталось лишь несколько футов земли вокруг коня. Латник ударил Тириона в грудь, движением топора он отбил копье. Враг отступил назад для новой попытки, но Тирион пришпорил коня и затоптал его. Бронна окружали трое, но он уже снёс наконечник с первого копья и обратным движением сумел ударить клинком в лицо второму противнику.

Брошенное копье с гулким стуком вонзилось в щит Тириона. Повернув, он погнался за кидавшим, но тот поднял щит высоко над головой. Тирион объезжал его, осыпая дерево ударами топора. Полетели дубовые щепки, наконец северянин оступился и упал на спину, прикрываясь щитом. Он был за пределами досягаемости топора, а спешиваться было бы слишком сложно, и поэтому Тирион направился к другому противнику, взяв его сзади ударом, больно отозвавшимся в руке. Получив мгновенную передышку, он оглянулся, отыскивая взглядом реку. Она оказалась справа. Каким-то образом он развернулся в обратную сторону.

Мимо, привалившись к холке коня, проехал кто-то из Обгорелых. Копье пронзило его живот, наконечник торчал из спины. Он был за пределами помощи, однако, заметив, что один из северян попытался схватить за поводья, Тирион бросился вперед. Противник встретил его с мечом. Высокий и ловкий, в длинной кольчуге и перчатках из стали, он потерял свой шлем, и кровь текла на его глаза из раны на лбу. Тирион ударил в лицо, но высокий отбил удар в сторону.

— Карлик, — завопил он. — Умри.

Он поворачивался, пока Тирион объезжал его, рубя по голове и плечам. Сталь звенела о сталь, и Тирион скоро понял, что человек этот быстрее и сильнее его. В которое же пекло из семи провалился этот Бронн?

— Умри, — зарычал противник, нанося отчаянный удар.

Тирион едва успел поднять щит, и дерево словно взорвалось под могучим ударом, осыпав щепками его руку.

— Умри, — завопил меченосец, ударив Тириона в висок так, что в голове его зазвенело. Клинок врага скрежетнул по стали шлема. Высокий ухмыльнулся... но тут конь Тириона со змеиной быстротой укусил его, открыв щеку до кости. Враг закричал, и Тирион погрузил топор в его голову.

— Сам умри, — сказал он; противнику другого и не оставалось.

Вырвав свой топор, Тирион услыхал крик.

— За Эддарда! — звенел голос. — За Эддарда Винтерфелла!

На него наезжал рыцарь, размахивая шипастым кистенем над головой. Кони сошлись, прежде чем Тирион успел позвать Бронна. Правый локоть его взорвался от боли, когда шипы пронзили тонкий металл возле сустава. Топор мгновенно куда-то запропастился, он потянулся к мечу, но кистень вновь закружил, метя в его лицо. Мерзкий хруст предшествовал его падению. Тирион не помнил, как оказался на земле, но когда он поглядел вверх, над ним было лишь только небо. Тирион перекатился на бок, попытался подняться на ноги, но боль пронзила его, и мир вокруг запульсировал. Рыцарь, выбивший его из седла, остановился.

— Тирион-Бес, — прогрохотал он. — Ты — мой. Сдаешься, Ланнистер?

Да, подумал Тирион, но слово застряло в его горле. Крякнув, он попытался подняться на колени, отыскать оружие. Меч, кинжал, что угодно...

— Сдаешься? — Рыцарь на бронированном коне нависал над ним. Человек и лошадь казались огромными. Шипастый шар лениво кружил в воздухе. Руки Тириона онемели, он плохо видел, ножны были пусты.

— Сдавайся или умри, — объявил рыцарь, ускоряя вращение шара. Вскочив на ноги, Тирион ткнул головой в брюхо коня. Животное с ужасным воплем встало на дыбы, пытаясь избавиться от муки. Ливень крови обрушился на Тириона. Конь рухнул лавиной. Потом он понял, что забрало его забито грязью и что-то давит на ногу. Тирион едва вырвался на свободу, горло так перехватило, что он почти не мог говорить.

— Сдаюсь, — едва сумел выдавить он.

— Сдаюсь, — повторил полный боли голос.

Тирион стер грязь со шлема и мог теперь видеть, что конь упал на своего всадника. Нога рыцаря оставалась под животным; рука, которой он попытался остановить падение, вывернулась под причудливым углом.

— Сдаюсь, — повторил тот и, отстегнув меч, здоровой рукой бросил оружие к ногам Тириона. — Сдаюсь, милорд.

Ошеломленный карлик пригнулся и поднял меч. Боль пронзила его локоть, когда он шевельнул рукой. Битва, похоже, ушла вперед. Рядом никого не было, если не считать изрядного количества трупов. Вороны уже кружили над ними. Тирион заметил, что сир Киван повернул центр на поддержку авангарда, огромное скопление копейщиков оттесняло северян обратно к холмам. Борьба шла на склонах, пики упирались в стену овальных щитов, скрепленных железными нашлепками. Воздух вновь наполнился свистом, и люди позади дубовой стены начали падать под ударами убийственных наконечников.

— По-моему, вы проигрываете, сир, — сказал он рыцарю, лежавшему под конем. Тот не ответил.

Звук копыт за спиной заставил карлика обернуться, хотя он едва ли сумел бы поднять меч из-за терзающей локоть боли. Бронн остановился и поглядел на него сверху вниз.

— Большой пользы ты мне не принес, — укорил его Тирион.

— Вижу, что ты прекрасно справился сам, — ответил Бронн. — Хотя и потерял рог на своем шлеме.

Тирион потянулся к макушке шлема. Шип отломился начисто.

— Я не потерял его. Я знаю, где он находится. А ты не видишь моего коня?

Когда они отыскали животное, трубы запели снова, и лорд Тайвин пустил свой резерв вдоль реки. Тирион видел, как отец пролетел мимо под пурпурным и золотым знаменем Ланнистеров, трепетавшим над его головой. Пять сотен рыцарей окружали его, солнечный свет играл на остриях пик. Оборона Старков рассыпалась как стекло под их сокрушительным ударом.

Ощущая пульсирующую боль в локте, Тирион не стал пытаться присоединиться к смертоубийству. Они с Бронном принялись разыскивать своих людей. Многие нашлись среди мертвых, Улф, сын Умара, лежал в луже густевшей крови — без руки, отсеченной ниже локтя, вокруг него распростерлась дюжина Лунных Братьев. Утыканный стрелами Шагга скрючился под деревом, голова Конна лежала на его коленях. Тирион решил, что оба мертвы, но когда он спешился, Шагга открыл глаза и проговорил:

— Они убили Конна, сына Коратта.

Симпатичный Конн с виду был цел, если не считать алого пятна, оставленного на груди ударом копья. Когда Бронн поднял Шаггу на ноги, рослый горец, казалось, впервые заметил стрелы в своем теле. И по одной принялся вырывать их, проклиная дырки, которые острия оставили в его кольчуге и куртке. Те немногие, которые добрались до его плоти, он извлекал с младенческими стенаниями. Тут к ним подъехала Челла, дочь Чейка, предъявляя четыре отрезанных ею уха. Тиметта они обнаружили за грабежом: он раздевал убитых вместе со своими Обгорелыми. Из трех сотен горцев, которые выехали на поле битвы позади Тириона Ланнистера, уцелела, наверное, половина.

Он оставил живых приглядеть за убитыми, приказал Бронну позаботиться о пленном рыцаре и отправился разыскивать отца. Лорд Тайвин восседал у реки, прихлебывая вино из украшенной самоцветами чаши, сквайр возился с завязками на его панцире.

— Прекрасная победа, — проговорил сир Киван, заметив Тириона. — Твои дикари сражались отлично.

Глаза отца были обращены к нему, их бледная зелень, усыпанная золотыми искорками, казалась настолько холодной, что Тирион поежился.

— Ты удивлен, отец, — спросил он, — или это расстроило твои планы? Наверное, мы обязаны были погибнуть?

Лорд Тайвин осушил чашу, выражение на лице его не изменилось.

— Я поставил на левый фланг менее дисциплинированных. Я ожидал, что они не выдержат натиска... Робб Старк — зеленый мальчишка, он скорее проявит отвагу, чем мудрость. Я надеялся, что, заметив провал на нашем левом фланге, он бросится развивать успех. И тогда копейщики сира Кивана, развернувшись, ударили бы сверян в бок, загнали бы в реку, а я с резервом добил бы их.

— И вы отправили меня в самое пекло, не сообщив ничего о своих планах?

— Нельзя убедительно изобразить отступление, — сказал отец, — а я не склонен доверять свои планы человеку, общающемуся с наемниками и дикарями.

— Как жаль, что мои дикари испортили танец. — Тирион стащил с руки стальную перчатку и выронил ее, вздрогнув от пронзившей локоть боли.

— Мальчишка Старк оказался осторожнее, чем я ожидал, — признался лорд Тайвин. — Но победа — всегда победа. Кажется, ты ранен?

Правый рукав Тириона был пропитан кровью.

— Спасибо, что вы заметили это, отец, — проговорил он, скрипнув зубами. — Могу ли я обременить вас просьбой? Пошлите кого-нибудь за вашими мейстерами. Если только вы не предпочтете иметь в качестве сына однорукого карлика.

Настоятельный крик «Лорд Тайвин!» заставил отца повернуть голову прежде, чем он успел ответить. Тайвин Ланнистер поднялся на ноги, когда сир Аддам Марбранд соскочил с коня. Конь был покрыт пеной, и губы его кровоточили. Сир Аддам пал на одно колено — рослый, темная медь волос ниспадает на плечи, полированная бронза играет на стали, изображая огненное дерево дома, вытравленное на нагруднике.

— Мой господин, мы захватили некоторых из их командиров: лорда Сервина, сира Уилиса Мандерли, Харриона Карстарка, четверых Фреев; лорд Хорнвуд погиб, и, увы, Русе Болтон сумел улизнуть.

— А мальчишка? — спросил лорд Тайвин.

Сир Аддам помедлил.

— Мальчишки Старка не было с ними, милорд. Говорят, что он пересек реку у Близнецов с большой частью своей конницы и отправился прямо к Риверрану.

Зеленый мальчишка, вспомнил Тирион, он скорее проявит отвагу, чем мудрость... Карлик расхохотался бы, если бы ему не было так больно.

КЕЙТИЛИН

В лесу было множество шорохов.

Лунный свет играл на быстрых водах ручья, искавшего дорогу среди камней на дне долины. Укрытые под деревьями боевые кони с негромким ржанием взрывали копытами влажную, покрытую опавшими листьями почву, люди негромко обменивались нервными шутками. Тут и там позвякивало оружие, тихо шелестели кольчуги.

— Осталось недолго, — сказал Халлис Моллен. Он просил чести охранять ее в грядущей битве — по праву, как капитан гвардии Винтерфелла, — и Робб не отказал.

Кейтилин окружали тридцать латников, обязанных в целости и сохранности проводить ее в Винтерфелл, если битва повернется против Старков. Робб хотел выделить полсотни, Кейтилин же считала, что и десятерых ей будет довольно, а ему в битве понадобится каждый меч. Сошлись на тридцати, и оба остались недовольны принятым решением.

— Она придет в свое время, — сказала Кейтилин сыну, зная, что она — это смерть... ее собственная или Робба. Никто не мог считать себя в безопасности. Ни за чью жизнь нельзя было поручиться. И Кейтилин была готова ждать, ждать и ждать, слушая шепот леса и тихое пение ручья, ощущая прикосновение теплого ветра к волосам.

В конце концов она привыкла ждать. Мужчины успели приучить ее к этому занятию.

— Жди меня, кошечка, — всегда говорил ей отец, уезжая ко двору, на ярмарку или на битву. И она терпеливо ждала его на стенах Риверрана, между вод Красного Зубца и Камнегонки. Отец не всегда возвращался вовремя; проходили дни, а Кейтилин несла свою стражу возле зубцов и амбразур, пока наконец на берегу не появлялся лорд Хостер на своем старом гнедом мерине.

— Значит, ты ждала меня? — спрашивал он, нагибаясь, чтобы обнять ее. — Значит, ты ждала меня, кошечка?

Брандон Старк тоже просил ее ждать.

— Я не надолго, миледи, — обещал он. — Я вернусь, и мы сразу же повенчаемся. — Но когда наконец этот день настал, вместо него в септе рядом с ней стоял его брат Эддард.

Нед провел со своей новобрачной едва ли пару недель и тоже уехал на войну с обещаниями на губах. Но он-то, во всяком случае, оставил ей не только слова: он дал ей сына. Девять раз округлялась и тощала луна, и Робб родился в Риверране, а отец его все еще воевал на юге. Она родила сына в крови и боли, не зная, увидит ли еще раз своего мужа. Ее сын! Он был таким маленьким...

А теперь она ждала Робба... Робба и Джейме Ланнистера, позолоченного рыцаря, который, как утверждали люди, так и не научился ждать.

— Цареубийца не знает покоя и скор на гнев, — сказал Бринден Роббу. И сын ее рискнул всем — их жизнями и победой, положившись на правоту этих слов.

Если Робб и боялся, то не проявлял признаков испуга. Кейтилин внимательно следила за своим сыном; он обходил людей, хлопал одного по плечу, с другим обменивался шуткой, третьему помогал успокоить встревоженного коня. Броня его негромко позвякивала на ходу. Но голова Робба была обнажена. Кейтилин видела, как ветерок теребил его осенние волосы, так похожие на ее собственные, и удивлялась, не понимая, когда же ее сын успел стать таким взрослым. Ему пятнадцать, а он уже почти догнал ее ростом.

«Пусть он перерастет меня, — попросила Кейтилин богов. — Пусть доживет до шестнадцати, до двадцати и до пятидесяти. Пусть станет таким же высоким, как его отец, и возьмет на руки своего сына. Прошу вас, боги, прошу, прошу!» И она смотрела на этого высокого юношу с пробивающейся бородкой и лютоволком, следовавшим за ним по пятам, но видела лишь младенца, которого давным-давно в Риверране приложила к груди.

Ночь выдалась теплой, но от мыслей о Риверране мороз пробегал по коже. Где же Ланнистеры, гадала она. Неужели дядя ошибся? Сколько же зависело от справедливости его слов! Робб выделил Черной Рыбе три сотни отборных людей и послал их вперед прикрывать движение.

— Джейме не знает, — сказал сир Бринден, вернувшись. — Клянусь жизнью, ни одна птица не достигла его, об этом позаботились мои лучники. Мы встречали его разведчиков, но те, кто заметил нас, расстались с жизнью и не способны более говорить. Джейме следовало бы выслать побольше людей. Он ничего не знает.

— А большое ли у него войско? — спросил его сын.

— Двенадцать тысяч пеших стоят вокруг замка тремя лагерями, разделенные реками, — сказал дядя с жесткой улыбкой, которую она помнила так хорошо. — Иначе Риверран нельзя окружить. Но это их и погубит... Еще у него две или три тысячи конных.

— У Цареубийцы в три раза больше людей, чем у нас, — напомнил Галбарт Гловер.

— Именно, — подтвердил сир Бринден. — Однако сиру Джейме не хватает одной очень важной вещи.

— Чего же? — спросил Робб.

— Терпения.

Войско их теперь увеличилось по сравнению с тем, которое вышло из Близнецов. Лорд Ясон Маллистер привел свое войско из Сигарда. Пока они огибали исток Синего Зубца, к ним присоединялись засечные рыцари, малые лорды и лишившиеся господ латники, бежавшие на север, когда брат ее Эдмар потерпел поражение под стенами Риверрана. Они торопили коней, стараясь успеть вовремя — так, чтобы Джейме Ланнистер не услыхал об их появлении, — и теперь час настал.

Кейтилин видела, как сын ее поднялся в седло. Державший его коня Оливар Фрей, сын лорда Уолдера, был на два года старше Робба и на десять лет юнее и взволнованнее. Привязав щит Робба, он подал ему шлем. Когда забрало опустилось, прикрыв столь любимое Кейтилин лицо, на сером жеребце вместо ее сына остался молодой рыцарь. Под деревьями было темно, луна не заглядывала сюда. Робб повернул голову к матери, но она увидела лишь черноту за забралом.

— Я должен проехать вдоль линии, мать, — сказал он ей. — Отец говорил, что войско перед битвой обязательно должно увидеть полководца.

— Тогда ступай, — ответила она. — Пусть они увидят тебя.

— Это придаст им отваги, — сказал Робб.

Но кто поделится отвагой со мной? — подумала она, тем не менее сохраняя молчание и заставив себя улыбнуться.

Робб развернул высокого серого коня и шагом направился от нее. Серый Ветер следовал рядом, позади собиралась охрана. Кейтилин согласилась на это при условии, что сын тоже окружит себя верными людьми, и лорды-знаменосцы согласились. Многие из их сыновей добивались чести выехать на поле рядом с Молодым Волком, как стали называть ее сына. Торрхен Карстарк и его брат Эддард были среди его тридцати, с ними Патрек Маллистер, Маленький Джон Амбер, Дарин Хорнвуд, Теон Грейджой, никак не менее пяти отпрысков Уолдера Фрея; были и люди постарше — сир Уэндел Мандерли и Робин Флинт. Среди них оказалась даже девица, Дейси Мормонт, старшая дочь леди Мейдж, наследница Медвежьего острова, стройная шестифутовая особа, получившая шипастую булаву в том возрасте, когда ей было еще положено играть в куклы. Когда некоторые лорды выразили недовольство, Кейтилин не стала прислушиваться к их жалобам.

— Речь идет не о чести ваших домов, — сказала она. — А о том, чтобы мой сын остался живым и невредимым.

Если дойдет до этого, подумала она, хватит ли ему тридцати человек? Хватит ли ему шести тысяч?

У реки негромко крикнула птица, острая трель ледяной иглой пронзила сердце Кейтилин. Ей ответила вторая, третья, четвертая. Голоса эти были памятны ей по Винтерфеллу. Снежные сорокопуты, они всегда прилетают в середине зимы, когда богороща бела и тиха. Голоса севера.

Они идут, подумала Кейтилин.

— Идут, миледи, — шепнул Хал Моллен. Он всегда любил подчеркнуть очевидное. — Да помогут нам боги!

Она кивнула; лес вокруг сразу притих. В тишине уже слышалась далекая еще поступь многих коней, звон мечей, копий и кольчуг, бормотание человеческих голосов, ругательства и проклятия.

Вечность, казалось, сменялась вечностью. Звуки становились все громче. Она слышала смех, громкие приказы, плеск, когда они переходили узкий ручей. Фыркнула лошадь, ругнулся человек. И тут она увидела... лишь на мгновение этот рыцарь промелькнул среди ветвей, однако она узнала его. Сира Джейме Ланнистера трудно было с кем-то перепутать — даже издалека, даже ночью. Лунный свет посеребрил золото панциря и волос, окрасил алый плащ чернотой. На нем не было шлема.

Джейме появился и исчез снова. Серебряная броня скрылась за деревьями. За ним тянулись остальные —

длившая колонна рыцарей, наемников, вольных всадников — три четверти ланнистерской конницы.

— Этот не останется в шатре ждать, пока его плотники достроят осадные башни, — посулил ей сир Бринден. — Он уже трижды выезжал со своими рыцарями, чтобы поймать налетчиков или взять непокорный острог.

Кивая, Робб изучал карту, которую нарисовал для него дядя. Нед научил сына читать карту.

— Надо напасть на него отсюда, — указал он. — Взять несколько сотен людей — не более, — со знаменем Талли. Он погонится за вами, а мы будем ожидать. — Палец его сдвинулся налево. — Здесь.

Теперь это «здесь» пряталось в ночных тенях под луной, густой ковер мертвых листьев прикрывал землю, заросшие лесом края долины мягко понижались к ложу ручья, покрытые редевшим у воды подлеском.

«Здесь» ее сын оглянулся с коня в последний раз, отсалютовав матери мечом.

«Здесь» взревел рог Мейдж Мормонт, низкий голос его, прокатившись по долине с востока, сообщил им, что последний из всадников Джейме въехал в ловушку.

Серый Ветер откинул к небу голову и завыл.

Голос его, казалось, пронзил Кейтилин Старк, она задрожала. В жутких нотах звучала и музыка. На мгновение она ощутила нечто вроде жалости к войску Ланнистеров. Так говорит смерть, подумала она.

— ХААууууууууууууууууууууу, — отозвался ответ с дальнего гребня, где Большой Джон дунул в свой рог. На востоке и западе трубы Маллистеров и Фреев призвали к отмщению, на севере, где долина сужалась и поворачивалась локтем, боевые горны лорда Карстарка влили глубокую скорбную ноту в зловещий хор. Внизу у ручья кричали люди, пятились кони. Шепчущий Лес разом вздохнул, когда укрывшиеся в ветвях дерева лучники Робба выпустили стрелы на волю, и ночь взорвалась воплями раненых людей и коней. Вокруг нее всадники поднимали пики; грязные листья, скрывавшие жестокие ясные наконечники, осыпались, открывая блеск острой стали.

— За Винтерфелл, — услыхала она голос Робба после того, как стрелы вздохнули снова. И сын рысью повел своих людей.

Кейтилин без движения сидела на коне рядом с Халом Молленом, окруженная охраной; она снова ждала, как прежде ждала Брандона, Неда, отца. Она находилась на краю долины, и деревья скрывали от глаз Кейтилин большую часть того, что происходило внизу. Один удар сердца, два, четыре, и вдруг на свете словно бы никого не осталось, кроме ее защитников. Все остальные растаяли в зелени.

Однако поглядев на противоположную сторону долины, она увидела всадников Большого Джона, появившихся между деревьями. Ряды их показались ей бесконечными, и когда они оставили лес, на короткую долю мгновения лунный свет вспыхнул на остриях их пик, словно тысяча духов спускалась вниз, окутанная серебряным пламенем.

Но Кейтилин моргнула, и они вновь превратились в людей, мчавшихся, чтобы убить или умереть.

После она не смогла бы утверждать, что видела эту битву. Но слышно было прекрасно, а по долине ходили звуки: треск ломающихся копий, звон мечей, крики «За Ланнистеров» и «За Винтерфелл», «Талли! За Риверран и Талли». Поняв, что смотреть здесь не на что, Кейтилин закрыла глаза и отдалась слуху. Битва окружала ее. Она слышала топот копыт, железные сапоги расплескивали мелкую воду, глухо — словно под топором дровосека — стонали дубовые щиты, сталь скрежетала о сталь, свистели стрелы, грохотали барабаны, в ужасе тысячью глоток ржали кони. Мужчины ругались и просили пощады, получали ее — или нет, — жили или умирали. Края долины странным образом играли со звуком: однажды она услыхала голос Робба столь же ясно, как если бы он стоял возле нее. Сын звал:

— Ко мне! Ко мне!

Потом закричал лютоволк, лязгнули, раздирая плоть, длинные зубы, в крике ужаса слились голоса человека и коня, или здесь не один волк? Трудно было понять.

Понемногу звуки начали стихать и удаляться. Наконец слышно стало лишь волка. Когда на востоке забрезжил кровавый рассвет, Серый Ветер снова завыл.

Робб подъехал к ней на другом коне, пегом мерине, заменившем серого жеребца, на котором сын спустился в долину. Волчья голова на его щите была изрублена, в древесине остались глубокие борозды, однако сам Робб казался целым и невредимым. И все же, когда сын подъехал ближе, Кейтилин заметила, что его кольчужная перчатка и рукав почернели от крови.

— Ты ранен? — спросила она.

Робб поднял руку, развел и сомкнул пальцы.

— Нет, — ответил он. — Это... наверное, кровь Торрхена или... — Он качнул головой. — Не знаю. — За ним следовала толпа — грязная, помятая, но довольная. Теон и Большой Джон шли впереди, держа между собой обмякшего сира Джейме Ланнистера. Они бросили его перед конем Кейтилин.

— Цареубийца, — объявил Хал, констатируя очевидное.

Стоя на коленях, Ланнистер поднял голову и сказал:

— Леди Старк. — Кровь бежала по его щеке из глубокого разреза, бледный свет зари уже золотил его волосы. — Мне следовало бы отдать вам свой меч, но я, увы, потерял его.

— Мне не нужен ваш меч, сир, — заявила она. — Верните мне моего отца и брата Эдмара, отдайте моих дочерей, верните моего лорда-мужа.

— Боюсь, я утратил и их.

— Жаль, — прохладным голосом сказала Кейтилин.

— Убей его, Робб, — посоветовал Теон Грейджой. — Снеси ему голову.

— Нет, — ответил сын, стаскивая окровавленную перчатку. — От живого нам будет больше пользы, чем от покойника. Да и мой лорд-отец никогда не любил убивать пленников после боя.

— Мудрый человек и достопочтенный, — отозвался Джейме Ланнистер.

— Уберите его и забейте в железо, — сказала Кейтилин.

— Исполните волю моей матери, — приказал Робб. — Удостоверьтесь, чтобы охрана была надежной. Лорд Карстарк захочет поднять его голову на пику.

— Безусловно, — согласился Грейджой, махнув. Ланнистера повели прочь, чтобы перевязать и заковать.

— Почему это лорд Карстарк захочет его смерти? — спросила Кейтилин.

Робб поглядел в лес с тем же самым задумчивым выражением, которое иногда появлялось на лице Неда.

— Он... он убил их...

— Сыновей лорда Карстарка, — объяснил сир Гловер.

— Обоих, — добавил Робб. — Торрхена и Эддарда, а еще Дарина Хорнвуда.

— Никто не может усомниться в отваге Ланнистера, — заявил Гловер. — Увидев, что все потеряно, он собрал свою свиту и стал пробиваться вверх по долине, надеясь достичь лорда Робба и зарубить его. И почти преуспел в своем намерении.

— Меч его остался в шее Эддарда Карстарка после того, как Джейме отрубил руку Торрхену и расколол череп Дарину Хорнвуду, — сказал Робб. — Он все время выкрикивал мое имя. Если бы они не попытались остановить его...

— ...тогда сегодня плакала бы я, а не лорд Карстарк, — сказала Кейтилин. — Твои люди выполнили свой долг, Робб, они погибли, защищая своего сюзерена. Скорби о них. Чти их отвагу, но после. Сейчас для горя у нас нет времени. Возможно, ты сумел раздавить голову змея, но три четверти длины его тела еще охватывают замок моего отца. Мы выиграли битву, а не войну.

— Но какую битву! — сказал Теон Грейджой с пылом. — Миледи, страна не знала такой победы со времен Огненного поля. Клянусь, Ланнистеры потеряли десятерых на каждого нашего. Мы взяли в плен почти сотню рыцарей и дюжину лордов-знаменосцев. Лорда Уэстерлинга, лорда Бейнфорта, сира Гарта Гринфилда, лорда Эстрена, сира Титоса Бракса, Маллора Дорнийца... и еще троих Ланнистеров, кроме Джейме, племянников самого лорда Тайвина, двух сыновей его сестры и наследника его покойного брата.

— А как насчет лорда Тайвина? — перебила его Кейтилин. — Быть может, вы случайно прихватили и Тайвина, Теон?

— Нет. — Грейджой сразу притих.

— Пока вы не сделаете этого, война далеко не окончена.

Робб поднял голову и откинул волосы с глаз.

— Мать права. Нам еще нужно освободить Риверран.

ДЕЙЕНЕРИС

Мухи облаком окружили кхала Дрого, их тонкий, едва слышный писк наполнял Дени ужасом.

Высокое солнце поднялось и безжалостно палило. Жар трепещущими волнами поднимался над каменистыми выступами невысоких холмов. Тонкая струйка пота неторопливо ползла между набухшими грудями Дени. Она слышала лишь ровную поступь копыт, ритмичное звяканье колокольчиков в волосах Дрого и далекие голоса за спиной.

Дени следила за мухами.

Они были здесь величиной с пчел, жирные, пурпурные, блестящие. Дотракийцы звали их кровавыми мухами. Насекомые эти жили в болотах и стоячих прудах, пили кровь и человека, и лошади, а яйца свои откладывали в умирающих. Дрого ненавидел их. Если какая-нибудь подлетала поближе, рука его выстреливала и с быстротой змеи смыкалась вокруг насекомого. Дени ни разу не видела, чтобы он промахнулся. Потом Дрого держал муху внутри своего огромного кулака и слушал ее отчаянное жужжание. Наконец пальцы сжимались, а когда он раскрывал кулак снова, от мухи оставалось лишь красное пятно на ладони.

Теперь одна из них ползла по крупу его жеребца, лошадь сердитым движением хвоста отогнала ее. Другие подлетали к Дрого все ближе и ближе. Кхал не реагировал. Глаза его были обращены к далеким бурым горам, поводья свободно лежали в руке. Под расписным жилетом пластырь из фиговых листьев и запекшейся синей глины укрывал рану на груди. Его сделала знахарка. Повязка Мирри Маз Дуур чесалась и жгла, и Дрого сорвал ее шесть дней назад, обругав лхазарянку мейегой. Глиняный пластырь не так раздражал; знахарка сделала ему макового вина. Все эти три дня Дрого налегал на дурманящие напитки, если не на маковое вино, то на перебродившее кобылье молоко или перечное пиво. Тем не менее он едва прикасался к еде, а по ночам стонал и метался.

Дени видела, как исхудало его лицо. Рейего не знал покоя в ее животе, он брыкался, как жеребец, но даже это не успокаивало Дрого. Каждое утро, пока он приходил в себя после тревожного сна, глаза ее обнаруживали на лице мужа новые следы боли. А теперь это молчание. Она боялась его. С тех пор как они сели в седло на рассвете, Дрого не сказал ни слова. На ее реплики он отвечал каким-то ворчанием, а после полудня не стало слышно даже такого ответа.

Одна из кровавых мух опустилась на голую кожу на плече кхала. Другая, кружа, прикоснулась к его шее и поползла ко рту. Кхал Дрого раскачивался в седле, колокольчики звенели, жеребец ровно шел вперед.

Дени ударила пятками свою Серебрянку, подъехала ближе.

— Мой господин, — сказала она. — Дрого, мое солнце и звезды!

Он как будто не слышал. Новая муха заползла под его вислый ус и перебралась на щеку — в складку возле носа.

Дени охнула:

— Дрого, — и неловкой рукой коснулась его плеча.

Кхал Дрого пошатнулся в седле, медленно накренился и тяжело рухнул с коня. Мухи взлетели на мгновение, затем закружили снова, чтобы усесться на лежащего.

— Нет, — проговорила Дени, останавливая коня. Не обращая внимания на живот, она слезла с коня и подбежала к кхалу. Трава под ним была бурой и сухой. Дрого вскрикнул от боли, когда Дени встала на колени возле него. Дыхание застревало в горле; не узнавая, он глядел на нее.

— Коня, — выдохнул он. Дени согнала мух с его груди и раздавила одну, как сделал бы он сам. Кожа кхала обожгла ее пальцы. Кровные следовали за ними. Она услыхала крик подъехавшего Хагго. Кохолло спрыгнул с коня.

— Кровь моей крови, — сказал он, падая на колени. Двое остальных оставались на конях.

— Нет, — застонал кхал Дрого, напрягаясь в руках Дени. — Надо ехать. Ехать. Нет.

— Он упал с коня, — сказал Хагго, поглядев вниз. Широкое лицо его было бесстрастным, но в голосе звучал свинец.

— Ты не должен говорить так, — сказала Дени. — Мы отъехали достаточно далеко. Мы остановимся здесь.

— Здесь? — Хагго огляделся. Земля вокруг казалась выгоревшей и негостеприимной. — Здесь не станешь.

— Женщина не приказывает остановиться, — сказал Квото. — Даже кхалиси не вправе этого делать.

— Мы остановимся здесь, — повторила Дени. — Хагго, скажи всем, что кхал Дрого велел остановиться. Если кто-нибудь спросит о причине, скажи, что мое время близко и я не могу продолжать путь. Кохолло, пришли рабов, пусть они немедленно поставят шатер кхала. Квото...

— Ты не приказываешь мне, кхалиси, — проговорил Квото.

— Отыщи Мирри Маз Дуур, — сказала она. Божья жена шла среди других ягнячьих людей, в длинной колонне рабов. — Приведи ее ко мне вместе с сундучком!

Квото яростно поглядел на нее, глазами жесткими как кремень.

— Мейега. — Он плюнул. — Этого я не сделаю.

— Ты сделаешь это, — сказала Дени. — Когда Дрого очнется, он захочет узнать, почему ты не послушался меня.

Разъяренный Квото развернул жеребца и отъехал... и Дени знала, что он вернется с Мирри Маз Дуур, нравится это ему или нет. Рабы поставили шатер кхала Дрого у зубастого выступа черной скалы, тень которого давала некоторое облегчение от полуденного солнца. Но и несмотря на это, под песчаным шелком было жарко, когда Ирри и Дореа помогли Дени внести Дрого внутрь. Землю прикрыли толстыми коврами и по углам разбросали подушки. Ероих, застенчивая девушка, которую Дени спасла возле сырцовых стен города ягнячьих людей, разожгла жаровню. Они положили Дрого на плетеные циновки.

— Нет, — пробормотал он на общем языке. — Нет, нет. — И ничего больше. У него уже не осталось сил, чтобы говорить.

Дореа расцепила его пояс из медальонов, сняла жилет и штаны, а Чхику склонилась у ног кхала, расплетая шнурки сандалий.

Ирри решила оставить тент открытым, чтобы впустить ветер, но Дени запретила ей. Она не хотела, чтобы кто-нибудь увидел Дрого в лихорадочном забытьи. Когда ее кхас собрался, она поставила их снаружи на стражу.

— Никого не пускайте без моего разрешения, — приказала она Чхого. — Никого.

Ероих с испугом поглядела на Дрого.

— Он умирает, — прошептала она.

Дени ударила ее.

— Кхал не может умереть. Он отец жеребца, который покроет весь мир! Волосы его ни разу не были острижены. Он до сих пор носит те колокольчики, которые подарил ему отец.

— Кхалиси, — проговорила Чхику, — он упал с коня.

Дрожа, с полными внезапных слез глазами, Дени отвернулась от них.

Он упал с коня! Это было так, она видела это, как и кровные всадники, служанки и люди ее кхаса. Сколько их было еще? Случившееся нельзя было сохранить в тайне, а Дени понимала, что это значит. Кхал, который не может ехать, не способен и править. А Дрого упал с коня.

— Мы должны выкупать его, — сказала она упрямо. Ей нельзя было отчаиваться. — Немедленно принесите ванну. Дореа и Ероих, найдите воды — холодной, у него жар. — Кожа кхала под ее рукой горела огнем.

Рабы поставили тяжелую медную ванну в уголке шатра. Когда Дореа принесла первый кувшин воды, Дени смочила длинный шелк, чтобы положить его на лоб Дрого, на его горящую кожу. Глаза кхала обратились к ней, но он ничего не видел. Когда его губы открылись, с них сошел только стон, но не слова.

— А где Мирри Маз Дуур? — вопросила она, страх уносил ее терпение.

— Квото найдет ее, — ответила Ирри.

Служанки наполнили ванну теплой, пахнувшей серой водой, усладили ее кувшинчиками горького масла и горстями листьсв мяты.

Когда ванну приготовили, Дени неловко встала на колени возле своего благородного мужа, не обращая внимания на живот. Она расплела его косу пальцами, как было в ту ночь, когда он впервые взял ее под звездным небом. Колокольчики она отложила в сторону, один за одним. Они понадобятся Дрого, когда он поправится.

Дуновение воздуха вошло в шатер вместе с Агго, просунувшим голову сквозь щель в шелке.

— Кхалиси! — сказал он. — Пришел андал и просит разрешения войти.

Андал, так дотракийцы звали сира Джораха.

— Да, — сказала Дени поднимаясь. — Пусть войдет. — Она доверяла рыцарю. Если кто-то способен ей помочь, так только он.

Сир Джорах Мормонт нырнул под дверной полог и подождал мгновения, чтобы глаза его приспособились к полумраку. В великой заре юга он носил широкие штаны из пятнистого песчаного шелка и зашнурованные до колена ездовые сандалии с открытыми пальцами. Ножны его свисали с пояса, сплетенного из конского волоса. Выгоревший добела жилет прикрывал обнаженное тело, солнце окрасило кожу загаром.

— Изо рта в ухо по всему кхаласару говорят, — сказал он, — что кхал Дрого упал с коня.

— Помоги ему, — попросила Дени, — ради той любви, которую ты испытываешь ко мне, помоги ему теперь!

Рыцарь склонился возле Дрого. Он поглядел на него долгим и жестким взглядом, потом перевел взгляд на Дени.

— Отошли своих служанок.

Не говоря ни слова — горло ее перехватил страх, — Дени сделала жест. Ирри выгнала остальных девиц из шатра.

Когда они остались одни, сир Джорах извлек свой кинжал и с деликатностью, удивительной для столь рослого мужа, начал срезать черные листья и засохшую синюю глину с груди Дрого. Пластырь запекся, как земляные кирпичи людей-ягнят, и как их стены, он легко ломался. Сир Джорах разбил сухую глину ножом, сковырнул обломки с плоти и по одному снял листья. Гнусный сладкий запах поднялся от раны, едва ли не удушая. Листья были покрыты сукровицей и гноем. Загнившая грудь Дрого почернела и вздулась.

— Нет, — прошептала Дени, слезы бежали по ее щекам. — Нет, боги, нет, прошу вас, боги, услышьте меня, не надо.

Кхал Дрого дернулся, словно сопротивляясь какому-то невидимому врагу. Черная кровь медленно и обильно хлынула из его открытой раны.

— Считай своего кхала мертвым, принцесса.

— Нет, он не может умереть, он не должен, это был всего лишь порез. — Дени взяла его мозолистую руку в свои небольшие ладошки и сжала их. — Я не позволю ему умереть...

Сир Джорах с горечью усмехнулся:

— Кхалиси или королсва, такие приказы за пределами твоей власти. Прибереги слезы, дитя. Оплачешь его завтра или через год. У нас нет времени для горя. Мы должны уехать отсюда быстро, пока он еще жив.

Дени растерялась.

— Уехать? Куда мы должны уехать?

— В Асшай. Он лежит далеко на юге, на краю известных морей, но люди говорят, что это огромный порт. И мы отыщем там корабль, который отвезет нас в Пентос. Нас ждет трудное путешествие, в этом можно не сомневаться. Веришь ли ты своему кхасу? Поедут ли с нами эти люди?

— Кхал Дрого приказал им охранять меня, — с уверенностью проговорила Дени. — Но если он умрет... — Она по привычке прикоснулась к своему круглому животу. — Я не понимаю, почему мы должны бежать? Я — кхалиси. Я ношу наследника Дрого. После Дрого он станет кхалом...

Сир Джорах нахмурился:

— Принцесса, выслушай меня. Дотракийцы не последуют за младенцем. Они склонялись перед силой Дрого и только перед ней. Когда его не станет, Чхако, Пого и все остальные начнут сражаться за его место, и кхаласар Дрого пожрет себя. Ну а победитель не захочет соперников. Мальчишку отнимут от твоей груди в тот самый момент, когда он родится. И отдадут псам...

Дени обхватила себя за плечи.

— Почему? — закричала она жалобным голосом. — Почему? Зачем им убивать младенца?

— Он — сын Дрого, и старухи сказали, что он станет жеребцом, который покроет весь мир. Так было предсказано, а значит, лучше убить дитя, чем столкнуться с его гневом, когда он сделается взрослым. — Ребенок взбрыкнул внутри ее, как будто услышав. Дени вспомнила повесть, которую рассказывал ей Визерис, о том, как псы узурпатора обошлись с детьми Рейегара. Сына его, еще младенца, оторвали от груди матери и ударили головой о стену. Так поступают мужчины.

— Они не должны убить моего сына! — вскричала она. — Я прикажу моему кхасу оберегать его, и кровные Дрого будут...

Сир Джорах схватил ее за плечи.

— Кровные умирают вместе со своим кхалом. Ты знаешь это, дитя. Они отвезут тебя в Вейес Дотрак к старухам, это последняя обязанность, которую они выполнят ради него... но закончив с этим делом, они присоединятся к Дрого в ночных землях.

Дени не хотелось возвращаться в Вейес Дотрак — доживать остаток своей жизни среди ужасных старух, — и все же она поняла, что рыцарь говорит правду. Дрого был больше чем ее солнцем и звездами. Он был щитом, который охранял ее жизнь.

— Я не оставлю его, — сказала она упрямым, полным горя голосом. Она снова взяла мужа за руку. — Не оставлю.

Движение в шатре заставило Дени повернуть голову. Мирри Маз Дуур вошла и низко поклонилась. Все эти дни она шла позади кхаласара и теперь прихрамывала и осунулась, ноги ее покрылись пузырями и кровоточили, под глазами залегли тени. За ней вошли Квото и Хагго, неся между собой сундук божьей жены. Когда кровные увидели рапу Дрого, сундук выпал из пальцев Хагго на пол шатра, а Квото выругался так грязно, что буквально запачкал воздух.

Мирри Маз Дуур осмотрела Дрого с лицом спокойным и мертвым.

— Рана загнила.

— Твоя работа, мейега, — крикнул Квото. Хагго ударил кулаком по щеке Мирри, со смачным звуком повалив ее на землю. И пнул ее ногой.

— Прекрати, — отрезвила его Дени.

Квото отодвинул Хагго в сторону со словами:

— Пинки — слишком легкая казнь для этой мейеги. Выведи ее наружу. Мы поставим ее и привяжсм к колышкам, так чтобы ее мог взять каждый прохожий. А потом пусть ею воспользуются псы. Хорьки вырвут ее внутренности, а падальщицы-вороны выклюют глаза. Мухи с реки отложат в ее чреве яйца, и их личинки будут пить гной из гнилых грудей.

Жесткими как железо пальцами он ухватил дряблую плоть божьей жены и поставил ее на ноги.

— Нет, — проговорила Дени, — я не хочу причинять ей вреда.

Губы Квото раздвинулись, открывая кривые коричневые зубы, в жуткой пародии на улыбку.

— Нет? Это ты говоришь мне — нет? Лучше молись, чтобы мы не поставили тебя рядом с твоей мейегой! Это сделала ты — не только она!

Сир Джорах шагнул между ними, доставая длинный меч из ножен.

— Придержи язык, кровный всадник. Принцесса пока еще твоя кхалиси.

— Лишь пока кровь моей крови живет, — отвечал Квото рыцарю. — Когда он умрет, она ничто.

Дени ощутила, как напряглось ее чрево.

— Прежде чем я стала кхалиси, я была от крови дракона. Сир Джорах, призови мой кхас!

— Нет, — отвечал Квото. — Мы уйдем... но потом вернемся, кхалиси. — Хагго, хмурясь, последовал за ним из шатра.

— Он не хочет тебе добра, принцесса, — сказал Мормонт. — Дотракийцы говорят, что человек и его кровные живут одной жизнью, и Квото видит ее конец. Мертвец не боится.

— Пока еще никто не умер, — сказала Дени. — Сир Джорах, мне потребуется ваш клинок. Лучше наденьте панцирь.

Она испугалась сильнее, чем смела признаться себе самой.

Рыцарь поклонился:

— Как вам угодно, — и направился из шатра. Дени повернулась к Мирри Маз Дуур. Та смотрела на нее настороженными глазами.

— Ты снова спасла мне жизнь.

— А теперь ты должна помочь мне, — сказала Дени. — Пожалуйста...

— Рабыню не просят, — резко отвечала Мирри, — ей приказывают. — Она подошла к Дрого, горевшему в жару на циновке, и внимательно поглядела на его рану. — Проси или приказывай, безразлично. Он уже неподвластен искусству целителя. — Глаза кхала были закрыты. Она открыла двумя пальцами один из них. — Он притуплял боль маковым молоком?

— Да, — проговорила Дени.

— Я сделала ему пластырь из огненного стручка и не-коли-меня и завернула в овечью шкуру.

— Он сказал, что пластырь жжет, и сорвал его. Знахарка сделала ему новый. Влажный и успокаивающий.

— Он жег, правильно. Огонь — великий исцелитель, это знают даже твои безволосые люди.

— Сделай ему другой компресс, — умоляла Дени. — На этот раз я пригляжу, чтобы он не сорвал его.

— Время для лечения прошло, моя госпожа, — проговорила Мирри. — Теперь я могу только облегчить ему спуск по темной дороге, чтобы он мог безболезненно сойти в ночные земли. Его не станет к утру.

Слова ее словно нож пронзили грудь Дени. Что она сделала, почему боги настолько жестоки к ней? Она наконец нашла безопасный уголок, наконец испытала любовь и надежду. Она уже повернула к дому. И все сгинуло...

— Нет, — умоляла она. — Спаси его, и я освобожу тебя, клянусь. Ты должна знать способ... какое-нибудь волшебство, что-то...

Мирри Маз Дуур опустилась на пятки и принялась изучать Дейенерис глазами черными словно ночь.

— Есть одно заклинание, — шепот ее был тих. — Но злое и черное, госпожа. Некоторые скажут, что смерть чище. Я научилась ему в Асшае и дорого заплатила за урок. Учил меня заклинатель крови из Края Теней.

Дени похолодела.

— Значит, ты в самом деле мейега?

— В самом деле! — Мирри Маз Дуур улыбнулась. — Только мейега может спасти твоего всадника, серебряная госпожа.

— Есть ли другой способ?

— Никакого.

Кхал Дрого, задрожав, охнул.

— Тогда делай, — выпалила Дени. Она не должна бояться, ведь она от крови дракона. — Спаси его!

— Но это дорого стоит, — предупредила ее божья жена.

— У тебя будет золото, кони; все что захочешь.

— Я говорю не о золоте или конях. Там, где заклинают кровь, госпожа, жизнь можно купить лишь смертью.

— Смертью? — Дени обняла себя, защищая, раскачиваясь взад и вперед на пятках. — Моей?

Она сказала себе, что умрет ради него, если придется. Она от крови дракона и ничего не боится. Ее брат Рейегар умер ради любимой.

— Нет, — обещала Мирри Маз Дуур. — Не твоей смертью, кхалиси.

Дени вздрогнула от облегчения.

— Тогда делай!

Мейега торжественно кивнула:

— Как ты говоришь, так и будет. Созови своих слуг.

Кхал Дрого слабо поежился, когда Ракхаро, Куаро и Агго опустили его в ванну.

— Нет, — пробормотал Дрого. — Нет, надо ехать. — Здесь, в воде, все силы наконец оставили его.

— Приведите его коня, — приказала Мирри Маз Дуур, и это было сделано. Чхого ввел в шатер огромного рыжего жеребца. Уловив запах смерти, конь заржал и попятился, закрывая глаза. Лишь втроем мужчины сумели удержать его.

— Что ты намереваешься делать? — спросила Дени.

— Нам нужна кровь, иначе ничего не сделаешь.

Чхого отступил назад с аракхом в руке. Молодой, еще шестнадцатилетний, тонкий как кнут, бесстрашный, быстрый как смех, с еле заметной тенью усов на верхней губе, он упал перед ней на колени.

— Кхалиси, — молил он, — ты не должна этого делать. Позволь мне убить эту мейегу.

— Убей ее, и ты убьешь своего кхала, — проговорила Дени.

— Она совершает волшебство над кровью, — сказал он, — это запрещено.

— А я, кхалиси, говорю тебе, что это не так: в Вейес Дотрак кхал Дрого убил жеребца, и я съела его сердце, чтобы сын наш приобрел отвагу и силу. Здесь то же самое.

Конь забился и попятился, когда Ракхаро и Агго потащили его к ванне, в которой словно покойник плавал кхал; гной и кровь сочились из его раны, загрязняя купальную воду. Мирри произнесла несколько слов на языке, которого Дени не знала, и в ее руке появился нож. Дени и не заметила, откуда он взялся. Нож показался ей старинным — из кованой красной бронзы, в форме листка. Клинок его покрывали древние иероглифы. Мейега провела им по горлу жеребца прямо под благородной головой: конь закричал и забился, кровь хлынула из него красным потоком. Он бы рухнул, но люди кхаса поддерживали его.

— Сила коня, перейди во всадника, — пела Мирри, проливая конскую кровь на кхала Дрого. — Сила животного, войди в человека.

Чхого боролся с весом коня, опасаясь прикоснуться к его мертвой плоти, опасаясь и выпустить ее. Это всего лишь конь, подумала Дени. Если жизнь Дрого можно выкупить смертью коня, такую плату она охотно внесет и тысячу раз.

Когда они позволили коню упасть, ванна наполнилась красной жидкостью, из которой выступало одно только лицо Дрого. Мирри Маз Дуур нс нужно было конское мясо.

— Сожгите жеребца, — сказала Дени своим людям. Так было положено, она знала это. Когда умирал мужчина, коня его убивали и клали на похоронный костер, чтобы он унес хозяина в ночные земли. Люди ее кхаса поволокли конский труп из шатра. Кровь была всюду. Даже стены шатра были забрызганы красными каплями, а ковры почернели и хлюпали под ногами.

Зажгли жаровню. Мирри Маз Дуур бросила щепотку красного порошка на угли. Пряный дымок показался Дени приятным, но Ероих, взрыдав, бежала, и теперь даже ее собственное сердце наполнилось страхом. Однако она зашла слишком далеко и не могла отступать. Дени отослала служанок.

— Ступай вместе с ними, серебряная госпожа, — сказала ей Мирри Маз Дуур.

— Я останусь. Этот человек взял меня под звездами и дал жизнь моему ребенку. Я не оставлю его!

— Ты должна это сделать. Когда я запою, никто не должен входить в шатер. Моя песня пробудит древние и темные силы. Мертвецы будут плясать здесь сегодня ночью. Никто из живых не должен видеть их.

Дени беспомощно склонила голову. Никто не должен входить в шатер. Она согнулась над ванной, над Дрого, утопавшим в кровавой купели, и легко поцсловала сго в чсло.

— Верни его мне, — прошептала она Мирри Маз Дуур, прежде чем выбежать.

Снаружи солнце опустилось к самому горизонту, небо побагровело. Кхаласар разбивал стоянку. Шатры и спальные циновки виднелись повсюду, насколько мог видеть глаз. Дул жаркий ветер, Чхого и Агго рыли яму, чтобы сжечь мертвого жеребца. Собравшаяся толпа глядела на Дени жесткими черными глазами, лица дотракийцев напоминали ей маски из кованой меди. Сир Джорах Мормонт в панцире и коже проталкивался сквозь толпу, капельки пота усыпали его широкий лысеющий лоб.

Увидав алые отпечатки, которые оставили на земле сапоги, он побледнел как полотно.

— Что ты натворила, дурочка? — спросил сир Джорах хриплым голосом.

— Мне надо спасти его.

— Мы могли бы бежать, — сказал он. — Я бы доставил тебя в Асшай, принцесса. Не было необходимости...

— А я действительно твоя принцесса? — спросила она.

— Ты знаешь, что это так, боги да спасут нас обоих!

— Тогда помоги мне теперь.

Сир Джорах скривился.

— Если бы я знал как!

Голос Мирри Маз Дуур превратился в высокий дрожащий стон, от которого дрожь пробежала по спине Дени. Кое-кто из дотракийцев забормотал и начал пятиться. Шатер изнутри освещали жаровни. Позади забрызганного кровью песчаного шелка двигались тени.

Мирри Маз Дуур танцевала не одна...

Дени видела животный страх на лицах дотракийцев.

— Этого нс должно быть, — прогрохотал Квото.

Она не видела, как кровник вернулся. Хагго и Кохолло были с ним. Они привели безволосых людей, евнухов, исцелявших иглой, ножом и иглой.

— Так будет, — проговорила Дени.

— Мейега, — проворчал Агго. И старый Кохолло — Кохолло, который связал свою жизнь с Дрого в день его рождения, Кохолло, всегда бывший с ней добрым, — плюнул ей прямо в лицо.

— Ты умрешь, мейега, — посулил Квото. — Но другая умрет первой!

Он извлек свой аракх и направился к шатру.

— Нет, — выкрикнула Дени. — Ты не должен этого делать!

Она поймала его за плечо, но Квото оттолкнул ее в сторону. Дени упала на колени, скрестив руки на животе, чтобы защитить дитя.

— Остановите его, — приказала она кхасу. — Убейте его.

Ракхаро и Куаро стояли возле полога шатра. Куаро шагнул вперед, потянувшись к рукояти кнута, но Квото повернулся изящным движением танцора; взлетевший аракх угодил Куаро прямо под руку, острая яркая сталь рассекла одежду, кожу, мышцы и ребра. Хлынула кровь, и молодой всадник, охнув, повалился назад.

Квото вырвал клинок.

— Табунщик, — окликнул его сир Джорах Мормонт. — Попробуй-ка меня. — Меч его выпрыгнул из ножен.

Квото обернулся ругаясь. Аракх метнулся так быстро, что кровь Куаро полетела с него тонкой пылью, как дождь под жарким ветром. Длинный меч перехватил его в футе от лица сира Джораха, аракх замер на мгновение, и Квото взвыл от ярости. Рыцарь был одет в кольчугу, на нем были стальные перчатки, поножи, тяжелый воротник защищал горло, однако он не подумал надеть шлем.

Квото, пританцовывая, отступал, аракх вился вокруг его головы сияющим кругом, молнией выскакивая из него. Сир Джорах как только мог отбивал удары, следовавшие настолько быстро, что Дени казалось, что он вот-вот пропустит аракх.

Изогнутый меч хрустнул о кольчугу, просыпались искры, когда кривой клинок соскользнул по перчатке. Вдруг оказалось, что Мормонт неловко отступает, а Квото продвигается вперед. Левая сторона лица рыцаря покраснела от крови, рана в бедре заставила его прихрамывать. Квото выкрикивал оскорбления, называл его трусом, молокососом и евнухом в железной рубахе.

— А теперь ты умрешь, — посулил он, и аракх вспорол красные сумерки. Сын отчаянно брыкнул в чреве Дени. Кривой клинок скользнул вдоль прямого и глубоко рассек бедро рыцаря там, где кольчуга раскрылась.

Мормонт охнул и пошатнулся. Дени ощутила острую боль в животе, влага хлынула на бедра. Квото победно вскрикнул, но аракх его наткнулся на кость и на мгновение остановился.

Этого было довольно. Сир Джорах обрушил на Квото свой меч, вложив в удар последние силы, прорезав плоть, мышцы и кость; и предплечье Квото повисло на тонкой полоске кожи и сухожилий. Следующий удар рыцаря пришелся в ухо дотракийца, и лицо Квото как будто бы взорвалось.

Дотракийцы кричали, Мирри Маз Дуур нечеловеческим голосом вопила в шатре, Куаро просил воды, умирая. Дени попросила помощи, но никто не слыхал ее. Ракхаро бился с Хагго, аракх плясал с аракхом, но наконец щелкнул кнут Чхого, обвиваясь вокруг горла Хагго. Движение — и кровный сделал шаг назад, оступившись и выронив меч. Взвыв, Ракхаро прыгнул вперед и, перехватив аракх обеими руками, обрушил удар на макушку головы Хагго... острие вышло между глазами, красное и дрожащее. Кто-то бросил камень, и обернувшись, Дени заметила на своем плече кровавую рану.

— Нет, — зарыдала она. — Нет, не надо. Цена слишком высока.

Опять полетели камни, она попыталась ползти к шатру, но Кохолло поймал ее. Запустив пальцы в волосы, он запрокинул назад голову Дени, и она ощутила горлом холодное прикосновение ножа.

— Мой ребенок, — завизжала она, и боги, наверное, услыхали ее, потому что Кохолло умер на месте. Стрела Агго вонзилась у него под рукой, пробив и сердце и легкие.

Когда наконец Дейенерис нашла в себе силы поднять голову, она увидела, что толпа рассеивается: дотракийцы безмолвно пробирались к своим шатрам и спальным циновкам. Некоторые уже седлали коней, отъезжая. Солнце село. Костры пылали по кхаласару, огромные оранжевые языки, яростно треща, выплевывали угольки к небу. Дени попыталась подняться, но боль охватила ее, стиснув, как кулак гиганта. Дыхание оставило ее, она сумела только охнуть. Голос Мирри Маз Дуур уже казался погребальным напевом. Внутри шатра кружили тени.

Твердая рука подняла ее и поставила на ноги. Лицо сира Джораха увлажнила кровь. Дени заметила, что половина уха его исчезла. Она дернулась в его руках, когда боль вновь овладела ею, и услышала, как рыцарь крикнул, чтобы служанки помогли ей. Почему они так испугались? Она знала ответ. Боль вновь пронзила ее, и Дени прикусила губу: похоже было, что сын пробивается наружу, ножами в обеих руках кромсая ее тело.

— Дореа, проклятая! — взревел сир Джорах. — Иди сюда. Приведи повивальных бабок.

— Они не придут, они сказали, что кхалиси проклята.

— Они придут, или я снесу им головы.

Дореа зарыдала.

— Они ушли, милорд.

— А мейега? — сказал кто-то. Кажется, Агго. — Отведите ее к мейеге.

«Нет, — хотела сказать Дени, — нет, только не это. Нельзя». Но когда она открыла рот, из него вырвался лишь долгий стон боли, и пот выступил на коже. Что случилось с ними, почему они ничего не видят? Внутри шатра плясали тени, они кружили вокруг жаровни и кровавой купели, вырисовываясь на песчаном шелке, и не все из них казались людьми; она заметила тень громадного волка, другая напоминала охваченного пламенем человека.

— Женщина из овечьего народа знает секреты родильного ложа, — сказала Ирри. — Так она говорила, и я слыхала ее.

— Да, — согласилась Дореа, — я тоже слыхала ее.

— Нет, — закричала Дени или, быть может, только хотела закричать, потому что ни звука, ни шепота не сошло с ее губ. Глаза ее обратились к небу, черному, мутному и беззвездному. — Прошу вас, не надо. — Голос Мирри Маз Дуур становился громче и наконец наполнил весь мир.

— Тени, — завизжала она. — Плясуны!

Сир Джорах внес Дени в шатер.

АРЬЯ

Запах горячего хлеба, вытекавший из лавок Мучной улицы, казался Арье слаще любых духов, которые ей приходилось нюхать. Она глубоко вдохнула и подобралась поближе к голубку. Упитанная, в коричневых пятнышках птица деловито клевала корку, застрявшую между двумя камнями, но когда тень Арьи упала на нее, немедленно взмыла в воздух.

Деревянный меч со свистом зацепил беглянку футах в двух над землей. Птица упала, разбросав коричневые перышки. Арья бросилась вперед, мгновенно ухватив трепещущее крыло. Голубь клюнул руку. Арья схватила его за голову и повернула, почувствовав, как хрустнула косточка.

Ловить голубей легче, чем кошек. Мимохожий септон искоса поглядел на нее.

— Голубей нужно ловить здесь, — объяснила ему Арья, отряхиваясь и подбирая упавший деревянный меч. — Они прилетают за крошками. — Он заспешил прочь.

Арья привязала голубя к поясу и направилась дальше. Торговец вез пирожки на двухколесной тележке, пахло черникой, лимоном и абрикосом. В желудке Арьи заурчало.

— Можно мне один? — услыхала она собственный голос. — С лимоном... или любой.

Разносчик поглядел на нее сверху вниз, явно не удовлетворенный увиденным.

— Три медяка.

Арья постучала деревянным мечом о свой ботинок.

— Меняю на жирного голубя, — сказала она.

— А иди-ка ты со своим голубем к Иным, — усмехнулся разносчик.

Пирожки были еще теплыми — из печи. Запахи эти наполняли рот Арьи слюной, но у нее не было трех медяков... даже одного. Она поглядела на разносчика, вспомнив наставления Сирио, обучавшего ее видеть. Коротышка с округлым брюшком, он как будто бы приволакивал левую ногу. Она подумала, что, если схватить пирожок и броситься наутек, он не сумеет поймать ее, но торговец сказал:

— Не смей тянуть свои грязные руки! Золотые плащи знают, как надо обращаться с маленькими уличными воришками, так вот...

Арья опасливо огляделась. Двое из городской стражи стояли в переулке. Плащи их свисали почти до земли; тяжелая, явно золотая шерсть, черные сапоги, панцирь и перчатки. У одного на поясе был длинный меч, у другого железная дубинка. Бросив короткий завистливый взгляд на пирожки, Арья отступила от тележки и заторопилась дальше. Золотые плащи не обратили на нее никакого внимания, однако, проходя мимо, она ощутила, как кишки стянулись узлом. Арья держалась от замка настолько далеко, насколько это было возможно. Но даже издали она видела головы, разлагавшиеся над высокими красными стенами. Над ними реяла мушиным облаком стая ворон, перебранивавшихся из-за добычи. В Блошином конце поговаривали, что золотые плащи приняли сторону Ланнистеров, их начальника произвели в лорды, ему пожаловали поместье у Трезубца и место в Королевском совете.

Слыхала она и другие вещи — ужасные — и не верила им. Одни говорили, что ее отец убил короля Роберта и, в свой черед, принял смерть от руки лорда Ренли. Другие настаивали на том, что Ренли убил короля, спьяну поссорившись с братом. Зачем же ему понадобилось бежать, подобно обычному татю? Поговаривали также, что короля убил кабан на охоте; другая версия утверждала, что он умер, переев свинины, причем настолько, что лопнул прямо за столом. Да, король умер за столом, уверяли другие, но только потому, что Варис-паук отравил его. Нет, его отравила королева! Нет, он умер от язвы! Нет, он подавился рыбной костью...

Однако все истории сходились на одном: король Роберт умер. Колокола семи башен Великой септы Бейелора звонили целый день и ночь. Громовое их горе бронзовым прибоем прокатывалось над городом.

— Так звонят лишь по королю, — объяснил Арье мальчишка красильщика.

Она хотела только добраться домой, но оставить Королевскую Гавань было не так легко, как ей представлялось. Все говорили, что началась война, и золотых плащей на стенах города было как блох на... как на ней самой. Арья ночевала в Блошином конце, на крышах, в стойлах — там, где можно лечь, — и быстро поняла, что имя свое этот квартал заслужил не случайно.

Каждый день после своего бегства Арья по очереди обходила семь городских ворот. Драконьи, Львиные и Старые были закрыты и заложены. Грязные и Божьи оставались открытыми, но лишь для тех, кто ехал в город; за стены стража никого не выпускала. Получившие разрешение уезжали через Королевские или Железные, которые охраняли латники

Ланнистеров в пурпурных плащах и львиных шлемах. С крыши постоялого двора возле Королевских ворот Арья видела, как они обыскивают фургоны и повозки, заставляют всадников открывать седельные сумы, допрашивают всех уходящих пешком...

Иногда она подумывала, не уплыть ли ей по реке, но Черноводная текла глубоко и широко, и все называли ее течение предательским и коварным. А чтобы заплатить перевозчику или попасть на корабль, надо было иметь деньги.

Лорд-отец учил их никогда не красть, но ей становилось все труднее и труднее припоминать эти уроки. Если не убежать поскорее из города, рано или поздно она нарвется на неприятную встречу с золотыми плащами. Арья не голодала — с тех пор, как научилась сбивать птиц деревянным мечом, однако голубиное мясо уже надоело ей до тошноты. Парочку птиц она съела сырыми, ну а потом обнаружила Блошиный конец.

Здесь в переулках находились харчевни, в которых годами кипели огромные котлы похлебки, за половину птицы ей давали горбушку вчерашнего хлеба и «мису хлебова», даже позволяли поджарить другую половинку голубя на огне, если ты сама ощипала перья. Арья отдала бы все, что угодно, за чашку молока с лимонным пирогом, но и хлебово было не столь уж дурно. В похлебке обычно обнаруживался ячмень, кусочки морковки, лука и репки, иногда даже яблоко, а сверху плавала пленочка жира. О мясе она старалась не думать. Однажды ей досталась рыба.

Плохо было то, что харчевни никогда не пустовали, и, заскакивая за едой, Арья ощущала на себе любопытные взгляды. Кое-кто поглядывал на ее сапоги и плащ; она знала, что они думают. Другие словно бы пытались взглядом снять с нее одежду, и она не знала, что думают эти, что пугало ее еще больше. Пару раз за ней увязывались по переулку и пытались поймать, но этого еще никому не удавалось сделать.

Серебряный браслет, который Арья собиралась продать, украли в первую же проведенную ею в городе ночь — вместе со свертком одежды, — пока она спала в сгоревшем доме возле Свиного переулка. Ей оставили только плащ и кожаный костюм, что был на ней, деревянный меч... и Иглу. Арья положила меч под себя — он стоил всего остального и, конечно, тут же исчез бы.

После этого Арья начала ходить с плащом на правой руке, скрывая клинок у бедра. Деревянный меч она носила в левой, чтобы отпугивать грабителей, но в харчевнях попадались и такие люди, которые не испугались бы даже боевого топора в ее руках. Этого было достаточно, чтобы она потеряла вкус к голубятине и черствому хлебу. Она нередко предпочитала уснуть голодной, чем попадаться под эти взгляды.

Там, за городом, можно собирать ягоды, ей встретятся яблоневые и вишневые сады. Арья помнила их у Королевского тракта. Еще можно нарыть корней в лесу, даже поймать нескольких кроликов. А в городе ловить некого: только крыс, кошек и ободранных псов. В харчевне за нескольких щенков давали горсть медяков, она слыхала об этом, но сама идея ей почему-то не нравилась.

Вниз от Мучной улицы располагался лабиринт Кривых переулков и Поперечных улиц. Арья проталкивалась сквозь толпу, стараясь обходить подальше золотые плащи. Она привыкла держаться поближе к середине улицы. Иногда ей приходилось отскакивать от фургонов и коней, но тут по крайней мере издалека было видно, что идет стража. Тот, кто ходит у стены, легко может попасться. Однако в некоторых переулках оставалось только жаться к стенам, настолько близко сходились дома.

Мимо нее пробежала стайка маленьких детей следом за катящимся обручем. Арья презрительно поглядела на них, вспомнив ту пору, когда она еще играла в обруч с Браном, Джоном и маленьким братцем Риконом. Арья подумала, что Рикон, наверное, подрос, а Бран скучает без нее. А за то, чтобы Джон назвал ее маленькой сестричкой и взлохматил волосы, она отдала бы все, что угодно. Впрочем, она видала свое отражение в лужах и полагала, что сильнее растрепать ее прическу нельзя.

Сперва она пыталась завязать разговор с детьми, которых встречала на улице, подружиться с кем-нибудь из них, найти уголок, чтобы поспать, но, видно, говорила что-то не то. Маленькие смотрели на нее настороженными глазами и убегали, когда она слишком уж приближалась. Их старшие братья и сестры задавали вопросы, на которые Арья не знала ответов, обзывали ее, пытались обокрасть. Лишь вчера босая и оборванная девчонка, раза в два старше Арьи, повалила ее и попыталась стянуть с ног сапоги, но, получив по уху деревянным мечом, бросилась прочь, рыдая и обливаясь кровью.

Над головой кружила чайка, Арья спускалась с холма к Блошиному концу. Девочка задумчиво поглядела на птицу, однако та находилась далеко за пределами досягаемости ее палки. Чайка напомнила Арье о море. Что, если оно откроет ей путь из города? Старая Нэн рассказывала о мальчишках, убегавших на торговых галеях навстречу всякого рода приключениям. Быть может, и Арья сумеет так сделать. Она решила сходить к реке. Идти нужно было к Грязным воротам, возле которых она сегодня еще не побывала.

Людные прежде улицы оказались странно притихшими, когда Арья вышла к ним. Пара золотых плащей расхаживала бок о бок по рыбному рынку, но они даже не поглядели на нее. Половина прилавков пустовала, и у причала оказалось меньше кораблей, чем было раньше. По Черноводной шли три военных галеи, золотые носы взрывали волны, весла поднимались и опадали. Арья поглядела на корабли и продолжила свой путь вдоль реки.

Когда она увидела на третьем пирсе гвардейцев в серых, подбитых белым атласом плащах, сердце замерло у нее в груди. Цвета Винтерфелла. У причала покачивалась трехпалубная торговая галея. Арья не смогла прочитать надпись на корпусе. Слова выходили странные; мирийские или браавосийские, а может, даже старовалийские. Арья ухватила за руку проходящего грузчика.

— Пожалуйста, скажите мне, что это за корабль?

— Это «Владычица ветра» из Мира, — ответил тот.

— Она все еще здесь?! — выпалила Арья.

Грузчик недоуменно поглядел на нее, пожал плечами и отправился прочь.

Арья бросилась к причалу. «Владычица ветра»! Тот самый корабль, который отец нанял, чтобы ее отвезли домой. Судно ждет ее, а она-то думала, что оно уже в море.

Двое гвардейцев играли в кости, третий расхаживал возле них, не снимая руки с меча. Устыдившись непрошеных слез, она остановилась, чтобы отереть их, глаза, глаза, глаза, но почему...

— Гляди своими глазами, — услышала она шепоток Сирио.

Арья огляделась. Она знала всех людей отца. Эти же трое в серых плащах были не знакомы ей.

— Эй ты, — окликнул ее тот, что расхаживал. — Чего тебе нужно здесь, малый? — Двое других оторвались от костей.

Арье оставалось только заставить себя остаться на месте; она знала, что, если повернется и убежит, они немедленно бросятся за нею. Она заставила себя подойти ближе. Они ловят девчонку, значит, она выдаст себя за мальчика. Она станет мальчиком.

— Не купите ли голубя? — Она показала ему мертвую птицу.

— Убирайся отсюда, — крикнул гвардеец.

Арья со всей искренностью поступила, как ей приказали, испуг можно было даже не изображать. Позади нее вновь застучали кости.

Она не помнила, как вернулась в Блошиный конец, но, оказавшись на узкой и немощеной извилистой улочке, поднимавшейся между холмов, обнаружила, что изрядно запыхалась. В Блошином конце вообще praванивало: свинарники, конюшни, лавки красильщиков добавляли крепости испарениям винных погребов и дешевых публичных домов. Арья тупо брела по лабиринту. И поняла, что потеряла птицу, лишь уловив запах бурлящей коричневой похлебки, тянувшийся из-за двери харчевни. Наверное, голубь незаметно выскользнул из ее рук, или его незаметно стащили, когда она побежала. Мгновение Арья собиралась заплакать. Значит, придется опять тащиться в такую даль на Мучную, чтобы поймать столь же упитанную птицу.

Вдалеке над городом ударили колокола.

Арья огляделась, не понимая, что означает их бой.

— Что еще случилось? — спросил толстопузый хозяин харчевни.

— Снова звонят, милосердные боги, — простонала старуха.

Рыжеволосая шлюха в тонком расписном шелке высунулась из окна второго этажа.

— Не мальчишка ли король помер? — крикнула она, наклоняясь над улицей. — Так всегда с мальчишками, долго они не могут!

Шлюха расхохоталась, за спиной ее появился обнаженный мужчина, — припав к ее шее, он из-за спины принялся тискать тяжелые белые груди, свисавшие под рубашкой.

— Глупая девка, — крикнул снизу толстяк. — Король не умер. Король созывает. Звенит одна башня. Когда умирает король, звонят во все колокола.

— Эй, перестань кусаться, или я звякну уже в твой колокол, — огрызнулась шлюха, отталкивая локтем навалившегося на нее мужчину. — Так кто же умер, если не король?

— Это зов, — повторил толстяк.

Двое мальчишек, почти ровесники Арьи, пробежали, разбрызгивая лужи. Старуха обругала их, но они и не думали останавливаться. На улице появились люди, направившиеся вверх, чтобы узнать, из-за чего шум. Арья побежала за отставшим мальчишкой.

— Что случилось? — крикнула она, оказавшись за его спиной. — Что происходит?

Он обернулся на ходу.

— Золотые плащи несут его в септу.

— Кого? — крикнула она, прибавив скорость.

— Десницу! Ему отрубят голову, так говорит Буу.

Мимоезжий фургон оставил глубокую колею на улице. Мальчишка перепрыгнул ее, но Арья не заметила рытвину. Споткнувшись, она упала, ударившись лицом, раскроив колено о камень и врезавшись пальцами в засохшую землю. Игла оказалась прямо между ее ног. Рыдая, Арья поднялась с земли. Палец на левой руке был покрыт кровью. Обсосав его, она заметила, что половина ногтя исчезла, сорванная при падении. Рука пульсировала, колено покрыла кровь.

— Дорогу! — закричали на Поперечной улице. — Дорогу милордам Редвинским.

Арья едва успела убраться, чтобы ее не затоптали четверо гвардейцев. Огромные кони пролетели в галопе, на клетчатых плащах чередовались алые и синие квадраты. Позади них на паре гнедых кобыл ехали два молодых лорда, похожие как две горошины в одном стручке. Арья тысячу раз видела во дворе замка близнецов Редвинов, сира Хораса и сира Хоббера, некрасивых молодых людей с ярко-рыжими волосами и квадратными веснушчатыми лицами. Санса и Джейни Пуль назвали их сиром Орясиной и сиром Боббером и хихикали всякий раз, когда замечали их. Теперь молодые люди не показались Арье забавными.

Все двигались в одну сторону, все торопились узнать причину звона. Колокола слышались громче, они звали, звенели, и Арья присоединилась к потоку людей. Ноготь настолько болел, что она едва удержалась от слез. Прикусив губу, она хромала вперед, прислушиваясь к взволнованным голосам.

— ...Десница короля, лорд Старк. Его несут в септу Бейелора.

— Я слыхал, что он уже умер.

— Скоро, скоро умрет. Вот, хочешь, ставлю серебряного оленя, что ему отрубят голову.

— Опоздал, изменник, — отвечал человек.

Арья попыталась сказать.

— Он никогда... — начала она, но ее детский голос дрогнул и оборвался. Взрослые переговаривались над ней.

— Дурак! Ему не отхватят голову. С каких это пор изменников казнят на ступенях Великой септы?

— Не в рыцари же его там возведут. Я слыхал, что этот Старк убил старого короля Роберта. Перерезал ему глотку в лесу, а когда их нашли, стоит себе спокойный такой и говорит, мол, с государем расправился старый вепрь.

— Да ну тебя, это не так, с королем расправился его собственный брат. Этот Ренли с позолоченными рогами!

— Заткни свой лживый рот, женщина. Ты не знаешь, о чем говоришь; его светлость — истинно благородный и верный человек!

Когда они достигли улицы Сестер, толпа сделалась сплошной. Арья позволила людскому потоку унести ее на вершину холма Висеньи. Белая мраморная площадь была забита взволнованным народом, все толкались, пытались пробиться поближе к Великой септе Бейелора. Колокола уже оглушали.

Арья нырнула в толпу, виляя между ног лошадей и крепко держа свой палочный меч. Из гущи она могла видеть лишь ноги, руки и животы, а еще семь тонких башен над головой. Заметив фургон лесоруба, она решила влезть на него, чтобы лучше видеть. Но не она одна сообразила это, возница оглянулся и прогнал всех кнутом.

Арья впала в неистовство. Когда она проталкивалась вперед, ее прижали к каменному столбу. Поглядев вверх, она увидела изваяние Бейелора Благословенного, короля-септона. Засунув деревянный меч за пояс, Арья полезла вверх. Обломанный ноготь оставлял пятна крови на крашеном камне, но она справилась с подъемом и устроилась между ногами короля.

Тут она увидела своего отца.

Лорд Эддард стоял на кафедре Великого септона перед дверями септы, поддерживаемый двумя золотыми плащами. На нем был богатый дублет из серого бархата с белым волком, вышитым бисером на груди, и серый шерстяной плащ, отороченный мехом. Арья еще не видела отца таким худым, лицо его исказила боль. Собственно говоря, лорд Эддард и не стоял, его держали. Лубок на сломанной ноге побурел от грязи.

Позади отца стоял сам Великий септон, человек приземистый, седой и невероятно жирный. Длинные белые одежды венчала невероятных размеров тиара из витого золота и хрусталя, рассыпавшая вокруг радужные искры при малейшем движении.

Вокруг дверей септы, перед вознесенной мраморной кафедрой, теснились рыцари и высокие лорды. Среди них она заметила Джоффри, в алом шелке и атласе, расшитом скачущими оленями и ревущими львами, с золотой короной на голове. Возле сына стояла королева-мать в черном траурном одеянии с алыми прорезями. Расшитая черными алмазами вуаль покрывала ее волосы.

Арья узнала Пса в снежно-белом плаще на темно-серой броне, его окружали четверо королевских гвардейцев. Она увидела Вариса-евнуха, скользившего между лордов в своих мягких туфлях и расшитом дамаскиновом одеянии. Потом она подумала, что коротышка с остроконечной бородой под серебряным капюшоном, наверное, и есть тот самый юноша, что однажды сражался из-за матери на дуэли.

Среди лордов находилась и Санса в платье из небесно-голубого шелка, длинные золотисто-рыжие волосы были свежевымыты и завиты, запястья ее украшали серебряные браслеты. Арья нахмурилась, не зная, что делает там сестра и почему она кажется такой радостной.

Длинный ряд облаченных в золотые плащи копейщиков сдерживал толпу; командовал ими крепкий мужчина в причудливом панцире, покрытом черным лаком и золотой филигранью. Плащ его играл металлическим блеском настоящей парчи.

Колокол умолк, и тишина постепенно воцарилась на огромной площади, отец ее поднял голову и заговорил голосом настолько тонким и слабым, что она едва различала слова. Люди позади них начали выкрикивать:

— Что? Громче!

Человек в черно-золотой броне зашел за спину отца и больно толкнул его.

«Оставьте его в покое!» — хотела было выкрикнуть Арья, однако она знала, что ее никто не послушает. Она прикусила губу. Отец возвысил голос и начал снова.

— Я, Эддард Старк, лорд Винтерфелла, десница короля, — проговорил он голосом уже более громким, прокатившимся по площади, — предстал перед вами, чтобы признаться в предательстве перед богами и людьми.

— Нет, — проскулила Арья. Толпа под ней завопила и закричала. Оскорбления и непристойности наполнили воздух. Санса закрыла лицо руками.

Отец продолжил еще громче, чтобы его услышали.

— Я обманул доверие моего друга короля Роберта, — выкрикнул он. — Я поклялся защищать и оборонять его детей, но, прежде чем король оставил нас, я вступил в заговор, чтобы сместить его сына и захватить трон. Пусть верховный септон, Бейелор Благословенный и Семеро будут свидетелями моих слов. Джоффри Баратеон является единственным законным наследником Железного трона и, по воле всех богов, лордом Семи Королевств и Хранителем государства.

Из толпы вылетел камень. Арья вскрикнула, увидев, что он попал в отца. Золотые плащи удержали лорда Эддарда от падения. Кровь потекла по его лицу из глубокой раны на лбу. Полетели новые камни. Один попал в гвардейца, находившегося слева от отца, другой звякнул об украшенный золотом панцирь черного рыцаря. Двое королевских гвардейцев стали перед Джоффри и королевой, прикрывая их своими щитами.

Запустив руки под плащ, Арья нащупала Иглу и обхватила рукоять меча, стиснув ее так, как еще никогда ничего не стискивала. «О Боги, сохраните его, прошу вас, — молила она. — Пусть отец мой останется невредимым».

Верховный септон преклонил колено перед Джоффри и его матерью.

— Мы грешим, мы страдаем, — проговорил он гулким басом, куда громче, чем отец. — Этот человек исповедал свои прегрешения перед лицом богов и людей в этом святом месте. — Радуги заплясали вокруг его головы, и он простер руки к королю. — Боги справедливы, но Благословенный Бейелор учил нас тому, что они также и милосердны. Что будет сделано с этим предателем, светлейшая государыня?

Закричала тысяча голосов. Но Арья не слышала ничего. Принц Джоффри... король Джоффри... быстро шагнул вперед из-за щитов гвардейца.

— Мать моя просит, чтобы лорду Эддарду разрешили уйти к Черным Братьям, и леди Санса умоляла простить ее отца. — Поглядев на Сансу, он улыбнулся, и на мгновение Арье показалось, что боги услышали ее молитву, но Джоффри повернулся к толпе и сказал: — Женское сердце мягко. И пока я — ваш король, ни одно предательство не окажется безнаказанным. Сир Илин, принесите мне голову изменника!

Толпа взревела, и Арья ощутила, как дрогнула статуя Бейелора, когда люди навалились на камень. Верховный септон схватил короля за плащ, Варис бросился вперед, размахивая руками, даже королева что-то сказала сыну, но Джоффри качнул головой. Лорды и рыцари расступились перед высоким, бесплотным скелетом в железной броне, воплощавшим королевское правосудие. Смутно, словно бы издалека, Арья услышала крик сестры. Истерически рыдая, Санса упала на колени. Сир Илин Пейн поднялся на ступени кафедры.

Скользнув между ногами Бейелора, Арья бросилась в толпу, извлекая Иглу. Она приземлилась на спину мужчине в фартуке мясника и повалила его на землю. Тут кто-то толкнул ее в спину, и она едва не упала. Толпа сомкнулась, спотыкаясь и топча бедного мясника. Арья замахнулась Иглой.

На ступенях сир Илин взмахнул рукой, и рыцарь в черном с золотом панцире отдал приказ. Золотые плащи бросили лорда Эддарда на мрамор, оперев грудью о край.

— Эй ты! — крикнул ей сердитый голос, но Арья метнулась мимо, расталкивая людей, просачиваясь между ними, натыкаясь на тех, кто попадался ей по пути.

Чья-то рука попыталась ухватить ее за ногу, она рубанула Иглой и ударила пяткой. Упала споткнувшаяся женщина, и Арья пробежала по ее спине, рубя в обе стороны, но все это было ни к чему. Слишком много было людей вокруг, и всякий намеченный ею проход немедленно смыкался. Кто-то оттолкнул ее в сторону. Санса еще кричала.

Сир Илин извлек огромный двуручный меч из ножен, пристроенных за спиной. Он занес клинок над головой, и солнечный свет заплясал на темном металле, отражаясь от края более острого, чем любая Игла. Лед, поняла она. В руках у него Лед! Слезы заструились по лицу Арьи, ослепляя ее. И тут из толпы метнулась рука, сомкнувшаяся на ее предплечье волчьим капканом. Игла отлетела в сторону. Арья пошатнулась. Она упала бы, если бы человек не поднял ее вверх, словно куклу.

Перед ней оказалось лицо: длинные черные волосы, спутанная борода и гнилые зубы.

— Не гляди! — рявкнул грубый голос.

— Я... я... я... я. — Арья зарыдала.

Старик встряхнул ее так, что зубы забарабанили друг о друга.

— Закрой свой рот и глаза, мальчишка!

Где-то, словно бы вдали, она услыхала... шум, мягкий вздох, словно бы воздух сразу вышел из груди миллиона людей. Пальцы старика впились в ее руку, жесткие, как железо.

— Гляди на меня. Да, так, именно на меня. — Пахло от него кислым вином. — Помнишь меня, парень?

Она вспомнила запах, увидела спутанные сальные волосы, залатанный пыльный плащ, покрывавший кривые плечи, мрачные черные глаза. А потом вспомнила Черного Брата, явившегося с визитом к отцу.

— Вспомнил меня, так? Смышленый мальчишка. — Он сплюнул. — Здесь все закончено. А ты пойдешь со мной и будешь держать рот на замке.

Она начала отвечать, и он встряхнул ее еще жестче.

— На замке, я сказал!

Площадь начинала пустеть. Толпа расступилась вокруг, люди возвращались к повседневным занятиям. Но жизнь оставила Арью. Онемев, она шла возле... Йорена, да, его звали Йорен. Она вспомнила, что он подобрал Иглу, лишь когда новый спутник вернул ей меч.

— Надеюсь, ты умеешь пользоваться им, парень?

— Я не... — начала она.

Он толкнул ее к двери и, запустив грязные пальцы в волосы, дернул, запрокидывая голову назад.

— Я не умный мальчишка, ты это хочешь сказать? В руке его был нож.

Клинок прыгнул к ее лицу, и, отчаянно брыкаясь, Арья отдернулась, мотая головой из стороны в сторону. Но он держал ее за волосы так крепко, что кожа на голове разрывалась, а губы ощущали только соленые слезы.

БРАН

Самые старшие были уже взрослыми: по семнадцать и восемнадцать лет прошло после того, как они получили имя. Один даже встретил двадцатилетие. Но в основном здесь собрались шестнадцатилетние и моложе.

Бран следил за ними с балкона башни мейстера Лювина, прислушивался к напряженным голосам и ругательствам, с которыми они размахивали палками и деревянными мечами. Двор ожил, выслушивая стук дерева о дерево, слишком уж часто прерывавшийся вскриками боли, когда удар приходился по телу. Сир Родрик расхаживал среди мальчишек, — лицо его багровело под белыми усами, — и ругал всех и каждого. Бран никогда не видел старого рыцаря таким раздраженным.

— Нет, — приговаривал он. — Нет. Нет. Нет!

— Они не слишком хороши в бою, — с сомнением проговорил Бран. Он почесал Лето за ушами, лютоволк был занят куском мяса. Кости хрустнули под его зубами.

— Конечно, — согласился, глубоко вздохнув, мейстер Лювин. Мейстер смотрел в трубу с большими мирийскими линзами, измеряя тени и отмечая положение кометы, повисшей над горизонтом в утреннем небе. — Но если хватит времени, сир Родрик справится с делом. Нам нужны люди на стенах. Твой лорд-отец увел лучших в Королевскую Гавань, твой брат взял остальных годных парней. Они теперь за много лиг от замка. Многие не вернутся назад, а нам нужны люди, чтобы занять их места.

Бран с сомнением посмотрел на потевших внизу парней.

— Если бы у меня были ноги, я бы сумел побить любого. — Он вспомнил, что в последний раз держал меч в руке, когда король посещал Винтерфелл. Это был всего лишь деревянный меч, но все-таки он несколько раз сумел сбить с ног принца Томмена. — Сир Родрик обучит меня пользоваться алебардой. Если ее насадить на длинную ручку, Ходор может стать моими ногами. Вместе мы составим рыцаря.

— Едва ли... — усомнился мейстер Лювин. — Бран, на поле брани руки, ноги и мысли человека должны составлять единое целое.

Внизу на дворе вопил сир Родрик:

— Ты дерешься как гусь. Он клюнет тебя, и ты клюнешь его. Отбивайтесь! Защищайтесь от ударов. Гуси нам не нужны! Настоящий меч первым же ударом снесет тебе руку. — Один из мальчишек расхохотался, и старик повернулся. — И ты еще смеешься! Наглец. Ты дерешься как еж!

— Однажды был такой рыцарь, который не мог видеть, — настойчиво продолжал Бран, не обращая внимания на голос сира Родрика. — Старуха Нэн рассказывала мне о нем. У него было длинное древко с кинжалами на обоих концах, он крутил его обеими руками и мог уложить сразу двоих людей.

— Симеон Звездный Глаз, — проговорил Лювин, занося числа в книжку. — Потеряв глаза, он вставил сапфиры в пустые глазницы, так по крайней мере утверждают певцы. Бран, это же сказки, как о Флорианушке-дурачке. Сказка из века героев. — Мейстер цыкнул зубом. — Оставь эти сны, они только разорвут твое сердце.

Сны... Бран вспомнил самый последний.

— Прошлой ночью мне вновь приснился тот ворон... Трехглазый. Он влетел в мою опочивальню и велел идти вместе с ним. Я послушался. Мы спустились в крипту. Там был отец, и мы поговорили. Он был печален.

— Почему же? — спросил мейстер, глядя через трубу.

— По-моему, грусть его имела какое-то отношение к Джону. — Сон смутил Брана больше всех предыдущих. — Ходор не хочет нести меня в крипту.

Мейстер слушал его вполуха. Бран видел это. Лювин оторвал глаз от трубки и моргнул.

— Что Ходор не хочет?..

— Спускаться со мной в крипту. Проснувшись, я приказал отнести меня вниз, чтобы посмотреть, действительно ли отец находится там. Сперва он не понял, чего я хочу. Но когда я привел его на лестницу, показал, куда идти и куда поворачивать, он не захотел спускаться вниз. Просто остановился во тьме на верхней ступени и сказал «Ходор» — так, словно боялся темноты. Но у меня был с собой факел. Я обезумел настолько, что хотел стукнуть его по голове, как делает старая Нэн. — Увидев, что мейстер хмурится, Бран поспешно добавил: — Но я не сделал этого.

— Хорошо. Ходор — человек, а не мул, которого можно колотить.

— Во сне я летел вниз вместе с вороном, но я не могу сделать так наяву, — пояснил Бран.

— Почему ты хочешь спуститься в крипту?

— Я же сказал, чтобы поискать отца...

Мейстер потянул за цепочку на шее, как делал часто, когда чувствовал себя неуютно.

— Милое дитя, Бран, однажды каменное подобие лорда Эддарда сядет внизу возле своего отца и деда, рядом со всеми Старками, начиная от старых Королей Севера... Но это случится не скоро, да будут милосердны к нам боги. Отец твой в плену у королевы, он в темнице, и ты не найдешь его в крипте.

— Он был здесь прошлой ночью, я разговаривал с ним.

— Упрямый мальчишка, — вздохнул мейстер, откладывая книгу. — Посмотрим?

— Я не могу. Ходор туда не идет, а для Плясуньи ступени слишком узки и извилисты.

— По-моему, я знаю выход из положения.

Вместо Ходора пригласили Ошу, женщину, взятую среди одичалых. Высокая и крепкая, она была готова сделать все, что ей приказывают.

— Я прожила всю свою жизнь за Стеной, милорды, и эта дыра в земле меня не пугает.

— Лето, пошли, — позвал Бран, когда она подняла его на крепких руках.

Оставив свою кость, лютоволк последовал за Ошей, понесшей Брана через двор и вниз по спиральным ступеням в холодное подземелье. Мейстер Лювин шел впереди с факелом. Бран даже не обратил внимания — совершенно никакого — на то, что она несет его на руках, а не за спиной. Сир Родрик приказал, чтобы с Оши сняли цепь, поскольку после своего появления в Винтерфелле она служила Старкам честно и преданно. Но тяжелые железные обручи на лодыжках остались — в знак того, что ей не полностью доверяют, — однако они не мешали Оше уверенно шагать вниз по ступеням.

Бран и не помнил, когда в последний раз был в криптах. Конечно, это было еще до того. А в детстве он нередко играл здесь с Роббом, Джоном и сестрами.

Жаль только, что их нет сейчас рядом. Тогда бы подземелье не казалось столь темным и страшным.

Лето шел впереди в гулком мраке и вдруг остановился, поднял голову и принюхался к холодному мертвому воздуху. Оскалившись, он отступил, сверкнув золотым глазом в свете факела мейстера. Даже Оша, жесткая, как старое железо, неуютно поежилась.

— Судя по лицам, народ суровый, — сказала она, разглядывая длинный ряд гранитных Старков на тронах.

— Покойные Короли Зимы, — прошептал Бран. Здесь почему-то нельзя было разговаривать слишком громко.

Она улыбнулась.

— У зимы нет короля. Увидишь ее — узнаешь почему, летний мальчик.

— Тысячи лет они были Королями Севера, — проговорил мейстер Лювин, поднимая факел так, чтобы свет озарил каменные лица. Некоторые были длинноволосы и бородаты, лохматые люди, свирепые, как те лютоволки, что лежали у их ног. Другие, чисто выбритые, острым тонким лицом напоминали длинный меч, лежащий у каждого на коленях. — Суровое время, суровые люди. Пошли. — Резким шагом мейстер направился по залу, мимо каменных столбов и бесконечных резных фигур. Язык пламени срывался с поднятого факела.

Длинное подземелье было больше самого Винтерфелла; некогда Джон рассказывал ему, что можно спуститься еще ниже в мрачные и глубокие подземелья, где были похоронены самые древние короли. Так что без света не обойтись. Лето не согласился отойти от лестницы, даже когда Оша с Браном на руках последовала за факелом.

— Помнишь историю своего рода, Бран? — спросил мейстер, пока они шли вперед. — Расскажи Оше, кто они и чем знамениты, если сумеешь.

Глядя на лица, Бран вспоминал: что-то ему рассказывал мейстер, а старая Нэн дополняла и оживляла его повествование.

— Это Джон Старк. Когда на востоке высадились морские грабители, он прогнал их и построил в Белой гавани замок. Сын его, Рикард Старк, — не отец моего отца, а другой Рикард, — отобрал Перешеек у Болотного короля и женился на его дочери. Теон Старк — вон тот худой, с длинными волосами и узкой бородой. Его прозвали Голодным Волком, потому что он всегда воевал. А вот Брандон — с сонным лицом, — ему дали прозвище Корабельщик, потому что он любил море. Гробница эта пуста. Он поплыл на запад по Закатному морю, но не вернулся. Рядом его сын — Брандон Факельщик; с горя он сжег все корабли своего отца. Вот Родрик Старк, в поединке отвоевавший Медвежий остров и отдавший его Мормонтам. А вот и Торрхен Старк, Король, Преклонивший колено. Он был последним Королем Севера и стал лордом Винтерфелла после того, как присягнул Эйегону-завоевателю. А вот Криган Старк. Он однажды сразился с принцем Эйемоном, и сам Драконий рыцарь сказал, что никогда не встречал лучшего фехтовальщика. — Ряды заканчивались, и Бран ощутил накатывавшую на него печаль. — А вот мой дед, лорд Рикард, которого обезглавил Безумный король Эйерис. Рядом с ним покоятся его дочь Лианна и сын Брандон. Не я — другой Брандон, брат моего отца. Им не положены изваяния, их удостаиваются только лорды и короли, но отец мой так любил брата и сестру, что приказал изготовить статуи.

— Какая красавица, — сказала Оша.

— Роберт был обручен с ней, но принц Рейегар похитил ее и изнасиловал, — пояснил Бран. — Роберт затеял войну, чтобы вернуть Лианну. Он убил Рейегара возле Трезубца, но Лианна умерла и не досталась ему.

— Скорбная история, — сказала Оша, — но эти зияющие отверстия вселяют в меня больше скорби.

— Эта гробница ждет лорда Эддарда, когда придет его время, — проговорил мейстер Лювин. — Здесь ли в том сне ты видел своего отца, Бран?

— Да, — ответил мальчик. Воспоминание заставило его поежиться. Бран оглядел подземелье. Волосы на его затылке встали дыбом. Неужели он слышал шум? Или это ему почудилось?

Мейстер Лювин с факелом в руке шагнул вперед.

— Ну, видишь, твоего отца здесь нет. И не будет еще много лет. Не надо бояться снов, дитя. — Он протянул руку в темные недра гробницы, словно в пасть какого-то огромного дикого зверя. — Видишь — она пу...

Тьма, зарычав, прыгнула на него.

Сверкнули зеленые глаза и белые зубы на черной, словно могильные недра, шерсти. Мейстер Лювин, вскрикнув, вскинул руки. Факел вылетел из его пальцев, ударившись о каменное лицо Брандона Старка, и упал к ногам изваяния; языки лизали колено. В неровном мечущемся свете можно было видеть, как Лювин борется с лютоволком, молотя рукой по челюстям, стиснувшим его другую руку.

— Лето! — завопил Бран.

И Лето тенью вылетел из сомкнувшейся позади них тьмы. Столкнувшись с Мохнатым Песиком, он сбил его на землю, и оба лютоволка покатились клубком серой и черной шерсти, рыча и кусая друг друга. Тем временем мейстер Лювин поднялся на колени, придерживая окровавленную руку.

Оша посадила Брана спиной к изваянию лорда Рикарда и бросилась на помощь. Отбрасываемые светом упавшего факела громадные — футов в двадцать — тени волков воевали на стенах и на потолке.

— Лохматик, — позвал тонкий голос. Бран поглядел и увидел младшего брата, появившегося из гробницы отца. В последний раз тяпнув Лето, Лохматый Песик вырвался и бросился к Рикону.

— Оставь в покое моего отца, — сказал Рикон. — Оставь его в покое.

— Рикон, — негромко промолвил Бран, — нашего отца нет здесь.

— Нет, он здесь. Я видел его. — Слезы поблескивали на лице Рикона. — Я видел его прошлой ночью.

— Во сне...

Рикон кивнул:

— Оставьте его. Оставьте. Он вернулся домой, как обещал. Он вернулся домой!

Бран никогда не видел, чтобы мейстер Лювин обнаруживал подобную нерешительность. Кровь капала с его руки; Лохматый Песик разодрал шерстяной рукав и плоть под ним.

— Оша, факел, — приказал он, закусывая губу от боли, и она подобрала факел, не дав огню погаснуть. На каменных ногах его дяди остались следы сажи. — Эта... эта тварь... — продолжил Лювин, — кажется, должна сидеть на цепи.

Рикон погладил влажную от крови морду своего лютоволка.

— Я отпустил его. Он не любит цепей, — и облизнул пальцы.

— Рикон, — сказал Бран. — Хочешь пойти со мной?

— Нет. Мне нравится здесь.

— Здесь темно и холодно.

— Я не боюсь. Я хочу дождаться отца.

— Ты можешь подождать вместе со мной, — сказал Бран. — Будем ждать вместе... ты и я и наши волки. — Оба волка зализывали раны и явно нуждались в осмотре.

— Бран, — твердо сказал мейстер. — Я знаю, что ты хочешь добра, но Лохматый слишком одичал, чтобы оставить его. Я стал третьим, кого он покусал. Если он будет бегать по замку, то рано или поздно кого-нибудь убьет. Истина сурова, этого волка надо посадить на цепь или... — Он умолк.

«...или убить», — договорил в уме Бран и ответил:

— Он создан не для цепей. Мы будем ждать у тебя в башне, все вместе.

— Это невозможно, — сказал мейстер Лювин.

Оша ухмыльнулась:

— Насколько я помню, мальчишка здесь лорд. — Она вернула Лювину факел и вновь подхватила Брана на руки. — Отправляемся в башню мейстера.

— Ты идешь, Рикон?

Брат кивнул.

— Если Лохматик пойдет, — сказал он, обегая Ошу и Брана; мейстеру Лювину, опасливо поглядывавшему на волков, оставалось только последовать за ними.

В обители мейстера Лювина было настолько тесно, что Бран не понимал, как здесь можно что-нибудь найти. На столах и стульях росли кривые башни из книг, ряды закупоренных кувшинов выстроились на полках. Повсюду на мебели посреди лужиц застывшего воска торчали огарки свечей, бронзовая труба с миришскими линзами восседала на треножнике возле двери на террасу, звездные карты свисали со стен, теневые карты лежали между тростинок и бумаг, перьев и бутылочек с чернилами, и на всем оставили свои пятна вороны, устроившиеся среди балок. Под их хриплую перебранку Оша омыла, обработала и перевязала рану мейстера, выполняя отрывистые наставления Лювина.

— Это безрассудство, — говорил седой человечек, пока она промакивала волчьи укусы едкой жидкостью. — Конечно, странно, что вам обоим, мальчики, приснился один и тот же сон, но, если задуматься, это вполне естественно. Вам не хватает лорда-отца, и вы знаете, что он в плену. Страх может воспалить человеческий разум и вселить в него странные мысли. Рикон слишком мал, чтобы понимать...

— Мне уже четыре, — сказал Рикон, разглядывая сквозь трубу с линзами фигуры горгулий из Первой

Твердыни. Лютоволки держались в противоположных концах большой комнаты; когда они зализали раны, им бросили по кости.

— Слишком мал, и... седьмое пекло, как жжет, не надо больше! Слишком мал, как я сказал, но ты, Бран, уже достаточно большой, чтобы знать, что сны — это всего только сны.

— Бывает так, а бывает иначе. — Оша плеснула бледно-красным огненным молочком в длинную рану. Мейстер охнул. — Дети Леса могли бы кое-что рассказать тебе о снах.

Слезы текли по лицу мейстера, но он решительно качнул головой.

— Дети Леса... сами существуют только во снах. Их нет, они умерли. Хватит, довольно! Теперь повязку. Сперва тампон, потом обмотай и натяни посильнее. Чтобы не шла кровь.

— Старая Нэн говорит, что Дети Леса знали песни деревьев, умели летать как птицы и плавать как рыбы, они даже знали язык животных, — сказал Бран. — А музыка у них была настолько прекрасной, что, услышав ее, люди плакали от этих звуков.

— И всего этого они добивались волшебством, — сказал рассеянно мейстер Лювин. — Жаль, что их нет рядом. Во-первых, исцелили бы тогда мою руку и объяснили бы Лохматому, что кусать своих нельзя. — Он искоса, с раздражением поглядел на черного волка. — Учись, Бран. Человек, который полагается на заклинания, фехтует стеклянным мечом. Как делали Дети Леса. Давай-ка я вам кое-что покажу.

Он резким движением встал, направился на другую сторону комнаты и вернулся с зеленым горшочком в здоровой руке.

— Видите, — сказал он, откупорив сосуд и высыпав из него горсточку блестящих черных наконечников для стрел.

Бран взял один из них.

— Они сделаны из стекла.

Любопытный Рикон подобрался поближе и поглядел на стол.

— Драконье стекло, — назвала Оша камень, садясь возле Лювина с бинтами в руке.

— Обсидиан, — поправил ее мейстер Лювин, протягивая раненую руку. — Выкованный в кузне богов, глубоко под землей. С помощью таких стрел Дети Леса охотились тысячи лет назад. Они не знали металла; кольчугами им служили длинные рубахи из листвы, обувью — кора деревьев... получалось, что они просто растворялись в лесу. А вместо мечей у них были клинки из обсидиана.

— Они до сих пор носят их. — Оша опустила мягкие тампоны на рану и перевязала предплечье мейстера длинными льняными полосками.

Бран поднес к глазам наконечник стрелы. Скользкое черное стекло блестело. Он решил, что наконечник прекрасен.

— А можно я возьму один?

— Как хочешь, — качнул головой мейстер.

— И мне нужен один, — сказал Рикон. — Нет, четыре, мне ведь четыре года.

Мейстер заставил его отсчитать.

— Осторожно, они все еще острые. Не порежься.

— Расскажи мне о Детях Леса, — попросил Бран. — Это важно знать.

— Что ты хочешь услышать?

— Все.

Мейстер потянул за оплечье, прикоснувшееся к коже.

— Они жили в эпоху Зари, в самые первые времена, еще до королей и королевств. В те дни не было ни замков, ни острогов, ни городов; отсюда до самого Дорнского моря нельзя было сыскать ни одной ярмарки. Людей тоже не было вовсе, лишь Дети Леса обитали в землях, которые мы зовем теперь Семью Королевствами.

Смуглые и прекрасные, они никогда не вырастали выше человеческого ребенка. Они жили в глубинах леса и пещерах, посреди озер и в тайных жилищах на деревьях. Легкие, они были быстры и изящны. Мужчины и женщины охотились вместе, пользуясь луками из чардрева и летучими силками. Боги их были богами леса, ручья и камня... старые боги, чьи имена остались тайной. Их мудрецов звали Видящими Сквозь Зелень, это они вырезали странные лики на чардревах, чтобы те караулили лес. Как долго обитали здесь Дети и откуда они явились, никто из людей не знает.

Но примерно двенадцать тысячелетий назад с востока пришли Первые Люди — вдоль Перебитой Руки Дорна, прежде чем она сломалась, — верхом на конях, с бронзовыми мечами в руках и огромными кожаными щитами. По эту сторону Узкого моря еще не знали лошадей, и Дети Леса, конечно, боялись их, ну а Первые Люди боялись ликов на деревьях. Срубая деревья для острогов и ферм на будущих полях, Первые Люди стесывали лица и предавали их огню. В ужасе Дети Леса начали войну. Старые песни уверяют, что Видящие Сквозь Зелень прибегли к черным чарам, дабы море восстало и унесло землю, они раздробили Руку, но было уже поздно закрывать дверь. Война продолжалась, наконец вся земля пропиталась кровью людей и Детей Леса, однако их погибло больше, потому что люди были сильнее, а дерево, камень и обсидиан не могли противостоять бронзе. Наконец обе расы послушались своих мудрецов и договорились. Вожди и герои Первых Людей встретились с Видящими Сквозь Зелень и плясунами леса в рощах чардрев, на маленьком острове, что лежит посреди огромного озера, именуемого Глазом Богов.

Там они заключили договор. К Первым Людям отошли берега, высокие равнины и чистые луга, холмы и горы. Только густой лес навсегда оставался собственностью детей, и нельзя было отныне предать топору ни одного чардрева во всей стране. Чтобы боги были свидетелями заключения договора, каждое дерево на острове наделили лицом, а после учредили священный орден Зеленых людей, обязанных приглядывать за островом Ликов.

Мир этот создал основу четырехтысячелетней дружбы между людьми и Детьми Леса. Шло время, и Первые Люди даже отреклись от богов, которых привезли с собой, и поклонились тайным божествам леса. Заключение договора положило конец эпохе Зари, и начался век героев.

Кулак Брана свернулся вокруг блестящего черного наконечника.

— Но ты говоришь, что все Дети Леса исчезли.

— Да, они исчезли, но только здесь, — ответила Оша, откусывая конец последнего бинта зубами. — К северу от Стены все обстоит иначе. Туда ушли Дети Леса, гиганты и прочие древние расы.

Мейстер Лювин вздохнул:

— Женщина, помни, что ты сейчас должна была лежать в земле или томиться в цепях. Старки проявили к тебе не заслуженную тобой доброту. И нехорошо платить им, забивая головы ребят чепухой.

— Но тогда ты скажи мне, куда они ушли, — попросил Бран. — Я хочу знать.

— И я тоже, — присоединился Рикон.

— Слушайте тогда, — продолжил Лювин. — Мир этот соблюдался, пока стояли королевства Первых Людей, и весь век героев, и Долгую Ночь, и в пору рождения Семи Королевств, но через много столетий новые люди пришли из-за моря.

Их возглавляли андалы, высокие светловолосые воины, пришедшие со сталью, огнем и семиконечной звездой новых богов, вытатуированной на груди. Война затянулась на века, однако в конце концов все шесть южных королевств пали перед завоевателями. Только здесь, где Короли Севера отбрасывали каждую армию, пытавшуюся пересечь Перешеек, сохранилось правление Первых Людей. Андалы жгли чардрева, срубали с них лики, убивали Детей Леса повсюду, где находили их, и шумно провозглашали победу Семерых над старыми богами. Поэтому Дети убежали на север...

Лето взвыл.

Мейстер Лювин вздрогнул и умолк. Вскочив на ноги, Лохматый присоединил свой голос к голосу Лето, и ужас наполнил сердце Брана.

— Он близко, — прошептал Бран с уверенностью отчаяния. Он знал это со вчерашней ночи, когда ворон водил его в крипту прощаться. Он знал, но не верил. Он хотел, чтобы прав оказался мейстер Лювин. Ворон, подумал он, трехглазый ворон...

Волки смолкли столь же внезапно. Лето отправился к Лохматому и лизнул окровавленную шкуру на шее брата. В окно влетела птица.

Ворон опустился на серый каменный подоконник, раскрыл клюв и каркнул хриплым горестным голосом.

Рикон зарыдал. Наконечники стрел один за одним попадали из его рук, звонко ударяясь о пол. Бран прижал к себе брата и обнял его.

Мейстер Лювин глядел на черную птицу, как на скорпиона, облаченного в перья. Он поднялся и медленной походкой лунатика направился к окну. Потом мейстер свистнул, и ворон перескочил на его перевязанную руку. На крыльях его запеклась кровь.

— Сова, — пробормотал Лювин, снимая письмо с ноги, — а может, и ястреб. Бедняга, удивительно, как это он долетел.

Бран обнаружил, что, пока мейстер разворачивал листок, его била крупная дрожь.

— Что там? — спросил он, прижимая к себе брата.

— Ты уже знаешь, что там написано, мальчик, — сказала Оша, не без сочувствия в голосе. И опустила ладонь на его голову.

Мейстер Лювин, невысокий седеющий человечек, с обагренным кровью рукавом серого шерстяного одеяния, не веря, глядел на них... В его ясных серых глазах блеснули слезы.

— Милорды, — обратился он к обоим сыновьям лорда Эддарда голосом хриплым и надломленным. — Нам необходимо найти камнетеса, который хорошо знал вашего отца...

САНСА

В верхнем помещении башни, в самом сердце крепости Мейегора, Санса провалилась во тьму.

Она задвинула занавески вокруг постели; засыпала, просыпалась рыдая, засыпала снова. А когда не могла спать, просто лежала под одеялом, сотрясаясь от горя. Слуги приходили и уходили, приносили еду, но она не могла даже видеть ее. Блюда ставили на стол под окно; там еда только кисла, потом слуги забирали ее.

Иногда ее одолевал свинцовый, лишенный видений сон, тогда просыпалась она еще более усталой. И все же это было лучше, чем видеть во сне отца. Бодрствующая или сонная, она видела его; видела, как золотые плащи бросают его на мрамор, видела сира Илина, извлекающего меч из-за плеча, видела тот момент... момент, когда... она хотела отвернуться, хотела! Только ноги вдруг подвели ее, она упала на колени, но почему-то не отвернула головы. Все кричали и визжали вокруг, принц улыбался ей, улыбался! И она почувствовала себя в безопасности, но только на мгновение, пока он не сказал эти слова, и ноги ее отца... это она помнила, его ноги, как они дернулись, когда сир Илин... когда меч...

Быть может, я тоже скоро умру, сказала себе Санса, и мысль эта не показалась ей столь уж ужасной. Если она выбросится из окна, то все страдания окончатся, ну а потом певцы сложат песни о ее горе. Тело ее останется на камнях; разбитая и невинная, она посрамит всех, кто предал ее. Санса даже дошла до окна, открыла ставни, но тут отвага оставила ее, и, рыдая, она упала в постель.

Приносившие ей пищу служанки пытались завести с ней разговор, но она не отвечала. Однажды явился великий мейстер Пицель со своими бутылочками и флакончиками, чтобы спросить, не заболела ли она. Он потрогал ее лоб, заставил раздеться и осмотрел — всю, — пока служанка придерживала ее. А потом дал настой из трав на медовой воде и велел ей проглатывать по глотку каждый вечер. Она выпила сразу все и провалилась в сон.

Ей снились шаги на лестнице башни, зловещее скрежетание кожи о камень, кто-то крался к ее спальне, шаг за шагом. Она могла только сжаться в комок возле двери и замереть, но он подступал все ближе и ближе. Она знала: это сир Илин Пейн идет за ней со Льдом в руках, чтобы снять голову и с нее. Бежать было некуда, прятаться негде, дверь заложить нечем. Наконец шаги смолкли, и она поняла, что он остановился снаружи, разглядывая ее мертвыми глазами на длинном, покрытом рытвинами лице. Заметив свою наготу, она скрючилась, пытаясь прикрыть себя руками, но дверь заскрежетала, распахиваясь, пропуская острие великого меча.

Она проснулась со словами:

— Пожалуйста, пожалуйста, я буду хорошей, я буду хорошей! Пожалуйста, не надо! — Но слушать было некому.

Когда за ней действительно пришли, Санса шагов не услышала. Дверь открыл Джоффри — не сир Илин, а мальчик, который был ее принцем. Свернувшись, она лежала в постели, и за занавеской ей трудно было сказать, день сейчас или полночь. Она вздрогнула, когда хлопнула дверь. Затем шторы вокруг постели отодвинулись, и она прикрыла глаза ладонью, защищаясь от внезапного света, и увидела их, стоявших над ней.

— Сегодня днем ты выйдешь ко двору, — проговорил Джоффри. — Умойся и оденься, как подобает моей невесте.

Рядом с ним стоял Сандор Клиган в простом коричневом дублете и зеленой мантии, утро сделало его обгорелое лицо особенно жутким. Позади них замерли двое рыцарей Королевской гвардии в длинных белых атласных плащах.

Прикрывая себя, Санса натянула одеяло до подбородка.

— Нет, — жалобно попросила она. — Пожалуйста, не надо, пожалуйста, оставьте мне жизнь!

— Если ты не оденешься сама, мой пес сделает это за тебя, — сказал Джоффри. — Вставай!

— Я прошу вас, мой принц...

— Я теперь король. Пес, вынь ее из постели. — Сандор Клиган, взяв Сансу за плечи, вытащил ее из перины, невзирая на сопротивление. Одеяло упало на пол. Тонкая ночная рубашка едва прикрывала ее наготу.

— Делай, как тебе велят, дитя, — сказал Клиган. — Одевайся. — Он подтолкнул ее к шкафу — едва ли не с добротой.

Санса попятилась от них.

— Я сделала все, о чем попросила меня королева, я написала письма, написала так, как она мне сказала. Ты обещал мне свою милость. Пожалуйста, отпусти меня домой! Я никого не предам, я буду хорошей, клянусь! Во мне нет крови предателя. Я хочу только домой. — Вспомнив про воспитание, она опустила голову. — Если вы не против, — договорила она слабым голосом.

— Я против, — ответил Джоффри. — Мать говорит, что я должен жениться на тебе. Ты останешься здесь и будешь послушной.

— Я не хочу выходить за тебя, — простонала Санса. — Ты отрубил голову моему отцу!

— Он был предателем, и я никогда не обещал пощадить его, но я обещал ему свою милость и проявил ее. Не будь он твоим отцом, я велел бы разорвать его на части... или четвертовать, или ободрать кожу, но я подарил ему чистую смерть.

Санса глядела на Джоффри, словно увидев его впервые. На нем был расшитый львами, отороченный алый дублет и короткий золотой плащ с высоким воротником. Санса удивилась тому, что он мог показаться ей красивым. Мягкие и красные губы, прямо дождевые червяки... глаза тщеславные и жестокие.

— Ненавижу тебя, — прошептала она.

Лицо короля Джоффри отвердело.

— Мать моя утверждает, что королю не подобает бить жену. Сир Меррин!

Рыцарь оказался перед ней, прежде чем она успела что-нибудь сообразить; отбросив руку, которой она пыталась защитить лицо, он ударил ее тыльной стороной руки, облаченной в перчатку.

Санса не помнила, как упала. Но когда очнулась, обнаружила, что стоит на коленях на тростнике*. В голове ее звенело. Сир Меррин Трант стоял над ней, кровь обагрила костяшки его белой шелковой перчатки.

— Будешь ты повиноваться или ему придется еще раз наказать тебя?

Ухо Сансы онемело. Она прикоснулась к нему, ощутив пальцами кровь.

— Я... как вам будет угодно, милорд.

— Светлейший государь, — поправил ее Джоффри. — Я жду тебя во дворе. — Он повернулся и вышел.

Сир Меррин и сир Арис последовали за ним, но Сандор Клиган задержался и грубым рывком поднял ее на ноги.

— Избавь себя от хлопот, девица, и дай ему то, что он хочет.

— А что... что он хочет? Пожалуйста, скажи мне!

— Он хочет, чтобы ты улыбалась, чтобы от тебя сладко пахло и чтобы ты была его дамой, — проскрежетал Пес. — Он хочет услышать те милые словечки, которым тебя научила септа. Он хочет, чтобы ты любила... и боялась его.

Когда Пес ушел, Санса опустилась на тростник и глядела на стену до тех пор, пока в опочивальню не заглянули две ее служанки.

— Мне нужна горячая вода для ванны, прошу вас, — сказала она, — духи и пудра, чтобы спрятать синяк. — Правая сторона лица ее распухла и уже начинала болеть, но Санса знала, что Джоффри захочет, чтобы она выглядела красиво.

Горячая вода заставила ее вспомнить о Винтерфелле и тем принесла силу. Она не мылась с того дня, как умер отец, и удивилась тому, какой грязной сделалась вода. Одна из девушек смыла кровь с ее лица, потерла спину, вымыла волосы и расчесала, пока они не рассыпались густыми осенними завитушками. Санса не разговаривала с ними, только отдавала команды. Они служили Ланнистерам, она их не знала и не доверяла им. Когда настала пора одеваться, Санса выбрала платье зеленого шелка, в котором была на турнире. Она вспомнила всю тогдашнюю любезность Джоффа. Быть может, он тоже вспомнит тот пир и отнесется к ней мягче.

Чтобы желудок не волновался, она выпила бокал сливок со сладким печеньем. В середине дня за ней пришел сир Меррин в полном облачении: белой броне из эмалевых чешуек, украшенной золотом, в высоком шлеме с золотым гребнем в виде звезды, поножах, воротнике, перчатках, сапогах из сияющей кожи; тяжелый шерстяной плащ на горле застегивал золотой лев.

Забрало он снял, и она теперь отлично видела эту кислую физиономию, мешки под глазами, широкий унылый рот, ржавые волосы, тронутые сединой.

— Миледи, — сказал он, отвесив любезный поклон, словно три часа назад ударил ее кто-то другой. — Светлейший государь приказал мне проводить вас в тронный зал.

— А приказывал ли он вам еще раз ударить меня, если я откажусь?

— Вы отказываетесь идти, миледи? — Сир Меррин поглядел на нее без всякого выражения, даже не обращая внимания на синяк, который оставил на ее лице. «Он не из тех, кто ненавидит меня, — поняла Санса. — Но и не испытывает ко мне симпатии. И вообще никак не относится. Я для него все равно... что вещь».

— Нет, — ответила она поднимаясь. Ей хотелось в гневе ударить его, крикнуть, что когда она станет королевой, то прикажет сослать его, если он осмелится ударить ее снова, но, вспомнив слова Пса, Санса сказала: — Я выполню то, что приказывает светлейший государь.

— Как и я, — произнес он.

— Да... но вы же вовсе не рыцарь, сир Меррин.

Тут Сандор Клиган расхохотался бы, Санса знала это. Другой обругал бы ее, велел умолкнуть, наконец, попросил бы прощения. Но сир Меррин Трант не сделал ничего. Он просто не обратил на нее внимания.

На балконе не было никого, кроме Сансы; она стояла, склонив голову, пытаясь сдержать слезы, а Джоффри сидел внизу на Железном троне и вершил то, что называл своим правосудием. В девяти случаях из десяти вопросы не были ему интересны, их решения он предоставлял своему совету и только ерзал на престоле, пока лорд Бейлиш, великий мейстер Пицель и королева Серсея разбирали дело. Но когда он выносил решения сам, никто, даже королева-мать, не мог заставить его изменить мнение.

Перед Джоффри поставили вора, и он приказал сиру Илину отрубить ему руку, прямо здесь, во дворе. Еще были два рыцаря, поспорившие из-за каких-то земель; Джоффри приказал, чтобы утром они сразились за право владения ими и добавил:

— До смерти.

Женщина, пав на колени, просила у него голову человека, казненного за измену; она сказала, что любила его и хотела похоронить подобающим образом.

— Если ты любила предателя, значит, и ты предательница, — решил Джоффри. Двое золотых плащей увлекли просительницу вниз в темницу.

Лягушачья физиономия лорда Слинта маячила в конце стола совета; новоявленный лорд был облачен в черный бархатный дублет, блестящий плащ с капюшоном из золотой парчи и сопровождал одобрительным кивком каждый приговор короля. Санса с ненавистью глядела на уродливую рожу, вспоминая, что именно он бросил отца перед сиром Илином. Ей хотелось самой ударить его, хотелось, чтобы какой-нибудь герой бросил его на пол и отсек голову. Но голос в душе ее шептал: «Это не герои». И она вспомнила, что говорил ей лорд Петир на этом самом месте.

— Жизнь — не песня, моя милая, — сказал он тогда. — Однажды ты это узнаешь, к собственной скорби.

В жизни побеждают чудовища, напомнила она себе и вновь услышала голос Пса, скрежет металла о камень. Избавь себя от хлопот, девица, дай ему то, что он просит...

Последним привели пухлого певца, который в таверне пел песню, осмеивавшую покойного короля Роберта. Джоффри приказал принести арфу и велел певцу спеть. Тот плакал, клялся, что никогда не будет петь эту песню, но король настоял. Действительно забавная песня повествовала о схватке Роберта со свиньей. Свиньей здесь был назван вепрь, который убил короля. Санса знала это, но некоторые куплеты явно намекали на королеву. Когда песня закончилась, Джоффри объявил, что он решил проявить милосердие. Завтра певец останется либо без пальцев, либо без языка. И пусть сам выбирает. Янос Слинт кивнул.

Санса с облегчением поняла, что это последнее решение. Однако испытания не закончились. Когда герольд отпустил двор, она торопливо спустилась с балкона, лишь для того, чтобы обнаружить Джоффри у подножия лестницы. Его сопровождали Пес и сир Меррин.

Король критически осмотрел ее с ног до головы.

— Ты выглядишь намного лучше, чем прежде.

— Спасибо, светлейший государь, — ответила Санса. Пустые слова, однако же он кивнул и улыбнулся.

— Пойдем со мной, — проговорил Джоффри, предлагая ей руку. И ей не оставалось ничего другого, как принять ее. Когда-то одно прикосновение привело бы ее в восторг, теперь же кожа ее съежилась от отвращения.

— Скоро день моих именин, — сказал Джоффри, когда они вышли из тронного зала. — Будет великий пир и подарки. Что ты подаришь мне?

— Я... не думала об этом, милорд.

— Светлейший государь, — резко напомнил он. — Ты действительно глупая девушка, так? Мать моя утверждает это.

— В самом деле? — После всего, что случилось, слова эти не должны были ранить ее, но каким-то образом получилось иначе. Ведь королева всегда была добра к ней.

— Ах да. Ее волнует, что наши дети могут оказаться такими же глупыми, как и ты. Но я приказал ей не беспокоиться. — Король повел рукой, и сир Меррин открыл перед ними дверь.

— Благодарю вас, светлейший государь, — пробормотала она. Пес был прав, подумала Санса. Я всего лишь крохотная пташка, повторяющая слова, которым меня научили.

Солнце опустилось за западную стену, и камни Красного замка загорелись кровью.

— Я сделаю тебе ребенка, как только ты созреешь для этого. Джоффри провожал ее через двор. — Если первый окажется глупым, я отрублю тебе голову и возьму себе жену посмышленей. А когда ты сможешь рожать детей?

Санса не могла поглядеть на него, так ей было стыдно...

— Септа Мордейн утверждает, что... знатные девушки расцветают в двенадцать или тринадцать лет.

Джоффри кивнул:

— Да. — Он повел ее в караульный дом, к подножию лестницы, выводящей на стену.

Санса отодвинулась от него, затрепетала. Она вдруг поняла, куда они направляются.

— Нет, — проговорила она, испуганно охнув. — Пожалуйста, не заставляй меня, прошу тебя.

Джоффри поджал губы.

— Я хочу показать тебе, что бывает с изменниками.

Санса отчаянно затрясла головой:

— Не надо. Не надо!

— Я велю сиру Меррину отнести тебя наверх, — сказал он. — Тебе это не понравится. Лучше делай то, что я говорю. — Джоффри потянулся к ней, но Санса отодвинулась, наткнувшись на Пса.

— Делай, девица, — сказал Сандор Клиган, подталкивая ее к королю. Рот его дернулся на обгорелой стороне лица, и Санса почти что услышала: он все равно велит отнести тебя наверх, так что делай, как он хочет.

Санса заставила себя принять руку короля Джоффри. Подъем показался ей мукой, каждую ступеньку она преодолевала с трудом, словно бы ей приходилось вытаскивать ноги, по лодыжку увязавшие в глине. Даже ступеней оказалось много больше, чем ей казалось. Их была тысяча тысяч, и на стене ее ожидал ужас.

С высоких укреплений караульного дома перед Сансой открылся весь мир. Она увидела Великую септу Бейелора на холме Висеньи, где умер ее отец. На другой стороне улицы Сестер высились опаленные огнем руины Драконьего Дома. На западе распухшее красное солнце опускалось за Божьи ворота. Соленое море осталось за ее спиной, на юге рыбный рынок и причалы выстроились у бурной реки. А на севере...

Она поглядела в ту сторону, но увидела только улицы, переулки, холмы и низины, новые улицы и переулки, камень далеких стен. И все же Санса знала, что за ними начинается открытый простор, фермы, леса и поля, а еще дальше, далеко-далеко на севере высится Винтерфелл.

— Куда ты смотришь? — проговорил Джоффри. — Я не это хотел тебе показать.

Толстый каменный парапет укреплял внешний край стены, поднимаясь до подбородка Сансы, через каждые пять футов в нем были устроены бойницы для стрелков. Головы выставили между бойницами, насадив на железные пики так, чтобы они были обращены лицом к городу. Санса заметила их в тот самый момент, когда ступила на стену, но река, улицы, полные людей, и заходящее солнце были много прекраснее.

Он может заставить меня смотреть на головы, сказала она себе, но он не в силах заставить увидеть их.

— Эта вот принадлежит твоему отцу, — сказал Джоффри. — Вот она. Пес, поверни, пусть она увидит ее. — Сандор Клиган взял голову за волосы и повернул. Отрубленная голова была облита смолой — для сохранности. Санса спокойно глядела на нее и не видела. Голова совсем не была похожа на лорда Эддарда Старка, она даже казалась ненастоящей.

— Сколько я должна смотреть?

Джоффри казался разочарованным.

— Может быть, ты хочешь увидеть и остальные? — Головы выстроились в длинный ряд.

— Если это угодно светлейшему государю.

Джоффри провел ее вдоль стены мимо дюжины голов и двух пустых пик.

— Эти я приберегаю для моих дядьев — лордов Станниса и Ренли, — объяснил он.

Остальные головы пробыли на стене много дольше, чем голова ее отца. Невзирая на смолу, их уже почти невозможно было узнать. Король показал на одну из них и заметил:

— А вот твоя септа.

Санса даже не могла понять, что это женщина: челюсть уже отвалилась, птицы выклевали ухо и большую часть щеки.

Санса все гадала, что случилось с септой Мордейн, и думала, что давно поняла это.

— Почему вы убили ее? — спросила она. — Она присягнула богам...

— Она была предательницей. — Джоффри надулся, Санса чем-то вызвала его недовольство. — А ты еще не сказала мне, что хочешь подарить мне на день рождения. Быть может, это мне следует сделать тебе подарок, как тебе это понравится?

— Если это угодно вам, милорд, — ответила Санса.

Когда он улыбнулся, Санса поняла, что он издевается над ней.

— Твой брат тоже предатель, ты это знаешь. — Он повернул голову септы Мордейн назад. — Помню твоего брата по Винтерфеллу. Мой Пес назвал его лордом деревянного меча. Так было, Пес?

— В самом деле? — спросил Клиган. — Я не помню.

Джоффри воинственно дернул плечами.

— Твой брат победил моего дядю Джейме. Мать говорит, что он сделал это предательством и обманом. Она плакала, услыхав об этом. Все женщины слабы, даже мать, хотя она старается изобразить, что это не так. Она утверждает, что нам нужно оставаться в Королевской Гавани и ждать прихода войск Ренли и Станниса, но я не хочу ждать. После пира в честь моих именин я соберу войско и сам убью твоего брата. И тогда сделаю тебе подарок, леди Санса, подарю голову твоего брата.

Какое-то подобие безумия охватило Сансу, и она услышала собственный голос:

— А что, если это мой брат подарит мне твою голову?

Джоффри нахмурился:

— Ты не должна говорить со мной так. Верная жена не смеется над своим господином. Сир Меррин, поучи ее!

На этот раз рыцарь поднял ее голову за подбородок и ударил, не выпуская, ударил дважды. Сперва по правой, а потом по левой щеке. Он рассек Сансе губу, и кровь побежала по ее щеке, смешиваясь с солеными слезами.

— Тебе не следует все время плакать, — сказал ей Джоффри. — Тебе идет, когда ты улыбаешься и смеешься.

Санса заставила себя улыбнуться, чтобы он не приказал сиру Меррину снова ударить ее; однако король не был доволен и опять качнул головой.

— Сотри кровь, ты вся перепачкалась.

Внешний парапет доходил ей до подбородка, но с внутренней стороны верх стены ничто не ограждало; внизу, в семидесяти или восьмидесяти футах, был двор. «Нужно только толкнуть, — сказала она себе, — он стоит как раз там, где надо, улыбаясь этими жирными червяками. Ты можешь сделать это. Ты можешь. Так сделай прямо сейчас. Не важно, даже если ты последуешь за ним. Это ничего не значит!»

— Ну-ка, девочка. — Сандор Клиган склонился перед Сансой, встав между ней и Джоффри. С деликатностью, удивительной для такого рослого человека, он промокнул кровь, выступившую на ее разбитой губе.

Мгновение было утеряно. Санса закрыла глаза.

— Спасибо, — сказала она, когда Клиган закончил. Она была доброй девочкой и всегда помнила про хорошие манеры.

ДЕЙЕНЕРИС

Крылья туманили ее лихорадочные сны.

— Ведь ты не хочешь разбудить дракона, правда?

Она шла длинным коридором под высокими каменными арками. Она не могла оглянуться, этого нельзя было делать. Впереди, где-то далеко перед ней, маячила крошечная дверь — красная, это было видно даже отсюда. Она шла быстрей и быстрей, и босые ноги ее уже оставляли кровавые отпечатки на камнях.

— Ведь ты не хочешь разбудить дракона, правда?

Она увидела озаренное солнцем дотракийское море, живую равнину, сочащуюся ароматом земли и смерти. Ветер колыхал траву, пускал по ней волны.

Дрого обнимал ее сильными руками, ласкал ее женственность, раскрывая ее и пробуждая эту сладкую влагу, которая принадлежала только ему одному, и звезды улыбались им — звезды! — с дневного неба.

— Дом, — прошептала она, когда он вошел в нее и наполнил своим семенем, но звезды вдруг исчезли; по синему небу проплыли огромные крылья, и мир вспыхнул.

— ...ты не хочешь разбудить дракона, правда?

Сир Джорах, скорбный и осунувшийся, сказал ей:

— Последним драконом был Рейегар, — и принялся греть прозрачные руки над пылающей жаровней с раскаленными докрасна драгоценными драконьими яйцами. Только что он был рядом и вдруг исчез, превратившись в дуновение ветра. — Последним... — шепнул он исчезая. Она ощущала тьму позади себя, и красная дверь словно бы удалилась.

— Ты... не хочешь разбудить дракона?

Перед нею возник вопящий Визерис:

— Шлюха, дракон не простит. Не тебе повелевать драконом. Я — дракон и я получу корону! — Расплавленное золото воском стекало по лицу брата, выжигая глубокие борозды в его плоти. — Я дракон, и я буду коронован! — визжал он, и пальцы его извивались как змеи, хватали за ее соски, щипали, крутили, не переставая, даже когда глазные яблоки лопнули и слизь потекла по обуглившимся щекам.

— Ты не хочешь разбудить дракона...

Красная дверь была еще так далеко, а за спиной она уже ощущала ледяное дыхание, облаком преследующее ее. Если оно догонит, она умрет смертью, которая глубже смерти, и будет выть в вечном мраке и одиночестве. Она побежала...

— ...не хочешь разбудить дракона...

Она чувствовала пламя внутри себя. Жуткий жар терзал матку. Сын ее, высокий и гордый, с медной кожей Драго и ее серебряно-золотыми волосами, обратил к ней фиалковые миндалины глаз. Улыбнулся и протянул к ней руку, но когда он открыл рот, между губ хлынул огонь. Она видела, как сгорает его сердце за ребрами, и в одно мгновение он исчез, превратившись в пепел, как мотылек в пламени свечи. Она оплакала свое дитя, этот сладкий рот, так и не прикоснувшийся к ее груди, но слезы ее превратились в пар, едва притронувшись к плоти.

— ...хочешь разбудить дракона...

Призраки выстроились в коридорах, одетые в линялые облачения королей. В руках их бледным пламенем полыхали мечи. Волосы их были как серебро, как золото и как светлая платина, а глаза — как опалы, аметисты, турмалины и яшма.

«Быстрее, — кричали они. — Быстрее, быстрее». Она бежала, и ноги ее плавили камень. «Быстрее!» — единым голосом вскричали призраки. И она рванулась вперед. Боль ножом вспорола ее спину; она ощутила, как расторгается ее кожа, ощутила запах горячей крови и увидела под собою тень крыльев. Дейенерис Таргариен летела.

— ...разбудить дракона...

Дверь возникла перед ней — красная дверь — так близко, так близко. Стены коридора летели назад. И холод остался сзади. И вдруг камень исчез. Она летела над дотракийским морем, поднимаясь все выше и выше; внизу по зелени ходили волны, и все живое в ужасе бежало от тени ее крыльев. Она ощущала запах дома, и она видела его там, за этой дверью: зеленые поля, великие каменные дома и руки, которые согреют ее. Она распахнула дверь.

— ...дракона...

И увидела своего брата Рейегара верхом на вороном жеребце, черном, как его панцирь. Узкая прорезь забрала горела красным огнем.

— Последний дракон, — слабым голосом шепнул сир Джорах. — Последний, последний.

Дени подняла полированное черное забрало. На нее глядело ее собственное лицо.

А потом — долго — с ней оставались лишь боль, огонь, сжигавший ее недра, и шепот звезд.

Она проснулась, ощущая пепел во рту.

— Нет, — простонала она, — не надо, пожалуйста.

— Кхалиси? — Чхику склонилась к ней испуганной голубкой.

Шатер утопал во мраке, спокойном и тихом. Хлопья пепла поднимались от жаровни, и Дени провожала их взглядом до дымового отверстия. Летят, подумала она. У меня были крылья, я летала. Но это был только сон.

— Помогите мне, — прошептала она, пытаясь подняться. — Принесите мне... — Больно было даже говорить, и Дени не могла понять, чего она хочет. Откуда такая мука? Словно бы тело ее разорвали на части и сшили заново. — Я хочу...

— Да, кхалиси. — Чхику мгновенно исчезла, выбежав из шатра с криком. Дени нуждалась... в чем-то... в ком-то... в чем же? Это было важно, она понимала это. Ей было нужно то, чего нет важнее на белом свете. Она перекатилась на бок и попыталась, оперевшись локтем, сдвинуть одеяло, запутавшее ее ноги. Оно оказалось неимоверно тяжелым. Мир плыл вокруг нее. — Мне надо...

Ее нашли на ковре... она ползла к драконьим яйцам. Сир Джорах Мормонт взял Дени на руки и положил в ночные шелка, она и не сопротивлялась. За плечом рыцаря она увидела трех служанок, Чхого с крошечными усиками и широкое лицо Мирри Маз Дуур.

— Я должна, — попыталась сказать она. — Мне надо...

— ...спать, принцесса... — продолжил за нее сир Джорах.

— Нет, — сказала Дени. — Прошу вас. Прошу.

— Да. — Рыцарь прикрыл ее шелком; тело Дени горело. — Спи и набирайся сил, кхалиси. Возвращайся к нам. — Тут Мирри Маз Дуур оказалась рядом, мейега приложила чашу к ее губам. Из нее пахло кислым молоком и еще чем-то горьким. Теплая жидкость побежала по подбородку. Каким-то образом Дени умудрилась проглотить питье. Шатер отступил, и сон вновь овладел ею. На этот раз Дени не видела снов. Она тихо и мирно плыла по поверхности не знавшего берегов черного моря.

Спустя какое-то время — через ночь, еще через день или через год, она не знала — Дени проснулась снова...

В шатре было темно, шелковый полог хлопал как крылья, пропуская рвущийся снаружи ветер. На этот раз Дени не стала пытаться подняться.

— Ирри, — позвала она, — Чхику, Дореа. — Они немедленно оказались рядом. — Принесите пить, горло пересохло, — сказала она.

Ей принесли воды, она оказалась пресной и безвкусной, но Дени жадно выпила ее и послала Чхику за новой порцией. Ирри увлажнила мягкую тряпку и промокнула ей лоб.

— Я болела? — спросила Дени. Дотракийка кивнула. — Долго? — Влажная ткань успокаивала, но Ирри казалась такой печальной. Дотракийка кивнула.

— Долго, — прошептала она. Когда Чхику вернулась с водой, вместе с ней вошла Мирри Маз Дуур, глаза которой еще были полны сна.

— Пей, — проговорила она и, приподняв голову Дени, снова приложила к ее губам чашу — на этот раз только с вином. Сладким-сладким. Дени выпила и откинулась назад, прислушиваясь к звуку собственного дыхания. Она ощущала тяжесть в конечностях, и сон вновь овладел ею.

— Принесите мне... — проговорила она неразборчивым сонным голосом, — принесите... я хочу подержать...

— Да? — спросила мейега. — И чего же ты хочешь, кхалиси?

— Принесите мне... яйцо... драконье яйцо... пожалуйста... — Ресницы ее обратились в свинец, и не было сил, чтобы поднять их.

Когда Дени проснулась в третий раз, луч золотого света пробивался сквозь дымовое отверстие в шатре, и она лежала, обнимая драконье яйцо... бледное, с чешуйками цвета сливочного масла, пронизанное золотыми и бронзовыми вихрями. Дени ощущала исходивший от него внутренний жар. Под постельными шелками тонкий слой пота покрывал ее кожу. Драконья роса, сказала она себе. Слабые пальцы ее прикоснулись к поверхности скорлупы, к золотым завиткам, и где-то в глубине камня что-то пошевелилось, вздрогнуло, отвечая. Это не испугало ее. Все ее страхи сгинули в огне.

Дени прикоснулась ко лбу. Покрытая потом кожа показалась под рукой слишком холодной, но лихорадка исчезла. Она заставила себя сесть. Голова ее закружилась, и острая боль пронзила ее между ногами. И все же она ощущала в себе силу. На зов прибежали служанки.

— Воды, — сказала она. — Холодной, если найдете. И фруктов, лучше фиников.

— Как тебе угодно, кхалиси.

— Мне нужен сир Джорах, — сказала она вставая. Чхику подняла халат из песчаного шелка и набросила ей на плечи. — Потом теплую ванну, еще Мирри Маз Дуур и...

Память разом вернулась к ней, и она осеклась.

— А кхал Дрого? — с ужасом проговорила Дени, глядя на их лица. — Он уже...

— Кхал живет, — спокойно ответила Ирри... но Дени заметила мрак в ее глазах; едва выговорив два этих слова, служанка бросилась за водой.

Дени повернулась к Дореа:

— Скажи мне.

— Я... я приведу сира Джораха, — потупилась лисенийка и, склонив голову, выбежала из шатра.

Чхику тоже бы побежала, но Дени поймала ее за запястье и удержала на месте.

— Что случилось? Я должна знать. Дрого... и мой ребенок... — Почему же она только сейчас вспомнила про ребенка? — Мой сын... Рейего... где он? Я хочу видеть его.

Служанка потупила глаза.

— Мальчик... не выжил, кхалиси. — Голос ее превратился в испуганный шепот.

Дени отпустила руку. Сын мой мертв, подумала она, когда и Чхику оставила палатку. Она знала это. Она поняла это, еще когда пробудилась в первый раз и услышала плач Чхику. Нет, она знала это прежде, чем проснулась. Сон вернулся назад, внезапный и яркий, она вспомнила, как сгорел высокий муж с медной кожей и золотым серебром косы.

Значит, надо поплакать, поняла Дени, но глаза ее остались сухи как пепел. Все свои слезы она выплакала во сне, когда слезы превращались в пар на ее щеках. «Тот огонь выжег из меня все горе», — сказала она себе. Дени ощущала скорбь, и все же... Рейего оставил ее, его как бы никогда и не было.

Сир Джорах и Мирри Маз Дуур вошли несколько мгновений спустя и застали Дени стоящей над драконьими яйцами, два из которых оставались в своем ящике. Тем не менее ей показалось, что они были не холоднее того яйца, с которым она спала; это было чрезвычайно странно.

— Сир Джорах, подойдите ко мне, — сказала Дени. Она взяла его за руку, приложила к черному яйцу с алыми завитками. — Что вы чувствуете?

— Скорлупу, твердую как камень. — Рыцарь держался настороженно. — И чешуйки.

— А теплоту?

— Нет, это холодный камень. — Он убрал руку. — Принцесса, вам не будет плохо? Следует ли вставать при такой слабости?

— Слабости? Я хорошо себя чувствую, Джорах. — Чтобы доставить ему удовольствие, она опустилась на груду подушек. — Расскажите мне, как умер мой ребенок.

— Он и не жил, принцесса. Женщины говорили... — Он осекся, Дени заметила, как осунулся рыцарь, как хромал при ходьбе.

— Так что говорили женщины?

Сир Джорах отвернулся. В глазах его стояла боль.

— Они сказали, что дитя было...

Дени ждала, но сир Джорах не мог вымолвить эти слова. Лицо его потемнело от стыда, он казался ей полутрупом.

— Чудовищным, — докончила за него Мирри Маз Дуур. Рыцарь был могуч, но Дени вдруг поняла, что мейега сильнее его и более жестока, и бесконечно более опасна. — Я сама извлекла урода наружу. Он был слеп, покрыт чешуями, словно ящерица, с коротким хвостом и маленькими кожаными крылышками, как у летучей мыши. Когда я взяла его, плоть отвалилась с костей, и внутри оказались только могильные черви и запах тлена. Он был мертв уже не один год...

Это сделала тьма, подумала Дени. Та тьма, наползшая сзади, чтобы пожрать ее. Если бы она оглянулась, то пропала бы.

— Сын мой был жив и здоров, когда сир Джорах понес меня в этот шатер, — сказала она, — я сама ощущала, как он брыкается, просясь наружу.

— Так, наверное, и было, — ответила Мирри Маз Дуур. — И все же явившееся из твоего чрева создание было именно таким, как я сказала. Смерть была тогда в этом шатре, кхалиси.

— Тени, только тени, — буркнул сир Джорах, но Дени слышала сомнение в его голосе. — Я видел, мейега. Ты была одна и плясала с тенями.

— Могила отбрасывает длинные тени, железный лорд, — заметила Мирри, — длинные и темные, и никакой свет не может полностью отразить их.

Сир Джорах убил ее сына, поняла Дени. Он сделал это из преданности и любви, однако он принес ее туда, где нет места живому человеку, и отдал ее младенца тьме. Он тоже понимал это — о чем говорили серое лицо его, пустые глаза и хромота.

— Тени прикоснулись и к тебе, сир Джорах, — сказала она. Рыцарь не ответил. Дени повернулась к повитухе: — Ты говорила мне, что лишь смертью можно выкупить жизнь. Я думала, ты говоришь про коня.

— Нет, — сказала Мирри Маз Дуур. — Эту ложь ты сказала себе сама. Ты знала цену.

«Знала? Неужели? Если я оглянусь, я пропала».

— Цена выплачена, — сказала Дени. — Конь, мое дитя. Куаро и Квото, Хагго и Кохолло. Я заплатила несколько раз. — Дени поднялась с подушек. — Где кхал Дрого? Покажи мне его, повитуха-мейега, волшебница, кем бы ты ни являлась на самом деле. Покажи мне теперь кхала Дрого, покажи мне, за что отдала я жизнь своего сына.

— Как тебе угодно, кхалиси, — сказала старуха. — Пойдем, я отведу тебя к нему.

Дени не знала, что настолько слаба. Сир Джорах обнял ее за плечи и помог встать.

— Это можно сделать и потом, моя принцесса, — сказал он негромко.

— Я увижу его немедленно, сир Джорах!

После мрака шатра свет снаружи показался ей ослепительным. Солнце проливало расплавленное золото на обожженную и бесплодную землю. Служанки ожидали Дени с фруктами, вином и водой, а Чхого шагнул вперед, чтобы помочь сиру Джораху поддержать ее. Агго и Ракхаро стояли позади. Сверкающий под солнцем песок мешал ей смотреть, и Дени подняла руку, прикрывая глаза. Вокруг неровного кострища бродили несколько дюжин лошадей, тщетно пытавшихся отыскать хоть какой-нибудь травы, за ними стояли редкие шатры. Небольшая группа детей собиралась поглазеть на нее, женщины занимались работой, старцы усталыми глазами разглядывали синее небо, отмахиваясь от кровавых мух. Она сумела насчитать сотню людей, не более. Там, где стояли остальные сорок тысяч, лишь, поднимая пыль, гулял ветер.

— Кхаласар Дрого ушел, — сказала она.

— Кхал, который не способен ехать на коне, больше не кхал, — ответил Кхого.

— Дотракийцы следуют только за сильным, — добавил сир Джорах. — Прости, принцесса, их нельзя было удержать. Первым уехал ко Поно, он назвал себя кхалом Поно, и многие последовали за ним. Чхако последовал его примеру.

Остальные бежали тайно — ночь за ночью, большими и малыми группами. Теперь на месте прежнего кхаласара Дрого в дотракийском море появилась дюжина новых кхаласаров.

— А с нами остались старые, — сказал Агго. — Испуганные, слабые и больные. И мы, присягнувшие. Мы остаемся.

— Они увели стада кхала Дрого, кхалиси, — сказал Ракхара, — нас было мало, и мы не смогли остановить их. Сильный вправе отбирать у слабого. Они увели с собой и рабов, твоих и кхала, но все же кое-кого оставили.

— А Ероих? — спросила Дени, вспомнив ту испуганную девушку, которую спасла у стен города ягнячьих людей.

— Ее забрал Маго, теперь он кровный наездник кхала Чхако, — сказал Чхого. — Он брал ее так и эдак, а потом отдал своему кхалу, а Чхако отдал своим кровным. Их было шестеро. Потешившись, они перерезали ей горло, кхалиси.

— Так было ей суждено, кхалиси, — сказал Агго.

«Если я оглянусь, то пропаду».

— Жестокая судьба, — проговорила Дени. — И все же не столь жестокая, как та, что ожидает Маго. Обещаю вам перед богами старыми и новыми, перед богами конного и ягнячьего народа, перед всяким живым богом. Клянусь в этом Матерью гор и Чревом Мира. Я потешусь над ними так, что Маго и ко Чхако будут молить о том милосердии, которое они дали Ероих.

Дотракийцы неуверенно переглянулись.

— Кхалиси, — принялась объяснять служанка Ирри, словно бы обращаясь к ребенку, — ко Чхако теперь кхал, он правит двадцатью тысячами всадников.

Она подняла голову.

— А я Дейенерис Бурерожденная. Дейенерис из дома Таргариенов, наследница Эйегона-завоевателя, Мейегора Жестокого и старой Валирии. Я — дочь дракона и клянусь перед вами, что этим людям суждена жестокая смерть. А теперь проведите меня к кхалу Дрого.

Он лежал на голой ржавой земле, глядя на солнце. Дюжина кровавых мух ползала по его телу, но кхал не замечал их. Дени отогнала насекомых и стала на колени возле мужа. Глаза Дрого были широко открыты, но он не видел ее, и Дени сразу поняла, что кхал слеп. Она прошептала его имя, но он не услышал. Рана на груди зажила, оставив ужасный серо-желтый шрам.

— А что он делает здесь на солнце? — спросила она.

— Похоже, ему нравится тепло, принцесса, — проговорил сир Джорах. — Глаза кхала следуют за солнцем, хотя он его не видит. Он может даже ходить. Он идет туда, куда ты его ведешь, но не дальше. Он ест, если кладешь ему пищу в рот, пьет, если лить ему воду в губы.

Дени ласково поцеловала свое солнце и звезды в чело и встала перед Мирри Маз Дуур.

— Мейега, твое волшебство слишком дорого стоит.

— Но кхал жив, — сказала Мирри Маз Дуур. — Ты просила, чтобы он жил, и заплатила за это.

— Но это не жизнь для такого человека, как Дрого. Он жил смехом, мясом, жарящимся на костре, и конем между ног своих. Он жил, встречая врага аракхом в руке и колокольчиками, звенящими в волосах. Он жил своими кровными и мной, и сыном, которого я должна была родить ему.

Мирри Маз Дуур промолчала.

— А когда он станет таким, каким был прежде? — потребовала ответа Дени.

— Когда солнце встанет на западе и опустится на востоке, — забормотала Мирри Маз Дуур. — Когда высохнут моря и ветер унесет горы, как листья. Когда чрево твое вновь зачнет и ты родишь живое дитя. Тогда он вернется — но прежде не жди!

Дени махнула сиру Джораху и всем остальным:

— Отойдите, я хочу поговорить с этой мейегой!

Мормонт и дотракийцы отступили.

— Ты знала, — сказала Дени, когда их никто не мог услышать. Ее терзала боль изнутри и снаружи, но ярость придавала ей силы. — Ты знала, ЧТО я покупаю, и знала цену, но тем не менее заставила меня заплатить ее за другое...

— Они не должны были сжигать мой храм, — мирно ответила тяжелая плосконосая женщина. — Это прогневало Великого Пастыря.

— Это сделал не бог, — с холодом в голосе сказала Дени. «Если я оглянусь, я пропала». — Ты обманула меня. Ты убила дитя во мне.

— Жеребец, который покроет весь мир, теперь не сожжет ни одного города. Его кхаласар не втопчет в пыль ни одной страны.

— Я заступилась за тебя, — сказала она. — Я спасла тебя.

— Спасла меня? — Лхазарянка плюнула. — Трое всадников взяли меня, и не как мужчина берет женщину, а сзади, как пес поднимается на суку. Четвертый был во мне, когда ты ехала мимо. Когда же ты спасла меня? Я видела, как сгорел дом моего бога, в котором я исцелила несчетное множество добрых людей. Мой дом они тоже сожгли; я видела на улицах груды голов, а среди них голову пекаря, который пек мне хлеб, и голову мальчишки, которого я спасла от мертвоглазия две недели назад... я видела, как наездники гонят кнутами плачущих детей. Скажи мне еще раз, что ты спасла?

— Твою жизнь.

Мирри Маз Дуур жестоко расхохоталась:

— Погляди-ка на своего кхала и увидишь, чего стоит жизнь, когда ушло все остальное.

Крикнув мужей своего кхаса, Дени приказала связать Мирри Маз Дуур по рукам и ногам, но мейега только улыбнулась, когда ее уводили, словно бы они разделяли общую тайну. Еще слово, и Дени приказала бы срубить ей голову... но что она тогда получит? Голову? Если даже жизнь ничего не стоит, чего же тогда стоит смерть?

Они привели кхала Дрого назад в ее шатер, и Дени приказала наполнить ванну, но на сей раз в воде не было крови.

Она сама выкупала кхала, вымыла длинные черные волосы и чесала их, пока они вновь не заблестели прежним блеском. Дело затянулось до тьмы, и Дени устала. Она хотела было поесть и попить, но сумела только проглотить финик и запить его глотком воды. Сон был бы облегчением, но она и так спала достаточно долго... точнее говоря, слишком долго. Эту ночь она должна посвятить Дрого — ради всех ночей, что были у них, и тех, что, может быть, еще будут.

Уводя кхала во тьму, она вспомнила их первую поездку по ночной степи, ведь дотракийцы верили, что все важные события в жизни мужчины должны совершаться под открытым небом. Она пыталась уверить себя в том, что есть сила сильнее ненависти и есть чары надежнее и вернее тех, которым мейега научилась в Асшае. Ночь выдалась темной, безлунной, на небе искрились звездные мириады. Дени усмотрела в этом предзнаменование. Здесь их не ждало мягкое одеяло травы — лишь жесткая пыльная земля, усеянная камнями. Ветер не шевелил деревья, и ручей не прогонял ее страхи своей тихой музыкой.

Дени решила, что довольно будет и звезд.

— Вспомни, Дрого, — прошептала она. — Вспомни о нашей первой поездке в день свадьбы. Вспомни ночь, в которую мы зачали Рейего, когда кхаласар окружил нас и ты глядел мне в лицо. Вспомни, какой чистой и прохладной была вода в Чреве Мира. Вспомни, мое солнце и звезды, вспомни и вернись ко мне!

Роды слишком разорвали ее внутри, чтобы принять в себя его мужество, но Дорея научила ее другим способам. Дени пользовалась ртом, губами и грудями. Она водила по нему ногтями, покрывала поцелуями, шептала, молилась и наконец залилась слезами. Но Дрого не чувствовал ее, не говорил и не восстал.

Когда блеклый рассвет забрезжил над пустым горизонтом, Дени поняла, что Дрого навсегда ушел от нее.

— Когда солнце встанет на западе и опустится на востоке, — повторила она со скорбью. — Когда высохнут моря и ветер унесет горы, как листья. Когда чрево мое вновь зачнет и я рожу живого ребенка. Тогда ты вернешься, мое солнце и звезды, но прежде не жди.

«Никогда, — выкрикнула тьма, — никогда, никогда, никогда!»

Внутри шатра Дени отыскала набитую перьями подушку из мягкого шелка. Прижав ее к груди, она вернулась к Дрого, к своему солнцу и звездам. «Если я оглянусь, я пропала». Ей было больно ходить, хотелось спать, спать и ничего не видеть во сне.

Встав на колени, она поцеловала Дрого в губы и прижала подушку к его лицу.

ТИРИОН

— Они захватили моего сына.

— Истинно, милорд, — отозвался гонец голосом тусклым от утомления. Полосатый вепрь Кракехолла на груди его порванного кафтана наполовину скрывался за пятнами засохшей крови.

Одного из твоих сыновей, подумал Тирион. Но глотнув вина, не проронил ни слова, погрузившись в размышления о Джейме. Когда карлик поднял руку, боль пронзила его локоть, напомнив о недолгом знакомстве с битвой. При всей любви к своему брату, Тирион не хотел бы оказаться возле него в Шепчущем Лесу даже за все золото Бобрового утеса.

Капитаны и знаменосцы лорда-отца сразу притихли, когда гонец сообщил свою весть. И стало слышно, как потрескивают и шипят бревна в очаге на дальнем конце холодной гостиной.

После всех лишений, перенесенных во время долгой и безжалостной скачки на юг, возможность хотя бы раз заночевать на постоялом дворе весьма приободрила Тириона... впрочем, он предпочел бы другую гостиницу — только не эту. Воспоминания не всегда бывают веселыми...

Отец гнал жестоко, и дорога брала свое. Раненым приходилось напрягать все свои силы, иначе их предоставляли собственной судьбе. Каждое утро возле дороги оставалось еще несколько человек, заснувших вечером, но более не проснувшихся. Каждый день из седла падали новые. И каждый вечер кое-кто исчезал, растворившись во тьме. Тириону, пожалуй, даже хотелось присоединиться к ним.

В своей комнате наверху он наслаждался мягкой периной и теплой Шаей, устроившейся под боком, когда сквайр разбудил его, доложив, что прибыл гонец с жестокими вестями из Риверрана. Итак, все было бесполезно. Эта скачка, бесконечные переходы, тела, брошенные возле дороги, — все попусту. Робб Старк пришел в Риверран несколько дней назад.

— Как это могло случиться? — простонал сир Харис Свифт. — Как? Дажс после Шепчущего Леса Риверран был охвачен железным кольцом, окружен огромным войском. Какое безумие заставило сира Джейме разделить своих людей на три отдельных лагеря? Он ведь знал, насколько уязвимы они будут!

Уж лучше, чем ты, трус с подрубленным подбородком, подумал Тирион. Джейме вполне мог потерять Ривсрран, но он не мог слышать, как его брата склоняют такие, как Свифт, бесстыжие лизоблюды: самое великое достижение этого типа заключалось в том, что он выдал свою, также лишенную подбородка дочь за сира Кивана, тем самым связав себя с Ланнистерами.

— Я поступил бы так же, — заметил его дядя куда более спокойным голосом, чем сделал бы Тирион. — Вы никогда не видели Риверрана, сир Харис, иначе вы бы знали, что у Джейме не было выбора. Дело в том, что замок расположен на мысу между Камнегонкой и Красным Зубцом. Реки ограждают Риверран с двух сторон, а в случае опасности Талли открывают шлюзы и наполняют широкий ров с третьей стороны треугольника, превращая замок в остров. Стсны поднимаются прямо из воды, а со своих башен защитники прекрасно видят, что происходит на противоположных берегах на много лиг вокруг. Чтобы перекрыть все подходы, осаждающий должен поставить лагеря к северу от Камнегонки и к югу от Красного Зубца, а третий должен располагаться между реками, к западу от рва. Другого способа нет.

— Сир Киван говорит правду, милорды, — сказал гонец. — Лагеря мы оградили частоколами из заостренных кольев, но этого оказалось мало; разделенные реками, мы не смогли предупредить друг друга. Враги сначала напали на северный лагерь. Никто не ожидал этого. Марк Пайпер тревожил наших фуражиров, но у него было не более пятидесяти человек; к тому же мы думали, что сир Джейме управился с ними прошлой ночью, мы ведь не знали тогда, что это северяне. Мы считали, что Старки находятся к востоку от Зеленого Зубца и идут на юг.

— А ваши разведчики? — Лицо сира Григора Клигана казалось вырезанным из камня. Огонь в очаге бросал оранжевые отблески на его кожу, черные тени заливали глазницы. — Неужели они ничего не видели? Они вас предупреждали?

Окровавленный вестник затряс головой.

— Наши разведчики все время исчезали. Мы считали, что это работа Марка Пайпера. Ну а те, кто возвращался назад, утверждали, что не видели ничего.

— Человек, который ничего не видит, не умеет пользоваться глазами, — объявил Гора. — Такие глаза нужно вырвать и отдать другому разведчику; пусть знает, что вы считаете, что четверо глаз видят лучше, чем двое. Если ж не поймет, у следующего будет шесть глаз.

Лорд Тайвин повернул лицо к сиру Григору. Тирион заметил золотые искры в глазах отца, однако трудно было понять, выражает ли этот взгляд одобрение или презрение. Лорд Тайвин часто безмолвствовал в совете, предпочитая слушать, а не говорить; привычке этой пытался следовать и Тирион. Однако столь упорное молчание было непривычным даже для него; вино в его чаше тоже осталось нетронутым.

— Ты сказал, что они напали ночью, — проговорил сир Киван.

Человек устало кивнул.

— Черная Рыба вел авангард, они зарубили часовых, проломили бреши в палисадах для своего войска. Пока наши пытались понять, что происходит, их всадники уже ехали по лагерю с мечами и факелами в руках. Я ночевал в западном лагере между реками. Когда мы услышали звон мечей и стали загораться шатры, лорд Бракс повел нас к плотам. Мы попытались переправиться, но поток унес плоты вниз по течению, а катапульты Талли начали забрасывать нас камнями со стен. Я видел, как один плот разлетелся в щепу, два других перевернулись, люди попадали в реку и утонули... Ну а те, кто сумел переправиться, попали прямо в руки Старков, поджидавших на берегу.

Сир Флемент Бракс в своем пурпурно-серебряном плаще, с видом человека, явно не вполне осознающего то, что он услышал, спросил:

— А мой лорд-отец?

— Простите, милорд, — проговорил гонец, — лорд Бракс был облачен в кольчугу и панцирь, когда плот его перевернулся. Он был очень доблестным человеком...

Дураком он был, подумал Тирион и, покрутив чашу, уставился в винные глубины. Если переправляться в панцире через быструю реку ночью на грубом плоту, когда враг ждет тебя на другом берегу, — это отвага, то он готов считать себя трусом. Интересно, а ощущал ли лорд Бракс свою доблесть, когда тяжесть стали увлекала его в черные воды?

— Лагерь между рек также подвергся нападению, — продолжил вестник. — Пока мы пытались переправиться, с запада подошли новые знамена Старков двумя колоннами панцирной конницы. Я заметил гиганта в цепях лорда Амбера и орла Маллистеров, но войско вел мальчишка с чудовищным волком, бежавшим возле его коня. Я сам не видел, но люди рассказывали, что тварь убила четверых людей и задрала дюжину лошадей. Наши копейщики поставили стену из щитов и сдержали первый натиск, но, увидев это, Талли открыли ворота Риверрана, и Титос Блэквуд повел отряд по подъемному мосту и напал на них с тыла.

— Боги, спасите нас, — крякнул лорд Леффорд.

— Большой Джон Амбер поджег осадные башни, которые мы сооружали, а лорд Блэквуд отыскал сира Эдмара Талли в цепях среди пленников и увел их всех. Южным лагерем командовал сир Форли Престер. Увидев, что остальные лагеря взяты, он отступил в полном порядке с двумя тысячами копейщиков и таким же количеством лучников. Однако тирошиец, возглавлявший наемников, бросил наши знамена и переметнулся к врагу.

— Проклятие. — В голосе дяди Кивана звучал скорее гнев, чем удивление. — Я просил Джейме не доверять ему. Человек, который сражается из-за денег, верен лишь собственному кошельку.

Лорд Тайвин слушал, оперев подбородок на переплетенные пальцы, не двигаясь, следя за говорящими лишь глазами. Колючие золотые бакенбарды обрамляли лицо спокойное, словно маска, но Тирион видел крошечные капельки пота, выступившие на бритой голове отца.

— Как это могло случиться? — вновь простонал сир Харис Свифт. — Сир Джейме в плену, осада снята... Это катастрофа!

— Не сомневаюсь, что все благодарны вам, сир Харис, за напоминание об очевидном. Но вопрос заключается в том, что нам делать дальше, — сказал сир Аддам Марбранд.

— Что мы можем сделать? Войско Джейме истреблено, взято в плен или разбежалось. Старки и Талли перекрыли линию снабжения. Мы отрезаны от запада! При желании они могут повернуть прямо на Бобровый утес, и чем мы остановим их? Милорды, мы потерпели поражение. И должны просить мира.

— Мира? — Тирион одним глотком опустошил чашу, бросил пустую посудину на пол, и она разлетелась на тысячу кусков. — Вот ваш мир, сир Харис. Мой милый племянник раз и навсегда лишил нас такой возможности, украсив головой лорда Эддарда Красный замок. Сейчас легче выпить вина из разбитой мной чаши, чем заставить Робба Старка заключить мир. Он побеждает, или вы этого не заметили?

— Но две битвы — это еще не война, — настаивал сир Аддам. — Мы еще не погибли! Я буду рад любой возможности испытать своей сталью мальчишку Старка.

— Быть может, они согласятся на перемирие, захотят обменять наших пленных...

— Придется уговаривать менять троих на одного, иначе нам придется туго на переговорах, — едко сказал Тирион. — Но что мы можем предложить за моего брата? Гниющую голову лорда Эддарда?

— Я слышал, что королева Серсея задержала дочерей десницы, — сказал Леффорд с надеждой. — Если бы мы вернули парню его сестер...

Сир Аддам пренебрежительно фыркнул:

— Только полный осел будет менять Джейме Ланнистера на двух девчонок.

— Тогда мы должны выкупить сира Джейме, чего бы это ни стоило, — высказал мысль лорд Леффорд.

Тирион закатил глаза.

— Если Старки ощущают необходимость в золоте, они могут переплавить панцирь моего брата.

— Если мы запросим перемирия, они подумают, что мы слабы, — проговорил сир Аддам. — Следует немедленно наступать.

— Конечно, наших друзей при дворе можно убедить присоединиться к нам со свежими войсками, — сказал сир Харис. — И кому-то придется вернуться на Бобровый утес, чтобы собрать новое войско.

Лорд Тайвин Ланнистер поднялся.

— Они захватили моего сына, — сказал он еще раз голосом, сразу пресекшим все разговоры. — А теперь оставьте меня. Все!

Даже Тирион — воплощение неповиновения — поднялся, чтобы отправиться вместе с остальными, но отец поглядел на него.

— Нет, Тирион, ты останься. И ты, Киван. Все остальные — вон!

Тирион опустился на скамью, от удивления потеряв дар речи.

Сир Киван направился через всю комнату к бочонку с вином.

— Дядя, — попросил Тирион, — если вы будете столь любезны...

— Вот, — предложил отец ему свою чашу, к которой он так и не прикоснулся.

Теперь Тирион был воистину потрясен. Он выпил.

Лорд Тайвин уселся.

— Ты прав относительно Старка. Будь он жив, мы могли бы воспользоваться лордом Эддардом, чтобы выковать мир с Винтерфеллом и Риверраном, мир, который позволил бы нам управиться с братьями Роберта. Мертвый же... — Рука его сжалась. — Безумие, откровенное безумие!

— Джофф еще мальчишка, — указал Тирион. — В его возрасте я успел натворить достаточно безрассудств.

Отец остро поглядел на него.

— Ну все-таки мы должны радоваться тому, что он еще не женился на шлюхе.

Тирион тянул вино, гадая, как отреагирует лорд Тайвин, если он выплеснет чашу прямо ему в лицо.

— Наше положение хуже, чем вы думаете, — продолжил отец. — Похоже, мы получили нового короля.

Сира Кивана словно ударили по голове.

— Нового... кого? Что они сделали с Джоффри?

Легкое недовольство отразилось на губах лорда Тайвина.

— Пока ничего. Мой внук еще сидит на Железном троне, но евнух услыхал шепотки, доносившиеся с юга. На той неделе Ренли Баратеон обвенчался с Маргаерит Тирелл и заявил о своих претензиях на престол. Отец и братья невесты преклонили колена и присягнули ему мечами.

— Суровая весть. — Сир Киван нахмурился, морщины на его лице превратились в ущелья.

— Моя дочь приказывает нам немедленно ехать в Королевскую Гавань, чтобы защитить Красный замок от короля Ренли и рыцаря Цветов. — Рот его напрягся. — Приказывает нам, представляете себе... именем короля и совета!

— А как воспринял новость король Джоффри? — спросил Тирион с изумлением.

— Серсея еще не сочла возможным сказать ему, — ответил лорд Тайвин. — Она опасается того, что он решится выступить против Ренли своим силами.

— С каким же это войском? — спросил Тирион. — Вы же не собираетесь предоставить ему вот это?

— Он собирается взять городскую стражу, — ответил лорд Тайвин.

— Если он возьмет стражу, город останется без защиты, — сказал Тирион. — А лорд Станнис Баратеон сидит на Драконьем Камне...

— Да. — Лорд Тайвин поглядел на сына. — Тирион, я думал, что ты создан для роли шута, но похоже, что я ошибался.

— Ну что же, отец, — ответил карлик, — это звучит как похвала. — Он наклонился вперед. — А как насчет Станниса? Старший ведь он, а не Ренли. Как он относится к претензиям своего брата?

Отец нахмурился.

— С самого начала мне казалось, что Станнис представляет большую опасность, чем все остальные, вместе взятые. И все же он ничего не делает. О! До лорда Вариса доносятся слухи: Станнис строит корабли, Станнис собирает наемников, Станнис выписал из Асшая тенезаклинателя. Но что это значит? Верны ли эти шепотки? — Он раздраженно пожал плечами. — Киван, принеси нам карту.

Сир Киван выполнил поручение. Лорд Тайвин развернул кожу, разгладил ее.

— Джейме заставил нас пойти не в ту сторону. Русе Болтон и остатки его войска располагаются к северу от нас. Наши враги удерживают Близнецы и ров Кейлин. Робб Старк преграждает дорогу на запад, и без битвы мы не можем отступить к Бобровому утесу. Джейме в плену, и войско его рассеялось. Торос из Мира и Берик Дондаррион продолжают препятствовать нашим фуражирам. На востоке находятся Аррены, Станнис Баратеон засел на Драконьем Камне, а на юге Вышесад и Штормовой Прсдсл собирают знамена.

Тирион криво усмехнулся:

— Приободрись, отец, все-таки Рейегар Таргариен еще не восстал из мертвых.

— Я надеялся, что ты сумеешь воздержаться от своих выходок, — проговорил лорд Тайвин Ланнистер.

Лорд Киван стоял над картой, наморщив лоб.

— Робб Старк уже заручился помощью Эдмара Талли и лордов Трезубца. Их объединенное войско может превосходить наше. Ну а учитывая, что Русе Болтон находится позади нас... Тайвин, если мы останемся здесь, то можем оказаться между трех армий.

— Я не намереваюсь оставаться здесь. Мы должны выяснить отношения с молодым лордом Старком прежде, чем Ренли Баратеон сумеет выступить к нам из Вышесада. Болтон не беспокоит меня. Он и так человек осторожный, а Зеленый Зубец должен был еще более остудить его. Болтон не станет торопиться с погоней. Итак... утром выступаем на Харренхолл. Киван, я хочу, чтобы разведчики сира Аддама прикрывали наше передвижение. Дайте ему столько людей, сколько потребуется, и посылайте их по четыре человека. Я не желаю, чтобы они пропадали.

— Как вам угодно, милорд, но почему на Харренхолл? Это мрачное и несчастливое место. Некоторые называют его проклятым...

— Мало ли что болтают! Спустите с поводка сира Григора и его головорезов, пошлите их вперед. Пусть едут и Варго Хоуп с вольными всадниками, и сир Амари Лорх. У каждого из них по три сотни конных. Скажи им, я хочу, чтобы Речные земли горели от Божия Ока до Красного Зубца.

— Они вспыхнут, милорд, — пообещал сир Киван вставая. — Я отдам приказы.

Он поклонился и отправился к двери.

Когда они остались вдвоем, лорд Тайвин поглядел на Тириона.

— Твои дикари могут попользоваться, скажи, чтобы ехали с Варго Хоупом грабить. Добро, скот, женщин... пусть берут все, что хотят, а остальное сжигают.

— Учить Шаггу грабить — все равно что учить петуха кукарекать, — проговорил Тирион. — Но я предпочел бы оставить их при себе. — При всей их непокорности и диком виде горцы принадлежали ему самому, им он доверял больше, чем людям отца.

— Тогда научись управлять ими. Я не хочу грабежей в городе.

— В городе? — Тирион растерялся. — В каком городе?

— В Королевской Гавани. Я посылаю тебя ко двору.

Ничего подобного Тирион Ланнистер даже не мог ожидать. Он потянулся к вину и задумался на мгновение, прежде чем глотнуть.

— И что я буду там делать?

— Править, — резко проговорил отец.

Тирион взорвался смехом.

— У моей милой сестры есть свое мнение по этому вопросу.

— Пусть говорит что хочет, но сына ее нужно прибрать к рукам, прежде чем он погубит всех нас. Виноваты и эти ослы-советники. Наш друг Петир, достопочтенный великий мейстер и это чудо без хрена, лорд Варис. Какие советы они дают Джоффри, раз его бросает от одной глупости к другой! И кто это придумал возвести Яноса Слинта в лорды? Отец его был мясником, а ему дарят Харренхолл... Харренхолл, седалище королей! И пока я жив, я не позволю ему даже ступить туда. Мне рассказали, что он взял себе гербом окровавленное копье; топор мясника был бы куда уместнее.

Отец говорил ровным голосом, однако Тирион видел гнев в его золотых глазах.

— И потом, зачем они прогнали Селми, какой в этом смысл? Да, он состарился, но имя Барристана Отважного известно всему королевству. Он возвышал всякого, кому служил. Можно ли сказать то же самое о Псе? Собакам бросают корм под стол, но не сажают рядом с собой на высокий престол. — Он ткнул пальцем в сторону Тириона. — Если Серсея не способна угомонить мальчишку, ты обязан сделать это за нее. Но если эти советники дурачат нас...

Тирион сразу все понял.

— Голову с плеч, — вздохнул он. — И на стену.

— Вижу, ты научился от меня кое-чему.

— Более, чем ты думаешь, отец, — ответил Тирион негромко.

Допив вино, он задумчивым движением отставил в сторону чашу. Часть души его испытывала больше довольства, чем он готов был признать, другая часть не забыла сражение у реки...

Хотелось бы знать, не посылает ли его отец снова на левый фланг?

— Но почему я? — спросил он, наклоняя голову к плечу. — Почему не мой дядя, почему не сир Аддам, не сир Флемент или не лорд Серрет? Кто-нибудь повыше ростом?

Тайвин резко поднялся.

— Потому что ты — мой сын.

Тут Тирион все понял. «Ты считаешь, что Джейме уже пропал. Сукин ты сын! Решил, что Джейме мертв и, кроме меня, у тебя никого не осталось!» Тириону хотелось ударить отца, плюнуть ему в лицо, извлечь кинжал, вырезать сердце и посмотреть, не сделано ли и в самом деле оно из старого жесткого золота, как говорили в простонародье. Однако он сидел на месте и молчал.

Обломки разбитой чаши хрустнули под сапогом отца, лорд Тайвин направился к выходу.

— Вот еще что, — сказал он сыну. — Ты не должен брать шлюху ко двору.

Тирион долго сидел один в гостиной после того, как отец ушел. Наконец он поднялся по ступеням в свою уютную комнату в башне под часами. Потолок был невысок, что карлику, естественно, не мешало. За окном торчала виселица, которую отец поставил во дворе. Тело содержательницы постоялого двора бесшумно раскачивалось на веревке под порывами ночного ветра. Плоть ее истощала, как и надежды Ланнистеров. Шая что-то пробормотала со сна и подкатилась к нему, когда Тирион сел на край перины. Запустив руку под одеяло, он погладил рукой мягкую грудь, и глаза открылись.

— Милорд, — проговорила она с сонной улыбкой.

Когда сосок Шаи напрягся, Тирион поцеловал ее.

— Я решил взять тебя в Королевскую Гавань, милая, — шепнул он.

ДЖОН

Кобыла негромко заржала, когда Джон Сноу натянул удила.

— Полегче, милая леди, — проговорил он негромко, успокаивая лошадь прикосновением. Ветер шептал в конюшне, холодное мертвенное дыхание холодило лицо, но Джон ни на что не обращал внимания. Он привязал свой сверток к седлу, покрытые шрамами пальцы остались жесткими и неловкими.

— Призрак, — позвал Джон негромко. — Ко мне. —

И волк оказался рядом. Глаза его светились угольками.

— Джон, пожалуйста, не делай этого.

Сноу поднялся в седло, взял поводья и повернул коня мордой к ночи. В дверях конюшни стоял Сэмвел Тарли, полная луна светила за его плечами, отбрасывая тень, казалось бы, принадлежащую гиганту, колоссальную и черную.

— Убирайся с моей дороги, Сэм.

— Джон, нельзя этого делать, — сказал Сэм. — Я не пущу тебя!

— Я предпочел бы не причинять тебе боль, — ответил ему Джон. — Отойди, Сэм, иначе я затопчу тебя.

— Не надо. Послушай меня. Не надо...

Джон ударил шпорами, и кобыла бросилась к двери. Мгновение Сэм стоял на месте, круглое лицо его разом сделалось бледнее повисшей сзади луны. Рот его от удивления расширился кружком. В самый последний момент он отпрыгнул вбок — в чем Джон и не сомневался, — споткнулся и упал. Кобыла перепрыгнула через него и направилась в ночь.

Джон поднял капюшон своего тяжелого плаща и дал лошади волю. Черный замок безмолвствовал в тишине. Призрак топал рядом. Позади на Стене дежурили люди, он знал это, но глаза их были обращены на север, а не на юг. Никто не увидит, как он уехал; только Сэм Тарли, пытающийся подняться на ноги в пыли старой конюшни. Он надеялся, что Сэм не получил повреждений при падении. Тяжелый и неловкий, он мог сломать кисть или вывихнуть лодыжку, убираясь с пути.

— Я же предостерегал его, — негромко сказал Джон. — Мои дела не имеют к нему никакого отношения. — Отъехав, он принялся разминать свою обожженную руку, разжимая и сжимая покрытые шрамами пальцы. Они еще болели, но все-таки без бинтов было приятнее. Лунный свет серебрил далекие горы, он скакал по извилистой ленте Королевского тракта. Нужно отъехать от Стены как можно дальше, прежде чем там поймут, что он бежал. Утром он оставит дорогу и поедет напрямик через поле, кустарники и ручьи, чтобы сбить с толку погоню, но сейчас скорость была важнее обмана. Впрочем, они легко могли понять, куда он направился.

Старый Медведь привык подниматься с рассветом, поэтому Джону следовало до первых лучей солнца оставить между собой и Стеной как можно больше лиг... если только Сэм Тарли не предаст его. Толстяк был верен своим обязанностям и легко пугался, но любил Джона как брата. Когда его будут допрашивать, Сэм, вне сомнения, расскажет правду, но

Джон не мог представить себе, чтобы друг его попросил стражу возле Королевской башни срочно разбудить Мормонта.

Когда Джон не принесет из кухни Старому Медведю завтрак, они заглянут в его келью и увидят на постели Длинный Коготь. С мечом было трудно расстаться, однако Джон не настолько забыл про честь, чтобы взять с собой такое оружие. Даже Джорах Мормонт, спасаясь бегством, не сделал этого. Вне сомнения, лорд Мормонт отыщет для такого клинка более достойного наследника. На душе Джона стало скверно, когда он подумал о старике. Он знал, что бегством своим сыплет соль на незажившую рану, оставленную позором сына. Выходило, что Джон не оправдал доверия, но этого нельзя было избежать. Как бы он ни поступил сейчас, Джон все равно кого-нибудь да предавал. Даже теперь он не знал, так ли поступает, как должен был сделать честный человек. Южанам легче, у них есть септоны, которые могут посоветовать, сообщить волю богов, отделить правое от ошибочного. Но Старки поклонялись богам старым и безымянным, и если сердце-дерево и слышало, оно не отвечало.

Когда последние огни Черного замка исчезли позади него, Джон перевел кобылу на шаг. Ему предстояла дальняя дорога, и проделать ее нужно было на одной лошади. Вдоль южной дороги встречались остроги и сельские поселки, где он мог бы при необходимости обменять свою кобылу на свежего коня; однако туда она должна добраться невредимой.

Еще надо постараться найти себе одежду, скорее всего придется украсть ее. Джон был во всем черном с головы до пят. Высокие кожаные меховые сапоги, грубые домотканые брюки, туника, кожаный жилет без рукавов и тяжелый шерстяной плащ. Ножны длинного меча и кинжал были покрыты черной кротовьей шкуркой, а кольчуга и бармище, что лежат в седельной суме, сплетены из черных колец. Один только лоскут подобного облачения после побега грозил ему смертью на месте. Одетого в черное незнакомца в каждом селении к северу от Перешейка рассматривали с холодной подозрительностью, а его скоро начнут разыскивать. Как только мейстер Эйемон разошлет воронов, тихой пристани для него не найдется. Даже в Винтерфелле. Бран-то, может, и впустил бы его, но у мейстера Лювина больше здравого смысла. Он заложит ворона и отошлет незваного гостя подальше — как и следует поступить. Так что домой лучше не заезжать вовсе. Джон видел родной замок своим внутренним оком, словно бы оставил его только вчера. Могучие гранитные стены, великий чертог, пропахнувший дымом, собаками и жареным мясом. Солярий отца, его спальню в башне. Части души его ничего не хотелось так сильно, как вновь услышать смех Брана, съесть испеченный Гейджем пирог с беконом и говядиной, послушать сказку старухи Нэн о Детях Леса и Флорианушке-дурачке.

Но он бежал со Стены вовсе не для этого. Он поступил так потому лишь, что в конце концов он — сын своего отца и брат Роббу. Дареный меч, даже столь прекрасный, как Длинный Коготь, не превратил его в Мормонта. И в Эйемона Таргариена. Старик выбирал три раза и все три раза предпочел честь, но так выбрал и он сам. Даже теперь Джон не знал, остался ли мейстер на Стене потому, что был слаб и труслив, или же потому, что был доблестен и силен. И все же Джон понимал старика, утверждавшего, что знает боль такого выбора, он понимал это, пожалуй, чересчур хорошо.

Тирион Ланнистер говорил, что люди обычно предпочитают отрицать жестокую правду, не принимают ее, но зачем ему-то обманывать себя; ему, Джону Сноу, бастарду и проклятому клятвопреступнику, не знающему ни матери, ни друзей. Остаток своей жизни, какой бы короткой она ни оказалась, он вынужден провести человеком, чужим для всех, безмолвным обитателем теней, не смеющим назвать свое собственное имя. И чтобы проехать все Семь Королевств, он вынужден будет лгать — иначе всякий вправе поднять на него руку. Но все это безразлично, лишь бы жизни его хватило, чтобы, став рядом с братом, суметь отомстить за отца.

Он вспомнил, как прощался с Роббом; снежинки, таявшие на золотисто-рыжих волосах брата. Придется посетить его тайно — прикинувшись кем-то другим. Джон попытался представить себе то выражение, которое появится на лице Робба, когда он откроет себя. Брат тряхнет головой и улыбнется... а скажет... что же он скажет...

Нет, улыбки его Джон представить не мог, невзирая на все старания. Он вспомнил дезертира, которого отец обезглавил в тот день, когда они нашли лютоволков.

— Ты произнес слова, — сказал ему тогда лорд Эддард. — Ты дал обет перед Черными Братьями и богами — старыми и новыми.

Десмонд и Толстый Том поволокли человека к колоде. Бран смотрел на происходящее круглыми, как блюдца, глазами, и Джону пришлось напомнить, чтобы тот не забыл про поводья.

Он вспомнил выражение на лице отца, когда Теон Грейджой поднес ему Лед; вспомнил алую струю, хлынувшую в снег; и то, как Теон пнул голову, подкатившуюся к его ногам.

Интересно, как поступил бы лорд Эддард, окажись дезертиром его брат Бенджен, а не незнакомый оборванец. Повел бы он себя по-другому? Конечно, да... И Робб, бесспорно, обрадуется ему! Обрадуется или...

Но об этом лучше не думать. Боль пронзила пальцы, когда он стиснул поводья. Джон ударил пятками в бока кобылы и погнал ее галопом по Королевскому тракту, словно стремясь ускакать от сомнений. Смерти Джон не боялся, но ему не хотелось умирать связанным и обезглавленным, как обычный разбойник. Если ему суждено погибнуть, он встретит смерть с мечом в руке, сражаясь с убийцами отца. Пусть он никогда не был настоящим Старком, но тем не менее способен умереть как подобает. Чтобы потом сказали, что у Эддарда Старка было четверо сыновей, а не трое!

Призрак держался вровень с ними почти полмили, вывалив красный язык изо рта. Но когда человек и конь склонили головы и Джон попросил лошадь прибавить шагу, волк быстро отстал, остановился, наблюдая, поблескивая красными в лунном свете глазами. Зверь исчез позади, но Джон знал, что лютоволк догонит его обязательно.

Впереди по обе стороны дороги среди деревьев замелькала россыпь огней. Кротовый городок. Пока Джон ехал через него, залаял пес, да мул завозился в конюшне, но и только. Из-за ставен пробивались лучики света, но таких окон было совсем мало.

Кротовый городок был много больше, чем могло показаться на первый взгляд; три четверти его располагалось под землей — теплые подземелья соединял лабиринт тоннелей. Внизу находился и публичный дом, на поверхности оставался лишь небольшой сарайчик с подвешенным над дверью красным фонарем. Он слышал, как люди на Стене называли шлюх «погребенными сокровищами». Интересно бы знать, ищет ли сегодня кто-нибудь из Черных Братьев эти самоцветы; тоже клятвопреступление, но на него никто не обращает внимания.

Джон замедлил ход, лишь проехав селение. К этому времени и он, и кобыла покрылись по́том. Он спешился, ежась, обожженная рука горела. Под деревом льдинка замерзшей канавы отражала лунный свет, вода сочилась из-под нее, образуя небольшие мелкие лужицы. Джон присел на корточки и зачерпнул ладонями. Талая вода была холодной как лед. Попив, он умыл лицо, щеки его загорелись, пальцы дергало — они уже давно так не болели, в голове грохотало. «Я поступаю правильно, — сказал он себе, — так почему же мне так плохо?»

Лошадь и без того была в мыле, поэтому Джон взял узду и повел ее шагом. Здесь ширины тракта едва хватало, чтобы по нему могли проехать рядом два всадника; поверхность дороги прорезали крошечные ручейки, загромождали мелкие камни. Его ночная скачка была истинной глупостью, стремлением сломать себе шею. Джон удивился, что это вступило в него. Зачем он так торопился к смерти?

Поодаль среди деревьев испуганно вскрикнуло какое-то существо. Кобыла тревожно заржала. Неужели его волк отыскал для себя добычу? Джон поднес руку ко рту и выкрикнул:

— Призрак! Призрак, ко мне. — Но ответили ему только забившие совиные крылья.

Хмурясь, Джон продолжил свой путь. С полчаса он вел кобылу в поводу, пока она не высохла. Призрак не появлялся. Джону хотелось сесть в седло, но его тревожило, что волк отстал.

— Призрак, — окликал он снова и снова. — Где ты? Ко мне! Призрак!

В этих лесах нет зверя, опасного для лютоволка, пусть даже еще и не совсем взрослого, если только... нет, у Призрака хватит ума не дразнить медведя! Ну а если бы его окружила волчья стая, Джон, вне сомнения, услышал бы вой.

Он решил поесть. Еда успокоит его желудок, да и Призрак успеет догнать их. Опасности в этом не было: в Черном замке еще спали. В переметной суме он отыскал сухарь, кусок сыра и небольшое побуревшее, морщинистое яблоко. Еще он прихватил себе с кухни солонины и бекона, но мясо лучше приберечь до завтра. Потом придется охотиться, и это замедлит его продвижение. Джон сел под деревьями и съел хлеб и сыр, кобыла отправилась пастись к тракту. Яблоко он оставил напоследок. Оно чуточку размякло, но мякоть оставалась сочной и вкусной. Джон уже дошел до огрызка, когда с севера послышался топот копыт. Джон торопливо вскочил и направился к кобыле. Можно ли ускакать от них? Едва ли, всадники уже слишком близко, и, конечно же, они услышат его, ну а если они из Черного замка...

Он повел кобылу с дороги за частый клин сизо-зеленых страж-деревьев.

— Тихо ты, — прикрикнул он на лошадь, пригибаясь, чтобы поглядеть сквозь ветви. Если боги будут добры к нему, всадники поедут мимо. Скорее всего это кто-нибудь из Кротового городка отправился в поле, хотя что там делать посреди ночи?

Джон прислушивался... топот копыт становился все громче и громче. Судя по звуку, всадников было пятеро или шестеро. Голоса уже доносились из-за деревьев.

— ...уверен, что он отправился в эту сторону?

— Мы не можем быть в этом уверены.

— Конечно, он мог бежать на восток или пуститься напрямик, оставив тракт. Так бы я поступил.

— Это ночью-то? Глупо. Тот, кто не свалится с коня и не сломает себе шею, заблудится и окажется у Стены, когда солнце взойдет.

— А я бы поступил иначе, — услышал он голос Гренна. — Я бы поехал прямо на юг; юг можно найти и по звездам.

— А когда небо облачное? — спросил Пип.

— Тогда бы я не поехал.

Вступил другой голос:

— А знаете, куда бы направился я, если бы речь шла обо мне? В Кротовый городок, поискать под землею сокровищ.

Пронзительный смех пронесся под деревьями. Кобыла Джона фыркнула.

— Тихо, — приказал Халдср. — Похоже, я что-то слышал.

— Где? А я ничего не слышу. — Лошади остановились.

— Ты не услышишь, даже когда пернешь!

— Ну это я всегда слышу, — настаивал Гренн.

— Тихо!

Все они молча прислушивались. Джон невольно задержал дыхание. Сэмова работа. Он не стал будить Старого Медведя, но и не отправился в постель, а поднял друзей. Проклятие! Если на рассвете их не увидят в постели, всех объявят дезертирами. Что они, собственно говоря, собираются здесь делать?

Глухое молчание продолжалось. Из своего укрытия Джон видел копыта их коней. Наконец заговорил Пип:

— А что ты слышал?

— Не знаю, — признался Халдер. — Звук. Мне показалось, что это лошадь...

— Здесь никого нет.

И тут уголком глаза Джон заметил бледную тень, мелькнувшую между деревьев. Зашелестели листья, и Призрак выскочил из тьмы так внезапно, что кобыла Джона вздрогнула и заржала.

— Здесь он! — крикнул Халдер.

— Я тоже слыхал!

— Предатель! — обругал Джон лютоволка, вскакивая в седло. Он бросился прочь от дороги, но его нагнали, не успел он проехать и десяти футов.

— Джон! — крикнул ему в спину Пип.

— Останавливай! — прокричал Гренн. — Ты не сумеешь ускакать от всех нас!

Джон обернулся лицом к ним, извлекая меч.

— Возвращайтесь, я не хочу крови, но, если придется, я пойду и на это.

— Один против семерых? — Халдер дал знак. Юноши разъехались, окружая его.

— Чего вы хотите от меня? — фыркнул Джон.

— Мы хотим, чтобы ты вернулся туда, где должен быть, — крикнул Пип.

— Я должен быть рядом со своим братом!

— Теперь мы все — твои братья, — сказал Гренн.

— Тебе отрубят голову, если поймают. Ты это знаешь. — Жаба нервно хохотнул. — Такую глупость мог бы выкинуть один только Зубр.

— Такого и я не натворю, — сказал Гренн. — Я не клятвопреступник; я произнес слова и выполню их.

— Я тоже так думал, — ответил Джон. — Ну неужели вы не понимаете? Они убили моего отца! Сейчас на юге война, и мой брат Робб сражается в Речных землях...

— Мы знаем, — торжественно проговорил Пип. — Сэм рассказал нам все.

— Нам жаль твоего отца, — произнес Гренн. — Но это ничего не значит. Ты дал клятву и теперь не можешь уехать отсюда, что бы там ни случилось.

— Но я должен, — лихорадочно проговорил Джон.

— Ты сказал слова, — напомнил ему Пип. — Теперь начинается моя стража, так ты говорил, и она не кончится до моей смерти...

— И в жизни и в смерти я останусь на своем посту, — добавил Гренн.

— Не надо повторять, я помню эти слова не хуже вас. — Теперь он уже сердился. Почему они не могут оставить его в покое? Только все усложняют.

— Я — меч во тьме, — нараспев произнес Халдер.

— И дозорный на Стене, — вставил Жаба.

Джон обругал их — прямо в лицо. Никто не обратил внимания.

Пип направил коня поближе, продолжая:

— Я — огонь, который ограждает от холода, свет, который приносит рассвет, рог, который пробуждает спящих, щит, который охраняет счастье людей...

— Остановитесь, — проговорил Джон, замахиваясь мечом. — Прошу тебя, Пип. — На них не было даже панцирей, можно изрубить их в куски — если заставят.

Матхар, заехав за его спину, присоединился к общему хору:

— Я отдаю свою жизнь и честь Ночному Дозору...

Джон пнул кобылу, поворачивая ее кругом. Мальчишки окружали его, охватывая со всех сторон.

— И в этой ночи... — Халдер подъехал слева.

— И во всех грядущих, — дополнил Пип и потянулся к удилам кобылы Джона. — Так что решай, будешь рубить меня, или все едем назад.

Джон поднял меч... и бессильно опустил его...

— Проклятие, — буркнул он. — Проклятые вы!

— Нам связать тебе руки или ты дашь слово, что с миром вернешься назад? — спросил Халдер.

— Я не убегу, если ты хочешь слышать это. — Призрак выскочил из-за деревьев, и Джон яростно поглядел на него. — Ничего себе помощничек, — сказал он. Глубокие красные глаза с сочувствием глядели на него.

— Надо бы поторопиться, — сказал Пип. — Если мы не вернемся к первому свету, Старый Медведь снимет головы со всех нас.

Возвращаясь, Джон не замечал дороги. Она теперь показалась ему короче, чем его путешествие на юг, быть может, потому, что мысли его бродили сейчас в иных местах. Пип задавал темп, он то галопировал, то пускал лошадь шагом или рысью, то снова срывался в галоп. Приблизился и остался позади Кротовый городок, красную лампу над дверью борделя давно погасили. Кони скакали быстро, и до рассвета оставался еще один час, когда Джон заметил впереди башни Черного замка, проступившие на фоне колоссальной ледяной стены. Но на этот раз они не показались ему домом.

«Пусть сегодня меня привезли назад, — сказал себе Джон, — но никто не может заставить меня остаться». Война не закончится завтра или послезавтра; друзья все равно не сумеют следить за ним день и ночь. Он будет дожидаться своего мгновения, пусть они думают, что он решил остаться на Стене... Ну а потом, когда они ослабят бдительность, он попытается бежать снова.
Но в следующий раз не по Королевскому тракту. Он на-

правится вдоль Стены на восток, скорее всего до самого моря; путь будет дольше, но безопасней. А может быть, лучше повернуть на запад к горам, а потом уже направиться к югу через высокогорные перевалы? Путь этот — путь одичалых — опасен и суров, но там по крайней мере его не будут преследовать. И он не подойдет ни к Винтерфеллу, ни к Королевскому тракту даже на сотню лиг...

Сэмвел Тарли ожидал их в старой конюшне, устроившись в сене. Тревога помешала ему уснуть. Поднявшись, толстяк отряхнулся.

— Я... я рад, что они нашли тебя, Джон.

— А я — нет, — сказал Джон, спешившись.

Пип соскочил с коня и с отвращением поглядел на светлеющее небо.

— Пригляди за конями, Сэм, — сказал невысокий юноша. — Впереди целый день, а мы даже не вздремнули по милости лорда Сноу.

Когда день забрезжил, Джон, как всегда, направился прямо в кухню. Трехпалый Хоб, ничего не говоря, выдал ему завтрак для Старого Медведя. В тот день это были три бурых яйца, сваренных вкрутую, поджаренный хлеб, кусок ветчины и чаша сморщенных слив. Джон направился с пищей в Королевскую башню. Мормонт сидел возле окна, лорд-командующий писал. Ворон расхаживал взад и вперед по его плечам, бормотал:

— Зерна, зерна, зерна...

Когда Джон вошел, птица вскрикнула.

— Оставь еду на столе, — сказал Старый Медведь, поглядев на него. — И налей пива.

Открыв ставни, Джон достал бутыль с пивом, стоявшую снаружи на подоконнике, и налил в рог. Хоб дал ему лимон, еще холодный после Стены. Джон раздавил плод в руке, сок побежал по его пальцам. Мормонт каждый день пил пиво с лимоном и объявлял, что именно это позволило ему сохранить зубы в целости.

— Вне сомнения, ты любил своего отца, — сказал Мормонт, когда Джон принес ему рог. — Нас губит именно то, что мы любим. Помнишь, я уже говорил тебе это?

— Помню, — угрюмо сказал Джон. Он не хотел разговаривать о смерти отца, даже с Мормонтом.

— Постарайся не забыть этих слов. Жестокую истину труднее всего принять. Подай-ка мне тарелку. Опять ветчина? Ладно. Ну и вид у тебя сегодня. Ночная езда-то утомляет.

Горло Джона пересохло.

— Вы знаете?

— Знает, — отозвался ворон с плеч Мормонта. — Знает.

Старый Медведь фыркнул:

— Неужели ты считаешь, что меня выбрали лордом-командующим Ночного Дозора за то, что я туп, как полено? Эйемон сказал мне, что ты уедешь. Я ответил ему, что ты вернешься. Я знаю своих людей. Честь заставила тебя ступить на Королевский тракт, честь и повернула назад.

— Это сделали мои друзья, — проговорил Джон.

— Разве я сказал — твоя собственная честь? — Мормонт поглядел на тарелку.

— Они убили моего отца, и вы ожидаете, что я буду сидеть здесь?

— Откровенно говоря, мы ожидали, что ты поступишь именно так. — Мормонт взял сливу, выплюнул косточку. — Я приказал следить за тобой. Люди видели, как ты уезжал. Если бы не твои братья, тебя бы перехватили по пути другие — на этот раз не друзья. Разве что у твоей лошади есть крылья, как у ворона? Или все-таки есть?

— Нет. — Джон ощущал себя круглым дураком.

— Жаль, такая лошадь пригодилась бы нам.

Джон выпрямился. Он сказал себе, что умрет с честью — по крайней мере на это он способен.

— Я знаю, какое наказание положено за дезертирство, милорд. Я не боюсь умереть.

— Умереть! — отозвался ворон.

— Не побоишься и жить, я надеюсь, — проговорил Мормонт, отрезая кинжалом кусок ветчины. Подав мясо птице, он сказал: — Ты еще не дезертировал... пока. Ты стоишь передо мной. Если бы мы казнили каждого парня, который ночью удирал в Кротовый городок, то на Стене давно уже остались бы одни только призраки. Но ты, наверное, надеешься бежать завтра или через две недели, так? Ты на это надеешься, парень?

Джон молчал.

— Так я и думал. — Мормонт колупнул скорлупу яйца. — Отец твой погиб, парень. Как, по-твоему, можешь ты вернуть его назад?

— Нет, — ответил Джон мрачным голосом.

— Хорошо, — продолжил Мормонт. — Мы с тобой видели, какими возвращаются мертвые. Второй раз я бы не хотел этого увидеть!

В два глотка проглотив яйцо, Мормонт вытащил застрявший между зубов кусочек скорлупы.

— Брат твой вывел в поле все силы Севера. У каждого из его лордов-знаменосцев больше мечей, чем насчитывается во всем Ночном Дозоре. С чего это ты решил, что они нуждаются в твоей помощи? Или ты великий витязь, или в кармане у тебя сидит грамкин, способный зачаровать твой меч?

У Джона не было ответа на эти слова. Ворон клевал яйцо, разламывая скорлупу. Потом просунул клюв в дырку, начал вытаскивать кусочки белка и желтка.

Старый Медведь вздохнул:

— Война эта задела не тебя одного. Хочу я того или нет, но сестра моя Мейдж идет в войске твоего брата, она отправилась на войну вместе с дочерьми, надев мужские доспехи... старая, вредная, упрямая, раздражительная и похотливая. Откровенно говоря, я едва могу терпеть эту поганку, но тем не менее любовь моя к ней не меньше, чем твоя любовь к сводным сестрам.

Хмурясь, Мормонт взял последнее яйцо и сжал его в кулаке так, что хрустнула скорлупа.

— Ладно, наверное, меньше. Пусть так, но мне будет горько, если она погибнет. Но я тем не менее не сбегу отсюда. Я дал клятву, произнес слова, как сделал и ты. Мое место здесь, а где твое место, парень?

«У меня нет места, — хотел ответить Джон. — Я бастард. У меня нет прав, нет имени, нет матери, нет теперь даже отца». Слова не шли.

— Не знаю.

— А я знаю, — покачал головой лорд-командующий Мормонт. — Задувают холодные ветры, Сноу; за Стеной удлинились тени. Коттер Пайк пишет об огромных стадах лосей, уходящих на юг и на восток, и о мамонтах, появившихся в лесу. Он говорит, что один из его людей видел чудовищные следы в трех лигах от Восточного Дозора. Разведчики из Сумеречной башни обнаруживают заброшенные деревни, а по ночам, утверждает сир Денис, в горах пылают костры, огромные, не гаснущие от заката и до рассвета. Куорин Полурукий взял пленника в глубинах Ущелья, и человек этот клянется, что Манс-налетчик собирает весь свой люд в какой-то неведомой нам новой тайной твердыне, а зачем — одни боги знают. Неужели ты думаешь, что твой дядя Бенджен оказался единственным разведчиком, которого мы потеряли в прошлом году?

— Бенджен, — каркнул ворон, покачивая головой, кусочки яйца разлетались из клюва. — Бен Джен. Бен Джен...

— Нет, — ответил Джон. Исчезали и другие, их было слишком много.

— И неужели ты думаешь, что война твоего брата будет важнее нашей? — рявкнул старик.

Джон прикусил губу. Ворон захлопал крыльями.

— Война, война, война, война...

— Это не так, — сказал Мормонт. — Одни боги могут спасти нас, парень; ты ведь не слеп и не глух. Когда мертвяки выходят охотиться по ночам, неужели же важно, кто будет сидеть на Железном троне?

— Нет. — Джон даже не думал об этом.

— Твой лорд-отец отослал тебя к нам. Почему, ты знаешь это?

— Почему? Почему? Почему? — отозвался ворон.

— Вот и я могу только сказать, что в жилах Старков течет кровь Первых Людей. Первые Люди построили Стену; говорят, они и сейчас помнят вещи, забытые остальными. А этот твой зверь... он привел нас к мертвякам и предупредил тебя об убитом на лестнице. Сир Джареми, вне сомнения, назвал бы это случайностью, но сир Джареми мертв, а я нет.

Лорд Мормонт наколол кусочек ветчины на острие кинжала.

— Я думаю, что твое место именно здесь; там, за Стеной, мне потребуетесь и ты, и твой волк.

От этих слов восторг побежал по спине Джона.

— За Стеной?

— Я намереваюсь отыскать Бена Старка, живым или мертвым. — Мормонт пожевал и проглотил. — Я не буду кротко дожидаться здесь прихода снегов и ледяных ветров, мы должны знать, что происходит. На этот раз Ночной Дозор выйдет во всей своей силе — против Короля за Стеной, Иных... любого, кто встанет на нашем пути. Я сам поведу войско. — Он указал кинжалом в сторону Джона. — По обычаю стюард лорда-командующего является и его сквайром; однако, просыпаясь, я должен быть уверен в том, что ты не убежал ночью. Поэтому я требую от вас ответа, лорд Сноу, и я получу его именно сейчас. Кто ты: Брат Ночного Дозора... или мальчишка-бастард, который решил поиграть в войну?

Джон снова распрямился, глубоко вздохнул.

«Простите меня, отец, Робб, Арья, Бран, простите меня... я не могу помочь вам. Он прав. Место мое здесь».

— Я... ваш, милорд. Я — ваш человек. Клянусь. Я больше не убегу!

Старый Медведь фыркнул:

— Хорошо. А теперь ступай, надень свой меч.

КЕЙТИЛИН

Казалось, прошла тысяча лет с тех пор, как Кейтилин Старк вышла с младенцем-сыном из ворот Риверрана и, переправившись через Камнегонку в небольшой лодочке, начала свое путешествие на север — к далекому Винтерфеллу. Она снова переправлялась через Камнегонку, только на мальчике теперь была кольчуга и панцирь вместо распашонок с пеленками.

Робб сидел на носу рядом с Серым Ветром, рука его покоилась на голове лютоволка, гребцы навалились на весла. С ним был Теон Грейджой. Дядя Кейтилин Бринден следовал за ними во второй лодке, рядом с Большим Джоном и лордом Карстарком.

Кейтилин заняла место на корме. Камнегонка несла лодку вниз, бурное течение увлекало их к высокой Колесной башне. Плеск воды и грохот водяного колеса напомнили ей о детстве, и на губах Кейтилин появилась скорбная улыбка. На сложенных из красного песчаника стенах замка воины и челядь выкрикивали их с Роббом имена, то и дело слышалось: «Да здравствует Винтерфелл!» Над каждым бастионом трепетало красно-синее знамя Талли с прыгающей серебряной форелью над волнами. Вдохновляющий вид не вселял в ее сердце восторга. Интересно, суждено ли ей снова обрадоваться? О, Нед, Нед...

Под Колесной башней они развернулись, прорезая кипящую воду. Люди навалились на весла. Широкая арка Водяных ворот выросла перед ними, и Кейтилин услышала скрип тяжелых цепей. Огромная железная решетка неторопливо поползла наверх. Приближаясь, Кейтилин заметила, что нижняя половина прутьев покрылась красной ржавчиной. С нижних шипов, оказавшихся буквально в дюйме над головой, капал бурый ил. Кейтилин разглядывала решетку и все пыталась определить, насколько глубоко успела проникнуть ржавчина, устоит ли теперь решетка против тарана, не следует ли поменять ее. Подобные мысли редко покидали ее в эти дни.

Оставив свет, они проплыли под аркой в стене, погрузившись в тень, и снова выехали на солнце. Здесь повсюду вокруг них большие и малые лодки были привязаны к вделанным в стены железным кольцам. На лестнице ее встретили гвардейцы отца и брат, сир Эдмар Талли, коренастый молодой человек с лохматой гривой желтых волос и медной бородой. Нагрудные пластины его панциря были помяты и поцарапаны в битве, сине-красный плащ запятнан кровью и сажей. Возле него стоял лорд Титос Блэквуд — не человек, а клинок с коротко подстриженными, цвета соли с перцем, усами и кривым носом. Его ярко-желтые доспехи покрывал причудливый узор из черных виноградных лоз, а плащ из перьев горного ворона был наброшен на тонкие плечи. Именно лорд Титос возглавил вылазку, освободившую ее брата из лагеря Ланнистеров.

— Помогите им, — приказал сир Эдмар. Трое его воинов спрыгнули с лестницы и, став по колено в воду, подтянули лодку к берегу длинными баграми. Когда Серый Ветер выскочил на берег, один из них вздрогнул, выронив багор, пошатнулся и уселся прямо в реку. Все расхохотались, упавшему оставалось только кротко ухмыльнуться. Теон Грейджой, перегнувшись, взял Кейтилин за талию и перенес ее на сухую ступеньку, вода лизала его сапоги.

Эдмар спустился по ступеням, чтобы обнять ее.

— Милая сестра, — послышался его хриплый голос. Синие глаза и рот его были созданы для улыбки, но теперь Эдмар не улыбался. Он показался ей усталым, даже измученным, еще не отошедшим после битвы и плена. Шея брата была перевязана. Кейтилин с пылом обняла его.

— Кет, твое горе — мое горе, — сказал он, когда они отодвинулись друг от друга. — Когда мы услышали о лорде Эддарде... Ланнистеры заплатят, клянусь тебе, ты будешь отомщена!

— Разве месть вернет Неда? — сказала она резко. Рана была слишком свежа для утешений; она не могла еще вспоминать об утрате. Нельзя. Она не вправе этого делать. Она должна быть сильной. — Но со всем этим потом. Я должна видеть отца.

— Он ожидает тебя в солярии, — сказал Эдмар.

— Лорд Хостер прикован к постели, миледи, — объяснил стюард отца. Когда же успел этот добрый человек настолько постареть, откуда взялась седина? — Он приказал мне немедленно доставить вас к нему.

— Я сам провожу ее. — Эдмар повел ее вверх по причальной лестнице, потом через нижний двор, где некогда Петир Бейлиш и Брандон Старк скрестили из-за нее мечи. Массивные, сложенные из песчаника стены крепости поднимались над ними. Входя в дверь, которую охраняли стражники с гребнями-рыбами на шлемах, она опасливо спросила:

— Ему очень плохо?

Эдмар посмотрел на нее с печалью.

— Ему недолго жить среди нас, так говорят мейстеры. Отца мучают боли, они не оставляют его.

Слепой гнев наполнял Кейтилин; гнев на весь мир, на брата Эдмара, на сестру Лизу, на Ланнистеров, мейстеров, наконец, на Неда и отца... на чудовищную несправедливость богов, решивших отобрать у нее сразу обоих.

— Надо было известить меня, — сказала она. — Ты должен был послать мне слово сразу, как только узнал об этом.

— Отец запретил. Он не хотел, чтобы наши враги проведали о его близкой смерти. Он опасался, что, когда повсюду война, Ланнистеры могут воспользоваться его слабостью.

— И напасть на Риверран, — жестко договорила за него Кейтилин. «Твоя работа, твоя, — шептал внутренний голос. — Если бы ты не схватила карлика...»

Они молча поднимались по винтовой лестнице. Как и сам Риверран, крепость была треугольной. Треугольным был и солярий лорда Хостера. Каменный балкон выдавался на восток кормой какого-то гигантского корабля. Отсюда владетель замка мог видеть стены и укрепления, а за ними простор, образовавшийся при слиянии вод. Кровать отца переставили на балкон.

— Он любит сидеть на солнышке и смотреть на реки, — объяснил Эдмар. — Отец, погляди, кого я привел. Кет пришла повидать тебя...

Хостер Талли всегда был внушительным мужчиной: рослым и широкоплечим в молодости, объемистым в зрелые годы. Теперь он словно съежился, плоть исчезла, оставив кости. Даже лицо его обтянула восковая кожа. Когда Кейтилин в последний раз видела отца, каштановые волосы и борода его едва подернулись сединой. Теперь они сделались белыми, словно снег.

Глаза отца открылись.

— Кошечка, — пробормотал он тонким и неровным, полным боли голосом. — Моя маленькая кошечка! — Дрожащая улыбка прикоснулась к его лицу, и он протянул руку. — Я ждал тебя...

— А теперь я оставлю вас, чтобы вы поговорили, — сказал брат, нежно поцеловав лорда-отца в лоб, прежде чем уйти.

Кейтилин преклонила колено и взяла руку отца. Большая ладонь сделалась теперь бесплотной, кости ходили свободно под кожей; все силы оставили его.

— Ты мог бы известить меня, — сказала она. — Послать всадника или ворона...

— Всадников перехватывают и допрашивают, — сказал он. — Воронов сбивают. — Судорога боли пронзила его, пальцы стиснули ее руку. — Крабы угнездились в моем животе... они щиплются, всегда щиплются, день и ночь. У них жуткие клещи, у этих крабов. Мейстер Виман делает мне сонное вино из макового молока. Я много сплю... но я хотел бодрствовать, когда ты придешь. Я уже боялся... когда Ланнистеры захватили твоего брата и вокруг стояли враги... я боялся, что уйду, не повидавшись с тобой... Я боялся...

— Я здесь, отец, — сказала она. — С Роббом, моим сыном. Он тоже хочет видеть тебя.

— С твоим сыном... — шепнул он, — помню, у него были мои глаза.

— Были и есть. А еще мы привели Джейме Ланнистера — закованным в железо. Риверран вновь свободен, отец!

Лорд Хостер улыбнулся:

— Я видел. Вчера ночью, когда это началось, я велел им... надо было посмотреть. Меня принесли в Надвратную башню, и я следил с крыши. Ах, это было прекрасно... огненным ручьем текли факелы, за рекой кричали... какие же это были приятные крики... когда эта их башня вспыхнула, боги, я готов был умереть; я был бы рад смерти, если бы только сперва смог увидеть вас, моих детей. Значит, это сделал твой мальчик? Твой Робб?

— Да, — проговорила Кейтилин с гордостью. — Это сделал Робб... и Бринден. Твой брат вернулся домой, милорд.

— Вот как. — Отец едва шептал. — Черная Рыба... вернулся назад? Из Долины?

— Да.

— А Лиза? — Холодный ветер шевельнул тонкие белые волосы лорда Хостера. — Боги милосердные, твоя сестра... она тоже здесь?

Отец казался ей столь полным надежд и ожиданий, жаль было разочаровывать его.

— Как ни жаль, нет.

— Ох. — Лорд Хостер сразу приуныл, и свет оставил его глаза. — А я так надеялся... Мне бы хотелось увидеть ее, прежде...

— Сейчас она вместе с сыном в Орлином Гнезде.

Лорд Хостер устало кивнул:

— Д-да, он теперь лорд Роберт, бедный Аррен ушел... помню... почему она не приехала вместе с тобой?

— Лиза боится, милорд, а в Орлином Гнезде она чувствует себя в безопасности. — Кейтилин поцеловала морщинистый лоб. — Робб ждет встречи с тобой, ты примешь его? А Бриндена?

— Твоего сына, — прошептал он, — да. Сына Кет... у него были мои глаза. Помню, когда он родился. Пусть приходит... да.

— А твой брат?

Отец ее поглядел в даль над реками.

— Черная Рыба... — сказал он. — Он еще не женат? Так и не взял в жены какую-нибудь девицу?

Даже на смертном одре, со скорбью подумала Кейтилин.

— Он по-прежнему не женат. Ты знаешь, отец, дядя Бринден никогда не сделает этого.

— Я же говорил ему... приказывал. Женись!.. Я ведь был его лордом. И я имел право подобрать ему пару. Хорошую пару. Из Редвинов. Старый дом, милая девушка, хорошенькая... с веснушками... Бетани, да. Бедная девочка, она все еще ждет! Да, все еще...

— Бетани Редвин вышла за лорда Рована много лет назад, — напомнила Кейтилин отцу. — Сейчас у нее уже трое детей.

— Даже так, — пробормотал лорд Хостер. — Даже так! Наплевать на эту девицу и Редвинов. Наплевать на меня. Его лорда, его брата... вот тебе и Черная Рыба. У меня есть другие предложения. Дочери есть у лорда Бреккена и у Уолдера Фрея... он предлагал любую из трех... Так ты говоришь, он не женат? По-прежнему?

— По-прежнему, — подтвердила Кейтилин. — Тем не менее он с боем прошел множество лиг на обратном пути в Риверран. Если бы не помощь сира Бриндена, я бы сейчас не стояла перед тобой.

— Да, он всегда был воином, — хрипло проговорил отец. — Это он умеет, Рыцарь Ворот. Да. — Он откинулся назад и закрыл глаза в беспредельной усталости. — Пришли его, только потом. А сейчас я посплю. Я слишком хвор, чтобы сражаться с ним, так что Черная Рыба пусть придет после...

Кейтилин ласково поцеловала старика, пригладила его волосы и оставила лежащим в тени — над сливающимися внизу реками. Сир Хорстер заснул прежде, чем она оставила солярий.

Когда она спустилась во двор, сир Бринден Талли стоял у причальной лестницы в мокрых сапогах, занятый разговором с капитаном гвардии Риверрана. Он немедленно подошел к ней.

— Ну как он?..

— Умирает, — отвечала Кейтилин. — Как мы и боялись.

На морщинистом лице сира Бриндена проступила явная боль. Он провел пальцами по густой седеющей шевелюре.

— Так он примет меня?

Она кивнула:

— Сказал, что слишком хвор, чтобы сражаться.

Бринден Черная Рыба усмехнулся:

— Я слишком старый воин, чтобы поверить в это. Хостер будет зудеть об этой девице даже со своего погребального костра!

Кейтилин улыбнулась, зная, что дядя прав.

— Я не вижу Робба.

— По-моему, они с Грейджоем направились в чертог.

Теон Грейджой сидел на скамье в чертоге Риверрана; наслаждаясь пивом, он повествовал гвардейцам ее отца о побоище в Шепчущем Лесу.

— Некоторые попытались бежать, но мы перекрыли долину с обоих концов и выехали из тьмы с мечами и копьями. Наверное, Ланнистеры решили, что попали в засаду Иных, когда волк Робба оказался среди них. Я сам видел, как эта зверюга вырвала руку из плеча одному из них; а кони вообще просто обезумели от его запаха. Я даже не знаю, скольких человек...

— Теон, — перебила она. — Где я могу отыскать моего сына?

— Лорд Робб направился в богорощу, миледи.

«Так поступил бы и Нед. Он сын своего отца, так же как и мой. Не надо забывать об этом. О боги, Нед...»

Она обнаружила Робба под зеленым пологом листьев, окруженного высокими красностволами и великими старыми ильмами. Сын преклонял колено перед сердце-деревом — стройным чардревом, лицо на стволе которого было скорее скорбным, чем свирепым. Длинный меч перед ним был вонзен острием в землю, облаченные в перчатки руки сына сжимали рукоять меча. Вокруг него преклонили колена и остальные: Большой Джон Амбер, Рикард Карстарк, Мейдж Мормонт, Галбарт Гловер и прочие. Даже Титос Блэквуд находился среди них, огромный вороний плащ топорщился позади него. Они сохранили верность старым богам, подумала Кейтилин и спросила у себя, каким богам поклоняться теперь ей, но не смогла отыскать ответа.

Не дело прерывать их молитву. Боги должны получить свое... даже жестокие боги, отобравшие у нее Неда и лорда-отца. И Кейтилин принялась ждать. Ветер шевелился в высоких зеленых ветвях, справа высилась Колесная башня, наполовину заросшая плющом. Непрошеным потоком нахлынули воспоминания. Среди этих деревьев отец учил ее ездить верхом; вон с того ильма свалился Эдмар и сломал себе руку, а среди этих кустов вместе с Лизой они играли в поцелуи с Петиром.

Она не вспоминала об этом многие годы. Как молоды они были тогда; она была не старше Сансы, а Лиза даже младше Арьи, но все-таки старше Петира. Девочки менялись им, то серьезно, то хихикая. Воспоминание оказалось настолько ярким, что она едва ли не ощутила потные мальчишеские пальцы на своих плечах и мятный запах дыхания Петира. В богороще всегда росла мята, и Петир любил жевать ее. Он был смелый мальчишка и всегда попадал в неприятности.

— Он попытался засунуть мне в рот свой язык, — призналась потом Кейтилин своей сестре, когда они остались вдвоем.

— И мне тоже, — шепнула Лиза, застенчивая и задыхающаяся. — А мне понравилось!

Робб медленно поднялся на ноги, опустил меч в ножны, и Кейтилин подумала, случалось ли ее сыну целовать девушку в богороще. Наверняка! Она видела, как Джейни Пуль глядела на него влажным взглядом, и кое-кто из служанок, даже восемнадцатилетние... А теперь он побывал в битве, убивал своим мечом и, конечно же, узнал поцелуй. На глазах ее выступили слезы. Кейтилин сердито смахнула их.

— Мать, — проговорил Робб, заметив ее, — надо созвать совет. Нужно принять решение.

— Твой дед хотел бы видеть тебя, — сказала она. — Робб, он очень болен.

— Сир Эдмар сказал мне. Мне очень жаль, мать... и лорда Хостера и тебя. Но сперва мы должны обсудить дела. Пришли известия с юга. Ренли Баратеон заявил, что возлагает на себя корону брата.

— Ренли? — спросила удивленная Кейтилин. — А я-то думала, что это сделает лорд Станнис...

— Как и все мы, миледи, — ответил Галбарт Гловер.

Военный совет собрался в чертоге, четыре длинных стола на козлах расставили неровным квадратом. Лорд

Хостер был слишком слаб, чтобы присутствовать, он спал на своем балконе и видел во сне солнце, встающее над реками его молодости. Эдмар занял высокий престол Талли, Бринден Черная Рыба был возле него, знаменосцы отца расположились справа и слева у обоих боковых столов. Слово о победе при Риверране достигло беглых лордов Трезубца, повернувших обратно. Вошел Карил Венс, ставший теперь лордом. Отец его погиб под Золотым Зубом. С ним был сир Марк Пайпер, они привели сына сира Реймена Дарри, парнишку не старше Брана. Лорд Джонос Бреккен от руин Стоунхеджа, сердитый и грозный, он устроился подальше от Титоса Блэквуда — насколько это было возможно.

Северные лорды расположились напротив, вокруг Кейтилин и Робба, лицом к сиру Эдмару. Их было меньше. Большой Джон сидел у левой руки Робба, с ним рядом Теон Грейджой. Галбарт Гловер и леди Мормонт — справа от Кейтилин. Лорд Рикард Карстарк, исхудавший от горя, занял свое место движениями человека, видящего кошмарный сон; длинная борода его была непричесана и немыта. Двое сыновей его погибли в Шепчущем Лесу, и не было вестей от третьего, старшего, который возглавлял копейщиков Карстарка, выступивших против Тайвина Ланнистера у Зеленого Зубца.

Споры затянулись до ночи. Каждый лорд имел право сказать слово, и они говорили... кричали, ругались, рассуждали, улещивали, шутили, торговались, хлопали кружками о стол, угрожали, уходили и возвращались — мрачные или улыбающиеся. Кейтилин сидела и слушала.

Русе Болтон занял со своим потрепанным войском устье гати. Сир Хелман Олхарт и Уолдер Фрей удерживают Близнецы. Армия лорда Тайвина переправилась через Трезубец и направилась к Харренхоллу. Более того, в стране было два короля. Два короля и никакого согласия!

Многие из лордов-знаменосцев предлагали немедленно выступить к Харренхоллу, чтобы встретиться с лордом Тайвином и положить конец семени Ланнистеров раз и навсегда. Юный и горячий Марк Пайпер рекомендовал ударить на запад, на Бобровый утес. Но остальные советовали ждать.

— Риверран перерезал коммуникации войска Ланнистеров, — заметил Ясон Маллистер. — Надо выжидать, не позволяя подкреплениям и фуражирам достичь лорда Тайвина, мы укрепим свою оборону и дадим отдых усталым войскам.

Лорд Блэквуд не желал даже слушать об этом:

— Следует закончить дело, которое было начато в Шепчущем Лесу. Все на Харренхолл, пусть туда идет и Русе Болтон.

Как всегда против предложения Блэквуда выступал лорд Джонас, он предложил присягнуть королю Ренли и выступить на юг, чтобы соединиться с ним.

— Ренли не король, — сказал Робб. Сын ее впервые отверз уста. Подобно собственному отцу он умел слушать.

— Вы не можете присягнуть Джоффри, милорд, — проговорил Галбарт Гловер. — Он отправил на смерть вашего отца.

— Значит, он плохой человек, — отвечал Робб. — Но отсюда отнюдь не следует, что Ренли можно считать королем. Джоффри остается старшим, законнорожденным сыном Роберта, поэтому престол по праву принадлежит ему. Если он умрет, — а я постараюсь устроить это, — у него есть еще младший брат; Томмен наследует следом за Джоффри.

— Томмен такой же Ланнистер, — отрезал сир Пайпер.

— Как вам угодно, — отвечал без сомнения Робб. — Но если никто из них не может быть королем, как может стать им лорд Ренли? Он младший брат Роберта. Бран не вправе стать лордом Винтерфелла раньше меня. Ренли не быть королем перед лордом Станнисом.

Леди Мормонт согласилась:

— У лорда Станниса больше прав!

— Но Ренли коронован, — сказал Марк Пайпер. — Вышесад и Штормовой Предел поддерживают его претензии, и дорнийцы не будут тянуть с признанием. Если Винтерфелл и Риверран будут за него, он получит поддержку пяти из семи великих домов. Шести, если Аррены потрудятся шевельнуть пальцем! Шестеро против Скалы! Милорды, через год головы всех Ланнистеров будут торчать на пиках: и королевы, и мальчишки-короля, и лорда Тайвина, и Беса, и Цареубийцы, и сира Кивана, всех! Так будет, если мы присоединимся к королю Ренли. Что может предложить нам лорд Станнис, чтобы забыть об этом?

— Справедливость, — сказал Робб упрямо, и Кейтилин почудились в голосе сына знакомые отцовские нотки.

— Итак, ты считаешь, что мы должны присягнуть Станнису? — спросил Эдмар.

— Не знаю, — ответил Робб. — Я молился, чтобы боги указали мне путь, но они молчат. Ланнистеры убили моего отца, назвав его изменником; все мы знаем, что это ложь, но если Джоффри — законный король, изменниками оказываемся уже все мы.

— Мой лорд-отец посоветовал бы соблюдать осторожность. — Пожилой сир Стеврон улыбнулся во всю хорьковую мордочку Фреев. — Надо подождать, посмотреть, как два короля разыграют свою партию. Когда драка закончится, можно преклонить колено перед победителем или выступить против него — при желании. Раз Ренли вооружается, лорд Тайвин предложит нам перемирие... потом он хочет получить назад сына. Благородные лорды, позвольте мне съездить к нему в Харренхолл, обговорить условия и выкуп...

Голос его потонул в яростном басе.

— Трус! — грохотнул Большой Джон.

— Если мы предложим перемирие, Ланнистеры сочтут нас слабыми, — объявила леди Мормонт.

— К черту любой выкуп, мы не должны отдавать Цареубийцу, — выкрикнул Рикард Карстарк.

— Чем вас не устраивает мир? — спросила Кейтилин.

Лорды смотрели на нее, но она ощущала на себе только глаза Робба, его и только его.

— Миледи, они убили моего лорда-отца и вашего мужа, — мрачно сказал он. Достав длинный меч, он положил его перед собой, яркая сталь блеснула на грубом дереве. — Только он примирит меня с Ланнистерами.

Большой Джон прогрохотал одобрение, к нему присоединились и другие голоса, лорды с криками извлекали мечи и стучали кулаками по столу.

Кейтилин дождалась, пока они притихли.

— Милорды, — проговорила она, — лорд Эддард был вашим сюзереном, я разделяла его ложе и рожала ему детей. Неужели вы думаете, что я люблю его меньше, чем вы? — Голос ее дрогнул от горя, но Кейтилин глубоким вздохом успокоила себя. — Робб, если бы этот меч мог вернуть твоего отца назад, я бы не позволила тебе вложить его в ножны, пока Эддард Старк вновь не встал бы рядом со мной... Но Неда нет, и сотне Шепчущих Лесов ничего не переменить. Нед ушел, а с ним Дарин Хорнвуд, доблестные сыновья лорда Карстарка и многие другие добрые люди; никто из них не вернется к нам. Нужны ли нам новые смерти?

— Вы женщина, миледи, — глухо прогудел Большой Джон. — Женщины не разбираются в подобных вещах.

— Вы мягкий пол, — проговорил лорд Карстарк, и свежие морщины шевельнулись на его лице. — Муж нуждается в мести.

— Дайте мне Серсею Ланнистер, лорд Карстарк, и вы увидите, какими мягкими бывают женщины, — ответила Кейтилин. — Быть может, я не знаток тактики и стратегии, но у меня есть здравый смысл. Вы выступили на войну, когда армия Ланнистеров разоряла Речной край и Нед был узником, ложно обвиненным в предательстве. Мы хотели защитить себя и освободить моего мужа.

Одна цель достигнута, а другая теперь навсегда останется невыполненной. Я буду оплакивать Неда до конца моих дней, но сперва я должна подумать о живущих. Я хочу вернуть своих дочерей, которых захватила королева. Если мне придется отдать четверых Ланнистеров за двух Старков, я назову это выгодной сделкой и поблагодарю бога. Я хочу, чтобы ты, Робб, правил в Винтерфелле на престоле своего отца. Я хочу, чтобы ты жил, целовал девушку, вступил с ней в брак и родил сына. Я хочу положить конец этой войне. Я хочу вернуться домой, милорды, и оплакать моего мужа.

Все притихли, когда Кейтилин закончила.

— Мир, — проговорил ее дядя Бринден. — Мир — хорошая штука, миледи... но на каких условиях? Незачем вечером перековывать меч на орало, если утром тебе снова потребуется меч.

— За что погибли Торрхен и мой Эддард, если я вернусь в Карлхолл только с их костями? — спросил Рикард Карстарк.

— Именно, — проговорил лорд Бреккен. — Григор Клиган опустошил мои земли, перебил моих людей, превратил Стоунхедж в дымящиеся руины. Неужели я должен преклонять колено перед теми, кто послал его? За что мы сражались, если все станет так, как было прежде!

Лорд Блэквуд согласился с ним — к удивлению и разочарованию Кейтилин:

— Но если мы помиримся с королем Джоффри, то разве не изменим королю Ренли? Где мы окажемся, если олень победит льва?

— Что бы вы ни решили, я никогда не назову Ланнистера своим королем, — объявил Марк Пайпер.

— И я тоже! — вскричал маленький Дарри. — Никогда!

Тут вновь начались крики. Кейтилин чуть не впала в отчаяние. Она была так близка к успеху, они почти послушались ее... почти. Но такого момента больше не будет! Не будет мира, исцеления, безопасности. Она глядела на своего сына, следила за тем, как он выслушивает мнения лордов... хмурящегося, встревоженного, повенчанного со своей войной.

Он обещал жениться на дочери Уолдера Фрея. Но Кейтилин видела его истинную невесту: меч, лежавший на столе перед сыном.

Кейтилин вновь думала о своих девочках, не зная, увидит ли их снова, когда на ноги поднялся Большой Джон.

— Милорды! — рявкнул он, отголоски загуляли между балками. — Вот мое мнение об этих двух королях! — Он смачно плюнул. — Ренли Баратеон — ничто для меня. Станнис тоже. Почему они должны править мной и моими людьми с их цветочного сиденья в Вышесаде или Дорне? Что они знают о Стене, о Волчьем Лесе или о курганах Первых Людей? Даже боги их ложны. Пусть Иные поберут меня, я сыт Ланнистерами по горло. — Он потянулся рукой за плечо и обнажил свой колоссальный двуручный меч. — Почему мы не можем вновь править в своей стране? Мы уступили только драконам, а драконы теперь мертвы. — Он указал на Робба клинком. — Вот единственный король, перед которым я готов преклонить колено, милорды, — прогрохотал он. — Король Севера!

И лорд Амбер поклонился и положил свой меч к ногам ее сына.

— На таких условиях я согласен на мир, — присоединился к нему лорд Карстарк. — Пусть берут себе свой Красный замок и сидят на Железном троне. — Он извлек длинный меч из ножен. — За Короля Севера! — провозгласил Карстарк, опускаясь на колено возле Большого Джона.

Встала Мейдж Мормонт.

— За Короля Зимы! — крикнула она, опуская свою шипастую булаву возле мечей. Поднимались и речные лорды Блэквуды, Браккены и Маллистеры, которые никогда не подчинялись Винтерфеллу, но Кейтилин видела, как они встают, извлекают клинки, преклоняют колена и выкрикивают старые слова, которых не было слышно в стране более трех сотен лет... с той поры, как Эйегон-Дракон явился, чтобы слить Семь Королевств воедино... теперь они снова гремели в чертоге ее отца.

— За Короля Севера!

— За Короля Севера!

— ЗА КОРОЛЯ СЕВЕРА!

ДЕЙЕНЕРИС

В ржавом, мертвом и высохшем краю доброго дерева трудно было сыскать. Посланники ее приносили корявые ветви хлопкового куста, пурпуролиста, охапки бурой травы. Найдя два дерева попрямее, они отсекли сучья, ободрали кору и распилили, разложив бревна квадратом. Середину наполнили ветвями кустарников, корой, охапками сухой травы; Ракхаро выбрал жеребца из оставшегося у них небольшого косяка, коню было далеко до рыжего, что принадлежал кхалу Дрого, но равного тому вообще трудно было сыскать. Агго отвел жеребца внутрь квадрата, дал ему побуревшее яблоко и повалил на месте ударом топора между глаз.

Связанная по рукам и ногам Мирри Маз Дуур издали наблюдала за происходящим встревоженными глазами.

— Убить коня недостаточно, — сказала она Дени. — Сама по себе кровь бессильна. Ты не знаешь заклинаний и не владеешь мудростью, которая позволила бы тебе отыскать их. Вы считаете, что кровная магия — это детская игра. Ты зовешь меня мейегой, будто это ругательство. А это слово просто значит «мудрая». Ты еще дитя и невежественна, как младенец. Что бы ты ни задумала, у тебя ничего не получится. Освободи меня, и я помогу тебе.

— Я устала от лая мейеги, — обратилась Дени к Чхого. Тот приложил к лхазарянке кнут, после чего божья жена придерживала язык.

Над трупом коня они поставили помост из срубленных бревен, взяв стволы меньших деревьев и прямые сучья больших. Стволы клали от восхода к закату. На помост положили сокровища кхала Дрого: огромный шатер, расписанные жилеты, седла и упряжь, кнут, подаренный отцом, когда Дрого достиг зрелости. Аракх, которым муж ее сразил кхала Ого и его сына, могучий лук драконьей кости. Агго добавил бы и оружие, которое кровные Дрого подарили Дени на свадьбу, но она запретила.

— Оружие это мое, — сказала она. — И оно мне еще понадобится.

Сокровища кхала завалили новым слоем хвороста и забросали связками сухой травы.

Сир Джорах Мормонт отвел ее в сторону, когда солнце подползало к зениту.

— Принцесса... — начал он.

— Почему ты так зовешь меня? — бросила вызов Дени. — Мой брат Визерис был твоим королем, разве не так?

— Да, миледи.

— Визерис мертв, я его наследница, последняя от крови дома Таргариенов. Все, что принадлежало ему, теперь принадлежит мне.

— Да... моя королева, — проговорил сир Джорах, опускаясь на колено. — Меч мой, который прежде принадлежал ему, теперь ваш, Дейенерис. И сердце тоже, хотя оно никогда не принадлежало вашему брату. Я только рыцарь и, кроме своего изгнания, ничего не могу предложить вам, но молю, выслушайте. Пусть кхал Дрого уйдет. Вы не останетесь одна, я обещаю вам, никто не отвезет вас в Вейес Дотрак, если только вы не захотите этого. Вам незачем присоединяться к дош кхалину. Поедемте на восток вместе со мной. В Йи Ти, Каварт, к Яшмовому морю, Асшаю, что у Теней. Мы увидим невиданные чудеса и выпьем вина, которое боги предназначили для нас. Прошу, кхалиси. Я знаю, что вы задумали. Не надо, не надо этого делать!

— Я должна, — сказала ему Дени. Она прикоснулась к его лицу с тоской и печалью. — Вы не понимаете!

— Я понимаю, что вы любили его, — сказал сир Джорах голосом, полным отчаяния. — Некогда и я любил свою жену, но я не умер вместе с ней. Вы моя королева, мой меч в ваших руках, только не просите меня смотреть, когда вы взойдете на костер Дрого. Я не смогу увидеть вашу смерть!

— Неужели вы боитесь этого? — Дени легко прикоснулась губами к его широкому лбу. — Я не дитя, чтобы совершать подобные глупости, милый сир.

— Значит, вы не хотите умереть вместе с ним? Вы клянетесь в этом, моя королева?

— Клянусь, — проговорила она на общем языке Семи Королевств, по праву принадлежащих ей.

Третий уровень помоста сплели из ветвей толщиной в палец, его засыпали сухой листвой и хворостом. Их выстилали с севера на юг — от льда к огню, — а потом покрыли мягкими подушками и ночными шелками. Солнце уже начало клониться к западу, когда они покончили с делом. Дени созвала дотракийцев. Их осталось менее сотни. Со столькими же начинал Эйегон, подумала она. Впрочем, не важно.

— Вы будете моим кхаласаром, — сказала она. — Я вижу лица рабов. Я освобождаю вас! Снимите ошейники; кто хочет, может уйти; не бойтесь, никто не причинит вам вреда. Ну а те, кто останется, будут братьями и сестрами, мужьями и женами.

Черные глаза смотрели на нее внимательно, настороженные и бесстрастные.

— Я вижу детей, женщин, морщинистые лица стариков. Вчера я была девчонкой. Сегодня... я стала женщиной. Завтра я буду старухой. Каждому из вас я говорю: отдайте мне свое сердце и руки, и для них всегда найдется дело.

Она обернулась к трем молодым воинам своего кхаса.

— Чхого, тебе даю я кнут с серебряной рукоятью, который был моим свадебным даром, именую тебя ко и прошу: дай мне клятву, чтобы жить и умереть, как кровь от моей крови, странствуя рядом со мной, чтобы сохранять меня от беды.

Чхого взял кнут из ее рук, но на лице его было написано смятение.

— Кхалиси, — сказал он неуверенно, — это не дело. Мне стыдно быть кровным женщине.

— Агго, — проговорила Дени, не обращая внимания на слова Чхого. «Если я обернусь назад, я погибну». — Тебе я даю лук из драконьей кости, который был моим свадебным даром. — Блестящее чернотой древко с двойным изгибом было выше ее ростом. — Я именую тебя ко и прошу твоей клятвы жить и умереть, как кровь от моей крови, странствуя рядом со мной, чтобы охранить меня от беды.

Агго принял лук с опущенными глазами:

— Я не могу произнести эти слова, лишь муж может возглавить кхаласар и назвать меня ко!

— Ракхаро, — проговорила Дени, отворачиваясь, словно не слышав отказа. — Ты примешь великий аракх, который был моим свадебным даром, с рукоятью и клинком, украшенным золотом. И тебя я тоже именую ко и прошу, чтобы ты жил и умер, как кровь моей крови, странствуя рядом со мной, чтобы сохранить меня от беды.

— Ты кхалиси, — проговорил Ракхаро, принимая аракх. — Я доеду с тобой до Вейес Дотрак у подножия Матери гор и сохраню тебя от беды, пока ты не займешь свое место среди старух дош кхалина, — большего я не могу обещать.

Она кивнула — спокойно, словно бы не слыхала его ответа, и повернулась к последнему из ее защитников.

— Сир Джорах Мормонт, — сказала она, — первый из моих рыцарей. У меня нет для тебя свадебного дара, но клянусь, что настанет день, и ты получишь из моих рук такой длинный меч, которого еще не видел мир. Выплавленный драконом, выкованный из валирийской стали. И я прошу твоей клятвы.

— Клянусь тебе, моя королева. — Сир Джорах с поклоном опустил меч к ее ногам. — Даю обет служить тебе, повиноваться и умереть, если потребуется.

— Что бы ни случилось?

— Что бы ни случилось.

— Я связываю всех вас этой клятвой. И обещаю, что вы никогда не пожалеете о ней!

Дени подняла его за руку. Поднявшись на цыпочки, чтобы достать его губ, она поцеловала рыцаря и сказала:

— Ты стал первым рыцарем моей королевской гвардии.

Ощущая на себе глаза кхаласара, она вошла в шатер. Дотракийцы что-то бормотали и искоса поглядывали на нее уголками миндалевидных глаз. «Они решили, что я обезумела, — поняла Дени. — Наверное, они правы. Скоро я узнаю это. Но «если оглянусь, я погибла».

Вода в ванне обжигала жаром, Дореа помогла ей забраться в ванну, но Дени не дернулась и не вскрикнула. Она любила тепло, возвращавшее ей ощущение чистоты. Чхику надушила воду маслами, которые отыскала на базаре в Вейес Дотрак. Поднялся благоуханный пар. Ирри вымыла ей волосы и расчесала спутавшиеся пряди. Потом потерла спину. Дени закрыла глаза, отдаваясь аромату.

Она ощутила, что тепло растворило боль между ее бедрами: она поежилась, когда жар воды вступил в нее, изгоняя боль и напряжение. Она поплыла.

Когда Дени очистилась, служанки помогли ей подняться из воды. Ирри и Чхику вытерли ее досуха, а Дореа расчесала волосы так, что они стали казаться рекой жидкого серебра, ниспадающей на ее спину. Ее надушили пряноцветом и киннамоном, прикоснувшись к обоим запястьям, за ушами и к тяжелым от молока грудям. Последнее прикосновение предназначалось для ее естества. Палец Ирри, легкий и прохладный, как поцелуй любовника, скользнул между ее губами.

Потом Дени отослала их всех, чтобы она могла подготовить кхала Дрого к отъезду в Ночные земли. Она омыла его тело, умастила волосы, последний раз перебрала их пальцами, ощущая тяжесть, вспоминая тот первый раз, когда делала это в ночь их брака. Волосы эти никогда не были острижены. Многие ли из мужей способны умереть с неостриженными волосами? Она уткнулась в них лицом, ощущая томное благоухание масел. От Дрого пахло травой и теплой землей, дымом, семенем и конями. Он пахнул собой.

«Прости меня, солнце моей жизни, — подумала она. — Прости меня за то, что я сделала, и за то, что должна сделать. Я заплатила цену, моя звезда, но она оказалась слишком высокой, слишком высокой...»

Дени расчесала волосы кхала, надела серебряные кольца на усы и по одному прицепила к косе колокольчики: их было много, золотых, серебряных и бронзовых. Колокольчики, которые слышали его враги, слабея от страха. Она надела на него штаны из конского волоса и высокие сапоги, застегнула тяжелый пояс из золотых и серебряных медальонов. Израненную грудь прикрыл расписной жилет, старый и выцветший, который Дрого любил больше прочих. Себе она выбрала свободные штаны из песочного шелка, сандалии, которые зашнуровывались до половины голени, и такой же жилет, как у Дрого.

Солнце уже садилось, когда она приказала отнести тело кхала к костру. Дотракийцы молча провожали взглядами Чхого и Агго, выносивших его из шатра. Дени шла позади них. Они положили Дрого на шелка подушек головой к Матери гор, оставшейся где-то между севером и востоком.

— Масла! — распорядилась она. Принесли кувшин и облили костер, пропитав шелка, хворост и охапки сухой травы; наконец масло закапало из-под бревен, и воздух пропитался благоуханием. — А теперь принесите драконьи яйца, — приказала Дени.

Нечто в ее голосе заставило их броситься бегом. Сир Джорах прикоснулся к ее руке.

— Моя королева, драконьи яйца не нужны Дрого в Ночных землях. Лучше продадим их в Асшае. Только за одно можно получить целый корабль, который доставит нас в Вольные Города. Если продать все три, ты будешь богатой до конца дней своих.

— Я получила их не для того, чтобы продавать, — сказала Дени.

Она поднялась на костер и собственной рукой положила яйца вокруг тела своего солнца и звезд; черное у сердца, зеленое у головы, обернув вокруг него косу, молочно-золотое легло между его ног. Целуя Дрого в последний раз, Дени ощутила губами сладость масла.

Спустившись с костра, она заметила на себе взгляд Мирри Маз Дуур.

— Ты обезумела, — хрипло проговорила божья жена.

— Далеко ли от безумия до мудрости?.. — спросила Дени. — Сир Джорах, возьми эту мейегу и привяжи ее к костру.

— К костру... моя королева, нет, выслушайте меня...

— Делайте, как я сказала, сир Джорах. — Но он колебался, и гнев ее вспыхнул. — Вы поклялись повиноваться мне, что бы ни случилось. Ракхаро, помоги ему.

Божья жена не вскрикнула, когда ее поволокли к костру кхала Дрого и бросили среди его сокровищ. Дени сама облила маслом голову женщины.

— Спасибо тебе, Мирри Маз Дуур, — сказала она, — за урок, который ты дала мне.

— Ты не услышишь моего крика, — отозвалась Мирри, когда масло потекло с ее волос, увлажняя одежду.

— Услышу, — сказала Дени, — но мне нужны не твои вопли, а твоя жизнь. Помнишь, что ты мне сказала когда-то: лишь смертью можно купить жизнь.

Мирри Маз Дуур открыла рот, но ничего не ответила. Шагнув в сторону, Дени заметила, что презрение оставило черные глаза мейеги, сменившись неким подобием страха. Больше делать было нечего, оставалось лишь следить за солнцем и ждать первой звезды.

Когда умирает повелитель табунщиков, с ним убивают его коня, чтобы он гордо ехал по Ночным землям. Тела их сжигают под открытым небом, и кхал взмывает на огненном скакуне, чтобы занять свое место среди звезд. И чем ярче горел человек в жизни, тем более яркая звезда вспыхнет в ночи.

Чхого заметил ее первым.

— Вон! — сказал он негромким голосом.

Дени поглядела и увидела звезду, невысоко поднявшуюся над востоком. Первая звезда в ту ночь оказалась кометой, с нее срывался пламенный луч, кровавый драконий хвост. Она не могла ждать более верного знамения.

Взяв факел из руки Агго, Дени ткнула им между поленьями. Масло немедленно вспыхнуло. Хворост и сухая трава занялись через мгновение. Крошечные языки пробежали по дереву как быстрые красные мыши, катясь по маслу, перепрыгивая с ветви на ветвь; поднявшийся жар внезапно дохнул на нее с лаской любовника и через секунду сделался непереносимым. Дени отступила на шаг. Дерево трещало все громче и громче. Мирри Маз Дуур запела пронзительным улюлюкающим голосом. Пламя крутилось, вилось, языки его догоняли друг друга. Мрак дрожал над костром, сам воздух будто плавился от жары. Дени услышала, как затрещали бревна. Огонь охватил Мирри Маз Дуур. Песня ее сделалась пронзительней и громче... мейега охнула, снова и снова, и слова ее вдруг слились в пронзительный вой, высокий и полный муки. Наконец пламя достигло и Дрого, языки охватили его. Вспыхнула одежда, и какое-то мгновение кхал казался облаченным в лоскутья воздушного оранжевого шелка и серого дыма. Губы Дени раздвинулись, и она затаила дыхание. Часть ее стремилась подняться на этот костер, чего опасался сир Джорах, броситься в пламя, чтобы попросить у Дрого прощения и в последний раз принять его в себя, а там пусть огонь отделит их плоть от костей, когда они сольются навеки.

Она ощутила запах горящей плоти — так конина жарится на костре. Костер ревел в сгущающейся ночи огромным зверем, заглушал слабые, последние визги Мирри Маз Дуур... долгие языки пламени лизали чрево ночи. Дым возносился все гуще, дотракийцы, кашляя, отступали. Полотнища огня разворачивались под адским ветром, бревна шипели и трещали, огненные искры новорожденными светляками возносились в дыму и исчезали во тьме. Жар плескал по воздуху огромными красными крыльями, отгоняя дотракийцев, отгоняя даже Мормонта, но Дени стояла на месте. Она от крови дракона, и огонь внутри ее.

Она давно догадывалась, как надо поступить, подумала про себя Дени, шагнув чуть поближе к кострищу. Но жаровни для этого мало. Пламя кружило перед ней, как женщины, плясавшие на ее свадьбе, кружило, пело, размахивая желтыми, оранжевыми и алыми вуалями, страшными с виду, но и прекрасными, прекрасными, живыми от жара. Дени открыла перед ними руки, плоть ее горела. «И это тоже брак», — сказала она себе. Мирри Маз Дуур умолкла. Божья жена сочла ее ребенком, но дети растут и учатся.

Еще шаг, и ступни Дени ощутили жар раскаленного песка даже сквозь сандалии. Пот бежал по ее бедрам, между грудями, ручейками тек по щекам — там, где недавно катились слезы. Сир Джорах кричал позади нее, но он теперь ничего не значил. Важен был только огонь. Пламя было таким прекрасным: ничего прекраснее она не видела, каждый язык казался ей чародеем, облаченным в желто-оранжево-алые одежды, кружившие под дымным плащом. Она видела алых пламенных львов, великих желтых змей и единорогов, сотканных из бледно-синего пламени; видела она рыб, лис и чудовищных волков, ярких птиц и цветущие деревья; каждое новое видение было прекраснее предыдущего... Она видела коня, огромного серого жеребца, сложившегося из дыма, с гривы его срывался поток синего пламени. Да, любимый, мое солнце и звезды, садись, время уезжать.

Жилет ее начал тлеть, Дени, дернув плечами, сбросила его на землю. Расписная кожа внезапно вспыхнула, а она шагнула поближе к костру, струйки молока текли из красных и раздувшихся сосков. Сейчас, сейчас, подумала она и на мгновение увидела перед собой кхала Дрого, поднимавшегося на своего дымного коня с пылающим кнутом в руке. Он улыбнулся, и хлыст с шипением ударил по костру.

Раздался треск, с которым лопается камень. Помост из дерева, хвороста и травы начал рушиться внутрь себя. Кусочки горящего дерева посыпались на нее градом пепла и угольков.

И подпрыгивая, вращаясь, о землю возле ее ног ударился круглый камень, бледный, усеянный золотыми прожилками, разломанный и курящийся. Рев огня наполнял мир, но за ним Дени слышала женские крики и удивленные детские голоса.

Лишь смертью можно выкупить жизнь.

Второй громоподобный треск окружил ее тучей дыма, и костер зашевелился, бревна начали взрываться — огонь проникал в их потаенные сердца. Она слышала ржание коней и полные ужаса голоса дотракийцев. Сир Джорах выкрикивал ее имя и в страхе ругался.

«Нет, — хотела она крикнуть ему. — Нет, мой добрый рыцарь, не бойся за меня! Мое время пришло. Я Дейенерис Бурерожденная, дочь драконов, невеста драконов, мать драконов, разве ты не видишь? Разве ты не ВИДИШЬ?» Со вздохом выбросив к небу огромный султан пламени и дыма, костер рухнул вокруг нее. Ничего не боясь, Дени шагнула в огненную бурю, призывая к себе детей.

Третий удар был таким, словно треснул сам мир.

Когда костер наконец угас и почва остыла, так что на нее можно было ступать, сир Джорах Мормонт обнаружил ее посреди пепла, окруженную почерневшими бревнами и тлеющими угольками, среди обгорелых костей мужчины, женщины и коня. Дени была нага, тело ее покрывала лишь сажа, одежда ее превратилась в пепел, прекрасные волосы сгорели, но сама она была невредима...

Молочно-золотой дракон сосал ее левую грудь, золотой с бронзовыми прожилками правую. Она обнимала их. Черноалый лежал на ее плечах, длинная шея свернулась под ее подбородком. Увидев сира Джораха, он поднял голову и поглядел на рыцаря глазами красными, как угольки.

Лишившись дара речи, рыцарь упал на колени. Люди ее кхаса собирались позади него. Чхого первым положил свой аракх у ног Дени.

— Кровь от моей крови, — прошептал он, прижимая лицо к дымящейся земле.

— Кровь от моей крови, — услышала она голос Агго.

— Кровь от моей крови, — выкрикнул Ракхаро.

Потом пришли ее служанки, затем все дотракийцы, мужчины, женщины и дети, и Дени было достаточно лишь поглядеть им в глаза, чтобы понять: они принадлежат ей сегодня, завтра и навсегда; они принадлежат ей, как никогда не принадлежали Дрого.

Когда Дейенерис Таргариен поднялась на ноги, ее черный дракон зашипел, бледный дым закурился из его рта и ноздрей. Двое остальных оторвались от ее грудей и отозвались на зов, прозрачные крылья, разворачиваясь, били воздух... и впервые за последние сотни лет ночь ожила музыкой драконов.

ПРИЛОЖЕНИЕ

ДОМ БАРАТЕОНОВ

Самый младший из великих домов; родился во время Завоевательных войн. Основатель его, Орис Баратеон, по слухам, был незаконнорожденным братом Эйегона Дракона. Орис возвысился, став одним из наиболее свирепых полководцев Эйегона. Когда Орис победил и убил Аргилака Надменного, последнего короля Шторма, Эйегон наградил его замком Аргилак, землями и дочерью. Орис взял девушку в жены, принял знамя, почести и девиз ее рода. Знак Баратеонов — коронованный олень, черный на золотом поле; девиз их — «Нам ярость».

КОРОЛЬ РОБЕРТ БАРАТЕОН, первый этого имени.
Жена его, КОРОЛЕВА СЕРСЕЯ, из дома Ланнистеров.

Их дети:

ПРИНЦ ДЖОФФРИ, наследник Железного трона, мальчик двенадцати лет.
ПРИНЦЕССА МИРЦЕЛЛА, девочка восьми лет.
ПРИНЦ ТОММЕН, мальчик семи лет.

Его братья:

СТАННИС БАРАТЕОН, лорд Драконьего Камня.
Жена его, ЛЕДИ СЕЛИСА, из дома Флорент;
их дочь ШИРИН, девочка двенадцати лет.
РЕНЛИ БАРАТЕОН, лорд Штормового Предела.

Его Малый совет:

ВЕЛИКИЙ МЕЙСТЕР ПИЦЕЛЬ,
ЛОРД ПЕТИР БЕЙЛИШ, по прозвищу МИЗИНЕЦ, мастер над монетой,

ЛОРД СТАННИС БАРАТЕОН, мастер над кораблями,

ЛОРД РЕНЛИ БАРАТЕОН, мастер над законом,

СИР БАРРИСТАН СЕЛМИ, лорд-командующий Королевской гвардией,

ВАРИС-ЕВНУХ, по прозвищу Паук, мастер над шептунами.

Двор его и свита:

СИР ИЛИН ПЕЙН, Королевское Правосудие, палач.

САНДОР КЛИГАН, по прозвищу Пес, присягнувший на верность принцу Джоффри.

ЯНОС СЛИНТ, простолюдин, командующий городской стражей Королевской Гавани.

ДЖАЛАБХАР, принц Летних островов, изгнанник.

БЕЗУМЕЦ, шут и дурак.

ЛАНСЕЛЬ и ТИРЕК ЛАНКАСТЕРЫ, сквайры короля, кузены королевы.

СИР АРОН САНТАГАР, мастер над оружием.

Его Королевская гвардия:

СИР БАРРИСТАН СЕЛМИ, лорд-командующий,
СИР ХАЙМЕ БЛАУНТ,
СИР МЕРРИН ТРАНТ,
СИР АРИС АКХАРТ,
СИР ПРЕСТОН ГРИНФИЛД,
СИР МЕНДОН МУР.

Штормовому Пределу присягнули на верность следующие дома: Селми, Вилде, Трант, Пенроз, Эррол, Эстермонт, Тарт, Свонн, Дондаррион, Карон.

Драконьему Камню присягнули на верность: Селтигары, Велирионы, Сиворты, Бар Еммоны и Санглассы.

ДОМ СТАРКОВ

Происхождение Старков восходит к Брандону-строителю и древним Королям Зимы. Тысячи лет они правили в Винтерфелле, называя себя Королями Севера, пока наконец Торрхен Старк, Король Преклонивший колено, решил присягнуть на верность Эйегону Драконовластному, а не сражаться с ним. На гербе их серый лютоволк мчится на снежно-белом фоне. Девиз Старков — «Зима близко».

ЭДДАРД СТАРК, лорд Винтерфелла, Хранитель Севера.

Жена его, ЛЕДИ КЕЙТИЛИН, из дома Талли.

Их дети:

РОББ, наследник Винтерфелла, мальчик четырнадцати лет,

САНСА, старшая дочь, одиннадцати лет,

АРЬЯ, младшая дочь, девочка девяти лет,

БРАНДОН, зовущийся Браном, семи лет,

РИКОН, трехлетний малыш.

Незаконнорожденный сын его, ДЖОН СНОУ, мальчик четырнадцати лет.

Его воспитанник, ТЕОН ГРЕЙДЖОЙ, наследник Железных островов.

Его родственники:

БРАНДОН, старший брат, убитый по приказу Эйериса II Таргариена.

ЛИАННА, его младшая сестра, скончавшаяся в горах Дорна.

БЕНДЖЕН, его младший брат, Черный Брат Ночного Дозора.

Его приближенные:

МЕЙСТЕР ЛЮВИН, советник, целитель и учитель.

ВЕЙОН ПУЛЬ, стюард Винтерфелла.

ДЖЕЙНИ, его дочь, ближайшая подруга Сансы.

ДЖОРИ КАССЕЛЬ, капитан гвардии.

ХАЛЛИС МОЛЛЕН, ДЕСМОНД, ДЖЕКС, ПОРТЕР, КВЕНТ, ЭЛИН, ТОМАРД, ВАРЛИ, ХЬЮАРД, КЕЙН, УИЛ, гвардейцы.

СИР РОДРИК КАССЕЛЬ, мастер над оружием, дядя Джори.

БЕТ, его младшая дочь.

СЕПТА МОРДЕЙН, воспитательница дочерей лорда Эддарда.

СЕПТОН ШЕЙЛИ, хранитель замковой септы и библиотеки.

ХАЛЛЕН, мастер над конями.

ДЖОЗЕТ, мастер над конями и воспитатель коней.

ФАЙЛЕН, мастер над псарней.

СТАРАЯ НЭН, сказительница, прежде няня.

ХОДОР, ее правнук, простодушный конюх.

ГЕЙДЖ, повар.

МИККЕН, кузнец и оружейник.

Его главные лорды-знаменосцы:

Сир Халман Толхарт,

Рикард Карстарк, лорд Кархолла,

Сир Русе Болтон, лорд Дредфорта,

Джон Амбер, по прозвищу Большой Джон.

Галбарт и Роберт Гловеры,

Виман Мандерли, лорд Белой гавани,

Мейдж Мормонт, леди Медвежьего острова.

На верность Винтерфеллу присягнули Карстарки, Амберы, Флинты, Мормонты, Хорнвуды, Сервины, Риды, Мандерли, Гловеры, Толхарты, Болтоны.

ДОМ ЛАННИСТЕРОВ

Светловолосые, высокие и красивые Ланнистеры являются потомками андалов-завоевателей, создавших могучее королевство в Западных холмах и долинах. По женской линии они претендуют на происхождение от Ланна Умного, легендарного шута века героев. Золото Бобрового утеса и Золотого Зуба сделало их самыми богатыми среди великих домов. Их герб — золотой лев на алом фоне. Их девиз — «Услыши мой рев!».

ТАЙВИН ЛАННИСТЕР, лорд Бобрового утеса, Хранитель Запада, щит Ланниспорта.

Его жена ЛЕДИ ДЖОАННА, кузина, умерла в родах.

Их дети:

СИР ДЖЕЙМЕ, по прозвищу Цареубийца, наследник Бобрового утеса и близнец Серсеи,

КОРОЛЕВА СЕРСЕЯ, жена короля Роберта I Баратеона, близнец Джейме.

ТИРИОН, по прозвищу Бес, карлик.

Родственники его:

СИР КИВАН, его старший брат,

Его жена ДОРНА, из дома Свифтов.

Их старший сын ЛАНСЕЛЬ, сквайр короля,

Их близнецы сыновья, ВИЛЛЕМ и МАРТИН,

Их дочь, младенец ДЖЕНЕЯ,

ДЖЕННА, его сестра, замужем за сиром Эммоном Фреем.

Их сын СИР КЛЕОС ФРЕЙ,

Их сын ТАЙЕН ФРЕЙ, сквайр.

СИР ТИГЕТТ, его второй брат, умер от язвы.

Его вдова, ДАРЛИССА из дома Марбрандов.

Их сын ТИРЕК, сквайр короля

ГЕРИОН, его младший брат, пропавший на море.

Его незаконнорожденная дочь ДЖОЙ, девятилетняя девочка.

Их кузен, СИР СТАФФОРД ЛАННИСТЕР, брат покойной леди Джоанны.

Его дочери СЕРЕННА и МИРИЕЛЬ.

Его сын, СИР ДЕВИН ЛАННИСТЕР.

Его советник, МЕЙСТЕР ГРЕЙЛИН,

Его основные рыцари и лорды-знаменосцы:

лорд ЛЕО ЛЕФФОРД,
сир АДДАМ МАРБРАНД,
сир ГРИГОР КЛИГАН, Скачущая Гора,
СИР ХАРИС СВИФТ, тесть сира Кивана,
ЛОРД АНДРОС БРАКС,
СИР ФОРЛИ БРАКС,
СИР АМОРИ ЛОРХ,
ВАРГО ХОУТ, наемник из Вольного Города Квохора.

На верность Бобровому утесу присягнули Пейны, Свифты, Марбранды, Лиддены, Вейнфорты, Леффорды, Кракехоллы, Серреты, Брумы, Клиганы, Пристеры и Вестерлинги.

ДОМ АРРЕНОВ

Аррены происходят от Королей Горы и Долины, это одна из стариннейших и самых чистых линий андальской знати. Их знак — месяц и сокол, белые на небесно-синем фоне. Девиз Арренов — «Высокий как честь».

ДЖОН АРРЕН, недавно почивший лорд Орлиного Гнезда, Защитник Долины, Хранитель Востока, десница короля.

Его первая жена, ЛЕДИ ДЖЕЙНЕ из дома Ройсов, умерла, родив мертвую дочь.

Его вторая жена, бездетная ЛЕДИ РОВЕНА из дома Арренов, его кузина, умерла от зимней простуды.

Его третья жена и вдова, ЛЕДИ ЛИЗА из дома Талли.

Их сын

РОБЕРТ АРРЕН, болезненный мальчик шести лет, нынешний лорд Орлиного Гнезда и Защитник Долины.

Их свита и подданные:

МЕЙСТЕР КОЛЕМОН, советник, целитель и наставник,
СИР ВАРДИС ИГЕН, капитан гвардии,
СИР БРИНДЕН ТАЛЛИ, по прозвищу Черная Рыба, Рыцарь Ворот и дядя леди Лизы.

ЛОРД НЕСТОР РОЙС, Высокий Стюард Долины,

СИР АЛБАР РОЙС, его сын.

МИЯ СТОУН, незаконнорожденная девушка, прислужница.

ЛОРД ЕОН ХАНТЕР, ухажер леди Лизы.

СИР ЛИН КОРБРЕЙ, ухажер леди Лизы.

МИКЕЛЬ РЕДФОРТ, его сквайр.

ЛЕДИ АНЬЯ УЭЙНВУД, вдова.

СИР МОРТЕН УЭЙНВУД, ее сын, ухажер леди Лизы.

СИР ДОННЕЛ УЭЙНВУД, ее сын.

МОРД — жестокий тюремщик.

На верность Орлиному Гнезду присягнули Ройсы, Бейлиши, Игнеты, Уэйнвуды, Хантеры, Редфорты, Корбреи, Белморы, Мелколмы и Херси.

ДОМ ТАЛЛИ

Талли никогда не были королями, хотя они владеют богатыми землями и великим замком Риверрана уже тысячу лет. Во время Завоевательных войн Речной край принадлежал Харрену Черному, Королю Островов. Дед Харрена, король Харвин Жестокая Рука отобрал Трезубец у Аррека, короля Шторма, чьи предки захватили весь край вплоть до Перешейка три столетия назад, убив наследника прежних королей Реки. Подданные не любили тщеславного и кровожадного тирана Харрена Черного, и многие из речных лордов, оставив его, присоединились к войску Эйегона. Первым среди них был Эдмин Талли из Риверрана. Когда Харрен и его род погибли при пожаре Харренхолла, Эйегон возвысил дом Талли, наградив его главу Эдмина Талли властью над землями Трезубца. Лордам Реки пришлось присягнуть на верность новому властелину. Герб Талли — прыгающая форель, серебряная среди синих и красных волн. Девиз Талли — «Семья, долг, честь».

ХОСТЕР ТАЛЛИ, лорд Риверрана.

Жена его, ЛЕДИ МИЛИСА из дома Уэнт, умершая в родах.

Их дети:

КЕЙТИЛИН, старшая дочь, замужем за лордом Эддардом Старком,

ЛИЗА, младшая дочь, вдова Джона Аррена,

СИР ЭДМАР, наследник Риверрана.

Его брат, СИР БРИНДЕН, зовущийся Черной Рыбой.

Его челядь:

МЕЙСТЕР ВИМАН, советник, целитель и наставник,
СИР ДЕСМОНД ГРЕЛЛ, мастер над оружием,
СИР РОБИН РИГЕР, капитан гвардии,
УТЕРАЙДС УЭЙН, стюард Риверрана.

Его рыцари и лорды-знаменосцы:

ЯСОН МАЛЛИСТЕР, лорд Сигарда,
ПАТРЕК МАЛЛИСТЕР, его сын и наследник,
УОЛДЕР ФРЕЙ, лорд Переправы.
Его многочисленные сыновья, внуки и бастарды.
ДЖОНАС БРАККЕН, лорд Каменной Изгороди, Стоунхеджа.
ТИТОС БЛЭКВУД, лорд Древорона.
СИР РЕЙМЕН ДАРРИ.
СИР КАРИЛ ВЕНС.
СИР МАРК ПАЙПЕР.
ШЕЛЛА УЭНТ, леди Харренхолла.
СИР УИЛЛИС ВОДЕ, рыцарь, служащий ей.

На верность Риверрану присягнули меньшие дома: Дарри, Фреи, Маллистеры, Браккены, Блэквуды, Венты, Ригеры, Пайперы, Венсы.

ДОМ ТИРЕЛЛОВ

Тиреллы возвысились как стюарды Королей Раздолья, власть которых распространялась на плодородные равнины, лежащие на северо-запад от Дорнской Марни и на юго-запад от Черноводной. По женской линии они претендуют на происхождение от венчанного лозами и цветами Гарта Зеленая Длань, короля и садовника, правителя Первых Людей, при котором край процветал. Когда король Мерн, последний представитель древней династии, пал на Пламенном поле, стюард его Харлен Тирелл сдал Вышесад Эйегону-завоевателю Таргариену и присягнул ему. Эйегон даровал ему замок и власть над Раздольем. Знак Тиреллов — золотая роза на зеленом, как трава, поле. Их девиз: «Вырастая — крепнем».

МЕЙС ТИРЕЛЛ, лорд Вышесада, Хранитель Юга, Защитник Марни, Верховный Маршал Раздолья.

Его жена, ЛЕДИ АЛЕРИЯ, из дома Хайтаэуров Староместских.

Их дети:

УИЛЛИАС, старший сын, наследник Вышесада,
СИР ГАРЛАН, прозванный Доблестным, средний сын,
СИР ЛОРАС, рыцарь Цветов, младший сын,
МАРГАЕРИТ, дочь, дева четырнадцати лет.
Его вдовствующая мать, ЛЕДИ ОЛЕННА из дома Редвинов, прозванная Королевой Шипов.

Его сестры:

МИНА, замужем за лордом Пакстером Редвином,
ЯННА, замужем за сиром Джоном Фоссовеем.

Его дядя:

ГАРТ, прозванный Тучным, лорд-сенешаль Вышесада.
Его сыновья, бастарды ГАРСЕ и ГАРРЕТТ ФЛАУЭРСЫ.
СИР МЕРИН, лорд-командующий городской стражи Староместа.
МЕЙСТЕР ГОРМЕН, ученый в Цитадели.

Его челядь:

МЕЙСТЕР ЛОМИС, советник, целитель и наставник,
АЙГОН ВИРВЕЛ, капитан гвардии,
СИР ВЕЙТИМЕР КРЕЙН, мастер над оружием.
Его рыцари и лорды-знаменосцы:
ПАКСТЕР РЕДВИН, лорд Бора,
Его жена, ЛЕДИ МИНА, из дома Тиреллов.

Их дети:

СИР ХОРАС, известный как Орясина, близнец Хоббера,
СИР ХОББЕР, известный как Боббер, близнец Хораса
ДЕСМЕРА, дева пятнадцати лет.
РЕНДЕЛЛ ТАРЛИ, лорд Рогова Холма.
СЭМВЕЛ, его старший сын, брат Ночного Дозора,
ДИКОН, его младший сын, наследник Рогова Холма.
АРИВН ОКХАРТ, леди Старого Дуба.
МАТХИС РЕВАН, лорд Золотой Рощи.
ЛЕЙТОН ХАЙТАУЭР, Глас Староместа, лорд Гавани.
СИР ДЖОН ФОССОВЕЙ.

На верность Вышесаду присягнули Вирвелы, Флоренты, Окхарты, Хайтауэры, Крейны, Тарли, Рованы, Фоссовеи и Маллендоры.

РОД ГРЕЙДЖОЕВ

Грейджой из Пика претендует на происхождение от Серого Короля из века героев. Легенды утверждают, что Серый Король правил не только Западными островами, но и самим морем, и даже был женат на русалке.

Тысячи лет пираты с Железных Островов — железными людьми называли их те, кого они грабили, — сеяли на морях ужас, доплывая даже до Порт-Иббена и Летних островов. Они гордились своей свирепостью в битве и священной свободой. На каждом островке был свой король «камня и сели». Верховного правителя островов долго выбирали из их числа, пока наконец король Уррон не учредил наследственное правление, перебив собравшихся на выборы королей. Род самого Уррона пресекся через тысячу лет, когда андалы захватили острова. Грейджой, как и прочие островные владыки, смешал свою кровь с кровью завоевателей.

Железные короли простерли свою власть за пределы самих островов, добывая себе владения на материке огнем и мечом. Король Кхоред справедливо хвастал тем, что власть его простирается повсюду, «где люди чуют запах соленой воды и слышат плеск волн». В последующие столетия наследники Кхореда утратили Бор, Старомест, Медвежий остров и большую часть западного побережья. Все же перед Завоевательными войнами король Харрен Черный правил всеми землями, что между гор — от Перешейка до Черноводной. Когда Харрен вместе с сыновьями пал, обороняя Харренхолл, Эйегон Таргариен отдал Речные земли дому Талли и позволил уцелевшим людям Железных Островов возобновить свой древний обычай и избрать среди себя того, кто будет править ими. Они назвали лорда Викона Грейджоя, из Пайка. Знак Грейджоев — золотой кракен на черном поле. Их девиз — «Мы не сеем».

БЕЕЛОН ГРЕЙДЖОЙ, лорд Железных островов, король камня и соли, сын Морского Ветра, лорд-жнец Пайка.

Его жена, ЛЕДИ АЛАННИС, из дома Харло.

Их дети:

РОДРИК, старший сын, убитый при Сиграде во время бунта Грейджоя,

МАРЕН, средний сын, убитый на стенах Пайка во время бунта Грейджоя,

АША, их дочь, капитан «Черного ветра»,

ТЕОН, их единственный уцелевший сын, наследник Пайка, воспитанник лорда Эддарда Старка.

Его братья:

ЕУРОН, прозванный Вороньим Глазом, капитан «Молчаливого», беззаконный пират и разбойник,

ВИКТАРИОН, лорд-капитан Железного Флота,

АЕРОН, прозванный Мокроголовым, жрец Утонувшего Бога.

На верность Пайку присягнули меньшие дома, в том числе Харлоу, Стоунхаусы, Мерлины, Сандерли, Бетли, Тауни, Уинги, Гудбразеры.

ДОМ МАРТЕЛЛОВ

Нимерия, воинствующая королева ройнаров с десятью тысячами кораблей высадилась в Дорне, самом южном из Семи Королевств, и взяла в мужья лорда Морса Мартелла. С ее помощью он устранил всех, кто мешал ему добиться единоличной власти над Дорном. Ройнаров не забыли в стране. По обычаю правители Дорна называют себя принцами, а не королями. По местным законам земли и титулы наследуются старшим сыном. Лишь Дорн из всех Семи Королевств не был покорен Эйегоном Драконом. Постоянное присоединение состоялось лишь два века спустя — по браку и договору, а не мечом. Миролюбивый король Дейерон II преуспел там, где потерпели неудачи воины. Он женился на дорнийской принцессе Мириах и отдал свою сестру правящему принцу Дорнскому. На знамени Мартеллов красное солнце пронзено золотым копьем. Девиз их — «Не поклонившийся, не согнувшийся, не сломленный».

ДОРАН НИМЕРС МАРТЕЛЛ, лорд Солнечного копья, принц Дорнский.

Его жена МЕЛАРИО из Вольного Города Норвоса.

Их дети:

ПРИНЦЕССА АРИАННА, старшая дочь, наследница Золотого копья,

ПРИНЦ КВЕНТИН, их старший сын,

ПРИНЦ ТРИСТАН, их младший сын.

Его родственники:

Сестра: ПРИНЦЕССА ЭЛИЯ, замужем за принцем Рейегаром Таргариеном, убита при взятии Королевской Гавани.

Их дети:

ПРИНЦЕССА РЕЙЕНИС, маленькая девочка, убита при взятии Королевской Гавани.

ПРИНЦ ЭЙЕГОН, младенец, убит при взятии Королевской Гавани.

Его брат, ПРИНЦ ОБЕРИН, Красная Гадюка.

Его челядь:

АРЕ ХОТАХ, норвошийский наемник, капитан гвардии,
МЕЙСТЕР КАЛЕОТТЕ, советник, целитель, наставник.
Его рыцари и лорды-знаменосцы:
ЕДРИК ДЕЙН, лорд Звездопада

Среди главных домов, присягнувших Солнечному копью, числятся Джордейны, Сантагары, Аллирионы, Толанды, Айронвуды, Уилы, Фаулеры и Дейны.

СТАРАЯ ДИНАСТИЯ ДОМ ТАРГАРИЕНОВ

Таргариены от крови дракона, потомки знатных лордов древнего Фригольда Валирии; о происхождении их свидетельствует потрясающая (некоторые утверждают — нечеловеческая) красота: сиреневые, индиговые или фиолетовые глаза, серебряные с золотым отливом или платиново-белые волосы.

Предки Эйегона уцелели при гибели Валирии и в последующем кровавом хаосе и поселились на Драконьем Камне, скалистом острове в Узком море. Именно отсюда Эйегон Драконовластный и его сестры Висенья и Рейенис отправились покорять Семь Королевств. Чтобы сохранить в чистоте королевскую кровь, в доме Таргариенов нередко предпочитали, придерживаясь валирийского обычая, выдавать сестру за брата. Сам Эйегон взял в жены обеих сестер и имел сыновей от каждой. На знамени Таргариенов изображен трехголовый дракон, красный на черном, три головы его символизируют Эйегона и его сестер. Девиз Таргариенов — «Пламя и кровь».

ДИНАСТИЯ ТАРГАРИЕНОВ В ГОДАХ ОТ ВЫСАДКИ ЭЙЕГОНА

1—37, Эйегон I, Эйегон Завоеватель, Эйегон Драконовластный;

37—42, Эейгон I, Сын Эйегона и Рейнис

42—48, Мейегор I, Мейегор Жестокий, сын Эйегона и Висеньи

48—103, Джейехерис I, Старый король, Умиротворитель, сын Эйениса

103—129, Визерис I, Внук Джейехериса

129—131, Эйегон II, Старший сын Визериса (Восшествию на престол Эейгона воспротивилась его сестра Рейенира, старшая на год. Оба погибли в междуусобной войне, названной сказителями Пляской Драконов)

131—157, Эйегон III, Губитель Драконов, сын Рейениры (Во время правления Эйегона III умер последний дракон Таргариенов)

157—161, Дейерон I, Юный Дракон, Король-мальчик, старший сын Эйегона III (Дейерон покорил Дорн, но не сумел его удержать и умер молодым)

161—171, Бейелор I, Возлюбленный, Благословенный, септон и король, второй сын Эйегона III

171—72, Визерис II, Четвертый сын Эйегона III

172—184, Эйегон IV, Недостойный, старший сын Визериса (Его младший брат, принц Эйемон Рыцарь Драконов, назвал своей дамой королеву Нейерис и, по слухам, был ее любовником)

184—209, Дейрон II, Сын королевы Нейрис от Эйегона или Эйемона (Дейерон присоединил к государству Дорн своим браком на дорнийской принцессе Мириах)

209—221, Эйерис I, Второй сын Дейерона II (не оставил потомства)

221—233, Мейенар I, Четвертый сын Дейерона II

233—259, Эйегон V, Невероятный, четвертый сын Мейенара

259—262, Джейехерис II, Второй сын Эйегона Невероятного

262—283, Эйерис II, Безумный король, единственный сын Джейехериса

Династия королей-драконов пресеклась, когда Эйерис II был низвергнут и убит; наследник его кронпринц Рейегар Таргариен погиб от руки Роберта Баратеона у Трезубца.

ПОСЛЕДНИЕ ТАРГАРИЕНЫ

КОРОЛЬ ЭЙЕРИС ТАРГАРИЕН, второй обладатель этого имени, убит Джейме Ланнистером во время взятия Королевской Гавани.

Его сестра и жена КОРОЛЕВА РЕЙЕЛЛА из дома Таргариенов, умерла в родах на Драконьем Камне.

Их дети:

ПРИНЦ РЕЙЕГАР: наследник Железного трона, убит Робертом Баратеоном у Трезубца, его жена ПРИНЦЕССА ЭЛИЯ из дома Мартеллов, убита при взятии Королевской Гавани.

Их дети:

ПРИНЦЕССА РЕЙЕНИС, маленькая девочка, убита при взятии Королевской Гавани,

ПРИНЦ ЭЙЕГОН, младенец, убит при взятии Королевской Гавани.

ПРИНЦ ВИЗЕРИС, называвшийся Визерисом, третьим носителем этого имени, лордом Семи Королевств, прозванный Нищим Королем,

ПРИНЦЕССА ДЕЙЕНЕРИС, прозванная Бурерожденная, дева тринадцати лет.